УЧЕНИЕ ЖИВОЙ ЭТИКИ

В ТРЕХ ТОМАХ

ТОМ 3

Санкт-Петербург
Отделение издательства
«Просвещение»
1993

ББК 87.3
У91

МЕЖДУНАРОДНЫЙ ЦЕНТР РЕРИХОВ
ТОО «УРАН»

При подготовке издания были использованы материалы,
находящиеся в архиве
Международного Центра Рерихов (Москва)

Учение Живой Этики: В трех томах. Т. 3/Сост.
У91 Г. Е. Чирко.— СПб.: отд-ние изд-ва «Просвещение»,
1993.— 814 с.
ISBN 5-09-002228-3; 5-09-002231-3 (Т. 3)

Учение Живой Этики является результатом духовного сотрудничества Великих Учителей Востока с семьей Рерихов.

Учение Живой Этики представляет собой синтез философских проблем космической эволюции человечества, достижений древней мысли Востока и духовных процессов современности.

Живая Этика дает людям нравственные критерии изменения мира через самосовершенствование каждого человека как представителя Космоса.

В третий том включены следующие книги: «Мир Огненный», «АУМ», «Братство».

Для широкого круга читателей, интересующихся философской проблемой построения мира, стремящихся к постижению единства Человека и Вселенной.

У $\frac{0301030000-039}{103(03)-93}$ Без объявл.   ББК 87.3

МИР
ОГНЕННЫЙ

1933

Часть первая
Первое издание: Париж, 1933

Часть вторая
Первое издание: Рига, 1934

Часть третья
Первое издание: Рига, 1935

ЧАСТЬ ПЕРВАЯ

Ур есть корень Света Огня. С незапамятных времен это Светоносное Начало привлекало сердца многих народов.

Так из прошлых Заветов перенесемся в будущие достижения.

1. Стихия Огня, самая вездесущая, самая творящая, самая жизненосная, менее всего замечается и оценивается. Множество пустых, ничтожных соображений занимает человеческое сознание, но наиболее чудесное ускользает. Люди спорят о пайсе на базаре, но не желают протянуть руку к сокровищу. Многое сказанное о сердце должно быть приложено и к Огненному Миру, но в особом обострении. Огонь стремительный, как мощь строения кристаллов. Шары, сферы кристаллов не случайно употреблялись ясновидцами. Угли горящие нужны для очищения сознания, пламя радужное утверждает стремление духа. Множество приложений работы Огня явлены как самые поразительные условия Бытия. От обычных световых образований, доступных открытому глазу, до сложных огней сердца — все вводит нас в область Огненного Мира.

2. При наблюдении за огненными знаками можно заметить подразделение людей. Одни вечно стремятся и не могут существовать без этих возвышающих движений — будьте уверены, что они принадлежат к стихии Огня. Даже при заблуждениях они не могут оставаться в бездействии. Присмотритесь к ним и всегда найдете мощь пламенную. Но среди неподвижности земной, среди качаний водных и понуждений воздуха не ищите Огня творящего. Мы не желаем превозносить особенно огненных людей, но должны, поистине, сказать, что они двигают мир. Нужно не забыть, что этим людям вовсе не легко среди прочих сочетаний. Справедливо сказание об Огненном Ангеле с опаленными крылами. Когда он устремляется на спасение мира, его фосфорные крылья черкают о скалы земные и опаляются и обессиливают Ангела. Так показано разительное различие между миром земным и Огненным.

Глаз земной, будучи очень утонченным, тем не менее обычно не воспринимает даже тонких явлений. Но Мир

Тонкий, в свою очередь, не зрит огненных жителей, куда может вести сердце пламенное. Так можно понять почитание Огня. У нужных человеческих устремлений есть естественное явление Мира Огненного. От ранних лет они как бы носят на себе отблеск Высшего Огня. Эти искры заставляют их как бы удаляться от соприкасания с другими элементами, и те не любят этих огненных очей. Но не пройти путь земной без прикасания к Огню, потому лучше знать его сущность.

3. Нужно указать, что напряжение Огня отзывается на всех отправлениях тела. Не надо забывать, что именно Огонь Пространства может, с одной стороны, заживлять раны, но, с другой — напрягать ткани. Так будем осторожны.

4. Казалось бы, ясно сказано об Огненном Крещении. Указаны огненные языки над головами, но люди не желают принять действительность как она есть. Они будут как бы почитать Писания, но не принимать в жизни. Не все могут принять и спокойно наблюдать нежгучее пламя, как вы видели его, хотя оно было вполне действительным, со всеми свойствами огня, кроме жгучести. Но нужно было иметь открытое сердце, чтобы стоять перед этим пламенем. Люди уловили грубое проявление в виде электричества, но без применения огненных свойств человеческого организма они не могут продвинуться к утончению проявления. Утро человечества наступит, когда явление понимания Огня войдет в жизнь.

5. Если говорим об Огне неопаляющем, то также нужно не забыть Огонь жгучий. Когда монахиня стонет: «Горю, горю!»,— никакой врач не знает, чем облегчить; даже пробует применить холодную воду, забывая, что масло водой не залить. Огонь можно утишить лишь огнем, иначе говоря, энергией сердца, которая выделяется при так называемом магнетизме. Током лечим возгорания; они могут вспыхивать в самых различных центрах. Но, конечно, главная опасность около сердца, солнечного сплетения и гортани. Эти центры, как наиболее синтетические, могут подвергаться самым неожиданным натискам. Кто хотя один раз испытал внутренний Огонь, тот понимает опасность пожара центров. Тот знает, какое мучительное страдание доставляет вырвавшееся пламя. При этом в большинстве случаев человек невиновен, кроме разве раздражения. Часто пожар вспыхивает от посторонних воздействий и в случае утончения состояния от космических причин. Утомление сердца, конеч-

но, открывает ворота врагу. Так Огонь творящий может превратиться в пламень разрушительный. Нужно запомнить это, ибо вспышки начинаются от малого. Также нужно помнить о бережности к огненной энергии. Велико зло без причины использовать чужую огненную энергию. Не может Архат сказаться вампиром — это основа жизни. Потому мудр закон вечного даяния. Кажется, что общего между жертвой и огнем, но жертва пламенная называется во всех Заветах.

6. Нужно проявить особую осторожность. Можете видеть, как даже меняются нравы в народе. Так невежество реагирует на давление атмосферы. Нужно заметить, что невежество часто утверждает основы тьмы. Можно представить, как мозг неразвитый поддается при молчании сердца. Нравы народа поникают, как иссохшая яблоня. Так и сейчас опасность эпидемий огненных велика.

Халдеи разделяли все болезни по стихиям и были не далеки от истины, ибо стихии и Светила составляют главные условия организма как космического, так и человеческого.

7. Только подумайте, что каждый из нас носит в себе Огонь единый, неизменный для всей Вселенной. Никто не желает представить себе, что сокровище вселенское в нем. Стихии являются не единственными для всего Космоса; изменение качеств их не дозволяет назвать их едиными, но огонь сердца одним своим магнитом соединяет все мировые строения. Нужно подумать об этом преимуществе. Нужно приложить это сокровище ко всему укладу жизни. Только один Свет Огня во всем мире. Мы можем понять явление Огня на самых дальних расстояниях. Нет в этом ни сверхъестественного, ни таинственного. Даже низший ученик уже слышал о всепроникающем Огне, но только не осознал в своем применении.

8. Явление разных огней не противоречит единству сущности Огня. Лишь ритм напряжения окрасит пламя зримое от серебра через червонное золото до напряженного рубина. Рубин напряжения редок, ибо не каждое сердце может выдержать его.

9. Чтобы получить и принять Огонь, как путь Иерархии, как путь любви и сострадания, нужно утвердиться всем сердцем бесповоротно, только так малые звезды обратятся в пылающие громады.

10. Тесные времена пусть будут тоже благословенны. Именно в такие времена приучаемся отличать важное от

ничтожного. В дни благополучия темнеет зоркость, но это качество особенно нужно, приближаясь к огненным сферам. Потому так драгоценны угнетение и нагнетение: они не только умножают зоркость и стремительность, но и выдавливают из недр наших огни новые. Пусть Огонь Тары будет особенно близок. Так полюбим неожиданность как источник новой радости. Поистине, лучший Огонь вспыхивает от радости. Итак, для невежд тесные времена — лишь ужас, но для знающих они — лишь источник событий. Огни делают даже дальние действия близкими. Кому-то сказанное покажется холодной отвлеченностью, но это будет значить, что его сердце холодно и потух Огонь его. Вы уже знаете жар сердца и понимаете Вестника неожиданного. Потому так важно идти за Владыками, что надо опередить темные решения. Лишь Огонь Владык зажжет дерзание. Так нужно ценить каждое слово о Владыках. Если оно произнесено при неведении, то все же в нем Прана смелости. Пусть по всем углам звучат слова о Владыках. Ведь это свечи, зажженные перед святынями. Ведь это лампады Живого Огня — защита против болезней. Торжественность, как ключ от затвора.

11. При напряженных огненных явлениях можно заметить одно проявление основного качества Огня. Окружающие предметы становятся как бы прозрачными. Вы можете засвидетельствовать это. Огонь как бы претворяет все огненные сущности и открывает светоносную материю, лежащую в основании всего Сущего. То же можно сказать о магните огненного сердца, своеобразно оно открывает огненную природу всего приближающегося. Так можно наблюдать огненные качества через огненное сердце. Только нужно найти это сердце и со всею бережностью приложить его к опыту. При таких опытах нужно помнить, что обнажение светоносной материи может быть чрезвычайно опасно при грубых окружающих условиях. Опасность полного Самадхи зависит от этого же качества Огня. Тем не менее не противьтесь огненным явлениям, если они не отягощают сердце. Явления на годах Армагеддона, конечно, очень спутаны, ибо ритм Огня Пространства и Огня подземного нарушен. Обычно подобные нарушения ритма не принимаются во внимание и тем еще больше усиливают космическое смятение.

12. Ужасны приближающиеся огненные волны, если о них не знать и не принять их своими огнями сердца.

13. Вы слышали о некоторых детях, которые могут видеть через твердые тела. Ищите разгадку в кармической огненной природе. Конечно, это совершенно частный физи-

ческий феномен, обычно не ведущий к высшим огненным познаниям. Хатха Йога усугубляет отдельные центры, и можно лишь пожалеть, что эти частичные усилия не приводят к Раджа Йоге и к Агни Йоге. Так физические и огненные упражнения лишь вредны, нарушая окружающее равновесие. Огонь есть высшая стихия, и приближение к ней должно быть путем высшего сознания. Можно понять и полюбить Огонь лишь этим высшим сознанием.

14. «Кровь, кровь!» — вопят на Западе и на Востоке. Небывалое время! Спасительный Огонь невежественно превращается в пожирателя!

15. Окружись Огнем и стань невредим — Завет древнейший. Но при огрубении люди стали забывать, о каком Огне указывалось мудрыми. Огонь стал физическим, и появились магические круги Огня. Так люди всегда умаляют сущность свою. Конечно, всякий живой Огонь целителен, но никакая смола не может сравниться с Огнем сердца. Пусть хотя бы помнят о качестве земного Огня, но, поистине, пришло время снова обратиться к первоисточнику, иначе нельзя переступить границу, у которой уже стоит человечество. Оно использовало и напрягло земные силы и встревожило мощь высшую. Только огненно озаренное сознание может соединить нарушенный мост восхождения.

16. Можно ли из огненной стихии превратиться в существо иных энергий? Нельзя. Но зато из других стихий можно превратиться в огненное существо, ибо Огонь вездесущ. Конечно, нелегки эти скачки. Нужно большое напряжение духа, чтобы превратить сердце на соединение с высшей энергией. Но огненные Врата не закрыты — стучитесь, и откроется вам. Так все Учения зовут к Огненному Крещению.

17. Сущность огненного иммунитета была описана Зороастром. Он указывал, что люди из каждой поры кожи могут вызвать огненные лучи, которые поражают всех вредителей. Человек, покрытый бронею защитною, не может получить никакое зараженное явление. Можно усилить это напряжение единением с Иерархией. Так сердце становится как солнце, испепеляющее все микробы.

18. Конечно, бациллы рака существуют, прежде всего они могут быть усмотрены и убиты Огнем сердца. Если отсутствие психической энергии способствует развитию их, то Огонь сердца, как высшее выражение сознания убивает их. Конечно все, что легко испепеляется высшей энергией, то до известной степени может быть облегчено и физическим огнем. Корни многих растений содержат в себе значительные растительные огни и потому могут быть полезны там, где Огни сердца еще не действуют.

19. Вы уже знаете о значении тридцатилетнего возраста для огненных явлений, но особенно нужно оберегать организм до семи лет. У детей, даже самых развитых, не нужно никогда насиловать природу — Огонь не терпит насилия. Нужно уметь открыть дверь, но всякое насилие может вызвать непоправимый вред. С другой стороны, не следует чрезмерно облегчать устремление ребенка, ибо условие чрезмерной помощи приводит к дряблости. Так заповедан Золотой Путь. Так Огонь требует осторожного обращения во всех проявлениях. Ясновидение и яснослышание, в сущности, есть огнеслышание и огневидение. Огонь нужен, как посредник всех возвышенных действий. О сердце мы твердили шестьсот раз, также готовы твердить о значении Огня шестьсот шестьдесят шесть раз, лишь бы утвердить определение Огня, как лестницу торжественную. Люди не могут прожить без обращения к Огню — или в земном, или в Тонком Мире они обращаются к высшему посредничеству. Но не об Огнепоклончестве Мы говорим, ибо найдутся невежды и изуверы, которые попытаются взвести и это нелепое обвинение. Говорю о познании высшем, которое приведет тонкое тело наше к Огненному Миру.

20. Каждый кормчий скажет вам — не поворачивать руль слишком круто. Но еще больше нужно сказать о человеческом сознании — этот кристалл образуется медленно, но каждый миг наслоения есть пространственная радость. Сердцебиение у каждого, но огненную сущность замечают редко, потому говорим об Огне не всегда, но лишь там, где уже был Огонь наслоен.

21. Глаз человеческий не воспринимает сильнейшие электрические вибрации. То же происходит и в отношении огненных градаций. Между прочим, это обстоятельство будет всегда мешать Учению об Огне. Небольшие проявления огненных энергий будут ощущаться и тем допускаться, но более высокие и утонченные явления станут неуловимыми для современного аппарата и для сознания, которое кармически не приближалось к стихии Огня. Но современники не легко допускают несовершенство аппарата, и тем более свою неопытность. Такие недопущения становятся большим препятствием, и вместо движения вперед приходится тратить ценное время на внедрение понимания качества Огня. Но и при повторениях понятия Огня происходит наслоение

полезное, которое неизгладимо вложится в мозг. Что же делать, пусть хотя бы мозгом воспримут те, кто не могут принять сердцем. Наша обязанность — предложить пути кратчайшие, но терпение найдется следовать и длиннейшими дорогами. Главное основание непоколебимости, когда вы сами знаете в сердце, что нет иного пути, и потому Мир Тонкий завершается лишь Огнем. Так знание сущности нашей не только знает, но и ощущает.

22. Неощущение высших токов Огня несколько напоминает, когда священнослужитель при каждодневности привыкает к току Святилища. Известно, что Святые, Высшие Духи, объятые струями Огня, не замечали этого высшего явления. Конечно, живущие в Тонком Мире не замечают особенность его, совершенно так же и приобщенные к Огню не считают это состояние особым. Виртуоз музыки не считает особенным, когда он играет прекрасно, — это уже обычно ему. Так и Мир Огненный нисходит до земного состояния, и приобщенные к нему теряют ощущение особенности.

23. Приступая к явлениям Огня, будем иметь в виду разные степени. Так называемые прохождения через Огонь будут совершенно различны. Низшие факиры натирают тело золою с минеральной пылью и тем придают некоторую стойкость против Огня. Конечно, это чисто телесное, внешнее воздействие не может быть занимательно. Йоги проходят сквозь Огонь и призывают как противодействие сердечную энергию. При этом Огонь внутренний пробивается через поры кожи и, будучи мощнее Огня земного, образует сильную защитную броню. Такие йоги могут без вреда проводить через Огонь и желающих следовать за ними. При этом йог распространяет свою энергию на следующих за ним, если они смогут всецело перенести свое сознание в сердце йога. Условие всемерного перенесения сознания в сердце Водителя вообще характерно для огненных действий.

24. Скажут, что Огонь как стихия неуловим для наблюдения. Скажите — он показывается даже больше других стихий. Разве земля или вода больше явлены для человека при наблюдениях организма? Огонь легче показывается и в температуре, и в пульсе, и, главное, в том трепете, который сопровождает все огненные явления. Это не трепетание ужаса, но объединение с пульсом стихии. Разве вызывает трепет общение с землею или с водою? Но Огонь, даже в малом размере, дает особую сенсацию. Так пусть не говорят о недостижимости Огня Пространства.

25. Особенно драгоценно уловить в сердце своем общение с огненной сущностью. Средневековье, конечно, добавило бы к этому и пламень костра. Но даже в те времена могли находиться сильные люди, которые не боялись говорить о том, что они видели и ощущали в себе.

26. Змий Огненный, поднимающийся над «Чашей» в виде змия Моисея, как восьмерка арабская, может показать напряжение «Чаши», ибо «Чаша» полна Огня. Наслоения и отложения в «Чаше» представляют продукт огненный. Так мы прежде всего — существа Огненные. Только при этом убеждении мы начнем растить и так называемые Огненные Крылья.

Не огненные ли капли стучатся к вам? Не огненные ли волны напрягают ритм? Пусть каждое напоминание об Огне служит насыщению торжественностью.

27. Наблюдение над людьми, любящими структуру пламени, постоянно дает новые выводы. Приближаясь к Огню, мы начинаем познавать ритм энергии, которая создает все сочетания. Нужно полюбить эту стихию всеми пониманиями, иначе говоря, мыслями, послушными пространству. Когда мы готовы пребыть земными гномами, то нужно помнить, что лучшие гномы служат Огню. Так нужно понять, что даже низшие сознания тянутся ввысь. Даже в сказках явлены гномы, которые не могут жить без преданности огненным существам. Так древние пытались внедрить в детское сознание огненные представления. Теперь же наука через теорию калорий, через астрохимию дает ту же сказку о Великом Огне. Но исключительность огненных явлений все же не позволяет среднему человеку ввести понятие Огня в обиход, тем самым Огонь остается в пределах нежелательной отвлеченности. От этого ограничения нужно отстать. Говорю как врач.

Утверждаю, что, служа Огню, пройдем через все темные бездны! Если для летательных аппаратов нужен особый газ, то насколько нужна тончайшая энергия для возвышения духа!

28. Подвиги и все героические деяния суть действия огненные. Высшая энергия переносит людей через пропасть. Могут спросить — не огненная ли энергия участвует в подъеме злодейства? Именно та же энергия может поднять нож окровавленный, потому и советуем не обращать Огонь Благодати в пламень разрушения. Кроме вреда личного пламень разрушения заражает окружающее пространство. Больше того, злой пламень раздувается разлагающими вихрями низших слоев. Давно сказано, что грешники сами ад топят. Сами люди ответственны за количество зла. При этом огромное количество зла не осознано, и люди не желают признать, откуда эти ужасные ожоги. В разных странах вы видели различные изображения ада. Если эти формы осуществлены на Земле, тем самым они существуют в Мире Тонком. Насколько же на Земле нужно избегать всего безобразного! Огонь Благодати творит самые прекрасные преображения. Будем же этими трудящимися благословенными кузнецами. Благодатные Огни высоко носимы вихрями дальних миров.

Когда-то существовало огненное испытание. При этом испытуемый приближался к Огню, и Огонь при касании истины устремлялся кверху, но неправда искривляла пламень. При всем несовершенстве такое испытание напоминало о возможности воздействия Огня.

29. Вы видели Наши аппараты для измерения давления Огня. Вырвавшееся пламя показывает ужасное давление. Огненная сущность находится под нагнетением многих атмосфер, чтобы воспламениться, нужно осилить массу нагнетений. Если пламень образовался и вырвался, значит, давление и мощь его необычны.

30. Оказавшись за пределом трех измерений, даже самый хладнокровный ужаснется, если сердце его не приготовлено к следующему познанию. Нельзя перескочить из одного состояния в другое без закаления огненного. Так невозможно принять красоту и торжественность Тонкого Мира без своевременного утончения сердца. Можно в темноте стоять бессмысленно перед прекраснейшими произведениями искусства, но ведь темнота в нас самих! И зажечь Пространственный Огонь можно лишь Огнем сердца. Много раз говорилось, что великий Огонь выявляется нашим сердцем. Так, если кто-то остается в темноте, пусть винит лишь себя. Но ужасно остаться во тьме четвертого измерения, и все следующие измерения превращаются в ужасные гримасы без освещения Огнем сердца.

31. Конечо, истечение слюны или разные боли нервных центров соответствуют различным степеням космических пертурбаций. Но является вопрос: будут ли эти знаки отражением космических событий или же они будут сотрудничеством с мировыми энергиями? Нужно признать второе. Микрокосм утонченный будет истинным сотрудником Макрокосма. Сказано: «Ходил Авраам перед Господом». Поймем это как полное сотрудничество. Из этой полноты рождается и следование закону Бытия.

32. Трудно жить в низших слоях утонченному сердцу. Немного помогают высоты, но все же между сердцем и огненной родиной его слишком велики промежуточные разрывы. Но ведь не должны были существовать загрязненные слои. Люди создали их и должны стремиться к их очищению. Искусственный озон лишь очень мало поможет. Прана очищена Высшим Огнем, и лишь это качество делает ее творящей. Но даже в долинах, даже на площадях городов прежде произнесения решений пробуйте вдохнуть как можно глубже. В этом вздохе, может быть через все преграды, дойдет частица Праны-Благодати. Так не будем отчаиваться нигде и сделаем всюду последнее усилие. Можно наблюдать, как искренний сердечный вздох образует необычно долгую как бы трубу призывную. Так не забудем, что все лучшие проявления человеческого организма не только могущественны химическими реакциями, но они проникают через многие слои своею психическою силою. Не унизим ничем священный микрокосм, созданный волею чистого сердца.

33. Пусть не отложат те, кто могут поспешать в мыслях своих. Нужно привыкать, что каждая мысль есть общение с Огнем. Потому стыдно иметь мысль невежественную или ничтожную.

34. Будем подобны ждущим Великий Приход: слушать Шаги и знать, что сердце наше предоставлено на помощь миру. Не допустим смущения и отрицания, ибо эти свойства обратят языки пламени против нас.

35. На Великом Пути лучше быть оклеветанными, нежели мешать решению Владык. Полюбим быть оклеветанными, ибо не назовем огненного пути без этих ковров злоречия.

36. Пусть не смущаются Моим требованием борьбы. Стоящие на месте в тысячу раз больше подвергаются опасностям, нежели стремящиеся. Конечно, пусть стремление будет в сердце и в мыслях, не в ногах только.

37. Действительно, так называемая трава правды существует. Сочетание семи растений отворяет задерживающие центры, и человек говорит свои мысли. Это не гашиш, но явление древнейших лечебных воздействий. Первоначально оно употреблялось для определения заболеваний, ибо никто лучше самого себя не знает причину происходящего внутри. Но внутреннее сознание не может явить эти сокровенные причины без особого воздействия. Лишь впоследствии правители и суды применяли это как средство дознания и тем внесли элемент насилия. Но все насильственное и искусственное противно основе Бытия.

38. Часто люди жалуются на отделение Тонкого Мира, уже не доступного для Земли. Но Аюрведическая традиция предусматривала и это земное отчуждение. Существует растительный экстракт, который, втертый в кожу, дает приближение к Тонкому Миру, облегчая видимость и осязаемость его. Но при этом требуется полная отделенность сознания от Земли. Кроме того, и такая насильственность недопустима в перестроении мира. Не будем ничем умалять значение сердца и Огня. Разве нужны малые корешки при полете духа?

39. Если соберем все подробности жизни нашей, то найдем множество доказательств Тонкого Мира. Также найдем, что голоса Тонкого Мира в большей части не доходят до Земли, как наш голос до глухих ушей. Именно это сравнение будет точно, когда представим себе крики Тонкого Мира не доходящими до Земли. Ничто не сравнится с отчаянием Тонкого Мира, когда его предупреждения не достигают цели. По-своему Тонкий Мир очень хочет помочь здешнему. Но истинное сотрудничество состоится лишь воспитанием сердца и пониманием качества природы Огня.

40. В древних фармакопеях и в разных родовых, лечебных записях вас поражает множество намеков о составах для приведения организма в трансцендентальное состояние. Вы чувствуете, что это не некромантия, не колдовство, но своеобразное искание своего будущего. Потому ясно, что наши дальние предки гораздо больше заботились и мыслили о будущем, нежели мы, современные ученые. Будущее у нас остается или в пределах пламени ада, или в области электрического явления. Мощная животворная сила Огня не осознана, светлые, лучезарные явления не осмыслены, и сама Иерархия Света остается или призраком, или пугалом. Очень многие хотят уклониться от будущего, предпочитая назвать себя пылью. Но даже ученые содрогаются при вопросе: не желают ли они пройти через Огонь?

Между тем как много раз мы были выведены из трехмерного состояния! Когда мы мыслим, разве мы замечаем время или температуру? Мы совершенно не замечаем множество минут, которые сливаются в один миг или превращаются в вечность. Такие опыты происходят ежедневно, и каждый может усмотреть прекрасные феномены.

41. Понятие Шамбалы, действительно, неразрывно связано с огненными явлениями. Без применения очищенного

Огня невозможно приблизиться к высшим понятиям. По всему миру люди делятся на сознающих Шамбалу как Высшую Меру и на отрицающих будущее. Пусть слово Шамбала знакомо лишь немногим. Каждый имеет разный язык, но единое сердце. Нужно со всею бережностью явить внимание каждому, кто готов идти к Свету. Мы должны сердцем обнять каждое явление, отзвучащее на Благо. Но лишь под Пламеным Сводом все равны.

42. Вы пишете по небу дымные слова и, может быть, не знаете, что халдеи на зикуратах писали в пространстве, когда приходили сроки. Так создавалось сотрудничество со Светилами, лучи химические спешили укрепить земные решения. И ученые, в свою очередь, запечатлевали в пространстве свои утверждения.

43. Трудность познавания до известной степени зависит от ограниченности земного языка. Все символы и высшие понятия условны до степени нелепости. Когда человек замечал что-либо, выходящее из круга обихода, он начинал толковать о чем-то смутно-необычном в таких выражениях, которые для соседа значили совершенно обратное. К тому же примешивались все аномалии зрения, вкуса, слуха и получалось совершенное разноязычие. Когда же человек пытался выразить высшее Иерархическое Понятие, он старался нанизать лучшие слога и доходил до крайнего смешения. Заметьте, что каждый говорящий о трансцендентальном понятии встречается с самыми неожиданными толкованиями. Нередко люди говорят о том же самом в таких различных словах, что нет возможности словами примирить их. Тогда не утомляйтесь спором, но сердечно замолкните. Дайте поработать огненной энергии — она сумеет найти, хотя бы и узкий, вход. Так, при всех обстоятельствах помните, что у вас имеется запас всепроникающей энергии.

44. Также помните, что огненная энергия растет и работает непрестанно, если сердце зажжено. Тем самым легче понять и уже упомянутую делимость духа. Пламя делимо без ущерба и не требует никаких расстояний и времени. Так, когда видят вас в разных странах одновременно, не нужно удивляться — это лишь одно из качеств огненного напряжения.

Конечно, это огненное напряжение приносит нагнетение солнечного сплетения. Нужно представить себе, насколько соединение Огня сердца с Огнем Пространства должно напрягать центры.

45. Работайте подобно ваятелям. Рука их знает, на-

сколько прикоснуться к камню, чтобы не исказить форму. Впрочем, вкушающий пищу тоже знает, сколько ему потребно. Конечно, не переполнение желудка будет мерою. Наоборот, не земными мерами познается потребность: Огонь сердца дает знак сознанию. Так можно радоваться, что истинные меры находятся в огненном ведении.

Мною намечается пруд сохранения сокровищ. Ведь издавна опускали клад в глубину. Так и Мы видим, что преуспеяния сохраняются в глубине сердца и, действительно, окружены Огнем.

46. Прикасание ваятеля не может быть описано никакими словами. Сам он не скажет, почему он утвердил именно эту глубину удара. Также и вы сочетайте чувствознание с действительностью. Учение позволяет считать действительностью многое, вчера еще не осознанное.

47. Приближение Тонкого Мира к земному есть одна из великих огненных задач. Незаметно многое делается для этого. Но, кроме этого, необходимо еще укрепить сознание в умах народа. Нужно утвердить действительность этого и вывести ее из состояния сказки. Мало того, что где-то уже достигнуты результаты. Но самое малое усовершенствование нуждается в сознательном принятии его. Если это замечено даже около обиходных открытий, то насколько же оно почувствуется, когда коснется самого человека. Трудно человеку поступиться даже малым! Герои, отдающие кровь во благо ближнего, редки, но этот внутренний импульс наполняет его организм новыми силами. Уметь нужно понять трансмутацию физического тела тоже как геройство. Должно служить ободрением сознание, что опыт такого приближения уже дал прекрасные и осязательные следствия. Люди должны привыкать, что усовершенствование условий Бытия должно ускоряться, но это не должно походить на судороги, наоборот! Люди не должны довольствоваться ветхими обычаями; они должны научиться радоваться новому. Радость о новом уже есть крылья к будущему.

48. Соизмеримость с действием сотрудников тоже есть огненное качество. Зажигая светильник, никто не собирается сжечь весь дом. Наоборот, каждый находит для светоча безопасное место. Огненность не есть безумие. Ужасно часто слышать невежественные речи о хаотичности Огня. Нужно понять, что эта стихия нуждается в высшем соизмерении, в глубокой осмотрительности и бережности. Каждый Агни Йог прежде всего разумен в распределении вещества. Скорее он допустит скупость, нежели расточительность. Как страж верный он знает, что высшая субстанция очищена высоким трудом и страданиями. Он знает, что каждая энергия Огня, как редкая благодать. Огонь Пространства нуждается в выявлении. И он понимает цену этого нахождения. Тогда лишь ему может быть доверено море Огня.

Потому Прошу всех сотрудников быть сурово бережными. Так они сохранят сокровище, которое в сердце нарастает. Лучше не просыпать в бездну тьмы, где каждый факел будет употреблен для губительного пожара. Колонна соизмеримости и в Огне должна охранять.

49. Никто не подойдет к Огню со страхом. Никто не подойдет с ненавистью, ибо Огонь есть Любовь!

50. Каждое усилие выполнимо трояко: или внешне — мускульным напряжением, или внешне — нервным центром, или сердечной огненной энергией. Если первое усилие будет животным, второе будет человеческим, то третье будет от Тонкого Мира. Третье усилие могло бы применяться гораздо чаще, если бы люди могли сознательно прилагать понятия Сердца и Огня. Но, к сожалению, это напряжение возникает лишь в исключительных случаях. Конечно, когда мать спасает ребенка, она действует превыше земных условий. Когда герой полагает себя на спасение человечества, он удесятеряет мощь свою, но это бессознательное воспламенение происходит редко. Мы же заботимся о постоянном умножении сил через сознание сил сужденных. Не так трудно переменить и возжечь сознание, когда к тому приложено постоянное внимание. Постоянство есть тоже качество Огня. Везде, при всех условиях, сущность Огня одинакова. Огонь нельзя составить никакими элементами, никакими соединениями, можно лишь выявить Огонь. Также можно и приблизиться к Огненному Миру. Самые потрясающие перерождения совершаются огненными явлениями. Мир земной преображается лишь Огнем. Люди верят Свету Огня. Люди слепнут для Земли и возрождаются огненно. Можно привести множество примеров, как Огонь совершает мировые перевороты. Без проявления Огня не приступите к обновлению. Многие будут глумиться даже при одном слове *обновление*, но даже змей обновляет кожу. Так лучше сознательно приступить к Огненному Миру.

51. Не ужасно, что океаны меняют ложе. Разве люди не должны быть подвижны прежде всего в мыслях? Умение перенести бытие в мысль будет приобщением к Огненному Миру.

52. Нужно привыкать к тому, что сонливость может быть от многих причин. Мудро понимать, что деятельность некоторых центров особенно трансцендентальна и должна вызывать сонливость физическую. Но Мы знаем, как состояние полусна бывает значительно. Не отгоняйте сонливость.

53. Вдумчивый враг может спросить об огненных болезнях: «Явление огненных болезней называется ли совершенно особыми заболеваниями или может быть распространено на большинство болезней?» Второе ближе к истине. Огонь может вносить усиление всех болезней, потому следует так обращать внимание на условия огненного устремления. При этом необходимо помнить, что каждое огненное явление не может быть уменьшено лишь водою или холодом, но прежде всего психической энергией, которая всюду может противостать Огню. Эта энергия — как бы конденсация Огня и может впитывать излишек огненный. Так нужно опять обратить внимание на психическую энергию, когда говорим о сердце, о Мире Огненном и об утверждении Нашем о бытии Тонкого Мира. Когда вы читаете о сгорании на внутреннем Огне, явите память о воздействии психической энергии. Она может быть явлена трояко: или самовнушением, или бездействием физическим, или высшим воздействием на расстоянии. Но часто врачи забывают, что не микстура, но какое-то внешнее условие помогает. Мы помним замечательный случай, когда врач обладал сильной психической энергией, но следствия ее упорно относил к своему лекарству. Можно легко представить, насколько увеличилась бы эта польза, если бы врач понял, в чем его сила. Только не смешивайте сердечную энергию с внешним магнетизмом и так называемым гипнозом. Оба явления искусственны и потому временны. Сердечная энергия не применяется насильственно, но передается контактом тока. Если бы и врач, и больной прежде всех физических воздействий вспомнили одновременно об энергии сердца, то во многих случаях воздействие сразу могло бы быть полезно и целительно.

54. Прошу не забывать, что Мир Огненный не терпит отлагательства. Утверждение его в сознании уже есть степень приближения.

55. В мировых событиях разве нельзя усмотреть явления Огня? Смотрите на соотношения народов, на магнит идей, на распределение мыслей и на все знаки общественного мнения. Не пути сообщения ведут эти вспышки пламени, но нечто иное, вне стоящее.

56. Радость и мужество необходимы, но без Огня эти качества не создаются. Рассудок может лишить всякой радости и тем закрыть врата будущего. Но огненное миросозерцание не свалится с неба, его нужно открыть. Этот метод открывания нужно начать с детства. Видим, как дети уже внутренне принимают труднейшие задачи духа. Даже все препятствия старших лишь кристаллизуют их чувствознание. Но кристаллизация есть огненное действие. Лучшие породы кристаллов сложены Огнем. Так и несломимое сердце образуется от огненного воздействия. Это вовсе не символ, но чисто лабораторное заключение. Но как далеки бывают люди от огненных соображений!

57. Не только об Огне нужно нам мыслить. События надвигаются, как океанская волна. Правильно понимаете, что темная сила окружает каждое благое начинание. Мы замечаем, как каждое обычное действие немедленно обращается в злое. Так нужно отставить всякую мошку вчерашнего дня и заменить все обычное самым необычным. Можно даже наметить как бы премию за необычность. Не нужно ожидать от старого мира необычности. Нужно поверх условий обычных затрагивать самые неожиданные углы. Потому Радуюсь, когда затрагиваются новые элементы.

58. Легочная чума при особых формах является очень показательным огненным поветрием. Не однажды она посещала Землю, подготовляя сознание к возможности бедствия. Виды странного кашля, о котором вы слышали, тоже близки этому заболеванию.

Повсеместно он является как на детях, так и на взрослых, и даже на животных. Но люди не желают признать эту подготовительную форму ужасного бедствия. Они поверхностно будут относить ее к самым различным заболеваниям, лишь бы не подумать о чем-то необычном. Но следует изолировать всех подобных больных и умерших сжигать немедленно. Люди, утерявшие психическую энергию, могут легко подвергаться этой заразе. Она может быть усилена разными добавочными формами, как внутренними, так и внешними. Потемнение или воспаление кожи напомнит оспу или скарлатину. Но большинство огненных явлений отражаются на коже. Учите обращать внимание на эти необычные явления. Мускус и горячее молоко с содою будут хорошим предохранителем. Насколько холодное молоко не соединяется с тканями, настолько же горячее с содою проникает в центры. Часто люди полагают лечить жар холодом, но реакция горчичника или горячего компресса оказывает неожиданное улучшение. Мы решительно против банок и пиявок, ибо они действуют на сердце и могут быть губительными.

Мы часто посылаем на самые опасные подвиги, но в то же время заботимся о здоровье. Немудро уничтожить полезное вещество.

59. Огонь носит в себе понимание Красоты, окружает творчество и переносит нетленные документы в хранилище «Чаши». Потому Мы ценим эти нетленные достижения больше всех могущих быть уничтоженными. Потому помогайте человеческому мышлению устремляться к Нетленному.

60. Кто же не поможет обновлению мышления, тот не друг Нового Мира. Уже много раз замечали, как явление улучшения и утончения наступает незаметно для человеческих измерений. Трудно усмотреть каждое развитие стебля растения, но прекрасный цветок так разительно отличается от зерна! Так же поразительны человеческие преображения, именно эти огненные цветы, даже редчайшие, держат равновесие мира.

61. Нельзя не заметить, насколько неожиданно свертывается свиток событий. Одно наблюдение за ними складывает целую Эпоху Огня.

62. Огонь должен жить. Огню несвойственно бездействие. Энергия порождает энергии. Особенно вредно отрывать человека от привычного труда. Даже при низшем труде человек творит проявление огненной энерги. Отнимите от него труд, и он неминуемо впадет в маразм, иначе говоря, утеряет огонь жизни. Нельзя насаждать понятие отставных людей. Они стареют не от старости, но от погашения Огня. Когда Огонь погашается, не нужно думать, что не произойдет вреда для окружающего. Именно вред получается, когда пространство, занятое Огнем, вдруг становится доступно тлению. Это тление жизни противно закону Бытия. Наоборот, общество человеческое должно поддерживать Огонь во всем окружающем. Огонь друидов напоминал о поддержании Огня жизни. Нельзя утушать Огонь ни в чем, хотя бы в самом малом. Потому не нарушайте праздник духа, хотя бы язык его был вам непонятен. Непонятое сегодня станет понятным завтра. Но угашенный Огонь не будет опять в этом назначении.

63. Праздник духа — общечеловеческая ценность, это есть сокровище, чем-то сложенное. Никто пусть не нарушит это заслуженное строение. Среди недозволенных вторжений в карму нарушение праздника духа считается очень

тяжким. Наоборот, улыбка торжеству будет самым пламенным цветком сердечного приношения.

64. Нужно трудные распознания токов понять. Многие не умели бы различать сложное изменение токов и ритмов. Очень Хвалю Ур. за внимание к токам — так только можно накоплять наблюдения. Через два года можно будет сообщить один из самых сложных токов, который без предварительного накопления невыносим.

65. Ток прошлой ночи является одним из очень напряженных огненных воздействий, так называемый двумя стрелами. Прошлый тяжкий Махаван тоже имел значение для этого нового напряжения. Он дается, как особая оборона от тяжелых воздействий. Так можно вооружаться огненно, если только дух сам допускает такое вооружение. Для познания Мира Огненного нужно это допущение, ибо нельзя открывать врата там, где противодействие.

66. Немало огней на полях и в лесах, но люди даже их считают чем-то сверхъестественным. Можно лишь бедностью воображения объяснить это.

67. Кроме утверждения Нашего даже сами люди замечают опускание некоторых материков. Но ничто не принимается во внимание; тоже по невежеству.

68. Стойте крепко, стойте крепче скалы! Огонь чудесный нагнетается стойкостью духа.

69. Наблюдательность есть одно из главных огненных качеств, но она вовсе не легка и накопляется также медленно, как и сознание. Правильно заметили, что сознание укрепляется на жизни. Также укрепляется и наблюдательность. Не может быть отвлеченного сознания, не может быть теоретической наблюдательности. Но чудовищна людская рассеянность, она слагает какой-то недействительный мир. В самости люди видят лишь собственные призраки. В этих блужданиях не может быть и речи о Новом Мире, потому всеми силами вводите наблюдательность уже в школах для малолетних. Час, посвященный наблюдательности, будет истинным уроком жизни. И для учителя этот час будет уроком находчивости. Начинайте утончение наблюдательности на самых обиходных предметах. Было бы ошибкой скоро направить учеников в высшие представления. Если для начала ученик сумеет наблюсти обиход комнаты, это уже будет достижением. Это не так легко, как кажется ненаблюдательному глазу. Затем будем ускорять впечатления наслоением опытов. Предложим ученику пробежать через незнакомое помещение и все же сосредоточить наблюдательность. Так можно, открыть слепоту и утвердить истинное зрение. Для всех чувств нужно составить программу упражнений. Так выразится огненное действие в простом упражнении. Дети очень любят такие задания. Уносят эти упражнения сознания в Высшие Сферы. Самый обычный обиход будет преддверием к самому сложному. Представьте себе восторг малыша, когда он воскликнет: «Я еще увидел!» В этом «еще» может заключаться целая ступень. То же радостное восклицание будет приветствовать впервые замеченную огненную звездочку. Так начнется истинная наблюдательность.

70. Полеты по Тонкому Миру могут быть сложны, даже опытное сознание может иметь затруднение. Сегодня Ур. испытала такое затруднение. Нужно было усилие, чтобы пробить слои химические, которые образуются астрохимическими соединениями. Дни около полнолуния нехороши для полетов. Так называемое лунное стекло может препятствовать и требует очень сильного уявления настойчивости.

71. Каждый удар молота порождает явление Огня, но и каждый удар меча тоже дает огненное проявление. Будем одобрять труд молота и предостережем поднятие меча. Будем распознавать каждое касание Огня. Примем на великую ответственность каждое выявление великой стихии. Огонь явленный не вернется снова в первостихийное состояние, он будет в особенном состоянии среди проявлений огненных. Он будет или животворным, или губительным по заданию пославшего его. Потому так утверждаю значение Огня, этого спутника неотступного. Нужно самым различным способом внушать людям о значении стихий. Они позабыли, насколько их жизнь полна самыми ответственными действиями. Слова и мысли порождают огненные последствия, но язык продолжает болтать и мысль — язвить пространство. Подумайте об этом огненном производстве! Не кичитесь какими-то мертвыми знаниями, если продолжаете изрыгать хулу на самое Высшее. Подумайте, что эта хула пристанет к вам неотступно. Мир дрожит от злобного пламени. Породители его надеются на чью-то гибель, но сами погибают в проказе.

72. Перед вами опять явление большего порядка — Кундалини шевелится от основания до самого высшего сустава. Железы предгортанные очень воспалены, но эта физическая сторона является необходимой для огненного воздействия. В этом состоянии Кундалини действует на самые дальние расстояния. Вы чувствуете, как нужно сейчас это воздейст-

вие Ур. Победа не могла быть без этого огненного действия. Но именно битва трудна, и волны нападений растут. Потому будем очень осмотрительны. Будем внимательны, доброжелательны и очень осторожны.

73. Звук и цвет являются одними из главных огненных проявлений. Таким образом, музыка сфер и сияние Огней Пространства будут высшими явлениями Огня. Потому и невозможно постоянно слушать звуки сфер или видеть Огни блистающие. Такие частые эмоции слишком разделили бы земное тело от Огненного. Тем самым не создалось бы равновесие, так нужное для Вечности. Правда, нужно отделять в сознании четыре тела своих, чтобы функции их могли быть разделены. Нарушение равновесия ведет к преждевременному разрушению низшего тела.

74. Напрасно думают, что черная магия особенно развита сейчас в Тибете. Конечно, она там очень усилилась, но это является лишь частью общемирового ее развития. Невозможно себе представить, насколько развивается черная паутина. Невозможно вообразить все разнообразие участников ее. Нельзя открыть все неожиданные сочетания, которые поддерживают друг друга. Можно ли примириться, что и явление глав государств и прелаты, и масоны и повстанцы, и судьи и преступники, и врачи, и больные и здоровые работают на том же черном поле? Трудность распознания их также в том, что нельзя указать какую-то цельную организацию, но все построено на отдельных личностях, вкрапленных в самые различные дела.

75. Сами участники черных лож отлично признают друг друга. Действительно, существуют признаки очевидные. Так, если заметите бесчеловечную жестокость, будьте уверены, что это есть признак темных. Каждое Учение Света есть прежде всего развитие человечности. Запомните это прочно, ибо никогда мир так не нуждался в этом качестве. Человечность есть врата ко всем прочим мирам. Человечность есть основа чувствознания. Человечность есть крылья прекрасные. Субстанция человечности есть вещество «Чаши», потому прежде всего на Земле облечемся в человечность и познаем ее, как броню от сил темных. Явление огненное посетит сердце человечностью. Так мы еще раз поймем, насколько самое далекое близко нам. Мы тоже признаем друг друга по человечности. Так будем трудиться для самого нужного в этот час опасности.

76. Лотос внутренний можно наблюдать как раскрытый, так и закрытый. При необходимости защитной пурпуровой

ауры можно видеть, как лепестки Лотоса сжимаются и покрываются отложениями кровяных сосудов. Опытный йог понимает при таком явлении, что опасность велика и близка. Как в природе задолго до тучи лепестки цветов усиленно оборачиваются к солнцу или поспешно складываются перед вечерней зарей, так и Огненный Лотос узнает приближение космических бурь. Но при развитии Йоги можно наблюдать такое напряжение и внешнего Лотоса. Так называется круговое вращение Кундалини, прикасающееся к главным центрам, и как бы образуя внешний Лотос защиты. Этому особому напряжению обычно предшествует появление стрел, о которых уже сказано. Внешний Лотос также называется бронею. У Нас понимают образование его не только как знак опасности, но и как достижение степени Йоги.

77. Замеченное отсутствие, конечно, имеет не физическое, но йогическое значение. Оно вызвано спешной необходимостью побывать в дальних странах. Нужно привыкать к такому вызову, когда так напряжено все кругом. Но только слепой может думать, что завтра походит на вчера!

78. Заметить можно, что некоторые цветы перед вечером не только закрываются, но и опускаются к земле, совершенно то же и с Лотосом внутренним.

79. Могут спросить, в каком отношении находится Наше Учение к Нашему же, данному через Блаватскую? Скажите — каждое столетие дается после явления подробного изложения, кульминация заключительная, которая фактически движет миром по линии человечности. Так Учение Наше заключает «Тайную Доктрину» Блаватской. То же было, когда Христианство кульминировало мировую мудрость классического мира и Заповеди Моисея кульминировали древний Египет и Вавилон. Только нужно понимать значение узловых Учений. Нужно пожелать, чтобы люди не только читали Наши Книги, но и приняли их немедленно, ибо кратко Говорю о том, что необходимо запомнить. Когда Говорю о нужности исполнения Моих Указаний, то Прошу исполнять их в полной точности. Мне виднее, и вы должны научиться идти за Указом, который имеет в виду ваше счастье. Человек попал под поезд, потому что лишь наступил на рельсы, но он был предупрежден и не должен был ступать.

80. Народ утверждает, что перед войною или бедствием бывают лесные и всякие пожары. Безразлично, всегда ли они бывают, но знаменательно, что народное поверие судит об огненном напряжении перед мировыми потрясениями.

Народная мудрость отводит Огню замечательное место. Бог посещает народ в Огне. Та же огненная стихия избиралась как Высший Суд. Уничтожение зла производится Огнем. Явление несчастья сопровождается сожжением. Так во всем течении народной мысли можно видеть пути огненные. У народа зажигаются лампады, и народ несет светильники, уявленные на служение. Торжественна Огненная стихия в народном понимании. Так будем почерпать не от суеверия, но от народного сердца.

81. Искреннее самоусовершенствование не есть самость, но имеет мировое значение. Мысль об улучшении не будет касаться лишь самого себя. Такая мысль несет в себе пламень, нужный для многих зажиганий сердец. Как огонь, внесенный в помещение, наполненное горючим веществом, воспламеняет непременно, так огненная мысль вонзается в пространство и неминуемо привлекает к себе ищущие сердца.

82. Велика ответственность сердца зажженного. Оно по Иерархии передает ритмы и колебания. Потому следует всем окружающим не отягощать нагнетенное сердце. Нужно понять это как основу Бытия.

83. Итак, темные силы довели планету до такого состояния, когда никакое решение земное не может вернуть условное благосостояние. Никто не может считать, что земные меры вчерашнего дня пригодны на завтра. Так, нужно человечеству снова понять смысл своего кратковременного пребывания в земном состоянии. Только основным определением своего существования в плотном виде и пониманием Тонкого и Огненного Мира можно укрепить бытие свое. Не нужно думать, что призрак торговли может, хотя бы временно, дать прочное пребывание. Жизнь превратилась в торговлю, но кто же из Учителей Жизни был торгашом? Знаете великие символы об изгнании торгашей из Храма, но разве сама Земля не Храм? Разве Маха Меру не есть подножие Вершины Духа? Так можно указать жителям Земли на сужденные Вершины.

84. Не забудем, что каждое мгновение должно принадлежать Новому Миру. Заметьте, что при перечислении миров Мы как бы упускаем Мир Мысленный, не случайно это. Мир Мысленный составляет живую связь между Тонким и Огненным, он входит как ближайший двигатель Мира Огненного. Мысль не существует без Огня, и Огонь обращается в творящую мысль. Явление мысли уже понятно; также осознаем и Великий Огонь — АУМ!

85. Можно различать работу Огня в самых различных проявлениях. Сейчас часто берут кристальный шар горного хрусталя и сосредоточиваются на нем, чтобы вызвать тонкие отпечатки, но это уже позднейшая форма. На древнем Востоке избирали глыбу горного хрусталя и полагали ее над закрытым огнем. Тогда строение огненного творчества оживлялось и привлекало проявления Пространственного Огня. Так можно замечать, насколько вырождалось огненное наблюдение древности.

86. Также можно заметить, насколько около одних людей изнашиваются вещи, тогда как другие точно чем-то охраняют их. Иногда ошибочно говорят: «На нем все горит». На самом деле, как раз наоборот. Обращайте внимание на охранителей — они окажутся близкими Огню. Именно огненное начало сохраняет продолжительность существования вещей. Уже Говорил о воздействии психической энергии работников на качество производства, и здесь будем искать участие Огня. Психическая энергия будет огненно являть привхождение Огней Пространства.

87. Можно Учение Огненное положить в основу каждого дня. Пока мы будем блуждать между призрачными увлечениями, мы не утвердимся на едином основании жизни и тем не приблизимся к восхождению. Имею в виду тех блуждающих, которые не только теряют путь свой, но и затрудняют движение близких. Шатун не только расточает свои сокровища, но и обкрадывает других. Можно ужасаться, видя, как явление сомнения противоречит всем огненным основам. При этом замечайте, что шатун обычно не в себе сомневается, но именно в других и тем самым вносит разложение.

88. Не нужно думать, что только кармические условия создают шатание. Причину часто нужно искать в одержании. Сам шатун думает, что он должен войти осторожно, но если бы эта забота касалась его самого! Прошлое многих шатунов может быть поучительно для школ.

89. В школах не следует читать лишь о героях. Несколько безымянных примеров судьбы шатунов будут уместны. Яркое пламя подвига еще больше засияет от судьбы тушителей.

90. Отвергнутые возможности могут быть обсуждены не только морально, но и химически. Действительно, как же назвать разрушение уже сформировавшейся реакции, когда ценная огненная энергия собрана великими и долгими трудами, чтобы быть невежественно разметанной? Но эти ог-

ненные частицы, вызванные для определенного соответствия, надолго остаются дисгармоничными и снова потребуют уже удвоенных трудов, чтобы приложить их к созиданию. Повторяю, что недопустимо нарушить чей-то духовный праздник. Преступно вторгаться в уже слагаемое целое сознание. Явление кармы разве не происходит от этих неразумных вторжений? Особенно недопустимо явление насилия в огненных областях.

91. Мысленно соберем все приближения огненные, рассмотрим признаки вдохновения или прозрения. Мы найдем тождественные признаки, которые укажут на общую основу, притом внележащую. Так и должно быть, Огонь сердца соприкасается с Огнем Пространства. Только этими способами получается зарождение, вернее оплодотворение, мыслетворчества. При этом нужно проявить высшее уважение к сложности аппарата, соприкасающегося с Огнем. Тончайшие золотые сплетения нервов почти неуловимы глазом. Нужно заглянуть в них третьим глазом, чтобы навсегда запомнить и проникнуться уважением.

92. Виденное золотое сплетение составляет основание «Чаши», можно судить об утонченности внутреннего аппарата. Так утонченность может направлять мысли к бережности между человеческими существами. Не нужно оскорблять друг друга. Во имя Огня не нужно оскорблять. Не все исправления производятся молотом. Требуются и очень малые приборы, и осторожные касания. Опять старая истина, но пока не примененная.

93. О свечении пламенного сердца многие вообще не поймут. Но те, кто видели эти Огни озарения, знают, насколько это явление жизненно. Сам Огненосец замечает эти мгновения Света, но многие условия позволяют или мешают присутствующим усмотреть нерукотворный Огонь. Конечно, свойства присутствующих несомненно влияют на качества самих явлений. Можно легко представить такую тьму гасителей, когда будет лишь мерцать звезда Света. Но иногда самое простое и прекрасное сердце возжет новую силу Огненосца. Кроме человеческих воздействий и условий Тонкого Мира множество явлений природы влияют. Так при грозе свечение может усилиться, когда масса электрическая нагнетает и внутренние Огни. Вода тоже может благоприятствовать явлениям внутреннего свечения при некоторых минеральных особенностях. Конечно, хуже всего непроветренный, ядовитый воздух домов. Конечно, если он является рассадником болезней, то насколько он может по-

отдельной деятельности, происходящей не только на ...ном плане. Так образуется первое осознание привхожде-...я и других миров в наше существование. Затем уже в ...стоянии полного бодрствования начинают замечаться ...новенные отсутствия, не связанные ни с каким заболева-...ем. Так еще глубже намечается связь миров и наше ...астие в них. Нелегко сознанию охватить представление ... мирах незримых, по причине нашей плотной оболочки ...ы очень трудно сознаем все возможности вне нашего зре-...ия. Нужно привыкать мыслить о целых мирах, реально ...ществующих. Тонкий Мир не есть только наше состояние, ...н именно представляет из себя целый мир со всеми воз-...можностями и препятствиями. Явление жизни Тонкого ...Мира недалеко от земного, но в иной плоскости. Все зара-...ботанное не исчезает, наоборот, оно умножается. Но если здесь трудно сохранить ясность сознания, то там это еще ...труднее, ибо встречаются множества явлений новых для нас порядков эволюции. Так особенно нужно хранить завет о ясности сознания. Конечно, это и выражается истинным синтезом. Но если сознание так нужно для Тонкого Мира, то насколько же оно необходимо для Мира Огненного!

106. Мастер-плавильщик советовал новому работнику, как подходить к печи раскаленной. Но работник непре-менно хотел только узнать о химическом составе пламени. Мастер ему сказал: «Сгоришь, пока подойдешь к пламени. Химическая формула не спасет тебя. Дай одену тебя, и ...смену обувь твою, и защищу глаза твои, и укажу дыхание ...полезное. Сперва запомни все переходы и смены жара и ...олода. Могу самое огненное дело сделать тебе привлека-...ельным. Ты полюбишь вспышки и сияние огней. В напря-...жении пламени ты найдешь не ужас, но трепет восторга, и ...гонь правильно воспринятый, укрепит сущность твою».

...к ...ожно советовать каждому, начавшему мыслить о ...Огненном. Принесем сначала преданность полную и ...им ту степень любви, которая действует как Свет ...ый. Если мир земной основан на рукотворчестве, ...лекательно приближаться к мыслетворчеству.

...Один китайский философ, зная ужасные лики низ-...в Тонкого Мира, решил притупить их впечатление. ...о он наполнил свою спальню самыми страшными ...ниями. Находясь среди этих отвратительных ли-...деялся, что хуже худого не будет. Такой метод ...н, хотя в той или иной мере люди любят его. ...ы учим делать глаз незрячим на отвратитель-

давлять эманации сердца! У явления свечения чаще, чем думают, но предубеждение и рассудочность всегда найдут свои умышления. Несчастье в том, что люди не могут найти несвязанные суждения. Пресловутая освобожденность, о которой так любят говорить, прежде всего не будет раб-ством суждений.

94. Когда Призываю: «Помогите мысленно!» — тем Ока-зываю особое доверие. Не каждого можно просить о мыс-ленной помощи. Нужно быть уверенным в свойствах мыслей и в сосредоточенности сердечной энергии. Такие отборные мысли, как сильное радио. Нужно уметь собрать всю преданность и уметь не загромождать мысли посторон-ними чувствами. Ураган необходим, чтобы донести посылки, крайняя необходимость и будет неуклонностью. Непра-вильно думать, что мысль нужна для земного плана, может быть, она еще более нужна для Тонкого Мира, создавая мощное сотрудничество. При нагнетении Мира часто можно создавать равновесие именно мыслями.

95. Воздействия токов, отмеченные вами, имеют двоякое значение: они уравновешивают толчки космические и умно-жают силы посылок. Это так называемая психофизиче-ская терапия. При сгущении тьмы такие сильные токи по-лезны.

96. Подвиг должен быть предметом беседы в каждый знаменательный день. Нужно принять подвиг как нечто призванное и не устать говорить и мыслить о нем. Несчастье порождается умалением подвига. Точно в малую дверь вно-сят большое подобие храма и при толчках ломают самые ценные украшения.

Опасно в день знаменательный вносить свои сетования. Как пояснить, что такие грубые приемы подобны падению молота на струны приготовленного инструмента. Человек, изрыгающий самые разрушительные слова, как младенец, прибавляет: «Ведь небо не обрушилось!» Он не может усмо-треть разрыва внутренних нитей, которые ничто и ничем не может связать; так часто наносится непоправимый вред. Но каждое сердце, познавшее Огни, утвердит понятие подвига, ибо без него тесна и невозможна жизнь. Так понесем подвиг всех трех Миров.

97. Шамбала проявляется под самыми разнообразными Обликами в связи с понятием века. Правильно изучать все циклы легенд Азии. Так можно дойти до древнейших Учений, связанных с Сибирью, как самою неизвестною и исконною частью материка.

Связь иероглифов, найденных в Индии, с начертаниями островов Пасхи несомненна. Так показано уявление нового сочетания народов, что вполне соответствует древнейшим сведениям. Так еще раз видите, как летописи сохранили верные исторические данные, но люди лишь с трудом принимают их. Верно заметили, что данные о Калачакре обходятся молчанием,— это не только из невежества, но из ужаса коснуться основ. Человечество с одинаковым содроганием обходит колодцы знания — это о всех мирах, и о Мире Огненном также содрогнутся.

98. Ищите деление людей по стихиям. Не только по качеству крови, но и по свойству нервного вещества можно будет замечать прямую реакцию по стихиям.

99. При каждой болезни можно применять мысленное лечение или облегчение, но такая мысль должна выталкивать болезнь из организма со всею силою без колебаний и без промежутков. Но если подобная мощь невозможна, то лучше вообще о болезни не думать и предоставить низшему Манасу вести внутреннюю борьбу. Самое вредное — мысленное шатание и представление победы болезни. Лучше в таком случае отвлечь внимание больного от его состояния. Когда люди заговаривают о гибельном исходе болезни, они сами приближают его. Самая несложная болезнь может принять размеры опасные при питании мысленном. Следует наблюдать в больницах, как влияют мысли на процесс болезни. Даже заживление ран зависит от психической энергии. Приходим опять к тому же Огню, порождаемому мыслью. Все лечения лучами, тепловым воздействием, световыми применениями являются теми же огненными воздействиями, которые слабы по сравнению с мощью мысли. Потому самый жизненный совет — развивайте мысль огненную.

100. Правильно соображение о синтетическом значении земного существования. Нужно сохранить всю силу сознания при достижении Высших Сфер Тонкого Мира. Но лишь синтетическое сознание дает эту возможность. Также нужно приучиться к скорейшей ориентации, но что же кроме синтеза поможет в этом? Люди говорят о зоркости, но под таким качеством понимают зоркость в одном направлении. Но даже хорошие дозорные погибали от устремления в одном направлении. Можно ли оценивать все богатства Природы, если наш глаз не навык к подвижности?

101. Не может быть оправдания там, где есть ненависть. Зову к доброжелательству, но не к слабости. Можно все от-

дать на Служение Свету, но на Огне нужно исп... желательство. Нужно понять это струнами серд... встретите тигра, не думайте о помощи: есть мер...

102. Мысль по своей безвременности и безмер... надлежит к Тонкому Миру, но и в этом построе... различать еще более глубокие возможности. Мы... ная идет глубже мысли Тонкого Мира, потому... мысль справедливее являет творчество высшее. Ка... внимательности может различить эти два наслоени... При обычном мышлении часто мы осознаем тече... бы второй мысли, очищающей и углубляющей... Это не есть раздвоение мышления, но наоборот, эт... признаком, что более глубокие центры приняли де... ное участие. Этот пламенный процесс имеет в инд... метафизике особые термины, но мы не будем их ка... ибо это поведет к спорам и к западной аргументаци... помогут такие прения, когда нам нужно напомнить пр... факт мышления, связанного с Огненным Миром. Даже... восклицают: «Осветило!» или «Озарило меня!» Так... ваются моменты решений правильных и мгновенных... но припомнить, как решала задачи Ковалевская. Хара... но такое огненное состояние, связанное с Огненным М... Вы знаете, как поверх тонких мыслей являются глубок... которые иногда трудно отделить от мыслей Тонкого М... Это невозможно при состоянии нашей планеты. Но... ощущение этого двойного порядка мыслей должно... вить нас осознать деление миров.

103. Конечно, иногда мы имеем дело с давними... минаниями, но могут быть случаи огненного просв... Так было и в том случае, о котором вспомнили. М... ный приносит нам молнии озарения совершен... как в грубом проявлении грозы. Так же, как г... но снабжают Землю очищенным запасом... Мир Огненный проливает постоянно во... Жаль, что редки приемники, но если... сознание на общении с Огненным Ми... может естественно утвердиться. Но... миров — прилепиться крепко к И...

104. Жестокосердие есть м... ца наполняют Мир тлением.

105. Если можно различ... ощущать разные виды де... ность кажется происходя... так называемых сновидений...

ное. К тому же невозможно представить всю меру ужасов, созданных людскими пороками. Даже здесь, в земном мире, мы часто ужасаемся нечеловеческим обликам, но можно представить, во что они превращаются при обнаженной сущности своей! Мы и здесь часто испытываем натиск этих темных сущностей. Они пытаются уничтожить все опасное для них. Они стараются обессилить во время сна, чтоб тем легче подбросить вред, пользуясь нарушением равновесия. Нужно не считать эти темные порождения суеверием. Каждый ученый должен понять глубину перспективы Бытия. Он понял неисчислимость малых организмов; он видел кости великанов-животных и может увидеть еще больше, если заглянет в глубь пещер Гималайских. Так ученый отмеряет в бесконечность и считает бесконечные величины простыми математическими решениями. Значит, именно ученый должен допускать и беспредельность огненных образований. Так нужно от грубейших арифметических нулей послать воображение в Беспредельность, помня, что пустота не существует.

108. Просите Ур. рассказать о многообразии Огней, виденных ею. Пусть все эти лучи, звезды, Лотосы огненные, цветы и все прочие явления Огненного Мира живут и утверждаются. Невозможно в земных словах изобразить все качество этих огненных видений. Как прозрение за какими-то пределами открывается Огненная Область. Не определить ее временем, не указать причину возникновения, ибо слишком не в земных мерах Огненная стихия. Но если мы видим ее и в грубых проявлениях, и в очень тонких, значит, даже наше плотное бытие может предвосхищать Сферу Высшую. Приобщение Огненное незабываемо, если хотя бы однажды совершилось. Так соберем мужество для восхождения.

109. Трехмерность есть оковы демона — так сказал кто-то. Действительно, тот, кто сковал человеческое сознание трехмерностью, был настоящим тюремщиком. Как же можно было сокрыть прочую, прекрасную, высшую мерность! Дети в первых вопросах своих часто устремляются за пределы условных ограничений. Древняя Мудрость нигде не настаивала на трех измерениях. Лишь при огрублении человечества ограничение заняло умы. Замечательно, что люди начинают заниматься ограничением, когда светильники сердца потухают. Можно привести множество исторических примеров этому самоумалению. Но человеческое сознание не хочет понять основы самоусовершенствования. Тем оно пытается закрыть самые ценные возможности.

110. Познавание огненных воздействий распределено по чувствам. Первое впечатление будет зрительным, со всем огненным разнообразием, затем присоединится слух с музыкой сфер, с колоколами, со струнами Природы. Затем приходит утончение осязания с ощущениями ритма, жара и холода. Труднее всего с обонянием и со вкусом. Но Ур. знает, что значит слышать запах человека на дальнем расстоянии. Теперь Ур. знает и другое, очень трудное. Ощутить вкус металла, находящегося в Тонком Мире, уже является очень большим утончением. Но не только нужно иметь силу различать эти воздействия, но их нужно уметь заметить. Такое различение очень редко, но, выходя за пределы трехмерности, оно делается доступным.

111. Приближаясь к Огненному Миру, нужно твердо усвоить качество постоянства. Очень нелегкое качество связи с подвижностью. Оба качества не значат лишь жевать ту же корку или суетиться в той же мышеловке. Нелегко утвердить эти качества в духе, когда не отставлены трехмерные ограничения.

112. Правильно замечено, что для приспособления к растительному питанию после мясной еды требуется около трех лет. Но если для чисто физических условий нужно такое время, то для преображения сознания нужен не меньший срок, если только кармические условия не подготовили особые возможности. Преобразить сознание значит войти в особый мир; значит получить особую оценку всего происходящего; значит идти вперед без оглядки; значит покинуть сетования и обрести доброжелательность. Не покажется ли странным, что, наряду со сроком для питания, приходится ставить этическое понятие доброжелательства? Но, по счастью, каждый врач поддержит нас в этом, ибо доброжелательство есть лучшее средство для пищеварения. Люди любят, когда духовные основы поддержаны и пищевыми советами.

113. Принцип позволяет нам найти представление о последующих степенях того же порядка. Каждый человек может научиться плавать, как только он оборет стихию в сознании. В том же принципе человек может лежать на воде, при известном упражнении человек может сидеть на воде. Подвигаясь дальше, человек-йог может стоять на воде. Конечно, такое стояние, так же как и левитация, будут уже огненными действиями. Вы знаете левитацию и помните, какое огненное напряжение требуется предварительно. Но левитация не так трудна, ибо стихия Огня близка воздуху. При всем телесном совершенстве человек немедленно утонет или упадет при малейшем сомнении. Рефлекс сомнения есть самый поразительный.

114. Не нужно удивляться толпящимся кругом темным сущностям. Если бы вы в цветнике своем нашли льва, то, наверно, в доме произошел бы переполох. Для темных вы являетесь тем самым львом на их огороде. Они потратили немало стараний, чтобы вырастить свой чертополох, и вдруг явился непрошеный лев. Право, иногда жаль всех трудов человеконенавистничества. И все-таки отсутствие сомнения сильнее всех темных тенёт.

115. На глазах человеческих совершаются многие духовные воздействия с физиологическими последствиями, но люди не желают замечать их. То же можно знать, посещая Тонкий Мир, где эти явления гораздо отчетливее. Разложение астрального тела зависит также от огненного соприкасания. Когда огненное существо приближается к известным слоям Тонкого Мира, можно видеть поразительное явление. Огненная сущность будет как бы пробным камнем. От прикосновения его одни тонкие тела усиливаются в своей огнеспособности, но другие немедленно разлагаются. Процесс этот происходит очень быстро, как от Огня. Так можно сопоставить ряд поразительных восхождений и заслуженных отходов. Огненные качества могут проявляться не только из Огненной Сферы, но даже в огненных земных воплощенных. Следует постепенно привыкать к мысли, что и здесь, на Земле, могут быть проявления высших огненных качеств. Нужно допустить это не только потому, что оно непреложно, но и по многообразию явлений Природы. Могут не допускать, чтобы выделившееся тонкое тело могло произвести чисто физическое действие, как писание, но вы знаете, что это возможно, и не Мне убеждать вас в этом. Конечно, при таком действии нужна огненная энергия.

116. Усилие необходимо при направлении огненной энергии, которую для сокращения будем называть Агни. Усилие это, конечно, не физического, даже не тонкого, порядка. На Востоке понимают эту молниеносность. На западном языке вообще не существует обозначения этому тончайшему понятию. Потому так трудно говорить о Мире Огненном. Из языков восточных тоже это понятие иногда отмирает за непригодностью к современному сознанию. Так многие знаки Тао свелись к внешнему начертанию.

117. Сколько высоких бесед происходит! Какое множество знаков Высшего Знания проливается в жизни людской, и попираются они, как шелуха! Но кто же мужественно думает о завтрашнем дне? Наоборот, завтрашний день обычно остается рассадником ужасов, в которых тонет сознание. Нужно обратить внимание на чудеса каждого дня. Начнем от колыбели весь путь доверия и самоусовершенствования.

118. Нужно именно углублять путь доброжелательности. Утверждена она, как бы сущность нашего Бытия. Не забудем этот талисман ни на час. Он, как камень чудесный, который вы знаете. Не забудем качество камня и утвердим его нашим знаменем.

119. Нужно приветствовать все, что имеет жизнеспособность. Нужно приветствовать каждую искру, ибо из нее растет Огонь. Так будьте доброжелательны.

120. Алкоголизм и опий являются уродливыми попытками приблизиться к Миру Огненному. Если Самадхи — естественное проявление Огня Высшего, то пламя алкоголя будет разрушителем Огня. Правда, наркотики вызывают иллюзии огненного приближения, но они же встанут надолго препятствием к овладению истинной энергией Агни. Ничто не доставляет такого несчастья в Тонком Мире, как эти противоестественные попытки вызвать Огонь без соответственного очищения. Можно представить, что пьяница в Тонком Мире не только мучается от позывов к алкоголю, но он еще больше страдает от неестественно проявленного Огня, который вместо укрепления пожирает ткани вне срока. Совершенно иначе совершается сгорание тонкого тела при переходе в Мир Огненный: оно вспыхивает, как ненужная оболочка при ощущении освобождения, но, как все в Природе, должно совершаться лишь основным законом и не терпит насилия.

121. Насилие есть бич человечества, оно происходит от невежества; ибо даже немного мыслящий человек чувствует в сердце явление ужаса, когда перед ним черта неестественного.

От всего явленного ужаса обратимся к дружелюбию. Хотя Мы и не устанем твердить о дружелюбии, но пора последняя для многих познать дружелюбие. Обратите внимание на слово *последняя*.

122. Даже в физических заболеваниях ищите психическую причину. Народы сложили много поговорок об этих влияниях, они скажут: «От сердца глаз затемнился», или «Обеззубил с натуги», или «Раскололась грудь от думы»,— так помнят народы о главной причине болезни. И врач

разумный различает трудность лечения от духовного состояния. Утверждать можно, что каждая болезнь протекает быстрее, когда она не поддерживается психической причиной. Те же народы приписывали Огню различные целебные качества. Даже порезы производились раскаленным металлом — так огненное обезвреживание утверждалось даже в первобытном сознании.

123. Помощь огненная — так называется состояние просветления. Нужно приблизиться к этому состоянию сознания со всеми утонченными чувствами. Конечно, можно заметить, что иногда Говорю почти о том же самом, но в этом «почти» заключен целый оборот спирали. Если сопоставить все эти «почти», то можно признать наслоения нашего сознания. Очень нелегко усвоить ритм этих наслоений, которые различны индивидуально. Но при многих наблюдениях можно понять, какая тончайшая субстанция — наше сознание. Именно Подчеркиваю утончение наслоений сознания. Часто люди воображают, что Огонь есть нечто буйное, неохватимое, почти ужасное, так они сами насаждают заросли огненные. «Как позовешь — так и откликнется!»

124. Нелегко лечить глаза, которые затемняются от пыли раздоров. Примочки истинного дружелюбия — первое средство. Также наблюдайте и при многих других заболеваниях.

125. Туго положение в Мире, повсюду закостенение. Люди думают окопаться на болоте, но раскалываются целые горы, как память о грядущем.

126. Вместо диплодоков прыгают кенгуру; вместо птеродонтов летают мыши; вместо дракона ящерицы. Что же это значит? Неужели измельчание? Конечно, только приспособление. Также и палица Геркулеса была бы теперь лишь музейной редкостью. Так и в жизни нужно понять эволюцию не как рост кулака, но как конденсацию духа. Нужно из размаха палицы подойти к жизни каждого дня. Стихия Огня величественна, но даже ее нужно изучать в обиходе. Неправильно одевать героев в тогу, лишая других принадлежностей одеяния. Нужно принимать эволюцию от жизни, среди жизни и для жизни. Красота эволюции не будет отвлеченной, ибо каждая отвлеченность есть заблуждение. Нужно очень запомнить это признание эволюции как жизнеспособность — так мы дойдем до самых сложных формул, где буквы АУМ не будут начертанием, но выражением высшего ингредиента. К тому и будем упражнять наше сознание.

127. Не нужно думать, что можно иметь универсальное лекарство от болезней, которые имеют тысячи причин. Можно составить целые отделы лечений, которые отчасти ответят значительному числу причин заболевания. Так нужно понять, что универсальное средство невозможно, ибо происхождение болезней совершенно различное. Также и в приемах Йоги невозможно применять одни приемы для всех. Между тем очень часто на лекциях и во время бесед упоминают общие приемы и присутствующие заблуждаются, думая, что рецепт для всех один. Лишь очень внимательный обзор духовного состояния собеседника даст правильное направление указаниям. Казалось бы, очень примитивно соображение о разнородности организмов, особенно состояния духа, но человечество так любит панацеи. Между тем панацея лишь одна — возвышенное сознание!

128. Многие животные живут до трехсот лет, но если они найдут средство продолжить жизнь, хотя бы на пять лет больше, то для эволюции никакой пользы не будет. Жизнь духа есть основание эволюции.

129. Если заговорим об огненных смерчах, то многие вообще не поймут смысла, а другие отнесут сказанное к грубому электрическому явлению. Но следует очень задуматься над этим тонкоогненным действием. Вот вы только что видели, как царапина причинила огненное жжение. Такое явление не от физического заражения. Смерч огненный коснулся разорванной ткани. Можно наблюдать, как подобные проявления соответствуют внешним огненным напряжениям. Ткань порванная, со всеми выходами нервов, как бы служит магнитом для огненных волн. Конечно, те люди, которые обладают сильной сердечной энергией, могут сильнее привлекать волны напряженного Огня. Потому в таких случаях Советую компрессы из воды, но не спиртные препараты. При напряжении Огня нужно избегать алкоголя, который также концентрирует огненную волну. Многие пьяницы могли бы дать поучительные показания о волнах огненных, которые причиняют такие страдания! Конечно, уже Не Говорю о нервных пожарах, которые лишь немногие наблюдали. Так или иначе смерчи огненные не должны быть забыты в такое напряженное время.

130. Те же смерчи и спирали создаются беспорядочными устремлениями окружающих, хотя бы и не с плохими намерениями. Также знаете, что значат устремления плотных и тонких тел. Они не замечают, что в напряжении становятся почти вампирами. При этом нужно отличать рассудочные посылки от сердечных. Множество упоминаний имени могут почти не оказать влияния, но сердечная посылка своею тоскою стремления может действовать, как спираль удушия. Истинно, можно сказать — не удушите, хотя бы для своего блага.

131. При посылках добрых мыслей нужно усвоить молниеносность этих стрел. Не следует для этого загромождать надолго сознание, но полезно метнуть эту стрелу. Как свет через все пространство работает огненное динамо. Нужно привыкать к этой работе, когда контакт с Иерархией постоянен. Черная звезда — очень большая опасность. Так на всем можно давать такие знаки. Малое сознание не вместит все потрясения, но развитое сознание понимает ценность возмущения воды от мечей Ангелов.

132. Напрасно западные врачи говорят о трудности работы с Нами. Мы никогда не были против экспериментальных методов. Напротив, Мы приветствуем каждое непредубежденное действие. Мы одобряем, когда член Британского медицинского совета говорит о правильных методах изысканий. Мы готовы способствовать русскому ученому в работе по иммунитету и бессмертию. Мы радуемся, когда японский хирург применяет астрологические сроки. Мы даем помощь латвийскому врачу при нахождении главных признаков одержимости. Мы готовы каждому помочь и за каждого радоваться. Именно Мы непрестанно требуем наблюдений и всячески направляем к внимательности. Мы говорим о действительности, утверждаем нелепость отвлеченности. Так Мы желаем, чтобы врачи и ученые Запада отнеслись справедливо к Нашему сотрудничеству. Нужно понять, что пришло время очистить факты от последствий шелухи. Пора признаться, что многие суеверия еще произрастают на огородах обособленности. Так к суеверию будет принадлежать осуждение всего, что не мое. Освобожденность мышления будет именно украшением истинного знания.

133. Разве не нужно напомнить об освобожденности мышления каждый раз, когда собираетесь говорить об Огне? Разве не нужно просить о справедливости, когда вы относитесь к познаванию? Разве не вызываете улыбки сожаления, когда упоминаете о Незримом Мире Огненном?

134. Для плотного состояния Мир Огненный невидим, за редкими исключениями, но в Тонком Мире огненный, явленный туман может быть очувствован. Конечно, приближаясь к нему, низшие существа ощущают особенное страдание, как перед недоступным. Сыны Огненного Тумана для этих низших существ как бы вооружены Огненными Лучами, что есть не что иное, как излучения конечностей. Нужно, чтобы условное понятие тумана обратилось в стройное огненное мироздание, но для этого нужно преобразить сознание. Сколько потрясений нужно испытать, чтобы аспект Бытия поднял сознание во всем бесстрашии! Нужно избавиться от страха перед туманом и честным мышлением и заработанным воображением продвигаться дальше чудищ суеверия.

135. Мыслетворчество и внушение совершенно различного порядка, хотя и относятся к огненным явлениям. Внушение есть насилование Огня, тогда как мыслетворчество — явление основного закона. Когда некоему саабу Мы говорили о наполнении его жилища Нашей Аурой, Мы, конечно, имели в виду мыслетворчество, но не внушение, которое охотно предоставляем мелким гипнотизерам. Мыслетворчество гораздо сильнее всяких внушений. Прежде всего внушение преходяще, и оно поражает ауру и создает карму, но мыслетворчество напитывает ауру и не нарушит самодеятельность. Но, конечно, пространство, напитанное мыслетворчеством, сосредоточивает мощь огненную. Одним из самых утонченных условий все же остается ненарушимость кармы. Дать, помочь, и даже руководить, и не нарушить личность — это трудная задача. Каждый оказывается перед решением ее. Мыслетворчество, лишенное самости, дает решение этих лабиринтов. Доброта, сердечность и сотрудничество также помогут, но туман шатания — особенно плохой советчик.

136. Каждое сквернословие и ссора есть уже хвала тьме. Страшный нож не за поясом, но на конце языка. Когда-то придется понять, что сказанное и помысленное неизгладимы. Каждый, помысливший во благо, может радоваться этому, но и наоборот.

137. Прибавьте латвийскому врачу. При наблюдениях над глазами одержимых нужно не упустить из виду, что признак усмотренный может быть подвижным. От приближения огненной энергии признак может как бы растворяться. Одержатель или может начать неистовствовать, или может отступить, унося с собою и признак. Таким образом, наблюдение нужно производить, не предпосылая огненной энергии, иначе действие превратится в изгнание одержателя. Такое действие само по себе прекрасно, но за пределами окулиста. Такое же воздействие иногда замечается при накожных болезнях, которые под влиянием огненной энергии видоизменяются и даже исчезают. Не забудем, что одержание иногда проявляется накожно или судорогами в лице. Но латвийский врач заслуживает похвалы, ибо усмотреть кристаллы коричневого газа нелегко.

138. В последний раз обратимся к дружелюбию как основе жизни. Не румяна, не белила злобы — дружелюбие. Не завеса — дружелюбие. Не личина предательства — дружелюбие. Не приветливая гримаса — дружелюбие. Нужно понять дружелюбие как нелицемерное сердечное чувство. Много ошибок относительно дружелюбия, ибо люди привыкли обманывать и самих себя. Но если качество дружелюбия необходимо для Мира Огненного, то оно нуждается в истинной честности. Огонь прежде всего не терпит колебаний. Так нужно понять качество дружелюбия во всей полноте. Не следует считать, что дружелюбие — какое-то достижение. Нельзя хвалить за качество дружелюбия, ибо оно нераздельно от расширения сознания. Как можно вообразить преображение Огненного Тумана в прекрасный целый Мир и чтобы не иметь сил очистить свои мысли от мелких заноз?! Сознаем, как мелки эти занозы?!! И не трудно избавиться от них, стоит лишь их обнаружить в сознании. Не будем бояться, что люди вообще не могут вернуться к дружелюбию, его достаточно в каждом из нас, потому и о других вообразим то же самое. Но не сделаем это огненное качество как безволие, порабощенность и жалкое лицемерие.

139. Снова показаны низкие слои Тонкого Мира, чтобы еще раз убедиться, насколько они близки к подобным слоям плотного мира. Можно жалеть, насколько неподготовленно приходят люди в Тонкий Мир; принося с собою низменные привычки, они расточают силы мысли на несовершенные образы. Творчество мысли в Тонком Мире развито во всех областях. Трудно даже представить, на какие заблуждения тратится драгоценная мощь! Нужно советовать людям хотя бы немного приучаться думать о прекрасном, чтобы избежать явления безобразия. Не мало прекрасных творений и замечательных явлений Природы, но их нужно заметить. В этом темном состоянии и заключается все несчастье. Даже низкие слои Тонкого Мира отличаются отчетливостью иллюзий. Не смутные сны, но все подробности запечатлены там, где есть устремление. Но какая опасность, если стремление подло или пошло!

140. Наука уже установила наличность особых организмов, которые без приемников слышат дальнее радио.

Конечно, это явление огненного порядка и открывает пути к признанию возможности восприятия мысли на расстоянии. Если закон волн звуковых их понят, то возможны все углубления того же принципа. Хорошо, что даже современная, пугливая наука допускает очевидность таких естественных возможностей. Но нехорошо, что наука не заботится исследовать таких индивидуумов. Можно услышать, что «за исключением такой феноменальной способности, в остальном организм совершенно нормален». Это будет самым невежественным замечанием. Оно будет значить, что врач исследовал такого феноменального человека не лучше, нежели новобранца перед походом. Не хотим обидеть врача, ибо часто ему негде произвести должное наблюдение. Действительно, условия жизни затрудняют все тонкие работы. Попытайтесь постучаться в двери экспериментальных учреждений — и вы будете встречены целым враждебным потоком условий, которые будут не по силам искателю. Необходимо изменить это положение, иначе где можно испытать разные явления, имеющие огненное основание? Попытайтесь найти средства для исследования нужных явлений и увидите, как будут враждебны слушатели, которые напомнят инквизиторов. Точно их задача разрушать возможности, но не помогать очень полезному. Так было, так есть, и люди желают, чтобы так и было всегда. Иначе и не было бы Армагеддона. Нужно так сердечно понять, насколько много тончайших условий, которые могут обусловить знаменательные изменения всей жизни. Но как нужно стучаться, настаивать, подвергаться осмеянию, чтобы открыть, что, казалось бы, открыто всем. Голгофа созидается непониманием и невежеством.

141. Именно и дикарь может летать на аэроплане. Но не будем думать, что когда-то лучше было. Показал Вам клише тридцатилетней войны, чтобы дать понять, как даже в сравнительно развитых странах царствовали грубость и невежество. Можно бы привести рекорды утонченного Рима, Египта и Вавилона, от которых содрогнется сердце. Поэтому нужно по-прежнему стучаться всем, кто прозревает будущее.

Также нужно привыкать не отягощать Иерархию и не вредить друг другу. Звал явить понимание этому закону, но уши часто так глухи!

142. Один демон решил поставить святого отшельника в безвыходное положение. Для этого демон похитил самые священные предметы и поднес их отшельнику со словами: «Примешь ли от меня?» Демон надеялся, что отшельник не примет дары и тем предаст священные предметы; если же примет, тем вступит в сотрудничество с демоном. Когда этот ужасный гость сказал свое предложение, отшельник не сделал ни то, ни другое. Он восстал, возмущенный, и всею силою духа приказал демону бросить предметы на землю, сказав: «Темный дух, не удержишь предметов этих, уйдешь уничтоженный, ибо веление мое явлено Свыше!» Так нужно отгонять темных, и, когда уверенность крепка Иерархией, никакая темная сила не может удержать пламя духа. Не будем считать эти предания ненужными. Демоны многообразны, и каждый работник Света нападения выносит.

143. Головная боль может быть от многих причин, но также от непринятия где-то мысленных посылок, также это может отражаться иглами в сердце. Потому так Забочусь, чтобы не происходил этот вред. Незаметно у некоторых людей образуется рутина отрицания и как бы привычка быть обиженными. На основе этих заблуждений люди делаются непроницаемы для явлений мысленных посылок. При таком состоянии самая добрая мысль отскакивает от заграждения обиды. Но мало того, мысль может возвратиться и только утяжелить пославшего. Можно всех просить не вредить. Между тем чувство обиженности есть самое мелкое и выращивается неразвитым сознанием. Так в обиходе живет рутина обиженности. Нужно сознать ее и выгнать, как самое вредное насекомое. Малые чувства земные обращаются в Геенну Огненную.

144. Много ходят около и там, где Магнит,— особенно. Учитель предупреждает, что теперь можно ждать самых странных столкновений — так наполнены низшие слои Тонкого Мира. Люди решили наполнить Тонкий Мир множествами, не в срок пришедшими. Никто не подумал, какие последствия являются для самих себя. Нельзя безнаказанно убивать миллионы людей, не учредив самую тяжкую карму, даже если эта карма не будет личная, тем хуже, если она умножает Карму стран и всей планеты. Сказанное о миротворцах тем вернее, что у них возникает правильное отношение к будущему. Нельзя наполнять низшие слои Тонкого Мира ужасами несовершенной кармы. Нельзя думать, что это не отразится на состоянии планеты. Но главная причина в том, что никто не мыслит о Тонком Мире. Самое страшное есть обособленность, именно темная сила ликует при каждом отчуждении.

145. Последим за каждым движением. Наш организм покажет многие факты, которые относятся к Тонкому и плотному Миру. Можно заметить, насколько меняется наше сознание при полете в Мир Тонкий. Оно как бы просеивается, и даже любимые формулы остаются при земном сознании. Это наблюдение очень трудно реализовать. Тем более Радуюсь, что оно не только отмечено, но даже запомнилось ощущение ускользания даже близкой формулы. Это не значит, что в Тонком Мире теряется уже развитое сознание, оно даже обостряется, но проходит как бы через мелкую сетку, преображающую оставшееся тонкое вещество. Но для этого наблюдения нужна развитая зоркость. Также хорошо делаете, запоминая моменты отсутствия. Со временем выяснится, где нужно было ваше присутствие. Не только в Тонком Мире, но здесь, на Земле, идет обмен и помощь сознаний. Можно быть уверенным, что если отсутствие участилось, значит, узнаете о больших событиях, о столкновениях, где мешаются сознания и требуют помощи. Нужно уметь замечать именно эти моменты сотрудничества. Люди для спасения близких иногда переливают кровь, разве не одолжат они огненное сознание, когда близкие смущены?

146. Также нужно научиться, чтобы не тратить труд непроизводительно. Смущение умов заставляет пренебрегать главным. Усмотрите, насколько лишены главного содержания два письма, полученные вами. Не столько Виню писателей, сколько вызвавших смущение. Подобное отвлечение от главного есть уже непоправимый вред. Лицо, смущающее сознание близких, есть развратитель. И себе он не принесет радости, наоборот, будет темнеть его жизнь, ибо сознание отклонилось от главного. Распознать главное и держаться по пути к нему значит идти к победе. Но начать погружаться в бездну шатания не значит ли быть камнем на шее близкого?

147. Соответствие между главным и сором порога будет тем опытом, который нужно каждому иметь четко перед собою. Никто не имеет права колоть сердце или причинять головную боль, между тем как около проходят незаменимые сокровища! Люди не считают незаменимым то, что они не замечают.

148. Можно читать закрытую, незнакомую книгу. Вы видели это. Можно при желании узнавать время, мысленно вызвать вид часов. Так можно заставить Огонь Пространства унести все преграды. Люди называют это явление ясновидением, но лучше назвать огненным прозрением. Но можно заметить, что не всегда эта огненная возможность бывает одинакова. Так же, как можно убеждаться, что огромные потрясения увеличивают эту способность; так же, как и полный покой. Но существует какое-то среднее состояние духа, которое, как облако, окутывает наше сознание, — это будет смущение духа. То самое шатание, которое порождает тьму сомнений. Ясность приемника поникает не только от своего смущения, но и от смущения окружающих и соединенных кармою.

149. Когда будет установлено снятие аур, можно увидеть знаменательное явление. Аура полного покоя будет по напряжению равняться ауре великого потрясения. Но зато волны срединных воздействий будут напоминать встряхивание пыльного мешка. Потому так Охраняю вас от мелких шатаний и раздоров. Можно представить себе серые пятна раздоров, которые, как пологом, закрывают Свет возможностей.

150. Не нужно смотреть на работу Огня, как на нечто психическое. Считайте, что Огонь — нечто физическое. Так среднему сознанию будет легче мыслить.

151. Сон, так же как равность противоположных аур, может иметь самые противоположные причины. Он может быть туманом успокоения или может быть напряжением работы тонкого тела. Когда кроме ночного сна требуется еще дневное отсутствие, значит работа велика. Часто эта незаметная работа имеет мировое значение. Правительства хотели бы очень иметь таких сотрудников, но по человеческому состоянию не умеют даже позвать их. Когда же такая возможность возникает, они наполняются животным ужасом, восклицая: «Опаснейшие люди!» Так каждое понятие, выходящее за пределы грубейших материальных условностей, будет сопровождаться животным страхом. Нужно утешиться — так было всегда.

152. Кто может не согласиться с условием Учения познавания, тот пребудет в страхе. Нужно видеть ауру страха, чтобы понять, как нелепо это ощущение. Аура не только колеблется, но она свертывается, как бы замерзает и, лишенная вибраций, висит, как ярмо преступника. Можно приложить внимание к снятию излучений. Ведь фосфоресцирующие рыбы снимаются легко.

153. Еще вернемся к вопросу рождения, так связанного с Огненным Миром. Но сейчас Отвечу на вопрос о Свете в Тонком Мире. Конечно, трансцендентальность состояния

сообщает и всему миросодержанию соответственный аспект. Когда вы посещали Докиуд, вы видели достаточно Света. Но некоторые поместья Тонкого Мира поражают сумерками. Свет в нас, и мы открываем пути ему. Также жители Тонкого Мира, которые хотят Свет, не имеют недостатка в нем. Обыватели, которые чужды потребности в Свете, пребывают в сумерках. Это относится к неограниченному мыслетворчеству. То солнце, которое мы на Земле ощущаем по одному аспекту, может претвориться во многие условия под мощью мыслетворчества. Желающий Света допускает его, но погрязший в сумраке мысли получает то, чем себя ограничил. Потому так твердим о ясности сознания, о неограниченности мысли и вмещении. Такое приспособление организма к будущему дает самые желательные следствия. Сколько жителей Тонкого Мира озираются на Огненный Туман и смутно жалеют о чем-то утраченном!

154. Когда Говорю, что враги добра потерпят поражение, Имею в виду действительность. Можно видеть, как люди, утерявшие связь с Иерархией, теряют свое положение и уходят в забвение. Только что видели, как можно катиться вниз и не от Меча Ангела, но народным решением. Так происходит, когда уже близкое, уже данное не принято. Не нужно ожидать, чтобы вестник отбил себе руки от стука, нужно призвать вовремя сердечное понимание. Нельзя отрезать нити Иерархии безнаказанно. Тучи от самих себя! Так замечайте в жизни эти знаки огненные.

155. Во время особого огненного напряжения нужно избегать повреждения кожной ткани. Огненное соединение неестественным порядком причиняет особое жжение. Уявление это может заинтересовать врачей. Но нужно даже к царапинам отнестись с духовной стороны. Психическая энергия работает, но нужно принять во внимание особое огненное напряжение. Каждое извержение вулкана также происходит от особых причин нагнетания. Явление огненных напряжений происходит во многих сторонах жизни. Снова в Тихом океане поднялись новые острова, как огненные нарывы.

156. Мы смотрим с сожалением, насколько явление жестокости убивает многие уже готовые явления. Нельзя не удивляться такой расточительности!

157. К чему устремимся — к конечному или беспредельному? Краткосрочно земное пребывание; срочны Миры Тонкий и Мысленный, но вне сроков Мир Огненный, значит, к нему и следует стремиться. В Мирах срочных добивается

доспех огненный. Мир земной как тупик пути — или восхождение, или разрушение. Даже Мир Тонкий не удовлетворит устремленный дух; все прочие жизни — лишь приготовления к всеобъемлемости Мира Огненного. Слабый дух ужасается расстоянием до Огненного Мира, но прирожденные духи к восхождению могут лишь радоваться. Прекрасны красоты плотные, но ведь музыка сфер несравнима. Но за этим тонким прозрением представляется Величие Огненное. Озон кажется здесь посланником Свыше, но он будет грубейшим проявлением атмосферы. Высока лазурь земная, но она, как шерсть, перед просветлением огненным. Так входящие в Огненный Мир не могут дышать воздухом Земли. Именно Нирвана есть огненное восхождение. В каждом Учении находим символ этого огненного восхождения. Сергий причащался огненно. Так наглядно дан знак возможности высшей. Придет время, и оно близко уже, когда люди не будут знать, как принять огненные возможности. В смятении забудут, что суждено огненное приобщение. Они будут изощряться в противодействии вместо наполнения силою Огня. Потому Твержу и Напоминаю о нужном огненном приобщении. Многие опасные химические сочетания вызовут смятение. Именно загромождения Тонкого Мира могут показать, как больна планета. Если эта опасность стала очевидной, то Наша обязанность — предупредить.

158. Психическая энергия, иначе говоря, огненная энергия или Агни, явлена в каждом живом существе. Каждый человек может различать в себе элементы плотные, тонкие и огненные. Там, где мы чувствуем проявление психической энергии, там уже область огненная. Из этих осколков можно складывать целое огненное миропонимание. Каждый при внимательном наблюдении за рефлексом его бытия может усмотреть множество характеристик огненного обихода. Это нужно замечать, ибо таким образом мы перестаем понимать Огненный Мир, как нечто отвлеченное. Такое понимание Огненного Мира особенно пагубно, но и все отвлеченные толкования не помогут эволюции.

159. Можно отличать среди наших свойств черты Тонкого Мира, они не всегда будут касаться психической энергии. Но многие воспоминания, многие природные отвращения и склонности могут быть продуктами Тонкого Мира. Также и воспоминания о каких-то невиданных лицах или местностях могут быть не из плотного мира.

160. Также можно на отдельных фактах познать Тонкий Мир как целое миросозерцание, но для этого нужна

внимательность, иначе утонченность, то, что называется культурностью.

161. Вы правы, замечая, что именно внутреннее неблагополучие особенно губительно. Можно выиграть все процессы, можно встретить новых друзей, но внутреннее разложение может отогнать самого хорошего друга. Когда в воздухе пыль перца, все начинают чихать. Так империл может распространяться. Вы видели не раз, как подходили новые обстоятельства, но их нужно встретить. Так нужно, наконец, понять о заразе империла! Нельзя легкомысленно относиться к разложению! Этот процесс передается, как проказа. Может быть или укрепление, или разложение, не может быть третьего состояния. Нельзя советовать укреплять насильно. Нельзя спасать от проказы насильно. Нельзя удерживать от империла насильно. Дружелюбие не насилие. Рост сердца не от кнута, но можно растить Сад Прекрасный лишь действиями прекрасными. Оскорбление Иерархии непоправимо.

162. Садху указал на плод манго, сказав: «Вот три мира: сперва оболочка, которая не имеет цены, затем мякоть, преходящая, но питающая, и затем зерно, которое может сохраниться на вечность». Тонка оболочка, уже существеннее мякоть, и мощно зерно. Такие же аналогии представляет яйцо. Оболочка — преходящее явление, но белок — уже пища, хотя и ненадолго, и затем огненный желток. Человек представляет синтез всех царств, но и символ трех миров всюду показан. Так обычай в памятный день обмениваться красными яйцами имеет в себе древнейший символ. Люди хотели напомнить друг другу о пути трех миров, о пути восхождения и воскресения. Так не будем думать, что путь не запечатлен даже на простых предметах.

163. Совершенно понятно желание узнать, почему, посещая Тонкий Мир, мы не поражаемся многоцветности аур. Во-первых, сознание транспонирует многие впечатления, но главное в том, что существует гармония синтетическая. Конечно, можно различить степень озарения, но самое излучение так же, как в плотном мире, может быть вызываемо мысленно. Было бы несносно, если бы Тонкий Мир весь дрожал в пестрых радугах. Даже на Земле радуга иногда может раздражать. Но Мир Тонкий, действительно, светится совершенно гармонично. Мы не говорим о низших слоях, где нельзя искать гармонии.

164. Также и в Огненном Мире не следует думать, что существа его постоянно окружены языками пламени. Огонь может кристаллизоваться, но его обычное состояние может быть характеризовано как Свет. Просты эти сообщения, но лучше упомянуть их, чтобы избежать обычных непониманий.

165. Огненную ауру можно считать настоящим показателем Огненного Мира. Нужно привыкать, что среди жизни мы встречаем знаки этих напряжений. Грубый пример дают электрический угорь и прочие электрофорные животные. Но ведь некоторые люди даже помимо электризации носят такие заряды этой энергии, что при прикосновении дают толчки и искры. Ничего особенного это не значит, но поучительно наблюдать, как отлагается основная энергия.

166. Нужно помнить, насколько каждое указание Ур. правильно и каждое чувство имеет основание. Не только огненные извержения и землетрясения, но даже далекие ураганы показываются на ощущениях, и эти ощущения безошибочны, ибо сознание огненное прикасается чутко ко всему. Нет ошибок в определении людей. Так каждый покажет сущность свою огненному сознанию.

167. Где то малейшее, которое поворачивает рычаг событий? Где то малейшее, которое разлагает уже сложенное? Не нужно искать гору Блага, оно появиться может, как песчинка. Не следует укрываться лишь от черной тучи. Злобедствие ползет меньше червя малого. Нужно при всех обстоятельствах применять и малые меры. Атом мал, но содержит многие судьбы. Так подходим к Огню, и мала граница между приятным отогреванием замерзающего и ожогом. Всеми сравнениями Пытаюсь внести понимание о тонкости огненной стихии.

168. Огонь имеет антиподами землю и воду. По несчастью, эти две стихии слишком ощутимы и тем удаляют восприятие огненное. Потому так трудно людям представить, что Огонь не имеет постоянного состояния: он вечно или в эволюции, или в инволюции, и оба движения подвержены закону прогрессии.

169. Опять перед нами ряд грозных событий. Опять Напоминаю о Львином Сердце. Не Говорю о неудачах, ибо грозные события чреваты многими следствиями. Не удивляйтесь напряжению и особым волнам чередующимся. Нужно знать явление расстройства ритма. Там, где хорошо, не будем повторять, что держитесь за Меня, как за единственную опору. Исполняйте Мои Указания точнейшим образом, главное, точнее, ибо малые щели очень опасны. Нужно продержаться Львиным Сердцем. Не будем думать, что

враги малы, они как для вас, так и для нас велики, но Не Говорю для огорчения, но лишь, чтобы утвердить Львиное Сердце.

170. Один Правитель после Государственного совета взял глиняную вазу и разбил на глазах у всех. Когда его спросили о значении сделанного, он сказал: «Напоминаю о непоправимости». Когда мы разбиваем самый простой предмет, мы все-таки понимаем непоправимость, но насколько непоправимы мысленные деяния! Мы привыкли окружать себя грубыми понятиями, и они вытеснили все высшие представления. Если бы Правители чаще напоминали о непоправимости мысленных решений, они предупредили бы множество несчастий. Правитель, не знающий о духовном начале самоусовершенствования, не может вести вверенные ему множества сознаний. Правитель есть пример живой. Правитель есть слагатель пути по всем мирам. Он дает основу благосостояния, но не будет благосостояние лишь в плотном плане. Так не будет Правителем тот, у которого Огонь на конце спички. Размер его будет равняться его представлениям.

171. Уявление потребности огненных познаний будет так же, как воображение, лежать в области опытных накоплений. Конечно, воспоминание об Огненном Мире несравненно реже, чем тонкие впечатления. Часто люди не имеют слов для выражения огненных впечатлений. Но обычно люди не мыслят мысленно, но ограничивают мышление условными, чужими словами, тем они вносят в необъятную область мысли мертвые слова.

172. Ураган и вихри, и разрушения напоминают о разбитых вазах непоправимых. Так нужно соединить мышление с Иерархией. Лишь так земля не уйдет из-под ног. Утверждаю, как постепенно у земного основания теряется конечный смысл. Люди поймут, насколько условия мира устремляют их к следующим ступеням!

173. Сердце, чаша, солнечное сплетение, поистине, являются космическими градусниками. Нужно понять, какое напряжение в мире, потому Говорю о хранении дружелюбия как основании здоровья. Можно понять, как настоятельно сердце требует дружелюбия. Множество черных звездочек — как перед наступлением тьмы.

174. Искрой Мудрости называется то переходное состояние, которое связывает нас с Иерархией. Это не есть пустота, не безразличие, не насилие, но полное сознательное открытие сердца.

175. Но, что особенно важно, обычно совершенно упускают в мышлении. Так самые реальные обстоятельства делаются неуловимыми. Люди не хотят замечать, как у них уходит возможность замечать внеплотные ощущения. Между тем, даже во время обычного кашля, зевоты или чихания, можно подметить миг особого неплотного состояния. Уже не будем перечислять другие, более сложные напряжения, но кто почует сказанное внеплотное ощущение, тот уже может начать собирать явления прочих планов.

176. Перед вами напряжение синтетического центра гортани, нужно понять, сколько различных напряжений должно слиться, чтобы ударить по центру синтеза. Нужно очень внимательно относиться к этому напряжению, ибо оно рефлектирует на сердце. При таком состоянии следует хотя бы внешне беречь гортанные связки и не напрягать их говором.

177. Архат отдыхает ли? Уже знаете, что отдых есть перемена труда, но истинный отдых Архата есть мысль о Прекрасном. Среди трудов многообразных мысль о Прекрасном есть и мост, и мощь, и поток дружелюбия. Взвесим мысль злобы и мысль блага и убедимся, что мысль прекрасная мощнее. Разложим органически различные мысли и увидим, что мысль — прекрасная сокровищница здоровья. В мышлении прекрасном узрит Архат лестницу восхождения. В этом действенном мышлении есть отдых Архата. В чем же можем найти иной источник дружелюбия? Так можно вспоминать, когда мы особенно утеснены. Когда повсюду закрываются ставни самости, когда гаснут огни во тьме, не время ли помыслить о Прекрасном? Мы ждем чуда, мы стремимся выйти из затвора, но лестница Архата лишь в Прекрасном. Не загрязним, не умалим этот путь! Лишь в нем привлечем то, что кажется чудесным. И чудо не есть ли неразрывная связь с Иерархией? В этой связи и вся физика, и механика, и химия, и вся панацея. Кажется, немногим устремлением можно продвинуть все препятствия, но полнота этого условия непомерно трудна людям! Почему они отрезали крылья прекрасные?

178. Лишь, при сознательном устремлении, можно подвинуть человеческую эволюцию. Когда мыслите об особых мерах для эволюции, нужно призвать все сотрудничество. Учитель говорит школьнику: «Не решишь задачу, пока не захочешь решить ее». Так и в жизни: нужно захотеть свободно двинуться к эволюции. Пусть каждый понимает ее по-своему, но позитивное движение содержит хотя бы малую возможность. Движение мысленное уже принадлежит области огненной.

179. Сновидения были обследованы со многих сторон, но самое значительное обычно упущено. Ночные стуки, плохое пищеварение, раздражение и множество поверхностных воздействий не забыты, но упущены все рефлексы Тонкого Мира, все воздействия мысли на расстоянии, наконец, все Иерархические предупреждения и чувствования огненные. Нужно обладать очень атрофированным воображением и восприятием, чтобы упустить эти основания сновидений. Не только материалист обратил внимание лишь на поверхностные данные сновидений, но этот наблюдатель был скуден в природе своей. Можно понять материализм как стремление к действительности, но не к умалению и не к скудости. Сновидение имеет огромное значение в течении плотной жизни. Почти половина жизни проходит в касании с Миром Тонким и даже Огненным. Нужно иметь уважение к состоянию, равному бодрствованию. Нельзя во главу рассуждений ставить объедение, нужно добросовестно и неумаленно припомнить все четыре основы помянутые. Так можно будет различить многое — и поучительное, и прекрасное.

180. Сновидения Иерархические могут напомнить о многом, уже сложенном в пространстве. Так, когда нужно напомнить о надобности собирать все данные, можно видеть ищущего человека. Так не будем забывать, что указание всегда очень бережно, чтобы не насиловать карму.

181. Уже сложившиеся события часто нужно напоминать. Не ободрение это, но действительность. Люди гораздо чаще бывают направлены, нежели они думают. Но еще чаще они вовсе не думают, уносимые потоком предрассудков. Так, Мы не можем не послать видение или сновидение там, где что-либо касается народного блага. Ныне особенно мир нуждается в таких указаниях, иначе смятение умов может закрыть главный путь.

182. Смятение умов не допускает человечество до мысли об Огненном Мире. Явление извращенного материализма именно отвратило мышление от материи как источника Света. Дух отринут, и материя забыта — остался базар! Не думают люди, что сказанное не преувеличение, но пример прост: пошлите гонца с просьбой о благе и гонца о зле и подсчитайте ответы. Подсчитав ответы, поймете, почему надо спешить.

183. Бездушные существа всем известны. Это не символ, но химическая действительность. Могут спросить: воплощаются ли они в этом плачевном состоянии? Вопрос покажет незнание основ. Никто не может воплотиться без запаса огненной энергии. Без светоча Агни никто не войдет в плотный мир. Расточение Агни происходит здесь, среди всех чудес Природы. Вовсе не требуется при расточении Агни совершать какие-то зверские преступления. Мы достаточно из разных Учений знаем о преуспеяниях даже разбойников. Обычно расточение Агни совершается в буднях и в сумерках духа. Крошечными действиями останавливается нарастание Агни. Нужно понять, что Благодать Агни естественно нарастает. Но когда тьма покрывает усовершенствование, тогда Огонь незаметно, но, химически доказано, уходит из негодного вместилища. Прекрасен закон вечного движения, или эволюция, или инволюция. Прекрасен закон, дающий каждому воплощенному иметь в себе вечный Агни, как Свет во тьме. Прекрасен закон, даже вопреки карме наделяющий каждого путника Светом. Прекрасен закон, не препятствующий уже от семи лет возрастить Сад Огненный. Пусть эти первые цветы будут невелики. Пусть они расцветают на крошечных помыслах, но это будет верный зачаток будущего мышления. Какое множество прекрасных помыслов зарождаются в семилетнем сердце, когда смутные образы Тонкого Мира еще не покинули мозг и сердце! Также может начаться и расточение, если почва растения оказалась гнилой. При таком бедствии можно много помочь или, как давно сказано, одолжить Огонь. Это одолжение происходит тоже на самых крошечных действиях. Итак, уже трижды Напоминаю о крошках. Из этих искр растут огромные Огни.

184. Не думайте, что бездушные люди — какие-то чудовища. Они в разных областях достигают даже механических преимуществ, но Огонь покинул их и затемнились дела их.

185. Конечно, каждый волен в судьбе своей и даже в конечном разложении. Но существа бездушные очень заразительны и вредны. Уявление одержимости особенно легко при таком погашенном состоянии. Не примите за преувеличение, если около половины народонаселения планеты подвержено этой опасности. Конечно, степень очень различна, но начавшееся разложение очень прогрессирует. То же можно видеть и среди минувших Культур. Огни духа потухали, как дымные костры, но всякий дым ядовит, если не добавить полезное вещество.

186. Касание к Огненному Миру дает преимущество

не только в будущих жизнях, но теперь. Недаром говорят — огненное желание будет исполнено. Не будем думать, что это скрытое, помысленное предположение, примем это как действительность. Огненное мышление настолько кристаллизует соответственные сферы, что именно мысль будет уже утверждением. Конечно, не будем мерить земными сроками, ибо безвременны Пространственные Огни. Не будем делить жизни, ибо жизнь вечна. Но желание огненное будет исполнено. Так многие образы предуказанные уже сложены в неизменных хранилищах. Отнесемся к этим огненным желаниям со всем сознанием и не будем поверхностны, когда касаемся сущности Бытия.

187. Уже много раз Говорил о вреде разделений. Если жизнь вечна, если мы понимаем друг друга не условными звуками, но чем-то поверх языка, то мы обязаны прилагать силу к единению. Неправ разделяющий. Неправ допускающий разделение. Правильно, чтобы лучшие и были вмещающими. Не время, подобно обычаю пещерных жителей, красоваться избранными работниками. Работники все, по всей Иерархии, только никто да не помешает исполнению огненных желаний.

188. Даже для простого исследования лучами врач предписывает особую пищу. Но насколько тоньше прикасание к Области Огненной. Нужно приготовляться не только пищей, но и другими внешними и внутренними условиями. Условия пищи не сложны, главное, избегать крови как начала, вносящего эманации, непотребные для утонченного организма. Но даже в случае крайней нужды можно избежать крови или сушеным, или копченым мясом. Так и в распределении мучной и растительной пищи можно руководствоваться состоянием организма. Но каждый и без Йоги понимает, что излишек вреден. И каждый знает о витаминах сырых продуктов, но все эти условия, так же как и чрезмерная пранаяма, ничто в сравнении с сердечным постижением. Сами знаете, как вспыхивают Огни и как руководят самые прекрасные мысли. Не раз, может быть, слышали о садху-грабителях, но они, вероятно, очень ретиво отсчитывают пранаяму. Также, конечно, слышали о некоторых Риши, которые не уходили от помощи людям, несмотря на все невозможные условия. Именно каждый памятный день хорош для напоминания о сердечном приобретении Огня. Остальные условия прикладываются по достоинству сердца. Не будет сердце наполняться чужою или животною кровью, ибо качество сердца не примет этого.

Не задохнется огненное сердце от злословия, ибо это противно природе его. Так будем приветствовать и всегда помогать естественному зажжению Огней.

189. Мера познается сердцем. Непригодны слова для выражения меры. Но тем не менее каждое развитое сердце знает меры каждого приложения.

190. Можно лишь признаками Культуры строить Новую Эпоху. Так Культура будет произнесена как единственная самозащита от разложения. Ныне можно стремиться лишь по этому направлению. Наш Приказ: не упускать каждый случай, чтобы напомнить о Культуре. Пусть считают фанатиками идеи, но слушают и привыкают. Так Мы вносим мозговые рисунки.

191. Мы говорили о торжественности, о дружелюбии, о великодушии; заключим этот квадрат благодарностью. От малого по всей Иерархии сверкают искры благодарности. Ценны эти огни!

192. Даже если кто случайно совершит благо, хвалите его. За каждую кроху добра хвалите. Тому, кто взывает во мраке, безразлично, кто принесет Свет. Расширение поля зрения есть принесение Света. Полезно это действие как подающему, так и принимающему Свет. Передача Света есть его расширение. Было одно пламя, вот их стало уже два, значит, и совершилось благо.

193. Благо в руках человеческих как лампада каждого вечера. Становится темно, но готова лампада, и рука опытна, чтобы зажечь ее. Но опять Говорю: хвалите за каждое благо — это будет явлением великодушия. Пусть каждая искра блага раздувается в пламя. Пусть случайное добро многочисленно, но оно тем не менее все-таки добро. Много запрашивать сознательного благотворения, пусть хотя бы тусклые Огни тьму рассеивают. Мрак совершенный не будет уже таким, даже при одной искре Света. За мыслью, за словом, за действием — уже Свет. Так сумевший найти искру Света уже будет сотрудником Светлым.

194. Нужно, познавая Мир Огненный, навсегда забыть о малом — такое не существует. Как над целебным составом врач не думает о ничтожности, так и зерно пороха в пороховом складе не мало́ в следствии. На примерах Сущего утончаемся. Что пользы в образовании, если мозг остался лукав и язык лжив? Можно делить людей по утончению сердца, но не по лживости сознания. Не думайте, что лживость сознания без значения для Огненного Мира. Так снова от морали приходим к химии.

195. Каждый врач скажет, как смешение самых полезных ингредиентов дает часто даже губительное целое. Смешение во всех областях очень опасно. Через смешение уявляются уродливые усложнения. Как осмотрительно нужно следовать по пути сознания, чтобы ноги не оказались на разных путях. Цель жизни — очутиться в Огненном Мире со всеми накоплениями сознания.

196. Не следует думать, что Архат может упускать из сознания, хотя бы на мгновение, Волю ведущую. Он окажется простым человеком, если не будет всегда торжественно нести Чашу подвига. Мощь Его сердца уснет, как только Он не ощутит в руке своей нить Иерархическую. В этом сознании постоянного бодрствования заключается особенность Архата. Когда Говорю вам о бодрствовании, Научаю вас основам познания. Но не легка эта торжественность при смятении атмосферы. Не легка устремленная зоркость, когда клубится пыль разложения. Нельзя прилагать одинаковые требования, когда твердь содрогается.

Именно только Архат может спасти смуту людскую.

197. Новая Раса может зарождаться в разных частях Земли. Даже не удивитесь, если отдельные проявления окажутся в самых неожиданных местах. Ведь и магниты разложены довольно неожиданно для человечества. Но при положении магнитов принимались во внимание многие условия. Так и сеть зарождающейся Расы разбросана по дальним окраинам. Но одна часть Мира решает судьбу Века. Не буду называть эту часть Мира, но история всех движений достаточно отметила ее.

198. Нередко люди различают частицы музыки сфер так же, как вибрационные дифференциации Света, и только ложное отношение ко всему Сущему не позволяет им сосредоточиться на этом. Так начинается заколдованный круг неискренности. Явление действительности попадает в разряд недопустимого. Прискорбно видеть, как люди стыдятся лучших своих проявлений. Тем самым они не только нарушают свое значение, но и готовят обезображивание Тонкого Мира. Отказавшиеся от действительности люди несут прочные стигматы лжи.

199. Нужно с головой погрузиться в призрачную условность, чтобы даже самому себе бояться признаться, что видишь или слышишь. Не нужно никакой софистики, чтобы честно и без самости отмечать происходящее.

200. Не нужно забыть, сколько камней бросается на восходящий путь. Только опытное сознание не упустит из виду наличность обходной тропы. Неудержимое стремление должно познать и всю находчивость. Иногда безумные подают пример находчивости в своем устремлении. Казалось бы, разум не должен был задерживать путника!

201. Не только песнь и ритм музыки, но даже каждая машина создает вибрацию, касающуюся огненных энергий. Также каждое нагнетение, вернее потрясение, будет проводником тех же выявлений Агни. Потому нужно приучаться из каждого напряжения выделять и осознать искру. Не следует по примеру сумеречных людей избегать напряжения. Нужно каждую огненную вибрацию приветствовать как очистительное начало. Спокойная жизнь, как ее понимают обыватели, не что иное, как огнетушение. У них даже изобретены целые системы огнетушения от малых лет.

202. Устремление к тропе скалистой не создается извне, оно нарастает изнутри, лишь опытом накопления. Нужно знать всю непреложность и вечность жизни, чтобы идти без страха. Нужно понять неистребимость сущности нашей, чтобы эту ценность полагать на чашу весов. Можно принимать лишь ценность неизменную, так мы научимся оберегать эту ценность и утверждать ее. Не нужно думать, что многие повреждают ценность духа, пусть так. Мы же понесем ковчег Монады, зная, что вознесение ее будет на пользу Мира.

203. Новое не может быть новым для Архата. Так много запечатлено на глазах Его. Поучительно видеть, как те же знания и открытия в разных эпохах не только назывались различно, но входили в жизнь совершенно противоположно. Тем можно объяснить многие словесные противоречия.

204. Углубленное дыхание есть признак особого напряжения. Так не следует понимать потрясение только как несчастье и страдание. Вы не раз слышали о минутах блаженства перед припадком эпилепсии и некоторыми заболеваниями. Но это лишь перенесение сознания в огненное явление. Так монахи и садху иногда не променяют это огненное чувство ни на какие сокровища.

205. Значение витаминов есть знак грядущего века. Но к физическому естеству витаминов следует прибавить сознательную психическую энергию, и тогда множество запросов физического и духовного целения разрешается. Так можно начинать сопровождать прием витаминов соответственною мыслью. Даже на самых простых физических действиях можно замечать влияние мысли. Например, можно бросать мяч с одинаковым физическим усилием, но сопровождая различными мыслями, и, конечно, сила удара будет различна. Так можно видеть, сколько мы сами препятствуем или усиливаем даже обычные наши действия. Нужно вводить в школах подобные опыты, чтобы на простых физических аппаратах показывать силу мысли. Витамины сами принадлежат к области психической энергии, иначе говоря, относятся к сфере огненной, значит, их объединение с огненной мыслью даст самое мощное сочетание.

206. Нужно различать среди последних открытий те, которые относятся к огненной области. Их сочетание может вести к самым нужным следствиям. Они натолкнут на новые утончения и покажут, сколько полезных веществ изгнано из употребления невежеством.

207. Основа чувства есть его беспредельность; так можно очень осознавать, когда Говорю о приближении и постоянном углублении чувства. Считайте, что огненное приближение не знает границ, оно вне наших измерений. Такое положение нужно принять и совершенно научно. Еще недавно утверждали неделимость атома, но оказалось, что и эта граница условна. Таким образом, можно приобщаться к мысли о Беспредельности. Но, как мы уговорились, субстанция есть чувство, и наоборот. Так мы введем в понимание чувство, как Беспредельность. Иначе говоря, чувство приведет к Вратам Огненным.

208. Вы поражены, что незадолго до землетрясения уже были приняты меры для устранения сердечного содрогания. Не чувство ли прежде всего руководит этими телеграфами? Ни что иное, как живая субстанция чувствознания не нуждается ни в каком условном аппарате. Но, конечно, нужно обоюдно питать эту субстанцию. Конечно, мысли Ур. были лучшим питанием этого провода.

209. Кто же может представить себе реальность Мира Огненного без чувствознания? Но это качество нужно воспитывать со всею преданностью, именно не на бумаге эта преданность, но в сердце. Принятие плана Огненного доказывает и мужество, ибо всякая невежественная мысль прежде всего возмущается Огнями Сердца.

210. Утешение у Нас в том, что хотя бы немногие понимают назначение жизни и признают Огненные Миры. Нигде не рассчитывайте на множества, но в то же время имейте в виду целые народы. Явление узлов Бытия происходит не в обычных мерах.

211. Одобряю, если соберете явления психической энергии и соответственных гланд. При этом нужно обратить

внимание на временную последовательность сообщений. В этой последовательности можно уловить ритм намеренный. Не случайно даются намеки в разных странах разным людям. Чередование волн Востока и Запада тоже не случайно. Постепенно вновь завоевывается забытая область. Опять приходим к основам Бытия. Именно этим путем снова поймем жизнь как самоусовершенствование и тем решим как этические, так и экономические постулаты. Потому так важно тщательно собрать данные о психической энергии из разных источников, не стесняясь их кажущимся противоречием. Ни что другое не возбуждало столько разноречия, как психическая энергия. Собирать эти цветы Бытия можно рукою закаленною, иначе может рука задрожать среди знаков всех веков и народов. Не было народа, который бы не мечтал об Агни, собирая для него лучшие созвучия. Однобокое сознание неминуемо поскользнется на догмах и устрашится софистикой. Но София не софистика и опыт не предубеждение — так можно делать полезное собирание.

212. Одобряю Калачакру собираемую. Это Огненное Учение запылено, но нуждается в провозвестии. Не разум, но мудрость дала это Учение. Невозможно оставлять его в руках невежественных толкователей. Многие области знания объединены в Калачакре, только непредубежденный ум может разобраться в этих наслоениях всех миров.

213. В течение школьных лет особенно замечается опухание и чувствительность желез. Врачи всячески стараются загнать внутрь это явление или удалить железы. Но почти никто не подумал, что особая чувствительность желез зависит от огненных проявлений, вызванных новым мозговым и сердечным напряжением. Не простуда, не духота помещения, но новая работа огненных центров вызывает напряжение желез. Также подобное напряжение отзывается нередко на кожной поверхности. Уявление лечения чистым воздухом, конечно, уменьшает напряжение, ибо огненность Праны приводит неуравновешенность желез к огненной гармонии. Но каждое насильственное удаление огненного аппарата, несомненно, очень отзывается в будущем, понижая чуткость восприимчивости.

214. У древних считалось полезным прикасаться к железам корнями растений семьи игниридовых, но это очень примитивное лечение, ибо огненность этих растений может быть приложима гораздо полезнее. Они могут дать полезный экстракт для повышения огненной деятельности. Очевидно, древние имели в виду лечение подобного подобным. Полынь тоже хороша, также и розовое масло может действовать спокоем, но не так быстро. Конечно, огненность растений имеет много применений и может входить в состав укрепляющих средств.

215. Несчастье людей именно в том, что они любят хвататься за второе, пренебрегая первым. Но приближение к высшим энергиям обязывает понимать основу.

216. Тоже нужно напомнить о движении ума, который хочет схватить дальнее, упуская близкое. При смятении умов особенно видно это непростительное пренебрежение к близкому.

217. При огненном напряжении очень полезно сойтись вместе и дать огню новое направление, но сходиться можно лишь без раздражения. Так же и минуты молчания, как бальзам успокоения, когда можно поддержать сердце близкое.

218. Конечно, красный свет не к спокою. Надо видеть, как напряжено пространство. Если бы главы правительств поняли, что космические условия имеют некоторое значение! Но, к сожалению, даже немногие астрологические попытки обставлены нелепыми толкованиями. Нужно, как и во всем, вернуться к простейшему и точнейшему. Все Учения прослоены произвольными толкованиями. Нужно прошлое понять, как может лишь честный историк.

219. Который из условных типов человеческих выразит огненное сердце? Обычное мышление может предположить тип сангвиника или, по крайней мере, холерика, но это будет одно из невежественных заключений. Огненное сердце есть сущность синтетическая, и она не может улечься в совершенно условные деления. Можно лишь утверждать, что тип ипохондрика не ответит огненности. Так, нужно представить себе огненное сердце как вместилище всевмещающее. Огни такого сердца тоже не будут однообразны. Кто может ограничивать Будхи синим цветом? Можно спросить: каков этот вибрирующий синий цвет? В любой гамме будет свой синий цвет зависимо от внешнего и внутреннего химизма. Также не забудем дальтонизм, который развит широко. Так среди закона единого огненное сердце найдет все богатство, приличествующее великолепию Космоса.

220. Научимся различать и тем самым сделаемся щедрыми. Никто ограниченный не станет духовно богатым. Но также нужно иметь сострадание к соседнему дальтонизму. Ведь каждый до высоких ступеней подвержен этим различиям. Не будем требовать, чтобы люди все одинаково думали. Хорошо, если они различают, где Свет и где тьма. Но тонкие вибрации даются нелегко.

221. Особенно не следует нагнетать огонь за едою. Не случайно некоторые люди предпочитают за столом молчание. Так по всему обиходу рассеяны нужные сведения. У людей редко применяются здоровые взгляды. Так, например, люди любят не только купить много вещей, но и немедленно применить их, забыв, что каждая вещь приносит очень сложные наслоения. Древний обычай окуривать каждую новую вещь имел явное основание. Только он предусматривал не столько наслоение физическое, сколько тонкое, со всеми психическими следствиями.

222. Пока человечество пребудет с телесно-физическим сознанием, вряд ли можно изменить методы условной экспериментальной медицины. Лишь направление сознания к психической энергии может ограничить нелепую вивисекцию. Работа над живыми растениями, с одной стороны, и приложение, с другой — психической энергии введут мышление в новое русло, но, во всяком случае, каждое заявление против вивисекции уже вызывает Наше одобрение. Такие заявления показывают знание явлений Тонкого Мира и понимание, что такие вивисекции могут быть новыми очагами заразы. В будущем достаточная профилактика с умением приложения психической энергии сделают болезни вообще несуществующими. Пока же, по мере возможности, нужно пресекать жестокости вивисекции и твердить о психической энергии. При таком постоянном напоминании и сама энергия начнет больше проявляться. Ведь огненное мышление есть зажигание факелов.

223. Новое мышление не есть ниспровержение всего старого. Так, оно будет лучшим другом всего уже найденного. Такое мышление не отринет непонятную формулу только потому, что она сейчас не ясна. Бережно отложит непонятную формулу Наш друг. Часто неясность не есть достижение скрытое, но зависит от множества преходящих наречий. Каждый язык не сохраняется; в течение уже одного века смысл выражений изменяется и влечет за собою сложность подходов к мышлению. Не будем жалеть о водах текучих, но не забудем, что смотрим на старые достижения новыми глазами. Даже множество отдельных древних наименований могут казаться странными, ибо вставлены в чуждые наречия и часто уродливо произносимы. В древности для запоминания пели эти значительные слова, но ритмы утеряны, как нечто ненужное. Но в потере ритмов люди

забыли о значении вибраций. Новое мышление не забудет об основных законах.

224. Незлобивость есть одно из огненных качеств. Но что сделали люди из этого состояния? Не дряблость, но полная справедливость заключается в незлобивости. Огненное сердце отлично понимает недопустимость злобы. Оно знает о созидании, которое исключает злобу как средство негодное. Также незлобивость чувствует целесообразность, иначе говоря, высшую меру справедливости. О чувстве справедливости Мы много говорили, но оно так основательно, что нужно среди каждого повествования утвердить его. Иначе что же уравновесит ощущение личное, когда нужно из-за ширмы крови заглянуть к Свету? Не случайно люди говорят о судье несправедливом, у него кровь глаза заливает. Так, среди бесед об огненных реакциях мы постоянно должны регулировать огненные потоки наших нервных центров. Каждое упоминание Огня уже вызывает некоторое его напряжение. Потому, кто желает огненно мыслить, тот должен знать и об огне-ответственности. Такая ответственность есть самая тяжкая, ибо она содержит в себе самые противоположные зачатки. Но от подземных огней до Света высшего широка область!

225. Среди боя можно иметь минуту отдыха и взаимности. Вы ощущали как бы колючие токи. Не сами токи колючи, но то сопротивление, которым полны земные слои. Эти стрелы демонов закрывают солнце. Мы должны усиливать все энергии, и потому так особенно нужна обоюдность.

226. При передаче мыслей затруднение бывает не столько от посылающего, но главное — при принятии. Посылка происходит при напряжении сердца и воли, потому она всецело зависит от самого посылающего. Но принимающий обычно находится в иных условиях. Не только он может быть сам мысленно перегружен, но его мысль и сознание могут отсутствовать. Кроме того, явление самых неожиданных токов может пересекать пространство и тем извращать часть посылок. Чтобы хотя бы отчасти избежать это препятствие, Мы приучаем к дозору и бдительности. Когда сознание привыкает к этим состояниям, его приемник остается напряженным и открытым. Не Наш метод такого постоянного дозора, он применялся уже в глубокой древности. Каждое посвящение в мистерии содержало вопрос: «Открыто ли ухо?» Такое открытие означало прежде всего умение зорко пребыть на дозоре. Условие пересекающих токов избегалось устремлением к Иерарху, с которым был установлен контакт. Конечно, могут быть вредительские попытки с намерением прервать или прицепиться к токам. Кроме уже указанной воздушной трубы можно избежать подслушивания обоюдным устремлением — это как бы гальванизирование провода. Так можно постепенно достигать многих полезных вещей. При этом не забудем, что эти достижения неистребимы.

227. Люди не должны держать в домах ничего гнилого. Явление брожения или несвежая вода привлекает нежелательных сущностей. Когда разовьется фотографирование сущностей Тонкого Мира, можно будет на фильме показать разницу окружения куска сыра, мяса или свежей розы. Вместо логических уговоров можно видеть, что облики, привлеченные мясом, непривлекательны. Даже эти любители гниения провожают до самого рта лакомое им блюдо. Также предварительно снятию ауры можно уже приобрести опыт на снятии предметов с их окружением. Как всегда, опыт нуждается в терпении и усидчивости. Следует его начинать с показательных предметов. Из чистых ароматов нужно предпочесть розу: она содержит очень стойкое масло. Но не следует забыть: нужно брать цветы до разложения. Указываю на розы, ибо они содержат наибольшее количество огненной энергии. Таким образом, и любители роз близки огненной энергии. Сущности, питающиеся гниением, избегают аромат огненной энергии. Нужно принимать это указание совершенно просто и как сведение из аптеки.

228. При испытании потери веса применяется наложение рук, то же — при умножении веса, значит, руки передают некоторую огненную энергию. Но это будет лишь некоторая огненная ступень, следующая будет передача той же энергии посредством взгляда, причем вопрос расстояния будет второстепенным. Так можно на расстоянии утяжелять или лишать веса предметы. Не правда ли, милое занятие для купца? Потому хорошо, что проявления таких энергий нечасты при состоянии человечества. Можно указать много опытов, которые могут легко облегчить обиход земной, но, конечно, люди приложат их для умножения убийства. Между тем огненные энергии стучатся в темницах своих. Приходит срок, когда они или приложатся разумно, или же должны будут излиться в огненные болезни или в космические катаклизмы. Три исхода лежат перед человечеством. Ему предоставлено избрать любой по состоянию своего созна-

ния. Свобода избрания всегда предоставлена. Никто не может утверждать, что перед мировым бедствием войны не было дано множество предупреждений. Даже не очень дальнозоркие люди замечали их, но безумие ослепляло большинство. Такое явление было на глазах живущих поколений, но осмотрительность не увеличилась. Десять миллионов жертв утеснили слои Тонкого Мира. Люди молились об убийстве и не думали, чем придется расплачиваться за нарушение закона Бытия! Вместо вразумления люди готовы к новым убийствам, они не думают, что огненные энергии зальют планету как естественное следствие закона Природы. Так в «Книге Огненной» нужно написать для тех немногих, кто хотят думать о будущем.

229. Когда спросят, обитаемы ли миры, скажите утвердительно. Конечно, с точки зрения земной пребывание не везде, но как таковые по существу миры обитаемы. Конечно, все это различные эволюции, не всегда доступные друг для друга. Но не будет большой ошибкой сказать, что все проявленные пространства обитаемы. Микроскоп покажет жизнь на любом протяжении планеты, тот же закон и в пространстве. Обратимся опять к вреду убийства. Каждый взрыв нарушает равновесие многих невидимых нам существ. Не миллионы, но несчетные миллиарды повреждены войною. Не нужно забывать все возмущения атмосферные от газов и взрывов. Не оккультизм это, но научный здравый смысл. Так пусть человечество не забывает о возвратном ударе.

230. Мысль о возвратном ударе, или о Карме, не должна обессиливать, наоборот, она должна побуждать к прекрасным действиям.

231. Действительно, Огонь есть соединитель. При отходе Огня немедленно начинается разложение. Правда, разложение в брожении своем аккумулирует новый Огонь, но это будет уже особое сочетание частей. Так же следует мыслить о каждом действии. Не будет неправильно сказать, что изгнание Огня из мысли уже породит разложение. Когда Говорю об единении, также Предполагаю огненную спайку. Как плавильщик знает достаточное количество металла для групп фигур, так Огонь действует на людское единение. Можно представить соединение как создание одной гигантской фигуры со всею мощью исполина. И мы должны стремиться к образованию этих коллективов духа. Не будем рассматривать их как искусственных Големов. Чудовище Голем остался без Огня духа и потому саморазрушился.

Дух — огненосный магнит, и можно приложить к нему часть высших энергий.

232. Придут они, гасители; придут они, разлагатели; придут они, поносители; придут они, тьмы темники. Нельзя избежать начатого разложения. Но мудрый не оглядывается назад, ибо знает, что Огонь неисчерпаем, когда призван. Недаром Поручаю твердить об Указах. Повторение даже в себе уже укрепляет основу.

233. Негоже копаться, когда тучи заходят. Напоминаю, что главная основа есть единый якорь. Негоже оборачиваться, когда тропа над пропастью. Нужно просто сойтись во спасение.

234. Если перечтем все Светила небесные, если измерим всю Глубину непроявленную, то все же мы не улучшим час текущий. Нужно осознать сердцем мужественным мучительную тьму, которая приближается, когда гаснут огни. Единение, по мнению многих, ненужный пережиток. Они полагают, что индивидуальность ограждена разъединением,— такова логика тьмы. Но среди опасных эпидемий иногда, вспомнив о простых средствах, находят спасение. Так просто средство единения. Явно поражает оно тьму. Так пусть копье не дремлет над драконом.

235. Утверждение огненное происходит не в сладком забытии, но в грозе и молнии. Кто приучит себя чувствовать спокойствие среди молний, тот легко помыслит о Мире Огненном. Надо мыслить о Мире Света. Нужно посылать мысли в его высоты. Так можно участвовать мысленно не только в битве земной, но и в битве Тонкого Мира. Поистине, земные разрушения ничто сравнительно с разрушением Мира Тонкого. Множество лучших замыслов рассыпаются наряду с безобразными нагромождениями, при этом, конечно, затрагиваются и обитатели, особенно которые проявляют активность; таких много как в низших, так и в высших слоях. Огонь врывающийся ощущается всеми, кто не приучил себя к огненности. Потому, когда Говорю о мысли о Тонком Мире, Советую нечто очень полезное. Когда же Говорю о мысли по Огненным Мирам, Советую нечто необходимое. Утверждение огненной мысли есть уже стяжание непобедимости. Как чешуя кольчуги нанизывается постепенно, так же невидимо нарастает оперение огненное.

236. Можно представить себе один миг без стихии земли, воды, даже воздуха, но нельзя даже вообразить хотя бы мгновение без Огня. Необычно построение, когда самое основное пребывает незримо, но готово проявиться везде наипростейшим образом. Ученые не хотят принять полностью стихию Огня, но каждое разделение лишь отягощает будущее.

237. Не думаете ли, что, когда слова как бы ускользают, это значит, что значительная часть огненной энергии устремлена далеко? Не нужно удивляться, что при нахождении в разных странах огненная энергия должна расходоваться значительно. Огненное вещество мускуса может с трудом восполнять этот расход. Ту же посылку энергии усиливает мысль о дальних действиях. Можно мыслить смутно, как в забытьи, и энергия почти не нагнетается этим слабым напором, но сила мысли как рычаг насоса, и посылка такого поршня даст дальнее достижение.

238. Нужно понимать, как велико достижение среди натиска хранить равновесие, за это Хвалю.

239. Человек посредством своей огненной природы познает подземные руды и воды. Это свойство из оккультизма уже перешло в область положительную. Если такое приложение огненной энергии возможно, то, значит, могут быть и многие другие проявления Агни. Сочетания огненной энергии со звуком, с цветом или с другими огненными ветвями единого великого Фохата ручаются за обновление всего миропонимания. Пусть люди просто приближаются к ручьям огненной Урувеллы. У каждого найдется явление огненной энергии. Приложения Фохата многочисленны — не только люди Огненной стихии, но даже пришедшие от других элементов могут почерпнуть из чаши Фохата. Если замечательны опыты мысли над растениями, то могут быть наблюдения над воздействием мысли на пламя. Под током огненной мысли пламя может начать приближаться или отдаляться. Египетские Мистерии указывали особую силу мысли, посланную через пламя. В этом совете заключалось познание огненности мысли. Так можно обратить внимание людей на сферы фохатические.

240. Один приобщается от Огненной Чаши, другой поглощает кубок пламенный с вином. Первый восхищается духом, второй содрогается в пламени и разрушается. Первый может приобщаться неограниченно, второй быстро доходит до предела отравления. Не в духе ли решение? Качество мысли применяет Огонь во благо. Пьянство прискорбно, как извращение священного Огня. Меньше всего сочетается Огонь с самостью.

241. Можно ли земным воплощенным творить мысленно в Тонком Мире? Можно, особенно если Агни действует.

Можно насаждать и улучшать растения. Можно создавать строительные формы; можно участвовать во множестве улучшений, лишь бы не в безобразии. Ур. видела дерево, ею посаженное в Тонком Мире. Так можно из слабых хрупких форм создавать нечто сильное и длительное. Тем мы приготовляем среди земного существования будущие Сады Прекрасные. Мысль во всей ее строительности создает и наше будущее счастье. Так мы идем мыслями за пределы Земли.

242. Свет из тьмы — эта истина продолжает многим казаться парадоксом. Эти многие не видели Свет и не понимают, что Высший Свет недоступен зрению как земному, так и тонкому; даже искры его утомляют глаза. Х. окутывался волнами этих искр, и глаза Ур. были особенно утомлены. Он нуждался в этом окутывании, это было показание мысленной посылки на дальние расстояния. Так Мы шлем указания, но многое искажается от разных напряжений. Можно утверждать, что раздражение требует удесятерения энергии, но такие снопы искр могут и голову снести. Потому, когда Советуем удержаться от раздражения, значит Мы ищем лучшего воздействия. Огненная энергия неимоверна. Люди противятся этой мощи и тем рождают многие бедствия. Явление окутывания огненными искрами зависит от многих других причин. Огненная броня защищает от неприятельских стрел.

243. Не нужно подходить к Огню с корыстными целями. Простая молитва о совершенствовании открывает лучшие Врата. Также простое правдивое отношение поможет познавать действительные ритмы Космоса. Легко корыстью подменить ритм космический, но связь с Иерархией приводит к осознанию Истины. Опыт в прекрасном держит в пределах достоверности. Когда так богат мир земной, когда еще богаче Мир Тонкий, когда величествен Мир Огненный, тогда нужен опыт в Прекрасном. Лишь острота наблюдательности поможет утверждать красоту. Ошибка думать, что преходящие приемы искусства могут создать единое основание к суждению. Именно только наблюдательность, которая питает третий глаз, дает твердое основание к творчеству, пригодному и в Тонком Мире.

244. Творчество в Тонком Мире значительно отличается от условий земных. Приходится приучаться к так называемому мысленному творчеству. Ведь мысль в извивах своих может дать очень смутные дрожания. Не только от силы воли, но и от наблюдений прежних зависят твердые формы. Как минералы в огненном процессе дают стройные

кристаллы, так и для творчества нужна огненность. Как и все, она накопляется постепенно и принадлежит к неистребимым накоплениям, потому никогда не поздно.

245. В сотрудниках вы цените сообразительность, совершенно так же и по всей нити Иерархии. Никакое знание не дает огненной сообразительности, накопленной многими опытами. Нельзя написать, что можно и что нельзя для всех случаев жизни. Одно знание есть лишь смертельная опасность, но применение его есть искусство огненное. Потому так ценим скорую сообразительность — то чувствознание, которое шепнет, когда не следует повернуть ключ в замке. Кто накопил такое чувствознание, не станет предателем ни сознательно, ни косвенно. Выдать ключ не по сознанию значит уже предательствовать. Не заметить лукавство или подделку значит не быть сообразительным. Немного стоит сообразительность лишь на другой день. Такое соображение не удержит над пропастью, но как должно быть чутко накопление сообразительности! В каждой школе до́лжно обучать накоплению быстрого мышления, без него как пройти сквозь пламя?!

246. Вы читали о том, что уже семнадцать лет происходят ежедневные землетрясения,— это научное сведение не совсем точно. Уже восемнадцать лет Земля находится в непрерывном трепетании. Нужно утвердить все подробности сроков приближающихся огненных решений. Именно в нарастании волн трепета Земли можно бы насторожиться и помыслить: все ли в порядке? Но не помочь состоянию мира стрелою сейсмографа. Даже если когда-то все стрелы сейсмографов сломаются, это будет плохой помощью, и в каких газетах напечатают о такой поломке? Словом, события, созданные людьми, имеют большее значение, нежели думают. Так отсчитайте восемнадцать лет и увидите событие немалое и очень отвратительное.

247. Трепетание Земли усиливается, и спроси́те тех, кто имеет двойной пульс, насколько он усилился. Несомненно все, что касается до огненной энергии, все усилилось и напряглось. Люди усиливают эти области и строем жизни, и мышлением. Ничто не раздражает так Огненную стихию, как беспорядочное мышление. Прежде хоть иногда учили мыслить. Нередко скандирование и заучивание законов жизни пробуждало течение мысли. Но может пробуждение вожделений и самости привести к мохнатому мышлению. Среди этих только отрывов рождаются хаотические раздражения. Зачем вызывать разрушение?!

248. При опытах посылки мысли можно заметить, насколько мысль, пришедшая извне, скользит по мозгу. Одним из свойств огненной энергии будет стремительность соответствия с природою Огня. По той же причине трудно удержать в памяти сообщение извне. Не следует себя винить в этой огненной привычке, но нужно наблюдать свойства Огня. Сообразительность, конечно, помогает, но нельзя удерживать в земных условиях огненные касания. Не только трудно запомнить мысли извне, но тоже трудно разделить многие одновременные посылки. Но и в таком случае нить Иерархии помогает, ибо одно крепкое устремление как бы настраивает весь лад.

249. Про одного Риши говорили, что даже при упоминании о зле он чувствовал боль. Не следует считать такого Риши белоручкой, но скорее нужно изумляться его отделению от зла. Действительно, каждый познающий Огонь особенно резко чувствует зло как прямой антипод его бытия. Нужно, Говорю, нужно развивать в себе это противодействие злу, которое является противником прогресса. Нужно, Говорю, нужно осознать эту границу, преграждающую движение к добру эволюции. Слышать можно о сложности таких границ, но явление Огня покажет, где эволюция и где дряхлость разложения. Огненный Мир есть истинный символ непрерывной эволюции.

250. Если на мгновение представим себе пространство состоящим из слоев бумаги и подвергнем его действию радио или телевизии, то на каждом слое мы найдем пронзившее его начертание; целые портреты будут изображены на слоях пространства. Совершенно так же остаются отпечатки на слоях Акаши. Иногда мы готовы сетовать, что долго не видим, что хотели бы, но не соображаем, что по разным причинам облик не должен быть запечатлен в пространстве. Нерукотворные облики носятся, как листья бумаги под вихрем, потому так нужно привыкать к мысли, что все неистребимо. Только так можно стать истинно бережливым и заботливым к окружающему. Не нужно думать, что можно избежать закона, который даже выражается в простых физических приспособлениях. Можно легко представить, как портрет, пространственно передаваемый, может быть перехвачен в любой точке следования. Вы достаточно знаете о терафимах физических, значит, могут быть также и терафимы тонкие. Так, нужно охранять ценность не только в доме, но и в пространстве. Защищающие воздушные каналы могут быть созданы, но они поглощают массу энергии. Так научаемся хранить действительно ценное понятие.

251. Каждый физический аппарат дает совершенную аналогию в Мире Тонком. Притом можно легко чувствовать, как нетрудно увеличить силы аппарата, призвав Агни. Так можно заново восстановить множество опытов, казавшихся неудачными. Опыты Килли и даже аппарат Эдисона для Тонкого Мира остались несовершенными, ибо энергия Агни не была приложена в одном случае по окружающей подозрительности, в другом — по личному недоверию. Сказано — даже свеча не зажжется без доверия.

252. Трудно людям допустить, что из каждого полета можно не вернуться — так мало представляем себе действительность. Необходимо изучать прошлое в рекордах алхимии и хроник. Когда ощущалось понимание Агни, это отражалось как в науке, так и на государственных заданиях. Не нужно думать, что Агни — только фабричный инспектор, он есть двигатель всех мыслей человечества. Его нужно не только беречь, но именно возлюбить.

253. Нельзя думать, что бедственное положение человечества может улучшиться, если люди не вспомнят о вулкане грозном и не обратятся к психической энергии. Смещение Гольфстрима — только одно из многих угрожающих понятий, поближе можно найти и многие другие.

254. По сознанию говорить значит уже быть на высокой ступени. Различные догмы особенно вредны тем, что они дают недвижную формулу, не считаясь с уровнем сознания. Сколько отрицаний, сколько гнева и смущения происходит лишь от степени сознания! И не только степень, но настроение сознания так часто является решающим. Довольно говорилось о вреде раздражения, которое туманит сознание, но и помимо этого главного врага нужно помнить обо всех малых отвлечениях мысли. Нужно приучиться нести основную мысль Бытия незатемненно. Так, когда школьные учителя поймут, что есть обращение по сознанию, тогда начнется истинная эволюция. Невозможно разделить человечество лишь по возрасту или по классам. Постоянно видим, как некоторые дети нуждаются в слове возмужалом и пожилые люди, иногда государственного положения, могут уразуметь лишь детские соображения. Не для таких детей Царство Небесное! Новое сознание не придет от механических формул. Так нужно уметь говорить по сознанию собеседника. Не легко это, но составляет прекрасное упражнение для сообразительности. Значит, тоже относится к огненным занятиям.

255. Огненное напряжение пространства неминуемо вызывает особое утомление зрения. Необходимо прерывать работу глаз, закрывая их на краткое время. Можно употреблять и теплые компрессы, но кратковременное закрывание глаз очень полезно. Множество условий возникает при Эпохе Огня. Нужно принимать во внимание при всех условиях жизни эти новые факторы. Главная ошибка в том, когда люди принимают внешние условия Природы за нечто неподвижное. Правда, Луна могла оставаться неизменною для множества поколений, но тем не менее когда-то можно было заметить в ней существенную перемену. Лампа падает на стол однажды, но возможность этого всегда предусмотрена. Так нужно не забывать полезную профилактику в связи с напряжением Огненной стихии.

256. Люди всегда оберегаются, чтобы не опрокинуть светильник. В этой заботе есть доля уважения к Огню. Страх пожара есть лишь грубое утверждение уважения. Нельзя усомниться, что люди не лишены особого чувства уважения к стихии Огня. Проявление этой чудесной стихии всегда встречалось с особенным подъемом.

257. Подозрение уже есть вызывание. Может быть вызывание сознательным, но особенно беспорядочны вызывания в случае подозрений. Помимо всяких жизненных осложнений подозрительность ведет к легкой заражаемости. Сколько эпидемий размножаются лишь подозрительностью! Кармические зачатки болезней открываются вызывом подозрительности. Страха граница почти неотличима от подозрительности. Дозорный должен быть зорким, но не подозрительным. Уравновесие создается не из подозрительности. Мужество ищет причину, но не подозревает. Потому подозрительность есть прежде всего невежество.

258. Много внимания уделяется теперь астрологии. Наконец, и со стороны науки усматривают Законы Космические. Но можно заметить, что даже при точных вычислениях получается часто неточность. Нужно знать, откуда это дрожание может происходить. Не забудем, что именно теперь планета окутана слоями тяжкими; о такую насыщенную атмосферу могут преломляться химические лучи. Из такого небывалого положения истекает относительность заключений. То же самое замечается и в других областях. Утверждение о несостоятельности древних вычислений является вследствие нежелания обратить внимание на действительность. Люди желают, чтобы все было благополучно в их понимании. Вы уже видели, как толпа ломилась в театр, в котором сцена уже пылала,— так и во всем. Правда, отрезанная голова собаки лает, но дух человека немеет. Таково неразумие и неравновесие. Опасное время — позволительно чувствовать тоску.

259. Действительно, сближение миров необходимо. Нужно хотя бы немного приготовить сознание к этой необходимости. Люди должны оказаться в готовности встретить уплотненные тела в жизни без насильственной магии, но для этого нужно, чтобы огненное сердце перестало быть отвлеченностью.

260. Только что Наблюдал, как один ученик Бехтерева пытался над посылкою мысли на расстояние, но он не мог преодолеть самого простого условия. Он не мог расчленить напряжение от раздражения, которое закрывало его аппарат. Когда он думал, что напрягается, он только раздражался, предпосылая, что ничего не выйдет. Между тем он теоретически думал хорошо, но у него не было расчленения его эмоций. Кроме того, мешает и ложно-материализм, который полагает все для всех и во всяких условиях. Конечно, это возможно через две расы, но сейчас оно подобно грузу слона над тараканом. Смутно понимание психической энергии. Пусть ее назовут хотя и материалистическим молотом, но пусть осознают ее. Не в названии дело! Можно привести груды названий, но огрубение от них не уменьшилось. Огрубение психической энергии — самая ужасная эпидемия.

261. В древности человеческая ненависть подбрасывала маленькую ехидну, но не удава. Считайте зло не по длине. Именно малая ехидна гораздо более соответствует злу, из нее происходит действительное разрушение. Не будем полагаться на внешние размеры, зло подкапывается в малых сущностях. Также и распад начинается от малого. Можно наблюдать, как на протяжении одного поколения изменяется сущность целой народности. Не нужны целые века, где ехидна предательства свила гнездо. Можно удивляться, как распадается на глазах достоинство нации, но в умах людей обычно не вмещается такое поразительное явление. В основе, может быть, лежало одно отринутое слово, но вместе с тем оно было встречено предательством. Когда вспомним происшедшее в конце восемнадцатого и в середине девятнадцатого столетий, можно поразиться сходством с недавним происшествием. Так изменяется характер целых стран.

262. Много замечено в последнее время, как без приемника люди начинают улавливать волны радио. С одной стороны, это как бы полезно для научных наблюдений, но с другой,— Мы недовольны таким смешением токов. Пусть человечество приучается к передаче и восприятию мыслей. Но не полезно, когда огненная субстанция смешивается с появлением более грубых токов. Правда, такое явление показывает, насколько уже напряжена Огненная стихия в человечестве, но не будет полезно, если она, неосознанная, прорвется в недолжные области. Именно такие прорывы, если примут стихийные размеры, могут стать разрушительными. Утверждают, что огненные эпидемии именно могут начаться с подобных расстройств. Когда Говорю о равновесии и целесообразности, Хочу напомнить о гармонии всей жизни.

263. Каждый день усиливается напряжение среди Природы и людей. Так можно представить, что творится в долинах, когда даже горы нуждаются в особых мерах. Поистине, смутное время, но вы знаете панацею.

264. «Сам, сам, сам!» — восклицает ребенок, не допуская взрослых к своему занятию. Разве до семи лет ум и сердце не помнят иногда о завете самостоятельного достижения на Земле? Потом мудрые воспоминания тускнеют и часто сводятся к обратному. «Пусть вверху и внизу работают для меня»,— так говорит человек, забывший о самоусовершенствовании, но ребенок помнит и защищает самостоятельность. Когда же другой ребенок шепчет: «Как мне ухитриться взять?»,— он уже готов к новым опытам и завоеваниям духа. Но такие слова детей не только произносятся, но их нужно заметить и оценить. Огненное внимание может отмечать эти зовы и решения Тонкого Мира. Малое дитя утверждает: «Наконец, я народился». В этом утверждении Мир Тонкий со стремлением к воплощению. Можно привести множество примеров, когда не только малые дети, но новорожденные неожиданно произносили слова огромного значения и затем снова погружались в свое предварительное состояние. Нужно развивать в себе огненную явленную память и заботливость к окружающему. Так можно собирать самые ценные сведения.

265. Где бы ни проявлялась истина, она такой и пребудет. Нужно изгонять из себя все, что мешает принимать

явление во всей действительности. Нужно себя понуждать к такой честности.

266. Нужно не смеяться над Огнем как над высшим элементом. Малые смешки да шутки лишь совращают сознание. В конце концов, человек теряет границы, где начинается торжественность и устремление.

267. Если припомним разные проявления детской прозорливости, то вряд ли можно утверждать о механической клетке. Лишь впоследствии люди теряют представление как о прошлом, так и о назначении. Сколько раз дети спасали взрослых, сколько раз дети не решались сказать о чувствованиях своих. Но ведь ложную застенчивость создает окружающее безобразие. Дух, утонченный и возвышенный, немеет перед гнойными наростами предрассудков. Как часто взрослые запрещают всякую импровизацию, забывая, что это есть песнь духа. Если техника и несовершенна, то все же сколько зерен прекрасных запечатлеются в этих зовах сердца.

268. Различные Гримуары предусматривают вызывательные удары. Действительно, даже в таких низких формулах остается истина, что элементалы охотнее отвечают на призывные стуки, но закон везде одинаков. Вы знаете, насколько Мы против всякой магии, но даже в случае обращения к Светлой Иерархии остается значение зова моления. Нужно помнить, что и земные силы не откликаются без письма. Такой же ток, совершенно вещественный, возникает при сознательном обращении к Иерархии. Нельзя думать, что Огонь не будет существенен при таком обращении, ведь живой Огонь — лучшее очистительное средство. Но когда пылает Огонь сердца, тогда не нужен заместитель его.

269. Свобода выбора заложена во всем. Никакое насилие не должно прерывать путь, но позволительно дать каждому светильник в пути долгом. Просвещение лишь может осмыслить свободу избрания, потому просвещение есть утверждение Бытия. Каждая школа должна с малых лет давать просвещение, связывая действительность с сущностью сужденного. Лишь так можем связать наше Бытие с усовершенствованием. Свобода выбора, просвещение, самоусовершенствование есть путь Огня. Только огненные существа могут самостоятельно почувствовать эти устои восхождения. Но всех нужно вести этими вратами, иначе откуда же разрушительные смятения, которые вместе с хаосом стихий заставляют трепетать планету? Так разнузданные человеческие смятения присоединяются к стихийному возмущению. Считаю, нужно твердить о смятении, которое сокрушает все зачатки эволюции.

270. Человек спасенный обычно не хочет узнать спасителя. Получивший Огонь стремится убежать и не думает, что тьма поглотит его.

271. Огонь не под водой зажигается. Подвиг не в благополучии теплицы создается. Среди человеческих тягостей спросим себя: не подвиг ли уже? Среди утеснений спросим: не к вратам ли подвига тесните нас? Среди взрывов спросим: разве в нас самих не было достаточно силы, чтобы возвыситься? Так осмотрим каждое явление — не ведет ли оно к подвигу? Так будем следить за всем подвигающим. Кто же может предугадать, какой именно обратный удар двинет новые обстоятельства? Но без удара вещество не придет в движение. Называют очагом подвига эти удары по веществу. Только понявшие субстанцию творящую усвоят, что сказанное не есть простое ободрение, но только упоминание закона. Можно делать из закона несчастье, но правильно усмотреть пользу от основ Бытия.

272. Каждое восприятие есть уже принятие Огня. Напряжение энергии есть уже перенос индифферентной стихии в явление активных вибраций. Истинное восприятие постоянно позитивно, ибо огненная энергия действует при нем непосредственно. Каждое искривление и рушение незаконно возбуждают так называемый черный огонь. Он своеобразно соответствует венозной крови. Венозное кровопускание имело свое основание. Черный огонь мог быть им разрежаем. По счастью, светлый Огонь не вызывает таких грубых воздействий. Чем естественнее, тем благодетельнее Огонь возжигается. Отсюда заключение, что Огонь Любви самый совершенный. Вы хотите оберечь Иерарха и делаете это не из страха, не из выгоды, но из любви. Страх и корысть на месте любви будут черным огнем. То же будет и при прочих недостойных замещениях. Всякий огонь магнетичен, потому нужно так избегать магнетизм черного огня. Он не перерабатывает частиц эманаций плотных, наоборот, и тем загромождает пространство. Особенно это может быть вредно при кровном родстве, когда плотные несгоревшие частицы так легко притягиваются и могут отягощать и без того слабые органы,— так непрактично зажигать черный огонь.

273. Взаимодействия людей есть настоящая наука об обществе. Отношения между людьми, изучаемые социологией,

не выражают взаимодействия. Не занимаются социологи явлениями духовных воздействий. Они предоставляют это психологии. Но эта наука при всей поверхности обычно занимается отдельными личностями. Между тем нужно изучать явления общественности, ибо духовное воздействие необычно мощно и касание его с космическими процессами приведет к решению многих проблем. Нужно прилежно сопоставлять толпы и уметь сравнивать их действия с резонатором Природы. Нельзя обойти эти сильные факторы. Недостаточно знать, что производит залп пушек,— это слишком примитивно. Но гораздо важнее знать воздействие взгляда толпы или ее крика. Можно убедиться, что эти волны катятся до очень дальних берегов, по всем огненным течениям. Так можно находить разгадку многим неожиданным происшествиям, но для этого нужно наблюдать.

274. Кто поверит, что «Чаша» йога может посылать токи спасительные для многого, и близкого, и дальнего. Очень болезненны эти излучения, как иглы из сущности. «Чаша» не может устоять, чтобы не посылать свои накопления во благо близких. Немудро думать, что эти посылки благодати безболезненны. Когда действуют оба естества, и плотное и тонкое, не может не быть нагнетения. Но дух готов превозмочь эти напряжения. Нужно понять, что такие посылки усиливают Огненный Мир. Сотрудничество с такими Степенями Огня нелегко!

275. Нужно прислушиваться к народным пророчествам, исчисляющим явления космические. Очень часто в них можно видеть верные вычисления. Но, конечно, могут иметь место прочие многие условия.

276. Если спешащий путник спросит: «Который час?» — то вряд ли найдется жестокое сердце, чтобы сказать заведомую ложь. В самом стремлении заложена огненная убедительность. Также именно стремление спасает от ударов ненависти. Так, когда произносим великое понятие Агни, уже понимаем всю стремительность. Мир Огненный растет в представлении человечества вместе с подвигом мысли. Но не вздумайте убеждать о Мире Огненном сердце, не знающее Огня. Эти насилия приведут лишь к черному огню. Если сосчитаем число служителей тьмы, созданных различными насилиями, то ужаснемся огромному количеству. Нужно обладать всею чуткостью, чтобы понять, когда можно повернуть ключ на второй и на третий затвор. Никакая догма, никакая химия не скажут, когда уже произносится священное слово *можно*. Но огонь сердца скажет, когда карма и сознание брата не будут отягощены. Ведь явление Агни не должно отягощать.

277. Никто не согласен, что книги должны содержать столько предварительного материала. Но даже обычные строители согласны, что сперва должно быть расчищено место построения и свезен весь материал потребный. Сами знаете, во что обходится одна расчистка места, когда нужно убрать целую заросль зависти, сомнения и всякого сора. Нужно приложить все вмещение и великодушие, чтобы не согнуться под тяжестью бурьяна. Конечно, вся тьма и невежество будут особенно возмущаться против Огня. Потому каждая книга о следующих ступенях жизни не будет кратка. Последняя часть такой книги пусть будет явлена отдельно, иначе каждый захочет прочесть конец прежде, чем начало. Эта привычка очень приятна служителям тьмы. Так они создают зыбкую почву для мягкотелых.

278. Пусть врач не изумляется, если заметит, что признаки одержания принимают эпидемический характер: их больше, нежели ум человеческий может представить. При этом разновидности очень различны: от почти неуловимой странности до буйства. Хвалю врача, если он заметил связь с венерическими болезнями. Действительно, это один из каналов одержания. Можно сказать, что большинство страдающих венерическими болезнями не чужды одержания. Но в одном врач оказался слишком оптимистом — явление венерической болезни может облегчать доступ одержанию, но излечение ее не есть изгнание одержателя. Так и раздражение в своих крайних степенях может пригласить одержателя, но нельзя ожидать, что первая улыбка уже изгонит его. Целая наука заключается в таком наблюдении. Врач прав, желая посетить не только дома для умалишенных, но и тюрьмы. Не мешает посетить и биржу или палубу корабля во время опасности. Можно заметить признаки постоянные, или длительные, или краткие. Также можно наблюдать потовые выделения. Явление многих особенностей постепенно выступит перед наблюдателем. Среди них будут намечаться подробности Тонкого Мира, но одно останется непреложным, что удаление одержателя не зависит от физических воздействий. Лишь Агни, лишь чистая энергия может противиться этому человеческому бедствию. Повторяю слово *бедствие*, ибо оно отвечает размеру эпидемии. Множество врачей назовут Агни суеверием и одержание невежеством. Люди так часто наделяют других своими свойствами. Но и

одержатели всех степеней будут обеспокоены таким расследованием.

279. Мы не раз указывали на желательность полетов в Тонкий Мир. Но могут создаться условия такого напряжения, когда Мы посоветуем осторожность. Явления полетов с самою доброю целью могут стать ненавистны кому-то. При возвращении в тело тонкая сущность бывает несколько утомлена, и всякое злобное нападение может причинить вред.

280. Еще предупредите врача об осторожности с одержимыми. Нужно помнить, что даже в мыслях не следует держать явных указаний об одержании, когда приближаетесь к одержимому. Нельзя забывать, что одержатель очень чуток к мыслям, когда подозревает, что его присутствие открыто. Он может выражать свою злобу очень разнородно. Уничтожением явления одержания можно нажить много врагов, потому нужно производить эти наблюдения без всякого личного оглашения.

281. Среди огненных проявлений очень поучительно свечение работающих пальцев. Около пишущей руки можно видеть волны света. Притом они изменяются от содержания письма. Так можно наблюдать очень важное явление — участие Огня даже в видимом явлении и участие энергии Агни в зависимости от внутреннего качества работы. Конечно, вы обратили внимание не только на цветные волны, но и на световые образования, возникающие при чтении книги. Эти вестники Света могут приходить извне и изнутри. Но как те, так и другие служат доказательством работы огненной энергии. Многие могут видеть эти звезды, но не знают, как сосредоточить внимание. Опять приходим к тому же — порыв беспорядочный равняется сну в его значении для следствия работы. Лишь сосредоточенное внимание и постоянство без разочарования приведут к лицезримости законных явлений. Пусть не думают, что не дано, лучше думать, что не принято.

282. Несомненно, между работающей рукой и «Чашей» существует связь, обозначающаяся свечением. Но если эта связь замечается, можно поздравить с такой наблюдательностью. Также Ценю наблюдения над борьбою Света и тьмы. Звезды Света и тьмы совершенно явны и обозначают космическую битву. Можно предвидеть, как впоследствии найдут астрохимическое основание многим явлениям. Но каждая запись о них сослужит большую службу в будущем.

283. Еще скажите врачу — не все одержания безусловно

темные. Могут быть воздействия средних сфер, направленные, по мнению одержателей, во благо. Но особенно хороших следствий не получается. Одержатели таких невысоких степеней и вместилища, им доступные, не большего развития — получается двоемыслие, неуравновешенность и неумение владеть собою. Много таких людей, которые зовутся слабовольными, при этом обе воли уменьшают друг друга. Лечить таких людей можно, лишь предоставляя труд по их избранию, но в большой мере. При сосредоточенности труда одержателю наскучит оставаться без выявления, ибо каждый одержатель стремится к выявлению своего «я». Так врач может заметить различные виды одержимости, но принцип эпидемии очень недопустим для усовершенствования человечества. Между прочим, понятие Гуру очень ограждает от одержания. Учитель в случае ослабления воли подает свой запас, чтобы не дать чужому темному влиянию вторгнуться. Конечно, Учитель, сознание которого высоко, может чутко определить, когда его участие нужно. Ведь это водительство не походит на насилие.

284. Огненное устремление может облегчать все диагнозы, ибо ничто иное не может установить тонкие границы, даже не имеющие словесных определений. Недаром сказано — подымемся до уровня огненного, там слова не нужны.

285. Именно поучительно наблюдать огненные потрясения планеты. Особенно когда знаете об особых воздействиях. Можно также указать на движение Огня, как можно следить за мыслью людей.

286. Агни Йог не только является магнитным центром, но он следует как оздоровитель местности. Так Радж Йог и Агни Йог принимают на себя токи пространственные. Не будет преувеличением сказать — Йога есть оздоровление планеты. Нужно поторопиться, чтобы признать значение усовершенствования духовного. Только в таком признании можно облегчить трудность задания йога, когда каждый может отяготить его, но помочь могут лишь немногие. Нужно хотя бы дойти до степени простого уважения к необычному. Никто не хочет задуматься над тем, как легко он причинит страдание своим отрицательным, злобным нападением. Каждый невежда уподобляется темному служителю.

287. Правда, Армагеддон не ослабевает, но сама темная сила иногда дает запас новых изощрений. Не будем сетовать, что много, много нападений, не может быть иначе. Умение привыкать к опасностям есть великое оружие про-

тив врагов. Истинно, каждую минуту люди в опасности. Великая иллюзия думать, что все в пребывании безопасности. Майя является людям в покрове успокоения, но именно йог чует, как крест бытия стоит неотступно. Только принятие креста и восхождение на Гору, где даже телята о пяти ногах, только такая отвага переносит через пропасть. Не забудем, что Указывал осторожность, ведь она лишь качество отваги.

288. Учитель рад, когда коллективный труд возможен. Отрицание коллективного труда есть невежество. Лишь высокая индивидуальность найдет в себе меру собирательных понятий. Пока личность страшится собирательного труда, она еще не индивидуальна, она еще пребывает в удушении самости. Лишь истинное распознавание нерушимости свободы может дать приобщение к коллективу. Только таким истинным путем взаимоуважения придем к согласному труду, иначе говоря, придем к действенному добру. В этом добре зажигается огонь сердца, потому так радостно каждое проявление труда согласного. Такой труд уже необычайно усиливает психическую энергию. Пусть он заключается лишь в краткой совместной работе, хотя бы краткой вначале, только бы в полном согласии и в желании преуспеяния. Сначала от несогласованности явление утомления неизбежно, но затем комплекс силы коллективной удесятерит энергию. Так в малых ячейках можно протолкнуть прототип мирового преуспеяния.

289. Солнечные птицы не спускаются на Землю. В этом мифе указана отделенность Огненного Мира от земных условий. Можно видеть, как из древних времен люди с особым почитанием относились к огненной природе. Действительно, как бережно нужно относиться к каждому огненному проявлению! Среди самой обычной жизни можно усмотреть искры высшего Огня, значит, около каждой такой искры будет развиваться очищенная атмосфера, потому особенно мерзко темнить эти мерцания. Они вспыхивают нежданно, но угашение таких светочей порождает особые неуравновешенные последствия. Как сказано, лучше не родиться, нежели умножать мерзость.

290. Труд служит лучшим очистителем от всяких мерзостей. Труд порождает мощный фактор пота, который даже выдвигался как средство зарождения человека. Пот мало исследуется, мало сопоставляется с характером личностей. Мало наблюдается относительно разных стихий. Даже малоопытный наблюдатель заметит различие групп пота. Действительно, легко заметить, что огненная природа не способствует количеству пота, во всяком случае, выщелачивает его. Земля и вода, напротив, усиленно насыщают потом. Так можно заметить, как мудро указывали на одну из первых эволюций человека.

291. Не следует отвращаться от разных стадий человеческой эволюции. Многое может казаться странным с нашей точки зрения, но представим, что все условия относительно изменены, и тогда мы получим хотя и чуждый, но не странный аспект. Ошибка представлять себе все жизни миров от нашего понимания на сегодня. Мы так легко забываем вчера и мало представляем завтра, что многие наши суждения — лишь осенние листья. Правильно чувствовать ничтожность перед каждым космическим законом. Но ведь огненные крылья и даются для приближения к Миру Огненному.

292. Всегда и везде особенное затруднение в том, что стоит лишь обстоятельствам улучшиться, как темная рука старается подкинуть свои мохнатые шарики. Наяву можно видеть, как уявляются неполезные малые трещинки. Но там, где в горне велико нагнетение, там и малая трещинка может пропустить разрушительный газ. Среди жизни можно видеть опыты высшей химии. Потому так важно лишь наблюдать.

293. Лечение внушением называлось огненным устремлением. Конечно, теперь лечение это развивается больше и шире, потому нужно предотвратить возможный вред от невежественного употребления огненной энергии. Внушение может останавливать боль, но если употребляющие внушения не знают происхождения болезней, они могут уподобиться вреду наркотика. Другое дело, когда внушение применяется опытным врачом, он не только усыпит рефлекс боли, но проследит течение заболевания и внушит соответственным органам нормальную деятельность. Явление астрологии также не будет забыто опытным врачом. Можно смеяться сколько угодно, но научно составленный гороскоп поможет в определении самой болезни и привходящих обстоятельств. Нужно со всем вниманием отнестись к Астрохимии и понять мощь внушения. Действительно, если внушение пользуется огненной энергией, то как глубоко и усиленно может быть воздействие Огня! Нужно отвыкнуть от узкого приказа и запрета, употребляемых гипнотизерами. Только знание организма и всех обстоятельств позволит врачу следовать приказательно по всем пораженным путям. Можно многое восстановить среди обессиленных органов, направив и координируя их с огнем сердца. Нужно каждому врачу развить в себе силу внушения.

294. Особенно нелепо, когда врач допускает к больному невежественного гипнотизера. Не может грубая сила следовать за извивами болезни. Не в том дело, чтобы только усыпить, но нужно сопоставить все условия и следовать за сложными каналами болезни. Каждое слово, каждая интонация внушения имеет огненное значение. Так только просвещенный ум может вместить законы и пути внушения. Только такой ум поймет всю ответственность за воздействие на огненную энергию.

295. Вы знаете, что при внушении не следует махать руками и выпучивать глаза. Вообще не нужно даже смотреть в глаза, но следует от сердца направиться к сердцу. Затем уже от центра следовать волею по нужному направлению. Совершенно не полезно, чтобы внушаемый знал о происходящем. Часто именно приготовления к внушению создают нежелаемое противодействие. При этом сам подлежащий внушению может воображать, что он готов подвергнуться лечению, но его Манас будет защищаться от вторжения. Явление внушения будет тем действительнее, чем дольше сознания будут уравновешены взаимно. Но не нужно возвещать опыт. Каждое лечение пусть происходит внезапно. Но физические условия должны благоприятствовать. Температура должна быть средняя, умеренная, чтобы ни жар, ни холод не вносили раздражения. Воздух должен быть чистым, и можно советовать легкий аромат роз или эвкалипта. Также следует незаметно предусмотреть, чтобы больной мог удобно откинуться на спинку кресла. Постель менее удобна. Также нужно удалить все неожиданное, шумное, чтобы не вызывалось потрясение. Нужно не забыть, что во время внушения тонкое тело находится в очень напряженном состоянии и пытается выделиться. Потому нужно как можно внимательнее запретить ему покидать тело. Конечно, все приказы не словесные, но мысленные. Западные магнетизеры будут насмехаться над мысленным приказом, они думают, что слова и пальцы могут покорять волю. Но предоставим им эти западные заблуждения. Некоторые примитивные племена ударяли больного дубиною по лбу. Такое воздействие тоже покоряло волю. Но где Учение о Сердце и об Огне, там и приемы должны быть иные.

296. Конечно, найдутся люди, которые скажут, что удар дубиною есть средство откровенное и потому допустимое, но огненное воздействие есть нечто скрытое и недопустимое.

Так, каждый, думающий о добре, есть уже человек опасный, но убийца есть лишь выражение общественности. Немало людей так мыслят и тем препятствуют всему тончайшему. Но дубина уже не поможет, нужны тончайшие решения и уважение к сердцу человеческому.

297. Цыганки обычно дают лекарства с наговором, считая, что лишь при таком способе лекарство будет действительно. Так утверждаются Наши Гималайские традиции во многих поколениях переселенцев. Действительно, если мы сравним действие лекарств, принятых благожелательно или с отвращением, то разница будет поразительна. Даже самые сильные средства могут произвести почти обратное следствие, если они будут сопровождены соответственным внушением. Можно написать значительную книгу об относительности материальных воздействий. Можно из разных областей собрать факты, которые свидетельствуют, что материальная сторона будет наименьшей среди решающих факторов. Так нужно шаг за шагом следить за движением Агни. Не следует вдаваться сразу в сложные формулы, но нужно идти от поразительных свидетельств каждого дня. Если знахари понимают, в чем заключается побеждающее начало, то образованный врач должен тем более усматривать явление направляющее. По этому пути встретятся и прошлое, и будущее.

298. Агни вечен; нетленна огненная энергия! Народные сказания часто упоминают о вечных радостях и горестях. Очень научно замечено о неистребимости радости и горя, посланных в пространство. Многие несут чужое горе и многие улавливают радость непринадлежащую, так нужно постоянно помнить о вечных посевах. Мысль, если не сильна, может поглотиться токами пространственными, но субстанция горя или радости нерушима, почти как огненное зерно. Полезно насыщать пространство радостью и очень опасно устилать небеса горем. Но где же взять запас радости? Конечно, не на базаре, но около луча Света, около радости об Иерархии. Умножение горя есть одна из причин огненных эпидемий, но когда физиология научит людей значению ослаблений горестных, тогда начнутся поиски радостей. Постепенно утвердится скала радости, и начнется торжество возвышенное, как самое здоровое. Недаром Мы уже указывали на полезность присутствия здоровых людей. Радость есть здоровье духа.

299. Нужно следить за уменьем постигать чужое настроение. Это не есть чтение мыслей, но чувствознание сущности

соседа. Легче заглянуть дальше, когда знаем о ближнем. Многие стоят на пороге такого чувствознания, но лишь судорога самости мешает понять окружающее.

300. Путники мгновенные — так называются люди, познавшие великие пути. Только познанием краткости пути здешнего можно понимать величие Беспредельности и научиться совершенствованию духа. Обеспеченность не существует вообще, и иллюзия ее есть призрак самый пагубный. Но, не опираясь на мир физический, следует ценить каждую крупицу его. Каждое движение Огня пусть напоминает о силе, удерживающей равновесие. Если планета уравновешена внутренним Огнем, то и каждое существо будет иметь опору в Огне Сердца.

301. Не надо изумляться сверканию Света в закрытых глазах. Пророки говорили: «Господи, не вижу тьмы!» Это не есть символ преданности, но научное явление возжения центров. Не однажды можно найти указания об этих Светах. Нужно не только в древности искать их, но можно выспрашивать о них у слепых и детей. Поэт может писать песнь, как небо открывается сомкнутым очам.

302. Полезно производить фотографические снимки не только в разные часы, но и при разных космических напряжениях. Когда же можно улавливать пятна абсолютной тьмы, как не в час напряжения? Когда можно получить самые сложные уловления, как не при неуравновесии стихий? Наше собственное колебание отражается на фильме, но также можно достичь запечатления разных тонких проявлений. Можно начать при самых простых условиях, ибо придется вработаться при разных обстоятельствах.

303. Сны будущего рассеяны широко. Пророчества распространяются тысячами, и люди в разных странах привыкают к определенным срокам, так утверждается течение эволюции. Так же напоминаются и грозные сроки. Может быть, никогда человечество не вынимало свой жребий, как эти годы. Невозможно насиловать свободу воли больше, нежели делается сейчас. Вы сами видите, как даже в самых странных формах напоминаются сроки, но слепы нежелающие видеть. Так же сами видите, как трудно утвердить торжественное единение, хотя бы как лекарство спасительное. Но так же сами видите, насколько удается смягчить многое разрушительное. Там, где должен быть удар, там происходит лишь легкий толчок. Но не вздумайте об обеспеченном существовании. Все колеблется, незыблема лишь лестница Иерархии.

304. Люди любят говорить об эволюции и инволюции, но избегают переносить эти соображения на себя. Не следя за своей эволюцией, люди привлекают из Тонкого Мира таких же последышей. Мир Тонкий, действительно, стремится к земному, но в полной соответственности. Значит, если бы люди стремились к эволюции, то они привлекали бы существа эволюционные. Так улучшение Мира было бы в руках людей самих. Так каждое стремление ко благу создает отзвук не только в Мире Тонком, но и в Мире Огненном. Если такое стремление по каким-то причинам остается невыраженным, то пространственно оно пребывает в полной мере. Потенциал Блага, как столб Света. Плотник, сапожник или врач могут одинаково мыслить о благе. Постоянство и устойчивость во благе есть уже завоевание. Кому-то пребывание в Ашраме покажется темничным заточением, но при развитии духа оно будет самым целебным пребыванием. Знаете, как летит время, и в этом полете привыкаете к Беспредельности.

305. Конечно, истечение энергии может даже вызывать головокружение, особенно когда посылки идут на дальние расстояния; тогда образуется своего рода инерция. Тяготение чувствуется так сильно, что лучше не быть в стоячем положении.

306. Можно в обычной жизни наблюдать многое, относящееся к обычаям Миров Тонкого и Огненного. Можно делить человечество на два типа. Один никогда не оставит за собою грязи. Он, приготовляясь к отъезду, все приберет и очистит, чтобы не затруднить кого-нибудь мусором. Другой же не принимает во внимание никакого последствия и оставляет за собою груды нечистот. Будьте уверены, что второму далеко до Огненного Мира. Так же будьте уверены, что первый природы огненной и очистилище по примеру Огня. Также нужно наблюдать, как человек проходит мимо мелких остановок. Один, когда знает свое поручение, спешит дальше, хотя и отнесется благожелательно ко всему встречному. Другой же из каждой остановки умудрится сделать нечто мохнатое, раздражая окружающее. Первый уже опытен в прохождении многих воплощений и понимает, что ночлег не есть уже дом отчий. Второй не может различить истинных ценностей и готов задержаться в пути на случайном базаре. Так люди постоянно являют природу свою. Только уже опытный путник знает, что ночлег не есть достижение, и понимает, насколько бережно нужно обходиться с вещами, полезными для следующего каравана. Он не издержит все топливо, но подумает о других. Он не загрязнит колодцев, как явление пользы,— так можно наблюдать, где Свет и тьма.

307. Можно ли представить, чтобы люди думали только о полезном? Конечно, можно, и вредные беспорядочные мысли прежде всего не нужны. Можно привыкать к мыслям полезным, и такое упражнение будет лучшим приготовлением к Миру Огненному. Явление привычки к помыслам добра не быстро достигается, но зато они ведут к осознанию огненному. Так не в явлении особенного мира, но в качестве работы каждого дня приближаемся к Миру Огненному.

308. Самоусовершенствование есть Свет. Самоуслаждение есть тьма. Можно строить жизнь так, что каждый день будет концом, но можно так просветить жизнь, что каждый час будет началом. Так на глазах можно перестраивать наше земное существование. Только этим путем вопросы будущего и сознание об огненном совершенствовании сделаются ощутительными. Нужно найти отвагу переделывать жизнь по мере новых накоплений. Умереть в дедовской постели пусть будет отличием средневековья. Мы же посоветуем отнести эти постели в музей — так будет и гигиеничнее. Но не должно ограничивать завтра по вчерашней мере, иначе как приблизимся к познанию Мира Огненного, который для деда был адовым пламенем?! Но теперь, когда отдают должное Свету и величию Огня, мы можем иметь духовно очень богатое завтра.

309. Уже две недели ощущаете подземные толчки. Представьте себе, что земля обращается в подвижное состояние. Никакая человеческая сообразительность не остановит стихии, но если имеете четкое представление о Мирах Тонком и Огненном, то никакая земная судорога не затуманит ваше неотъемлемое светлое завтра.

310. От Востока Белый Орел, так являем новое сознание. Невозможно без Востока. История человечества творилась или от Востока, или ради Востока. Нельзя себе представить размеры строения Культуры, дом которой так велик!

311. Советуйте молодому ученому собрать из всех древнейших Учений все, относящееся до Огня. Пусть и Пураны Индии, и отрывки Учений Египта, халдеев, Китая, Персии и решительно все Заветы классической философии не будут забыты. Конечно, Библия, и Каббала, и Христовы Заветы дадут щедрый материал. Так же и утверждения новейших времен прибавят ценные определения Агни. Такой сборник

никогда не был составлен. Но можно ли двигаться к будущему, не собрав знаки тысячелетий?

312. Уявление новейших исследований следует ценить. Когда люди начинают взлетать в слои высшие и погружаться в пещеры подземные, можно ожидать синтетических заключений. Не пренебрегайте наблюдениями над следствиями низших слоев атмосферы. Именно нужно принять во внимание всю относительность, которая может лишь обогатить выводы. Нужно, чтобы среди всей относительности мы могли находить приложение даже полусожженным шлакам. Везде, где прошла работа Огня, все может принести ценное наблюдение.

313. Никто не может составить мнения о Космогонии, не изучив огненную стихию. Это было бы подобно зодчему, собравшемуся строить каменное здание без изучения камня и сопротивления материалов. Но современное состояние умов так далеко от спасительного синтеза!

314. Подземное напряжение не кончилось. Удается разбить удары мелкими сотрясениями. Нужно вообще помнить эту тактику раздробления зла. Часто невозможно избежать накопившееся злобное напряжение, тогда остается лишь раздроблять напряжение тьмы.

315. Замеченное вами китайское лечение посредством втыкания игл в соответственные центры не есть лечение, но лишь временное воздействие. Старые египтяне производили такие же воздействия, надавливая на корреспондирующие центры. И посейчас банки и припарки являются такими же дополнениями. Так и во всей жизни следует устранять раздражение соответствующими дополнениями. Учение старого Китая знало и процесс излечения посредством поднятия жизнеспособности. Именно Китай оценил женьшень и продолжительное принятие мускуса. Потому нечему удивляться, если последняя медицина знает, как выявляется высшая жизнеспособность. Также можно заметить и огненность явления жизнеспособности. Пусть самые лучшие врачи умеют познать огненное начало растительного и животного жизнедателя. Такие опыты не нужно откладывать: если огненные эпидемии угрожают, то не забудем, что подобное лечится подобным.

316. Почему изумляетесь, что развитие зрения нуждается в умеренном свете? Понятно, что резкий свет не дает возможность усилению света внутреннего. Но ведь лишь эта самоусовершенствованная устремленность даст сильные устои. Потому в древности посвящения в мистерии сопровождались длительным пребыванием в темноте, пока глаз одолевал препятствия тьмы своим внутренним зрением.

317. Не только людская безработица образуется в пределах опасности, но также и безработица Природы должна, наконец, обратить внимание. Нужно только представить себе, как быстро цветущая растительность сменяется мертвыми песками. Не бесхозяйственностью, но самоубийством нужно назвать это омертвление коры земной. Пески, льды, оползни не являют блестящее будущее. Ведь невозможно ускорить излечение Природы, даже если бы люди обратились к здоровому мышлению; потребуются десятки лет, чтобы оздоровить разрушение коры планеты. Но для таких особо благих мер необходимо человеческое сотрудничество. Но разве видны признаки такой совместной работы? Разве разрушение и разъединение не владеют умами? Разве каждая попытка объединения не встречается насмешкою? Люди не желают мыслить о реальности будущего. Мы говорим о великом Агни, но только тысяча умов решится подумать, насколько это неотложно.

318. Нужно устремить внимание на надвигающиеся события. Нужно понять, что человечество вступает в период постоянных войн. Очень разновидны такие войны, но един принцип их — вражда везде и во всем. Никто не помыслит, какой опустошительный костер создается, когда множество людей укрепляет губительный круг около всей планеты. Это тот самый змей, который хуже льдов и снегов. Не думайте, что это пугало. Нет, каждый день приносит доказательства разрушения. Кощей не дремлет, но забава силится отвлечь глаза от пожара.

319. Война оружием, война торговая, война безработицы, война знания, война религий — разновидны войны, и уже не имеют значения границы земные! Планетная жизнь разделилась по границам бесчисленным.

320. «Тысячелистник» называлась древняя настойка из трав дикого луга. Смысл ее заключался в убеждении, что флора лугов есть уже собранная панацея. Конечно, такое собрание растительных сил очень знаменательно, ибо кто же лучше Природы подберет соседей соответственных? Пропорция и способ применения остаются в руках человека. Действительно, каждая симфония растительной поросли поражает своей соответственностью. Творчество богато и внешне, и внутренно, но люди обычно жестоко нарушают это ценное покрывало Матери Мира. Они предпочитают песочную улыбку скелета, лишь бы расхитить. Политическая

экономия должна начинаться с выявления ценностей Природы и разумного пользования, иначе государство будет на песке. Так можно всюду изучать золотое равновесие, тот самый путь справедливости. Люди сами ужасаются, когда происходит разобщение начал. Люди ужасаются альбиносам, но ведь это не что иное, как нарушение огненного начала. Также можно видеть эти нарушения во всех царствах Природы. Они не только отвратительны, но они заразительны и вредны друг другу. Приходится постоянно возвращаться к врачебным советам, но ведь стихия Огненная разве не есть мощная лечебная сила? Огонь есть утверждение жизни.

321. Так нужно уговаривать людей о сохранении своих ценностей. Самый земной скупец часто является планетным расточителем. Новый Мир, если он состоится, явит любовь к ценностям Природы, и они дадут ему лучшую эмульсию сущности жизни. Ведь придется из городов разойтись в Природу, но неужели на пески?! В каждой части света образовались песочные океаны. Так же и сознание людей размельчилось крупинками злобы. Каждая из пустынь была некогда цветущим лугом. Не Природа, но сами люди истребили цветы. Но дума о явлении Огня пусть заставит людей помыслить о бережности.

322. Многие хотят знать подробности Тонкого Мира, но многие будут жестоко озадачены. Вся зримость Тонкого Мира относительна по развитию сознания. Можно восхищаться Светом, но можно очутиться в тумане. Можно волей строить прекрасные созидания, но можно остаться на грудах мусора. Можно сразу усвоить язык духа, но можно пребывать немым и глухим. Каждому по делам его. Каждый сознает по сознанию. Мир Тонкий — очень справедливое состояние. Можно убеждаться, как даже простое сознание, но просветленное любовью, преуспевает. Для людей земных любовь малоприложима к их базарным ощущениям. Она часто остается без сознания. Но в Тонком Мире любовь есть ключ ко всем затворам. Для многих людей воображение есть недоступная отвлеченность, но в Тонком Мире каждая крупица накоплений воображения есть путь к возможностям. Для земных людей обида, горечь и отмщение составляют основы желчи и печени, но для Тонкого Мира, даже для среднего сознания, эти постыдности отпадают, как негодная шелуха. Потому так твердим об огненном сознании, чтобы немедленно направиться в лучшие сферы. Действительно, нужно всеми высшими мерами стремиться к огненному сознанию.

323. Правильно судите о необходимости исхода из гнойных городов и о равномерном распределении населения планеты. Если человечество в основе своей есть носитель Огня, то неужели нельзя понять, насколько нужно мудрое распределение этой стихии? Нужно понять, что болезнь планеты в значительной степени зависит от человеческого равновесия. Невозможно покинуть огромные пространства, чтобы братоубийственно столпиться на местах, зараженных гноем и залитых кровью! Не случайно древние вожди образовывали свои станы на новых местах. Теперь сама наука способствует нормальному заселению свободных пространств; никто не будет отрезан и извергнут. Сами силы Природы, призванные к сотрудничеству, оздоровят условия заболевания Земли. Так только можно надеяться, что труд будет оценен и вместо наемников народятся сотрудники. Мышление народов также может обновиться, когда центр мысли будет направлен на равномерную работу по всему лику Земли. Следует посмотреть на это ручательство, как на единственное решение, иначе люди будут лишь свергать, не находя Истины, которая живет в их сердцах. Огненна эта Истина!

324. Конечно, спросят: «Почему в древности не возникала опасность людских скоплений?» Во-первых, само население было сравнительно малочисленно. Но, кроме того, не забудем судьбы Атлантиды, Вавилона и всех скопищ, лежащих в развалинах. Только часть этих кладбищ упомнило человечество, но Космические Законы действовали не раз. Так не следует изумляться, что космическое нагнетение растет вместе с заразою низших слоев.

325. Когда говорим об Огненном Мире, не следует удаляться от земных решений. Огненное состояние настолько превыше земного, что нужно требовать лучшее земное равновесие, чтобы приобщиться к Огню. Многие условия земные нужно примирить, чтобы мысль могла разуметь тело огненное. Пусть священнослужители станут немного учеными и ученые будут немного духовнее. Из этих пожеланий хотя немногого сложится уже значительный устой необходимого моста. Это понятие моста завещано издревле, но теперь оно стало повелительным.

326. Некоторые смутьяны надеются, что постоянным свержением всего они упрочат свое благосостояние. Характерны эти мысли расхищения и раздробления. Невозможно даже помыслить о привлечении Огненной стихии на расхищение и раздробление! Повторяю — это невежественные приемы, от которых нужно отучиться. Пусть срубивший дерево немедленно заменит его вновь посаженным. Пусть огородник одною рукою собирает, другою — сеет. Простое правило нерасхищения должно быть преподано среди первых уроков школы. Учитель должен приготовить дух для самых пламенных восприятий. Только при постоянном утверждении путей грядущих можно заготовить воинов духа.

327. Некто хотел знать о самых высших мирах, но жил как свинья. Явление стремления кверху не уживается с подрыванием корней. Для свиньи — свинарник.

328. Учение прежде всего должно устремлять кверху. Так легче говорить и об Огне, который нужно понимать как высшее. Поучительно спросить самых малых детей, как они представляют себе Огонь. Можно получить самые неожиданные ответы, но они будут значительны. Только взрослые уже ставят Огонь в рабское положение.

329. Краткость формул есть завет Огня. Нужно приучаться к священной краткости. Не нужно думать, что она достижима легко: в ней выражается и целесообразность, и бережность, и уважение, и заостренная сила. Не пространная формула посылается, но эссенция ее. Можно собрать мощь в одном слове, и тем сильнее будет следствие. Не поток, но молния будет символом приказа. Много внутренних работ должно произвести самое сжатое, самое убеждающее. Потому древние заклинания состояли из кратких обращений. Но можно сопроводить эту стрелу и жестом руки. По существу, такой жест не нужен, но для самого себя он может быть сильным указом.

330. Музыка нужна для всех огненных посевов. Нужно избирать хорошую музыку, она собирает наши чувства. Но не следует рассеянно пропускать музыку мимо ушей. Так часто люди имеют перед собою великий феномен, когда они не слышат самое громкое и не видят самое яркое. Часто люди совершенно изолируют себя от окружающего, но не хотят понять, что именно это качество очень ценно, если мудро осознано.

331. Учитель обязан следить за качеством мысли ученика. Не самые проделки, но течение мысли будет путем продвижения. Несверхъестественно это понимание чужой мысли, но оно складывается во многих движениях и взорах. Немного внимания — и учитель увидит огни глаз. Очень значительны эти блистания, которые для мудрого врача дадут целую историю внутреннего состояния.

332. Следует не только надеяться на пришествие уплотненных тел, но нужно всеми силами стремиться осознать

Мир Тонкий. Не только Мир Тонкий подлежит осознанию, но мы должны исполниться отвагою на созерцание Огненных Сил. Мы должны привыкнуть к мысли, что рано или поздно нам суждено причалить к берегам огненным. Так научимся закидывать сеть самую длинную, чтобы достичь улова лучшего. Действительно, мы должны не только во снах, но и среди дневных трудов направлять мысль на дальние, огненные явления. Иначе, когда мы оказываемся в Тонком Мире, нам все-таки трудно сознавать огненное сияние. К Свету нужно приучать не только глаз, но больше того — сознание. Люди особенно страдают от неумения устремить себя вперед. Малое сознание лишь оглядывается и потому часто начинает пятиться. Царство Небесное, Огненное, берется приступом — эта истина сказана давно, но мы забыли о ней и отставили всякое отважное устремление. Смешаны многие ценные указания. Люди исказили понятие смирения: оно так нужно в отношении Иерархии, но люди для удобства сделали из него ничтожество. Не сказано быть бездельником, но всею отвагою и трудом нужно устремиться к Прекрасному Огню. Нет такой земной вещи, от которой не стоит отказаться ради Мира Огненного.

333. Все земные чувства в претворении восходят до Мира Огненного. Но не только зрение и слух духовно существуют, но и вкус имеет новое назначение. Нельзя без вкуса понять многие химические составы, и при творчестве нужны все чувства как меры соотношений. Потому нужно уже на Земле утончать чувства. Недаром один отшельник каждый день принимал в пищу листья и травы, чтобы изощрить вкус. Когда же прохожий спросил его, зачем он так делает, отшельник сказал: «Чтобы лучше любить тебя». Так всякое утончение полезно для познания основ.

334. Будем говорить о Мире Тонком и Огненном как побывавшие там. Пусть именно эти беседы подвергнутся особому осмеянию, но найдутся сознания, которые устремятся по тому же направлению. Так мы найдем, кому сердце трепетно шепчет о Мире Огненном, о Мире Прекрасном.

335. Разве колдовство — осознание будущего? Разве магия — узнавание неизбежного? Каждая религия, как связь с Высшим, находит слова о несказуемом переходе в Мир Тонкий. Но земное сознание все-таки сохраняет все чувства, которые находятся в Мире Тонком, хотя бы и претворенные. Самый миг перехода в Тонкий Мир имеет ощущение головокружения то же самое, как при обмороке или при начале падучей. Затем следующие чувствования зависят

всецело от подготовленности сознания, вернее, от Эго огненного. Если сознание было омрачено или тускло, чувства не могут претвориться при новом состоянии. Тогда наступает род забытья или дремотное блуждание. Состояние не из приятных. Конечно, Не Говорю о мрачном состоянии преступников и порочников — сущность этих терзаний неописуема! Но здесь лучше говорить о возможностях светлых. Так, если Агни был пробужден при жизни или знанием, или подвигом чувства, то он немедленно совершит великую трансмутацию. Как истинный Светоч он укажет направление; как светоносный гелий он вознесет в сужденную сферу. Он, так неприметный в жизни земной, становится руководящим началом в Мире Тонком. Но не только он светит в Тонком Мире, он предстоит как провод к Существам Огненным. Без Агни нельзя принять и приобщиться к Свету Мира Огненного. Отсутствие проявленного Огня делает слепыми блуждающих духов. Мы видим Огнем и восходим Пламенем. Нет других двигателей, и потому благо Огонь познавшим!

336. Если каждая клетка заключает целое мироздание, то каждый человек есть прообраз создателя при всей Беспредельности. Как нужно научиться почитать Духа Святого! Можно ему присвоить лучшие имена. Можно даже наполнить им сердце без имени, когда все имена будут выплеснуты, как из переполненной чаши. Но недопустимо поношение, ибо оно пресекает нить Света. Установление Учительства нужно как естественное звено к постижению Агни.

337. Почему же Существа Огненные редко являются земным жителям? И тому есть научное пояснение. Великий говорил: «Не трогай Меня!» Так просто сказана сущность соотношения Мира Огненного к земному. Мир Огненный, как мощное динамо для земных ощущений. Тело земное сгорает от прикосновения к Существу Огненному. Даже не только прямое прикосновение, но сама близость может остановить сердце воплощенного. Нельзя вносить в помещение горючее зажженный факел. Врач самый земной знает, сколько электрической силы может выдержать сердце человеческое, но напряжение Сил Огненных несравнимо с обычным электричеством. Само явление Фохата может быть зримо не всегда. Сколь же редко могут появляться Светлые Гости! Люди недисциплинированны — они могут или стремиться дотронуться, или ужасаются и тем самым сгорают. Не забудем, что страх может сжечь сердце. Даже в белой магии при светлых вызываниях вопрошатель заключается

в круг, чтобы охраниться от токов огненных. Конечно, сердце, познающее Огонь, может постепенно к нему приобщиться.

338. Трудно от земли обратиться к Огненному Миру. Но также нелегко подойти к земным сферам от Тонкого Мира. Это ныряние можно сравнить с водолазом. Как водолаз должен надевать тяжкий доспех, чтобы противостать давлению океана, так идущий на Землю должен окружить себя тяжкою плотью. Мудро состояние новорожденного, когда он может постепенно принять земные тягости. Не одно семилетие требуется, чтобы овладеть земным существованием. Потому следует так бережно охранять явление детей.

339. Темные не дремлют. Они сохраняют гораздо большее соединение со своей Иерархией, нежели так называемые воины Света. Темные знают, что их единственное спасение тьма, но светляки много блуждают, много рассуждают и мало любят свою Иерархию.

340. Последуйте за Мною, устремитесь ко Мне — только так можете понять будущее. Что можно предпочесть Силам Светлым? Можно обновить веру, как непреложность. Непригодна вера, которая не ведет всю жизнь. Указую на страны, которые утеряли путь: машина еще движется, но без обновления сознания уже нечем жить. Новое сознание придет лишь от духа. Новая сила может укрепиться только знанием Миров Высших. Накопления таких знаний укрепят жизнь. Можно отказаться от самого нужного, не думая о будущем! Нужно принять все переходы, как улучшения. Один порыв мысли перенесет через пропасть. Даже, казалось бы, самое неизбежное зависит от качества мысли. Утверждение мысли может даже изменить возвращение на Землю. Обычно рассматривают Тонкий Мир как пассивное состояние, но оно может быть не только пассивным, но и активным. Если «на Небе, как на Земле», то, значит, и там существуют условия к высшим достижениям. Мы не должны мерить лишь средними мерами. Если средняя мера между воплощениями будет до семисот лет, то может быть мера семи лет и даже трех лет. Сами кармические условия гнутся под молотом воли. Та же мысль будет лучшим огнехранителем. Неопалима мысль! Человек, исполнившийся верою — мыслью, даже на Земле теряет в весе. Та же мысль ведет и к Высшим Мирам. Человек, выбитый из равновесия, просит минуту покоя. Этот покой есть нагнетание воли. Без воли нет и веры. Так Мы вооружаем оружием Светлым.

341. Из Тонкого Мира обычно мутно видны очертания земные. Причина не только в плотности земной атмосферы, но и в нежелании смотреть. Видит тот, кто хочет видеть. Но даже в земных потемках нужно напрягать зрение, иначе говоря, вложить мысль в глаза.

342. Аполлоний из Тианы иногда во время странствований говорил ученикам: «Побудем здесь. Это место мне приятно». При таких словах ученики знали, что здесь заложен магнит или Учитель собирается заложить магнит. Ощущение магнитов узнается по особому току, связанному с силою Агни. Наука может впоследствии рассмотреть эти магнитные волны, неиссякаемые в течение веков. Как вехи оставлены магниты на местах особого значения. Когда пахарь несет на себе частицу земли родной, он как бы вспоминает древний обычай принесения земли, как знак неоспоримости. И теперь знаете, как приносилась памятная земля, взятая в Азии. Судьба ее не проста, злой хотел развеять ее, но рука добра не случайно отставила сокровище, и оно оказалось забытым; но мысль, сопряженная с приношением, живет и действует более, нежели могут думать,— так живы мысли. Предмет, намагниченный мыслью, поистине, имеет мощь. Так нужно несуеверно, но вполне научно изучать наслоения мысли — ведь это работа Огня!

343. Общества психических исследований могли бы иметь значение, но они сами себя заключают в низшие слои. Они довольствуются некромантией, тогда как могли бы обновить духовную сторону жизни. Не будем осуждать, если этим Обществам пришлось начать от низкого и от малого, но через полвека должно бы обнаружиться стремление к Высшим Мирам, но это мало видно.

344. Полезно иногда посидеть спокойно, обращая дух к Беспредельности,— это как душ дальних миров. Мы должны сами привлекать токи, иначе они могут бесследно скользить. Мысль — магнит, притягивает положительные токи, и она, как щит, отрицательных лишает доступа.

345. Руководитель может спросить ученика: «Что делаешь, что желаешь, чем терзаешься и чем радуешься?» Эти вопросы не будут означать, что Учитель не знает происходящего с учеником, наоборот, в полном знании Учитель хочет видеть, что́ именно сам ученик считает значительным. Из всех обстоятельств ученик может по неопытности указать самое ничтожное, потому Учитель спрашивает вовсе не из вежливости, но испытывая сознание ученика. Так нужно очень обдумать ответы Учителю. Не так называемая вежливость, но постоянное углубление сознания есть обязанность Руководителя.

346. Также должен помнить ученик о делимости духа. Нужно устремить сознание, чтобы распознать присутствие Учителя в духе. Не так неправы те, которые представляют себе близость Учителя. Лучше это, нежели забыть легкомысленно вообще Учителя. Не так неправы заучивающие слова Учения. Текст учат в школах для укрепления памяти. Так же и Учение, — когда горит в сердце, оно утверждается краткими, непоколебимыми формулами. Некоторым легче усвоить точные выражения. Не мешайте каждому идти путем своей кармы. Лучше не принуждать там, где есть свои Огни.

347. Кто хочет самое легкое; кто предпочитает самое трудное; кто не может говорить, но крепко стоит на дозоре; кто имеет легкие слова и летит за ними; кто может ощутить самое важное явление, но некоторые пожелают пребыть около неудачи. Можно бесконечно перечислять эти отличия, но лишь наличность самого сердечного Огня оправдает свойства личности. Так мы не устанем твердить о многообразии. Садовник знает, как сочетать растения, на то он и мастер сада.

348. Но ясно, что люди хотят иметь перемену Сущего. Один Правитель хотел найти довольного. После долгих поисков, наконец, нашли такого — он был нем, глух и слеп.

349. Нужно принять технократию как уловку темных. Много раз устремлялись темные на механические решения. У них была надежда занять человеческое внимание, лишь бы отвлечь от духовного роста. Между тем решить проблему жизни можно только расширением сознания. Можно видеть, как механические гипотезы легко овладевают людскими надеждами. У древних это и была Майя, которая могла нарушиться от малейшего толчка.

350. Гигиена мысли должна быть и духовная, и земная. Нужно производить опыты мышления, укрепленные огненными лекарствами. Нужно обратить внимание, как действуют на мышление фосфор или испарения эвкалипта. Нужно проверить, насколько поднимает мышление мускус. Нужно собрать все данные о прочих смолистых маслах. Словом, нужно припомнить все сочетания, ближайшие работе Огня. Нужно произвести эти опыты над лицами сильного огненного мышления. Такие опыты напомнят не только о витаминах, но и об Агни. Усилия врачей сосредоточиться не только на внутренних лекарствах, но на воздействии обоняния явят нужные следствия. Люди очень больны. Темные силы стараются подкинуть разного рода наркотики, но тесные рамки жизни не расширяются усыплением интеллекта. Сейчас нужно духовное бодрствование. Нужно полюбить это бодрствование, как состояние, пристойное человеку.

351. Много малых кругов раскинуто на планете. Черные ложи знают, что делать, но явления Светлых часто своим расстройством даже вредят друг другу. К черным ложам не приблизится чужой, но Светлые по добродушию или, вернее, по невежеству часто готовы обнять самого вредного предателя. Нужно изгнать равнодушие, которое парализует лучшие силы. Действительно, можно изнемочь не столько от врагов, сколько от равнодушия друзей! Какое может быть понимание огненности при лености равнодушия? Свойства Огня противоположны равнодушию. Такой тяжести инертных людей нужно опасаться, но при случае их нужно срамить, чтобы хотя вызвать негодование. Мертвое духовное устранение есть уход из жизни.

352. Не будем огорчаться наблюдениями над равнодушием, оно лишь доказывает, что нельзя оставаться в таком постыдном убожестве. Мы, хотя в час изнеможения, все же не прекращаем работы объединения. Иногда нельзя свести вместе даже довольно близких людей. Ничего, пусть временно побудут в разных домах, только бы воздержались от гасительства. Так нужно заботиться, чтобы Огни не угасали.

353. Один Гуру остался невидимым в пещере. Когда же ученики просили показаться им, Он ответил: «Неразумные, разве не для вас самих сокрылся я? Ибо не хочу видом своим разделять вас. Когда вы примете меня как несуществующего, может быть, ваш Огонь загорится сильнее». Даже и такими мерами Гуру заботится о возжении Огней, лишь бы сердце пылало.

354. Часто возникал вопрос: которая мысль сильнее — словесная или бессловесная? Конечно, участие формул словесных, казалось бы, сильнее. Люди, притянутые внешностью, полагают, что оправа слова крепче удержит мысль. Но такая условность не поможет сущности. Мысль бессловесная гораздо мощнее, в ней явлена более чистая стадия Огня. Можно заметить, как мысль бессловесная совершенно освобождается от условия стеснений языком. Она приближается к языку огненному, но умножает мощь свою. Мы шлем огненные мысли, их понимают огненно. Можно назвать это понимание чувствознанием, но как причину можно назвать язык Огня. Мы как бы получаем радио не из Тонкого

Мира, но из Высших, Огненных Сфер. Мир Огненный прежде всего в нас самих, только бы распознать его Обитель. Так, когда сомневаются, можно ли сообщаться с Огненным Миром, нужно лишь помнить его присутствие во всем. Только провод следует приложить к сердцу, но не к мозгу. Можно находить связь с Тонким Миром постоянно, но Мир Огненный требует особо хорошего настроения. Словесная шелуха скорее отдалит, нежели приблизит к Миру Огненному.

355. Ритм или мелодия? Скорее, ритм создает вибрации. Как знаете, музыка сфер прежде всего состоит из ритма. Огонь в ритме, но не в содержании мелодии. Конечно, могут быть счастливые совпадения, когда мелодия претворяется в ритм. Очень нужно понять связь ритма с Огнем.

356. Сомнение — это парадный подъезд темным. Когда сомнение начинает шевелиться, Огонь поникает и парадный вход открывается для черного шептуна. Нужно увеличить согласие и находить радость хотя бы о курочке, принесшей яичко. Так и малым, и великим закидаем врага.

357. Многие хотели бы задать некоторые вопросы, но стесняются. Например, они очень бы желали узнать, не пострадает ли их здоровье от приближения к Огненному Миру. Можно ответить, как один благотворитель прекратил милостыню, ибо боялся, что знакомство с бедными может заразить его. Конечно, он не был истинным благотворителем. Так же и тот, кто опасается Огненного Мира, не есть Огненосец. Так будем рассматривать Мир Огненный как нечто исконное, неотъемлемое, явленное в мужестве и радости сердца.

358. Пифагор запрещал ученикам насмешки, ибо они больше всего мешают торжественности. Человек, приветствующий гимном Солнце, не может заметить малые пятна. В этом приказе заключается утверждение Прекрасного. Пусть темные оставят себе удел глумления. Те, которые нуждаются в шутах, не оставят о себе память среди мудрых. Торжественность гимнов являет Пифагора, как Носителя Огненного. Будем брать пример с таких Огненосителей, которые прекрасно прошли свой земной удел.

359. Скажут — ссориться нельзя, глумиться нельзя, предательствовать нельзя, клеветать нельзя, ударить нельзя, явить надменность нельзя, служить самости нельзя, указать на преимущество нельзя, что же это за жизнь?! Прибавим — и сорить нельзя, ибо каждый сор сам сорящий вынесет.

360. И еще один вопрос волнует втайне некоторых людей. Они хотели бы знать, не мешает ли Учение чтению Священных Книг? Не беспокойтесь, именно Мы советуем читать внимательно эти книги Заветов. Мы постоянно обращаем внимание на необходимость ознакомиться с книгами Бытия. Разве не упомянут Огненный Мир в них? Притом так красиво и кратко: «не умрем, но изменимся» или: «на Небе, как и на Земле». Ведь такие Заветы мог произнести лишь познавший! Священные Книги могут дать богатство сведений о проявлении Огня. Так, можно просить читать Заветы пристально. Так же и хроники жизни подвижников могут принести понимание Мира Огненного. Утверждения явлений через многие века должны вдохновить искателей-ученых. Повторяю, прискорбно видеть разделение науки от Высших Основ Бытия. Хотя бы как историки ученые обязаны внимательно и с уважением отнестись к Скрижалям прошлого. Но не только ученые, но даже выросшие на воображении художники избегают сосредоточиться на сокровищах Священного Завета. Точно такое знание хуже прочих познаний! Но чудно то, что посылающие вопрос о Священных Книгах, несмотря на Наш совет, не найдут времени их читать. Кто сердечно горит, тот не будет откладывать по причине незаданного вопроса.

361. Неразумно поступают те, кто устанавливают пищу свою на долгий срок. Пища — топливо, прежде всего зависит от потребности. Но эта потребность проявляется в зависимости от космических токов. Явление космических токов может почти лишить нужности наполнения желудка, и наоборот. Особенно вредна пища во время токов напряжения. Она может вызывать болезни печени, почек и судороги кишок.

362. Вы читали об эпидемии слышания голосов. Организм действует как приемник радио. Такое обострение чуткости могло бы быть полезным, но беда в том, что, когда некоторые космические точные сроки приблизились, сознание человеческое далеко отстало. Таким образом вместо пользы получается вред, способствуя одержанию. Много таких же уродств получается и в других областях, когда сознание, задавленное механикой, тонет в безумии.

363. Когда протекает трудный срок, нужно торжественное настроение. Не следует думать, что если сейчас жив, то значит и срок не коснулся. Нужно быть дальновидным.

364. Нужно рассматривать, какие качества наиболее выявляются при сознании Огненного Мира. Среди таких качеств особенно уявляется справедливость. Невозможно

словами передать это качество, которое считается самым великим при чувствознании. Справедливые знают поверх закона земного, где правда. В то время, когда закон ведет ко многим несправедливостям, человек, познавший Мир Огненный, знает, где истина; вопреки очевидности чует действительность. Так огненное сознание преображает жизнь. Даже мученичество огненное дает высшее знание. Таким же образом мы можем отличать и другие качества духа, растущие под Огненным дождем. Умеренность без Огня обращается в убожество, но Золотой Путь, напряженный Огнем, будет лучшим объяснением умеренности. Точно так же мужество без Огня представляет безумие. Но мужество, сверкающее Огнями сердца, станет стеною нерушимою. Конечно, и терпение, и сострадание, и дружба станут другого цвета в Свете Огненном. Но Учитель может лишь на деле, на испытании, утверждать степень огненности. Меньше всего пригодны слова для такого уверения. Сколько слов омывают пороги тюрем, но не многие из тюремщиков могут похвалиться справедливостью. Так же сколько слов о терпении! И первая неудача делает самых нетерпимых людоедов. Конечно, не стоит пояснять, как словесное мужество обращается в великую трусость. Но желающий приблизиться к Огню должен следить за всеми побуждениями.

365. Горы научных соображений нарастают, но трудно найти людей несвязанных. Греческие философы знали эти связанные души. Они понимали, как ограниченно может действовать человек, когда он оставлен на малом куске почвы. Он, как аист на одной ноге! Такие битвы трудны для аиста: он знает гнездо на одном дереве и стоит на одной ноге. Но знание Огня требует две ноги, иначе говоря, два естества.

366. У Меня длинен список людей, вредящих себе. Как обратить внимание их на все отринутые возможности? Самое малое отрицание может дать огромные следствия. Придет время, когда Скажу вам из этого списка, можно будет достаточно удивиться.

367. О вещах угрожающих следует помнить. Люди еще готовы придавать некоторое значение терафимам, сделанным с целью воздействия. Но ведь многие предметы несут на себе наслоения воздействий. Немало вещей сделано в час ненависти, утомления, ужаса и отчаяния, они понесут в мир эти посылки. Если же попадут к владельцу, полному тех же астрохимических явленных условий, они начнут действовать по указанию, им вложенному. Социологи пытаются улуч-

шить быт рабочих — правильно, но при этом следует возвышать состояние духа творцов. Не все ли равно, создают ли они великие или малые вещи? Слюна ядовитая может одинаково их напитать. Для магнетизма естественного не нужно особое чернокнижие. Огонь черный наполняет каждое злобное сердце, так будем очень внимательны к вещам. Можно вспомнить, как Аполлоний никогда не брал в руки незнакомых вещей. Он сперва внимательно оглядывал их, особенно же если они были старинные. Когда один ученик хотел надеть кольцо на палец, Учитель предупредил — не надевать яд. В кольце оказался сокрытым смертельный яд. Аполлоний добавил: «Такой яд еще менее смертелен, нежели яд сердца». Не следует принимать изречения Мудрых как далекие символы. Часто они имеют прямое значение, которое нужно запомнить и применить. Мы не пойдем в лавку за оспенными одеждами, но ведь это будет лишь тысячный вид заразы! Сколько раз Твердил, что наслоения мысли гораздо сильнее ядов. Как Огонь наносит патину на сосуды, так же Огонь мысли несмываем, когда напитывает поверхность предмета. Среди очистителей полезен эвкалипт, содержащий много Огня. Каждый живой Огонь так же полезен. Около костров много заразы было уничтожено.

368. Отчего даже в Тонком Мире мало видят Огненный Мир? Явление глаз малоприспособлено. При земном состоянии они не слушали о Мире Огненном; они глумились над ним; отвергали все Высшие Огни; они не желали познать и стыдились каждого мышления об основах Бытия. С этим отрицанием они пришли в Мир Тонкий. Могут ли глаза их смотреть на сияние, которое не существует для их сознания? Каждому измеряется по заслугам, и заслуги эти не трудны — лишь бы не засорялись отрицанием. Тонкий Мир дозволяет по сознанию, но если рыло было опущено к земле, то не кабан ли будет следующим достижением?

369. Вы совершенно правильно объясняете известный вам случай излечения туберкулеза. Именно так много случаев, особенно женских заболеваний, происходит от возгорания центров. Но такой пожар можно потушить, дав полезное направление сознанию. Может быть, огненное сознание уже давно стучалось, но искры Фохата проникали в область «Чаши» без применения. Так возникает пожар, и туберкулез очень характерен для непринятого Огня. Принять в сознание, значит уже и телесно ассимилировать. Эта связь сознания с плотью особенно заметна на примере Огня, который вызывает явно физическое разложение, если не осознан.

Потому при заболеваниях, особенно простудных, полезно делать огненную Пранаяму. Эта Пранаяма будет очень несложна: то же вдыхание носом и выдыхание ртом с направлением Праны в место заболевания. Но для усиления действия следует в сознании держать, что вдыхается Огонь Пространства и выдыхается уже сожженный Ур. Так опять Огонь будет лекарством и врач может облегчать болящего, сказав ему, как просто привлечь основную энергию. Явление болезни, по счастью, усиливает отношение к вере, и труднобольной легче примет истину об Огне.

370. **Состояние болезни усиливает работу духа.** Врач может успешно подсказать многое, что даст благотворное ведение явления болезни и укрепит сознание духа. Очень важно закрепить известное состояние духа. Для этого при служении и при заклинании употреблялись известные выкрики, как бы акценты при моментах снисхождения Силы.

371. Усиленное принятие Огней нуждается в некотором спокое. Невозможно принимать высшую энергию и быть на вулкане! Потому нужно утвердить слова Соломона: «И это пройдет!»

372. Эпидемия столбняка принадлежит к огненным заболеваниям. Утверждать можно, что такая эпидемия может принять размеры рака. Как облегчающее условие будет горный воздух, но главное условие будет принятие огненной энергии. Каждый толчок может вызвать и рак, и столбняк; это значит, что организм не уравновешен в основе своей и даже самое малое потрясение вызывает заболевание, открывая все входы. Сказавший о сокровище сознания был великим врачом. Нужно очень спешно вводить огненную профилактику. Сегодня слышали о раке, завтра — о столбняке, послезавтра — о судорогах гортани, затем — о чуме легочной, затем — о новой мозговой болезни, так целый хор ужасов загремит, пока люди будут думать о причине. Конечно, скорее припишут газолину, нежели воздействию Огня, непонятого и непринятого.

373. «Урумия» называется огненное понимание одержания. Не только люди могут обладать этим чувствознанием, но и некоторые животные, близкие людям, чуют это ужасное состояние. Лошади и собаки особенно понимают и негодуют на приближение одержимых. В древнем Китае была особая порода собак, высоко ценимая, которая особенно чутко узнавала так называемых одержимых. Также в древности было принято показывать гостям коней и собак. При этом замечали отношение животных. Многие послы

прошли через такое испытание. Нужно заметить, что кошки тоже чуют одержимого, но обычно совершенно обратно. Одержимость приводит их в радость. Так, например, когда кошка чует одержимого или сильное явление его, она не прячется, но ходит, радуясь и мяукая. Тогда как собака ощетинится и пытается или прятаться, или броситься на такого человека. Нужно развивать в себе Урумию не только для охраны, но и на предмет изгнания одержателя. Часто одна беседа о значении Агни уже действует на одержателя. Он страшится Огня, и потому упоминание об огненной энергии уже заставляет его злобствовать и затем отступать.

374. «Умия» тоже относится к науке об Огне. Умение направлять Огонь есть не механика, но познание высшей энергии, вынесенное из опыта Тонкого Мира. Новая стрела не полетит по словесному приказу; нужен Огонь, для которого пространство не существует. Конечно, даже сильные стрелы могут быть отбиты черным огнем, когда случится совпадение действий. Тогда лучше обождать или защититься.

375. Зерно духа и разделение духа поясняют касательно монады. Зерно духа необходимо для жизни, но делимость духа делает возможным и обогащение, и расточение Монады. Сознательно можно для пользы Мира делить дух и посылать части его на подвиг; так происходит лишь обогащение. Но невежество может расточать сокровище и оставаться при спящем зерне; так происходит бездушие. Конечно, невежественные части духа могут действовать как одержатели, и горе сердцу спящему! Так, чтобы не возвращаться к делимости духа, запомним, что зерно духа может спать или сиять бодрствованием. Только этим Светом создается магнит сердца, который привлекает в лоно свое отпущенные части духа. Большая разница — отпускать или растерять. Так можно запомнить, что спящее зерно духа, если и обусловливает жизнь, то все-таки допускает все свойства бездушия.

376. Также покончим со смешанным пониманием групповой души. Дух созвучий особенно сильно выражен в животных, когда индивидуальность не осуществлена. Но душа созвучная неправильно названа групповой. Переводы и толкования делают мешанину. Но даже Платон, с половинчатыми душами, был не только ближе к истине, но выразил ее красиво. Так не будем употреблять неверный термин групповой души и заменим его духовным созвучием. И в людях

это созвучие является ценным достижением, оно создает индивидуальность. Не будем усложнять то, что может быть принято просто. Необходимо перед дальним путем запастись лишь наиболее нужным. Было бы прискорбно нагрузиться сложными кружевами и забыть ключ от врат Отчего Дома. Отец не нуждается в кружевах и бахроме. Запомните простейшие пути Света Агни. Конечно, читайте книги, ибо нужно знать пути мысли бывшей, но для будущего запаситесь лампою Агни.

377. Много сгущений, и можно учиться радоваться подвигу. Невозможен подвиг в унынии. Уныние есть смерть, как прорванный кошель! Самое драгоценное высыпается в унынии, и можно назвать уныние смертью. Как человек встает после сна для труда, так человек подвигу открывает дверь. Нужно особенно светло зажечь Огни, когда идем на победу. Так помните, особенно в дни утеснения. Оно не что иное, как тетива для стрелы.

378. Чистое сердце чует, где напряжение. Оно успеет превозмочь утеснение и врагов.

379. О Мире Огненном следует говорить даже самым малолетним. Но еще раньше нужно сказать, что пустоты не существует и одиночества не бывает. Можно таким образом подойти к вопросу Покровителя и Руководителя. Дети начнут привыкать к мысли, что ничего тайного нет. Такое основание послужит им как верная защита от страха. Особенно вредно, когда невежественные родители начинают уверять ребенка не бояться, ибо ничего нет. Такое зерно отрицания затемнит всю жизнь и надломит сознание. Ребенок отлично знает сам, что везде что-то есть. Он видит многие образы, и даже огненные. К ребенку приходят играть неведомые дети и взрослые. Невежественные врачи начинают заливать эти прозрения бромом, как бы запечатывать крылья свинцом. Но не яды помогут! Только толковое объяснение действительности сделает детей здоровыми. Точно так же следует прислушиваться к каждому обрывку истины. Лама говорит: «Следует молиться каждый день, иначе лучше совершенно не молиться». И вы знаете по вашим основам, что это так. Действительно, нужно соблюдать высшие вибрации, не теряя ритма связи. Вы знаете цену работы постоянной, ритмичной. Вы знаете, насколько такой натиск открывает Врата.

380. Спросят: если для Хатха Йоги нужны упражнения тела, то для других Йог нужны ли эти движения? Не имели их Архаты и подвижники. Действительно, они

имеют испытание духа, который не только подчиняет тело, но заменяет для него упражнение плоти. Только признание духа может заменить остальное.

381. Среди малых наркотиков особенно опасайтесь брома. Он есть гаситель Огней, но так часто употребляется под разными составами. Валериана, наоборот, есть возжигатель Огней. Лечение наркотиками подобно лечению змеиным ядом. Атланты применяли приемы змеиного яда, но, конечно, можно представить, как часто такое лечение было смертельно. Явление незараженности пищи нужно иметь в виду для народного здоровья. Не нужны все перебродившие сыры и иные продукты, наполненные ядом разложения. Огонь нуждается в чистом топливе.

382. Не Скрою, что давление велико. Можно молчать об этом, но, когда дух закален, лучше знать и посылать свои мысли на благо. Негодно суемудрие, которое самоудовлетворяется, говоря: «Не будут полезны мои малые мысли». Каждая мысль нужна, если она мысль.

383. Трудно в себе расчленить три основных естества. Конечно, отрывочны будут осколки огненные. Должно ли так быть? Только опускание во тьму хаоса отодвигает цельность Огненного Облика. Мысль о трех основах может обогатить представление о трех телах, но одно дело — начать думать и совершенно другое — продолжать и развивать мышление. Космичность бытия, казалось бы,— простая мысль, но сколько упорного и последовательного усилия нужно применить, чтобы это сделать прекрасным. При каждом руководстве можно заметить всюду одно условие. Мало направить ученика, нужно довести его. Даже в домоводстве разве можно быть уверенным, что поручение будет тщательно выполнено? Нередко человек идет за покупкою и возвращается с неожиданно пустым карманом. Вы уже видели много людей, которые, начав дельно, сворачивали с пути и сжигали все приобретения. Велик вред таких сожжений не только себе, но и многим, связанным кармою. Можно представить, как ужасно отказаться от уже усвоенной крупицы Истины! Эти разрушительные отрывы происходят обычно от беспорядочного мышления. Такие сотрудники неприменимы даже для базарных поручений: выйдя из дома для покупки тюрбана, могут неожиданно купить одню туфлю. Потому только правильное, неотступное мышление может обуздать тьму хаоса.

384. Устыдимся каждого шатания. Как опасно нести Огонь падая!

385. Летчик, когда достигает предельной высоты полета, все же переполнен неудовлетворения; он тогда решает испытать задачу высшую. Неудовлетворенность — врата Беспредельности. Нужно ценить всеми мерами неудовлетворенность. Удовольствие есть уже сосед довольства, тогда как радость есть крылья Беспредельности. Учение Огненное должно охранять все возжигания Огней и уберегаться от всяких тушителей. Удовлетворенность есть признак ничтожества и невежества. Не удовольствоваться, но радоваться о вечном труде есть удел великого и восходящего. Теперь глупцы могут хохотать, Мы скажем о вечном восхождении; даже могила не спасет глупца от Вечности. Нужны ребяческие мозги, чтобы не понять, что одежда земная не есть завершение. Огни призывают к Непостигнутому, и даже слепые видят эти светочи. Не забывайте спросить слепых об Огнях. Некоторые из них видят огненные знаки и понимают связь их с сердцем. Так зовы неудовлетворенности ведут к Миру Огненному.

386. Среди профилактики антираковой и против других огненных заболеваний советуйте валериану. Часто Говорю об этом укрепляющем и охраняющем средстве, но всякая профилактика должна быть систематичной: каждый вечер без пропусков, как солнца ежедневный путь!

387. Система, ритм имеют решающее значение. По жизнеописаниям усмотрите, как ритм укреплял ум и Огонь. Конечно, сейчас много говорят о ритме, но не пользуются им в жизни. Очень беспорядочно мышление и беспорядочна жизнь. Уже упражнение древних в Пранаяме вносило известный ритм. Но сейчас все позволено и человек раб всего. Йога Огня должна еще раз напомнить о значении человека.

388. Очень худо переходить в Тонкий Мир в черных огнях злобы — это значит ослепнуть. Кроме слепоты такая злоба лишает средства сообщения, иначе говоря, языка духа. Когда говорим о недопустимости злобы, Мы даем лучший совет. Ведь злоба не есть человеческое свойство. Это есть самый низкий вид невежества. В злобе человек опускается в животное состояние со всеми последствиями его. Потому, если человек в злобе перешел в Тонкий Мир, ему особенно трудно будет подняться. Если всякие страсти мешают восхождению, то злоба, как раскаленное железо, выжигает все приобретения. Существа Тонкого Мира, средних слоев, не найдут способа совершить явления очищения, пока самоослепший не найдет осколка своего разбитого духовного сознания. Совет о незлобии придется много приносить разным людям. Пусть и дети слышат его.

389. Незлобие не есть безволие. Нередко люди, лишая себя одного свойства, теряли с ним многие нужные качества. Не следует постыдные пережитки смешивать с ценными достижениями. Так, злоба не достойна, но негодование духа есть то возмущение стихий, которое находится в самых высших Заветах. Духовная битва не имеет ничего общего со злобой. Так Свет пронзает тьму не по злобе.

390. Слепота ужасна в Тонком Мире. Представьте себе, что вы входите в полутемный дом, в углах которого ютятся неразборчивые образы, смешивающиеся между собою и окруженные какими-то неясными пятнами. Даже там, где нет особых чудовищ, слепой, злобный увидит ужасные образы. Конечно, вместо Огненных Существ он с трудом различает две, три искры, которые ему ничего не говорят. Так нужно от земных представлений переноситься в дальние миры.

391. Люди часто вредят себе, запрещая даже думать о Тонком Мире или представляя его как нечто невообразимое. Нужно представить себе Мир Тонкий как самое улучшенное состояние наших лучших чувств. Только так можно подготовить себя к лучшему помещению Тонкого Мира.

392. Обернемся еще раз на последствия злобы. Когда полуслепой крот толкается по подземелью Тонкого Мира, он может натыкаться на разряды Фохата. Очень болезненно ощущение этих сильных разрядов, подобных молнии. Вы видели электрический доспех духовной битвы. Устремление психической энергии содрогает все существо. Нельзя дотронуться и даже приблизиться к такому живому аппарату. Сообразно с таким напряжением будет нагнетена целая окружающая сфера. Разрушение и чрезвычайная болезненность оттолкнет каждого темного приближающегося. Так нужно еще раз повторить, что злоба погружает во тьму и тьма полна опасных неожиданностей.

393. Учитель иногда в час опасности защищает, принимая опасность на себя. Он, как руками, закрывает собравшуюся тьму. Нужно соблюдать особую осторожность в такое время. Сильное напряжение близко. Лучше всего в такое время чувствовать особую признательность к Учителю. Это чувство, наряду с торжественностью, лучше всего сохранит гармонию и правильную вибрацию с Учителем. Щит Света не всегда к услугам нашим. Невежды полагают, что мир обязан содержать их, но разумные знают, как трудно строить из хаоса и принесут свой камень на построение.

394. Лишь неразумные впадают в отчаяние. Каждый час учит нас, и потому можно благодарить за каждый опыт. Ночь дает наблюдения дальних миров или далеких расстояний. Также каждый час дня полон наблюдений. Надо благодарить за такое накопление. Наука ищет решение около желез, но не дерзает еще подумать об огненной энергии.

395. Нужно наблюдать явления космические в связи с жизнью земной. Много сопоставлений будет очевидно. Теперь суровое время. Можно прочесть в разных Пуранах о сроках. Если ученые могут вычислять затмения и землетрясения, то другие ученые могут вычислять иные сроки — переход от Кали-Юги к Сатья-Юге описан довольно точно, и тягость времени указана.

396. Когда Указываю на благотворность признательности, Не Хочу сказать, что в ней кто-то нуждается, но она сама по себе содержит химизм благодати. Нужно исследовать химизм разных чувств, такие наблюдения помогут для нахождения психической энергии. Не витамины, но огненная энергия должна занять воображение. Явление сущности человеческого бытия не может занимать какое-то оккультное место! Нужно привлечь к этим поискам многие умы; попутно они заметят и другие полезные особенности чувств. Так нужно прежде всего установить направление эволюции. Не может быть двух направлений прогресса. Может быть одно истинное, и все другие попытки будут лишь блужданиями. Это следует запомнить, ибо многие смешивают индивидуальность с общим стимулом эпохи. Если данная эпоха должна закрепить в сознании мощь психической энергии, то никакая машина не может заслонить повелительное наступление Нового Мира.

397. Умение различать истину направления есть великое огненное качество. Можно понять, что такое качество не утвердится легко. Оно требует не только бесед, но самого внимательного изучения жизни. Никто не поверит, что от животного сознания можно перескочить сразу к чувствознанию. Животное чутье есть зародыш чувствознания, но велика пропасть между собакою, чувствующей хозяина, и человеком, знающим Мир Огненный! Почуять Мир Огненный в земной оболочке уже просветление.

398. Также обширно нужно понимать, когда Говорю о бережности. Самое опасное будет устремиться лишь

в одном направлении. Можно уберечь ногу, но сломать голову. Тем предвзятые суждения и будут самыми вредными устремлениями. Люди легко идут по предвзятому случаю и тем нарушают лучшую судьбу.

399. Эволюция самостоятельна и добровольна — это основной закон. Не только основа Кармы, но Мир Огненный составляет явление сознательной эволюции. Невозможно заставить людей духовно эволюционировать. Нельзя принудить к благу спящее сердце. Можно указать, можно ставить вехи, но сломать сознание значит убить корень будущего древа. Кажутся долгими миллионы лет, ибо ни года, ни века не существуют. Люди разбили бытие на секунды и потонули в нулях. Потому так важна психология Тонкого Мира, где часы не нужны и значительны лишь следствия. Люди часто негодуют на Заветы Учения — почему книга не дает окончательных формул? Но такое требование доказывает незнание Основ. Завет дает точное направление и зажигает Огни по всему пути труда. Можно двигаться по этим Огням. Можно находить уже космически назревшие решения; можно слушать точные намеки, но собрать эту мозаику должен дух добровольно. Утверждение пути есть Завет Великого Зодчего. Мы должны, как в сказаниях, приложить ухо к земле, чтобы не упустить ни единого шага и шепота. Но мы много можем читать, но мало прикладывать, между тем так близки сроки!

400. О сроках люди не мыслят — они надеются на механику часов. Конечно, Космос полон механики, но среди двигателей главное место занимает Агни.

401. Сказавший, что вспышки Света не что иное, как направленные мысли, не был очень далек от истины. Конечно, мысли пространственные, как электрические разряды, и могут производить немалые световые явления. Цветные искры также зависят от качества энергии, вызвавшей эти разряды. Мы можем посылать мысли, которые могут создавать не только световые знаки, но могут давать телесные ощущения. Принцип трансмутации мысли в ощущение только доказывает, что мысль есть энергия. Так нужно с малых лет привыкать к мыслеэнергии. Но для этого школа должна сказать о субстанции духа. Можно видеть, насколько человечество в последние годы уходит от духовного начала. Многие книги, которые должны были бы именно направить к духовной жизни, наоборот, уходят от внимания людей. Но так не может продолжаться. Нужно напомнить всеми мерами о существе духа. Нахождение множе-

ства сект не помогает и уводит людей в бесцельные блуждания. Сущность Кали-Юги характерна как разделение на суставы всего организма. Но Благая Матерь встает на Заре, чтобы собрать эти разбросанные части одного Существа. Матерь Мира привлекает внимание народов и ждет Звезды Утра.

402. От неожиданности атрофируются все человеческие чувства. Теряются слух, зрение, обоняние, также осязание. Но то не последствие страха, но лишь поворот предвзятого пути. Конечно, из стихий Огонь доставляет наибольшее количество неожиданностей. Люди ограничивают сознание лишь немногими формулами Агни. Потому все другие разновидности элемента Огня просто не вмещаются сознанием. Значит, нужно многое вместить и тем сделать неожиданное ожиданным. Так следует поступить и со всеми прочими явлениями жизни. Нужно вооружиться духовно, чтобы ничто в Тонком Мире не могло поразить вас. Многие надеются на встречу родных и Руководителя. Даже бездуховная фильма давала не раз отпечатки таких встреч. Но во всех мирах лучше надеяться на свое сознание и свои силы. Потому нужно устранять все, что может ошеломить узкое сознание. Нужно избавиться от потрясения неожиданностью. Мало ли неожиданных понятий, образований и сочетаний заставят вздрогнуть сознание, но чем больше мы допустим и представим себе, тем мы окажемся менее связанными. Так развивайте ваше воображение как миросозерцание. Люди не хотят понять, что неожиданность, иначе говоря, невежество производит паралич нервов. Пусть он может быть очень краток, но все-таки такое воздействие прекращает работу Огня. Так, где можно, следует приучить себя к понятию ожиданности. Этот совет нужно очень запомнить.

403. Человек, говорящий, что религия мешает ему познавать, клевещет на религию и тем поносит дух. Довольство ни в чем не украшает.

404. Может быть, седьмой витамин есть Огонь. Уже достаточно ясно указывалось, что питание воздухом чистым гораздо существеннее употребления городского. Но под чистотою нужно понимать особое огненное насыщение. Люди в горах могут жить дольше без пищи и не нуждаться во сне. Питание духа, или Агни, может давать им насыщение, не требуя тяжелых пищевых продуктов. Пусть делают наблюдения над питанием Праною на высотах.

405. Хороша мысль иметь хотя бы полчаса в день,

чтобы помыслить. Не Говорю о каком-то особенном сосредоточении. Полезно помыслить о лучшем во всем происходящем. Даже малые признаки лучшего среди жизни дают просвет. Они же породят приливы признательности и дружелюбия. Такие Огни равняются приему мускуса. Мысль о лучшем рождает нервную устремленность. Следует и нервам дать работу, но только добро укрепит нервы.

406. Магнетизирование воды теперь почти отставлено, но еще недавно оно употреблялось как со светлою, так и с темною целью. Смысл такого намагничивания ясен и еще раз указывает на огненность такого процесса. Для обезвреживания неизвестных напитков покрывали кубок рукою, полагая, что кожа даст признаки вредных веществ. Также для намагничивания употребляли железистые и литиевые воды, но избегали всяких сернистых примесей. Утверждение о передаче мысли через воду и елей уже упомянуто в древнейших писаниях. Молоко ввиду его органических частиц не употреблялось для магнетизации; в этом была ошибка, ибо молоко от здоровых коров очень пригодно. Но в древности опасались бешенства и предпочитали избегать магнетизации молока.

407. Архат имеет качество не притуплять свои чувства. Только огненным напряжением достигает он этого трудного качества. Можно это назвать каменным аскетизмом. Аскетичность собирает сердца людей. Тот, о котором вы читали вчера, знал это великое обострение чувств. Каждый, приходивший к нему, находил неувядаемую свежесть сердца. Не каким-то особым приемом, но простым открытием сердца достигается это постоянное обострение. Он никогда не жалел себя, и такое качество не было умственным, но сделалось Природою. Но сколько священнослужителей теряли накопленное от притупления каждодневностью. Каждодневность есть великий пробный Камень. Она открывает Врата Вечности и утверждает Огонь.

408. Великий Зодчий строит вечно. Неразумно полагать, что какие-то части Мироздания закончены и находятся в каком-то состоянии статики. Много говорят о слове *эволюция* и совершенно не представляют себе этот процесс в действительности. Много рассуждали о строении общества, но всегда предпосылали, что это человеческое общество живет в чем-то неподвижном, законченном. История Потопа и Ледникового Периода считается чем-то почти символическим. Об Атлантиде не принято было даже говорить, несмотря на греческих писателей. Можно видеть, как человеческое сознание избегает всего, что угрожает его установленному благополучию. Так и понятие эволюции само по себе становится отвлеченным и нисколько не беспокоит сознание каменного сердца. Но разве не зовет каждый небосклон к мысли о вечном движении? Только в этих эволюционных понятиях можно принять красоту пути земного, как обители по восхождению. Сама краткость пути не должна смущать, наоборот, должна радовать, как солнечный оборот. Необходимо спешно объяснить, насколько эволюция неустанна в руках Зодчего Мироздания. Нужно почуять, как планета находится в пространстве, как мореходы знают, что под днищем корабля сам великий океан. Первые мореходы очень боятся этого ощущения бездны, но действительность и опыт приучают их к такой истине. На таком же корабле находится каждый житель планеты, под ним бездна. Не могут мореходы вполне полагаться на корабль и научные вычисления, иначе не было бы кораблекрушений. Астрономия знает немногие небесные тела, но она не знает отправной точки комет и не ожидает гигантских метеоров и лишь при очевидном их появлении извещает людей. Гибель целых миров иногда замечается, но чаще происходит вне внимания. Астрономия — страж ночи! Но сколько событий происходит днем! Так можем наблюдать около половины очевидности. Сколько неожиданностей таится для спящего сердца!

409. Записывайте все особенные случаи. Только запись сохранит многие замечательные явления, иначе они тонут в сумерках безразличия. Представьте себе, что самые ваши любимые жизнеописания не были бы закреплены; теперь бы вы не знали их, и много вдохновения не зажглось бы в сердцах ваших. Так не стыдитесь записывать, хотя бы кратко, что́ вам кажется особенным. Не взвешивайте, мало́ или велико, но считайте по необычности. Именно необычность даст много наблюдений над Миром Огненным. Каждая искра его уже необычна.

410. Кто может похвалиться, что достиг всей меры устремления? Поистине, нет такого безумца. Каждое сердце понимает, где путь блага ускорения огненного. Нужно по-человечески напоминать часто о благом натиске. Как прекрасно такое постоянное горение! Нет такой темницы, где бы не мог сиять Огонь сердца! Так красотою пылайте.

411. Язык духа является насущным для Тонкого

Мира. Сущность его будет лежать в тонкой Природе, но все-таки можно приучать к нему и в земном состоянии. Такое приучение будет полезным огненным испытанием. Школа должна узнавать находчивость учеников по заданию одного слова и затем по одному взгляду. Последний опыт будет ближе всего к Миру Тонкому. Кроме того, можно также развивать относительность обращений по качеству собеседника, и так каждый в земной беседе употребляет лучший язык для собеседника, считаясь с его сознанием. Каждый школьный учитель знает, как многообразен должен быть его язык, чтобы сделать друзей из школьников. Но кроме школы в каждом доме умеют различать взгляды хозяйки, так среди обыденной жизни проявляются особенности тонкого порядка. Стоит лишь их отмечать, углублять и распространять. Но для этого следует проникнуться уважением к будущему и полюбить главный фактор Тонкого Мира — Агни. Настаиваю на выражении полюбить огненно, тем только можно усвоить эту трудную для Земли стихию. Явление наших бесед прежде всего должно ввести в понимание Мира Тонкого и как апофеоз его приблизить безбоязненно к сиянию Мира Огненного. У нас радость, когда среди земного пребывания устанавливаются меры Тонкого Мира. Тем мы от Земли приближаем сотрудничество с дальними мирами. Иначе говоря, участвуем в явлении эволюции.

412. Ныне установлен порядок отрицаний, но никто не войдет без страха через Тонкий Мир, если не омоется, рея в пространстве чувствознания. Недавно такой образ мысли назвали бы поэтическим и перестали бы обращать внимание. Но теперь уже понимают, что формула синтеза поможет больше. При спешном отправлении отъезжающих напутствуют одним словом, наиболее нужным, так посылаем слово Агни.

413. Мысли, как грибы в лесу, надо собрать их. Когда идут за грибами, не ищут орехов — так нужно знать каждый час самое нужное. Вместим явление разнообразное, но будем помнить нужное и найдем к тому краткий путь — это будет Адамантом.

414. Утверждаю, что сейчас надо собраться явлением силы и мужества. По всему миру силы тьмы идут натиском. Неужели силы добрые будут между собою на кулачках биться?! Уявление боли сердца, конечно, происходит от посылаемых мыслей. Врач назвал бы это спазмою аорты, но не принял бы во внимание, какие внешние причины важны.

Неужели можно видеть лишь следствия, не усматривая причины?

415. Действительно, трудно понять, зачем люди, служа одной цели, умаляют друг друга. Чувствознание, хотя бы в малой мере, должно было бы развиваться. Но умаление взаимное представляет один из самых постыдных грехов. Не знаю лучшего определения, нежели грех, так разрушительна работа по взаимному уничтожению. Можно объяснить это некоторым видом одержания, но стыдно людям, прикоснувшимся к познанию начал, поддаваться такому низкому состоянию. Пусть умаляющие и разрушающие подумают над своим сознанием. Они далеки от огней сердца.

416. «Замолкните струны, допустите ко мне лад новый»,— сказано в одном гимне в Греческой Мистерии. Такое обновление лада духа не есть пустота, как иногда говорят. Открыть сердце не значит его опустошить, наоборот, когда замирает гудение оконченного аккорда, пусть устремление духа немедленно обостряется для принятия более возвышенного лада.

417. Часто нужно оценивать спокойствие, которое может укреплять Огни. Можно представить себе астральный вихрь, который колышет даже самое устойчивое пламя. Не от самого пламени это колыхание, но извне. Тогда будем очень бережны, ибо давление велико.

418. Часто люди ощущают необъяснимое восторженное или подавленное состояние. Они, скорее, отнесут это к своему желудку, нежели сообразят, что это приближение добрых или темных сил. Между тем явления эти бывают очень часты и сильны. Люди нередко ощущают прикосновения или уколы. Они приписывают такие явления паутине или пыли, но даже в голову не приходит, что так могут дотрагиваться существа Тонкого Мира. Люди не менее часто слышат движение и шорох, но будут думать о мышах или сороконожках, лишь бы отогнать всякое предположение о явлении дальнего Мира. Те же люди будут жаловаться, что Мир Тонкий не проявляется. Но ведь тонкие движения не будут подобны ударам молота! Так же, как и во всем, приближение Тонкого Мира должно быть допущено и безбоязненно изучаемо. Мы не должны осуждать то, на что мы даже не потрудились обратить внимание. Если же людям выпадает счастье видеть Огненное Существо, они прежде всего помыслят о демоне. Такова испорченность современного сознания.

Будут называть такое убожество скептицизмом, критикою и ученостью, когда ближе всего назвать это тупостью.

419. Одухотворение мысли есть истинное огненное качество. Оно подобно закалу клинка, чтобы он пригодился в бою. Одно дело — летучая мысль, которая, даже будучи полезной, скользит по сознанию и так же точно будет дробиться в пространстве. Но другое значение имеет мысль, положенная крепко в сердце. Можно посмотреть на этот процесс хотя бы с физической стороны. Потому полезно при возникновении мысли указать самому себе — положу мысль на сердце. Такое указание начинающему мыслителю много даст дисциплины. Кроме того, сознательно отложенное в сердце останется в «Чаше».

420. Искры и другие световые проявления дают много соединительной ткани с Тонким Миром. Можно заметить даже целые потоки искр изо рта и из глаз, когда сильно огненное напряжение. Так могут спросить — не будет ли это электрическими проявлениями? Нужно сказать, что скорее будут фохатическими явлениями те, которые относятся к энергии Огненного Мира. Так имеющие глаза и уши, не засоренные невежеством, могут наблюдать многое не только Тонкого, но и Огненного Мира. Не нужно из самоунижения думать, что Мир Огненный не доступен нам, земным. Заветы говорят, как нежданно и непосредственно приближались неученые люди к самым Огненным Вершинам. Каждая религия передает подобные утверждения.

421. Обеты самого различного свойства были одобрены разными учениями. Каждый обет очень полезен со стороны дисциплины. Люди трудно верят, насколько подобные упражнения дисциплины нужны для будущих достижений. Обет сокращает много тропинок распущенности. Такая неразборчивая, безответственная распущенность дает самые плачевные последствия в Тонком Мире. Она подобна детской игре с Огнем. Нужно помнить всегда об опасности распущенности. Начать отучаться от распущенности лишь в Тонком Мире и трудно, и болезненно. Тут лучше всего испытать себя разными полезными обетами. Люди впадают часто в смешное положение, когда усиленно дают обеты лишь при опасности. Лучше понимали древние, когда давали обеты в честь самого Высшего, усиливая тем восторженное и торжественное настроение. Это было не суеверие, не сделка с Высшими Силами, но порыв духа, нашедшего еще одно освобождение.

422. Вы правильно вспоминали полезный бирманский

обычай, когда труднобольным или отходящим напоминали о лучших делах их. Даже с медицинской точки зрения эти напоминания несомненно имеют благодетельное значение. Конечно, со стороны духа они лишь доказывают, сколько мудрых обычаев еще живет среди самых различных народов. От глубоких знаний такие обычаи. Они доказывают связь с этим миром, жизненно уявляя, как внимательно нужно относиться к обычаям народов.

423. Такие же мудрые напоминания остаются среди песен. Корейцы поют о том, как три путника увидели небо. Один увидел его крупинчатым, другой увидел капельным, третий увидел огненным. Но первый засорил глаза свои, второй продрог, но третий имел светлый и теплый ночлег. Так народ понял три естества и мудро характеризовал их. Не убоялся путник Огненного Неба, и Огонь оберег его среди тьмы.

Узы земные засорили глаза, и Тонкий Мир заставит дрожать, если путник не познал Огня.

424. Не может человек, прожив день, думать, что ничто нигде не произошло. Наоборот, когда созвездия тяжки, скорпионы могут выползать из неожиданных нор. Тигр может рычать, но и скорпионы могут кусать молча. Соберем мысли вокруг Учителя.

425. Следует переносить все сознание в будущее. Редко кто находит в себе мужество признать нежелательность возвращения в прошлое. Явление смелой жажды будущего показывает, что дух готов для огненных познаний. Только такое озаренное сознание продолжит мысленное созидание и в Тонком Мире. Лишь такое неудержимое мысленное творчество и устремление к дальним полетам даст огненное приближение. Весь ужас сил темных не осилит напряженное стремление к будущему. Пусть идут темные, но Свет не потеряет путеводного значения. Так же точно нужны полезные дела на помощь близким. Не нужно смотреть на эти благие советы как на мораль вне жизни. Они утверждают нас, посылая по кратким путям.

426. Умение очертить круг темных, ползающих, поможет утвердить свой безбоязненный взор. Можно не допускать к себе темных, повторяя Мое Имя как Мантрам. Так поймем, почему человечество ответственно за произносимые слова. Понятия блага дают покойное состояние, значит, обратные понятия будут раздражать, тревожить и умалять Сущее. Люди наполняют Мир самыми злыми словами, разве не потекут от них реки зла? Нужно не ува-

жать человеческое достоинство, чтобы не допускать, что последствие злоречия не было бы ужасно. Постоянно говорится, что злодейство даст ростки через столетие. Историк может проверить такие всходы черных семян.

427. К Нашей сознательной жизни не многие устремляются но, по счастью, меньшинство творит. Так Нашу Обитель не потревожат толпы темных. Они скажут, что их не учили, но никто не захочет учиться, если даже хоть семилетие потребуется. Люди не хотят знать о долгих сроках, ибо не умеют мыслить о Беспредельности.

428. Клевета особенно вредна для самих клеветников. Эту истину нужно запомнить людям, имеющим дурные привычки. Каждая мысль, отвечающая действительности, образует жилище элементалу. Все достойное, строгое, жизненное собирается к мыслям творческим и будет благотворно поддерживать своего создателя. Но измышления клеветы призовут к себе блуждающих элементалов и, не найдя жизненного основания, обрушатся на клеветника. Потому, когда Предупреждаю людей не поддаваться мерзости клеветы, опять-таки Не Даю совет морали, но Указываю на очень болезненные последствия. Неприятно очутиться в Тонком Мире среди буйных элементалов. Ужасен такой водоворот, наполненный обрывками своих злобных мыслей. Все эти твари цепляются, висят, приобретая чисто физическую тягость. Мысли как капли энергии притягивают к себе малых элементалов. Качество этих зародышей духа очень различно: следуя за сущностью, мысли могут от зародыша, почти неощутимого, достигать, под питанием мысли, разных уявлений. Они могут составить основу минералов и даже растений. Но особенно ясно можно себе представить, как эти лишенные жизненного основания мысли могут засорять низшие слои Земли. Пыль метеорная недоступна глазу, но дает очень существенные осадки. Можно представить, как велика пыль мыслей и, будучи следствием энергии, как существенна! Следствия этих отбросов мысли производят заболевание планеты.

Сеятели зла и клеветы, можете ли понять, какую душную темницу готовите себе! Мысли зла найдут своего хозяина. Такому темному хозяину не укрыться от своих порождений. Кто-то все-таки подумает о пугале придуманном, ибо он не допускает, что мысль есть вечная энергия.

429. Разум обозначался знаком Огня. Огненное мышление будет соитием знания Мира Огненного. Такое соитие обозначало великие эпохи, называемые Днями Матери

Мира. Можно даже в истории Земли проследить несколько таких эпох. Не будет ли таким светлым днем будущее, если люди поймут непригодность зла?!

430. Вдыхание огня употребляется некоторыми Йогами и представляет из себя очистительное действие. Не нужно дословно понимать это. Нельзя вдыхать пламя, но полезны огненные эманации. Для такого вдыхания йог помещался в спокойном месте, имея прямое положение позвонка. Перед собою Йог разводил огонь деодара или за отсутствием деодара стебли балю, но так, чтобы дым не трогал его. Затем Йог начинал обычную пранаяму, но так, чтобы эманации смолы касались дыхания. Два следствия получалось: одно — телесное очищение, другое — укрепление энергии Агни. Ничто так не помогает возжению Агни, как свойство деодара. Как знаете, насекомые не могут переносить силу смолы деодара. Также знаете, что несовершенные сущности не могут приблизиться к огню этого дерева. Обычно почва, на которой предпочитает расти деодар, есть вулканическая, таким образом, получается значительная преемственность. Вообще вулканическая почва заслуживает изучения вместе с растительностью ее. Не только вдыхание огня употреблялось Йогами, но также лежание на досках деодара так, чтобы позвонок соприкасался с сердцевиною дерева. Разные старинные наблюдения показывают, насколько люди искали Огненную стихию. Нужны опыты, чтобы понять ценность деодара. Также нужно помнить о значении Огня, чтобы прийти к вулканической почве.

Сандаловое дерево на юге Индии также употреблялось для огненного вдыхания.

431. Заметить можно, что явления Тонкого и Огненного Мира бывают неожиданными. Что же значит, что мы ожиданием часто как бы мешаем проявлению? Тем только доказывается разница физических и огненных энергий. Физические энергии часто ложатся в основание так называемых ожиданий. Они начинают впадать в насильственные представления и тем вместо помощи заграждают приближение тонкое. Невольно люди своею ожидательною волею начинают даже предписывать облик и место видения, и могут получиться неполезные, встречные токи.

432. Также могут спросить — почему видения совпадают с особенными моментами жизни? Происходит ли это от Руководства, знающего, когда наступает решительный час, или этому способствует наше возвышенное, духовное

настроение, которое позволяет видеть то, что без этого осталось бы незримо? И то и другое. Но кроме нашего состояния приближаются космические токи, которые преображают земные слои. Несомненно, действуют на нас не только астральные химизмы, но и некоторая высшая энергия, происхождение которой беспредельно. Нэти, Нэти — Неназываемое руководит, и часто мы бываем касаемы Превышней Мощью.

433. Как исследовать истинность Учения? Множества хороших слов могут прикрывать нечто скудное, но мы знаем, что Истина не боится никаких исследований. Наоборот, при наблюдениях Истина приближается и сияет. Так каждому исследователю Учения можно советовать: «Приближайся всеми силами, наблюдай всеми мерами, исследуй всеми способами, познавай всем дерзновением, являй неутомимость и воспламенись каждым нахождением Истины». Учение не может быть ошибочным. Оно не может уклоняться от путей добра и пользы. Нельзя верить лишь уверениям. Вера есть осознание Истины, испытанной Огнем сердца. Учение беспредельно, иначе само понятие Беспредельности не существует. Нужно устремиться к Истине. Она не отрицает, но указывает. Не могут быть в Учении извращения понятий. Считайте, что путь Учения есть утверждение Несомненного. Не следует подходить к Истине по тропе блуждания. Нужно идти, пробуя каждое слово, каждое утверждение, каждый завет. Если Учение истинно, то каждый шаг к нему будет просветлением и расширением. Умаление, отрицание, унижение — плохие путеводители! Не раз услышите горделивое замечание, что лишь одно, известное сказавшему, Учение правильно. Но напомните гордецу о величии Беспредельности, о миллионах лет земного бытия, о миллиардах миров, пусть подумает, как велика Истина и как правильно достойное познавание. Можно бы согласиться с путем скептицизма, если бы из него хоть что-нибудь выходило. Обычно он выедает творящее начало. Нужен неутомимый дух, чтобы двигаться в постоянном расширении. Только такое расширение и вмещение дадут настоящее смирение ко всему ненужному, которое познается относительностью. Так скажите сомневающемуся об Учении: «Испытывай, пылай сердцем и расширяйся духом!»

434. Осознание ожерелья Учения Света дает драгоценную нить кверху. Миллиарды миров пусть смутьянов уберегут от гибели отрицаний.

435. Ложь и тьма наполняют конец Кали-Юги. Нужно понять это, чтобы не обессилить. Нельзя избежать темных дней, но лишь знание их причины даст терпение пережить их. Люди не желают упростить путь к Истине. Но нагромождения, как технократия, только показывают темные цепи низшей материи. Также и кощунство во всех неистовствах только показывает тьму отрицаний вместо Светлого познания. Вы читали в Пуранах эти признаки, потому можно ждать и все дальнейшие предуказания. Мы теперь должны все приспособляться к Огненной стихии, о том же говорят Пураны. Считаю, можно призвать людей к познаванию Сущего.

436. Откуда приходят приступы неожиданной радости или тоски? Называют их беспричинными, тогда как везде заложены причины. Советую вам записывать такие волны, которые иначе забываются. Каждый человек каждым движением своим производит значительный опыт, но небрежно отвергает эти искры познавания. Не беспричинны радость и тоска, но записи могут напомнить, когда земные сообщения принесут подтверждение этим настроениям. Огненная почта подтвердится вестями земными. Конечно, много причин не только земных, но и Тонкого Мира не дойдут, но все-таки можно усмотреть значительные соответствия событий и чувств. Так наслаиваются опыты, которые составят убедительное целое. Поистине, самые великие опыты творились в лабораториях жизни!

437. Запишем и скажем врачу об одержании. Действительно, могут встретиться случаи, когда одержатель так освоился с телом одержимого, что даже почти вытеснил его. Также можно встретить случаи, когда одержатель настолько силен жизненной силою одержимого, что при изгнании причинит смерть. Он настолько овладел психической энергией одержимого, что при освобождении последней теряет жизнеспособность. Потому изгнания всегда производят очень осмотрительно. Предварительно наблюдают за питанием больного и за психической энергией. Если заметят упадок, то не нужно нагнетать ослабевшее сердце. Обычно легче происходит изгнание, когда наступает припадок бешенства. Поднявшаяся энергия помогает избавить от могущего наступить упадка сердечной деятельности, который может кончиться полной прострацией.

438. Как во всем, огненная самодезинфекция — лучшая профилактика. Именно Огонь защищает от одержания. Именно Агни есть панацея от рака, туберкулеза и многих заболеваний. Но, пока люди усвоят значение Агни, приходится прибегать к растительным и минеральным воздействиям. Самое простое, самое естественное, самое принадлежащее каждому оказывается самым пренебрегаемым. Вы знаете, насколько люди, вспомнившие о психической энергии, избегали многих болезней. Вы видели это и убедились. Нужно, чтобы при приближении огненных энергий люди не стыдились признать в себе огненное начало. Это будет ращением Агни.

439. Нельзя помыслить даже, к чему направится человечество, если не очистится Огнем! Устремления к Миру Огненному дадут первые проблески Агни. Многие позорные действия отпадут, как шелуха, при одной мысли об Огненном Мире. Нельзя достичь никакими проповедями извне того оздоровления, которое создается одною искрою изнутри. Но трудно толкнуть сознание по высшей мере. Не устанем подвигать сознание к этому первому озарению, последующее уже легче.

440. Принесение Огня есть древний символ очищения духа. Само зерно не может загрязниться, но корабль обрастает ракушками, мешающими его ходу. Мать Огненная понимает, когда настает необходимость очистить зерно. Новый посев может быть сделан лишь чистыми зернами. Нужно помочь, когда Сеятелю приходит время выйти на пашню.

441. Последние сроки часто сопровождаются звоном пространственным. Само явление звона лишь доказывает, что поток энергии подобен струне, которая при встречном токе звучит. Конечно, каждый такой звон показывает напряжение. Нужно прежде всего при таком звоне отбросить всякое ненужное, стороннее мышление, чтобы тем гармоничнее слиться с руководящим током. Может быть, события земные дают такое напряжение; может быть, и события Тонкого Мира приближаются, и нужно быть готовыми принять их. Но когда ухо готово к звону дальних проводов, то и сознание уже расширено для суждения о событиях. Так работает Агни и трансмутирует все Сущее.

442. Одно из труднейших качеств — не выдать несужденное и не нанести вред. Пример Эсхила поучителен. Стихии набрасываются на того, кто вывел их из состояния соответствия. Невозможно спасти такого легкомысленного предателя. Вы знаете, что подобные предательства совершаются и в малом, и в великом, и многие не от злобы, но от неосмотрительности. Безразлично, отчего открыть клетку дикого зверя.

443. Самая трудная, но необходимая дисциплина заключается в действии на пользу Мира. Нелегко проследить за собою, чтобы избавиться от мыслей и дел самости. Но зато, когда вся личность отдана Миру, тогда дисциплина становится не только легкою, но даже неощутимою. Найти отправную точку для самоотверженности значит построить прямой путь к Огненному Миру. Утверждение личности, со всем астральным химизмом, не есть самость, которая душит устремление к самому восхождению. Самость есть земное царство. Она не существует в Огненном Мире — остаток ее в Тонком Мире, и тяжким цепям подобен. Нетрудно усмотреть, как значение самости кончается в земном состоянии: она неприменима к тонкому восхождению. Земные люди, попадая в Тонкий Мир, особенно поражаются отсутствием самости в высоких сферах Тонкого Мира. Ничто иное не помогает так покончить земные счеты, как освобождение от самости. Явление осознания Огненного Мира проще всего показывает, насколько ничтожно терзание, порожденное самостью. Свет Мира Огненного действует как великая дезинфекция. Настолько в этом сиянии сконцентрированы кристаллы Фохата, что каждое приближение к этой мощи очищает нашу психическую энергию. Считаю, что самодисциплина к Общему Благу есть самое близкое средство для великих достижений.

444. Пусть мучители думают, что они очень терзают вас. Пусть они услаждаются этими мыслями, но иногда пусть они подумают, что значит явление вреда ближнему. Нелегко изжить такие жернова на шее!

445. Учитель должен помнить, что каждый несет свою поклажу. Нельзя уравнять всех. Нельзя требовать одной скорости и нужно ободрить каждого, умеющего нести. Учителю нелегко, и никто не должен думать, что Архат отдыхает. Когда мы приближаемся к срокам, разве можно представить себе приятное отдохновение при земном его понимании?

446. Правильно понять, что улучшение химизма Светил не уничтожает заложенных причин. Много могло быть посеяно, но молния сожигает не все всходы. Так не нужно отворачиваться от посева и нельзя опираться слишком, когда идете быстро. Умение ходить есть привычка от прежних испытаний.

447. Чакры — огненные колеса — напоминают о бесчисленных кругах зачинания и завершения. Можно представить себе, что равновесие миров зиждится на чакрах огненных.

Они соприкасаются, входят одно в другое и образуют звенья неразрывные. Так можно представить, как чакры человека определяют его огненную природу и вносят человеческую сущность в целое прочих огненных образований. Уже располагают люди лучами, которые не запечатлевают плоть, так же точно будут найдены лучи, которые уловят огненные центры. При этом показано будет, как чакры человека соответствуют пространственным огненным образованиям. Фигура огненного человека вольется в ритм пространства. Так можно физически показать, насколько Сущее подвергается одному закону ритма. Конечно, для успеха таких показательных опытов необходимо развивать в себе огненные чакры. Они существуют потенциально в каждом организме, но существа бездушные не отбросят на экран даже малых проблесков потушенных огней.

448. Не следует понимать, что действия как таковые ниже чувства любви. Нужно сурово разделять действия ритмические от действий самости, которые не могут отвечать ритму Космоса. Самость — отделение или восстание против сотрудничества. Даже умы большие часто не различали, где самость плоти и где действие великого сотрудничества. При самости плоти как могут сиять чакры?

449. Утверждаю ненужность явления сообщения со средними сферами Тонкого Мира. Они лишь раздражаются различными напоминаниями, и земные флюиды мешают им. Но и люди ничему от них не научаются. Ритм пространственный выражается в высоких сферах.

450. Трудно представить себе, что запись о Мире Огненном может иметь место среди такой битвы! Нет такого человеческого воображения, чтобы представить себе хаос Битвы Космической! Продолжение битвы не по силам природе людской. Люди даже не могут принять в сознание, как поверх каждодневности протекают столкновения таких мощных энергий.

451. Приближение Огненных и Тонких Существ знаменуется сердечным трепетом и ощущением холода или жара. Но если мы постоянно окружены существами Тонкого Мира, то почему мы ощущаем их лишь иногда? В этом заключается закон и качества мысли. Если эти существа направляются к нам, иначе говоря, мыслят о нас, то мы ощущаем их не только огненными центрами, но даже физически. Принято говорить о волосах, встающих от ужаса, но не ужас это, только особое воздействие энергии, отчасти подобное электричеству. В основании такого ощущения тоже лежит мысль. Не особое внушение, но качества мысли дают эти чувства. Даже физический взгляд заставляет обернуться человека, насколь же сильнее должна действовать огненная энергия Высших Миров! Значит, перед нами снова целый ряд полезных опытов и наблюдений, как и на которые центры действует огненная энергия Мира Высшего. Также нужно заметить, что иногда ощущается холод; тоже не чувствуется ли подобие его около действующей электрической машины? Изучение внешних воздействий мысли должно занять внимание ученых.

452. Не только сами мысли производят явления физические, но конденсация энергии посылаемой дает сильные реакции. Вы определенно знаете ощущения световых явлений. Тяжкое чувство от черных звезд или успокоение от синих совершенно ясно выражено. Также знаете, что такие ощущения исходят не от вас, но получаются из пространства. Мир мысли есть достояние будущего. Исследования мысли направят и к психической энергии. Можно начинать наблюдения с разных точек зрения, потому и Направляю внимание на разные подходы к той же теме о мысли светоносной.

453. Ученому, занятому вопросом самоохранения, говорит Йог Индии: «Действительно, давно пора изучать огненную природу человека. Давно нужно понять, что не только воля, но огненная энергия окружает человека спасительным покровом». Действительно, нужно изучать это в лабораториях, но эти лаборатории должны отличаться от лабораторий почвенных удобрений. Пора ученым признать, что для тонких опытов нужны тонкие условия. Также пора признать, что эти условия не создаются механическими дезинфекциями. Каждый опыт требует духовного огненного очищения. Действительно, многое удается в природе и в храмах, где эманации не так загрязнены. Но в случайных лабораториях, где даже воздух не всегда освежен и пыль полна ядовитых отложений, там удается лишь немногое. Не случайно целители спрашивали предварительно исцелению: «Веришь ли?»,— и тогда следствие было особенно удачно. Но не только веру вызывал целитель, ему нужно было возжение огня центров. Когда начинали вращаться огненные чакры, происходило значительное очищение. Так пусть врач устремит внимание не только на волю, но и на основную психоогненную энергию. Пусть помнит, что окружающая атмосфера имеет огромное значение. Недостойно, казалось бы, напоминать об этом, но после миллионов лет земно-

го существования люди не обращают внимания на качество окружающего, как, вероятно, и в пещерные времена.

454. Не раз при уже удачных изысканиях стремление пресекалось маленькими затруднениями. Среди этих затруднений особое значение имеет так называемое отвращение. Оно возникает от многих условий, как внешних, так и кармических. Трудно определить словами это чувство, которое как бы закрывает огненные центры, тем лишая силы. Несомненно, отвращение родственно страху. Но для восхождения необходимо преодолеть отвращение. Среди мистерий имелся особый обряд для преодоления этого явления отвращения.

455. И еще скажите, чтобы не удивились, что сами должны положить последний камень мозаики. Тем справедливее этот закон, что даже сложить первые данные камни обычно не хватает желания. Множество дано, и множество не применено. Ясно сказано, что многие механические формулы нуждаются в оживлении огненной энергией. Но по-прежнему люди называют это оккультизмом и боятся даже подумать о таких опытах.

456. Хождение по воде или сидение на воде так же, как и хождение по огню, являются чудесными свидетельствами мощи мысли. Вспомним, как достигается хотя бы сидение на воде. Конечно, необходимо очищение тела строгою растительною пищею и возвышением духа, но нужно уметь плавать и лежать на воде, чтобы тем более оградиться от змей сомнения. Затем йог выбирает неглубокое, спокойное, водное место и делает как бы легкую деревянную подпорку, на которую садится так, чтобы вода достигала до пояса, потом он углубляется ритмом Пранаямы и возвышается мыслью о Высшем Непроизносимом. Так можно привести несколько дней, отдыхая и снова приступая к духовному восхищению. Когда же мысль отрешится от земного тяготения, то тело человека теряет в весе, таким образом йог поднимается в воде, и деревянная подпорка уплывает. Но если мысль остается на той же высоте, то и положение тела остается на том же уровне. Можно заметить при этом световые эманации тела, которые, по древнему выражению, привязывают человека к нему. Фактором единым опыта будет качество мысли. Нельзя посадить нечестивца на воду, так же как и иммунитет против огня не будет достигнут без известного ритма и восхищения. Кто же возьмется решить, сколько времени требуется предварительной дисциплины тела и духа для выполнения таких апофеозов мысли? Нужно сказать, что степени терпения, упорства и решимости различаются безгранично и, кроме того, воздействия космических условий также весьма нужны. Не нужно смеяться, если услышите, что около полнолуния условия более благоприятны.

457. Существует сказание об испытании трудностями, при этом указывается, как люди всегда пытаются избрать самое легкое, но именно это легкое оказывалось самым трудным. При этом приведены как смешные, так и трагические случаи. Справедливо указывается, как самый умный человек перечислял себе все подробности легкого достижения, но забывал лишь одну, которая обращалась в самую тяжелую трудность. Телом не уйти от огня и воды. Нужно помнить о мысли пламенной.

458. Если бы люди усвоили себе, сколько они мысленно теряют, когда могли бы лишь приобретать! Но тьма не дает начать воображению расцветать. Но трудно вспомнить о воображении лишь в Тонком Мире, там мы должны прилагать его, но не рождать.

459. Нужно понять, что вся удача лежит в качестве мысли. Нужно понимать, что Мы можем ручаться, когда мысль летит к Нам.

460. Не следует смеяться, что некоторые йоги употребляют тростинку или папирусовый свиток при левитации. Конечно, можно достичь тех же результатов и без этих помощников материальных. Но если кому-то для поднятия на воздух требуется перо в руке, не будем лишать его такого маленького вспоможения, ведь суть не в пере, не в свитке, но в мысли, в огненной энергии. Могут быть многие символы, вызывающие энергию, и каждый может искать ближайший провод. Так, цыганки нуждаются или в воде, или в расплавленном воске, но сущность будет в их психической энергии, которая очень сильна в этой народности. У них легко получать поучительные наблюдения; к сожалению, нужно очень следить за их добросовестностью. Часто расцвет энергии, собранной атавизмом, соединен с невысоким сознанием, но врач и ученый должны исследовать все возможности. Также и многие северные народности могут дать любопытные материалы, особенно в Норвегии, в Карелии, в Шотландии и среди эскимосов. Конечно, ученому пригодны даже первобытные проблески этой энергии.

461. Метеорные микробы не должны удивлять вас. Утверждение жизни во всем лишь расширит кругозор. Если из пространства может прилететь микроб, то сколько же новых наблюдений можно ждать! Сама огненность простран-

ства дает новые заключения об Огне, как жизненной субстанции. Нужно лишь просить ученых дружнее жить, чтобы драгоценные наблюдения не распылялись при вражде и отрицаниях.

462. Почему трудно соединить наблюдения из разных областей науки? Приходит время, когда потребуется согласие ученых самых различных областей науки. Нужно будет соединить нахождения новых и древних культур с наблюдениями механическими и физическими. Найдутся скелеты великанов с предметами, требующими разнородного наблюдения. Наконец, потребуется древнее знание небосклона в связи со странными переменами явлений нашей планеты. Нужно доброе согласие, чтобы расширить горизонт новых наблюдателей.

463. Как объяснить неуравновесие холода и жара незапамятных? Нужно не бояться сказать об огненных волнах. Так можно снова напомнить об опасности огненной. Много сейчас предсказаний, которые из самых различных концов указывают те же самые сроки. Не случайно, когда незнакомые люди начинают говорить те же слова. Только не следует почерпать из лужи отрицаний.

464. Оцепенение должно быть преодолено так же, как и отвращение. Многие совсем не замечают этого пагубного спутника. Между тем можно ясно проследить, как не только какие-то неведомые причины, но самые, казалось бы, невинные предметы обихода прекращают ток огненной энергии. Не только отвращение, но и какое-то оцепенение поверх всех наблюдений останавливает напряжение работы. Самый обычный предмет как бы заслоняет свежесть мозга и сердца. Иногда рисунок ткани, или ритм песни, или блеск ножа, или звон металла и множества подобных отрывочных эмоций выбивают нас из обычной устремленности. Откуда это оцепенение? Когда и где эти звучания и сверкания были, может быть, решающими в нашем существовании? Не будем отрицать наслоения бывшего. Один еще пример бывших жизней — нужно совершенно трезво понимать такие напоминания, даже можно записать их как упражнение в наблюдательности, но не следует духовно загромождаться обломками прошлого. Также можно повстречать и устремляющие предметы; можно порадоваться таким спутникам давних путей, но и они, пусть ненадолго, приковывают наше внимание. Вперед, вперед, только вперед! Всякое оцепенение есть потеря поступательного движения. Сколько раз сказано, что движение есть щит от вражеских стрел, так идите огненно.

Пусть Огонь ваш светит сопутникам. Нужно помнить, что мы должны светить мыслью.

465. Нужно удержаться от насмешек, как от вреднейших насекомых. Никакая насмешка не минует вернуться на нас. Вернейший бумеранг есть унижение близкого. Можно сказать, что Огонь покрывается пыльною завесою от близости глумления. Нужно отдать себе отчет в значении брани и насмешки. Насмешки родят побитие камнями. У насмешки матерь будет подлость.

466. Массовое пересыхание горла показывает не только сухость атмосферы, но и напряжение огненное. Много знаков сгущается, но поразительно мало внимания им уделяется. Наоборот, с легкостью невежества применяют самые странные объяснения. Легкость этих пояснений лишь доказывает, что люди желают пребывать в своих иллюзиях, не считаясь с действительностью.

467. Умерший от утверждения несуществования жизни после смерти действительно представляет типичный пример, как самодействует психическая энергия. Он приказал себе не существовать и получил последствие своего приказа. Много таких случаев, но никто не обращает внимания на эти мощные примеры, явленные на всеобщее усмотрение.

468. Уявление утраты сотрудничества делает людей такими беспомощными. Утеря согласованности ритма уничтожает все возможности новых преуспеяний. Сами видите, какие трудности порождаются разъединением. Очень опасно такое состояние!

469. Красота, Свет, великолепие Огненного Мира утверждаются каждым к нему приближением. Кроме того, особое восхищение пробуждает чувство единения. Свет огненный ведет к тяготению взаимному, иначе говоря, к истинному единению. Но плоть, напротив, направляет ко всякому разъединению. Такое свойство плотного мира мешает на сорной, дымной поверхности обнять восторг единения. Потому тем более нужно направлять мысли к Огненному Миру, чтобы привить себе истощенное чувство единения. Нужно как бы зарядить магнит, который остался без затвора. Умение обращаться с магнитом нужно даже в ежедневном обиходе. Так же точно потенциал Огня, оставленный без пользования, погрузится в недра и делается недоступным. Нужно снова вызывать его всеми лучшими воспоминаниями о нем и лучшим воображением. Действительно, для огненного великолепия нужно очищенное воображение. Нужно понять, что плотные формы не дают представления об Огнен-

ном Мире. Но мгновенное озарение может оставить навсегда чувство несказуемое, основанное на единении.

470. Можно заметить во всех Заветах, как под символами земными, обиходными скрыты великие понятия Огненного Мира. Разве город должен быть непременно земным, или корова должна непременно напоминать лишь о земных стадах, или молоко лишь земное, или змеи из земли? Можно найти множество таких напоминаний среди всех Учений. Причина их как в несказуемом понятии Огненного Мира, так и в том, что писатели и читатели знали условные обозначения, забытые в веках.

471. Когда после блестящих эпох люди впадали в ужас плоти, лучшие имена забывались или переносились на иные понятия. Нужно не забыть о земных превратностях и обогащаться этими примерами. Механические понятия настолько бессильны в основе своей, что необходимо молитвенно обращаться к зерну духа, которое сияет ярче всех электрических ламп. Не нужно считать напоминание об Огне лишь сказкою. Много вас, которые лишь поймут Огонь в мучениях совести. Но среди радости познаваем Мир Огненный!

472. Плох мастер, который не пользуется всем богатством Природы. Для опытного резчика искривленное дерево — ценное сокровище. Хороший ткач применяет каждое пятно для разукрашивания ковра. Златоковач радуется каждому необычному сплаву металла. Только умеренный мастер будет сокрушаться обо всем необычном. Только скудное воображение удовлетворяется чужими рамками. Большую зоркость и находчивость вырабатывает в себе истинный мастер. Доброе очарование мастерства освобождает мастера от разочарования. Даже ночь для мастера не приносит тьму, но лишь разнообразие форм от единого Огня. Никто не склонит мастера к блужданию, ибо он знает во всем неисчерпаемость сущности. Во имя этого единства мастер соберет каждый цветок и сложит извечное созвучие. Он пожалеет об утрате каждого материала. Но люди, далекие от мастерства, теряют лучшие сокровища. Они твердят лучшие молитвы и заклинания, но, как пыль, уносятся эти раздробленные и неосознанные ритмы. В пыль мертвой пустыни обращаются осколки знаний. Об Огне знает сердце человеческое, но рассудок пытается затемнить эту явленную мудрость. Люди говорят — он сгорел от злобы, или он засох от зависти, или он загорелся желанием. Во множестве выражений, точных и ясных, люди знают значение Огня. Но не

мастера эти люди, и готовы они бессмысленно просыпать жемчужины, им самим так нужные! Не понять щедрость людскую, когда уничтожаются сокровища Света! За одну возможность отрицания люди не щадят себя. Они готовы потушить все огни вокруг себя, лишь бы сказать, что в них никакого Огня не имеется. Между тем погашать огни и допускать тьму есть ужас невежества.

473. Замечаете, насколько Пространственные Света сильнее солнечного сияния. Трудно сопоставить Света во тьме, но, сравнивая со светом солнца, можно иметь представление о великолепии Мира Огненного. Нужно понять, что глаза земные не выносят сияние высшее, потому приуготовляемся к Миру Огненному искрами и светами. Не следует быть свиньями и смотреть в одну землю.

474. Замечаете, как Мы иногда не произносим имена, но заменяем их символами. Относясь к воину, назовем собирательное понятие всех сил воинствующих. Так нужно не отягощать людей хотя бы произнесением их имени.

475. Сношения в духе составляют значительную часть земного существования и несомненно принадлежат к огненной природе. Не только во время сна происходят такие сношения, но и во время бодрствования мы ощущаем многие рефлексы таких сношений. Никто, даже самый грубый, не решится отрицать, что он не раз чувствовал некоторые касания или внушения мысли извне. Учитель может указать, что такие прикасания могут получаться из многих источников: или по линии нити Иерархии, или из Мира Тонкого, или от земных жителей. Очень характерно, что мысль, извне пришедшая, необыкновенно легко забывается. Недаром древняя мудрость советовала сопровождать такую мысль глотком холодной воды, точно расправленное нечто нуждается в охлаждении, чтобы сохранить форму. Совет древний не лишен основания. Мысль, поступающая извне, как бы воспламеняет центры, и нужно ее как бы запечатлеть, чтобы претворить в нашу условную энергию. Также бывает в сновидениях. Мы не только получаем извне огненные толчки, но наше тонкое тело напрягает всю огненную сущность, чтобы сконденсировать восприятия и усилить убеждение. Можно наблюдать, как огненное восприятие собирает все детали, наиболее характерные. Иногда можно поражаться, насколько огненное око наблюдательно и легкоподвижно сравнительно с земным. Можно записать многие сновидения и ощущения, которые покажут, насколько наблюдательно собраны подробности. Часто творчество огненное конденси-

рует подробности. Оно не лжет, но собирает воедино однородные части, потому Мы так советуем внимательно относиться к огненным ощущениям — в них правда, сложенная гениальным Огнем. Можно разумом постигать целыми десятками лет то, что огненное озарение приносит почти мгновенно.

476. Огненное сознание дает тот несокрушимый оптимизм, который ведет к Истине. Сама Истина, в сущности своей, позитивна. Нет отрицания там, где Огонь творит. Нужно принимать условия Мира по уровню огненного сознания. Условия явленной жизни часто препятствуют огненному сознанию. Трудно примириться с условностью одежды строительства. Обращение и многие подробности жизни мешают огненному восприятию. Но когда хотя бы раз прикоснуться к Миру Огненному, то вся шелуха становится незаметною. Так нужно вести себя по высшему уровню, не смущаясь несовершенством окружающего. Только для них, нехороших, нужно принять все добрые меры. Осознание огненное не будет самостью.

477. Вполне естественно, что огненное восприятие будет предшествовать землетрясению, которое является уже следствием огненного напряжения и разряжения. Предположение, что метеоры вызывают землетрясение, однобоко; много причин, которые производят разрушение тверди.

478. Дыхание огненное существует, ибо тело огненное живет. Редко можно заметить проблески огненного дыхания в теле земном, но все же очищенное тело может иногда почувствовать такие вздохи. Они могут ощущаться или в темени, или в сердце, или в других центрах. Может чувствоваться как бы расширение таких центров, оно может вызывать даже головокружение или тошноту, ибо мир плотный не может примениться к такому проявлению Мира Огненного. Среди причин расширения сердца имеет место и дыхание огненное. Часто сердце расширяется, но теряет ритм и тем не может естественно сократиться. Для левитации огненное дыхание имеет большое значение, оно выводит тело из условий физических. Здесь опять касаемся мысли, как продукта огненного. Сами знаете, как при левитации тело теряет в весе. Нужно также помнить, что не приходила мысль о полете, но существо стремилось к Иерархии. Постоянно советует Йога: «Мысли о самом Высшем, что только может вместить сознание твое. Представь себе это Высшее в лучшем Облике. Представь себе это Высшее в Свете Несказуемом. Напрягись сознанием как к самому Осязаемо-

му. Уяви лучшее расположение. Собери все сокровища добра, ибо сказал Голос Молчания: „В добре возносимся“».
Опять видите, насколько древние советы были ясны для приложения в жизни. Можно упорно советовать ученым прочитывать внимательно Учения древние.

479. Кто может поверить, что организм человеческий созвучит не только на планетные потрясения, но и на токи всей солнечной системы? Но было бы неразумно отрицать их и отрешать человека от сотрудничества с дальними мирами. Наша задача — напомнить, что люди как высшее проявление Мира Проявленного могут быть центрами для объединения миров. Только внедрением этой мысли можно направить человека к истинному преуспеянию.

480. Удерживать человечество от высшего мышления будет убийством. Не преувеличение это, ибо огрубление, снижение мысли ведет в конечном следствии к распадению, к уничтожению. Так когда говорят, что мысль Света, как столб Храма, то понимают, что огненное озарение дает жизнь вечную.

481. Не лучше в Мире. Не напрасно вы полны ожидания. Ныне нарыв наполняется. Мы стоим на дозоре, но кто с Нами, тот спасен. Но быть с Нами значит знать Учение; знать — значит прилагать.

482. В Тибете для свирепости коней кормят мясом барса. Кшатрии Раджпутаны имели мясное питание для поддержания воинственности; даже эти два примера показывают смысл мясоедения. Не для утончения люди убивают множества быков, они, подобно троглодитам, готовы пожирать медведей. Нужно проследить массовое убиение животных, притом совершенно сознательно. Люди знают, что овощи или фрукты дадут больше жизненной энергии, чем чаша крови, но они просят подать им кровавое мясо и желают много насладиться таким огрублением. Нет иного названия этому неистовству пожирания крови. Люди отлично знают, что щепоть пшена или ячменя достаточна для поддержания жизни, но их животный инстинкт пытается низвести разум до звериного состояния. Разве не звери пытаются перегрызть горло друг другу? Разве тьма не толкает людей на самые низкие действия? Не забудем, что массовые убийства, будут ли они на войне или на бойне, одинаково загрязняют атмосферу и нарушают Мир Тонкий. Нужно понять, что каждое сознательное убийство сотрясает целую окружающую атмосферу. Притом эти действия усиливают силы тьмы и хаоса, нарушая ритм. Нужно избегать разных нарушений Тонкого Мира. Мы можем допустить пищу растительную, и мучную, и молочную, и также яйца, но лишь в самом свежем и жидком состоянии. Так, сами вы знаете, как противен самый вид мясной еды, когда организм привык к растительной пище. Так нужно на деле приучать себя к утончению и помнить, что даже слон умножает силу свою на растениях. Не нужно думать, что люди от бедности прибегают к мясной пище. При самых малых усилиях можно иметь растительное питание, притом многие очень питательные травы и корни не применяются. Можно поучиться у некоторых животных: они знают о естественной пище много больше, нежели человек-мясопожиратель. Не бойтесь, когда любитель крови начнет насмехаться над растительной пищей, только запомните его, ибо он от тьмы. Многие безразличны к мясной пище и заставлены лишь уродливыми условиями семьи; не их Мы имеем в виду, Мы жалеем сознательных кровопийц и пожирателей мертвечины. Так будьте проще и утонченнее в питании.

483. Мыслетворчество Тонкого Мира пусть напомнит, какой мегафон остается перед нами. Поистине, переходящий в добре умножит добро и переходящий во зле будет источником зла. Так можно беспредельно множить наши энергии. Потому обязаны мы утончать организм наш, чтобы он был достойным вместилищем. Но можно эти действия производить как во дворе, так и в хижинах. Только сознание величия явленного Огненного Мира приведет к пути единения.

484. К вопросу питания нужно заметить, что необходимо иметь каждый день какие-то сырые овощи или фрукты. Также предпочтительно иметь сырое молоко, если корова известна. Также несколько грубый хлеб. Так можно обеспечить достаточное количество витаминов, не увеличивая явное преувеличение пищи. Так можно не затруднять себя мыслью о питании. Такая мысль часто затмевает многие ценные устремления. Тот, кто нашел равновесие между физическими и духовными запросами, уже стоит на границе понимания Высшего Мира.

485. Испытание качества мысли относительно разных физических условий даст огненное понимание многих вещей. Сопоставляя мышление рудокопа в глубокой шахте с мышлением летчика на высшем уровне полета, найдем необыкновенную разницу мышления как в методе, так и в напряжении. Стоит произвести наблюдения над мышлением согбенного жнеца и мышлением всадника — мысли одно-

го и того же порядка преломляются в них совершенно разно. Физические условия, как аккомпанемент для мелодии духа. При строительстве нужно собрать все воображение, чтобы найти созвучия столь различных условий. У народов огненное коллективное сознание представляет поучительное зрелище.

486. Когда Советую осторожность, то Имею в виду различные условия. Состояние здоровья связано со многими космическими причинами, так не нужно искать причин лишь в простуде или несварении желудка. Химизм Светил равен немалым дозам лекарств и микстур, которые могут чувствительно задевать организм. Также и нервные боли могут не только относиться к одержанию, но и к воздействию токов пространства. Почему удивляться огромному числу нервных заболеваний? Уже не раз Указывал на ужас таких эпидемий. Они заразны и под многими формами имеют одно основание, именно поражение тонкого тела. Теперь можно еще раз понять, почему так неотложно нужно изучать огненную энергию.

487. Исторические акты великого значения часто совершались по указу видений. Чаще, чем люди думают, Невидимое Правительство заявляло свои решения. Существа Высшие или ушедшие близкие приносят весть неизбежных сроков. Можно лишь пожалеть, что люди стараются скрыть такие видения и посещения, конечно, если тайна не была предписана. Огненная печать на устах очень прочна, но можно в записях для потомства сказать Истину, которая поддержит многие сердца. Сами вы уже знаете целый ряд исторических событий, имевших в основе явления предупреждения и предписания. Так, можно отмечать ряд событий от древности до наших дней, которые были как бы звеньями руководящей мысли. Правильно собрать эти огненные озарения, в них будет явлена целая система междумировая. Нужно углубляться фактами историческими, чтобы еще сознательнее понять мудрость строительства. Советую начать записывать все известные исторические события, совершившиеся или сопряженные с высшими видениями.

Во время таких записей найдутся еще многие факты, ибо устремленная мысль магниту подобна.

488. Многим ведомо смутное внутреннее трясение без всякой видимой причины. Никто не подумает, не касается ли его ток какой-то мощной мысли. Может быть, его приемник не настроен в этом ритме, но сама энергия потрясает его солнечное сплетение. Так множество огненных ощуще-

ний скользит по телу людей и как бы просит обратить на них внимание.

489. Следует в школах предупредить, что до тридцати лет не все центры готовы для высших проявлений. Нужно, чтобы молодежь знала, как мудро готовить тело и дух для труда восхождения. Нужно, чтобы преподаватели были водителями в жизни. Нужно, чтобы отвлеченное стало реальным и укрепило всю жизнь. Много чистых духов уже готово примкнуть к работе сознательной, но они ищут, как подойти. Пусть преподаватели запомнят, что путь отрицаний самый губительный.

490. Нельзя сомневаться в том, что затрата внутренней энергии гораздо больше при умственном труде, нежели при физическом. Такое показание пусть ляжет в основу Культуры. Также пора понять, что витамины и многие другие вещества получают силу, соприкасаясь с огненной энергией человека. Пусть и это запоздалое открытие свидетельствует о мощи человеческой огненной энергии. Устремление по пути обнаруживания качеств человеческой психической энергии даст построение жизни. Нужно внимательно наблюдать, насколько сам человек претворяет даже очень сильные вещества. Сравним, как отличаются последствия лекарств, принятых с упованием или с отвращением. Мы много раз видели, как под влиянием внушения лекарство производило обратное действие, как вода приобретала самые сильные свойства лекарственных составов, но не чужая воля производила эти превращения, воля лишь устремляла огненную энергию, и в горниле Огня совершалось это превращение. Нужно понять, что мы сами утверждаем нашу мощь пониманием огненной энергии. Нельзя сильнее сказать, что человек создан по Высшему Прообразу, — так указано присутствие высших энергий. Но не сказано, что человек может пользоваться этими энергиями только посредством искусственных упражнений. Энергии присущи природе человека, значит, они должны действовать при естественных условиях существования. Так мы опять приходим к построению жизни. Если магия означает искусственность условий, то, конечно, она неуместна при обновлении жизни. Природное воспитание духа и познавание через него Мира Огненного будет простейшим решением устремления человечества. Также правильно сказано — роскошь есть антипод красоты. Роскошь есть своего рода магия, но там, где живет красота, не нужно никакой магии.

491. Ничтожество образуется от неосознания сил, присущих человеку. Ничтожество заразительно, оно существует целыми поколениями, оно умертвляет существо на пороге жизни. У ничтожества утверждено общее положение, при котором уничтожаются личность и достижения человеческие. Явление строительства особенно противно ничтожеству. Конечно, Мир Огненный для ничтожества — самое ужасное пугало.

492. Много событий, но учитесь в этой разноголосице распознавать единый план подвига Нового Мира. Множества людей не желают представить себе, что они могут участвовать в мировом построении. Пусть несут камни для Незримого им Храма.

493. Вы слыхали о многих землетрясениях и бесчисленных метеорах, упадающих на Землю, но землетрясения отмечаются довольно условно. По известным поясам они отмечаются особенно отчетливо, но океанские потрясения остаются отмеченными лишь приблизительно, между тем они могут представить особую опасность. Также с падением метеоров связана приблизительность. Правда, многие метеоры упадают в водное пространство, но упадение не без условия магнита. Так железо и прочие металлы притягивают метеоры, особенно когда руды находятся в естественном состоянии и не лишены космического магнетизма. Условия космических магнетизаций успешно выражаются в людях, находящих воды и металлы; существование таких людей известно с древних времен. По счастью, современная наука не отрицает эти факты, тем самым наука уже устанавливает одно из качеств огненной энергии. Но особенно примечательно, что эти люди чуют именно подземные воды и металлы. Такой человек не будет реагировать на бассейн воды или на железные дома. По огненному каналу направляется этот магнетизм и прежде всего звучит на естественное состояние вещества. То же самое составляет сущность всех огненных сношений. Естественность и непосредственность составляют сущность огненной энергии. Можно никогда не подумать об Огне. Можно не увидать Огонь и тем прекратить себе доступ к Миру Огненному. Повторяю, что среди Тонкого Мира трудно и болезненно познавать Огонь, если в земном состоянии не найден хотя бы какой-то путь к Миру Высшему. Мудро сказано: «Хотящий идти к отцам к ним и придет». Но этим определено лишь низшее состояние. Почему же лишаться сужденных прекрасных сфер?

494. Утомление и явление голода дают пример мощи огненной энергии. Сравните человека, умирающего с голода,

ибо он знает свою неминуемую гибель, с человеком, употребляющим голод как лекарство. Посмотрите, как долго будет сохранять свою силу второй и как увядает первый. Лишь приведенная в действие огненная энергия будет поддерживать второго, который желает излечиться. Также замечайте опыт над утомлением, как не замечает утомления, кто привел Агни в действие, и падает, кто заметил свое утомление. Люди назовут такие действия внушениями, но на что действует подобное самовнушение? Оно вызывает огненную энергию; оно заставляет работать замершие колеса Огня, только они дают такие победы нервных центров. Пища земная может быть сведена на малые порции, и тело не потребует большего, когда пылает Агни. Не следует думать, что такие огненные подъемы свойственны лишь каким-то особым Риши. Каждый, осознавший мощь Агни, может совершенно естественно прибегать к этой неисчерпаемой энергии. Главное, начать с малого, следя за своими внутренними импульсами. Не требуется особых лабораторий, чтобы проверять себя в разных случаях жизни.

495. Учитель умеет понять сущность характера ученика. Негоден Учитель, пожелавший уравнять всех учеников, тем он себя унизит и совершит непоправимое злодеяние, насильствуя над кармою пришедшего к нему.

496. Справедливость есть прежде всего наблюдательность. Нужно принять в сознание все свойства ученика и так понять, насколько он может вместить новые преимущества. Каждое невмещение преимущества ведет к ужасным уродствам жизни. Мерой будет развитие огненной энергии. Воспылавший сердцем никогда не будет паразитом. Такое понимание паразитства спасет весь уклад мышления. Не будет паразитов, не будет и безработных.

497. История отрицаний покажет, что люди больше всего восставали против проявлений Огненного Мира. Может быть, это был ужас перед Непознанным. Может быть, это было обычное восстание невежества. Может быть, это было отражением хаоса, внушаемого как всеразмельчание. Но одно ясно, что во всех областях жизни люди пытались отрицать все, связанное с огненными энергиями. Число мучеников за Огненный Мир превышает все количества пострадавших за правду. Нужно, наряду с историей мученичества, написать историю отрицаний. Нужно проследить, как в области религии, так же как и среди научных открытий, каждая пядь огненного понимания отвоевывалась у невежества с великим мужеством. Ничто не потребовало столько

самоотвержения, как утверждение Огненного Мира. Даже самое обычное световое явление вызывает взрыв недоверия. Самое очевидное явление будет объяснено самым нелепым образом. Именно Огонь, как самая высокая стихия, труднее всего вмещается в человеческое сознание. Кроме невежества много причин к тому. Люди, окружившие себя тьмою, во тьме переходят в Тонкий Мир. Огненные проблески так незначительны для них, и желание восхождения так ничтожно, что Свет остается недоступным. Так они и ходят во тьме, ратоборствуя против Света.

498. Огненный глаз направляет луч Света, если он обращает внимание на значительный предмет. Если этот луч не всегда заметен извне, то он все-таки магнетизмом своим привлекает внимание окружающих. Такие магнетизирования относятся к Миру Огненному, это не есть внушение, действительное для воли, это есть магнитное водительство почти по закону обычного магнита. Так проникают среди жизни великие законы, и благо, когда они направляются к добру.

499. Не причина ли боязни Огня, что разрушительная сила его доступна земному глазу, но созидание огненное не вмещается в плотное состояние? Нужно особо убедительно раскрывать людям, что они по природе своей имеют единственный путь к Огню. Разве будет хорошим врачом, кто имеет отвращение к больному? Или разве воин будет победителем, если дух его дрожит от ужаса? Так мы поставим перед собою высшую задачу и в этой мере не будем замечать переходные ступени. Каждая стихия прежде всего исключает страх. Побороть страх на мгновение еще не есть искоренение его. Не будем, как малые дети, которые сегодня смелы, но завтра могут дрожать от пустого призрака. Не будем подобны неженкам, которые сегодня решаются на подвиг, чтобы завтра зарыться в пуховые подушки. Не будем под угрозою наступающего дня, ибо из всех стихий именно Агни не допускает страха. Мы должны понять Агни не разрушителя, но созидателя! Эти два лика Агни будут верным пробным камнем нашей природы.

500. Особенно трудно разъяснить людям, что среди очень тяжких дней может не быть особых событий, но лучшие астрологические сроки могут сопровождаться даже несчастьем. Люди сочтут такие сопоставления нелепостью законов Астрологии. Они забывают, что плоды получаются после посева. Может быть, лучшие астрохимические токи могут относительно уменьшить размеры следствий, но каждое следствие имеет неизбежную причину. Потому среди тяжких дней нужно проявить такую осторожность, торжественность и великодушие.

501. Очень благодетельно думайте об Огне. Нужно свой дух координировать с напряжением стихии. Можно видеть, как в разных местах различно проявляется огненное напряжение. Лишь полные невежды не замечают это явление.

502. Сны наяву представляют касание огненной энергии на «Чашу». Они не представляют заболевания, но являются как бы вестниками приближения огненной энергии. Так же точно начнутся и проявления подробностей Тонкого Мира. Они могут протекать благотворно, но при сгущении огненной атмосферы могут перейти в безумие. Самое лучшее лечение заключается в пояснении причины явления, иначе говоря, в познавании Агни Йоги. Яркая необходимость заставляет давать Наши Советы в широкое пользование. Еще недавно эпидемии снов наяву были приняты как нелепые бредни. Но сейчас уже рядовые госпитальные врачи поставлены в необходимость внимательно отнестись к массовому проявлению таких необычных симптомов. Так же точно начнут вливаться в жизнь и другие непонятные признаки новых состояний. Неужели люди не желают подготовляться к новым условиям? Такая невежественность похожа, как один ребенок имел способность видеть во тьме, но мать его просила врача лишить ее сына этой особенности. У людей участились проявления работы огненных центров. Немудро изгонять эти дары, которые принесут разрешение ближайшего будущего.

503. Предвидение событий представляет очень значительную схему наших огненных познаваний. Иногда можно предвидеть самые ближайшие и даже обиходные действия, но часто мы, как по дальнему проводу, познаем события, очень отдаленные. Многие причины обусловливают такие неравномерности. Нет беды, если огненная прозорливость предупредит нас о завтрашнем дне, но не будет пролетом, если перед третьим глазом встанет далекое будущее. Сила огненная не знает расстояния, она, как наблюдатель на вершине, предвидит, где сходятся пути земные. Если Мировое Правительство предвидит на дальнее будущее, то наши слабые глаза могут видеть проблески этих огненных решений. Как торжественно и вдумчиво нужно принимать такие озарения. Нельзя немедленно, по-земному обсудить их, но нужно сберечь как святыню доверенную!

504. Именно — «Победи безбожных». Можно радо-

ваться, когда оба эти Завета поняты и приложены. Нужно не малое сознание, чтобы понять настоящее безбожие и понять, каким оружием Света поражается тьма. Можно радоваться, когда тьма Свет умножает. Даже сама темнота создает Свет Незримый. Сказано — для йога днем светит луна и ночью — солнце. Пусть соберете вокруг себя столько Света, чтобы не было места тьме.

505. Освобождение от страха не произойдет от самоубеждения в каждом отдельном случае; наоборот, такие внушения лишь загоняют чувство страха внутрь, чтобы при ближайшем поводе снова явиться во всем ужасе. При этом ужас будет возрастать соответственно давлению искусственного внушения. Узник ужаса — очень опасный заключенный, но необходимо освободиться от страха — так говорят все Учения. Страх может быть искоренен мерами сопоставления. Приведите ужас явления страшных зверей человеку, угрожаемому пожаром, он скажет — от зверей увернусь, но как выйти из пожара? Так нагромождайте возможности страха, и одна перед другой они отпадут, как сухие листья. Так же нужно призвать всю относительность, чтобы привыкать к Беспредельности Огненного Мира. Притяжение к земной коре создает иллюзию безопасности, тем можно объяснить притяжение людей к миру земному. Совершенно верно, что нужно познать здесь многие чувства и составить основу восприятия, чтобы тем легче ступать по волнам огненным. Потому так ценна не земная специальность, но качество восприятия и вмещения. Не удивительно, что деление слоев Тонкого Мира не совпадает с условными классами Земли. Можно оказаться в Тонком Мире среди очень неожиданного подбора соседей. Такая неожиданность грозит лишь тем, кто пришел с грузом земных пережитков. Кто же утончил духовные меры, тот найдет исполнение своих предчувствий.

506. Можно радоваться, когда постигается красота очертаний Тонкого Мира. Можно убеждать, что мыслетворчество может создавать формы не только личные, но способные привлекать и восхищать лучшие сердца. Умение творить мыслью тоже упрочивается на Земле, но сколь высоко будет такое творчество, когда люди поймут, что творят они не для Земли, но для высших, величественных сфер!

507. Будем, как устремленные к небу стрелы на огненной тетиве. Мысль пусть найдет от каждого земного предмета духовное вещество, которое даст прекрасное представление в Беспредельности. Так устыдимся посылать в Мир

Прекрасный мерзкие мысли. Явление каждого дня должно быть прообразом прекрасных увеличений. Люди стесняются говорить в громкоговоритель низкие слова, почему же можно наполнять пространство низкими мыслями? Явление смятения мира пусть еще раз напомнит о качестве мысли.

508. Да, да, да, зерна добра остаются в духе, но не соблюдено внимание к ним. Люди помнят о накоплениях, но, не сохранив духовного понимания, устремляются к накоплению земных предметов. Люди в глубине духа знают о полетах в Беспредельность, но, забыв о значении дальних миров, снуют бессмысленно по коре земной. Нельзя говорить против земных предметов как продуктов творчества; нельзя говорить против путешествий, которые могут быть высшей школой, но все земное Бытие должно быть осмыслено от границ Высшего Мира. Можно ли в земной жизни совершать лишь полезные действия? Конечно, можно. Легко представить целую жизнь как беспрерывный поток полезности для других. Сантана не была как бессмысленное перекатывание камней. Она как поток, питающий окружающие поля; как ручей, приносящий очагу чистоту; как дождь, подымающий зерно посева. Так не нужно быть особым мудрецом, чтобы представить себе полезную жизнь во всех областях. Когда огненные волны заставят людей искать спасения в башнях духа, тогда с омерзением люди пожалеют о каждом бездельном существовании. Они попытаются в смятении собрать крохи положительного мышления. Какую пользу могут принести советы не растрачивать ценную энергию! Нужно мыслить о приближении очень необычных времен. Ни жестокость, ни разбой, ни предательство, ни ложь не помогут от огненных волн. Не столько стыд, сколько страдание понудит к поискам спасения.

509. Умение распознавать, где великое и где малое, куется на том же огне сердца. Не думайте, что писания приносят лишь великое. Необходимо различать, откуда идут эти писания. Немало ложных, хотя и прелестных, сведений приписывается на разрушение Мира. Нужно призвать наблюдательность, чтобы видеть, как ползут гады на загрязнение мышления. Не от Света грязь.

510. Твержу о понимании часа подвига. Не Устану повторять, как высоко нужно мыслить, чтобы оказаться вне пыли.

511. Кто думает о скромности и о смирении, тот уже не скромен и не смиренен. Природные качества не нуждаются в насильственном раздумьи. От насильственных скромников и смиренников много гордости зародилось. Во всех качествах, связанных с огненностью, нужна непосредственность. Если в человеке не накопилось почитания Иерархии, то никаким приказом он не почувствует красоту этого устремления, внешние условия раздробят зерно стремления. Большая ошибка в том, что люди, начав мыслить о Высшем, часто переменяют внешние условия жизни. Известный вам сапожник мог оставить свое ремесло, но он предпочел утвердиться в прежнем ритме, в котором зародилось высшее мышление. Это не есть неподвижность, но бережность к уже сложившемуся, ценному ритму. Можно наблюдать, как внешние условия могут давать импульсы мышлению. Такое соображение очень полезно при огненных постижениях. Музыкант не расстается со своим инструментом даже в путешествии. Причина тому не только механическая техника, но сознательно или бессознательно виртуоз бережет сложенный ритм. Постоянство работы тоже, как пранаяма, нужно для координации центров. Но опытный работник не будет раздумывать о пользе работы. Работа для него есть пища, он не может жить без нее. Врач пусть приведет тому примеры. В отношении Агни особенно вредна беспорядочная, неритмичная работа, но нужно, чтобы такой ритм вошел в привычку без всякого насилия; тогда можно ожидать, что Агни станет, действительно, доспехом самодейственным. Это качество самодействия есть огненное достижение. Не придет оно извне, но лишь совместно с расширением сознания. Без утверждения сознания не может утвердиться самодействие.

Мужество не приходит по заказу, оно врастает как ощущение стержня спирали. Если мужество состоялось, то ничто не может искоренить его. Прекрасно сознавать существование аккумулирования качеств, которые растут, как мощное древо.

512. Огонь на горе показывает напряжение атмосферы. Не случайно народ называет эти огни вестниками. Напряжение сказывается в серебряном свете. Даже такое очевидное явление многие будут отрицать. Многие скажут о галлюцинации, забывая, что многие реальные подробности, как освещение облака, не могут быть кажущимися. Поразительно видеть, что даже простейшие явления огненного порядка могут быть отрицаемы. Движение огня тоже не могло быть предусмотрено иллюзией. Действительно, эти огни — вестники.

513. Один начинающий ученик спросил Риши, который говорил ему об Агни: «Если буду несчетно повторять слово *Агни*, произойдет ли мне польза?» Риши отвечал: «Конечно, произойдет. Ты стоял так далеко от этого понятия, что природа твоя хотя бы в звуке приобщится к великой основе Сущего». Так же и Мы повторяем о разных качествах и сопоставлениях великого Агни. Пусть люди принимают этот звук в свою «Чашу». Пусть так наполнятся этим звучанием, что примут его за свое неотъемлемое. Если они при смене существования произнесут понятие Агни, то уже будет для них помощь, ибо не будут Огню враждебны. Тонкий Мир поможет утончить понимание высших начал, но нельзя приступить к ним с враждою и отрицанием. Задача Первой Книги о Мире Огненном есть утвердить и приучить людей к пониманию Агни. Пусть видят, насколько многообразно Огонь понимался от древних времен до настоящего, современного понимания. Пусть искры этих огней сердца вызовут в памяти многие непонятные явления и рассказы старых людей о преданиях. Нужно получить в сознание привлекательный, созидательный облик. Нужно признать его как собственность, которая поведет к высотам. Потому даже повторение звука Агни полезно.

514. Действительно, человечество представляет как бы цемент планеты, оно помогает сдерживать части, угрожаемые хаосом. Мир ненаселенный легко распадается, но не гордиться должен человек такому поручению, он должен чувствовать себя стражем на дозоре. Действительно, лишь тот, кто вооружен доспехом Агни, может тем полнее выполнить свое назначение. Агни не должен быть в состоянии бездеятельности. Стихия Огня — самая действенная, самая быстрая, пространственная, явленная среди напряжения мысли. Разве не мыслью бережет человек планету? Самые ценные вещества создаются мыслью. Сопоставьте дыхание мысли с бессмыслием. Утверждаю, что люди могут составить мысленное сокровище, которое в ритме с Космосом даст Новую Эру.

515. Народы грубым насилием полагают восполнить недостаток Агни, но никакая сила, грубая и низкая, не зажжет Огонь Света. Можно наблюдать небывалое ожесточение и в то же время падение Агни в сердцах людей. Разве не будет очевидным, что никакая сила не поможет найти психическую энергию? Наоборот, каждое насилие, как личное, так и национальное, отдаляет человека от нахождения психической энергии. Значит, люди вместо спешного сотрудничества для нахождения Агни употребляют силу на разрушение планеты. Плачевно и недостойно!!

Пусть не требуют Явления Моего там, где кипит ненависть и непонимание! У Нас Великая Стража!

516. Некоторые должны заучивать полезные советы, но другие знают в сердце своем основы жизни; и те и другие нуждаются в Учителе. Первым нужно узнать, но и вторым следует утвердиться. Некоторые от рождения понимали лучшие приемы человеческих отношений, но другие должны пройти тягостное обучение, чтобы избежать разрушительных поступков; и тем и другим нужно Учение, как напоминание об условиях существования. Можно поражаться, насколько одни помнят примеры прошлых жизней и почему другие совершенно изгладили прежние накопления. Причина кармы еще не вполне поясняет такую разительную отличность понимания жизни. Действительно, не самые условия прежних жизней, но принятие Агни будет причиною такого понимания. Люди назовут такую мудрость талантом, но не особый талант держать Агни зажженным. Только возжение центров дает непрерывное бодрствование сознания. Даже хотя бы частичное проявление Агни уже сохраняет неприкосновенно накопление. Агни есть не насилие, но друг наш. Нужно пояснить, что восхождение духа и есть появление Агни.

517. Не следует огорчаться человеконенавистническими писаниями: тьма велика! Можно призвать самые светлые силы, но темные будут темнить даже лучшие проявления. Темные могут лишь темнить. Но если спросить их, как сделать лучше, они будут лишь злобиться, ибо не лучше, но хуже сделать их назначение. Можно видеть, как проникают в жизнь под разными обликами злые силы. Нельзя утешаться, что темные не могут приблизиться: они найдут каждую пылинку, чтобы покрыться ею; там, где сами не решатся подойти, там могут подбросить скорпиона. Много выдумок у темных. Потому надо привыкать к великому дозору.

518. Пространственное лечение особенно действенно для нервных центров, потому так Советую хранить организм от повреждения органического. Центры нервов как сосуды огненные легко примут посылки Агни. Но следует не препятствовать этим воздействиям, особенно раздражением, как мертвый щит, прекращает оно все пути. Уже знаете, как Предупреждал об опасности для жизни при раздражении. Через океан несутся такие вопли ожесточения, кто великодушнее, тот и должен понять долг свой. Именно великодушие больше другого оберегает от раздражения.

519. Действительно поразительно, когда механический гигант пытается поразить огненное сердце и вместо того носит камни на свою могилу. Пример, часто повторяющийся, но каждый раз нужно радоваться победе Агни. Просят люди о чуде, но множество чудес около них. Нужно лишь очистить глаза от раздражения.

520. Беззащитность, происходящая от поражения ауры, ужасна. Можно представить, как одно проломление ауры ведет к искажению всего строения ее. Сонливость, замечаемая при поражении ауры, происходит от однообразно усиленной деятельности огненной энергии, направленной к внешним излучениям. Пока идет такое восстановление, организм, и особенно сердечная деятельность, оказывается подавленным, потому так Забочусь о бережности как в своих действиях, так и в возвратных ударах; зачем во время боя отягощать сердца друзей?! Можно произвести великое множество опытов, как нарушение излучений отражалось именно на сердце. Люди трудно воспринимают совет о наблюдении за своими излучениями, но даже до фотографирования их наука знает о существовании таких излучений от каждого предмета. Нужно проникнуться уважением к человеческой конституции и понять, что каждое столкновение прежде всего приносит вред астральному телу. При этом, конечно, организмы, сработавшиеся длительным общением, будут тем сильнее ранить друг друга, но не только друг друга, но и рефлектировать на других близких. Тем серьезнее нужно искоренять все столкновения. Можно представить, какая темная рать устремляется на каждый пролом ауры. Очень ужасно питать таких насекомых внутренними слоями излучений. Только заградительная сеть препятствует нападению темных сил. Каждый пролом ауры угрожает и одержанием. Тем более будем бережны.

521. Вздох считался ответом Богу. Средоточие огненной энергии производит эту спазму. Замечайте, что убийца и каждый темный злоумышленник не вздыхают. Эта напряженность имеет место при высших эмоциях. Можно написать книгу о вздохе, и она будет очень близка молитве. Так можно отбирать все благотворные рефлексы. Нет надобности считать их морально отвлеченными, лучше признать их основами здоровья.

522. Прилична ли людям беззаботность? Некоторые смешивают беззаботность с возложением на Иерархию; они полагают, что если они воплотились здесь, значит, что-то несет за них ответственность. Но великое Служение есть великая забота. Нельзя представить себе ни дня, ни часа, чтобы человек оказался вне заботы, иначе говоря, вне мышления. Так забота не может быть понимаема как иссушивающий гнет, но, наоборот, как отличие человека. Среди преимуществ Бодхисаттв забота обо всем Сущем будет сокровищем их венца. Также нужно приветствовать заботу и как зажжение Огня. Не малое мышление, но самая озабоченная мысль высекает светлые искры из сердца. Немудро избегать заботы, ибо нужно спешить с огнями духа. Устрашение заботою лишь показывает малые накопления. Опытный путник скажет: «Нагружайте меня заботою, когда иду в Сад Прекрасный». Не последнюю заботу принял на себя человек, получивший мышление. Сказано — малого стоит улыбка богача, но бедняк, сохранивший улыбку, будет спутником Бога. Так народ понимает ценность улыбки среди забот. Советую понять, что число забот не может уменьшиться. Только так признаем, что радость есть особая мудрость.

523. Ничто не смутит путника, уже увидавшего дом свой. Что же может препятствовать сознанию стремиться в Мир Огненный? Ничто не может запретить человеку поставить перед собою величайшую задачу. Только от такой меры просветлится забота и думы наполнятся торжественностью. Только так отберутся ценности, и можно идти к Иерархии беспрепятственно.

524. Усомниться явлением Огненного Мира — значит пресекать движение, потому не смотрите назад. Пусть движение развивает притяжение, поступательное, как поток. Если падение развивается с ужасающей скоростью, то движение может порождать магнитную силу, которая влечет к намеченному направлению. Лая, не пробежать долго, но мысль огненная поведет поверх неожиданностей. Умейте замечать рост сознания. Конечно, это труднее, нежели заметить рост волос или травы. Но склады сена показывают, как трава растет, так и сознание может дать ценные отложения.

525. Благосостояние народов складывается около одной личности. Примеров тому множество во всей истории, в самых различных областях. Многие отнесут это несомненное явление к личности как таковой. Так поступают близорукие, но более дальновидные понимают, что такие собиратели не что иное, как мощь Иерархии. Действительно, при всех явлениях Иерархия избирает фокус, на который можно устремлять ток; кроме того, личность этого порядка обладает осознанным или неосознанным огнем, делающим общение легким. Но необходимо и другое качество со стороны самого народа — нужно доверие и сознание силы. Потому и в разных делах Твержу об авторитете. Нужно это качество как звено огненной машины. Сами видите, как нарастают народы, утвердившиеся на водителе. Сами видите, что нет иного пути. Так нужно осознать звено Иерархии. Не нужно быть близорукими.

526. Конечно, вы замечали состояние между сном и бодрствованием. Особенно замечательно, что при малейшем движении ощущается как бы головокружение, но при спокойном положении можно чувствовать явление потери в весе. Не иллюзия такое состояние. Действительно, можно на весах уследить изменение в весе. Само головокружение будет следствием такого преобладания тонкого тела. Учение древнее говорит: когда человек возвращается в земное тело, он на мгновение ощущает качество Тонкого Мира. Можно чувствовать такие условия при восторге духа, при начале падучей, но иначе происходит уменьшение в весе медиума, когда бывает участие внешних элементарных энергий. Нам особенно явление Огненного Мира будет близко, когда тело огненное преображает наши чувства среди земных условий; тогда можем утверждать, что условия трех миров могут быть проявлены и в земной жизни.

527. Обращает на себя внимание одно, казалось бы простое, явление: когда десять человек определяют свои силы порознь, то сумма их будет меньше суммы общего усилия. Это таинственное нечто будет венцом сотрудничества. Опять касаемся огненной области. Лишь общее, ритмичное усилие призывает огненный запас. Разве такие измеряемые усилия не доказательство огненной энергии? Пусть ученые соберут все малейшие данные о проявлениях огненной энергии. Пусть наблюдают это нечто не как мистическое, но как реальное растущее понятие.

528. Почему огонь молнии считался жрецами Египта обладающим особым магнетизмом? Есть ли это суеверие или знание? Почему знание жрецов считается очень основательным? Но факты, находимые исследованием, подтверждают огненность учителей Египта. Не опытным ли путем достигали египетские жрецы магнетизма огня молнии? Можно представить особое конденсированное состояние огненной энергии при таком мощном разряжении. Конечно, такое

напряжение может быть губительным, но, правильно направленное, может дать очищение энергии.

529. Обычная ошибка, что люди перестают учиться после школы. Пифагорейцы и тому подобные философские школы Греции, Индии и Китая дают достаточные примеры постоянного учения. Действительно, ограничение лишь обязательными школами образования показывает явление невежества. Обязательная школа должна быть лишь входом в настоящее познавание. Если разделить человечество на три категории: на вообще не знающих школы, на ограниченных обязательным школьным образованием и на продолжающих познавание, то последнее число окажется удивительно ничтожным. Это показывает прежде всего небрежение к будущим существованиям. В упадке духа людям нет дела даже до собственного будущего. Пусть останется запись, что в настоящем, столь значительном, году приходится напоминать, что́ пригодно было тысячу лет назад. Кроме начального образования нужно помогать обучению взрослых. Несколько поколений одновременно существует на земле и одинаково мало устремляется к будущему, которое им не миновать. Небрежность эта поразительна! Учения сделаны пустыми оболочками, между тем на простой праздник люди стараются приодеться! Неужели для торжественной Обители Огненного Мира не приличествует запастись одеждою Света? Не в ханжестве, не в суеверии, но в просветлении можно радоваться не только детским школам, но и объединению взрослых для постоянного познавания.

530. Правильно повторять о болезни планеты. Правильно понять пустыню как позор человечества. Правильно обратить мышление к Природе. Правильно направить мышление к труду сотрудничества с Природою. Правильно признать, что ограбление Природы есть расточение сокровищ народа. Правильно о Природе порадоваться как о пристанище от огненных эпидемий. Кто не мыслит о Природе, тот не знает приюта духа.

531. Человеческой энергии нужно приходить в общение с Космическим Огнем. Человеческая энергия окунается в плотные слои, и каждое прободание этих слоев приносит высокое просветление. Огонь поражает все отбросы.

532. Когда мысль устремлена и встречает ток посылки враждебной, то получается ужасное сотрясение, которое отзывается на сердце. Уже Говорил вам о тяжких вражеских стрелах, не только эти посылки, но и постоянное усиленное трепетание тверди усиливает напряжение центров. Неестественно такое состояние, и только упорное стремление к Огненному Миру даст человечеству иное состояние мышления.

533. Не будем надеяться, что нас ничто не настигнет. Такая уверенность имеет обоюдоострое значение. Хорошо чувствовать свои устои, но каждое небрежение к силам врага тоже немудро. Лучше полагать, что враг может приблизиться, но бесстрашие удержит нас в полной силе.

534. Уже давно Говорил — сад обид нехорош. Нужно явить понимание полной негодности обид. Обида — самое пресекающее обстоятельство. Она, как скрытый нарыв. Сам Будда, когда замечал какие-то обиды, немедленно отсылал ученика, говоря: «Пойди выкупайся в холодной воде».

535. Корень мысли, или побудительная причина, должен быть явлен для утонченного сознания. Невозможно знать все мысли, ибо в калейдоскопе человеческих осколков голова закружится и самые обрывки неустойчивого мышления не дадут пользы. Но полезно чувствовать побудительную причину каждого выражения, такое огненное утверждение приходит с возжением центров. Человек начинает знать причины слов, внешнее выражение для утонченного наблюдателя несущественно. Иногда сам говорящий затрудняется определить первичную причину своих слов. Но сердце огненное знает, как зародилась сказанная формула. Никакая ужимка, никакие жесты не введут в заблуждение третий глаз. Нелегко дается это чувствознание, многие поколения вносят лепту в сознание. Считайте утверждение Огня многими сменами жизни. Корень мысли даст пути к познанию и прочих корней.

536. Насколько нужно тонкое построение для земного плана, можно лишь с трудом осознать, но многие построения Тонкого Мира являются настоящими терафимами для земного будущего. Даже завершение таких тонких терафимов часто существеннее земных строений, в них как бы заложен корень мышления созидания, потому Мы радуемся, когда прототип уже состоялся. Конечно, можно радоваться лишь об удачном прототипе.

537. Судороги замеченные представляют значительное явление. Утонченный организм уподобляется Макрокосму и прежде всего поражает своим совпадением с движением планеты. Судорога планеты не может не отражаться на огненном теле. Не только землетрясения, но все внутренние судороги планеты не будут забыты сердцем огненным. Притом как планетная судорога сопровождается давлением

на полюса, так и судорога тела может сопровождаться давлением на Кундалини и третий глаз. Так же может энергия пробежать от конечностей, как и земная кора сокращается при внутренней судороге,— именно микрокосм есть человек.

538. Извращение человеческого понимания доходит до того, что оно называет человека, зараженного империлом раздражения или злобы, огненным. Даже к злобе иногда прилагают определение *воспламенение*. Но если Агни есть элемент связующий, всепроникающий, то он именно будет началом равновесия. К этой стихии прибегает дух человеческий при восхождении; даже механическое восхождение нуждается в огненном начале. Следует растолковать, что воспаление империла никак не отвечает очищенному Агни. Сами люди стремятся в сознание вкоренить понимание унизительное о многих великих явлениях. Право, будет хорошим упражнением иногда провести день без умаления.

539. Мысль о слиянии с Иерархией тоже является прекрасным очищением. Когда все гады выползут из нор, останется лишь стремление кверху. Пусть тогда соберем все средства равновесия. Не будем думать, что тяжко от дня вчерашнего, но заглянем в завтра, которое не наполнено умалением.

540. Тревога неминуема, когда смущение умов вызывает трепет низших слоев. Не будем обращать внимания на такие проявления. Мы не мертвые, чтобы не чувствовать современное смятение, наоборот, мы должны почерпать особую силу, прикрепляясь к Иерархии. Если мы возомним, что есть иной путь, то отдадимся на растерзание стихий.

541. Добрый разбойник и жестокий благочестивец по-прежнему живут на Земле. Можно предположить, что люди, как высшие элементы Земли, должны эволюционировать гораздо быстрее, нежели другие части планеты. Но происходит странное явление: люди отбросили этику духа и заключили себя в духовную неподвижность. Кажется, даже климат движется быстрее, нежели человеческое сознание. Многие изобретения уже не однажды посещали планету. Многое знали ушедшие народы, но качество мышления не много преуспело. Между тем люди много говорят о Новой Расе, о новом человечестве. Но не Голем будет прототипом Новой Расы. Качество мышления будет отличием от прошлых веков. Искусство мышления должно быть обновлено совершенно сознательно, но без понимания Трех Миров невозможно повысить мышление до нового уровня. Кто не хочет самоусовершенствования, тот не будет мыслить в пла-

нетном масштабе. Кто будет считать беседу о Мире Огненном суеверием или язычеством, тот не может почитать облик Спасителя. Можно не удивляться, как медленно люди могут привыкать к честному мышлению, ведь многие смены жизни отнимали у них лучшие образы героев человечества. Люди видели постоянно, как именно героев на их глазах терзали и убивали. Таким мышлением не прийти к новому человеку.

542. Можно не раз произвести значительный опыт, как дух способствует даже развитию мускулов. Не говорю о Хатха Йоге, где физическое упражнение прежде всего утверждается. В других Йогах физическое упражнение не имеет такого значения, но духовное развитие сообщает мускулам особую крепость. Возьмите двух атлетов — пусть один идет лишь физическим путем, но другой пусть поймет мощь духа; насколько он преуспеет!

543. Почему иногда зло как бы представляется победителем? Только от неустойчивости добра. Можно чисто физиологическим путем доказать, что явление перевеса зла кратковременно. Зло возникает вместе с империлом, но этот яд может дать лишь первую, очень сильную вспышку. Затем он переходит в разложение и постепенно разрушает своего же породителя. Значит, если Агни хотя бы отчасти выявлен, он не перестает усиливаться. Так, когда империл будет уже разлагаться, Агни, наоборот, приобретет полную силу. Потому так Советую выдержать первый натиск зла, чтобы предоставить его собственному пожиранию. Кроме того, при поединке зла с добром, иначе говоря, империла с Агни, последний будет пропорционально возрастать, тогда как империл будет разлагать своего владельца. Так можно наблюдать поединок низшего с высшим, но только полное сознание может ободрить для противостоянию злу. Полезно помнить это и собрать не только силы, но и терпение, чтобы побороть уже сужденное к разрушению. Утверждаю, что истина: «Свет побеждает тьму» имеет даже физиологическое основание.

544. Но кто же поможет собирать полезные примеры? Можно перечислить их, но мало кто из врачей дает себе труд подмечать среди наблюдаемых им случаев движение и значение Огня. Не Советую Нашему врачу применять все наблюдения на себе. Он может истощиться явлением переутомления. У него множество примеров вокруг.

545. Сердце может болеть, когда Иерархия затрагивается недостойно. Сердце — центр, Иерархия — тоже центр: от самого главного передается в самое Высшее и об-

ратно. Когда люди невежественны в чем-то, они не должны грязнить это, им недоступное. Они должны иметь достаточно человеческого чувства, чтобы понять, где начинается Непроизносимое. Не надо надеяться, что можно бросать камни в лучшее Изображение. У некоторых невежественных людей живет самомнение, что им все позволено. Но когда они обеззубили, то пусть не удивляются, но поищут причины поближе.

546. Отдавание есть божественный признак. Неистощимость отдавания проходит в разных степенях во всей Природе, но Огонь будет самою яркою в отдаче стихией. Сам принцип Огня есть претворение и постоянное отдаяние. Огонь не может существовать без жертвы отдаяния, также и огненное зерно духа существует отдачею. Но жертва тогда делается истинной, когда она становится природою человека. Умственная, насильственная жертва не будет ни естественной, ни божественной. Только когда жертва становится неотъемлемым признаком жизни, она становится нераздельной с сознанием. Так Огонь своими качествами учит нас при восхождении. «Буду, как Агни»,— пусть скажет себе каждый желающий постигать. Нужно полюбить жертву огненную как ближайшее средство общения с Миром Огненным. Без этого жертвенного устремления не легко подняться из когтей зла. Как Огонь неуловим, так же подвижно становится сознание, приобщившись к Агни. Нужно приблизиться к жертве путем не уныния, но огненного великолепия. Не придать Огню иного определения, как великолепие. Также и Мир Огненный не может быть помыслен иначе, как явление величественности.

547. Можно чувствовать, как иногда посылки огненные претыкаются о стену тьмы. Лишь в особых случаях темного натиска возможно преткновение. Нужно ли при таком натиске истощать запасы Огня или нужно избрать другое направление? Уже знаете, что набухание тьмы кратковременно, потому лучше немедленно избрать иное направление для посылок. Твердыня тьмы, как бык картонный, стóит лишь знать ее свойство.

548. Если чувствуете особую сонливость и усталость, не пытайтесь побороть ее. Лучше быть очень бережными с запасом огненной энергии. Кто знает, как много жертвуется ценной энергии на благо часто совершенно не знающих людей? Пусть утверждают, что огненных посылок не существует, но сами они охотно пожирают чужую силу.

549. Пространственная мысль порождает некоторую

субстанцию, которая в вихре круговращения является центром различных зарождений. Казалось бы, прекрасно сознавать, что мысль человеческая содержит субстанцию, так мощную; но только мысль высшая и напряженная дает энергию достаточно сильную. Но мысль малая, непроявленная, беспокойная, шаткая не только не даст творящего импульса, но причинит явление вреда. Не имея правильного соответствия притяжения и отталкивания, ничтожные мысли как бы образуют уродливые конгломераты и засоряют пространство; называем их пространственною слизью. Много энергии уходит на претворение этих мертворожденных уродов. Можно представить себе, насколько можно было бы увеличить пространственную продукцию без этих человеческих порождений. Притом не будем обвинять только первобытных народов, мышление их потенциально не слабо, но серединные продукты цивилизации совершенно мельчают в качестве мысли. Измельчание производит все остальные слизистые продукты. Такое измельчание грозит обратить благость Агни в гнев. Немало примеров вредности маленьких мыслей. Столько лучших каналов засорено осколками только потому, что человечество не уважает мысль. Безмозглое суеверие, наверно, осудит напоминание о насущности мысли; будут противоставлять Природу Благодати, тогда как низшие, плотные слои вообще несоизмеримы с высшими. Дисциплина мысли неминуемо повлечет к Высшим Огненным Сферам. Вместо заразителя человек может стать очистителем пространства.

550. Ничтожные мысли не только засоряют пространство, но именно они мешают передаче мыслей на дальние расстояния. Каждый участвующий в передаче мысли знает, как иногда выедаются части посылок, как темное облако затемняет ясные выражения. Именно малые слизкие уродцы пересекают путь посылок. Сами уродцы по бессилию неслышимы, но их слизь достаточна, чтобы уплотнить пространство и нарушить токи! Потому для скорейшего передавания мысли нужно просить человечество воздержаться от ничтожных мыслей. Даже небольшая заботливость о мысли даст уже полезные следствия. Кроме того, слизь мышления может быть источником эпидемий.

551. Очень поучительно по жизнеописаниям следить, какие привходящие обстоятельства помогали окончательному выявлению жизненной задачи. Можно заметить, как многие качества случайности помогали движению по сужденному направлению. Конечно, не случайность, но многие глубокие причины действовали в этом подвиге. Можно видеть в этом участие Тонкого Мира. Когда дух избирает известную задачу, он сообразуется с многими помогающими воздействиями. Часто в Тонком Мире остаются Союзники и Сотрудники, которые контролируют привходящие обстоятельства. Так можно наблюдать многие малые импульсы, ведущие к определенным целям. Стоит оценить таких светляков с придорожными вехами!

552. Когда Советую постоянно устремляться к Иерархии, то нужно понять всю нелегкость такого Указа. Каждый с легкостью примет это, но при первом случае забудет. Он будет помнить о самых малых сущностях, но самое главное будет упущено. Образ Руководящий потонет в малых осколках. Но каждый йог знает нить серебряную как единую путеводную звезду. Когда сердце забудет о главном, пусть хотя бы мозг твердит о нужном спасении.

553. По всему Миру проносится вой, можно видеть, что так не пройти. Судороги планеты учащаются. Нужно помнить, что эти годы отмечены во всех Учениях.

554. Кто говорит, что герои не нужны, тот изгоняет себя из эволюции. Замечайте, где граница посредственности, безверия и самости, там самоуничтожение. Могут проходить десятки лет, пока процесс самопожирания обнаружится, но он будет нарастать от часа отрицаний Иерархии. Невозможно представить себе утверждение наступательного движения без Иерархии. Нужно твердить это простейшее Учение, ибо люди стремятся к пропасти. Лучи оплечий мучительно болят уже не от судорог планеты, но от скрежета человечества. Как смерчи разделяют воду на столбы, так закрутилось человечество разделенное. Очень знаменательный год восстания духа человеческого. Огонь можно удержать лишь до известной степени. Он неминуемо прорвется через все явленные преграждения.

555. Насколько легко происходит одержание, настолько трудно достигается сотрудничество с Тонким Миром. Во-первых, люди вообще мало думают о настоящем сотрудничестве; во-вторых, они вообще не допускают существования Тонкого Мира. При одержании происходит насилие нежелательное, но разумное сотрудничество упускается из сознания. Много жителей Тонкого Мира хотят применить свои знания, но им не дают доступа из-за разных суеверий и страха. Если бы вы знали, сколько волнений сейчас в Тонком Мире, когда новое разделение человечества потрясает пространство! Не следует думать, что настоящее время обычно,

оно неповторимо и может начать Новую Эру. Но творите героев — так заповедано.

556. Нужно не малое воображение, чтобы начать мыслить об Огненном Мире. Нужно суметь представить себе Иерархию до Мира Огненного, но когда высшее воображение истощится, то придется найти все дерзновение, чтобы обратиться к великим Ликам Огня.

557. Всякое убийство противно огненной природе. Каждый, помысливший об Огненном Мире, не только не должен убивать, но обязан препятствовать пролитию крови. Он должен понимать, что кровь пролитая не только производит смущение в некоторых слоях Тонкого Мира, но и противоречит природе земной. У некоторых народов запрещено проливать весеннюю смолу деревьев по тем же причинам. Но если народ от древности понимал значение сока деревьев, то как же не понять значение открытой крови? Даже сам переход в Тонкий Мир без пролития крови избавляет от приближения тех темных тварей, которые немедленно притягиваются к эманациям крови. Кроме этих физических причин пора запомнить, что значит прекратить жизнь вне срока. Уничтожение земных врагов посредством убийства есть создание сильного Врага в Тонком Мире. Не раз Мы напоминали о карме, но если это слово кому-то не нравится, назовем это Небесною Справедливостью. Никогда не затрудняйте собеседника каким-то настойчивым названием. Мысль должна быть направлена к сущности понятия, вне его принятого выражения.

558. Одно — предвзятое убийство, но другое — защита. Когда вы подвергаетесь нападению темных, необходимо защищаться, мысль о защите не есть убийство. Каждый может защищаться прежде всего силою духа. Некоторые усиливают заградительную сеть, представляя ее щитом, но огненное сердце не ограничится щитом, но пошлет спираль Агни, которая притупляет самые злые стрелы. Конечно, нужно мужество и находчивость для такого действия.

559. Часто ощущается звучание Природы. Народы древности даже угадывали определенный звук мира или смятения. Но ученые могут истолковать это явление огненными причинами. Ведь звучат вихревые волны Огня, чуткое ухо может даже в полной тишине услышать это великое звучание. Можно слышать сочетания тех же вибраций и в шумах Земли. Говорят, что Лао-цзы часто беседовал с водопадами,— не сказка это, ибо он слушал звучание Природы и обострял четкость слуха до различения качества вибраций.

560. Нужно помнить, что Великое Служение приобщает к познанию Великой Цели. Поймите ее во всем объеме так, как только можете, при всем напряжении духа. Прекрасно такое напряжение, когда к нему слетаются незримые сотрудники. Они укрепляют панцирь, они защищают от стрел и освещают путь. Как на крыльях, может идти человек, он приобрел несчетных сотрудников, но они повинуются Иерархии. Так иногда поверх физических соображений возвысим дух до высших твердынь. Нужно это говорить, как Щит Великого Служения.

561. Лучше идти ко сну с молитвою, нежели с проклятием. Лучше начинать день с благословения, нежели в ожесточении. Лучше принимать пищу с улыбкою, нежели с ужасом. Лучше приступать к труду с радостью, нежели с унынием. Так говорили все матери Мира; так слышали все дети Мира. Вне Йоги простое сердце знает, что́ нужно для преуспеяния. Можно подставить все определения, но смысл основы радостной и торжественной сохранится во всех веках. Но Йога Огня должна усилить основу восхождения. Агни Йог прежде всего не ипохондрик; он зовет с собою всех сильных духом и радостных. Когда же радость теплится даже в самых трудных условиях, Агни Йог преисполняется несломимой мощью. Там, за самым трудным восходом, начнется Мир Огненный. Явление Мира Огненного непреложно, Йог знает, что ничто не удержит его в достижении Огненного Мира. Так первая молитва матери и само Великолепие Огненных Миров на той же нити сердца.

562. Когда Разрешил вам записывать беседы, то Не Скрывал, что люди произнесут много злых слов около самых добрых понятий. Кто мыслит о добре, не должен удивляться, если его назовут ипокритом, некромантом, убийцей и лжецом. Как одержимые люди будут прилагать самые несоответственные названия. Там, где не мыслят о благе, там готов весь злобный язык.

563. Сегодня день тяжкий, потому Расскажу вам сказку. «Некий демон решил искусить благочестивую женщину. Демон оделся как садху и вошел в хижину женщины, перебирая четки. Он просил пристанища. Но женщина не только пригласила его и накормила, но просила помолиться с нею. Демон для удачи решил исполнить все ее просьбы. Они начали молиться. Затем женщина просила рассказать ей о жизни святых, и демон начал повествовать, подобно самому лучшему садху. Женщина вошла в такой экстаз, что окропила всю хижину святою водою и, конечно, полила самого демона. Затем она предложила ему произвести совместно с нею Пранаяму и постепенно собрала такую мощь, что демон уже не мог выйти из хижины и остался служить благочестивой женщине и научился лучшим молитвам. Когда один Риши проходил мимо хижины и заглянул в нее, он заметил молящегося демона и присоединился к нему в славословии Браме. Так все трое сидели у очага и пели лучшие молитвы. Простая женщина своим благочестием заставила и демона, и Риши вместе славословить. Но из Высших Обителей не ужасались, но улыбались такому сотрудничеству. Можно даже заставить и демона сотрудничать в молитве».

564. Еще сказка о сердце. «Собрались люди, чтобы хвалиться силою: кто показывал мощь мускулов, кто хвалился укрощением диких зверей, кто усматривал силу в крепости черепа, кто в быстроте ног — так были восхваляемы части тела. Но один вспомнил о сердце, оставшемся без похвалы,— задумались люди, чем бы отметить силу сердца? Но один, вновь пришедший, сказал: „Вы говорили о всяких состязаниях, но забыли одно, близкое сердцу человеческому, состязание великодушия. Пусть ваши зубы, кулаки, черепа побудут в покое, но померьтесь в великодушии. Оно ускорит путь сердца к Миру Огненному“». Нужно сознаться, что люди очень задумались, ибо не знали, как проявить великодушие. Так явление любви осталось необсужденным, потому что даже врата к ней не вошли в состязание сил. Истинно, если найдено великодушие, то и любовь зажжет огни сердца.

565. Много раз деление сердца устремляло ум находчивый, но как делить то, что наполнено одним Огнем? Можно зажечь таким Огнем многие лампады, но делить Огонь нельзя. Так одно целое устремление к Иерархии неделимо. Считаю — многие шатания от несознательного понимания единства Иерархии. Настает время, когда все условия жизни начнут гнать людей к пониманию единой Иерархии. Мудро указывалось, что наибольшее разделение даст толчок к единению. Не есть ли настоящее время наибольшего разъединения? Может ли человечество разделяться еще больше? Это заря сложения единения. Ущерб месяца ободряет к принятию нового серпа. Не младенец ли на нем?

566. Особо посмотрим на сражение в Тонком Мире. Несметные полчища сражаются на всех планах. Нужно твердое сердце, чтобы познать силы эти. Но и на Земле могут болеть оплечия от столкновений. Нужно предупреждать людей, насколько они зависят от Тонкого Мира. Часто люди

ищут решения: отчего получается как бы внутреннее сотрясение? Причина его может быть и в явлении Тонкого Мира.

567. Всякое несоответствие и неуравновесие являются признаками хаоса. Когда среди низшей природы замечаются эти признаки, можно надеяться, что при переходе в высшие состояния они могут преобразиться. Но что же сделать с высшими земными творениями — людьми, если они окажутся преисполненными самого хаотического неуравновесия? Между тем в течение многих веков среди различных достижений нужно поражаться росту неуравновешенности. Никто и ничто не заставляет людей думать о ценностях равновесия. Учения всех народов говорят о Золотом Пути, именно меньше всего думают о нем люди. В неуравновешенности, в хаотичности человечество дожило до приближения восстания Огня. Но даже на самой границе опасности люди будут противиться каждому полезному совету о самосохранении. Они будут по-прежнему метаться от самого старого до самого нового, хотя бы и призрачного. Как сказать, что Агни Йога не стара и не нова? Стихия, всегда и везде сущая, не подлежит определению времени. Огонь у порога! Нужно напомнить о встрече его и понять, что лишь Агни, психическая энергия, может быть единственным толмачом при приближении Огня.

568. Можно производить полезные наблюдения над утончением чувствительности к огненным проявлениям. Полезно наблюдать, как чувствует наша ладонь или лоб тепло человеческое на расстоянии. Различна такая чувствительность, и различно теплоиспускание. Можно постепенно, закрыв глаза и уши, ощущать тепло человека на значительном расстоянии. Такое наблюдение есть показательное утверждение человека как средоточия огненной энергии.

569. Бессонница, действительно, может быть следствием недопущения в Тонкий Мир, когда напряжение столкновения слишком сильно. Умение и привычка выделения тонкого тела могут вызвать его немедленно при засыпании. Но нельзя рисковать, когда напряжение чрезмерно; можно и не вернуться. Потому при этой Битве тьмы и Света не нужно попадать в водоворот бездонный.

570. Посылки мысленные обычно содержат какие-то необычные выражения, которые вы иногда с изумлением замечали. Необычное выражение употребляется для лучшего запоминания. Этот метод очень древний. Трудно ухватить обычные слова — они должны не скользить, но вонзаться в сознание. Чем необычнее, собирательнее и опреде-

лительнее, тем сильнее послание запомнится. Не однажды нужно напомнить о прохождении дальней мысли по поверхности сознания. Не следует только винить себя в забывчивости, наоборот, скользящие мысли, посланные из дальних мест, лишь доказывают, что они извне, а не из внутреннего сознания. Также и в школах следует изощрять принятие чужих мыслей. Люди настолько не умеют слушать и понимать читаемое, что особые часы должны быть уделены на проверку слышанного. Как можно ожидать, чтобы огненная энергия была замечена, если не обращено внимания даже на громкое слово? Мы уже не раз поминали о развитии и способности сознательного неслышания и невидения, это совершенно иное, ибо в обычном состоянии мы должны быть очень восприимчивы.

571. Еще пример воздействия мысли. Конечно, при изучении памятников письменности всех времен бросается в глаза как бы повторение одинаковых мыслей. Не только выражения этих мыслей одинаковы, но часто можно найти совершенно схожие особые слова. Между тем можно установить, что писатели не только не знали друг друга, но и не могли читать эти писания. Явление это замечается во всех областях творчества. Люди невежественные могут заподозрить какие-то тайные похищения, но человек, прикоснувшийся к истинному творчеству, знает, что мысль, посланная в пространство, может оплодотворить самые различные приемники. Нужно изучать подобные явления. Они могут фактически указать на возможность воздействия энергии психической, кроме того, те же соображения направят мысль к Иерархии, иначе говоря, к кратчайшему пути.

572. Нельзя не поражаться, насколько люди не желают представить себе явление всепроникающей огненной стихии. Можно обратиться к избитому примеру кислорода в состоянии твердом, жидком, газообразном и даже эфирном. Люди примут такое движение вещества совершенно спокойно, но никогда не перенесут такой поразительный пример на Огненную стихию. Огонь слишком запечатлелся в грубейшей форме, но воображение людей настолько не развито, что не может продлить и утончить грубую форму в Беспредельность. Люди скажут: почему мы не видим Огненных Существ? При этом они скорее попытаются укорить Мир Огненный, нежели подумать об условиях своего сознания.

573. Ложная наука препятствует познанию Мироздания. Мысль не может ограничиться механическим позна-

нием. Даже самые лучшие математические умы допускали поверх формул нечто. Но посредственность не имеет полета мысли и предпочитает приходить глупостью к стене, нежели посмотреть кверху.

Некий учитель спросил школьника: «Где живет глупость?» Тот сказал: «Когда не знаю урока, вы стучите меня по лбу, вероятно, глупость живет там». Нужно понять, почему теперь Мы стучимся не в лоб, но в сердце. Лоб запас много вычислений, но сердце не успело стать лучше. Так нужно выровнять отсталое.

574. Истинно, явление великой жертвы пронесется по Миру. Оно будет запечатлено в сердцах человеческих показаниями явными. Так смотрите пристально на признаки, много их.

575. Когда люди попадают в состояние Прета-Лока, они начинают сожалеть, что не сбросили раньше изношенную ветошь. Огонь Пространства должен сжигать болезненно то, что должно быть растворено светлым Агни. Можно задолго до перехода начать сбрасывать ненужные тягости. Сам, свой, живой Агни будет очистителем от вредных скверн. Умение своевременно обратиться к Агни есть целесообразное действо, подсказанное опытностью сердца. Явление единства жизни может вызывать вопрос: если бы жизнь продолжалась бесконечно, то как же происходило бы познание многих сторон ее? Действительно, если бы тело помешало проникнуть во многие слои пространства, пришлось бы прибегать к самым искусственным мерам, которые в природе своей противны свободной воле. Только непосредственным огненным обращением сердца к Иерархии можно безыскусственно приобщиться к Высшим Сферам. Не нужно даже разделять Иерархию на личные меры, но, как по огненной нити, нужно устремляться туда, где в сиянии тонет и поглощается слово человеческое.

576. Когда Повторяю о Красоте, Хочу приучить к Великой Красоте Огненного Мира. Каждый, кто может любить прекрасное, уже преображает часть жизни Земли. Только подробным духовным познаванием можно уже здесь сжигать ненужные ветоши. Не в особых кострах на площадях совершается такое сжигание, но в улыбке любви каждого дня. Лишь постепенно познаем, как прекрасен Мир Духа. Коротко наше пребывание в разных слоях, но, войдя в Мир Огненный, мы можем пребывать там. И когда мы приходим оттуда, мы везде сохраняем огненную торжественность.

577. Проходящий в гордости не от огненной природы;

проходящий в самоуничижении не от огненной природы, только простота Огню свойственна.

578. Даже в земной жизни люди преображают свою видимость по страстям. Насколько это справедливое качество будет усилено в Тонком Мире? Вы уже видели, как жители Тонкого Мира преображаются: кто просветляется, кто темнеет и даже обезображивается до ужасных степеней. Никто на Земле, за малыми исключениями, не хочет понять, насколько справедлив закон такого самопреображения. Люди не думают, что им следует позаботиться заблаговременно хотя бы о своем облике. Каждая мысль, услащенная притворною улыбкою, расцветает в Тонком Мире по заслугам. Когда же Агни не был призван к действию, тогда уродливая гримаса подлинной сущности почти нестираема. Кроме того, мало кто из искаженных злобою имеет достаточно разума, чтобы своевременно повернуться к Свету. По закону прогрессии он будет катиться в темные бездны, пока не произойдет переворота, часто вызывая даже противодействие от самого потемневшего.

Не от страха перед каким-то наказанием, но от предвидения своей участи люди должны обратиться к очищению. Не по суровости, но по справедливости каждый отмерит себе. Мысль об очищении должна привести к осознанию Огня. Крещение огненное есть завет самый мудрый, но как сойдет оно, когда сердце не смягчилось и пребывает в жестокости? Ужасна маска жестокости, не снять ее и не отмыть лика, как при бронзовой болезни. Жестокость — свирепая болезнь! Даже зверь бросается на жестокое существо. Так Напоминаю о ликах неотмываемых, забывших о сердце, о Мире Огненном, Об Иерархии Света.

579. Не говорите дурно о перешедших в Тонкий Мир. Не следует поминать даже худого человека. Он уже принял свой лик. Но если кто-нибудь будет звать его дурными словами, он может вызвать вредного врага. Очень часто зло растет, и можно получить на себя гиганта зла со всеми его сотрудниками. Лучше и ему, дурному, пожелать скорее освободиться от страшной образины — так будет мудрее.

580. Вот приходится напоминать о том, что должны знать даже дети. Часто они знают и кое-что понимают, но потом, когда дойдут до деления атомов, они бывают засыпаны такими обломками! Только разделять еще они могут, но создать дом нельзя при злобе разрушения.

581. Мать говорила сыну про великого Святого: «Даже щепоть праха из-под следа его уже велика». Случилось, что

6 *

тот Святой проходил селением. Мальчик усмотрел след его и взял щепоть земли этой, зашил ее и стал носить на шее. Когда же он отвечал урок в школе, он всегда держал рукою ладанку земли. При этом мальчик преисполнялся таким воодушевлением, что ответ его был всегда замечателен. Наконец, учитель, выходя из школы, похвалил его и спросил, что он всегда держит в руке? Мальчик ответил: «Землю из-под ног Святого, который прошел нашим селением». Учитель добавил: «Земля Святого служит тебе лучше всякого золота». При этом присутствовал сосед-лавочник и сказал самому себе: «Глуп мальчик, собравший лишь щепоть золотой земли. Дождусь прохождения Святого, соберу всю землю из-под ног его, получу самый выгодный товар». И сел лавочник на пороге, и тщетно ждал Святого. Но Святой никогда не пришел. Корысть несвойственна Огненному Миру.

582. Срам стране, где учителя пребывают в бедности и нищете. Стыд тем, кто знает, что детей их учит бедствующий человек. Не только срам народу, который не заботится об учителях будущего поколения, но знак невежества. Можно ли поручать детей человеку удрученному? Можно ли забыть, какое излучение дает горе? Можно ли не знать, что дух подавленный не вызовет восторга? Можно ли считать учительство ничтожным занятиям? Можно ли ждать от детей просветления духа, если школа будет местом принижения и обиды? Можно ли ощущать построение при скрежете зубовном? Можно ли ждать огней сердца, когда молчит дух? Так Говорю, так Повторяю, что народ, забыв учителя, забыл свое будущее. Не упустим часа, чтобы устремить мысль к радости будущего. Но позаботимся, чтобы учитель был самым ценным лицом среди установлений страны. Приходит время, когда дух должен быть образован и обрадован истинным познанием. Огонь у порога.

583. Нужно смягчить сердце учителей, тогда они пребудут в постоянном познавании. Детское сердце знает, что́ горит и что́ потухло. Не урок заданный, но совместное с учителем устремление дает мир чудесный. Открыть глаза ученика значит вместе с ним полюбить великое творение. Кто не согласен, что для устремления вдаль нужно стоять на твердой почве, стрелок подтвердит. Так научимся заботиться обо всем, что утверждает будущее. Огонь у порога.

584. Прекрасно, что вы почитаете дни Великой Жертвы. Пусть каждое сердце человеческое почерпает силы для подвига из Чаши Спасителя. Не будем, как дикари, враждебные

друг другу. Должно окончиться время распятий и убийств! Слышите ли, нужны исповедники Истины, хотящие крещения огненного. Пусть замолкнет злоба, хотя бы во дни великих страданий, когда была испита Чаша за весь Мир! Можете понять, что едина середина всего Сущего. Не может быть двух средоточий вращения, и безумны те, кто не принимают величия Беспредельности; такою мерою измеряется Жертва Несказуемая. Когда в природе земной поспешала Жертва принятия всех переявлений всего Мира, нет слов на языках человеческих описать причины этого священного геройства. Можно собрать все слова превысшие, но лишь сердце в трепете устремления поймет славную красоту. Не дозволяйте, хотя бы по невежеству, злословить и кощунствовать. Каждый кощунник погружает себя в тьму безумия. Так учите утверждать спасение духа, чтобы ничто темное не коснулось во дни Огненной Чаши.

585. Не случайно во Дни Великие получаете весть о предательстве и лжи. Не безумно ли, что предательствуют те, кто являются как бы стражами понимания высшего? Но закон тьмы неизменен, и уловки лжи не перестанут, пока не смягчится сердце человеческое. Если даже память о Великой Жертве может наполнить лишь ложью и предательством, то Великое Служение недоступно. Отвернемся от тьмы, даже травы умеют тянуться к Свету.

586. Плыть в Лотосе против течения издревле считалось знаком Великого Служения. Восторг достижения позволяет не думать, глубока ли бездна и как доплыть. Радость духа освобождает от земных боязней. Только плывший в Лотосе знает эти бодрость и радость. Так можно не мыслить о камнях подводных, когда дух чует достижение.

587. Так можно в Дни Великие вспомнить всех утруждающихся. Нельзя ни на час пребывать в жестокости, когда даже сейчас еще кровоточит Терновый Венец! Так пребудем в справедливости.

588. Всякое поругание Спасителя, Учителя и Героев повергает в одичание и погружает в хаос. Как разъяснить, что хаос очень близок,— для него не нужно переплывать океан. Так же трудно пояснить, что одичание начинается от самого малого. Когда сокровище торжественности потеряно и жемчуг знания сердца рассыпан, что же остается?! Можно вспомнить, как глумились над Великою Жертвою. Разве весь Мир не ответил на такое одичание? Можно видеть, как отражается оно на измельчании. Хуже всего это измельчание! Говорю — будьте благословенны, энергии, лишь бы не впасть в маразм разложения. Так будем помнить все Великие Дни!

589. Он собрал в себе весь Свет. Он наполнился отречением от самости и земной собственности. Он знал Дворец Духа и Храм Огненный. Нельзя внести земные вещи в Огонь. И Дворец Духа не вмещает казны золота. Так, можно следовать Великому Примеру. Можно иногда сравнивать предметы дня сегодняшнего, но как сопоставить предметы будущего?! Также несравнимы Образы Огненные, недоступные нам сейчас. Потому нужно мыслить про себя в сердце, чтобы посредством Великих Примеров заглянуть в Мир Огненный. Хотя бы на мгновение очутиться в ладье Лотоса против течения всех волн хаоса. Можно попросить, чтобы в час, действительно трудный, можно бы испытать тот же восторг преломленного хаоса.

590. Можно представить себе, как прекрасно может быть сослужение множеств людей, когда сердца их устремляются в одном восхождении. Не скажем — невозможно или отвергнуто. У Силы можно заимствовать и от Света можно просветиться, только бы понять, в чем Свет и Сила. Уже хохочет кто-то, но он хохочет во тьме. Что же может быть ужаснее хохота во тьме! Но Свет будет с тем, кто хочет его.

591. Воскресение и Жизнь Вечная разве не направляют мысли к основе Бытия? Но даже эти непреложные истины устремляют людей к разъединению вместо сотрудничества. Много потоков Благодати проливается на Землю. Явление Благодати происходит гораздо чаще, нежели предполагают, но гораздо реже, нежели можно надеяться, эти священные дары людьми принимаются. Так закон свободной воли своеобразно толкуется земными жителями. Темные силы изо всех сил пытаются не допустить явления Благодати. Своеволие людей способствует различным извращениям. Нужно заметить, как иногда вспыхивают мысли благие и гаснут, как под давлением черной руки. Вам было показано, как даже мощный луч подвергается уловкам темных, потому так Твержу о неслыханном времени. Большая ошибка, если кто продолжает считать это время обычным. Никакие самовнушения и воспоминания не могут помочь кораблю в час бури, только прочная скала Будущего может удержать якорь! Сколько яростных голосов вопят из пространства, чтобы нарушить ход корабля! Потому так устремляется черный орел, но от Зари — Светлый и струи Благодати!

592. Зло может быть искореняемо лишь добром. Такая

истина проста и тем не менее остается непонятой. У людей добро обычно не действенно и потому остается в бездействии. Они не могут вообразить, как добро может вытеснить зло, тем пресекая его существование. Добро есть самое действенное, бодрое, неисчерпаемое, непобедимое начало, но при всей деятельности добро лишено жестокости. В этом одно из самых значительных отличий от зла, также и в отсутствии самости и самомнения. Но если бы даже религия и представители ее проявили жестокость, то это будет не религия как связь с Высшим Благом! Как же можно представить себе служителя религии жестоким? Он станет в жестокости врагом добра! Кроме того, он проявит свое невежество даже в Завете религии. Не может добро завещать жестокость! Но, утверждая священное Учение деятельности добра, нужно помыслить, как в сиянии добра использовать все время свое, и сказанное сияние не будет только символом, но явится огнем сердца. Если мы хотим идти далее, мы должны приложить действенную доброту. Мы должны понять, что место ямы мы можем заполнить истинным храмом. Мы должны шаг за шагом заполнить пропасть светлыми твердынями. Мы должны поверх личного настроения слагать камни добра. Пусть малая планета сгорит, но много домов у Отца! Каждое действие добра есть вечное достижение. Когда шлаки зла давно уже разложатся, места добра процветать будут.

593. И еще помолимся, чтобы открылся глаз наш на добро. Многие засоренные глаза не вполне различают добро. Они вследствие болезни своей различают лишь грубые формы. Нужно проявить чрезвычайное напряжение, чтобы не растоптать росток блага. Впрочем, сердце, изгнавшее жестокость, поймет все зерна добра и кончит великодушием и любовью.

594. Нужно понять и покрыть добром. Многое, творимое по беспамятности, не зло, но отсутствие памяти часто делает людей преступниками. Конечно, и неотвергнутая самость помогает беспамятью о других. Но огненное сознание не забудет цели жизни, когда она во благо Мира. Часто люди не умеют мыслить о благе Мира, считая себя ничтожными, и это неправильно, ибо дух, зерно огненное, происходит от Единого Огня и направляется к Вечному Свету. Не имеет значения, где горит светильник, указавший путь заблудшему!

595. Даже травы и деревья влияют друг на друга. Каждый садовник знает эти взаимодействия, знает, где друзья

и где враги. Но насколько же эти взаимодействия должны быть сильнее в мире животном и, конечно, среди людей! Среди обычной беседы или трапезы опытный глаз хозяйки уловит такие взаимопривлечения и отталкивания. Огненное сердце почувствует подобные взаимодействия гораздо отчетливее, но следует замечать такие явления. Недостаточно почуять их, надо перенести в сознание, чтобы использовать следствия во благо. Умение переносить чувства в сознание приобретается опытом. Для сознательного опыта следует предпослать мысль в этом направлении. Многое запечатлевается в сознании от простого мышления. Нужно и Природу считать как великого руководителя. Разве пурпур распускающихся почек не напоминает о пурпуре заградительной сети ауры? Так в цвете и в звуке можно находить великие аналогии Основ Жизни.

596. Обратите внимание на кажущееся незнание, когда человек пытается вследствие предрассудка скрыть давно известное его сердцу. Получается извечная борьба, которая может отразиться на физическом теле. Невозможно безнаказанно отрицать то, что существо наше знает по всему прошлому опыту. Сколько глаз, наполненных му́кою, можно встретить на пути? Не мала му́ка ссылать сознание во тьму. Не мала удрученность, когда энергия Огня употреблена против самой себя. Но часто мы среди близких видим, как скрывается древнее познание под слоем мертвой шелухи боязни. Следует таких больных духом пожалеть.

597. Итак, главное недоразумение остается в том, что люди готовятся к смерти вместо того, чтобы воспитывать себя к жизни. Они достаточно слышали о том, что само понятие смерти попрано. Люди достаточно слышали о необходимости смены семи оболочек. Достаточно дано понять, что смены эти происходят при ближайшей работе Огня. Значит, нужно помочь огненным трансмутациям, если они неизбежны. Зачем тратить века и тысячелетия на то, что может быть совершено несравненно скорее?! Нужно подготовить наше сознание к огнеприемлемости наших концентрированных тел. Если что подлежит воздействию огненному, пусть это благо совершается в кратчайший срок. Мысль о подобной трансмутации уже может значительно помочь нашему организму воспринять этот процесс в сознание. Уже знаете, что принятие в сознание является и усвоением телесным. Уже пора привыкать к размерам Огненного Мира от наших понятий вообще. Мы поражаемся различием между идиотом и гением, но обычно не хватает воображе-

ния продолжить эту меру в Беспредельность. Также не воспитано воображение, чтобы представить близость Мира Огненного, скрытого лишь телом. Не часто видят люди Высшие Сферы Тонкого Мира, но те, которые удостаиваются видеть сверкание гор и морей Тонкого Мира и великолепие цветов его, могут представить, как очищенно будет Царство Огненное! Также можно представить вездесущих Мира Огненного, если даже среди плотного существования можно выделить тонкое тело в разных местах одновременно. Так будем привыкать к Миру Огненному, как к единственному назначению людей.

598. Указанные факты одновременного появления тонкого тела должны разрушить предубеждение невежд, что Высшие Существа не могут появиться в разных частях света. Но если даже плотное состояние может знать делимость духа, то огненное состояние прежде всего не будет ограничено одномерностью, и временем, и пространством. Когда удастся логически и разумно представить себе первичные качества Огненного Мира, то немедленно можно начать усваивать его реальность. Какое счастье, когда Беспредельность перестает быть пустотою!

599. Бессонница опять была удержанием от чрезмерной битвы в Тонком Мире. Сонливость нередко есть признак выделения тонкого тела, но Руководитель должен следить, чтобы не подвергнуть излишней опасности.

600. Мир Огненный представляется земному сознанию как нечто, противоположное всем житейским понятиям. Представьте себе человека, проведшего во сне все восходы солнца, он знает лишь заход и все вечерние тени. Но однажды он на заре разбужен землетрясением, он выбегает из дома и поражается обратным, никогда не виданным освещением. Человек не может принять в сознание даже такое обычное явление, как же он уложит в понимание тончайшие огненные проявления? Из тончайших эфирных энергий люди освоились лишь с наиболее грубыми, но прекрасные огненные знаки отброшены в область суеверия. Ужасно наблюдать, когда именно невежество толкует о суеверии. Нельзя представить себе, насколько уродливо такое покрытие знания темными уловками! Химия, даже основная физика дают представление о высшей светоносности. Но и такие примеры не возвышают мысль. Люди хотят пребывать во зле, иначе говоря, в невежестве. Нужно твердо запомнить, что каждое упоминание о Свете Едином будет источником неприятельских нападений.

601. Также не забудем, что тело огненное не только не страшится ударов, но они лишь усугубляют основную мощь. Не умаление Огненного Мира в том, что удары укрепляют энергию. Можно простыми физическими опытами указать тот же принцип. Так научимся являть почитание Огненному Миру от простейшего до Наивысшего.

602. «Ахамкара» — уже высокое состояние огненного зерна, когда оно может самоутверждаться без самости. Так врата огненные открываются, когда не только сгорает самость, но и создается достойное утверждение самого себя. Истинно, может дух нести тогда свое единое достояние к подножию Света. Но на этом долгом пути куда же деваются враги, которые столько мучили друг друга своими несоответствиями? Когда тьма завладеет своим имуществом, остальные, которые могут восходить, распределяются по лучам. Так исчезают несоответствия и чувство вражды само исчезает. Как созвучные волны света, собираются духи и подымаются к вместилищу. Так решается самый непонятный для людей вопрос о взаимопрохождении световых зерен в Высшему Миру. Вражда, так неразрешимая в плотном мире, сама растворяется среди эфирных очищеных лучей. Не только в Высших Сферах, но уже в средних слоях Тонкого Мира чувство вражды поникает за ненадобностью. Нужно понять эти законы лучевых распределений. Одно осознание их уже ослабит даже здесь злобу вражды. Также не забудем, что вражда выводит организм из равновесия, отдавая его разным заболеваниям и одержаниям. Потому Советую обратить внимание на вражду с точки зрения профилактики. К чему болеть, заражать других и бесноваться, когда одно усилие духа охранит неприкосновенность организма.

603. Можно удивляться, как недавно еще идея передачи картин на расстояние представлялась несбыточной, но теперь изображения уже передаются на дальние расстояния. Уже гремит слово по многим сферам даже дальше, чем думают; так же точно и Миры Огненные не имеют препятствий в передаче и сообщениях. Не следует поражаться такими огненными качествами, когда уже даже плотный мир овладел грубыми формами тех же возможностей и столько достижений стучится в сердце человеческое!

604. Язык человеческий может ли говорить о том, что не пользуется земными выражениями? Но тем не менее люди должны мыслить о Мире Огненном. Они должны представить себе его самым жизненным, самым руководящим, иначе в смутных мечтаниях они не смогут приблизиться к нему как к сужденному. Почитание Единого Света так же естественно, как и представление об Едином Отце. Люди одинаковы в зерне огненном, но лишь плотный атавизм ставит их на разных расстояниях от Истины. Но Высшие Огни стоят превыше всех делений. Прочтите о самых различных видениях Огненных Существ в странах всего Мира и найдете в них те же признаки и следствия. Поистине, перед Высшим Миром пропадают все различия народов. Люди одинаково чуют дуновение Высшего Мира. Они одинаково трепещут сердцем и телом. Они понимают Глас Светлого Посла. Они с трудом возвращаются к обычному земному состоянию. Они никогда не забывают такое явление и восторг духа от прикосновения к Высшему Существу. Не нужно позабыть, что самые различные народы видели Высшие Существа в одинаковом Облике. Разве это не знак Единства Света и Иерархии Блага? Так нужно и сердцем, и разумом принимать Мир Огненный. Нужно почуять, что оттуда исходят явления всех вдохновений. Честные творцы и работники могут свидетельствовать, что извне приходит лучшее решение. Как мощное динамо излучает Мир Огненный ливень самых лучших формул. Нужно не только пользоваться ими, но и свидетельствовать о них всеми лучшими словами. Так можно соединиться Огнями Сердца со Светом Высшим. Это не будет самомнением, ибо Свет не знает преград.

605. Ничто не упасет, как преданность. Можно простить многое там, где несломимая преданность. Можно опереться на преданного человека в сердце. Нужно порадоваться, если Иерархия держится преданностью, сейчас она нужна тем более. Если смущение дня вчерашнего казалось огромным, то что же сказать о дне завтрашнем. Уже Приготовил вас к росту Армагеддона, и знаете, что черные крылья тьмы не устоят перед мечом огненным. Не удивляйтесь — растет Битва!

606. Действительно, нужно освобождаться от самости, чтобы претворить и утвердить светлое «Я». Можно понести преображенное «Я» к престолу Света, не опасаясь опаления. Что же подлежит опалению, как не самость со всеми придатками? Самость, как опухоль рака, зарождается от отсутствия Агни. Не забудем, что самость привлекает и напитывает себя плотскими вожделениями и зарождает зло. На приманку самости слетаются воздействия семьи, рода, нации. Самые отложения физического и Тонкого Мира пытаются окружить самость; такой мохнатый клубок не приго-

ден Огненному Миру. Но закаленное и сознательное, огненное «Я» придет в Огненный Мир, как желанный гость. Так будем отличать все, что прилично Миру Высшему. Не будем считать это влечение к Высшему Миру подвигом. Пусть будет такое хождение лишь светлою обязанностью. Назначение сужденное неприлично понимать как подвиг исключительный. Пусть привыкают люди к трансмутации сердца, как к пути явленному и давно известному.

607. Также будем радоваться такому пути. Мысль о преображении сердца пусть будет источником радости. Многие печали и воздыхания от самости. Много ужасов от самости. Много преткновений от самости. Необходимо перестать думать об ограничениях. Когда дано зерно огненное, нужно радоваться, что такая жемчужина носима нами по доверию самой Иерархии.

608. Не смущайтесь видом демонов. Жалость к ним острее Меча Огненного. Можно отклонить самое дерзкое нападение жалостью. Не может зверь вынести взор жалости, но нападает, когда чует трепет страха. Истинно, страх есть зло. Но ничтожно зло в природе своей, ибо оно есть невежество. Уже нередко могли убедиться, что выдумки зла невежественны. Так запаситесь сундуком жалости.

609. Которое из злодеяний наиболее разрушительно для монады злодея? Конечно, предательство. При таком преступлении наиболее резко переменяется уже сложенный ток и получается ужасный обратный удар. Не может долго жить предатель в плотном мире. Но когда он перейдет в Мир Тонкий, то при отсутствии живоносной энергии он вовлекается в хаос и подвергается разложению. Предательство не бывает неожиданным, оно всегда предумышленно и тем утяжеляется вследствие своей судьбы. Нужно понять, что возвращение в хаос прежде всего невыразимо болезненно. Кроме того, ощущение первичного зерна остается, и сама безнадежность скорого преображения нуждается в несказуемом мужестве. Но предатель лишен мужества, он прежде всего обуян самомнением. Так будем предупреждать людей, что даже с материальной стороны предательство недопустимо. Предатель не только осуждает себя, но он заражает кругом широкие слои, внося огненные бури. Не следует думать, что человеческое противоестественное действие не будет отражаться на окружающем. Прежде всего оно может влиять на малых детей до семи лет, когда дух еще не овладел всем организмом. Огненные бури особенно опасны в это время, они накладывают на сердечную деятельность особую нерв-

ность у тех, у которых и без того наложено бремя тяжкого атавизма. Так предатель не только предает личность, он одновременно покушается на целый род и, может быть, на благо целой страны. Пусть каждый, помысливший о Мире Огненном, убережется от предательства, хотя бы и в мыслях. Нет предательства малого, оно велико во зле и против Мироздания. Такое зло есть уже преграда к совершенствованию.

610. Поучительно наблюдать с научной точки зрения содержание атмосферы, окружающий сущность Тонкого или Огненного Мира, когда она конденсирована для появления среди плотного мира. Можно припомнить дуновения, предшествующие явлению, но можно различать, как в одном случае ощущается как бы горная прохлада, и явление может приносить даже благоухание. Но в ином случае можно чувствовать пронзительный холод и неприятный запах — так различаются слои миров. Но можно бы отличить и разные химические составы сгущенной атмосферы. Разве это не будет явлением Высших реальностей? Так можно и духовно, и физически постигать величие Незримых Миров. Нужно не только привыкать к этому прекрасному сознанию, но и строить свои поступки соизмеримо с величием Мироздания.

611. Можно ждать очень больших явлений в жизни планеты. Необычно время, когда космически сливаются в чашу Архангела события!

612. Если Высокие Существа будут свидетельствовать, что они не предстояли Высшему Началу Начал, то не следует понимать это как какое-то отрицание. Наоборот, свидетельство сокровенной Беспредельности Высшего Мира доказывает необъятность понятия Высшего Света. Прав, кто знает путь к Свету, но будет невежеством самомнеть, что наш мозг может судить о самом Высшем. Нужно научиться понять единство пути восхождения. Можно в сверкании микрокосма угадывать сопоставление с Беспредельностью. Можно научиться ценить каждую каплю росы, отражающую мириады миров. Можно путем опыта отрешиться от всякого отрицания. Можно принять с восхищением явление Иерархии; указанное сознание может повести взор духа к нити жемчужной, уходящей в Беспредельность. Можно понять почитание соответствия и соизмеримости. Можно поднять дух к Свету и перелететь через груды тьмы. Разве не летаете во снах и разве полеты эти не свойственны уже с детских лет? Дух помнит эти качества иных миров. Никакая земная преграда не лишит сердце человеческое понятия полета, но то же сердце научит почитанию Начала Начал.

613. Мысль творит, протяжение мысли в пространстве неизмеримо. Так многие опыты могут лишь отчасти расширить понимание мощи мысли. Мы изумляемся несказуемому качеству ясновидения будущего, но редко поймем, что Огонь мысли зажигает и складывает облик будущего. Мысли разновременные, мысли различные строят Тонкие Миры, которые ясновидению доступны. Среди многих причин эволюции мыслетворчество имеет основное значение. Потому так Твержу о качестве мысли.

614. В Тонком Мире много говорят о происходящем на Земле, но многое не могут понять. Следует, как и на Земле, относиться к таким непониманиям сострадательно. Именно как на Земле, так и на Небе нужно не затруднять положение раздражением. Нужно идти за Владыкою в полном доверии, как и Владыка следует за своим Владыкою. Можно полюбить этот путь преданности. Можно прикрепиться к нему всем сердцем, так, чтобы иное решение стало невозможным. Именно такою преданностью строятся Миры. Можно прочесть самые прекрасные примеры преданности, и это будет повесть о Героях. Нужно побыть Героями. Можно полюбить эту Огненную Сферу.

615. Особое недоразумение возбуждает условие времени между различными Мирами. Действительно, можно видеть очень отдаленное будущее, но земной срок совершенно иначе преломляется там, где времени нет. Кроме того, наши условные дни и ночи уявляются иначе даже на проявленных других планетах. Но Мир Тонкий, и тем более Огненный, совершенно лишены этих условий. Значит, там могут служить знаки астрологические, но и они определяются иными методами, ибо химизм Светил будет преломлен иначе, когда Агни торжествует. Но нам трудно отсюда представить условия Миров Высших. Конечно, Астральный Свет утверждается по слоям атмосферы, некоторые слои Тонкого Мира пребывают в сумерках, ибо свет их жителей слабый. Не многие поймут, как сами жители могут быть светильниками. Но именно очищенный Агни служит светильником для всех. Так мысль светоносной Материи служит как бы маяком для достижения. Многие спросят себя: «Засвечусь ли?» Опять не забудем, что самость, как темный булыжник на сердце, но чистое Я, как сияющий Адамант!

616. Мыслетворчество не может быть определенно различаемо на земном плане, в этом различие с Миром Огненным. Существа Высшие немедленно усматривают следствия своих мыслей, но здесь мы можем знать их направление, но конечное следствие обнаруживается лишь через известный промежуток времени. Так можно составить постепенно понятие о разнице проявлений разных миров. Так же постепенно можно приблизиться к сознанию огненному, стирая преграды миров. Можно представить такое состояние, когда смерть будет попрана и переход Бытия станет обычным достижением. Невозможно явить понимание, как произошло такое разделение миров, которое не нужно для эволюции, разве что люди составили самомнительное представление о Земле. Можно находить, что в глубокой древности было больше понимания о шарообразности планеты, нежели после ледникового периода. Правда, многие древние предания смешаны, и продолжительность жизни Земли лишь теперь начинает справедливо расширяться. Поразительно, что, казалось бы, развитые люди толкуют о Величии Божьем и в то же время пытаются унижать Его творения. Если бы ученые двести лет тому назад дерзнули заикнуться о древности планеты или об обитаемости миров, пожалуй, снова прибегнули бы к испытанному средству костра. И теперь можно явить уверенность, что самое умеренное суждение, хотя бы на основе опыта, будет названо мошенничеством. Так считают люди, что судьба планеты есть альфа и омега всего Мироздания. Нужно много увещевать, чтобы напомнить, что даже во всех обнародованных Заветах предуказана Эра Огня.

617. Почти невозможно проявить спешность огненного нашествия, много знаков к тому, но люди не думают зимою о лете. Никто не понимает, что ожесточение народов не может быть разрешено средствами прошлого века. Учение самых тонких физических процессов всюду предусматривает нечто, не поддающееся определению. Нужно принять подобное нечто и в процессах народных построений. Нужно изучать настолько народоведение, чтобы признать неблагополучие жизни планеты. Миропонимание, обнимающее Мир Невидимый, изменит психологию людей, но до этого далеко! Даже в кругах изучения психических явлений следствия опытов не переносятся в жизнь. Люди остаются теми же как до опытов, так и после. Но ничто не должно препятствовать делиться знанием и способствовать расширению сознания — в этом будет любовь к ближнему.

618. Везде указано, что страдание является лучшим очистителем и сокращением пути. Несомненно, это так в существующих условиях Земли. Но могло ли происходить

Творение с непременным условием страдания? Нет, конечно, творчество великое не будет предусматривать необходимость страдания. Люди сами с ужасающим старанием ввели себя в круг страдания. Целые тысячи лет люди стараются обратиться в двуногих. Они пытаются злостью угнетать атмосферу Земли. Поистине, каждый врач подтвердит, что без зла не будет и страдания. Умение избавиться от страдания назовем стремлением к добру. Действительно, добро, прошедшее через горнило Огня, делает нечувствительным страдание. Так преображение огненное, даже и на Земле, возносит превыше страдания. Не следует избегать страдания, ибо земной подвиг без страдания не бывает. Но каждый готовый к подвигу пусть засветит огни сердца. Они будут и показателем пути, и щитом нерукотворным. Кто-то спросил: «Как увидит Владыка идущих к нему»? И отвечено: «По Огням сердца». Если мы здесь поражаемся силе Огня, нас окружающего и даже напитывающего одежды наши, то как же по Иерархии сияют Огни сердца!

619. Напрасно думают, что газы ядовитые убивают лишь всю земную жизнь; смертоносное дыхание газов гораздо опаснее, ибо оно поражает слои атмосферы, иначе говоря, препятствует химизму Светил. Не только вредны газы для жизни, но они могут выводить из равновесия планету. Конечно, если даже газ аргала очень губителен для интеллекта, то что же сказать о всех фабричных отбросах и, конечно, о газах военных? Последнее изобретение есть венец человеконенавистничества. Не может рождаться здоровое поколение, если в основе жизни положено зло.

620. Также величайшим позором будет, что человечество до сих пор занимается колдовством. Именно самым черным колдовством, направленным на зло. Такое сознательное сотрудничество с темными силами не менее ужасно, нежели газы. Невероятно помыслить, что люди, причисляющие себя к религии добра, занимаются самым вредным колдовством. Не стал бы говорить о черной опасности, если бы она не достигала сейчас ужасающих размеров. Самые невозможные ритуалы возобновлены, чтобы вредить людям. Толпы по невежеству вовлечены в массовую магию. Невозможно допустить такое разложение планеты! Нельзя, чтобы уничтожение всего эволюционного удавалось темным силам. Колдовство недопустимо как противоестественное нагнетение пространства. Твердите везде об опасности колдовства.

621. Справедливо можно желать знать, как совершаются переходы из разных сфер. Не трудно понять, что очищенный

Агни является решающим условием. Если будем постепенно наполнять шар огненосным газом, он начнет соответственно подыматься. Если шар не удержит газ, он опустится. Вот грубый пример перехода в различные сферы Тонкого Мира. Сущность тонкая может самосильно подняться, если ее огненное зерно будет наполнено соответственно. Огонь-трансмутатор помогает усваивать новые высшие условия. Агни способствует пониманию языков каждой сферы, ибо взаимоотношение существ утончается при восхождении. Конечно, высокое Руководительство не покидает стремящихся, но для усвоения Руководительства нужна преданность; так существо может подвигаться по лестнице. Никакой иной символ не может определить ближе восхождение духа. Если существо задерживается на ступени, можно видеть причину на ауре. Сколько путников неожиданно для себя оказываются на несколько ступеней ниже! Обычно причиной сползания будет какое-то земное воспоминание, породившее явление вожделения. Но Руководитель считает запас терпения необходимым для защиты пошатнувшихся; только не следует слишком часто черпать эту ценную энергию. Существо, самонаходящее причину, тем скорее поднимается. Действительно, подъем сопровождается радостью новых сожителей; наконец, земная ехидна зависти отпадает, и мыслетворчество не затрудняется токами злобы. Но к подвижности сознания нужно теперь же готовиться. Мертвенное сознание препятствует устремлению Агни. Так представим себе совершенно ясно лестницу восхождения.

622. Нельзя ни в чем насиловать волю людей. Учение Света претворяется в жизни, когда дух совершенно добровольно познает необходимость восхождения. Потому не утруждайте никого наставлениями. Люди усовершенствуются и придут сами. Можно из истории человечества видеть, как дух людей находит путь к Свету. Светильник духа находит путь по своим особенностям. Многие не примут все предложенное, чтобы самому изыскивать тайный подход к Истине. Нужно с полною заботливостью отнестись к таким самоходам; не все любят хоровое начало. Наблюдательность подскажет, какая мера уместна. Но нужно спокойно принимать людские особенности. Даже песчинки отличаются друг от друга. Но кому же уважать индивидуальность, как не служителям Света! Так не надо утверждать ничего насильно. Сказано: кто сегодня не ищет Света, не значит, что не восплачет о нем завтра.

623. Хвалю, что вы не удивляетесь сведению, что картечь

не поразила загипнотизированную женщину. Лишь одно еще доказательство, что психическая энергия властвует над физическими законами. Нужно наблюдать множество примеров во всей жизни. Кроме случаев участия постороннего приказа, часто мы пользуемся своею психическою энергией и посредством ее отводим самые сильные вражеские стрелы. Нужно помнить, что крепче панциря есть связь с Иерархией. Чем же многие воины и вожди избегали прямых опасностей? Именно связью с Высшими. Уявление такой связи требует постоянного держания Образа Владыки в сердце. Можно пройти самые непроходимые пропасти, если связь с Владыкою крепка. Но если она временная, то и оборона может прерываться. Так, нужно наблюдать случаи из жизни. Они дают столько замечательных примеров мощи психической энергии и присутствия Сил Светлых.

624. Даже среди современных форм можно найти много зверообразных людей; подобные ужасы обычно приписывают испугу или потрясению матери. Но среди многих причин часто упускают из виду главную. Можно представить себе, что в Тонком Мире некоторые особи подвержены припадкам вожделений. При таком потемнении они опускаются до животного мира. При этом Агни настолько поникает, что животные принципы овладевают павшими. Конечно, со временем они снова могут подниматься, но животное прикасание настолько мощно, что может претвориться в животные формы при воплощении. Иногда наследственность помогает такому рождению зверообразному, ибо низкие духи предпочитают себе соответственные облики. Но иногда не наследственность, не атавизм, но плачевное ныряние в животный мир наносит печать безумия. Опять поучительно, как понижение Агни разрешает доступ животным достояниям.

Спасительный Агни ведет в Миры Прекрасные, но следует заботиться о нем, не забывать его существование. Многие духи хотят и не спускаются до животного состояния, но постыдно толкутся на месте и даже боятся Агни. Посреди земных странствований эти робкие боялись всего Сущего, и Огонь для них был самым страшным понятием. Они забыли о Свете, который мог приблизить их к Прекрасному Миру, но страх — плохой советник.

625. Насыщенный раствор порождает кристалл. Так проходят перед нами различные состояния. Так же насыщение мысли производит действие. Из мысли рождается физическое следствие. Так же и насыщение кармы производит, наконец, физические последствия. Многие робкие пытаются отсрочить кармическое следствие, но мудро огненный дух будет всеми мерами приближать. Он понимает, что концы оборванной ткани лишь мешают всходить. Уродливое смятение не должно смущать спешащего. Он знает в сердце своем, что все неминуемое должно случиться, и он только радуется, что все может быть пройдено,— сила Агни в нем!

626. Отдавание есть основной принцип огненной божественности духа. Сходство с огнем поразительно на всех стадиях развития. От самых грубых форм жизни до высших проходит отдавание. Нельзя противиться, если дикарь, не зная ценности духовного отдавания, будет отдавать Божеству свои обиходные ценности. Такими окольными путями человечество постигает высшее отдавание. Уже на высоких степенях Существа принимают отдавание как радостную обязанность. Нужно стремиться к этой степени огненности, тогда мы вступаем в равновесие с Огненным Принципом и отдавание становится получением. Уже без всякой самости существо принимает высшие дары. В таком ускоряемом обмене совершается приток энергии. Такое постоянное возрождение обновляет сознание и спасет от перерывов сознания при переходе в Тонкий Мир. Так можно помнить об обмене веществ, как низших, так и высших. Непрерывный обмен стирает границы низшего с высшим, иначе говоря, повышает общий уровень. Такая работа будет на пользу ближних, ибо будет вовлекать их в орбиту устремления сознания. Явите понимание обмена веществ.

627. Иногда вы слышите как бы вопли и гул голосов. Конечно, это отзвук слоев Тонкого Мира. Он доходит до нас или по нашим внутренним приемникам, или вследствие напряжения токов. У нас восприятия Тонкого Мира трансмутируются в голоса как бы физические, но вы знаете, что в самом Тонком Мире нет наших физических звуков; так трансмутируются энергии по разным слоям. Около Земли звучание вибраций толсто, но при утончении оно как некоторый вид электричества становится невидимым для земного глаза, так и тонкая вибрация неслышима при высшем напряжении. Можно наблюдать поучительное изменение в разных мирах, но принцип огненных явлений остается везде неприкосновенным.

628. Утеря религии пошатнула поступательное значение. Без Бога нет пути. Можно называть Его, как хотите, но Высший Иерархический Принцип должен быть соблюдаем,

иначе не к чему прикрепиться. Так нужно понимать, как устремление воли кверху окружает планету как бы защитною сетью.

629. В примитивных верованиях почитание Божества основывалось на страхе. Но страх вызывает ужас и неминуемое негодование. Природа человеческая в сущности своей хранит сознание, что Великое Начало Начал не имеет ничего общего с ужасом. Тот может произносить на своем языке слово Бог, кто может чувствовать к Нему любовь. Только этим вездесущим понятием можно выразить достойное почитание. Ничто на Земле не зажжет огонь сердца, как любовь. Никакая явленная слава не сравнима с любовью. Люди не стыдятся выражать гнев и раздражение в самых постыдных формах, но священное понятие любви сопровождают смущением и даже насмешками. Человек, дерзнувший выказать любовную преданность, уже оказывается чем-то недостоверным; в этом смущении основных понятий заключается смута мира. Не может сердце человеческое процветать без стремления к Началу Начал, не выразимому словами, но ведомому огнем сердца. Так среди нарушенных Основ Мира засветим огни сердца и любви к Самому Высшему. Поймем, что даже наука в своей относительности не закрывает путь к Беспредельности. Среди величия Миров разве можно пребывать в злобе, в убийстве, в предательстве? Только тьма может приютить все позорные преступления! Никакой закон не оправдает злую волю. Страшна злая воля, ибо она уходит во тьму. Но что же среди земных средств может противостать тьме? Именно огонь любви.

630. Спросят: чем можем сейчас служить на Земле с наибольшею пользою? Нужно оздоравливать Землю. Нужно в целом ряде мероприятий провести мировую задачу оздоровления. Нужно вспомнить, что люди беспощадно истребляют запасы земные. Они готовы отравить землю и воздух; они уничтожили леса, эти приемники Праны; они уменьшили количество животных, забыв, что животная энергия питает землю. Они подумали, что неиспытанные химические составы могут заменить Прану и земные эманации. Они расходуют недра, забывая, что равновесие должно быть соблюдено. Они не думают о причине катастрофы Атлантиды. Они не думают, что химические составы должны быть проверены в течение века, ибо поколение еще не покажет эволюцию или инволюцию. Люди хотят вычислять расы и подрасы, но самое простое явление вычисления разгрома планеты не входит в расчет. Думают — как-то по милосердию разъяснится погода и обогатится народ! Но вопрос оздоровления не входит в расчет. Так возлюбим все творения!

631. Упадок земного сада опасен. Никто не думает о значении здоровья планеты. Мысль об этом, хотя бы мысль, даст уже пространственный импульс. Можно возлюбить Начало Начал и все создания величия мысли.

632. В приобретении качеств нельзя придерживаться одной системы и последовательности. Кто сердечно почувствует влечение к восполнению терпения, пусть и выполняет эту задачу. Кто устремляется к развитию мужества, пусть наслаивает этот опыт. Нельзя запретить желающему думать о сострадании или самовыражаться в сотрудничестве. Хуже всего условные, насильственные методы, когда ученика заставляют устремляться к наиболее дальнему качеству, которое сейчас не будет воспринято. При всей дисциплине греческих философских школ запрещалось насиловать волю ученика. Например, явление всяких поносительных слов запрещалось, но как обоюдное соглашение, без насилия, иначе человек может мысленно посылать еще горшую брань. Нужно определенно указать начинающим о необходимости восполнения качеств, но в последовательности влечения. Огни сердца зажигают центры по индивидуальности, так нужно ценить эти огненные вехи. Нужно понять, почему мы так настаиваем на естественном преображении жизни. Иначе последствие уклонения от существа устремления даст нарушение всех основ.

633. Древние союзы скреплялись прыганием через огонь. Для клятвы держали руку над огнем. Для освещения проходили через огонь. Подобное свидетельство огнем прошло по всем векам. Нужно принять это как основание огненной стихии очищения. Нужно и в мыслях иметь привычку как бы пропускать мысль через огонь сердца. Нужно принять этот совет к действию. Можно ощутить при этом благодатный момент, как бы вызывающий теплоту сердца. Ощущение в сердце или тепла, или тяжести, или трепета будет подтверждением участия сердечной энергии. Не следует смотреть на эти указания как на нечто, лишь предварительное к Огненному Миру. Напряжение многих сказанных качеств уже будет нужно для самого Огненного Мира.

634. Самообладание есть очень сложное качество. Оно состоит из мужества, терпения и сострадания. Но мужество не должно переходить в гнев, сострадание не должно граничить с истерией, и терпение не должно быть ипокритством. Так сложно самообладание, но оно неизбежно нужно при вступлении в Миры Высшие. Следует очень заботливо развивать это синтетическое качество. В школах следует ставить ученика перед лицом самых неожиданных обстоятельств. Преподаватель должен следить, насколько сознательно принимаются впечатления. Это не будет суровая спартанская школа физической выносливости и находчивости, но это будет почерпанием из сердечной энергии, чтобы понять вещи с достоинством. Не многие сохраняют память о самообладании: как только они выходят за пределы обихода, они начинают производить ряд странных движений, произносить ненужные слова и вообще являют ложный вид духа и тела. Можно представить, насколько такие люди потеряют достоинство при переходе через великие границы. Нужно помнить, что, приближаясь к Свету, нужно и свою лампаду нести нерасплесканной. Такое путеводное совершенство нужно приобрести в телесном состоянии. Потому опытные люди просят об испытаниях, иначе на чем утвердить силу нашу? Пусть каждое земное действо имеет в виду путь высший. Пусть каждая мысль может быть повторена перед Огненным Миром.

635. Еще одно трудное достижение — нелегко приобрести уважение к земному творчеству и явить освобождение от чувства собственности. Тот, кто почувствует величие Беспредельности, конечно, поймет всю несоизмеримость призрачной собственности на таком переходном месте, как Земля. Тот, кто поймет величие созидания мыслью, тот оценит Превышнего в любом земном творчестве. Так почувствуем один великий путь и отдадим плоды труда нашего идущим за нами. Так сохраним ценность труда не для себя, но для следующих, которые продолжат эту связь совершенствования. Следует также здесь, на Земле утвердить в сердце своем точку зрения на собственность, иначе мы унесем в Тонкий Мир самое тяжкое чувство о земной собственности. Пусть люди соединяют понятие внутреннего совершенствования с принятием красоты земных вещей. Красота для многих, разве это не спасительный огонь для путников? Так, усовершенствование своего «Я» для других будет достойным решением.

636. Очень сложное время, ненависть между людьми приняла необычные размеры. Нельзя помнить о вражде старых родов, это была детская игра сравнительно со

злобою теперешней. Так будем проявлять то самообладание, о котором Говорил.

637. Вступивший в поток разбирает, где прочные камни, он понимает, кому и когда можно доверить Учение. Птица Жизни — Светлый Лебедь — являет тоже чувствознание, где граница полезного. Определение этой границы не подлежит человеческому слову, ее можно непреложно чувствовать, но отмерить физическими мерами нельзя. Так создается большое испытание для всякого предательства. Также большое испытание по вмещению бездомия. Много насмешек, может быть, над великим чувством бездомия. Земному уму непременно нужно понятие дома. Если кто дерзнет промолвить о Доме Света, он будет сочтен безумцем, потому смена домов земных есть полезное расширение понятия. Тоже велико испытание, чтобы вместить слышание каждой вашей мысли. Жалкое понятие земной тайны увлекло людей во многие заблуждения. Чувство гордости и самости возмущается против отсутствия тайны, но сотрудники Иерархии Света уже понимают эту ступень сотрудничества — готов я, говорит он и спешит открыть сердце. Успешное преодоление всех испытаний лежит в сердце нашем и состоит в любви к Владыке. Когда мы преисполнены любовью, разве существуют препятствия? Сама земная любовь уже творит чудеса. Разве огненная любовь к Иерархии не умножит силы? Эти силы помогут преобразить бездомие в прекрасный Дом, великий и безграничный! Нельзя думать о прекрасных пространствах среди тумана благополучия. Говорят, что голод мешает на пути к Богу, но также добавим, что благополучие есть темные воды. Кто поймет различие между голодом и благополучием, тот вступит в поток. Но кто прикоснется к Свету, тот обернется Птицей Жизни. Пока Птица Жизни будет поэтической отвлеченностью, тот дух еще не готов.

638. Сказано: «Не войдите в Огонь в сгораемых одеждах, но вознесите радость огненную». В этом указании все условие для приобщения к Миру Огненному. Действительно, даже одежды Тонкого Мира не всегда пригодны для Мира Огненного. Так же и радость восхождения должна быть превыше земной. Она должна сиять и светом своим путеводить многим. Кто же может надсмехаться над радостью и над Светом? Крот не знает привлекательности Света, и только злой дух не понимает, что есть радость! Когда вы радуетесь цветам, когда углубляетесь мыслью в чудесное строение, создание малого зерна, когда цените свежий

аромат, тогда уже прикасаетесь к Тонкому Миру. Можно и в цветах земных, и в оперении птиц, и в чудесах неба найти радость ту самую, которая готовит к вратам Огненного Мира. Главное, не будьте умершими для Красоты. Кто может найти лучшую оправу для преданности, для устремленности, для неутомимости, нежели Красота? Нужно среди земных условий уметь находить уже части, пригодные для всех миров. Не будет времени предаваться рассуждениям в миг перехода в Мир Тонкий, но озарение радостью может и должно быть мгновенно. Так сознание охранится именно радостью. Только нужно не терять часа здесь, чтобы научиться радости каждому цветку.

639. Дни великих подвигов пусть живут в памяти вашей. Они, как цветы весенние, могут обновлять сознание. Труды подвигов были тяжки, особенно своею отделенностью от сознания масс. Обычно случается, что подвижник не знает своих истинных сотрудников, лишь иногда он издалека может послать им привет. Потому хорошо сделаете, когда укажете в записях о посланиях привета на дальнее расстояние; так будет выражено дружелюбие и сродство душ.

640. Можно иногда удивляться, почему и как могут встречаться снова люди после многих воплощений? Причин тому много, но главной будет Космический Магнит. Можно заметить, что именно люди сходятся по чувству кармы; ничто не задерживает должника. Но земные понятия трудно совмещают Беспредельность с явлением кармы. Каково должно быть притяжение, чтобы держать в соответствии такие различные энергии! При этом одна сторона всегда будет пытаться уклониться, но закон приведет ее к непреложному сознанию неизбежности. Так можно наблюдать психическое притяжение, которое лишь доказывает единство основного закона. Также люди трудно принимают смену воплощений по основам психическим, но не по земным отличиям. Не многие согласятся, что царь может оказаться чернорабочим и сапожник может стать сенатором. Но понятие об Агни разрешает загадку смены. По Агни поделится смена Бытия. Огненная энергия сообщает нам надземные действия. Мы не ценим земные восстания в формах убийств, только просветление является настоящей победой Агни.

641. Экономия сил будет отличием вступившего в поток. Невозможно никакое безумное расточение, где понята ценность энергии. Если имеем драгоценное лекарство, которое

нельзя восполнить, разве будем его уничтожать безрассудно? Нужно принять Агни именно как самое бесценное вещество. Нужно представить себе, как трудно вырабатывается эта энергия, и нельзя восполнить излишнее расходование ее. Просто нужно особенно беречь Огонь Божественный. Кто может допустить темных шептунов, тот не берег Агни. Нужно даже в минуты особого смятения соблюдать самообладание, о котором было сказано. Много сказано, нужно лишь применять к действию. Никто не желает, чтобы время проходило в бездействии, но и сон, и бодрствование — оба будут частями той же самой деятельности. Так не следует и в этом отношении судить лишь земными мерами. Пусть немедленно привыкают к мысли обоих миров. Мысль единая и всегда сущая не должна быть стеснена лишь земным планом.

642. Зерно духа как бы нуждается в ударах укрепляющих. Мертвенное благополучие и прожигание бесцельное жизни — действо, противное Природе. Люди не могут постигать целительного свойства подвигающих ударов, как бы разрядов двигателей. Вспышки энергии двигают человечество. Нужно познать, насколько начинает действовать Агни лишь при движении энергии. Можно наблюдать много примеров в Природе, но люди предпочитают изъять себя из закона единства. Правда, что без понимания будущего удары-двигатели непонятны. Они могут порождать сетования и уныние. Потому так нужно постижение основ самоусовершенствования для великого будущего. Устремление к будущему уже будет означать проявление Агни. Не думайте, что излишне твердить об Агни и о будущем. Нужно примирить младенца с его первой болью. Явление сетования уже значит непонимание задачи жизни. При ударах-двигателях особенно трудно познать их истинное значение. Но начало подвига есть уже признание ударов-двигателей. Пусть не забудем формулу ударов-двигателей.

643. Именно нужно соизмерять, чтобы находить истинное значение. Много иллюзий и призраков, которые препятствуют оценить настоящее движение духа. Много появлений сил темных пытаются увлечь или напугать. Особенно тяжки такие нападения там, где поблизости есть одержимые или психические больные: они, как врата открытые, они не только привлекают сущности к себе, но создают как бы канал для всех окружающих. Границы психических болезней очень неощутимы, потому Советую такую осторожность. Считаю, не годится тратить силу на опыты с одержанием,

когда нездоровье потрясает равновесие, шептуны могут прикрепиться к больному уху. Но только непоколебимое сознание сбросит эти ехидны немедленно. Уже достаточно знаете, что болезнь нельзя запустить. Следует немедленно привить бодрость и не забыть об Агни.

644. Блаженство, Нирвана, Божия близость и все равнозначащие названия состояний высших обычно понимаются в земном разумении; так, блаженство — непременно блаженное забытье и услада какого-то отдыха бездействия, но забвение может лишь пониматься как забвение земных средств и примеров. Действительно, к чему такие ограниченные земные приемы, когда уже можно действовать высшими энергиями? Можно ли сопоставлять Божию близость с бездействием и впадением в забытье? Такое соотношение противно самому смыслу приближения к Высшему Началу. Такое приобщение к Высшему, такое преображение высшими энергиями прежде всего побуждает к усиленному напряжению всех сил. Даже человек в чрезвычайном напряжении не может забыться. Но среди прикасаний огненных сияний тем более зерно духа воспламеняется, и неудержимо стремление к мысленному творчеству. Можно удивляться, к чему пытаются ограничить и умалить значение Огненного Мира? Они хотят представить в земных рамках, так же как утверждать, что жители иных миров должны быть в земной оболочке при земных условиях. Только неразвитое воображение может так ограничивать Мироздание. Потому так Забочусь о развитии воображения, как основе стремления в Высшие Миры.

645. Как может мысленно творить человек, который даже не в состоянии представить себе желаемое положение? Как может он мыслить об изысканности форм, когда он не представлял их себе мысленно, пытаясь окружить себя достойно высшего существа? Не в роскоши дело, но в соответствии. Только явление соответствия может повышать духовное сознание. Древние обращались к закону пропорций, ища решение в числах, но выше чисел огненное сознание наше, которое творит по непреложности. Ничто не умаляется в этой непреложности, которая отражает в себе закон огненный на путях земных. Так можно постепенно чувствовать закон высший.

646. Пахтание есть символ Мироздания. Кто принял такой простой процесс как символ великого действия, тот, действительно, понимал соотношение между микрокосмом и Макрокосмом. По физическому плану, спиральное вращение есть основание накопления вещества, но совершенно тем же приемом действует и мысль. От Вершин до хаоса пространство напряжено спиралями сознания. Мысль спирально преображается в вещество, наполняя все Мироздание. Нужно понять и принять преображение мысли в вещество. Такая спайка сохранит запас вещества, ибо мысль неистощима. На Земле много пользы принесет сознание о материи мысли. Люди особенно боятся мозгового переутомления, но это нелепо, ибо мысль не может переутомить. Мозговое заболевание происходит от многих иных излишеств. Курение, пьянство, половое безумие, лишение сна, переедание, раздражение, тягостное уныние, зависть, предательство и многие ужасы тьмы дают переутомление, которое приписывается мысленному труду. В условиях профилактики мысль не только не утомляет, но наоборот, она способствует обмену высших веществ. Обвинение мысли в переутомлении было бы равносильно изгнанию Агни из сердца. Оба провода связывают человечество с Высшими Мирами, оно должно ценить эти нити, без которых можно впасть в хаос. На Западе религия означает связь с Богом, с Высшим Началом, значит, каждую связь нужно питать и главный обмен будет через огненно-мысленный процесс. Для этого нужно освободиться от страха, что мысль может утомить. Если же в процессе мышления заметите утомление, ищите другие причины, обычно ищите близко. Может быть, причина и не в вас, может быть, в окно проник отравленный воздух или топливо не чисто. Часто маленькие причины вызывают последствия большие, и особенно плачевно, когда светоносную мысль признают источником утомления. Мысль есть здоровье, обновление, обмен веществ — так поймем спасительность мысли.

647. Когда Говорю — нагружайте Меня сильнее, Не Отступаю от сказанной экономии сил. Нужно знать, что нагружение развивает сопротивление зерна духа. Нельзя отбросить закон тяготения, тем же самым поймем и благо нагружения. Любой моряк расскажет о необходимости груза для корабля. На корабле без груза моряки даже не выйдут в море. Точно так же полезно нагружение среди земных бурь. Не бойтесь нагружения, оно лишь явит Огонь сердца. Так следует думать при каждом действии. Так следует кончать каждый совет.

648. Огненные объятия значат оформление планеты, когда комплекс химических агрегаций посылает свое

сотрудничество объятиям Огня. Разве человек, как микрокосм, не должен стремиться к объятиям огненным? Через огненные объятия человек приобщается к высшим пониманиям. Он начинает и во всем окружающем искать огненосность. Так он подбирает около себя огненные созвучия, в самых различных предметах он узнает близкое начало. Узнать предметы, окружающие человека с открытыми центрами, значит увидеть огненную гармонию. Нужно присматриваться к обычаям огненных людей, при всей широте взгляда они чутки на окружающее. Многое, что для другого остается незаметным, они чувствуют до боли. Недаром говорится, что огню трудно при вихре, именно вихрь земной утруждает центры. Но это в существе дела не только не вредит, но даже создает полезное напряжение. Ведь огненный человек глубоко чувствует скоротечность земного существования и всем существом знает о пути высшем. Нельзя ничем отвратить огненного человека от его назначения. Он ни днем, ни ночью не забывает о предстоящем пути. Для него уже безразлично, где будет совершаться его восхождение. Степень тела уже не важна для устремленного духа. Не будем понимать это как особые Жития Святых, но усмотрим в жизни явление возможности подвига. Много знаков дается человечеству, нужно лишь не забывать их. Каждый из вас помнит эти вехи, разбросанные в разных годах жизни. Когда Скрижали явлены, тогда нужно лишь читать их и в мужестве следовать к Свету.

649. Вы уже понимаете, почему лучше не досказать, нежели пересказать. У вас много примеров, как неготовое сознание может исказить наставление. Можно представить, как преломится самое простое указание, когда оно попадает в неготовое сознание. Сколько земных соображений принесут, чтобы свести на Землю неземные меры! Не только совершенно чуждые, но даже приобщенные могут ущемиться непониманием, потому так Забочусь, чтобы по месту и по сознанию было бы даваемое наставление. Иногда и между строк нужно читать, особенно когда несколько явленных друзей еще не поймут так, как указано. Люди очень трудно принимают наставление без своих оболочек. Много примеров, как люди ограничивали себя. Например, женщина потеряла мужа и детей, они находятся близко от нее, но она будет сожалеть об утрате, но не двинется сама на поиски. Так бывает не только на Земле, но и в Тонком Мире. Соявление, или настояние, нужно развивать как здесь, так и там.

650. Во всех Учениях темные силы мечут огненные стрелы в Озаренного. В прекрасных символах изображается эта Битва. Не менее прекрасно показано, как злобные стрелы не достигают цели и образуют защитную сеть. К этому символу не отнесемся легкомысленно, он совершенно реален даже с точки зрения современной науки. Злобное пламя встречается с великим Огнем сердца и становится подчиненным, лишь усиливая Агни великого Духа. Так непобедимо сердце, которое проявит всю мощь. В случае отступления ищите ближе. Всю ли мощь проявило сердце? Не вторглось ли земное, преходящее условие? Не проснулось ли саможаление? Не затемнила ли дрожь страха сердце? И не заклубилось ли сомнение? Поистине, там, где Агни сердца не затемнен, там не может быть поражения. Часто человеку кажется, что он дошел до края, но неправильный глаз обманывает его, но еще много поля осталось, именно где и должна была бы состояться победа. Преждевременность ведет к злоключениям.

651. Сколько непреложных Истин были отрицаемы! Говорят — нет вечной жизни. Но она существует. Говорят — нет Тонкого Мира. Но он существует. Говорят — нет сношений между мирами. Но они существуют. Говорят — нет Высшего Руководительства. Но Оно существует. Так пытаются темные невежды заслонить свет сердца. Но нет такого затвора, чтобы лишить сердце достижения. Нужно не только беседовать и читать, но и почувствовать тепло сердца. Эту теплоту сердца можно измерить, значит, она доступна простым приборам. Этот Агни покажет, где находится тот край, где суждена победа сердца. К победе зовет Мир Огненный.

652. Самоусовершенствование является труднейшим подвигом. Люди вносят в самоусовершенствование столько несоответствий, что явление истинного усовершенствования затемняется. Усовершенствование прежде всего упрощается в случае признания Иерархии. Каждый должен был бы знать, что усовершенствование сознания будет заключать в себе прочие виды улучшения, но нельзя признать усовершенствованием механическое явление подробностей обихода. Можно уметь выковать самый смертоносный клинок или найти самый губительный яд, но невозможно признать такие ухищрения рассудка за достойные улучшения. Между тем для познания идей Высших Миров необходимо договориться, что есть самоусовершенствование. Можно приступить к решению прекрасных подвигов, если мы сами осознаем, для чего они должны совершаться. Не будет даже мысли о подвиге, если мы не будем иметь представления о желательности улучшения жизни. Утверждение лишь материального мира не может подвинуть настоящее развитие сознания. Возьмите историю человечества, посмотрите, как кратки были периоды материализма, они постоянно кончались кровавыми судорогами. Мышление, конечно, возмущалось и, утеряв путь, умножало преступления. Самоусовершенствование может быть лишь в утончении сознания, которое захочет иметь вокруг себя явления достойные. Так сознание убережет от малых стыдных мыслей. Сознание приведет к Огненному Миру.

653. Правильно: может вызывать негодование, когда люди хотят увенчать свой город чудовищной башней и построить на ней постоялый двор. Не случайно мы уже обращались к этому символу. Спроси́те человека: чем он желает украсить себя, и вы будете знать степень его сознания. Не неученые, но самые рассудительные люди непрочь украсить себя самыми низкими, грубыми предметами. Можно иногда удивляться проблеску чуткости у так называемых дикарей и можно ужасаться явлению нелепости у так называемых цивилизованных водителей. Считайте, где больше огня сердца и где легче пробудить сознание.

654. Вспомним старую китайскую историю об Ускользающих Указах. Некто проходил мимо обители восьми блаженных и заметил занятия, показавшиеся ему странными. Один блаженный стремительно бегал и старался прыгать. Когда же человек спросил о причине такого занятия, блаженный ответил: «Ловлю Ускользающие Указы». Другой блаженный держал над огнем руки и отвечал о тех же Ускользающих Указах. Третий стоял в студеном ручье и сказал о тех же Ускользающих Указах. Так восемь блаженных напрягали свои силы явлением устремления к Высшим Указам. Прохожий подумал: «Если уже достигшие блаженства должны так напряженно устремляться к познанию и принятию Указов, то насколько же должен я подлежать всякому напряжению, лишь бы не ускользнула Воля Высшая». В этой истории можно усмотреть несколько полезных понятий. Во-первых, действительно, самое напряженное положение может помогать трансцендентальному восприятию; во-вторых, явление уже посвященного не избавляет от опасности упущения Высших Велений; в-третьих, нужно быть готовым к всевозможным нагнетениям, лишь бы войти

в созвучие с Высшим Миром. Ускользающие Указы, как часто они проносятся в пространстве и снова возвращаются в Хранилище невоспринятого! Можно изумляться, насколько не принято даже говорить об Ускользающих Указах. Кто-то усмехается в невежестве, кто-то порицает в гордости, кто-то обижается в жестокосердии. Так каждый по-своему не бережет Указы, легко в Эфире ускользающие. Так старая китайская история может напомнить о внимании к Ускользающим Указам.

655. Огненные Указы не только должны попадать по назначению, но не должны оставаться в трепете, как крылья испуганной птицы. Спросят: можно ли сравнить Указ с трепетом крыльев, когда Указ есть стрела огненная? Действительно, Указ может быть подобен стреле и будет достигать назначения, но такое назначенное сердце должно пылать непрестанно.

В иных случаях Указ можно сравнить с крыльями испуганной птицы. Также нужно всегда принимать во внимание физическое состояние как людей, как и Природы. Ведь огненная стрела во время грозы может убийственно усилить напряжение. Конечно, явления электрофорные усиливаются взаимно, но при них нельзя перейти границу напряжения в земных действиях. Мудро наблюдать физическое состояние собеседника. К сожалению, слишком часто говорящий слушает самого себя и не обращает внимания на слушателей. Лишь огненное сознание удержит все внимание по их особенностям. Такое внимание будет относиться к великодушию.

656. Когда Говорю о напряжении, не следует понимать это как изуверства. Напротив, напряжение, соединяющее с Иерархией, может быть именно духовным выводом из обычных условий. Если когда-то впадали в телесные изуверства, из этого не следует, чтобы при духовном развитии употреблялись те же первобытные приемы. Если когда-то требовалось угрожать муками ада, чтобы сократить кровавую пищу, то теперь уже вполне естественно входит в жизнь питание растительное. Так же, когда осознают, что сердце есть средоточие духа, то все телесные уявления изуверов заменятся явлением жизни сердца. Так постепенно даже в самую трудную эпоху проникает одухотворение жизни. Много перед вами тяжких примеров, когда целые народы теряют лик свой. Но когда осознан Мир Огненный, то самое большое земное положение окажется и малым и преходящим.

657. Вы совершенно правы, что существование Невидимого Правительства смущает многих. Но если существует невидимое темное правительство, то как же не существовать Правительству Света! Неужели ум человеческий настолько затемнился, что он легче признает все темное, нежели помыслит о Свете? Люди, действительно, понимают и не раз слыхали о силах темных, которые всемирно объединены, но Правительство Блага и Света особенно заподозрено. Люди не привыкли объединяться на Добре, считают, что Добро — лишь предлог для разъединения. Можно понять, что вся болезнь планеты от полного раздора между теми, кто могли бы сплотиться во Благе. Очень печально, что даже в Храме сердца людей не преображаются для сотрудничества. Так помыслим о каждом дружелюбии, которое есть уже искра сотрудничества.

658. Не для оповещения, но для сердечного принятия беседуем. Скоро прервете первую часть записей об Огненном Мире. Не следует давать лишь любопытным, что может порождать кощунство. Понятие кощунства должно быть осознано со всем вниманием. Не только отталкивание от Света заключается в кощунстве, но оно несет в себе настоящую заразу. Кощунник после хулы уже не тот самый, он уже растоптал часть своей заградительной сети. Можно ожидать различных заболеваний, ибо заградительная сеть не только охраняет духовно, но и телесно. Потому произнесение кощунства должно быть запрещено от малых лет. Печально, что люди до того сделались безответственны, что забыли о значении слов. У Врат Огненных не придут на ум слова кощунственные, но, если мы вкореним их сознательно, они, как ножи раскаленные, будут жечь сердце. Утеря слова *гармония* унижает людей. Почему Пифагор мог понять значение достоинства тела Света? Но явление множества механических открытий значительно уничтожило явление Культуры. Конечно, силы разложения очень подвижны, они являют разложение, заразу и отупение ко всему прекрасному. Много данных о деяниях сил темных, не суеверие, но документы подтверждают их намерения. Можно оградиться от них всеми силами огненными, но для этого нужно признать самый Агни. Так пусть желающие получить продолжение записей о Мире Огненном покажут, что он для них действительно значителен.

659. Самадхи является лишь частичным огненным состоянием. От Земли трудно понять возможность огненного существования, если даже Самадхи отвечает ему неполно.

Если Самадхи так опасно для жизни, то какое же напряжение энергии требуется для ассимиляции Огня! Но трансмутация сознания создает столь напряженное, восторженное состояние, что проявление огненного напряжения лишь соответствует мощи нового существа. Даже на Земле сомнамбулизм создает сопротивление огню. Известное состояние сомнамбул дает им свечение и совершенно препятствует сгоранию даже на сильном огне — такие случаи известны как на Востоке, так и на Западе. Но ведь сомнамбулизм есть преображение сознания, которое как бы зажигает все нервное существо, и, таким образом, огонь ассимилируется с огнем ауры. Значит, это может подать некоторое представление о преобразовании огненного тела. Среди самой обычной жизни можно припомнить, как иногда матери спасали детей и при этом противостояли самому яростному натиску стихий; некоторое вещество преображало их силы. Недаром сказано, что метафизики не существует, есть именно физика. Также физика научает, что в радости создается удача. Но что же может утвердить неутолимую радость духа, как не сознание об Огненном Мире? Нужно воспитывать это сознание, как драгоценный цветок. «Серебряный Лотос» сияет как сигнал об открытии будущих Врат.

660. Распознавание есть одно из наиболее выраженных огненных качеств. Это не чувствознание, но как бы отблеск языка Огненного Мира. Действительно, не по словам судит человек с открытыми центрами, он понимает все внутреннее значение речи. Если бы все судьи были на таком уровне огненного распознавания, то много проступков оказалось бы в ином свете. Но такое распознавание нужно воспитывать. Оно в зерне духа существует, но нужно призвать его из хранилища Непроявленного. Так, нужно призвать к обострению сознания. Пусть будет каждый приходящий как примерный судья. Пусть один начинает судить по глазам, другой — по тону сказанного, третий — по движениям тела. Безразлично, с чего начать, ибо внутренний огонь отразится на всех нервных центрах. Но поучительно наблюдать, насколько часто слова не соответствуют внутреннему состоянию. При терпении можно достичь больших результатов и обнаружить признаки огненного понимания. Конечно, это будет лишь отблеск Огненного Мира, но каждая искра такого познавания уже есть достижение. Вступая в Тонкий Мир, можно ясно держать перед собою решение идти к Свету, спешить к совершенствованию, и при

этом каждое наставление чрезвычайно важно. Если мы уже на Земле приближаемся к распознаванию, то при переходе в Тонкий Мир это достижение будет благодатью. Главное, явления отчаяния и растерянности препятствуют усвоению новых условий, но если мы твердо запомним, куда идем и зачем, то мы сразу найдем много помощников. Но люди особенно теряются от отсутствия тайны, когда Неизреченный Свет пронизает все Сущее. Благо тем, кто может не постыдиться своих сердечных накоплений. Любите все, что может возвышать сердце.

661. Изуверство недопустимо, в нем нет ни преданности, ни любви, ни великодушия, но лишь возвращение к животному состоянию. Изуверство рождает предательство, вражду и жестокость. Изуверство достигает Огненного Мира, ибо любовь есть ключ к нему. Изуверство как запущенная болезнь, если она не замечена сразу, она делается неизлечимой. Такое сознание должно встретить большие потрясения, чтобы понять явление истинной преданности. Одним отталкиванием не приобрести качество магнита, потому так Забочусь, чтобы вы не упускали ни одного показания дружелюбия. Нужно соблюдать лучшее топливо для огня сердца. Запас дружелюбия рождает истинное сострадание, которое противоположно жестокости изуверства. Изуверство знает лишь самость, которая самомнительно говорит: «Или все, или ничего». И так как все невозможно, то остается ничего. Потому обращайте внимание даже на малые признаки изуверства. Излечивайте их с великим терпением, как заразную болезнь. Именно изуверство потрясало прекрасные Учения и вытравляло зачатки любви. Нужно старательно подготовлять все, что может облегчить доступ Агни в сердце наше.

662. Улучшение сознания обычно относят на долгие сроки, но можно видеть, как, даже среди земных условий, на глазах растет сознание. Конечно, для такого роста нужно, с одной стороны нагнетение, и, с другой — близость к Магниту уже огненного сознания. Можно радоваться каждому росту сознания, когда оживают древние накопления духа. Можно радоваться, когда обновляется сущность жизни под близостью сердца зажженного, при этом нужно различать расширение, просветление сознания от низкого психизма. Мы вовсе не рады видеть, как умножается число общения с низшими слоями Тонкого Мира. Можно не забыть, что низшие сущности, даже помимо постоянного одержания, могут как бы одурманивать сознание; от низшего придет низшее.

Так еще раз поймем, почему так нужно сердечное устремление к Высшему. Простые максимы не должны быть высокомерно презираемы; в них в простоте утверждается самое насущное. Когда воин готов к битве, его Водитель осмотрит. Так, особенно нужна забота, когда Говорю о самой тонкой стихии Огня. Не нужно понимать Огонь как химическую формулу. Нужно достойно понять всю его неизреченность. Уже в древности находим всевозможные описания качеств Огня, как он всепроникает все предметы; и нет небесного тела, не пронизанного Огнем. Так не избежать стихию самую светоносную, и мудро готовиться к встрече с нею, и знать, что познание Огня Высшего полезно для преоборения низших Огней.

663. Чем же достичь удачи? Запомните — радостью. Не унынием, но радостью. Не допускайте мысли, что Мы раздумываем о возможности или невозможности удачи. Мышление может думать: хватит ли вашей радости, которая облегчает всходы? Мы всегда советуем радость. Нужно признать и вспомнить, что вы бывали удачны, когда радовались. Конечно, это не веселье теленка на лугу, но творящая радость, которая преображает трудности. Игра Матери Мира в радости, она покрывает просвещенных радостью. Радуйтесь и среди цветов, и среди снега, тоже полного благоухания,— радуйтесь!

664. Если посмотрим на планету нашу сверху, то кроме вулканов явленных наше внимание будет привлечено особыми смерчами Света и тьмы. Дух человеческий может создавать мощные проявления энергии. Можно утверждать, что Светлые смерчи являются спасителями равновесия планеты. Также будет недалеко от истины, что темные смерчи содержат в себе губительный газ, который не только мертвит кору планеты, но может способствовать смещению климата и даже иметь значение в перемещении полюсов. Так велико значение духа человеческого, потому Мы ценим Ашрамы, где собирается очищенный Агни. Во многих Учениях указывалось на значение мест чистых, где может утверждаться психическая энергия. Упоминание о значении чистых мест читаем в Писаниях, в Библии и в Риг Веде, также и Дао знает эти сокровища Земли. У Нас радуются, когда замечают возникающие Новые Ашрамы, но люди так редко думают о мощи своего духа.

665. Огненная стена, огненный туман, огненное креще-

ние утверждают огненную реальность. Например, люди не желают понять, что качество носимого ими огня зависит от них самих. Они не представляют себе, что сами зажигают и спасительные, и погубительные огни. Неизбежно усердие, которое в разных направлениях дает явление силы и окраску огню, оттого так трудно потушить огонь опаляющий, зажженный сущностью привычек. Но йог понимает, насколько необходимо каждое зажжение огня, связанного с добром. Мысль добра есть мерило сознания. Когда познающий приступает к самоотверженному всходу, он полагает меру добра как ступени. Он знает, что не может обманывать личиною добра, ибо обман — лишь иллюзия мгновения. Потому не забудьте, как почитаемый вами Святой послал поклон своему другу на дальнее расстояние. Он знал, что его друг проезжал на подвиг, и сердца их объединились в откровении. Ничем нельзя препятствовать откровению сердца. Так, взаимная исповедь есть уже предвкушение языка Мира Огненного, где тайное становится явным. Не следует удивляться, если в веках повторяется слово правды. Как можно позабыть Истину в разных временах?! Можно найти радость каждому о ней упоминанию — что любим, о том и говорим и словами, и сердцем.

666. Человеческое истинное познавание будет всегда созвучать с Единой Истиной. При всех развитиях человечества нужно сопоставлять познавания с Учением Света, и можно радоваться, что мировое понимание продолжает следовать единой возможной Правде. Но для этого нужно постоянно сравнивать основы с человеческими действиями. Конечно, истинная наука и не может расходиться с непреложными законами, следовательно, нужно при новых исследованиях постоянно держать в уме и в сердце Заповеди Основ. Они дадут несломимое восхищение ученому, который идет, не ограничивая себя самостью, но честно исследует во благо других. Он почует волны Света и среди вибраций уловит новые энергии. Огонь — Великий Агни — есть явленный Вратарь к Непостижимому. У Света есть притягательная сила, и вступивший в него не отступит. Где же путник сойдет охотно во тьму?

Как путеводный знак пусть будет священное изображение, хранимое в сердце. Так пусть друзья осознают мощь и красоту Мира Огненного. Пусть не любопытствуют, но найдут в себе прочную связь с Прекрасным Миром.

Когда спросят о второй части «Мира Огненного», скажите — немедленно будет дана, как только запомните утвержденное напутствие в путь долгий, когда сохраните радость и решение поспешить духом. Пока собирайте уложения новые, которые наука дает, и наблюдайте, как располагаются эти нахождения. Не забудьте, что Агни питается радостью, и мужеством, и терпением. Так последуем путем огненного сознания.

ЧАСТЬ ВТОРАЯ

Обычно люди совершенно не умеют пользоваться данным Учением. Когда они слышат сведение, как бы знакомое им, они высокомерно восклицают: опять все то же, всем известное! Они не пытаются проверить себя, насколько это знакомое было осознано и применено ими. Они не желают подумать, что полезное Учение дается не для новизны, но для сложения достойной жизни.

Не сборник утопий неслыханных Учение Жизни! Существование человечества очень древнее, и в течение веков всевозможные искры Мудрости проливались на Землю, но каждый круг имеет свой ключ.

Если кто может признать настоящий ключ себе знакомым, то пусть радуется и благодарит за указание, ему близкое. Кажется это просто, но на деле является очень трудным. Люди любят слушать новинки и получать игрушки, но утончать сознание мало кто согласен.

Не может быть, чтобы какая-то стихия не выдвигалась в Учениях. Так и Огонь упоминался тысячи раз, но теперь упоминание об Огне не повторение, ибо это уже предостережение о событиях планетной судьбы. Не скажет кто-то, что в сердце своем он уже готовился к Огненному Крещению, хотя самые древние Учения предупреждали о неминуемой Эпохе Огня.

1. Итак, приступим еще ближе к рассмотрению условий Огненного Мира. Деление духа может вызывать ряд вопросов. Конечно, можно задуматься, насколько влияет химизм Светил на отделенные части духа. При дальних полетах части духа могут подвергаться самым различным влияниям. Действительно, тела огненные, даже и они, не избегают разных влияний, но раскрытое сознание всегда поможет находить лучшие вибрации. Но от земного состояния трудно руководить отдельными частями духа, потому чаще всего эти посланники духа сами приспособляются к местным условиям. Поэтому иногда они могут быть четки и слышимы, но иногда очень туманны во всех проявлениях. Такое условие происходит не от духа пославшего и даже не от приемника, но от химизма токов. Даже самые Огненные Существа подвержены космическим токам. Это нисколько не умаляет их Высокую Природу, но лишь напоминает о незыблемых законах. Нужно настолько проникнуться величием Мироздания, чтобы признать закон великих Светил.

Когда мы изумляемся китайским точеным шарам, мы должны представить себе, насколько велико напряжение воли для сгущения массы при формировании тел небесных!

2. Прийти к сознанию, чтобы не умалять достижение признания закона, уже будет радостью духа. Понимать, как великие Планетарные Духи почитают дисциплину, уже будет радостью духа. Признать огненное существо в себе — уже будет радостью духа, но понять это существо, как очень великую ответственность, уже будет мужеством духа.

Утверждаю, что у Нас не бывает большей радости, нежели видеть, как вы принимаете эти качества духа. Огненное сознание уже есть тончайший химизм; он больше всего выражается в междупланетных пространствах. Там, где физическое тело уже изнемогает, там начинается дыхание огненное. Посему разделяются два типа существ: один благоденствует в глубине низших слоев, другой стремится к вершинам.

3. Огненное лечение дальними токами очевидно, но все же люди будут пытаться отрицать его. Самая грубая форма электризации будет принята, но токи напряжения высшего, конечно, будут осмеяны. Между тем полезные люди могли не раз ощущать эти спасительные вибрации. Указанные давно ритмы, конечно, не исчерпывают и многие другие вибрации — от сильно потрясающих до тончайших.

Сейчас Хочу обратить внимание на очень значительное обстоятельство. Даже при этих космических токах воля человека имеет большое значение. Нежелающий принимать эти токи получит очень умеренную степень воздействия, но мысленное принятие даст очень ускоренное следствие. Конечно, может быть и третье обстоятельство — когда связь с Иерархией прочна и сознательна, тогда как для Посылающего, так и для получающего легко появление лучших следствий. Не без причины Указывал на эту обоюдно облегчающую энергию: она поможет сберечь энергию, и это чрезвычайно важно, особенно же теперь, когда столько перекрестных токов.

Можно легко припомнить случаи, когда при воздействии полезных токов принимающий упорно твердил: «Моя постель сильно трясется, конечно, от землетрясения». Такими легкомысленными отрицаниями люди часто умаляют воздействие самых действительных энергий.

Огненное лечение пусть заставит задуматься о Тех, Кто прилагает Свои лучшие силы на пользу человечества.

4. Нет теней в Огненном Мире. Не трудно представить себе это, если даже на Земле можно соответственно расположить источники света. Светоносность всех частей Огненного Мира дает непрерывное свечение. Также непрерывно открытое сознание, ибо сна уже нет. Такая напряженность возможна, когда внутренний огонь уже вполне соответствует космическому, но при полной гармонии напряжение уже не ощущается.

Также вполне справедливо назвать музыку сфер песней Огня. Разве не огненные вибрации созвучат? И не есть ли это звучание питание излучениями? Так, когда мы именуем Агни Вратарем и понимаем связь неизреченную, тогда мы тоже звучим. Можно и здесь звучать, хотя на мгновение, тогда все земные привычки делаются ненужными. Так, в сердце следует утверждать все искры Огненного Мира. Пусть обычаи земные заменятся Огненной Истиной.

5. Вспомним миф *«О Происхождении Гор».* Когда планетный Создатель трудился над оформлением тверди, он устремил внимание на плодоносные равнины, которые могли дать людям спокойное хлебопашество. Но Матерь Мира сказала: «Правда, люди найдут на равнинах и хлеб, и торговлю, но когда золото загрязнит равнины, куда же пойдут чистые духом для укрепления? Или пусть они получат крылья, или пусть им будут даны горы, чтобы спастись от золота». И Создатель ответил: «Рано давать крылья, они понесут на них смерть и разрушение, но дадим им горы. Пусть некоторые боятся их, но для других они будут спасением». Так различаются люди на равнинных и на горных.

Теперь можно помнить эти мифы, предусматривавшие заражение планеты. Действительно, почему так мало исследуют химизм воздуха? Можно даже земными аппаратами уловить сгущение гибельных веществ. Конечно, не всегда эти токи будут нащупываться, так же как снимки Тонкого Мира не всегда будут удачны, но при терпении можно уловить многое. Мир Огненный не легко поддается земному наблюдению.

6. Напомним миф *«О Происхождении Молнии».* Создателю сказала Матерь Мира: «Когда закроется Земля темными пеленами злобы, как будут проникать спасительные капли Благодати?» И Создатель отвечал: «Можно собрать потоки Огня, которые могут пробадать любую толщу тьмы». Матерь Мира сказала: «Действительно, искры Огня Духа Твоего могут дать спасение, но кто же соберет и сбережет их на потребу?» Создатель ответил: «Деревья и травы сохранят Мои искры, но когда листья опадут, то пусть Деодар и сестры его на весь год сохранят свои приемники Огня». Так в разных мифах отражалась связь с Высшим Миром. Всюду отмечалась забота о человечестве и всех тварях. Также священнослужители древние заботливо блюли правильное распределение творящего Огня.

Сейчас человек скрещивает без надлежащего надзора плоды и растения, но следует длительными опытами наблюдать, как лучше всего сохранить огненное вещество. Невозможно легкомысленно вмешиваться в творчество Природы. Лучшие советы могут быть поданы из Мира Огненного, но следует искать эту \Благодать.

7. Теперь вы уже не удивляетесь, что Битва продолжается долго, ибо расширение сознания расширяет пределы Сущего. Именно было бы легкомыслием думать, что восставший против Света был бы слабосильным. Нужно уметь представить, что Силы Света не по слабости не кончают врага, но из желания не нарушить преждевременно равновесия планеты. Немногие могут представить, что мощь Создателя планеты сочетается с физическими условиями. Но уже можно видеть, как нарушены гармонические вибрации и планета содрогается в толчках жара и холода. Потому Советую равновесие духа. Там, где нарушается основание, там нужно особое присутствие духа.

Даже в распространенных книгах читаете о переменах климата, об изменении материков и течений. Пусть будет там много неточности, но наука Светил точна. Пусть не думают, что пророчества ошибаются, ибо они от Мира Огненного.

8. Агни Йога требует особой находчивости, она не может появляться через физическую механику, которая является в разных степенях при других Йогах. Такая стихия, как Огонь, казалось бы, должна учитываться физическими законами не менее других стихий. Но сущность Агни подчинена таким тончайшим законам, что физически она несказуема. Так нужно прилагать всю утонченную находчивость, чтобы следовать за огненными знаками. Потому можно усмотреть, как часто посылаемы Иерархией Огни, но люди не пытаются уловить и применить их. Уложение огненное лежит в основании жизни человеческой — зачатие, рождение и все акты, подлежащие Агни, не вызывают удивления, как проявление Несказуемого. Можно много бродить около механических построений, но двигаться в будущее можно лишь познаванием Агни. Когда умертвятся целые материки, как же найти новые жилища без новой энергии? Необходимо подготовить духовное сознание к большим земным переворотам — это в лучшем случае; но если мы встретимся у последней черты в прежней черной ненависти, то люди будут лишь пороховым погребом. Так находчиво помыслим об Агни.

9. Неизлишне указать людям, что они отставили самое прочное мышление о будущем. Миф о Золоте уже напоминался, уже говорилось о времени, когда мысль о Золоте станет настойчивой и покажет, как близко время Огня, явленного антипода Золота. Люди часто читали об огненной гибели планеты. Уже две тысячи лет тому назад указано, что Огонь пожрет Землю, уже многие тысячи лет тому назад Патриархи остерегали человечество от огненной гибели.

Наука не обращала внимания на многие знаки. Никто не желает думать в планетарном масштабе. Так Мы говорили перед грозным временем. Можно не упустить час последний. Можно подать помощь, но ненависть не будет врачом.

10. Обращайте внимание на так называемые переходные состояния организма. Так, состояние между сном и бодрствованием дает очень значительные наблюдения. Можно заметить, как среди земного мышления как бы врываются обрывки мыслей какого-то иного порядка; предметы как-то вибрируют и земное созерцание изменяется. Мало кто допускает мысль, что этот другой порядок созерцания есть мышление Тонкого и даже Огненного Мира; лишь мир явленный исчезает, пробуждается голос Мира Тонкого. Среди различных переходных состояний можно заметить молнии Высших Миров. Так следует внимательно подмечать особенные звучания. Среди земных условий не следует погружаться в эти проявления, ибо равновесие прежде всего, но вмещение расширенного сознания должно находить место явлению всех трех миров, лишь таким образом приучимся к пониманию мысли огненной. Огонь, как видимая стихия, часто мешает признать мысль огненную, но появление Агни не есть спичка. Но каждое огненное явление прежде всего рефлектирует на мысленный процесс. При этом обращайте внимание на самое возникновение Огня видимого — яркая энергия клубится и вихрится так, что даже в малом огне можно заметить процесс привхождения внешней энергии. Момент сочетания Огня внутреннего с внешним может быть назван прекраснозвучным.

11. Некоторые слепые чуют внесение огня не по свету, но по звуку. Они даже предпочтительно узнают звучание, нежели теплоту. Можно произвести поучительное испытание не только над слепыми, но и над людьми с плотно завешенными глазами. Но, конечно, такая повязка может препятствовать общей чувствительности, потому показания слепых будут убедительнее. Тем более, что слух у них обычно более обострен. Они могут показать, что даже пламя свечи звучит. Мы очень утончили во многих отношениях чувства наши, но физическое лишение одного чувства обостряет другое. Зрячие могут уловить песнь огня в печи, в костре, в пожаре, иначе говоря, в грубейшем проявлении. И при этом люди лишь редко отличают звучание огня от шума сгорания материалов. Но тем не менее можно знать о звучании огня.

Китайцы в древности пытались применить огненное звучание к струнным инструментам. Император Огня в своем храме должен был быть сопровождаем огненным звучанием. Так же как Повелитель Вод мог сопровождаться стеклянными инструментами. Такое утончение теперь забыто, конечно, но показывало большую наблюдательность к звучаниям Природы. Полезно хотя бы вспомнить о таких почитаниях, основанных на тончайших вибрациях. Истинно, не холодное разумение, но трепет сердца приблизит к огненному утончению. Притом не огнепоклонничество, но почитание Агни, как начало связи с Высшим Миром, положим в основание.

12. Понимаете, как Мы можем быть напряжены, когда явление мозга подобно Огню бушующему, но Наши враги и надеются на пределы физических возможностей, тем более, нужно противостать им во всем терпении. Действительно, трудно найти подвижников, не болевших особенными болями. Не раз они не понимали, зачем приходится претерпевать такие боли, но напряжение огненное не может быть избегнуто при кратчайшем пути. Может ли быть иначе, когда ноги на Земле, а голова в Огненном Мире!

13. Следует наблюдать не только Наше, но и Черное Братство. Ошибочно пренебрегать силами темными. Очень часто победа их заключается в таком небрежении. Люди очень часто говорят: «Не стоит и думать о них». Но следует думать обо всем существующем. Если люди справедливо ограждаются от воров и убийц, то тем более нужно оберечься от убийц духа. Нужно оценить их силу, чтобы лучше противостать. Ур. отважно посетила темных, она видела разные степени их и, по мужеству своему, обратилась к ним. Действительно, существует такая степень мужества, когда уже мощь тьмы умолкает. Действительно, невозможно переубедить темных, но можно парализовать их и значительно обессилить, потому так важно относиться к тьме активно. Из мертвой пыли — пыль и порождается. Для чистоты дома запасаются разными метлами; когда же в доме находят скорпиона, то немедленно удаляют его.

Ур. видела стройное собрание темных, и многие собрания могли бы поучиться такой стройности. Правильно Ур. говорила, как посланница Наша, в этом утверждении есть великая сила. Не нужно сдерживать силу, когда дух знает, в чем оружие. Особенно усиленно совещаются темные, когда видят, что события не в пользу их Повелителя. Светлые Силы препятствуют им уничтожить вас. Казалось бы, не трудно уничтожить мирных людей, но поверх всех темных богатств существует сила духа. Правильно сказала им Ур.: «Вы считаете, что сатана непобедим, но я против вас всех говорю о поражении сатаны». Так можно знать о намерении темных и о Силе Нашей.

Те же, кто думает, что видения, сны от пищеварения, легко могут проспать самые ценные знаки действительности. Только знающие силы противников могут надеяться на победу. Какую же стройность и единение нужно проявить для одоления таких мощных сборищ! Нужно призвать все духовное мужество, чтобы устранить и прекратить малые вещи.

14. В то время, когда один полагает душу за Мир, другой сидит на воде. Когда один посылает сердце свое во спасение ближних, другой утопает в явлениях Тонкого Мира. Подвижники Великого Служения не имеют психизма, ибо они всегда устремлены духом к Иерархии и сердце их звучит на боль Мира. Психизм есть окно в Тонкий Мир, но учитель скажет школьнику: «Не оборачивайся часто к окну, но смотри в книгу жизни».

Часто психизм оказывается расслабляющим явлением, ибо Великое Служение в чувствознании. Потому Мы остерегаемся от психизма, от устремления взора назад без определенной задачи и будущего. Слабые духовно психисты являются нередко лакомым блюдом для сатанистов.

Именно среди Великого Служения велико ощущение ответственности, но следует привыкать к этой чаше, ибо не может быть кратчайшего пути без испития ее. Устремленное к Иерархии сердце чует, как нужна и спасительна чаша возношения. Кому она только предмет насмешки и осуждения, но кому-то она — драгоценная сокровищница. У Нас большое желание, чтобы истинное чувствознание развивалось.

15. Ничто не может так отдалить с пути, как отвергание чувствознания. Но начало его лежит в преданности к Иерархии. Только истинная преданность поможет не засорить чувствознание личною самостью. Только преданность научит не извращать Указания Учителя. Только преданность позволит найти новые силы. Не Устану твердить об истинной преданности, ибо часто люди подставляют под это понятие самые отвратительные изуверства. Так Мир Огненный заповедан.

16. «Как на Небе, так и на Земле». Основание Бытия, действительно, проникает все Сущее. Именно эта основа должна помогать человечеству понять Иерархию Беспредельности. У кого же явится сомнение, что в каждом земном предмете выражается чья-то воля? Без воли не создать земного предмета и не привести его в движение — так на Земле, значит, так же и в Высшем Мире. Особенно постижимо, что планета как земная твердыня, так и целые системы небесных тел также нуждаются в импульсе воли. Такая воля, конечно, может быть особенно понятна расширенному сознанию, но даже средняя человеческая воля может быть как микрокосм примерный. Не следует вдаваться в особые вычисления, но если бы принять человеческую волю за единицу при высшей напряженности, то можно вычислить силу импульса воли планетарной. Даже можно ринуться в бесчисленное количество нулей, чтобы представить импульс воли целой системы. Такая задача будет введением к Величию Несказуемого. Потому так полезны наблюдения над силою воли, когда мысль приводит в движение эту космическую энергию. Обитель Агни существует как горнило Силы Космической. Не следует поникать от бесчисленных цифр при вычислении Величия. Цифры утверждают лишь наше сознание, но огненное сердце и без чисел может устремиться по пути принятия величия того, где слово ничто.

17. Ритм есть породитель сотрудничества. От глубокой древности люди уже понимали значение ритмических хоров, музыкальных движений, так накоплялось сознание о двигателе общих работ. Они уже знали, что ритм зажигал общие огни, помогал избегать раздражение и разъединение. Он утверждал одинаковое устремление, потому музыка перед общей работой есть знак единения. Жаль, что новая музыка так часто аритмична. Может быть, она служит началом многих духовных язв, но вопрос о гармонии необычно сложен. Аритмичность есть разъединение, но грубый ритм есть отупение. Так лишь огненное сознание подскажет утонченность ритма. Можно размышлять о многом, но всегда вернемся к огненному пониманию. Обитель Агни открывается не рассудком, но гармонией ритма. Именно как сосуд открывается не силою, но ритмом. Только верный ритм несет нас вперед и охранит от запаздывания. Между тем мы знаем весь ущерб запаздывания как в движении, так и в духе. Невозможно иметь разбитый ритм, то отступающий, то наступающий — так происходит неимоверная и бесполезная затрата энергии. Не будет отступать, кто начал наступать огненным ритмом. Именно этот ритм спасает от горестных размышлений и ведет вперед в духе,

потому не будем ограничивать значения ритма лишь внешним движением, но введем его в духовный обиход.

18. Люди ощущают, как иногда нечто поет в них самих. Такая песнь не бывает дисгармоничной. Можно очень ценить, когда такие вибрации устремляют существо наше. В них заключается эмбрион подвига.

19. Великий жар есть не только тепло физическое, но есть химизм, который уже сгущается над планетою, являясь предвестником Огненной Эпохи. Люди не придают значения таким знакам, но прежде всего они сами могут улучшить положение. Злоба есть конденсатор химизма тяжкого. Верить не хотят люди, что их внутренняя лаборатория имеет космическое значение. Размышляют люди о всяких бесполезных вещах, но о своем значении и о своей ответственности не желают подумать. Конечно, жар химический пока еще временен и сменится холодом. Можно представить, что готовят себе люди через четверть века! Есть еще время подумать и оздоровить атмосферу.

20. Много причин, отчего люди боятся Тонкого Мира и световых излучений. Они в сущности своей чуют, что в Тонком Мире каждое побуждение сопровождается явным излучением, но сам человек не видит своего излучения. Если он вполне уверен в добром качестве своих мыслей, то ему и нечего опасаться. Но в большинстве мысли бывают очень извилисты, и человек, по привычке земной к сомнению, очень заблуждается в истинных основаниях мышления. Потому так Твержу о необходимости ясности мышления. Нужно быть так уверенным в качестве мышления, чтобы ни на миг не смущаться светом своим. Твердое стремление к добру, подтвержденное сердцем, лишь умножит прекрасные света; кроме сущности своей света эти как очищения пространства. В Тонком Мире такие благие излучения создают окружающую улыбку и содействуют общей радости. Потому утверждайтесь в добре и мыслите так, чтобы ни перед кем не устыдиться. Не считайте эти слова отвлеченностью. Тонкий Мир подтверждает их. Много жителей Тонкого Мира сожалеют, что на Земле им никто не сказал о явном излучении, которое должно быть прекрасным.

21. Многие просили бы научить их, как вступить в Мир Тонкий, но они не знают, как спросить, чтобы не показаться смешными. Но пусть Записи бродят по миру, пусть их читают украдкою. Пусть насмехаются днем и читают ночью. Можно простить эти заблуждения, ибо никто не давал этим людям простого напутствия. Кто устрашал их, кто усыплял

сознание, кто уводил от Истины, но никто не указывал на прекрасный переход к Вершинам Бытия. Не будем укорять, но все-таки именно в последнее время особенно много смущения в Мире. Правда, само существование Тонкого Мира как бы укреплено в сознании, но тем более люди не знают, как обойтись с этими фактами и как примирить их с рутиною жизни. Пытаются обойти молчанием то, что кричит само собою.

Так, в утренний час и в вечерний миг привыкнем к мысли о переходе в Мир Прекрасный. Пусть он будет для нас Прекрасным.

22. Радж Агни — так называли тот Огонь, который вы зовете энтузиазмом. Действительно, это прекрасный и мощный Огонь, который очищает все окружающее пространство. Мысль созидающая питается этим Огнем. Мысль великодушия растет в серебряном свете Огня Радж Агни. Помощь ближнему истекает из того же источника. Нет предела, нет ограничения крыльям сияющим Радж Агни. Не думайте, что Огонь этот загорится в мерзком сердце. Нужно воспитывать в себе умение вызывать источник такого восторга. Сперва нужно уготовить в себе уверенность, что приносите сердце ваше на Великое Служение. Потом следует помыслить, что слава дел не ваша, но Иерархии Света. Затем можно восхититься Беспредельностью Иерархии и укрепиться подвигом, нужным всем мирам. Так не для себя, но в Великом Служении зажигается Радж Агни. Поймите, что Мир Огненный не может стоять без этого Огня.

23. Много уявлено опытов при полетах на высоту. Может быть, исследователи понимают в глубине души, что высота может дать очень нужное сведение. Но кроме физических инструментов они должны запастись психической энергией, только тогда эти опыты принесут, действительно, новое соображение. Нужно, чтобы исследователи высот и глубин имели подготовку психическую. Лишь при таком соединении и физическая сторона работы получит особенное значение.

24. Правильно делаете, предоставляя людям самим решать. Можно указать полезное направление, но каждое насилие уже противно закону. Особенно же нельзя насильно зажигать Огни. Так, Мир Огненный может быть лишь добычею своего сердца. Никто не был введен насильно в область Огненную. Люди часто не понимают, где граница насилия. Одни стремятся к насилию, другие ищут насилие, и то и другое противно природе Огня.

25. Замечайте сгущение атмосферы, необычны эти низкие, плотные слои, и, действительно, кора планеты отмирает, лишенная Благодати. Нужно спешить с новым обстоятельством очищения.

26. Можно наблюдать различные типы людей, которые отличаются в сущности своей. Одни не помышляют о будущем и как бы покончили в жизни земной все свои намерения; другие устремлены вперед всем духом, для них жизнь земная не представляет никакого конца. Даже не будучи очень утонченными, эти люди сердцем чуют, что все впереди. Имейте дело со вторыми, ибо даже при ошибках они все-таки будут устремляться в будущее и тем самым будут уже прилежать к Истине. Знаете, что Агни живет в сердце любящих будущее. Если даже их Агни еще не проявлен, то все-таки потенциал его неисчерпаем. Также смотрите сострадательно на людей, не ведающих будущего, как на больных, и, действительно, их аура не будет светлой, ибо она будет лишена игры Материи Люциды. Много людей составили себе такие ограничения, что они не могут проявиться через мутное вещество нервов. Как империл преграждает движение огненного вещества, так мышление ограниченное мутнит ценную субстанцию. Можно лечить эти болезни внушением.

27. Можно иметь воздействие на растения, как и было показано. Но надо запастись большим терпением, ибо каждый атмосферный ток может влиять на передачу огненной энергии. Но кто же может представить, чтобы космический химизм не воздействовал на человеческий организм! Но правильно замечено, что даже запах цветов может измениться при давлении космических токов. Не удивляйтесь, что вся Природа отвечает тому, что человек не желает замечать. Утончение сознания и заключается прежде всего во внимании к окружающему.

28. Саламандры, как существа низкого огня, не могут быть очень светлыми. Когда Показывал саламандру, Хотел дать понятие о существах огненных недр. Уже Показывал сущности подземные и подводные, но также нужно знать амплитуду Огня. Можно легче понять всю разнообразность огненных сущностей, когда можно увидеть не только Высших, но и низших.

29. Действительно, можно делать операции селезенки. Физически организм может некоторое время существовать даже без нее, но это будет чисто физическое решение. До сих пор люди не заботятся о последствиях для тонкого тела, между тем орган, связанный с тонким телом, должен быть очень оберегаем, но не уничтожаем. Происходит то же самое, что с удалением аппендикса. Человек не только живет, но даже жиреет, но все-таки одна из главных функций психической энергии уже нарушена. Аппендикс впитывает психические элементы пищи. Кто-то может жить и без таких элементов, но зачем же лишать организм таких помощников? Конечно, все физические операции сердца показывают, насколько врачи далеки от психических проблем, потому нужно очень избегать всех физических операций, если при этом не соблюдены условия тонкого тела. Самые неизбежные операции следует сопровождать соответственным внушением, чтобы части тонкого тела могли принять наиболее нужное положение. Ведь с тонким телом нужно мысленно сообщаться. Если мысль утвердит внушением огненную самозащиту, то множество последствий будет избегнуто. Особенно нужна такая самозащита от всяких заражений. Если бы в течение операции можно было бы внушать необходимые процессы, то помощь тонкого тела значительно бы помогла желательному результату. Такие внушения могут регулировать все функции организма, но без этой помощи печально видеть, как уродуются тонкие тела.

Один древний хирург Китая обычно перед операцией выводил тонкое тело и затем внушением пояснял новое применение органа. Так следует принимать со вниманием не только физические условия.

30. Могут подумать некоторые люди: как легко Владыкам, когда Они вышли за пределы земных тягот! Так скажет, кто не знает размеров действительности. Именно как на Земле, так и на Небе. Уходят тяготы земные, но приходят несравнимые заботы космические. Именно если трудно на Земле, то на Небе еще труднее. Не будем считать мгновений Deva Chan, когда иллюзия может скрывать труд завтрашний, но в действии посреди хаоса не может быть легко. Вам трудно от тьмы и хаоса. На всех обиталищах также трудно от многих видов тьмы и того же хаоса. Но вы, по счастью, лишь ощущаете натиск хаоса и не видите его мрачных движений. Правда, трудно с людьми и по их невежеству, и по их служению тьме, но тем труднее, когда видите движение масс материи, обращающейся в хаос. Когда подземный, гибельный огонь ранее срока пытается пробить кору земную или когда слои газов отравляют пространство, тогда трудность превышает все земное воображение. Не тяготы, но лишь сопоставления помогают

сейчас сказать о трудах. Ведь невежды думают, что песни и арфы — удел Небожителей. Нужно рассеять это заблуждение. Нигде нет указаний, что трудно лишь на Земле, но по сравнению нужно сказать: если здесь досаждают бесы, то Архангелу угрожает сам сатана. Так нужно понять действие и постоянную борьбу с хаосом. Нужно признать ее как единственный путь и полюбить ее как знак доверия Творца.

31. Можно привыкать, что каждая весть от Нас есть нечто нужное. Пусть это будет одно слово или одна буква, но если она послана, значит, это нужно. Сами люди часто произносят приказ в одном слове, но часто у них происходит ассоциация с чем-то продолжительным. Так и на Боевой Башне часто можно послать лишь одну букву. Лишь полное значение в Наших телеграммах.

32. Вихрь не там зарождается, где уже шумит. Мы усматриваем молнию, когда она зарождается в напряжении. Так Мы чуем образования вихрей. Пусть их не замечают, кто не должен заметить. Пусть течение судьбы, как река подземная, но все примеры соседей не проходят без последствий. Пусть творится сужденное.

33. Можно научиться, как поощрять духовных людей. Правда, они творят подвиги духа не ради поощрения, но все же и они нуждаются в охранении духовного направления. Каждый Правитель должен знать не только силу порицания, но и должен понимать благо поощрения. Последнее труднее, но какая благодать исходит, когда Правитель знает, что кому нужно для цветения «Лотоса»! Можно иметь много отшельников, но их благая напряженность не даст высшую меру энергии, если окружающие силы будут враждебны. Потому следует сердце упрочить в стремлении к пониманию самого лучшего.

34. Мать иногда говорила сыну о значении Высшей Благодати и вечной связи с Высшими Силами. Мальчик однажды очень внимательно наблюдал за птичкой на своем окне и шепнул матери: «Она тоже следит за мною, чтобы не сказал ничего гадкого». Так тоже может начинаться мысль о великой связи.

35. Напрасно думает ученый, что вещество эманаций пальцев только ядовито. Это вполне зависит от духовного состояния. Империл нервного наблюдателя, конечно, дает ядовитые осадки, если он не обращает внимания на духовное состояние организма. Умение отличать разницу нервного состояния даст ученым несравнимую возможность. Ведь даже свечение концов пальцев различно. И каждое свечение основано на химизме.

36. После новых потрясений человечество вступит на путь сотрудничества. Но можно себе представить, что должны пережить два враждебных соседа, чтобы подумать о взаимной пользе. Утеснение одних явится лишь радостью других, значит, они оба должны пострадать. Уловки темных помогут защититься особенно лукавым. Явление справедливости очень трудно, если не учтены побуждения.

37. Явление ночью имело два значения. Первое показало, насколько в Тонком Мире выполняются мысли, если сознание расширено. Так мысль о прибавлении роста немедленно вызвала рост тонкого тела. Но такое обстоятельство не полезно для физического тела, потому было произведено сильное воздействие, чтобы вправить тонкое тело. Такое воздействие редко и такое явление тонкого тела тоже редко, потому его следует записать. Оно на ощущении показывает, как исполняются мысли в Тонком Мире. Мыслетворчество Тонкого Мира трудно осознать в земном состоянии, но известная ступень сознания может ощутить и даже перенести в физический мозг тонкое сознание. При таком воздействии нужно как бы касаться известных центров, и такой массаж координирует снова оба тела.

Можно постепенно замечать много значительных проявлений. Конечно, при возвращении тонкого тела происходит некоторое выдыхание. Оно по степени своей показывает быстроту возвращения тонкого тела. Можно утверждать при сильном выдыхании, что полет был спешным, но обычно такая спешность несет за собою усталость.

Также правильно заметили о последствиях улучшения токов, но и такие наблюдения доступны лишь тонкому сознанию. Мало ли пояснений выдумать можно, чтобы не заметить течение высшее, но развитое сознание и в таком случае пошлет свою благодарность в пространство. Истинно, велико последствие каждой благодарности! Люди должны принять этот закон как живую связь с Высшими Мирами.

38. Каждая весть должна быть не только благой, но и привлекательной. Можно заметить, что многие молодые люди не следуют путем отцов и матерей. Кроме кармических причин можно усмотреть непривлекательность действий старших. То же самое видно и в положении религий. Религия, как связь с Высшим Миром, должна быть прежде всего привлекательна. Страх не привлекает, насилие отвра-

тительно, но само понимание Высшего Мира должно быть увлекательно. Можно радоваться всему Высшему. Даже малоумный не отклонится от Высшего. Чтобы затемнить Высшее, нужно проделать ряд отталкивающих действий. Кто бы ни были эти отвратители, во всяком случае, они будут богохульниками. Если они затемнят самое Прекрасное, они будут служителями тьмы. Дело не в догмах и не в символах, можно опозорить самый прекрасный знак. Как же назвать тех, кто отвращает малых от Дома Божьего? Растлители, тюремщики те, кто позорят молитву к Высшему. Разве сказано, что можно говорить с отцом или с матерью лишь их же словами? Так же и в молитве к самому Высшему кто же может принудить сердце свое славословить чужими мерами? Кто слагал молитвы, гимны, песнопения, тот пел своим сердцем. Нельзя препятствовать духу возноситься на своих крыльях. Как и куда полетят бескрылые? И разве не даст ответ отломивший перо малейшее? Если нужна песня, то она будет песней сердца, и при этой песне будет звучать каждое творение, каждый предмет воссоединится в хвале Превышнему. Кто поможет ближнему еще увлекательнее создать хвалу, тот сотворит благо. Никакая догма не может запретить беседовать с Превышним. Чем она будет прекраснее, тем Он будет ближе. Если же нужна помощь, то довольно обратиться: «Помоги!» Но и для такого простого слова нужна привлекательность.

Изуверы, о которых вы много слышали, именно страдают отсутствием привлекательности. Сколько тьмы и отвращений посеяли они! Имеется ли такой язык, на котором нельзя молиться? Молитва духа претворяется на всех языках, также и сердце может петь на своем языке, лишь бы прозвучала привлекательность.

39. Конечно, вы слышите, как жалуются люди на бесполезность молитвы. Они скажут: «К чему отшельники и монастыри, когда мир погрязает в несчастье?» Но никто не подумает, во что обратился бы мир без молитвы! Потому следует прекращать всякую хулу на деяния духа. Откуда же придет ощущение связи с Высшим, как не от молитвы? Пусть осуждающие вспомнят, не дрогнуло ли их сердце при устах восторга? Уста духа каждого приближали к возможности постижения. Именно нужно хранить мост к Высшему Миру.

40. Помимо заимствования энергии признаки отсутствия и головокружения относятся к огненным воздействи-

ям. Так же точно эпидемии невралгии и как бы ревматизма не что иное, нежели проявления огненных центров под напором Пространственного Огня. Не скоро люди согласятся исследовать такие эпидемии под знаком Огня. Люди по обычаю любят расчленять, но синтез труден для них. Между тем уже время обратить внимание на всякое заболевание, поддающееся внушению. Нужно отдать себе ясное представление о причине, создающей физические боли, но исчезающие под внушением. Почему физические ощущения поддаются психическому воздействию? Придем к заключению, что одна стихия является решающим фактором — Огонь, проникающий как психические, так и физические области. Даже менингит поддается внушению. Такое, казалось бы, непоправимое повреждение уступает силе Огня. Ведь внушение — прежде всего огненная концентрация. Человек, причиняющий огненное воздействие, тем вызывает напряжение пострадавших органов, потому сила внушения должна быть очень развиваема, но и над ней должен быть государственный контроль. Нечто похожее на египетских жрецов, которые имели право внушения, но должны были дать полный отчет в собраниях храмовых.

41. Некоторые дети имеют привычку в минуту досуга разбить что-нибудь. Иногда можно разбить простую тарелку, но иногда тем же движением можно уничтожить драгоценную чашу. Потому нужно направить мысли на самое главное и отставить все мелкие действия. Устремление нанести хотя бы малый вред уже преступно. Теперь, когда мы подошли к решающим событиям, нет времени заниматься мелкими явлениями. Надо запомнить, что самое решительное время наступило.

42. Обратиться к будущему вовсе не легко. Оно звучит просто: оставим прошлое и обратимся к будущему. И просто, и прекрасно, но как же зажжем костры прошлого и где найдем огни, чтобы осветить будущее? Подвиг духа скажет, как найти эти границы и меры. Но как же втиснуть подвиг в жизнь будней? По счастью, каждое сердце уже представляет кошель для подвига. Во все времена население делилось на оседлое и кочевое. Кочевники передвигались мощью искания достижений, не было у них места своего, но для будущего они находили силы достижений. Такое стремление сердца вложено в каждую человеческую жизнь. Нужно среди остатков мощи подвига найти это благородное неуспокоение, ведущее в будущее, только так можно не застрять в тенётах прошлого. Уже Говорил, насколько следует избегать в Тонком Мире воспоминаний — как оковы! Но уже здесь нужно приучаться к устремлению в будущее. Не сказано — не надо знать прошлого, именно знание благословенно, но не следует увязнуть в пыли чуров. Так, не забывая, не ограничивая, пойдем к Новым Мирам. Свобода сознания рождает героев. Дисциплина духа утверждает мудрецов, но только невежды могут понять будущее как новую постель. Лучше представить себе движение и полеты.

43. Если радуемся переходу в Мир Высший, то и переход предметов творчества тоже представляет собою ступень. Но и такое разрушение обратится на пользу. Есть мученичество людей, и животных, и растений, также явлено и мученичество вещей. Явление скорого пути мученичества всюду. Можно видеть такие противоположения во всех царствах Природы. Тот же путь мученичества телесного и духовного будет кратчайшим. Мост Огненный именуется мученичество. Но при битве нужно пользоваться всеми возможностями. Так вы видите и малые, и большие обстоятельства.

44. Устремляю в будущее также и по физическим причинам. Нужно не забывать, что в Тонком Мире можно ощущать не только жар, но и холод — оба ощущения нормально не нужны, но происходят от принесения неизжитых, земных частиц. Устремление в будущее — лучшее освобождение от земной шелухи. Так можно еще раз убедиться, что мысль несет за собою чисто физические следствия. Конечно, в Тонком Мире необходимо освободиться от земных ощущений. Если они чувствуются, значит, какие-то частицы угрожают мешать восхождению. Тонкий Мир в гармонии не дает земных ощущений, проще говоря, жители его не теряют энергии на такие ощущения, которые и при земном состоянии доставляют много тягости. Можно приготовить сознание к освобождению от всяких ненужных пережитков. Ведь и на Земле, при некоторых воспоминаниях, люди восклицают: «Меня бросило в жар!» или «Холод пронизал сердце!» Но если на Земле мысль причиняет чувствительную физическую реакцию, то в Тонком Мире она должна значительно усилиться. Ведь только будущее может освободить от тяжести ощущений; и не слишком трудно приучиться думать о будущем, если усвоили устремление к самому Высшему. Так утверждайте во всех действиях полезность понимания будущего. Много воспоминаний, сожалений, обид и разных прошлых ненужных вещей только отталкивает магнетизм грядущего, уже сложенного. Явление магнетизма будущего есть великий двигатель, и нужно его понять совершенно реально.

45. Конечно, Цикл Аквариуса уже действует и сожительствует с концом Рыб. Обычно граница Цикла очень постепенна, и тем утверждается гармония происходящего эволюционного процесса. Если бы представить себе резкую границу между такими своеобычными факторами, то могли бы быть вызваны разрушения, катаклизмы. Итак, уже Аквариус принес значительное перемещение сознания, но усиление его могло бы создать губительную революцию там, где нужно строительство. Можно даже неподготовленным глазом заметить чередование влияния Рыб и Аквариуса. Но нельзя предоставить мятеж человечеству, совершенно не вошедшему в сознание воздействия.

46. Мир Земной в существе своем противен Миру Тонкому, ибо каждая хаотичность угрожает тонким построениям. Такая же разница между Миром Тонким и Миром Огненным, ибо осадки Тонкого Мира уже не в природе Огня. Потому каждая огненная мысль получает противодействие как Тонкого Мира, так и земного. Но победить это условие можно лишь огненным напряжением, ибо Огонь духа нужен для пожирания хаоса и претворения его. Огонь устремлен не там, где рассудок пытается уговорить хаос. Огонь сердца проникает через хаос и преображает его в полезное вещество. Сильна лаборатория сердца, и мысль сама должна быть очищена Огнем.

47. Пользование психической энергией в разных Школах указывалось различно. Одни предлагали напрягать эту энергию непрерывно, но другие предпочитали прерывать этот ток погружением энергии в бездеятельность. Оба метода в сущности не различаются, если сознание развито. При возвышенном сознании энергия получает постоянные импульсы, и, когда она представляется как бы бездействующей, она лишь переносится в глубину сознания. Такие же кажущиеся противоположения являются при умном делании. Одни полагают, что произнесение известных слов необходимо, другие прямо переносят явление делания в ритм сердца. То и другое одинаково полезно, если дух уже возвышен. При возвышении духа нужно соблюдать ровное отепление сердца. Нужно избегать потрясений, как ненужных и вредных. Можно убедиться, что сердце может пребывать в постоянном Служении Иерархии. При этом сердце не нарушает свою отзывчивость на всякие обычные вопросы. Такие совмещаемые противоположения не изменяют ритм сердца. Так и теперь Обращаю внимание ваше на самые обиходные обстоятельства, ибо Вождь должен касаться каждого посредника жизни.

48. Могут спросить: почему Говорю о Вожде, а не о Правителе? Различие между ними огромное. Правитель предполагает настоящее и как бы управление чем-то, уже существующим, но Вождь являет в самом значении слова будущее. Он не получил уже сложенного, он ведет, и каждое его действие устремляет вперед. Правитель знает уже сложенное и законченное, но Вождь не имеет утвержденного ранее и должен привести народ к Горе Совершенства. Если тягость Правителя велика, то ответственность Вождя еще больше, но зато и Силы Превышние утверждают свой Престол там, где есть признаки водительства. Именно Вождь должен различать, где притворство и где искренность. Явление добродетели сердца очень отличается от насильственной угодливости. Вождь имеет силу отличать это свойство.

Читали многие, как Давид вопрошал Силы Высшие; он прибегал к этому Источнику, чтобы избежать лишних ошибок. Много таких примеров в истории разных народов. Каждый знает о них. Даже не нужно погружаться в древнее время, и в новейших событиях видны эти знаки Общения и Служения Великого. Но также знаем, что для Великого Общения нужно чистое сердце. Ничто нечистое не получит Общения, потому символ Вождя должен быть знаком чистоты сердца. Не только в действии, но в мыслях Вождь несет благо народам. Он знает, что ему поручено принести чашу полную, он не теряет пути в блуждании, он не расплескает доверенную чашу — так понятие Вождя есть знак будущего.

49. Чтение полезное должно сопровождаться сиянием. Не может сердце не отвечать на радость духа. Чем нужнее, тем могут быть разнообразнее знаки.

50. Помните, насколько нужно людям понятие Вождя. Они хотят иметь Поручителя перед Высшим. Они понимают, насколько не найти пути без связи, но они знают, что Вождь приходит. Ничто никогда не может помешать Вождю, если не удержан он земными проявлениями, решающими его отступление. Чистое устремление Вождя не может быть пресечено вне срока.

51. Не новость, что трепет ужаса вызывает сокращение кожных нервов на затылке, но люди забывают, что нервное вещество позвоночника как стрелу посылает для восстановления смущенного сознания. Можно думать, что дрожь в затылке есть выражение ужаса, но вместо того это лишь стрела защитная.

52. Не мало содроганий в планете, очень передвигается вулканический пояс. Если солнечные пятна влияют на земные дела, то не меньше подействуют ядовитые газы земного потрясения. Недостаточно наблюдают за следствиями землетрясений на сознание людей. Сознание содрогается не только около мест землетрясения, но и в пространстве оно отражается, как сильное отравление. Лишь невежды могут сказать: «Какое мне дело до газов в Чили или Сибири?» Только невежды не желают мыслить в мировом масштабе, но каждый, кто уже мыслит об Огненном Мире, тот понимает значение подземных газов и лучей извне.

53. Непроницаемый панцирь может быть из металла или из шелка, но самый лучший панцирь — огненный. Разве Вождь пройдет путем сужденным без панциря огненного? Как же иначе отвести все стрелы злобы и мечи ненависти? Но многие Вожди даже земным сознанием чуяли, что их хранит панцирь огненный. Можно написать целые книги о магнетизме сужденного Вождя. Можно приметить, что не внешность, не голос, не богатство, но нечто иное убеждает народы. Уже не раз говорил об Огне сердца. Именно этот панцирь-магнит и привлекает, и защищает. Как сказано: «Приму в щит все стрелы». Но нужно сковать этот щит. Можно уявить этот щит лишь Сверху, но сколько мыслей и бесед нужно предпослать, чтобы Общение создалось и сковало панцирь огненный! Нужно не потратить ни дня, ни часа, чтобы сделать Общение живым и всюду присутствующим. Напрасно думают, что наука отдаляет от Высшего Мира, она может изменить земные названия, но сущность триединая остается как основа. Тем более Вождь умеет представить себе, где сущность. Может быть, он не скажет Слово Непроизносимое, но он будет чуять его в сердце. То Слово поможет Вождю не утерять понимание мировое, только оно легко доставляет чудесный панцирь.

54. Фламмарион напрягает мысль к созиданию тонкого тела планеты. И, конечно, тело планеты создается мыслью, но зарождение планеты идет не из Тонкого Мира, но из Огненного. Когда Огненное Зерно уже сложено, тогда и мысль Тонкого Мира может быть полезна. Множество Огненных Зерен вращается в пространстве. Множество небесных тел уже находится в тонком виде. Действительно, пространство не только наполнено, но и переполнено. Так

разрушение миров, которое происходит ежесекундно, есть лишь фактическое зарождение и оформление новых тел. Но правильно понять, что зарождение требует огненную мысль. Стремитесь к Миру Огненному, чтобы принять участие в высшем творчестве. Ошибочно думать, что оно недоступно. Именно каждое развитое сознание должно стремиться к радости творчества. Уже это одно стремление есть начало сотрудничества. Пусть мысль Фламмариона не может дать полноту следствия, но мысль обширна, благородна и заслуживает радости о ней. Он постоянно стремился к расширению понимания, и так даже его ошибки получили значение полезности, к тому же он не иссушил рассудка и мог уйти от Земли молодым. Когда в Тонком Мире некоторые невежды пытаются мыслить об убийствах, ученый мечтает о прекрасном творении.

55. Обратный пример: когда разум иссушился непониманием Учения, тогда можно ответить: «Полно приставать о своих обидах, могли вы достаточно долго расширять сознание; могли наблюдать небесные миры и могли понять Источник Учения, но вместо того вы хотите унести с собою земные обиды. На что вам Учение и мудрость веков, когда ваши мысли вне расширения скорчились в обиде? Не вас обидели, но вы сами себя обидели...» Так в Тонком Мире толкутся малые мысли. Можно пожалеть, сколько сил тратится на раздоры и унижение, но если спросят, как найти, насколько вредны химически такие мысли Тонкого Мира, то можно лишь сказать — малые, недобрые мысли порождают ядовитые газы. Нужно подумать не о себе, но насколько люди могут вредить друг другу и в Тонком Мире. Но каждая добрая мысль и устремление к Прекрасному подвигают быстро.

56. Мысль-воля остается единым основанием всего Сущего, потому энергия мысли должна быть так заботливо исследована.

57. Найдете людей, которые скажут: долой Вождей, долой Учителей, долой Руководителей! Знайте, что они паразиты, которые питаются смутою и разложением. Ложь и ущемление лежат в природе паразитов. Они тайно собирают богатства и не прочь пожинать роскошь; так нужно отличать всех, кто строители в природе своей и кто разрушители. Так, справедливо побыть с теми, кто знает радость труда. Они знают и Руководителей и почитают Учителя, ибо природа их устремлена к кооперации.

58. Чудеса живут. Именно и стоит жить познанием

чудес. Множество готовых сочетаний разбивается тупым отрицанием и постыдною слепотою сознания.

59. Обучение в низшей и средней школе должно быть одинаково для обоих полов. Нельзя навязывать ребенку специальность, когда он не может еще найти свои способности. Достаточно высшей школы, чтобы разделить программу по дарованиям. Так, можно объединить образование тех, кто не может сразу обнаружить свои задатки. Очень важно, чтобы программа не различалась для полов. Уже это одно условие сотрет очень вредное отношение к полу.

60. Направить сознание в будущее есть задача истинной школы. Никто не хочет понять, что перенесение сознания в будущее есть образование ведущего магнита. Но дело в том, что сознание должно быть в полноте устремлено в будущее. Многие полагают, что можно иногда подумать о будущем и затем снова купаться в прошлом. Нужно не отдельные мысли уделять будущему, но существо сознания настроить в ключе будущего. Нельзя принуждать себя к такой трансформации. Можно достичь, лишь полюбив будущее. Не многие любят будущее. Страна трудовой радости, совершенствуя качество труда, может быть естественно увлечена в будущее. Обязанность Вождя — устремлять народ в будущее.

61. Искусство мышления должно быть развиваемо в школах. Каждое искусство нуждается в упражнении. Также мышление должно быть усилено упражнением. Но такое углубление не должно быть тягостным и скучным, потому руководитель такого предмета должен быть истинным просвещенным. Можно видеть, что самые ужасные бедствия в истории человечества происходили от неумения мыслить. Можно найти множество примеров, когда срывчатое мышление и необузданные чувства вели к пропасти целые народы. С другой стороны, леность мышления и тяжкодумие разрушали уже сложенные возможности. Сам Вождь должен подать пример постоянного расширения мышления, чтобы приблизиться к предвидению. Конечно, предвидение происходит от Общения с Иерархией. Но само Общение требует подвижного мышления и ясного устремления. Искусство мышления не следует понимать как оккультное сосредоточение. Ничего нет тайного в искусстве мышления и в утончении сознания. Лишь высокое качество добросовестности утвердит путь мыслителя. При этом никто не скажет, что мыслитель есть особая порода. Каждый ребенок

может быть направлен к мышлению. Так, нужно рассматривать искусство мышления как здоровье народа.

62. Эволюционные мировые процессы должны быть очень увлекательно изложены в школах. Родина выливается из мировых процессов и должна занимать вполне обусловленное место и значение. Каждый должен знать истинную ценность своего отечества, но оно не должно быть растущим древом в пустыне, оно имеет свои сотрудничества со множеством народов. Также и верование в Высшую Справедливость придет от знания действительности. Пусть процессы Мира найдут живых толкователей. Нужно следить, чтобы эти великие пути народов не искажались в угоду невежества.

63. Каждое объединение может состояться лишь на кооперативных началах. Стоит только допустить элемент завоевания, подавления и унижения, чтобы рано или поздно эти отвратительные тени превратились в разрушительных чудовищ. Потому каждое насилие не может входить в построение Твердыни. Можно найти мощь радости в сотрудничестве, но такое сотрудничество требует искусства мышления. Кто распределит силы для производительного труда? Лишь тот, кто умеет представить полезное сотрудничество. Он должен уметь вообразить такую общую работу, но, как знаете, воображение нужно образовать. Задача каждой школы есть открытие обоснованного воображения.

64. Правильно соображение о медиумах, что лимфа их есть механическая связь с Астральным Миром, но, как всякая механика, не хранит от всех вторжений. Тоже правильно понять, что силы тьмы напрягают все уловки, чтобы остаться в земных сферах.

65. Можно заметить и среди дня как бы отсутствие. Нужно очень внимательно присматриваться к этим состояниям. Они показывают, что тонкое тело частично выходит на дальние работы. Можно чуять головокружение и напряжение Колокола. Происходит это от лишь частичного пребывания тонкого тела, которое подвергается особым давлениям Огненного Зерна. Не следует утруждаться в этом состоянии. Полезно посидеть спокойно с закрытыми глазами. Также можно мысленно послать токи к тонкому телу, которое на работе. При этом не нужно насиловать себя на географии и на расстоянии, но нужно послать спокойное напутствие работающему тонкому телу, не утомлять себя, когда столько токов напрягаются. Не только тяжкие токи утомляют, но и усиленные посылки удачи могут утруждать.

Удары по ауре могут быть от самых различных причин. Не случайно древние жрецы закрывали сердце левой рукой, как бы громоотводом, ибо пальцы очень отражают удары.

66. Не нужно думать, что звуки дальних миров будут чем-то невообразимым. Прежде всего они будут звучанием, ибо ток создает вибрацию. К этим звучаниям нужно привыкать. Можно понять, что так называемая музыка сфер сравнительно часто граничит со звучанием дальних миров. Во всяком случае, каждая музыка сфер уже связывает миры, ибо та же вибрация достигает планеты дальние.

67. Следует обращать внимание на зачатки разных эпидемий. Явление той или иной повальной болезни отражается на общих сознательных силах. Отравление проникает глубже, нежели думают, и перерождает, и творит новые микробы. Эпидемии физические и психические очень пагубны. Многие вырождения целых родов происходят от подобных перерожденных микробов.

68. Не объедайтесь, иначе говоря, будьте осторожны в пище. Особенно могут развиться болезни, когда явления тяжких токов очевидны. Можно наблюдать заболевания растений и животных, притом излечение может быть затруднено. Так не только болезни людские, но болезни всего мира должны обратить внимание ученых.

69. Некоторые насекомые и пресмыкающиеся предпочитают погибнуть, лишь бы укусить и выпустить яд. Так же точно служители тьмы готовы на самые неприятные последствия, только бы сотворить ядовитое зло. Нужно твердо запомнить этих творителей зла, которые иногда не щадят самих себя для злодейства. Можно уявить много примеров, когда задуманное зло не могло быть полезно самому злодею, но тем не менее он под внушением темных то являл. Уловки темных должны быть явлены. Например, иногда находят около известных мест трупы каких-то людей или животных. Темные знают, что для привлечения сил низших сфер нужно разложение, и они находчиво устраивают такие очаги смуты и разложения. По этой причине давно Советовал не держать в доме разложившейся мясной пищи и испорченных растений, также гнилой воды. Люди редко обращают внимание на такие факты, которые даже современные врачи подтверждают.

70. Человек должен быть постоянно на пороге к будущему. Человек нов каждое мгновение. Человек не может утверждаться на бывшем, ибо его больше не существует. Человек может знать прошлое, но горе ему, если он захочет приме-

нить меры прошлого. Несовместимо прошлое с будущим. Мудрость сознания новых комбинаций соединяет прошлое с будущим. Нелегко постоянно мужественно знать, что каждое мгновение обновляет миры, но из этого источника родится неисчерпаемая бодрость. Можно собрать Совет мудрых, но не придет туда дряхлый духом, построивший себя лицом к прошлому. Свет будущего есть Свет Иерархии.

71. Подкупность должна быть искореняема всеми средствами, но нельзя полагаться на карательные меры. Они плохо помогают. Нужно среди уроков Этики в школах утвердить мысль, что подкупность не соответствует достоинству человека. Следует очень пристально наблюдать, не покажутся ли где признаки такого гниения? После подкупности не менее позорно неделание долга. Но это преступление так всасывается от малых лет, что и воздействие возможно лишь от малолетства. Пусть дети приучаются к работе взрослых. На качестве труда придет и сознание долга. Каждая небрежность, забывчивость и уклончивость может быть осуждена лишь в своем сердце.

72. Именно мужество создается при неразрывной связи с Иерархом. Мужество может лежать в зерне и никогда не выявиться как светлый доспех. Но когда сознание наше всецело перенесено в область, где нет страха и уныния, тогда мы неуязвимы скверною. Нужно понять, где крепость наша, и спешить туда без уклонения. Так можно упрочить мужество.

73. Обычно люди ошибаются, полагая по ограниченности сознания, что предмет может существовать лишь в одном виде. Потому они не могут представить, что в древности люди могли пользоваться различными энергиями, но применяли их совершенно иначе. Люди также забывают, что сами они, покидая жилища, уничтожают многие вещи. Так и мудрые Наставники принимали меры к своевременному сокрытию того, что не должно было быть показано вне срока. Новые открытия, разве они могут быть обнародованы вне срока? Основание могло бы быть поколеблено такими самовольными попытками. Разве Иерархия не участвует в открытиях? Разве не знаете, что многие открытия были уничтожены Нами как вредные по несвоевременности? Рука Водящая не знает покоя, следя за проводом возможностей во Благо.

74. Давно люди знали, что можно знакомиться между собою или лично, или мысленно. Последнее утверждение полезно и теперь.

75. Жар непомерный и огонь свирепствуют и напоминают, что перед войною и потрясениями бывают пожары.

76. Действительно, роскошь должна покинуть новое строение, тем более, что роскошь не отвечает ни красоте, ни знанию. Но извилисты границы роскоши. Невозможно одним законом определить их. Нужно совершенно уничтожить всякую пошлость, которая бывает спутницей роскоши.

77. Для роста познавания Красоты в школах учреждается изучение Красоты Жизни. История Искусств и Знаний войдет в этот предмет, ибо он должен касаться не только бывших пониманий, но и содержать указания по современным достижениям. Руководитель этого предмета должен быть действительно образованным, чтобы избежать всякого изуверства, которое содержит в себе зерно невежества.

78. Тайной живет Мир. Так же как Высшая Тайна неоткрываема. Так же как в каждом напряжении есть элементы тайны. Люди в сердце чуют границу этой Тайны и способны уважать ее. Не следует выдумывать тайну, но следует почитать ее, в этом будет оправдание человеческой личности.

79. Можно предупредить, что всякое сознательное прикосновение к силам Тонкого Мира может быть опасным. Если тонкие существа ищут поучения от земных, значит, их цель сомнительна, ибо в Мире Тонком легко найти высокие Поучения.

80. Тем, кто не может усвоить идею Вождя, скажем — каждое ваше слово предполагает приоритет чего-то или кого-то. Сами не замечаете, что каждое утверждение ваше опирается на нахождение чего-то, установленного кем-то. Нет человека, который обошелся бы без учительства. Только не нужно превозноситься в сердце своем. Понимание Иерархии поможет установить явление Вождя, который по отношению к Высшим не Вождь, но последователь. Люди под влиянием невежества пытаются иногда отрубить канаты, но каждый моряк скажет, что мачты рубят, когда стихии оборевают силы человеческие. Тот же моряк знает, что без мачт и канатов плавание бедственно. Значит, нужно посредством воспитания утвердить неизбежность Иерархии во всей Вселенной.

81. При наступлении великих сроков неизбежны небывалые напряжения. Управление и координация событий непомерно трудны из-за отравления некоторых слоев атмосферы. Некоторые события зреют, как под жгучими лучами солнца, но другие плесневеют, как в сырую погоду. Помните, что нельзя уже отложить сроки, такое насилие может вызвать космические катаклизмы. Каждый должен действовать посильно, помня о Великом Служении.

82. Огненные искры из кремня могут напомнить искры напряжения. При узловых моментах Битвы могут быть удары, производящие множество искр. Ближайшие могут более других ощущать такие огненные потоки, когда они вовлечены в самый бой. Когда Советую осторожность, значит или сильные нападения, или самый бой дает напряжение. Они прежде всего отражаются на развитых центрах. Нельзя уберечься от таких воздействий. Святые страдали именно от таких напряжений. Но самое трудное имеет и свою счастливую возможность. Именно боевые напряжения или страдания от нападений лучше всего утончают центры. Потому каждый, идущий в Великом Служении, приветствует такие напряжения, как крылья Света. Можно видеть, как верх позвоночника стонет от давления, но это называлось грузом Атласа — явленного держателя земной тягости. Можно советовать врачам больше обращать внимание на центры и на сердце.

83. Каждый, зовущий ближнего к огненному крещению, уже является участником Великого Служения. Каждый, принявший участие в несении Креста Истины, не обессилит. Каждый, понявший нужды Мира, уже сокращает путь восхождения. Каждый, познавший значение сердца как Обители Агни, уже на верном пути.

84. Устный приказ остается в жизни, хотя бы человечество располагало тысячью письменных языков, к тому три причины: первая — приказ не всегда поддается письменному изложению; вторая — люди мало устремляют внимание, полагаясь на письменность; третья — явление самых высоких Заветов никогда не бывает записано, потому уста говорят от сердца к сердцу высшие приказы. Такое простое соображение все же нуждается в отмечании, ибо, если кто не знает Иерархии, тот не поймет святости приказа. Нужно много наставлений о законах Природы, чтобы понять всю красоту закона притяжения, который лежит в основании Иерархии. Невежды не понимают, что рабство и свобода лежат: первое — во тьме и вторая — в Свете Иерархии.

85. Действительно, будет расти уважение духа. Мы должны искоренить безбожие. Дело в том, что лучше сохранить хотя бы обломки познания Иерархии, даже в условных формах, нежели ввергнуться в бездну хаоса. Когда люди услышали о недосягаемости Высшего, они начали вообще свергать все Невидимое. Потому по приказу Моему будет пре-

следоваться безбожие, которое приняло вид самого явного сатанизма. Но нельзя больше терпеть эту инволюцию.

86. Множество преступников обратятся к труду под внушением. Совершенно, как пьянство и другие пороки, так же и болезни преступности могут быть излечены волевым приказом. Так же не нужно забывать, что многие преступления совершаются под влиянием одержания. Значит, таких людей нужно лечить, но не карать. Конечно, при таком лечении имеет решающее значение усиленный, систематический труд; для одержателей каждый труд ненавистен. Они пытаются погрузить в хаос, но сущность труда уже есть проявление. Не следует огорчаться соображением, откуда придут сильные внушения, их много, но они разрозненны. Когда же состоится Институт психической энергии, он соберет многих полезных сотрудников. Не следует забывать, что Институт Астрологии будет близким помощником для проверки данных. Недавно правительства стыдились как небесных Светил, так и человеческой мощи, но психическая энергия должна занять внимание просвещенных людей.

87. Не случайно люди вспоминают о старых пророчествах, об изменении небосклона. Нарушение равновесия планеты, действительно, вызовет многие троякие манифестации. Не только могут быть зримы новые небесные тела, но сам химизм Светил может измениться и, конечно, поражающе подействует на обитателей Земли. Итак, когда люди утешаются базарами и ярмарками, уже готовятся грозные события. Потому так неотложно нужно твердить о Живой Этике. Ведь Священная Этика превратилась в дурацкий этикет и сделалась печатной этикеткой.

88. Наука атмосферных влияний должна быть значительно преображена. Можно заметить, даже при современных аппаратах, необъяснимые колебания, дрожания и скачки, как бы не соответствующие другим показаниям. Такие следы астральных вихрей приносят Земле очень значительные следствия. Кроме того, утверждаются, таким образом, сношения с Миром Тонким. Действительно, среди напряжений Тонкого Мира могут быть такие давления, что даже отзвук их сотрясает материю проявленную. Прежде всего такие волны отражаются на огненных центрах. Сами вы могли наблюдать, как, несмотря на прохладную погоду, центры давали показания большого давления. Нужно сравнивать это с реакцией дальних событий, которые также вызывают вибрации сильных напряжений. Но астральные вихри замечены еще меньше, нежели телепатия. Ученые не

желают допустить, что в их физических соображениях может иметь значение фактор потусторонний. Но воздействие таких вихрей иногда почти равняется удару молнии. Не Скрою, что приходилось применять сильные охлаждающие токи, чтобы уничтожить воздействие таких вихрей. Стоим на дозоре и Готовы послать лучи, но давление токов Тонкого Мира очень небывалое. Они так сражаются с силами темными, и нужно иметь воображение, чтобы представить себе, насколько сильна Битва.

89. Вождь должен быть постоянно бодрым, чтобы никто не получил от него эманации уныния. Но такая бодрость может установиться лишь при преданности Иерархии, когда Общение вошло в сердце. От такого Источника создается и дружелюбие, которое открывает самые трудные врата. Нужно иметь перед собою Изображение Иерарха, чтобы найти ко всем случаям основание дружелюбия. Нужно знать Огненный Меч Архангела, чтобы знать границу справедливости. Кто скажет, когда исчерпаются все меры дружелюбия? Лишь один Иерарх может взять на себя такое решение.

90. Нельзя назначать на ответственные места людей озлобленных. Нужно очень опасаться такого свойства, ибо озлобленность есть ограниченность. Конечно, ограниченность до известной степени может быть излечена, так же как и озлобленность. Оба свойства поддаются внушению, но такое преображение требует времени. Ужасный вред порождается от озлобленности, как препятствие неодолимое ложится оно на все действия человека, подпавшего озлоблению.

91. В приближении к Огненному Миру приходится пройти через ступень отражения темных сил мощью духа. Человек восходящий чувствует гораздо глубже натиск необузданных стихий. Он должен без насилия магии противостать натиску темных лишь духом своим. Эта ступень отмечена во всех Учениях под разными наименованиями. Нужно быть готовым к разным хитрым уловкам, но не нужно, по примеру невежд, уклоняться от таких неизбежных столкновений. Можно помнить, что поверх всех формул существует сила духа. Стоит соединить ее через сердце с Иерархом, чтобы стать неуязвимым. Не нужно думать, что Иерарх может покинуть, но надо помнить, что на известной ступени предлагается прежде всего самостоятельное применение сил. Так нужно при каждом натиске смотреть мужественно, не избегая самого ужасного. Помните, что каждое обращение в бегство являет беззащитность. Даже малые посвященные знают, что при необходимом перемещении нужно двигаться лицом к врагу. Это не магия, но лишь осознание сил глаз.

92. Нужно помнить, что Новое Небо может стать видимо. Уже давно Говорил, что новое тело приближается, но пока скрыто от наблюдений. Теперь нужно не забыть, что энергия, излучаемая человечеством, нужна для правильного движения планеты. Когда же эта энергия становится отравленной, она ослабляет заградительную сеть и тем нарушает равновесие многих Светил. Волны вибраций изменяются, и планета теряет часть самозащиты, так человечество само распоряжается судьбою своею. Когда же наступает разрушительный период так называемого безбожия, тогда масса энергии, обычно посылаемая в верхние слои, разбивается и становится материалом коричневого газа.

93. Человечество не хочет понять силу своих излучений. Оно твердит смутно о подобии Божьем, но не понимает единства энергии всех миров. Установление хотя бы слабого объединения энергии уже является защитным доспехом планеты.

94. Сердце в полном смысле является трансмутатором и конденсатором. Часто эти процессы бывают настолько сильны, что не может быть достаточно сил человеческих, чтобы вместить и выдержать такое напряжение. От древности дошло моление о предании духа Господу. Именно нужно понять это предание духа. Если чувствуете невыносимое стеснение сердца, то передайте мысленно его Владыке. Таким образом, вы приобщите сердце к Неисчерпаемому Источнику Иерархии. Такое действие может особенно понадобиться, когда напряжение всей планеты велико. Нужно приготовиться к самым разнородным воздействиям как космическим, так и человеческим. Приобщение сердца к Иерархии происходит постоянно, но сейчас Мы указываем на особые случаи, когда потребуется с особою ясностью сознания скрепить сердце с явлением Иерархии. Многие совершенно не поймут, как можно мыслью укрепить сердце, ибо для них сердце — просто физический орган. Но кто ощущал Наши токи, тот поймет значение связи. Мир переживает такое напряжение, что своевременно напомнить о готовности к таким приобщениям. Мир Огненный должен быть вызван в полном сознании. В случае надобности можно даже словесно обратиться к Владыке. Ведь на всех ступенях Иерархии те же передача и приобщение. И как величественна Лестница этой помощи Неизмеримой!

95. Многое не может признать темп событий, ибо в этом

Разумею не только людей, но и Природу. Неожиданные климатические резкости не обращают внимания людей, но такие восстания не могут быть остановлены тайной полицией. Но они уже происходят и действуют на мозг. Конечно, Мы знаем о жизни идей, которые не могут прекратиться никакими поколениями, но люди не верят идеям!

96. Осознание Высших Сил дается не в школах, не извне, но именно живет в сердце, будучи самым краеугольным воспоминанием жизни Тонкого Мира. Можно сказать — будьте благословенны, которые сохранили в сердце самое Прекрасное. Тучи человечества от забвения самого нужного. Ночь дана как возвышение духа, но люди сказали в неведении — сон подобен смерти. Нелепо сравнивать тайну чудесную с разложением. Нужно от малых лет твердить, что сон называется беседою с Ангелами. Когда слова не нужны, тогда начинается познание сердечное.

97. Надзор должен быть очень бдительным, но он не должен являться как знак недоверия. Следует преобразить надзор в сотрудничество и в взаимоосведомление. Меры доверия и тщательность качества должны быть проводимы сверху донизу. Множество полезных мероприятий было опорочено и уничтожено только от ненависти к надзору. Конечно, невежество будет причиною такой нецелесообразности. Когда же люди прозреют в Миры Тонкий и Огненный, они поймут всю нескончаемость отношений. Поистине, кто же вне Иерархии? Только невежды или сознательные обманщики могут под разными кличками затемнять Иерархию. Но сами будут нести не свободу Иерархии, но клеймо рабства. Нужно очиститься от всякой корысти и рабства. Нужно с малых лет твердить о свободе дисциплины духа. Можно пробудить всякое достоинство и честь. Ведь без чести человек не может быть честным. Не следует думать, что рабство может быть одобряемо Иерархией. Наоборот, Мир Огненный ищет не рабов, но сотрудников. Считайте мерами чести сердечную утонченность. Так не будем забывать, что в самом каждодневном обиходе заложены основы мирового величия.

98. Нужно иметь явленную заботу об Иерархии. Не начальство Иерархия, но Твердыня Любви. Только из любви рождается почитание, которое создает дисциплину. Но немногие любят того, кто им помогает; значит, велико невежество.

99. Если трудно сосредоточить мысль, то иногда не легко избавиться от мысли. Между тем это качество тоже должно

быть достигнуто. Врачи подметили навязчивые мысли. Такое состояние может быть не только от одержания, но и от неподвижности мозговых центров. Нужно уметь как бы отложить ненужную мысль. К этому можно делать маленькие упражнения, заставляя себя умышленно переносить мысль, как бы массируя мозг. Многие вообще не понимают, о чем Говорим, но такую неподвижность мозга нужно шевелить различными заданиями так, чтобы предыдущая мысль нисколько не окрашивала следующую. Такая окраска обычно лишает четкости новые образования.

100. Когда будете наблюдать привязчивые мысли, можно усмотреть, что обычно они самого обиходного свойства. Можно назвать их продуктом Земли, но, несмотря на их малое значение, они пытаются состязаться с самыми великими идеями. Нужно очень очищать мозг от этих непрошеных гостей. Конечно, для всего есть свое время. Можно все успеть, но малые черви-точители успевают прогрызть очень твердое дерево. Особенно они любят подточить якорь доверия. Кроме сомнения можно допустить заслоняющие мысли. Ужасно потерять доверие — оно почти подобно потери общения. Когда вместо общения вдруг врывается немая пустота, ведь это пропасть!

101. Правильно удалять от дома все гнилые вещества. Но кроме разложения мяса или воды также вредны гнилые плоды и отцветшие цветы. Когда кто-то принимает меры к удалению мертвых цветов, то можно заметить, что чувствознание не только во имя красоты удаляет потерявшие жизнь растения, но по знанию закона Тонкого Мира. Если низшие сущности питаются разложением, то, за неимением гнилых продуктов, они довольствуются растениями. Можно хвалить, кому дух подсказывает правильное отношение ко всему окружающему.

102. Противоположением доверию будет уныние. Именно недоверие родит эту ужасную ехидну. Но доверие пробуждает самые огненные, самые божественные задатки духа. И Существа Огненного Мира могут приближаться к людям в часы доверия, и чудо воодушевления создает самые прекрасные приближения. Нужно воспитывать доверие, ибо иначе люди погружаются в мертвенность. Доверие есть чувствознание, оно не бывает предательством, когда мы знаем, куда направлено наше стремление. Мы радуемся, приближаясь к человеку, который бережет огонь доверия. Много прекрасных созиданий происходит, когда открыты врата доверия, врата, Огнем очищенные.

103. Когда Перечислил вам города, где особенно развит ритуал черной магии, Не Хотел сказать, что и в других местах ее нет. Наоборот, много черных лож, но некоторые предаются злу как таковому, без особых ритуалов. Но за последнее время можно видеть возрождение самых древних служений тьме. Между ними есть очень вредные, которые своим ритмом могут быть разрушительны. Черные ложи обычно не понимают, какой космический вред они творят. По невежеству они думают, что причиняют зло лишь в желаемом направлении, но на самом деле они затрагивают целые слои атмосферы. Особенно теперь, когда приближается время огненное и многие нарушения равновесия уже очевидны, вред темных вызываний особенно ужасен. Невежды и здесь действуют уявленным разрушением.

104. Разрушать черные ложи нужно очень осторожно. Дело в том, что они не существуют, как оазисы, но просачиваются даже в самые, казалось бы добропорядочные, круги. Потому трудно искоренить зло. Но люди, которые считают себя на стороне Света, недостаточно помогают, ибо доверие отсутствует и не было развито. Можно назвать случаи прямого предательства, когда люди считали это доверием, настолько смутны понятия.

105. Если, входя в дом, на столе хозяина заметите ехидну, что сделаете? Будете ли размышлять, пока змея уничтожит вашего друга, или немедленно решитесь уничтожить ее? Мы говорим: спасите ближнего от зла. Не затуманивайте голову вашу смущением, но действуйте во благо. Нельзя положить на весы ехидну и человека. Нельзя уравнять сознание низшее с храмом сознания. Если мы перестанем различать, то где же будет наша ответственность перед миром? Не герой, кто спасет змею, чтобы потерять друга. Не герой, кто уклоняется от долга, подыскивая слова извинения. Не герой, кто не понимает, где большее и где меньшее. Не герой, кто потерял мерило сердца. Вождь знает мерило сердца и решение огненное.

106. Подойдем к самому трудному, к такому, перед чем все бывшие трудности покажутся как благие часы. Самое трудное есть Благословение Мира Огненного. Так труден этот вход, что кажется, что ни малейшая клеточка наша не может перенести этот Мир восхищения. Сказано, что когда все покровы спадут и останется лишь сияние дерзаний, тогда Огонь светлый пройдет во Врата, не вхожие для тела. Но, чтобы зажечь такое дерзание, сохраним восхищение перед самым трудным. Потому мыслите, как бы хотели представить себе пребывание в Мире Огненном. Если в Тонком Мире мысль творит, то в Огненном она молниеносна и отрешает от всех мер земных, там Свет Седьмой.

107. Свет Седьмой самый вмещающий, потому каждое земное вмещение уже будет путем туда, где каждый дух светит сиянием. Уничтожение вмещения и восхищения наносит главное препятствие для быстрого движения. Нужно учить о существовании Иерархии Миров, которая беспредельна. Пусть дети получат хотя бы намек на красоту Беспредельности. Сперва произнесется слово, но после зародится понятие. Явление Мира Огненного — прекрасное восхищение.

108. Самая совершенная машина может остановиться от малейшего камешка; чем она будет утонченнее, тем каждое постороннее тело будет чувствительнее. Не то же ли самое происходит с сердцем? Потому нужно так беречь ток сердца. Когда ток устремляется кверху, то множество малых посылок устремляется препятствовать току. Не только сознательные и вредительские посылки, но и хаотические пылинки пытаются удержать ток вверх. Но если мы знаем это, то сознание наше не допустит непрошеных гостей. Но от мала до велика нужно быть на страже, чтобы недруги не пресекали нить. Малое недоверие или сожаление уже отодвигает степень тока. Кроме того, имеется и другой вред. Когда контакт установлен, то уклонение одного делает и верхний ток неравномерным. Нужно понять, что такое нарушение токов опасно во многих отношениях. Ведь все нервные центры отзываются на эти токи. Каждое колебание уничтожает работу нескольких центров. Потому нужно очень бережно относиться к токам сердца.

109. Относительность возрастает в Беспредельности, тот же закон и для знания. Никто в мирах не может успокоиться на знании. Каждое приобретение увеличивает в прогрессии сознание незнания. Малодушные могут испугаться перед беспредельностью знания, но мы уже знаем неизбежность этого закона и трудимся каждодневно, чтобы радоваться Беспредельности.

110. Радость подвигу есть щит прекрасный. Вы уже знаете, как радостью и доверием переходили пропасти. Также нужно радоваться и второму приближающемуся подвигу. Не только мужество, но именно радость сделает вас неуязвимыми. Даже великие подвиги упрощались радостью и доверием.

111. Можно провести слабое сравнение между Огнен-

ным Миром и земным. При редких явлениях Существ Огненного Мира они принимают все меры, чтобы не нарушить земное равновесие, и земные люди при приближении таких Существ со своей стороны тоже принимают меры защиты сердца. Между тем при всех мерах сердце часто не выдерживает огненного напряжения, так высшие меры сверху и снизу не могут сочетать эти Миры. Самые редкие случаи общения могут быть заложены старою кармою, когда при земных жизнях происходили долгие благостные сотрудничества. Подобные сотрудничества полезны для вечности. Заложение общежития есть скрепление сотрудничества. Когда взгляд наш устремлен в будущее, то каждое благое сотрудничество есть действие мудрое.

112. Можно напрягать волю самыми механическими средствами. Можно к тому найти многие примеры и предписания, но Мы советуем почерпать укрепление воли из Общения с Иерархией. Можно даже сказать, что это вообще единственный способ вознесения духа. Даже путь механики ведет к тому же, но при ненужной затрате времени и усилий. Сердечное общение с Иерархией избавляет от тантр и от магии. Конечно, малые сторонние препятствия могут вредить общению, но не забудем, каким опасностям подвергается маг или тантрик. Но, во всяком случае, не мудр человек, мечтающий о своей обособленной воле; она растет и вибрирует на Высшие Хранилища. И кто заботится о своей воле без общения с Высшими Мирами, тот не на верном пути.

113. Чтобы восстановить забытую Иерархию, нужно воспринять ее целесообразность со всех сторон — от высших до низших. Таким образом можно избежать обычного заблуждения, когда люди как бы уже признавали Иерархию, но немедленно опровергали при малейшем неудобном для них случае. Такие нарушения очень мешают насаждению нового сознания.

114. Правильно замечено о последнем испытании страхами, когда раздражение, сомнение, прельщения использованы, тогда остаются ужасы низших слоев. Но закрепившему общение с Иерархией и эти отвратительные зрелища уже не трогают сердца. Можно даже радоваться попыткам запугать, ведь они уже у последней границы.

115. Если бы люди отдавали себе отчет в качестве дня, они избегли бы многих затруднений. Конечно, астрология — очень точная наука, но она требует к себе крайне точного отношения. Можно видеть, что данные астрологии ограничиваются местом и временем. Это вполне понятно, когда представим себе чертеж пересекающихся токов. Так, поверх могущих оказаться неточностей нашего астрологического толкования находится великий указатель — наше сердце. Два источника должны быть объединены. Пусть самые четкие вычисления астрологии будут соединены с сердцем. Оно скажет своим безмолвным языком, где тягость, которую нужно переждать, или радость, которую нужно использовать. Но пусть мудрость сердца не превратится в суеверие и пусть таблица астролога не станет сухим скелетом. Множество малых обстоятельств вибрируют в пространстве, и только огненное сердце может понимать незримую сеть причин. Лучи Светил пересекают нации, роды, личности. Можно узнавать непреложность химизма Светил, но расчленение такого разнообразного стечения нужно толковать очень осторожно. Сердце помогает, но и оно в чувствознании руководится Иерархией. Справедливо люди возвращаются к знанию астрологии, но без огненного сердца они могут оказаться в непроходимой чаще. Так вспомним о сердце, иначе говоря, об Иерархии.

116. Действительно, самая высшая магия ничто перед ликом Огненного Мира. Можно убедиться, что магия может состязаться с силами темными, но Огненные Существа нежданны даже для высшей магии. Вы уважаете Святого Сергия, но разве Он где-нибудь допускал магию? Он даже не разрешал умное делание, но между тем Он имел пламенные видения. Лишь труд, как возношение сердца, допускал Он. В этом Он опередил многих духовных путников. Мы говорим о сердце, но именно Он нашел силу этого источника. Даже страхованиям Он противостоял не заклинаниями, но молитвою сердца.

117. Умное делание — великая вещь, но ничто не должно быть ограничено. Сама Беспредельность указывает на Свет неисчерпаемый. Можно перечислить содержание каждой клеточки человека, чтобы изумляться неизмеримостью пространства. Так нужно обращаться к Источнику, который не устрашится самою Беспредельностью. Такая искра заложена в сердце. Ни врач, ни строитель, ни ученый не обойдутся без сердечного чувствознания.

118. Труд может быть четырех родов — труд с отвращением, который ведет к разложению; труд несознательный, который не укрепляет дух; труд преданный и любовный, который дает жатву благую, и, наконец, труд не только сознательный, но и священный под Светом Иерархии. Невежест-

во может полагать, что непрерывное общение с Иерархией может отвлекать от устремления к самому труду, наоборот, постоянное общение с Иерархией дает высшее качество труду. Только Источник вечный углубляет значение совершенствования. Нужно установить эту пламенную меру труда. Само приближение к Миру Огненному требует познания труда земного как ступени ближайшей. Мало кто из трудящихся может распознать свойство своего труда, но, если бы труженик устремился к Иерархии, он немедленно подвинулся бы к ступени высшей. Умение поселить в сердце своем священную Иерархию есть тоже умное делание, но такое делание приходит через труд. Не тратя времени лишь для себя, можно среди труда приобщаться к Иерархии. Пусть Владыка живет в сердце. Пусть Он станет неотъемлемым, как само сердце. Пусть дыхание вдыхает и выдыхает Имя Владыки. Пусть каждый ритм работы звучит именем Владыки. Так нужно уметь поступать каждому, кто мыслит о Мире Огненном. Разве Владыке солгу? Разве утаю от Владыки? Разве могу помыслить о предательстве в присутствии самого Владыки? Так пусть каждое помышление только укрепляет и воздержит от скверны малодушия и темнодушия.

119. Умейте пользоваться каждым действием около вас, чтобы посветить, где темно. Кто же не пробудится, когда мерзкие ревы нарушают равновесие планеты? Нужно помнить, откуда ползет тьма. Явление разбойников сперва вызовет окрик, но затем человек защитит труд и все прекрасное, связанное с ним. Мертвые молчат, но даже молчание может накопить энергию.

120. Когда рабское чувство является на позор Мира, тогда нужно ждать смены эпохи. Разве можно представить себе, что ожидание Майтрейи через четыреста тысяч лет возможно? Слова не раз причиняли заблуждения. Нельзя себе представить Землю, погруженную во мрак еще тысячелетия. Можно представить прогрессию зла, потому даже самый свирепый Армагеддон есть спасение. Не могут мудрые не томиться в духе.

121. Мир сложен из прекрасных Начал. Выражение об отречении от Мира неверно. Нельзя отрекаться от Красоты Небесной. Целый Мир предоставлен человеку. Потому наиболее верно будет сказать о нахождении смысла вещей. Когда явление отречения происходит, оно касается самых извращенных понятий, самых вредных действий, но нельзя же обобщать эти мерзкие невежества под прекрасным понятием Мира! Дела мирские вовсе не должны быть недостойными и стыдными. Над Миром трудились великие сознания. Нельзя им приписывать извращения невежества! При изучении основ Мира Огненного прежде всего нужно согласиться в понимании многих понятий. Разве можно назвать объедение, или разврат, или кражу, или предательство мирскими делами? Они будут даже ниже животных действий. Животные знают меру потребную, но если человек забыл меры справедливые, то потому, что он покинул Мир и ввергнулся во тьму. Кто же помыслит о Мире негоже, тот не способен отличить одесную от ошуи. Где же он поймет Огонь Благий?! Он содрогнется от самой возможности мыслить о Мире Огненном. Посоветуем друзьям постепенно различать Мир от хаоса. Посоветуем друзьям начать разговор о стихии Огненной как о предмете ближайших открытий.

122. Явление пятна на Сатурне только указывает на космические разрывы, которые посылают на Землю неслыханный химизм. Много подобных явлений, о которых ученые даже не решаются говорить. Силы пространства неспокойны; не следует думать, что катаклизм уже завтра, но можно понять, какие новые химизмы приближаются к больной планете.

123. Подвиг духа противоставляется силам хаоса. Можно ликовать, когда даже признак подвига приближается. Можно радоваться, когда Учитель указывает на возможность подвига.

124. Новые планетные химизмы имеют огромное значение. Можно представить себе, что химизм Сатурна привлекает к себе известного рода сущностей. Кто знает, не уготовляется ли кара тем, кто сослужит сатане? Знаете уже давно предание о сатане. Нужно заметить, ярость их уже возрастает до безумия. Так для одних просто пятно, но для других подтверждение давнего предания. Много явлений относится к Армагеддону.

125. Много ценных понятий извращено. Когда Говорю — не слишком заботьтесь о дне завтрашнем, это не значит, что Советую быть лежебокой. Нужно все мышление устремлять в будущее, нужно трудиться для будущего, но следует заботу о священном будущем направлять через Иерархию. Тогда забота о дне завтрашнем примет должное значение. Устрашение днем завтрашним есть отнятие рук и ног. Люди вместо полета в будущее связывают себя страхом и пресекают движение свое. Но без Иерархии, действительно, можно впасть в ужас, как утопающие в океане бурном. Только очищенная Иерархией забота не будет земною, хотя

и сохранит действенность и полезность. Притом такая освященная полезность освободится от всякой самости. Полезность Общего Блага приводит к общению с Иерархией. Опять это суждение не есть отвлеченная этика, но путь к Огненному Миру. Люди должны и в земном состоянии отбирать каждое зерно, которое взрастит злак для нити общения. Нелегко Существам Огненным проникать в земные слои. Разве уже здесь мы не должны прободать тяжкие оболочки сознанием нашим? Много стремящихся, но мало укрепившихся чувствознанием на Иерархии.

126. Подумаем, насколько послушание есть лишь сотрудничество. Не тягость такое сотрудничество, которое продолжено в самые Высшие Обители. Изуверы, наверно, заподозрят гордость в таком беспредельном устремлении, но голова изуверская касается той же великой Беспредельности в любом своем положении. Так можно изуверам посоветовать остерегаться суеверия. Потому не будем смущаться никакими голосами и укрепимся на Иерархии как на самом живом Начале.

127. Вот говорим о Высшем Начале, но в мире сейчас творятся дела самого низшего порядка. Так, можно видеть безумие целых народов. Сейчас происходят шесть войн, но люди не видят их. Сейчас накопляется злоба, как взрывчатое вещество, но люди не замечают вулкана. Самые умудренные правители не устрашаются явлениями, считая, что как-то все придет к чему-то.

128. Во всем требуется возобновление энергий. Самые мощные явления нуждаются в токах высших. Школы имеют задание развить в учениках понимание связи элементов. Иногда думали, что состав воздуха одинаков везде. До сих пор думают так, иначе принимали бы соответствующие меры. Люди пьют воду и говорят — просто вода, огонь — просто огонь. Но даже огонь может быть исследован с точки зрения Мира Огненного. Начиная от разнообразия электрических проявлений, можно прийти к свечению предметов и животных. Среди некоторых видов рыб можно найти любопытные степени свечения. Если начнем разлагать состав этого свечения, то можно увидеть кроме обычных процессов нечто несказуемое, особенно среди сущностей глубоких вод. Среди этих нагнетенных организмов проявляется одно из качеств тончайшего Огня. Так на антиподах можно наблюдать сравнительные данные. Среди воздушных разрежений и среди эфирных взрывов сияют подобные дифференциации Фохата. Существа средних слоев не могут вы-

нести давления океанских глубин, также они не приспособлены к эфирным вибрациям, но все же некоторые намеки наблюдений уже происходят. С грустью Мы следили за двумя учеными: один спускался в глубины, другой стремился к высотам. Оба имели полезные задания, но оба не имели в виду изучение степени Огня как элемента. Конечно, их попытки были недостаточны. Замечательны глубины и высоты, гораздо бо́льшие. Но начало устремления было правильно. Постепенно могут быть найдены аппараты, предохраняющие достаточно, но если не будет поставлена задача Пространственного Огня, то опять полезные возможности пропадут. В огненном теле мы наблюдаем многое, но при этом Иерархия много помогает. Но было бы крайне уместно, если бы ученые ставили перед собою задание Огня Пространства. Хотя намеками они пришли бы к нагнетению Огненной стихии. Наши ученики выдерживают ее профилактикой сердца, но для толп нужны намеки с разных сторон. Погибать от Огненной стихии будут толпы. Почему же они не стремятся слушать об этом элементе?

129. Средние меры Не Советую. Утверждать переходное состояние как завершение будет противно эволюции. Когда произносится моление об упокоении со Святыми, то такая мера не соответствует ни тому, ни другому. Знаете, что успокоение — чисто временное состояние, и притом среднее. Так называемые Святые не имеют упокоения. Могут сказать, что употребленное выражение относительно, но народ под упокоением понимает состояние отдыха. Но если сказать народу о напряжении Огненного Мира, то лишь немногие поймут такой атрибут высшего состояния. Когда скажем о состоянии постоянного взрыва при самом высшем напряжении, то не хватит воображения признать такое напряжение, но скажем — не напряжение, а великолепие! Путь к такому великолепию через прекрасное. Если человек не будет развивать в себе стремления к самому прекрасному, то он закроет глаза свои, но самое Высшее не представить и не вообразить. Явление великолепия совершенно беспредельно. Тем не менее не остановимся на средних мерах сна и успокоения. Утверждаю, что успокоение не дало бы проявленного Мироздания.

130. Кто же стучится в яму, как бы желая пройти сквозь всю толщу планеты? Но сияние Небес должно привлекать даже самого смущенного разумом.

131. Читающие Учение пусть чаще проверяют свое понимание. Не только начинающие, но и все должны наблюдать свое сознание. Говорят, что сознание имеет тяготение к инволюциии, но это лишь значит, что сознание как вещество тончайшее должно быть всегда питаемо.

132. Самые мощные Аватары не носят на себе земных отличий, но утверждают себя явлением духотворчества. Не следует удивляться, что сильные духи не будут признаваемы современниками, так и должно быть, ибо их меры отвечают будущему, когда уложение законов делается на одну часть приближения к следующей ступени жизни. Считайте, что никогда люди не могут признать, что высшее достижение в развитии сердца. Сотрудничество и сожитие основаны на сердце. Такая простая истина не может быть осознана. Механизация препятствует основным проникновениям в Огненный Мир.

133. Некоторые металлы легко соединяются, но другие отталкиваются. Следует наблюдать за этими линиями добра и зла. Обе стороны создают целые связные цепи. Но главное препятствие государства заключается в механическом смешении противных начал, отсюда преждевременное разложение. Сердце и Общение с Иерархией скажут, где соединяемые части. Человек нуждается в равновесии ума и сердца. Сотрудничество есть подтверждение равновесия. Священное число Пифагора есть равновесие Красоты. Многое из этой аксиомы сделали неприменимым к современности. Тяжкое задание — говорить людям о равновесии.

134. Соревнование есть одно из трудных понятий. Лишь огненное сердце понимает, сколько мер может быть положено и на светлую, и на темную сторону. Чистое понимание усовершенствования не дает соревнования. Там, где дикое необузданное сознание, там соревнование ведет к взаимному уничтожению. Зависть гнездится около соревнования. Она ведет к самым изысканным преступлениям. Сотрудничество должно уравновешивать непонятое соревнование. Нелегко лично уловить границу разумного соревнования. Само слово *соревнование* уже опасно, в нем выражается ревность, иначе говоря, испорченная преданность. Потому, где можно, лучше заменить понятие соревнования самоусовершенствованием. Множество понятий должно быть пересмотрено от их современного понимания. Нужно признать, что справедливая история верований даст многие корни самых извращенных понятий. Нужно следить, чтобы язык основных понятий был звучен и по возможности определителен. Можно обогащать язык новыми определительными, но бессмысленный свист не принесет пользы. Каждая буква по звуку своему означает вибрацию центров. Нелепо без пользы нарушать созвучие. Обратите внимание на звучание древних названий мест. Новые не всегда получают такую же полезную вибрацию. Древние названия имели незапамятное значение. Часто никакая филология не найдет корня, заложенного явленными мощными народами. Тем более мы должны заботливо относиться к наследству неведомому, но заставляющему звучать сердца наши.

135. Можно вспомнить сказку. Один мыслящий понес людям чудесное целебное средство, но его нужно было нести в закрытом ларце. Никто из людей не решился открыть ларец, ибо по своему свойству люди полагали, что там или яд, или ехидна. Так можно предложить самое прекрасное сокровище, но люди примут это за яд. Остается, чтобы люди приняли сокровище, побуждаемые ужасами несчастья. Что же делать, если сатана так прочно обучил неверию!..

136. Благо тем, кто хотя один раз подумал о том, что возможности даны им для Служения. Одна такая мысль уже открывает начальные Врата к Огненному Миру. Кто же думает в гордости: «Только сам я достигну»,— тот употребляет возможности на служение самости. Какое обособление звучит в похвальбе самому себе! Какое одиночество — темница самости! Но радостно мыслить: «Еще смогу принести Тебе, Владыка». Нет границ таким сердечным приношениям! Разве не возвышается сердце, изыскивая сокровище приношений? Самые тонкие мысли окружают такое моление. Ведь сердечное приношение и есть молитва. Она открывает много врат. Не сознание заслуг своих, но приношение всего себя помогает перейти пороги. Когда приношение полно, оно ведет мимо всех ужасных явлений. Можно сказать жителям порогов — некогда смотреть на вас! Так приношение есть облегчение.

137. Действительно, недопустимо пытаться изменить карму умышленно и насильственно. Владыки Кармы каждое насилие прибавляют к чаше осуждения, но Они могут облегчить Карму там, где усовершенствование и приношение без счета. Так мы облегчаем пути к Огненному Миру, когда хотим сделать как можно лучше. Не нам мерить, что лучше, но сердечное желание уже несет к сиянию врат. Удерживайте каждое мышление от самости, но дайте сердцу влечь вас по пути кратчайшему. Сердце дано как одноподобный магнит к Миру Огненному. Недаром многие сердца тоскуют и на Земле, и в Тонком Мире. Ведь природа сердца огненна,

и оно сетует на все препятствия для воссоединения с родной страной.

138. Правильно удерживать от спиритизма. Темные избрали этот путь для проникания и посевов зла. Можно обо всем мыслить чисто, но смутное сознание находит во всем путь к затемнению. Особенно сейчас нужно избегать всяких неясных каналов. Нужно со всем устремлением идти к Свету. Удостоверяю, что теперь нужно крепиться сердцем, ибо ядовито время.

139. Кто же промолчит, когда произносятся кощунства? Но каждое живое сердце скажет — мы не с вами, кощунники! Очень опасна болезнь кощунства. Но не найти оправдания в том, что это болезнь. И болезнь эта очень позорна. Когда сердце живет, оно всячески будет противиться заразе кощунства. Можно припомнить героические противостояния даже со стороны детей, когда сердце их было чисто.

Будьте благословенны, стоящие против кощунства!

140. Необходимо не только признать отсутствие пустоты, но и понять окружающую жизнь. Понимание жизни связующей и взаимно питающей покажет, насколько вездесуща психическая энергия. На самых малых примерах, на несовершенных микроорганизмах можно учиться поразительному всенаполнению. Всевозможные токи, лучи и химизмы проходят через массы сущностей, но психическая энергия не только не задерживает их, но передает дальше. Когда мы говорим о самом чистом воздухе, даже о самой чистой Пране, мы все же предполагаем всенаполнение, и притом наполнение разными напряжениями. Такое физическое наполнение будет помогать познанию Высших Миров. Действительно, все живет и все являет ту же энергию. В этом примитивном положении и заключается трансмутация всего Сущего. Смерть становится перемещением, а жизнь — неизбежным сотрудничеством. Само приближение к Огненному Миру есть приложение соответствующих качеств. Печально видеть, как люди ограничивают себя и пытаются калечить мироздание. Может быть, перепроизводство, соревнование и извращение смысла жизни приведут человечество в тупик, и тогда придется подумать. Ибо, отменив все ограничения, вместе с тем придет и признание Высших Миров. Призывая к Миру Огненному, Мы должны прибегать к сравнению с микроорганизмами, и путем этим заставить думать о наполнении жизнью непрерывною. Конечно, легче мыслить сердцем поверх всех микроорганизмов. Надо звать и к такому решению.

141. Можно наблюдать, как яростно возражают люди теперь против понятия Вождя и вместе с тем пламенно ждут его. Поучительно усмотреть разъединение процессов мозгового и сердечного. Мозг следует условному мышлению и повторяет напетые формулы. Но сердце, даже слабое и неуравновешенное, хранит крупицы Истины. Там, где мозг находит подкрепление в отрицании, там сердце, хотя робко, но все же трепещет радостью при близости явления решения. Люди, возражающие против созидания, обычно не имеют ничего предложить взамен. Именно такие возражатели одни из первых пойдут за Вождем. Будут шептать о несогласии, но довольно точно исполнят Указ. Не только по рабской природе они примут Иерархию, но по работе сердца своего. Оно указывает, что в минуту опасности нужно соблюсти равновесие около сильной власти. Потому пусть Вождь не смущается этими голосами призраков.

142. Почему столько испытаний, если сердце может творить духовное преображение? Ответ прост: сердце заброшено и не приложено к жизни. Так нужно многим людям улучшить сознание на испытании. Когда вы нанимаете слуг, то или назначаете испытание, или верите их глазам. Так и сердце может убедительно блеснуть во взоре, но рассудок может уподобить глаза оловянным плошкам. Так, при каждой возможности, советуйте путь сияния взора.

143. Что есть добролюбие? Нужно понять, что оно не только заключает в себе совершение добрых дел, но также и умение восхищаться добром. Последнее условие обычно не принимается и остается непонятым, его нужно прививать и воспитывать в людях. Только восхищение добром приносит тепло сердца. Явление добролюбия открывает множество подробностей добра, трогательных в существе своем. Можно миновать много полезных сопоставлений, которые могут утончить сердце. Такое утончение упасет от нанесения обид. Каждый обидчик уже притворил Врата Огненные, он покусился на достоинство человеческое и тем прежде всего умалил самого себя. Когда Говорил об Огненном Мире, то, конечно, добролюбие было твердым основанием для восхождения, и как прекрасно уметь радоваться добру. Как изысканно уметь различать лепестки «Лотоса Добра»! И Мы радуемся каждому проявлению такой радости. Ведь чиста радость о Добре! Так каждый, мечтающий об Огненном Мире, пусть прежде всего запасется добролюбием.

Настолько напряжено время, что Скажу Указ: каждый обидчик пусть пеняет на себя, но Мы не будем укрывать его. Довольно усложнений. Мы должны справедливо отмерять энергию. Пусть каждый спросит сердце свое: где граница обиды? Нельзя растрачивать силы на взаимные ущемления.

144. Соответствие качеств сознания создает возможность входа в Мир Огненный. Так, наряду с добролюбием, должно быть отвращение к злу. Одно добролюбие без отвращения к злу не будет действенно. Отвращение к злу есть очень действенное качество, оно является пробным камнем против зла. Рассудок не поможет достаточно отличить зло. Найдутся множества рассуждений, в которых скроется ехидна. Но сердечное чувство отвращения к злу не ошибется. Нервные центры затрепещут от прикосновения к темному началу. Этот сердечный знак нельзя не заметить, и так слагается противление злу. Можно видеть, как ток сердца немедленно усиливает доспех излучения. Можно сказать такому воину — поистине, ополчился ты, брат. Или, как один отшельник сравнивал себя с псом, почуявшим зверя: «Еще глаз не видит, ухо не слышит, но сердце уже чует и ополчается, ибо зло непереносимо для чистого сердца». Зло может украситься многими нарядами, но никакая личина не обманет сердце дозорное. Так будем рассматривать качества, нужные для Огненного Мира.

145. Иногда вы видите самих себя в точном воспроизведении, как живых перед собою. Такое зрение показывает, что глаз есть лишь приспособление, но зрение в нервном центре. Такое напряжение центра можно считать тоже огненным качеством. В Огненном Мире явлено зрение духа, которое не нуждается в глазных приспособлениях. Легче овладеть огненным глазом, если уже в земном состоянии можно иметь проблески таких духовных прозрений.

146. Исполнение желаний происходит гораздо чаще, нежели думают. Но нужно признать это исполнение. Нужно почуять самое начало такого движения. Знаю много случаев, когда люди грубо пресекали начало заветного исполнения. Можно советовать и в этом отношении избегать раздражения и сомнения. Как тучи скрывают солнце, так и раздражение отсекает провод сердца.

147. Во всяком предмете, наряду с частями совершенными, найдутся крупицы хаотические. Можно из каждой вещи вызвать к действию или совершенные, или хаотические крупицы. Кроме магических вызываний, против которых Мы говорили не раз, каждый человек сердечной энергией совершает постоянные вызывания. Когда человек думает о неудобстве предмета, он становится, действительно, неудобным. Когда же человек мыслит о прекрасном предмете, то совершенные частицы его начинают действовать. Несведущие люди приписывают такое явление самовнушению, но знающие природу вещей понимают этот магнетизм мысли. Конечно, он проявляется в различной степени, но всегда можно заметить, что предмет как бы оживает при человеческой мысли. Стоит человеку осознать эту естественную силу, как он может благотворно применять ее во всех случаях жизни. Так явленные Йоги часто заповедуют ученикам говорить с вещами. Слова есть корабли мысли. Так, пока мы не научимся обращению с предметами, мы не поймем силы мысли для Огненного Мира. Считайте счастьем, что и в земном состоянии можно приучать себя к истинному обращению с предметами.

Разве не прекрасно, что самые простые люди уже могут вызывать частицы прекрасные и могут останавливать течение хаотических крупиц? Можно понять, что и наши чувства обостряются на признании жизни всего Сущего, в чем мы участвуем.

148. Памятные вещи легко принимают значение талисмана. Также памятные дни утверждают ритм полезный. Надо понять, что памятные вещи пробуждают приливы любви и приносят как бы очищение ауры.

149. Забыв обо всем, человек забывает о своем назначении. Не случайно предание упоминает обращение в животное состояние. Много примеров дано человеку, чтобы остеречь вовремя, но никогда не было столько людей-животных, как сейчас. И внешнее прикрытие лишь обнажает внутреннюю язву. Учение призывает помочь самим себе и уважать свою природу. Но самая грубая, темная язва считается приличною для верующих в сатану. Невозможно представить, насколько люди предаются ритуалам сатанинским! Целые школы заняты распространением таких пагубных начинаний. Много уже Говорил вам об ужасах, но, когда Вижу новые преступления, Не Могу не предупредить еще раз. Не удивляйтесь головокружениям и головной боли — каждая частичка вашей энергии напряжена и на страже, ибо нужно уберечься от многих снарядов. Неслыханная некромантия применяется темными, чтобы вызвать самых низких духов; им безразличны последствия, им нужно укрепиться на час. Но, конечно, и обратный удар надвигается.

150. Должно ясно различать, с кем именно можно работать, но если выбор сотрудников сделан, то не следует им поминать о прошлом. Мало ли что могло случиться в прошлом. Обычно люди затемняются в тенётах прошлого. Именно оно препятствует всецело обратиться к будущему. И какие малые земные прошлые камни мешают продолжить путь спешно! Но следует привыкать к спешному пути, другого не существует. Множество несчастных и страдающих считает мгновения, ожидая помощи. Неужели не поспешим?

151. Нужно строго различать между противоречием и особым приемом работы. Если левша может творить левой рукой, то смысл его достижения не будет противоречить работе правой руки. Но люди стеснены условностями мер, они даже в настоящее время не могут понять, в чем ценность труда, и каждый необычный прием уже возбуждает подозрительность. Какое мерзкое чувство — подозрительность, ведь оно не имеет ничего общего с Огненным Миром! Приступ подозрительности делает человека хуже животного, у того остается чутье, но подозрительность выедает все чувства. Конечно, этот пережиток от самых темных времен. По счастью, он поддается лечению внушением, но запускать такую заразу не следует.

152. Нужно полюбить путь Огненного Мира. Никакое стремление не поможет, если оно не защищено любовью. Ведь именно Огонь любви по своему химизму ближе всего к Миру Огненному. Так даже в трудные дни будем упражнять провода любви. Редко кто понимает, что любовь есть действенное, огненное начало. Обычно люди упраздняют самые целебные качества любви. Человек именно этими качествами легче всего побеждает все явления тьмы. Не будем называть примеры, но только подчеркнем целебность любви. Люди особенно отзываются на целебность. Они мечтают об элексире жизни, но кроме жизни на Земле их бедное воображение ничего предложить не может. Так не забудем, что воображение есть качество Огненного Мира.

153. Можно отметить не только временное отсутствие, но и другие явления. Например, человек засыпает с определенною мыслью и просыпается с продолжением ее на следующем слове. Это значит, что дух его отсутствовал на совершенно ином плане и затем снова соединил свое земное сознание на определенном слове. Значит, в Тонком Мире приложима совершенно иная плоскость сознания. Так и должно быть, когда люди сохраняют и там земное сознание. Такое неповоротливое мышление будет даже вредно.

Представьте себе человека, вышедшего из темного и душного помещения в прекрасный сад. Если он при такой резкой перемене не обновит мышления, он окажется очень нечутким. Такие личности замечаются среди бездушных людей. Но как противны они среди прекрасных возвышенных условий, как грязное пятно! Но даже земную грязь нелегко удалить, потому Мы заботимся через Тонкий Мир перебросить сознание в Огненный. Часто такое стремление не по силам, но даже в худшем случае оно подвигает в сферах Тонкого Мира. Так торговцы запрашивают много, чтобы хотя что-то получить,— утеха не велика! Чтобы немного подвинуться в Тонком Мире, пусть сознание влечется в самый Прекрасный Сад. Это Наш Указ — без малых мер.

154. Вы читали, что для общения с Высшими Силами древние покрывали голову плащом, и могли слышать, что ткань эта была шерстяной и красного цвета. Также могли слышать о затыкании ушей красною ватою. Все такие механические приемы имели свое значение, они служили охраной излучений и конденсировали энергию. Но не будем прибегать к посредству механических приемов там, где весь смысл в будущем, в непосредственном приобщении к Иерархии. Только сердце, ничем кроме любви не покрытое, связывает нас с Высшими Силами. Ткань любви есть самая священная ткань.

155. Знает ли человек, когда он совершает свое лучшее деяние? Знает ли кто, какое слово его имело наибольшее влияние? Знает ли кто, которая мысль его достигала наивысших сфер? Никто не знает этого. Может быть, такое знание пресекло бы стремление к развитию, ибо могло бы пробудить гордость. Мысль достигает иногда, действительно, Высших Сфер, она, как капля росы, остается у Престола. Но самоценность такой мысли неизмерима земными мерами. Люди слишком часто минуют в пренебрежении те мысли, которые радуют сердца Высшие. Так будем посылать в пространство лучшие мысли. Мы не будем самоукрашаться сознанием наших полетов. Пусть они как пища каждого дня укрепляют сердце для восприятия Огненного Мира.

156. Что есть мнительность? Многие смешивают ее с самовнушением, но последнее есть лишь следствие первого. Мнительность в сущности своей очень заразительна и разрушительна. Она физиологически может быть определена как разложение сердечной энергии. Такой процесс прерывает охранительную работу нервных центров. Не в том дело, что самовнушение вводит врага в крепость, но гораздо хуже, что защитники крепости вместо сопротивления отворяют врата врагу. Трудно излечить это, ибо мнительность не всегда поддается внушению. Процесс разложения не может быть восполнен внушением. Нужно залечить эту рану ткани нервов. Можно укрепить ее лишь нервными подвигами. Значит, мнительные люди должны быть противопоставлены самым резким воздействиям, притом самым неожиданным, чтобы произвести непосредственное напряжение нервной ткани. Такое напряжение есть гимнастика нервных центров. Покой и забрасывание нервных центров не всегда полезны, несмотря на обычные советы обыкновенных врачей. Наоборот, мудрость древняя говорит: «Ты боишься, потому вдвое испуган будешь... Ты перестал пугаться, значит, можешь увидеть Врата Огненные». Мнительность не нужно смешивать с сомнением. Конечно, обе эти сестры от одной матери — невежества. Мнительность уже будет процессом некоторого мышления, тогда как сомнение есть темная преграда. Трудно сказать, которая ехидна вреднее. Нужно избавиться от мнительности как от заградительного препятствия к Миру Огненному. Не думайте, что многие определения — синонимы. Размышляйте о них, как о разных гранях. Кто знает, которая из них откроет наибольшее окно к осознанию причин и следствий?

157. Действительно, жестокость должна быть искоренена; не только жестокость действий, но и жестокость мыслей; последняя хуже самого действия. От младенчества нужно мерами государственными пресекать зачатки жестокости. Как самая бесчеловечная, отупелая и злобная тьма, должна быть очищена проказа низкого мышления. Дети не жестоки, пока не увидят первое жестокое действие — оно точно открывает поток темного хаоса. Лишь немногие уже сами готовы противостать потоку тьмы. Такая накопленность сознания редка. Нельзя предполагать такое достижение во всех; наоборот, следует принять меры по низшей ступени. Также не будем мертвенно повторять великую заповедь: «Не убий!» Но подумаем, где больше убийства: в руке, в слове или в мысли? Нужно подумать, что мысль людей очень готова к убийству.

158. Вы сами знаете, что вернейший путь есть путь дружелюбия. Вспомним, какие опасности мы миновали дружелюбием. Может быть, даже не знаем границ и размеров таких опасностей. Но сердце свидетельствует, что именно дружелюбие помогло в самые трудные часы.

159. Правильно сопоставление качества вещества мыслей с газами. Каждый газ помимо уже открытых своих свойств имеет много не поддающегося исследованию физи-

ческими аппаратами. Никто не дерзнет утверждать, что следствие от газа уже исчезло, можно только сказать, что наши приборы больше не запечатлевают последствия газов. Но насколько газ трансмутирует пространство, куда он проникает, насколько влияет на живущих, никто не может сказать. Совершенно так же не поддается определению поле распространения мыслей. Так же никто физически не может определить, насколько мысль может влиять на жизнь. Могут удивляться, почему жизнь сильно проклинаемых людей как бы не подвергается опасностям. Причин тому много. Может быть, такой человек нужен для Кармы целой страны? Может быть, мысль не сильна и не ритмична? Наконец, может быть, накопление мысли подействует не сейчас, но завтра? Земные меры и в этом случае относительны. Особенно мысль ослабляется непониманием Кармы. Много усилий нужно, чтобы человек вспомнил о прекрасном законе причин и следствий. Одно можно советовать: везде не поддаваться советам злобы.

160. Можно понять на многих примерах, насколько мудро распределены Иерархически силы продвижения. Сами видите, как почитаемый вами деятель оставался при Обители, ибо Его духовные силы пылали около очага накопленного. Лишь невежды подумают, что из земных соображений Он сам не вышел на поле битвы. Каждый, имеющий представление о духовных силах, скажет, что именно сознательное приложение их будет разумно. Так познаем целесообразность — она безмерно нужна на пути к Огненному Миру.

161. Почитание Учителя есть лекарство от всех болей. Когда очень больно, обратитесь к Владыке.

162. Вы затрудняетесь, как перевести слово *преисполнился*. Вы правы, на языках, далеких от Санскрита, нелегко находить некоторые определительные, особенно из Мира Высшего. Придется сказать — воспламенился, даже загорелся, чтобы не понизить понятие восхищения. Много недоразумений заложено среди определительных. Устремленные кверху выражения особенно страдают, ими могут пользоваться люди, сами устремленные, но их мало. Потому языки начинают вращаться около сереньких понятий, они совершенствуют механические выражения, но даже не имеют нужды находить созвучия высших миров. Обратите внимание на вновь сложенные слова. Как можно по ним оценить уровен сознания! Но и Высшие Миры нужно почтить изысканными выражениями, чтобы Огненный Мир мог сиять и в звуке земном. Так будем напоминать, чтобы молодые нашли время подвинуть мышление кверху. От качества мышления родится и слово.

163. Не следует огорчаться, исполняя Указания Иерархии. От огорчения и многие плоды становятся горькими. Нужно во многом приближаться к высшему пониманию. Например, нужно преодолеть чувство расстояния. Действительно, для духа оно не существует, но если мы передвинем наше сознание в сферу духовную, то и соответственно чувство наше передвинется, иначе говоря, расширится. Конечно, и в этом общение с Иерархией дает как бы новый музыкальный ключ всем нашим действиям. Так будем ближе, еще ближе, чтобы никакая ехидна не могла вползти.

164. Наблюдайте, как отличаются люди в мышлении и в действиях. Нужно судить людей в делах, но нужно помнить, что только соответствие мышления, слова и действия окажет помощь при приближении к Огненному Миру. Туда через все ядовитые газы нужно проникнуть. Сколько сознаний нужно сложить, чтобы не отклониться с пути. Много голосов позовет, и много запретов зазвучит, но нужно не оглядываться и знать одно направление и не променять назначенное. Так применим тот же закон и во всей жизни. Ошибается, кто думает, что можно действовать разно; и в великом, и в малом один закон, один ритм. Так и дойдем без огорчения.

165. Огорчение является заразою Мира. Оно действует на печень и порождает известные бациллы, которые очень заразны. Император Акбар, когда чуял в ком-то огорчение, призывал музыкантов, чтобы новый ритм разбивал заразу. Так даже физическое воздействие полезно.

166. При надавливании или трении глаз получаются света, как бы грубые напоминания сияния центров. Если грубое прикосновение может давать иллюминацию явную, то прикасание высшей энергии, конечно, может послать прекрасные цвета духа. От грубого до самого высшего нужно признать наполнение Пространственным Огнем. Нужно приучиться к сознательному принятию пространственной доступности. Но к такой приобщенности нужно себя приучить. Не забудем, что древние откровения давались для улучшения жизни и утончения сознания. Так, связь с Высшими Мирами была непосредственна, но затем, при отторжении, начались поиски механических приемов, чтобы хотя как-нибудь не пресекать общения. Нужно помнить, что в Кали-Юге такие приемы стали беспомощны и даже прои-

зошло смешение с низшими слоями Тонкого Мира. Но Сатья-Юга, по существу своему, требует общения с Высшими Мирами. Потому, приготовляясь к Сатья-Юге, нужно снова вернуться к непосредственному общению с Мирами Высшими, применяя настоящую Этику. Она нужна для сужденных открытий, которые не могут быть даны при животном сознании. Не Устану твердить об этом, ибо каждый очаг просвещения духа необходим. Где же могут быть пути к Огненному Миру, как не указы Этики? Ведь Хатха Йога не ведет к Миру Огненному. Достаточно подготовлений, нужно спешно стремиться к Высшим Мирам. Пусть каждая наша клеточка содержит миллионы миллионов проводов. Не для спячки даны тончайшие аппараты. Не для сомнения вычисляются такие огромные цифры. Ведь они напоминают о Беспредельности и о наполнении всего Сущего. Так пусть проникают мысли о Пространственном Огне, о возможности существа нашего. Сатья-Юга не может приблизиться без огненных знаков.

Наряду с приближением Сатья-Юги, не забудем, что разрушение превышает меры равновесия. Не подозревают люди, насколько уже нарушены провода земные! Не хотят понять, что такое космическое нарушение происходит и по их вине; считают себя учителями знания, но простой закон добра для них не убедителен.

167. Смотрите на два камня: они первобытны, они холодны, они застыли в малой жизни, но даже они дают искры огня. Сердце человека не хуже камня. Мысль человека даже в малом проявлении выше минерала. Говорю это к тому, что поучительно наблюдать, как мысль вызывает искры Огня из сокровенной памяти. Самая случайная мысль вызывает из хранилища памяти целые образы, целые эпохи, участниками которых мы были. Этот процесс определенно огненного содержания. Именно искра может отделять от сохраняемых сокровищ с мгновенной быстротой соответствующие части. Нужно поражаться, как сохранно лежат сокровища в «Чаше», всегда готовые к извлечению. Только огненная энергия может действовать так утонченно и быстро. Все огненные земные проявления дают представления о напряжении Мира Огненного. Если здесь, на Земле, нечто может поражать своей быстротой и соответствием, то насколько зорок и быстр Мир Огненный! Если люди не забудут о Мире Огненном, то уже одно сближение совершится. Подумайте о состоянии сознания, если приходится снова напоминать об устоях, столь близких. И все-таки будем напоминать, все-

252

таки преисполнимся терпением. Сказано — утверждение Истины есть укрепление моста.

168. Пища вообще не нужна в обычном количестве. Мудро сказано, что еда есть цепи дьявола. Многие поколения отягощались обжорством, потому и обратный процесс требует осторожности. Во всяком случае, больше людей погибает от переедания, нежели от голода. Но требуется постепенность во всех процессах атавизма. Нельзя сразу ломать, но можно указать, что каждая ненужная пища вредна.

169. Крик сердца обычно понимают, как отвлеченное понятие, но Ур. не скажет так, ибо она слышала и ощущала звучание сердца в его великом напряжении. Действительно, такое звучание существует, и в нем выражается мощная энергия. Самые опасные нападения тьмы разбиваются о такое напряжение энергии. Только не часто можно достигать таких поразительных устремлений. Сердце огненное знает, когда требуется призыв всей психической энергии. От солнечного сплетения, от чаши сосредоточивается течение мощной силы. От такого разряда распадаются самые злые посылки. У Нас всегда радуются, видя такое дозорное сердце. Ведь нападение всегда нежданно, и собирание силы возможно при великой бдительности. Часто такая зоркость бывает затуманена как бы какою-то истомою, очень характерною для темных сил. Но сердце пылающее не поддается таким ядовитым химизмам. Но помните, что злобные силы посылают двойные, повторные удары, зная их действие на неподготовленные организмы.

Очень усиливайте дозор после первой попытки.

170. Многие полагают, что научные данные защитят их от космических явлений. Они скажут вам о знании затмений, они знают о солнечных пятнах, даже о появлении комет и неизвестных лучей, но они не могут предупредить о метеорах, которые могут достигать гигантских размеров. Но если люди знают о нахождении огромных осколков пространственных тел, также они могут представить себе и самые опустошительные последствия их, и тогда можно вспомнить о телах огненных.

171. Люди жалуются, что им не ясна картина Огненного Мира. Не будем настаивать, кто виноват в этом. Предложим им представить Огненный Мир в их воображении. Пусть будет такое представление бедно и туманно, но пусть оно начнется хотя бы как-нибудь. К началу можно приложить, но худо, если прикладывать не к чему. Между тем такое состояние безразличия умножается и, как камень, тянет ко дну остальное. Никто не может самовольно перегружать границы сознания. Средний путь превосходен, когда и он высок, но многие вообще не могут понять высокого понятия среднего пути и замещают его путем пошлости.

172. Люди, по шаткости мышления, не видят ни радости, ни опасности. Но просим всегда подумать, когда сердце шепчет об угрозах или новой радости. Также не следует удивляться, что силы темные могут подходить к самым священным местам. Но вы уже видели такие явления и знаете, что отсутствие страха есть первое условие, чтобы остановить любое зло. Но будем честны перед собою, чтобы установить, где был страх и где он был изгнан. Ужас есть оружие темных.

173. Пусть не думают, что можно отрицать Невидимое. Сказано, что нет такого действия, которое не дало бы последствия, но сказанное особенно относится к отрицаниям. Часто можно спрашивать себя: почему эволюция мира так медленна? Отрицание окажется одной из главных причин, ибо мертвенно оно. Оно пресекает, подобно сомнению, все сужденные возможности. Люди, предавшиеся отрицанию, должны изжить его последствия. Именно, как жернов на шее, отрицание. Об этом достаточно сказано в Учении. Но особенно теперь Земля заражена отрицанием. Пусть множество людей представляет себе, что отрицание есть лишь разумная критика, но не суждение — отрицание, оно, как заслон от печного тепла! Оно прекращает, но не возвышает. Только расширение сознания может устыдить отрицателя, но обычно такое закостенелое состояние оканчивается тяжким заболеванием. Следует врачу при многих болезнях предварительно лечению внимательно побеседовать с больным, чтобы выявить его образ мышления. Каждое заболевание отрицанием показывает на потребность внушения, чтобы остановить разрушительный процесс. Можно смеяться, что для лечения рака или туберкулеза надо начать с внушения. Конечно, врачи, которые не обладают силою внушения, будут всячески протестовать, но они будут очень разгневаны, услышав, что болезни печени, желудка, почек, десен и ревматизм много зависят от состояния сознания и прежде всего нуждаются во внушении. Значит, как серьезно нужно относиться к внушению и к самовнушению. Оба процесса уже огненного значения. Так, отрицание есть противодействие Огненному Миру.

174. Дети нередко могут лучше думать об Огненном Мире. Пробуйте поощрять их к таким представлениям, но при-

меняя тонкое понимание, иначе можно или отвратить, или навязать свои личные представления. Пусть дети вспоминают из своей сокровищницы, она готова к проявлению самых характерных подробностей. Наука может получить ценные данные от детей; ими мало пользуются. И когда нападают на детей, не желают понять, сколько можно нарушить грубым прикосновением.

175. Молодое поколение слишком часто поддается в сторону грубости. Очень плачевно такое положение, когда требуется напряжение всех лучших сил. Очень нужно твердить, что каждая грубость неприемлема для эволюции. Когда столько космических опасностей, тогда мысль должна понять, что грубость есть невежество.

176. Среди наблюдений над плачевными последствиями отрицаний нужно не осудить некоторых, намеренных приложить свою силу прежде, нежели обеспокоить Иерархию. Может иногда показаться, что люди действуют из самонадеянности, на самом деле они преисполнены почитания Иерархии и прежде всего стремятся положить свои силы, чтобы сберечь каждую частичку энергии высшей. Они даже не произносят имя Учителя и мантрам свой хранят в тайне. Следует очень бережно относиться к разным путям почитания. Нужно утверждать все, что стремится к Свету. У Нас только отрицание отвергается. Действительно, само существование человека, мыслящего и наполненного тончайшими аппаратами, есть реальное чудо, которое не может быть без прошлого, значит, и не без будущего. Мир Огненный есть сужденное будущее. Кто же задержится в пути, зная великое назначение? Кто же не будет уважать плотное состояние, зная, что оно помогает восхождению? Кто же будет презирать Мир Тонкий, зная, что там есть испытание мыслей? Так, наше краткое здешнее пребывание дано как самое лучшее благо для спешного движения к Огненному Миру. Нужно как-то сочетать спешные стороны жизни с самыми высшими решениями. Действительно, жизнь земная уклонилась от спешных осознаний. Люди мечтают о механических продолжениях жизни здесь вместо радостной готовности приблизиться к цели. Учитель должен приблизить сознание ученика кратчайшим путем к достижению Огненного Мира. Учитель утверждает все, что может хотя бы косвенно приблизить или соединить полезные сознания, чтобы каждое действие содержало в себе нужное число условий приближения.

177. При переходе в Тонкий Мир вспыхивают все виды

чувства собственности, утруждающие самых недурных людей. Следует очень помнить это обстоятельство и утвердиться на сознании, что земная собственность не существует. Много сказано о собственности, но только огненное состояние может показать иллюзию такой собственности. Только когда сознание наше останется единой собственностью нашей, тогда мы чувствуем свободу восхождения. Очень трудно уравновесить подъем, превышающий средние слои Тонкого Мира. В них люди и не думают расставаться с разной собственностью, они существуют именно этими притяжениями. Но если явление высшее приподнимет их сознание, то начинается неимоверная борьба. Потому уже в земном состоянии нужно уяснить себе, где неполезный груз. Следует это делать не во имя Тонкого Мира, но выше.

178. Иногда вызывает удивление, почему знаки из Тонкого Мира так странны и нуждаются в размышлении и толковании? Причина того — Закон Кармы. Именно размышление и толкование уже возбуждают самодеятельность и, таким образом, облегчают и даже не зарождают Карму. Значит, чем сильнее зоркость и находчивость, тем легче толковать знаки подаваемые. Высокие Существа и хотят намекнуть о многом, но рассеянность людей мешает дойти таким ценным Советам. Не только из Тонкого Мира, но и в земном существовании применялись притчи как средство косвенного указания. Но история сообщает много случаев непринятия самых спешных советов. Недаром так развивалась внимательность в древности и даже как бы составляла целый предмет. Но теперь немногие понимают значение бдительности, для остальных руководство требуется в самых резких и повторных наставлениях, которые не могут не затронуть карму. Но только огненное сердце поймет скрытое значение тонких знаков. Пусть сотрудники поймут, что каждый знак имеет назначение. Сколько Высоких Существ посылают моления и надеются, что будут поняты. Бывали целые эпохи, когда тонкое понимание укреплялось и обострялось, но затем снова сгущался кровавый туман и тонкие ощущения огрубевали. Сейчас много тщетных попыток из самых лучших слоев Тонкого Мира темные разбивают.

179. Поручаю свидетельствовать о Мире Огненном как о существующем со всеми признаками Бытия. Цветы огненные отличаются сиянием, но их можно сравнить со строением роз: малые вихревые кольца образуют как бы сочетание лепестков. Так и запах, как преображенный озон, может дать как бы воздух хвои. Так и сияние аур, как своды облач-

ные, так и лучи, как потоки и водопады, потому и в земных представлениях мудрый найдет подобие высших образов. У него не сложится унижение земного бытия, ибо основа его по энергии подобна всему Сущему. Мудрый не будет искать точного подобия Бога в теле земном, ибо лишь огненное тело будет сохранять те же искры, как и Существа Высшие. Разве не следует в школах указывать, чем мы подобны Богу, чтобы оправдать древние Заветы, из которых люди сделали посмешище. Нужно везде очистить Понятие Высшее. Нужно не бояться приходить на помощь везде, где можно повысить сознание. Учение нуждается в свидетелях. Оно отвечает всем без различия верований и народностей. Пусть поверх всего светит одно солнце. Нетрудно путем науки говорить об единстве. Уявление прекрасных сопоставлений пусть сблизит самые различные элементы.

180. Не смешивайте усталость с напряженностью. Оба состояния, несмотря на совершенное различие, могут дать сходные симптомы. Но усталость должна быть побеждена сменою труда, тогда как напряженность именно должна быть углублена. Было бы ошибкою позволить себе рассеивать напряженность. Ту явленную, огненную мощь нужно питать, как драгоценный дар. Каждое напряжение уже есть заострение сознания. Каждое утомление есть притупление, но и в том и в другом случае не забудем принять мускус. Ур. мудро установила сочетание мускуса с содою и валерианой. Именно полезны наискорейшее усвоение мускуса посредством соды и продолжение воздействия валерианы. Все три ингредиента огненной природы. Недаром в древности называли соду золою Божественного Огня и поля отложений содовых назывались местами Стана Дэв. Также валериана особенно идет в сочетании с мускусом. Если мускус зажигает Огонь, то валериана его поддерживает как статическое состояние. Усталость принимает это огненное средство, чтобы обновить нервные центры, но устремление напряженности нуждается в продолжительном горении, чтобы избежать вспышки и толчка. Но поверх всех жизнедателей — общение с Иерархией. Мускус может иссякнуть, но при общении с Иерархией сила не замедлит обновиться и напрячь неисчерпаемый запас.

181. Нужно привлекать сердцем новые круги учеников. У Нас считается достижением не только прямая передача Учения, но и косвенное напитывание им пространства. Не следует Учение проталкивать там, где нет дверей.

182. Может ли быть поранено тело? Как на Небе, так и

на Земле. Значит, тело огненное может быть поражено так же, как и земное. Наблюдите процесс поранения земного тела, и вы получите полную аналогию с тонким и огненным телом. Посмотрим, как вонзается нож в плотное тело, как он нарушает ткани и кровообращение; затем наступает местное омертвение и разложение, но жизненная энергия берет перевес, и начинается медленное заживление. Но часто остаются атрофия места и знак ранения навсегда. Именно тот же процесс происходит с огненным телом, но вместо ножа будет мысль и вместо знака будет сгущение огненной энергии. Но заживление очень медленное и требует отвлечения энергии от других центров. Каждый организм имеет огненное тело, и, пока оно достигает Огненного Мира, оно может подвергаться поранению. Только когда огненное тело очищено и вливается в пространственное огненное горнило, оно уже не будет подвержено поранению. Но знаки ранений, истинно Говорю, остаются надолго. Утверждаю, что можно поразить огненное тело как извне, так и изнутри. Самоубийство плотного тела — прототип самопоранения огненного тела. Так можно на самых земных действиях различать соответствие во всех состояниях.

183. Много сказано о жизни в Тонком Мире. Повествования часто как бы противоречивы, но снова возьмем земные примеры. Разнообразие земных положений поразительно, только неразвитые глаза не могут различить множества тончайших проявлений. Когда Мы говорим о земных положениях, обычно имеем в виду лишь однообразные группы, но не можем перечислить весь комплекс волевого творчества. Таким образом, Наши определения будут зависеть от темы беседы или от качества сознания собеседника. Также среди самых верных описаний Тонкого Мира будем всегда находить ближайшие группы, соответствующие нашим намерениям. Так не будем осуждать разнообразие сведений о Тонком Мире. Если земной мир величествен, то Высшие Миры в прогрессии величественны и разнообразны.

184. Во всем круговое движение. Вихревые кольца не только в мире узкофизическом, но и во всех мыслеобразах. Можно заметить, как завершается круг каждого труда. И Мы уже советовали чередовать работу для обновления сил. Такие манвантары можно заметить даже в самых малых работах, но они будут иметь то же значение, как и мировые манвантары. Так кроме кругов в ежедневном труде можно видеть явление круга и в целых периодах деятельности. Именно огненное сердце подскажет, когда такой круг завершится, чтобы приступить к новому выявлению. Не следует перегружать завершение, но еще хуже искусственно завершать круг насилием над жизнью. Так можно изучать на истории, как слагаются круги деятельности. Огненное начало выражается в таких вихревых кольцах. Нужно приготовляться к такому же построению и в Огненном Мире. Не нужно думать, что Мир Огненный — уже совершенное состояние. Системы Миров, из которых мы видим ничтожную часть, могут представить неисчерпаемую разновидность состояний. Отсюда мы и не можем расчленить эти состояния, но полезно мечтать о них. Каждая мечта уже есть познавание.

185. Бедствие, действительно, пришло. Люди спрашивают: в чем гнев Божий? Он в таких бедствиях, когда люди отвратились от Бога, когда они стали предателями то в действиях, то в мыслях, то в молчании страха. Не будем перечислять всех видов такого предательства, оно заражает планету, оно уявляет качество определенное. Человечество не должно удивляться наступившим бедствиям. Пусть человек помыслит, всегда ли он действовал в чистоте обращения к Богу? Всегда ли он воздерживался от кощунства и мог ли он отрешаться от темных помыслов? Так не могут люди говорить, что могущество Бога не проявляется. Он не наказывает, но может отвратиться, и тогда золото обратится в огонь пожирающий! Тогда превращается равновесие в хаос и может истощиться мощь Земли.

Кощунства везде много. Насмешки над Божественным Началом ужасны! Люди перестали мыслить, и даже хождение в храмы иногда не лучше разрушения их.

186. Огненные искры озаряют и животных. При этом можно наблюдать замечательный закон. Животные особенно получают огненные искры при соприкасании с человеком. Также и человек питает свое огненное тело общением с Иерархией. Нужно принять в сознание, как логична Лестница Иакова; как твари могут найти доступ к ней, когда преисполняются правильным устремлением.

Мысль о благе есть мысль счастливая. Не бывало мысли о благе, которая не давала бы лучших плодов. Но собирание плодов требует навыка и работы. Собирание подчас еще утомительнее, нежели посев.

187. Как Говорил, Мир Тонкий сейчас тоже проходит великую Битву, которая еще ужаснее, нежели земная. Можно понять, что поражение в Тонком Мире недопустимо. Такое поражение прервало бы цепь миров и было бы самым желательным для сатаны. Учение потому так усиливает сторону сердца, чтобы хотя немного приготовить людей к сотрудничеству.

188. Природа вещей должна быть преподаваема среди самых первых предметов. Она должна быть прекрасно рассказана во всей реальности; должна быть показана преемственность миров со всеми научными сопоставлениями. Религия не только не будет противоречить такому изложению основ, напротив, религия будет помогать в своих древнейших намеках. Предмет природы вещей будет преддверием понимания Живой Этики. Нужно познать, для чего необходимы честь, достоинство и все прочие качества человечности. С самых ранних лет дети должны слышать о Мирах Тонком и Огненном; должны понимать начало Иерархии и добра. Чем раньше им напомнят об Иерархии и прочих Истинах, тем легче им припомнить прежнее знание. Понятие Бога во всем величии очистится на основе Иерархии. Только так Понятие Высшее не останется отвлеченным и сольется со всем Бытием.

Нужно, чтобы Вождь и Правительство поняли, чем следует повысить познание Высшего Представления. Нужно, чтобы школы приняли всю привлекательность, которая представляет Бытие во всем величии.

189. Среди огненных знаков можно заметить особые способности к нахождению нужных предметов. Стоит подумать о них, и они как бы приближаются и найдутся. Уже в древности говорили: «Зажги факел сердца и найди нужное». Символ довольно правильный, ибо огонь сердца как бы зажигает окружающие огни и создает магнитное привлечение. Можно и в книгах находить просимое, освещая его тем же огнем. При этом чем больше такое качество будет замечено, тем оно больше развивается. Огненная стихия любит, чтобы ее замечали.

190. Опасность есть сосредоточение вибрации напряжения. Множество опасностей окружает людей, но из них замечаются лишь немногие. Когда Вождь говорит: «Живите в опасности»,— он мог бы сказать: «Замечайте опасности и тем преуспевайте». Нельзя жить вне опасностей, но прекрасно сделать из опасностей ковер подвига. Вождь знает, что он несет поручение, и опасности сделаются лишь двигателями, потому Вождь и не думает об опасностях. Самая дума об опасности вредна. Думая об опасностях, мы усиливаем вибрации их и можем этим нарушить равновесие. Бережливость к силам не должна быть смешиваема со страхом и смущением. Мы бдительны и осторожны для лучшего выполнения поручения. Но опасности не могут отяготить нашего внимания. Учитель должен прежде всего настоять на освобождении ученика от призрака опасностей. Ученик должен помнить всегда, чтобы не потратить капли высшей энергии без пользы. Мысль об опасности поражает многие наши центры и беспорядочно поедает ценную энергию. Мысль об опасности отражается даже на качестве пульса, но желание лучше исполнить поручение укрепляет сердце. Итак, будем действовать, как полезнее.

191. При вступлении в монашество обычно указывалось на все трудности такого пути. Одни скажут — все легко; другие предупредят — все трудно. Людям с огненным сердцем можно сказать — все легко, но при обычном сознании правильнее предупредить — все трудно. Если кто убежит от одного предупреждения о трудностях, то он все равно не подошел бы для настойчивого труда. Не следует набирать людей, заведомо непригодных. Боязнь работы уже есть предательство.

192. Александрийские философы говорили: «Не порицай Мир, ибо он создан великою мыслью». Не Творение виновато, но наше суждение о нем. Мы можем наслаивать наши мысли как к добру, так и ко злу. Мы можем из самого доброго животного претворить злобную тварь. Жестокость, с одной стороны, страх, с другой — наполняют посредством мысли наше сознание. Мы посылаем зло во взгляде нашем. Мы могли бы обратить полезное растение в самое ядовитое и пагубное. Мысль древних философов проникла в религии. Клемент Александрийский знал, как люди сами унижают великое Творение. И сейчас люди могут наблюдать, как может зло претворить самые незлобивые существа. Конечно, каждый укротитель скажет, как часто именно добро помогает ему в его ремесле. Но он же знает, что кроме добра должны быть различные предохранительные меры, каждая по нраву животного. Такую науку можно назвать целесообразностью. И мы можем не осуждать Мир, но мыслить, почему злоба могла войти в него. Так и предохранительные меры будут проистекать не от зла, но от добра. Можно каждому Вождю посоветовать не забыть завет старых философов.

193. Уже вы достаточно знаете об умеренности некоторых лиц. Что же делать, когда умеренность вползла в самые широкие круги! Те, которые являются как бы поборниками добра, предаются духовно умеренности. Можно видеть, как часто темные не страдают этим недостатком. Существует сказка, как дьявол встретил Ангела. Светлый сказал: «Горьки слуги твои». Но дьявол ответил: «Мои горьки, зато твои кислы, оба мы должны искать сладкое». И Ангел поник головой, ибо не мог указать, где они, непрокислые. Так давно замечено народом.

194. Многим вам придется повторять, что Наши лекарства хороши как дополнение к психической энергии. Одни физические лекарства не могут дать желаемого следствия, но психическая энергия укрепляется общением с Иерархией. Так мудрый врач прежде всего озаботится узнать, как стоит условие психической энергии и как она созвучит с Высшими Силами. Не имеет значения для будущего обращение внимания лишь на физические средства. Когда уже Говорим об Огненном Мире, значит, время двигаться вперед. Нельзя оставаться на уровне переходного времени, когда были забыты все основы Бытия. Утверждаю, что каждый врач должен обратить внимание на себя, чтобы прочувствовать, насколько он сам готов обновить свое сознание, иначе он не найдет слов к приходящим. Он не сумеет расспросить о действительных причинах болезней. Он не утвердит влияния своего. Не Настаиваю, чтобы каждый врач был гипнотизером, но он должен понять духовный мир больного, чтобы мочь сказать о самом главном. Учение должно раскрывать пути, но не быть лишь аптекою. Пусть люди имеют возможность наблюдать и находить, иначе будут воздействия на карму.

195. Новое предание о значении сердца должно складываться, когда менее всего заботятся о нем. Учреждения для изучения сердца должны начаться с познания всего написанного об этом центре Бытия. Придется изучать все культы древние, где отводили место знанию сердца, и здесь одними внешними лекарствами не помочь. Не забудем, что в древности применялось внушение для оживления остановившегося сердца. Много преданий о воскрешении основано на этом действии. Конечно, требуется большая и дисциплинированная воля и нужно время для установления нового действия сердца. Могут спросить: сколько минут должны быть не пропущены, чтобы можно было опять восстановить сердечную деятельность? Но и это будет весьма различно, ибо само выделение тонкого тела происходит очень индивидуально, к тому много причин как в физическом состоянии, так и в качестве тонкого тела. Врач должен понять это разнообразие условий.

196. Телодвижения человека должны быть осмысленны. Нужно воспитывать детей не только гимнастике, не только ритму, но смыслу экономии движений. Когда люди поймут Мир Огненный и излучения, они не будут бессмысленно махать руками и ногами, трясти головой и качаться без нужды. Если бы они представили свое аурическое яйцо, они не стали бы беспорядочно нарушать его ненужными колебаниями. Когда люди представят себе как бы огненный круг воеяву около себя, они не будут бессмысленно прожигать руку свою. Особенно непростительны так называемые нервные движения. Именно они показывают всю недисциплинированность воли. Каждый врач должен следить за такими привычками пациентов. Много заболеваний можно определить одними движениями человека. Можно излечить его от самых отвратительных привычек, наблюдая эти движения и показывая их вредность для тонкого тела. Так врач может проявить самую полезную деятельность и без физических лекарств.

197. Кто сказал, что мускус лишь возбудитель? Он может иметь уравновешивающее значение, приводя в движение основные энергии. Можно жалеть, когда такие многообразные мощные воздействия сводятся лишь к одному проявлению. И чем беднее будет представление, тем грубее будет предположение. То же относится ко многим указанным средствам. Никто не думает о синтетическом значении валерианы. Никто не хочет понять мяту как друга жизни, готового положить успокоение на восставшие центры. Никто не желает понаблюдать действие молока с содою. Так широко поле наблюдений для открытых глаз.

Мята может принести пользу даже как комнатное растение, ибо эманации живых листьев самые тонкие и естественные, так же и розы. Там, где можно иметь цветы, там не нужны масла. Так, самое живое и самое естественное лучше всего. Не забудем, что мята и розы — отличная дезинфекция.

198. Огненный Мир прежде всего требует различия между малой и большой правдою. Ничто так не уклоняет людей с пути, как малая правда. Они выхватывают малые осколки, не думая о предыдущем и последующем. Такие осколки не лучше любой лжи, но смысл Мира Огненного в величии Истины. К ней нужно готовиться всеми мерами, нельзя полагаться, что понимание величия Истины придет само. Нужно приготовить сознание к вмещению таких размеров. Это вовсе не легко. Можно видеть, как ложно понимаются самые простые слова. Даже трудно представить, насколько может быть извращено самое обычное слово. Но нужно пройти через испытание столь различных понятий. Только принятие высших мер вызовет призыв Высший: «Радж, Радж, Радж!» Троекратное вмещение может повести к Высшим Сферам. Радж не знает мести и осуждения. Радж великодушен, ибо устремлен в будущее. Радж хочет добра, ибо он любовь творящая. Такая мера упасет от малой правды, которая бывает недалека от злобы сомнения и осуждения. Так, когда захотите закалять дух, можно повторять древний Мантрам: «Радж, Радж, Радж!»

199. Когда Напоминаю о древнем Мантраме, значит приходится проявить великую правду и действовать великими мерами. Не слова спасут, но их применение. Так не малая правда в том, что уже требуется большая мера. И пусть будет радостна мысль, что уже произнесено: «Радж!»

200. От любого пути зла можно повернуть к добру. Но такие возможности лучше всего очевидны на задачах прогрессии. Действительно, каждое промедление во зле относит от добра с быстротою прогрессии. Так, где вчера можно было соскочить с колесницы зла, уже нельзя вернуться к тому же месту сегодня. Это нужно напомнить всем, кто думает, что можно в любое время одинаково скинуть груз зла. Его вещество очень липко и зарастает малыми правдами, о которых беседовали.

201. Люди, принявшие на себя Великое Служение, могут быть названы «Небесным камнем». В стремлении они преисполняются Светом. Они прободают низшие слои и заключают в себе алмаз-адамант. Но не легко быть алмазом и нужно утвердиться в Свете, чтобы преодолеть тьму. Не знает покоя Великое Служение, на бессменном предстоянии укрепляется дух. Много земных малых правд нужно покрыть куполом великодушия. Нужно покрыться Светом, идущим от Иерархии. Усвоить Мир Тонкий и Огненный как природу вещей. Можно из ямы не замечать солнца, но из колодца изучают звезды. Самое нежданное может случиться на пути Служения, но опытный Вождь не забудет, что каждая мировая утрата возмещается в пространстве.

202. И нигде люди не думают о Живой Этике. Они думают, что можно прожить в обычных мерах, но с каждым днем становится яснее, что можно спасти людей верою, которая превыше всех религий. Немного такой веры — не будем считать тысячами там, где довольно десятков. Необычны пути такого осознания Высшего.

203. Все три Мира гораздо ближе друг к другу, нежели думают. Можно видеть, как соответственные вибрации создают сотрудничество. Вы знаете, как некоторые близкие лица из Тонкого Мира содействуют общему делу. Еще недавно они не могли бы служить одной цели по различию вибраций, но ваши вибрации и их старания общения делают полезных сотрудников. Так создается полезная общая работа. Она тем полезнее, что противники имеют таких же сотрудников. Без сомнения, радостно следить за каждым накопленным сознанием. Ур. видела, как вначале атмосфера была тускла, но при последующих встречах она стала светлее, а день тому назад Ур. уже видела сознательное сотрудничество. Такое просветление очень быстро, но для этого значение имеет Ашрам. Поистине, Ашрамы имеют значение для земного и для Тонкого Мира. Можно определить Ашрамы как магниты и озонаторы. Наполнение сердечной энергией служит проводом для многих. Потому, когда Забочусь о духовно чистой атмосфере, Имею в виду очень важное следствие. Без духовных накоплений не имеет смысла приказ — взять все на себя. Он может быть дан там, где есть сердечная связь с Тонким и Огненным Миром. Только такая связь может укрепить при земной битве сейчас тех, кому дан такой приказ. Слишком сложны токи, чтобы противостать им земными силами. Но вы знаете о связи с двумя Мирами. Именно в этом общении найдутся силы для прохождения самым неожиданным путем. При этом не стесняйтесь беречь себя, чтобы не затратить излишнюю энергию. Нельзя ничем отвлекаться от внутреннего сосредоточия. Дела всего Мира находятся в грозном состоянии.

204. Могут спросить — сколько раз читать Учение? На это скажите — нельзя ограничивать, что любите. Можно знать наизусть, но все-таки желать еще раз прочесть. Когда мы знаем наизусть, мы устанавливаем известный ритм, но новое прочтение может дать новое освещение. Оно не только углубит, но само новое освещение книги может принести новый подход. Потому, когда Говорю — читайте Учение и утром, и вечером, Имею в виду разные обстоятельства времени. Одно будет замечено утром, но совершенно другое будет познано при огнях вечерних. Понимайте это дословно. Мысль вечерняя отличается от мысли утра. Нужно их сопоставлять. Насколько мысль вечера расширяется огнями светильников, настолько же мысль утра сияет от соприкасания с Миром Тонким. Мысль утра мощна не только отдыхом, но прикасанием к тонким энергиям. Но и мысль вечерняя отличается совершенным восхищением, которое ведомо живому огню. Многие полагают, что уже знают Учение, когда прочли его. Но лучшие Заветы остаются непримененными, ибо люди не желают понять их многоцветность. Так, смотрите кристалл Учения и при солнце, и при свете огней.

205. Принимается слово *хор* как созвучие голосов, но может быть хор энергий, хор сердец, хор огней. Учение должно обратить внимание на хоровое начало, которое вовсе не обременит начало личное. Нужно развивать в себе такую кооперацию, чтобы привходить для прямого усиления возможностей. Так забота о хоровом начале соединится с созиданием. Люди могут понять, что хор нуждается в разнообразии соучастников. Только очень привычные руководители понимают, как нужны бывают даже не очень деятельные участники, но которые могут вносить своеобразие гармонии. Учитель радуется каждому своеобразию, в нем рождается новый вид Огня.

206. Посмотрим, как народы могут почувствовать значение знания. Мы употребим заботы, чтобы проявление знания могло пройти путем необычным, чтобы поразить человеческое воображение. Действительно, умение пробудить воображение прошлых воплощений нелегко; только сознание очищенное, которое уже не смущается переходом, являет постоянное воображение, новое и неутомимое.

207. Самые большие земные катаклизмы происходили от подводных прорывов. Не забудем, что если надземные вершины достигают тридцати тысяч футов, то подводные ущелья даже превышают эти меры. Можно представить процесс на расстоянии семидесяти тысяч футов. Не так опасны исчезновения озер, но следует опасаться поднятия уровня вод. Ту же судьбу переживала Земля несколько раз, но люди не мыслят в планетном масштабе. Сейчас можно замечать некоторое сходство с минувшими событиями. Неуравновешенность огней и вод составит предмет глубокого наблюдения. Кое-кто задумается, и многие будут насмехаться.

208. Часто Учения предупреждали о неосуждении умерших. Среди многих к тому причин есть одна, очень касающаяся земных действий. Мы уже говорили о сотрудниках из Тонкого Мира. Отсюда трудно судить, кто уже развил в себе эту способность сотрудничества. Можно представить, как несправедливо было бы осуждать такого сотрудника, ведь осуждение отталкивает. Таких помощников много, их нужно ценить. Когда воображение развито, можно легко развивать такое сотрудничество.

209. Изображение действительности текущей еще непривлекательнее. Нужно очень ценить времена, где не было кощунства. Разве не эта ехидна отравляет текущую действительность? Утруждаемся, видя, как бессмысленно ограничивают люди свою жизнь, не думая о великом чуде, которое несет в себе каждый человек. Каждому отмерено это чудо. Кошель сердца у всех одинаков — положи в него сокровища!

210. Искра бессмертия справедливо помещается некоторыми в разных центрах, каждый будет прав по-своему. Правда, в каждом центре имеется такая искра, но по условиям эпохи центры могут изменять свое значение. Одно сердце остается неизменным; только «Чаша» следует за сердцем в значении, остальные центры и гланды могут соответствовать космическим токам. Не только в суждении о центрах ошибаются люди, ибо везде они не допускают подвижную целесообразность. Но не только по эпохам сменяется значение психической энергии, но и по расам, по народностям и даже по родам, как будто то же самое происходит, но между тем человек касается Высшего иными щупальцами. Так можно заметить на многоногих насекомых, как они теряют некоторые ноги, но жизнеспособность не уменьшается. Конечно, при огненном сознании не наблюдается такое отмирание центров. Это значит, что мы опять приходим к утверждению полезности огненного сознания. Не будет преувеличением, если скажем, что Огонь годится как для земного, так и для Огненного Мира.

Спросят: какой центр особенно важен сейчас? Теперь время синтеза, потому начнем все от самого сердца. Именно поверх всего стоит сердце. Так пусть и гортань, и «Чаша», и солнечное сплетение не отделяются от водительства сердца. Гортань есть инструмент синтеза, но трансмутация и приложение его происходят в сердце.

211. Уже видите, как одним ураганом погибают тысячи людей. Явление зловещих бурь, разве оно не заставит человечество подумать, откуда такая неуравновешенность, что не только ураганы, землетрясения, но и наводнения могут достигать высших размеров? Именно скажут, что миллионы людей уже погибали. Но сознание продолжает ухудшаться. Справедливо было бы спросить человечество, во сколько десятков миллионов жертв оно оценивает перемену сознания?

212. Мужество требуется, когда в самой атмосфере замечается небывалое напряжение. Можно чуять как бы присутствие некоторого жара, несмотря на внешнюю прохладу. Даже воздействие холодных токов не освобождает от немедленного ощущения внутреннего жара. Нужно замечать, как этот внутренний жар характерен для атмосферных огненных напряжений. Так, не плечи, не гортань, не Кундалини, но сердце вбирает струи внешнего Огня.

213. Нужно всеми мерами усвоить основной закон, что Учитель дает направление, но не настаивает на подробностях. Каждый должен искать и найти в труде. Особенно смутно понимается, насколько велик закон, устремляющий к нахождению. Не только теперь, но и в лучшие годы люди требовали уже законченных, хотя бы и не продуманных ими формул.

Как поучительны испытания, когда по одной начальной букве ученик должен был найти все требуемое слово, но немногие будут искать такое объединенное сознание. Нужно указать, насколько поиски усиляют и руководительство. Не на готовое кушанье зовет Учитель, но Он знает места в лесу, где можно собрать спелые ягоды. К этому месту счастливого сбора призывает Руководитель и жалеет, если ученик предпочитает купить грязные ягоды на базаре. Так сердечно протекает Руководительство, когда заботливая Рука незаметно направляет к лучшему пути.

214. Надо научиться, когда Говорю символами, не требовать пояснения. Если нужен был язык символа, значит, сейчас был бы неполезен обычный способ сообщения. Тогда Говорю — запишите символ и держите его в памяти, когда придет час приложения его. Также замечайте указание стран, значит, на них обращено внимание у Нас. Такие вехи помогают на пути. Так ужасное время наполнится спасительными огнями, но карма не будет обременена. Нехорошо, когда Руководитель заставлен утруждать карму ученика. Нужно полюбить спасительные вехи, которые вспыхнут в сердце при приближении событий.

215. Можно и говорить, и писать о символе, но не следует, чтобы Учитель переменил символ на обычный язык. Мы не опаздываем предупреждениями, когда они необходимы. Также и названия стран скоро встанут перед вами, и вы отлично поймете, как Мы считаем эти события нужными и показательными. Одно не забудьте, что сердце Ур. на высокой огненной ступени и чует очень четко. Можно догадываться, что события нагнетены, если сердце и солнечное сплетение Ур. так напряжены.

216. Много раз философы утверждали, что собрание

людей допустимо, когда оно имеет нравственное последствие. Действительно, истина нова и для нашего времени. Сборище людей обычно кончается в извращении самых простых основ. Посмотрим на тонкие и огненные окружения таких многолюдных сборищ. Посмотрим и ужаснемся: несогласованные ритмы допускают лишь низших сущностей и претворяют огненные посылки в огонь опаляющий. Если благому посетителю трудно пробраться через животную толпу, то тонкие существа будут отброшены, как лист сухой вихрем.

Нужно ждать, когда же на уроках психологии будут сказаны советы о массовых воздействиях! Люди желают приобщаться к управлению, но не хотят воспитывать волю свою.

217. Вы писали сегодня о физических лекарствах, но для толп даже бочки самого драгоценного вещества будут бесполезны. Можно просить всех врачей Мира начать миссию одухотворения сердца. Каждый врач имеет доступ в разные дома. Он видит разные поколения, слова его принимаются со вниманием. Он так легко может среди физических советов прибавить самые ценные наставления. Он имеет право узнать все подробности нравственных условий дома. Он может дать совет, который заставит подумать поверх действий желудка, приказать может, ибо за ним стоит страх смерти. Врач — самое священное лицо в доме, где больной. Но человечество озаботилось достаточным количеством болезней, значит, врач может дать много ценных предупреждений. Если бы врачи были просвещенными, но пока таких мало! Тем более Мы ценим просвещенных врачей, ведь они всегда под угрозою изгнания из врачебных обществ. Геройство нужно везде, где Истина.

218. Ур. видела и принимала участие в Нашей Огненной работе. Так Мы не только наблюдаем, но и контролируем огненные напряжения. Центры наблюдения помещаются среди нескольких этажей Нашей Башни. Много сил собрано противостоять натиску огненному. Сатана очень желает покончить с Землею, чтобы сосредоточиться на Тонком Мире, который не может быть уничтожен, подобно Земле. Так Хозяин Земли по предательству теперь предает Землю. Плохой Хозяин, но такую природу Он воспитал в себе. Нам же Он доставил двойную работу, чтобы еще удержать и огни хаоса. Ур. видела немало аппаратов, но поверх них стоит психическая энергия, и потому сейчас Мы так бережем ее.

219. Очень часто происходили недоразумения вследствие относительности определительного, измененного веками. Самые древние записи испытывали многие изменения, проходя через руки инородных переводчиков. Об этом достаточно известно, но все-таки не принимается достаточно во внимание. Для получения полного значения нужно обратиться к тому же источнику Иерархии. Если переводчик и толкователь будет в общении с Иерархией, то его относительность будет поправлена вовремя. Невозможно грязными руками касаться священных Заветов. Все способы кощунства осуждены, но особенно мерзостно, когда служитель религии кощунствует. К сожалению, такие случаи участились. Немало среди служителей религий настоящих безбожников. Разве могут они говорить о Живой Этике? Безумцы, не хотят даже помыслить о будущей жизни. Можно представить себе весь ужас собрания, где заседают кощунники! Мир Огненный для них шутка.

Пусть Наши друзья не отказываются сказать везде, где можно, о Мире Огненном. Ведь кроме духовной точки зрения может быть и научный подход. Кроме того, пусть Наши друзья и сами думают чаще о Мире Огненном — такие мысли, как молитва.

220. Огненная работа, конечно, полна опасностей. Ур. уже знает, как действует напряжение огненное. Не только в земном теле, но и в тонком невозможно противостоять долго такому напряжению. К тому же Мы направляем фокус вихря на себя, чтобы стрела разряда ударила в центр напряжения. Этот метод фокусирования применяется Нами везде, на нем основана и тактика Адверза; из него вытекают капли пота, о которых вы знаете, но во всем лучше центр, нежели раздробление.

Аппараты, которые видела Ур., огромной силы; они являются конденсаторами огненного напряжения. Идея свастики отсюда. Нужно ученым оглянуться на древние знаки, в них будут намеки на многие Наши приборы.

При таком частичном вопросе, как Земля, хаос представляет большую опасность.

221. Нити духа раскинуты гораздо шире, нежели думают. Говорю не раз — записывайте, хотя бы кратко, ощущения и стремления духа. Из таких записей можно сопоставлять значительные выводы. Те же врачи могут пользоваться этим ценным материалом. Пусть не всегда могут быть сравнены такие записи. Многое не быстро совпадает, но даже и отдельные случаи помогут кому-то признать психическую энергию. Не нужно для этого особых

университетских заседаний. Психическая энергия особенно действует на свободе, когда человек горит сердечным устремлением. Мерилом психической энергии будет чистое устремление. Не магия, но человеческое чистое устремление порождает чудесный мир.

222. Ур. снова принимала участие в огненной работе. Можно чуять, как огонь внутренний показался и внешне. Понятно, что каждое приближение к напряженной стихии утруждает физические органы. Такую помощь могут оказывать лишь самоотверженные духи. Нужно понять, что неслыханное напряжение указывает на смятение стихий. Нужно собрать все силы, чтобы сохранить созвучие с Силами Огненными. Именно много черных звезд. Каждый день лишь усложняет события.

223. Поверх всего озабочивает Меня неравновесие Мира. Одержание развивается и угрожает безумием. Многие страны управляются безумцами в полном смысле слова. Явление массового одержания не повторялось раньше, непонятно, отчего ученые не обращают внимания на такое бедствие! Люди создают миллионы убийств. Неужели никто не подумает, что это есть рассадник одержания!

224. Различайте два рода исследования мыслей. Каждый знает, как среди четкого мышления появляются смутные плавучие мыслеобразы. Одни будут советовать пренебрегать этими неясными как бы пятнами мышления, но другие укажут на исследование таких гостей. Успех может быть при обращении внимания на такие мыслеобразы, они приходят извне, и тем более мы не должны отбрасывать их. Кто знает, может быть, они направляются к нам умышленно и неясны только в зависимости от устремления нашего? Потому лучше дать себе труд и не отбрасывать каждую мысль, даже летучую. Когда же сердце наше пламенеет, оно скоро почует ценность таких посылок.

225. Напрасно думают, что раздражение носа, гортани и легких происходит лишь от простуды. Такие напряжения также исходят от Пространственных Огней. Недаром раздражение гортани и носа может быть излечено внушением. Такая же причина лежит при многих случаях так называемой сенной лихорадки, которая нередко может излечиться внушением. Также многие виды накожных заболеваний лечатся тем же приемом. Часто именно кожные раздражения не происходят от внутренних причин, но от неуравновешенности огненных токов. Жаль, что врачи не наблюдают эту сторону заболеваний. Они лишь иногда признают

нервные причины, но пробуют залить их бромом, между тем внушение могло бы дать лучшее следствие. Не забудем, что иногда для скорейшего закрытия ран тоже применяли внушение, чтобы возбудить сотрудничество всего организма. Так при беседе об Огненном Мире нужно иногда не забыть причину раздражения носа и гортани. Просить нужно врачей изучать все приемы внушения.

226. Сны сообщают нас с Тонким Миром, таким образом, должны быть соответствия и в Тонком Мире по отношению к Огненному. Они своеобразно существуют, но не везде такие прикасания к Миру Огненному сознательны. Нужно обладать развитым сознанием, чтобы такие Самадхи не ослепляли. Нужно уже на Земле приготовить себя к огненному приближению. Мысль может сделать представление об Огне совершенно естественным. При таком простом и постоянном представлении утвердится приближение без всяких затруднений.

227. Овладение мыслью не заключается только в углублении и сосредоточии мысли, оно должно также знать, как освободиться от несвоевременных и унижающих мыслей, тем мысль утвердится, когда мы будем владеть ею. Нелегко бывает освободиться от мыслей, извне залетевших, и трудно бывает уйти от горестных и тягостных размышлений. Но нужно одинаково мочь, как послать мысль вперед, так и оставить ненужную. У людей обычно особенно развито рабство у своих мыслей, ничто так не препятствует движению, как тяжкие неподвижные мысли. Чаще всего такие тяжкие думы посылаются извне, и многие глаза следят, злобствуя и ожидая, как будет подавлена энергия. Ту явленную тягость сумейте немедленно отогнать, ведь она есть худший вид Майи. Не пройдут и сутки, как Майя изменится. Так будем двояко овладевать мыслью.

228. Люди обычно даже не замечают поворотных обстоятельств. Вчера Обратил ваше внимание, как люди не хотят понять, что творят сами! Лестница уже давно сложена, но человек все же бросается в пустоту, ибо думает о бывшей лестнице. Невозможно утвердить людей на действительности. Самые простые и прекрасные решения обходятся молчанием и отрицаются только потому, что где-то стояла дедовская лестница. Она уже давно не существует, но не примет такую действительность умеренное сознание.

Пусть хотя бы величие Мира Огненного подвинет людей к ступеням действительности.

229. Хорошее отношение еще не есть принятие и отлич-

ное отношение. Можно вспомнить старую сказку, как дед приготовил для внука нетонущую ткань перед отплытием в море. Но явленный внук покрыл тканью крышу. Таким образом, когда настало кораблекрушение, он спокойно пошел ко дну и дед не мог помочь ему.

Часто люди надевают на корову седло и удивляются, что другие перегоняют их на конях. Можно горько улыбаться на затраты бесполезные.

230. Устремление считается за настоящую ценность. Никто из сердечно устремленных не будет забыт. Самое главное — собственное сознание о чистоте устремления, но не много таких, кто может подтвердить очищенное устремление. Так можно отбирать людей по устремлению. Энергия чистого устремления очень однородна, и носители этой энергии, действительно, составляют вселенское тело. Они могут трудиться в самых различных областях, и тем не менее сущность зажженной энергии будет одна. Потому люди делятся не по физическим специальностям, но по напряжению устремления. Считайте, что разные народности не имеют значения, у вещества огненного ни род, ни возраст не могут значить. Там, где горит сердце, люди ищут общения и обмена, но не знают, чем соприкоснуться; иногда они боятся обжечься друг о друга, забывая, что одна энергия не опасна для подобной же.

231. Не следует чрезмерно огорчаться, видя человеческую темноту. Если Мы применим огорчение в размере этой темноты, то и существовать невозможно. Печально видеть, как затрудняют люди путь свой, но века научают положить спокойствие о свойствах несовершенства. Конечно, такие свойства особенно печальны, когда время так кратко. Но предадимся Иерархии.

232. Вздутие и раздражение желез указывают на сопротивление темным силам. Конечно, раздражение желез и всех тканей подобно тому, как ежу помогают поднятые иглы. Не нужно удивляться таким размерам напряжения, когда каждый день полон безумия.

233. Вождь не огорчается кажущимися неудачами, ибо он знает, что количество добра может заполнить любую пропасть. Он будет чуять каждое уклонение с пути, но оно даст ему лишь еще одну возможность посетить новую область. Также и добро становится в руках Вождя настоящим явлением Света. Утешение не в том, что неудача невозможна, но в том, что каждое достижение добра есть явление нового успеха.

Не Советую считать знаки тьмы, они лишь заведут во мрак. Свет только один, Свет может быть мерилом и опорою. Огненный Мир Светом создан, и мысль есть продукт Огня.

234. Не мозговое вещество мыслит. Пора признать, что мысль рождается в огненных центрах. Мысль существует как нечто весомое и незримое, но нужно понять, что рычаг не есть горнило. Уже многие истины стучатся, но только мысль об огненных центрах может помочь правильным представлениям.

235. Нужно следить, как целые страны могут шататься от одного неправильного представления. Невозможно оправдать тем, что кто-то о чем-то не знал. Обычно можно найти доказательства, что такое знание стучалось во все двери, оно лежало на всех столах и упоминалось много раз. Несправедливо оправдать невнимание и нежелание углубиться мыслью.

Новые утеснения не что иное, как неубедительное поведение Вождя. Часто народ не знает самой причины, но в сердце своем чует, что происходит нечто неубедительное. Вождь должен больше всего уберечься от нарастаний неубедительности.

236. Утвердим преисполнение духа. Преисполниться духом значит поставить себя в непосредственное общение с Иерархией. Всевозможные магические приемы, даже само умное делание, будут попытками к Высшему Общению. Но новое приближение к Высшему устремляет к образам подвижническим, которые поверх всего подходили к непосредственному сердечному Общению. Видим пророков, подвижников, которые не впадали в исступление, но каждое их слово было словом Завета.

Если спросите Меня: какие приемы приличествуют нашему времени, Скажу — нужно готовиться к непосредственному Общению. Всякие условные меры уже посредственны в себе. Во дни, когда огненные энергии напряжены, именно этот Огонь поможет сердцу понять Веление Высшее. Такое Веление выражается среди всей жизни. Тогда Мы говорим — слушайте и слушайтесь!

Каждая эпоха имеет свои выражения. Не следует держаться старых приемов, где возможно приложить новое понимание. Даже в старых Заветах видим пророков, которые были всегда преисполнены Духа. И много позднее изучались формулы, числа и ритмы. Но иные считали, что такие методы близятся к вызываниям и тем умаляют

Высшее Начало. Особенно сейчас, при эпидемии одержания, люди должны искать сердечного Общения.

237. Лишение благословения есть акт древнейшего патриархата. Он далек от позднейших проклятий. Проклятие является уже продуктом невежества, но древнейший акт предусматривал нарушение связи с Иерархией. Связь Иерархии есть настоящее благословение со всеми последствиями. Спросят невежды: «Мы много раз поносили все Высшее, и тем не менее мы существуем; никакой Огонь не спалил нас, и ничто не угрожает нам». Тогда поведем их на площадь, где в грязи пресмыкаются слепые нищие, и скажем: «Вот тоже вы». Поведем в темницы, поведем в рудники, поведем в пожары, поведем на казни. Скажем: «Разве не узнаете себя? Только пресеклась нить с Высшими — и вы летели в бездну». Устрашать не нужно, жизнь полна примерами таких ужасов. Помните, что нагнетение Огня незримо, но ничто не минует последствия. Так можно видеть, как даже древние понимали справедливость закона и знали уже, что оскорбление Начал так велико и ужасно, что последствие не может быть немедленным.

238. Огненное Солнце невидимо, так же как незримы великие небесные тела. Следует пояснить уже в школах, насколько ничтожно наше поле зрения. Только так можно уговорить человечество, что оно божественно в своей сущности сердца, но в теле подвергается всем ограничениям. Только так уже дети узнают, о чем нужно заботиться. Они очень недоумевают, что́ явлено в груди, что́ бьется постоянно.

239. Достаточно можно чуять, насколько даже малая темная сущность может концентрировать вокруг себя многих сильных сотрудников. Не следует пренебрегать каждой возможностью удалять темные рассадники.

240. Устремленное к Нам сознание утончается непрестанно. Процесс утончения делается уложением каждого дня. Можно ли себе представить, чтобы тончайшая энергия обратилась в хаос? Везде сказано: «Кто ко Мне придет, тот во Мне и пребудет». Нужно это понимать буквально. Тончайшая энергия не может обратиться в бесформенную аморфность, потому так Забочусь об утончении сознания. Усложнение грубостью лишь показывает, что сердечная энергия не достигла уровня, когда ей уже не грозит утопление в волнах хаоса. Нужно поспешить с утончением. Каждая язва начинается от малейшего разложения

ткани. Капля смолы может оздоровить заболевшую ткань, но для запущенной язвы даже котел смолы не поможет. Уявление утончения творите среди всей жизни. Почему только в словах, почему только во взглядах, именно в мыслях умножается энергия сердца. Самое ценное собирание лишь для отдавания. Разве кто не захочет дать нечто лучшего качества? Только обманщик будет пытаться предложить что-то негодное. Нужно следить за мыслями, чтобы посылать их самого лучшего качества. Неотвлеченно Говорю.

Мы с вами посылаем мысли дружелюбия, и уже многое неполезное предотвращено. Так складывается гора дружелюбия, с вершины которой видно вдаль. Можно многим советовать панацею дружелюбия. Не Устанем повторять об этом лекарстве духа и тела. Когда-нибудь и врачи пропишут дружелюбие как сильнейшее противоядие. Не забудем, что злоба притягивает действие ядов, тогда как дружелюбие противостоит им.

241. Что́ вы устремляете ко Мне, то растет, как сад лучший. Плоды зреют, но нужно не допустить червей.

242. Не следует удивляться, когда Мы произносим наименование, которым наполняем пространство для уведомления. Мы утверждаем в пространстве решения Наши. Тот, кто понял связь с Иерархией, должен также усвоить, что решение Мира зависит от наполнения пространства. Ведь не земной мир решает, но вся триада. Так даже самые, казалось бы, согласованные земные постановления разрушаются, ибо они не были приняты двумя Высшими Мирами. Также темные силы иногда должны быть оповещены, потому что их вопль лишь усиляет шум оповещения. По всем мирам проносится такой зов и пробуждает новые энергии. Конечно, те, к кому относится такая манифестация, должны быть бережны, ибо вихрь устремлен около них.

243. Главная опасность в неимоверном расхождении сознаний. Когда одни почти касаются атомистической энергии, другие же даже еще не достигли пещерного существования. Такая разница порождает смятение токов и затрудняет движение. Можно легче двигать троглодитами, нежели такими разновидными толпами. Потому так усложняется продвижение и расширение сознания.

244. Не только приятен запах деодара, но он помогает восстанавливать дыхание и отгоняет темных сущностей. Много масел имеют очистительное свойство, но не все

имеют влияние на Тонкий Мир. Деодар имеет значение на Тонкий Мир, и он обычно связан с местами пребывания Риши. Они знали, что деодар обладает свойством отгонять злых сущностей.

245. Помощь Наша происходит в главных направлениях. Было бы ошибочно думать, что самые обиходные подробности могут привлекать Нашу энергию. Правда, Мы охраняем всегда, но нелепо думать, что каждое чихание происходит по Нашему Приказу. Нужно отличать, где самые главные течения жизни, только так можно научиться уважать основы Общения. Так же точно и Мы относимся к Высшим. Уважение к ценности энергии будет знаком понимания Беспредельности. Очень вдумайтесь в это, именно теперь огненная работа требует понимания Наших основ. Можно ли отклонить оружие перед самым ударом? Можно ли сдвинуть наведенную зрительную трубу, не повредив наблюдения? Так, когда сближаем сотрудничество, нужна особая заботливость. Заметьте, как постепенно Углубляю условия совместной работы. Никакое повторение неуместно. Мы требуем то, что посильно требовать. Постепенно мы вступаем в опасные сферы, и только так можно ждать победы.

246. Ученый почти прав, приписывая химизму организма жизнь, но он упускает из виду кристалл психической энергии. Конечно, и это тончайшее вещество тоже своего рода химизм, только подход к нему особый. Обычно ученые среди многих верных заключений упускают самое главное. Не столько из противоречия, сколько от неумения вообразить себе такие понятия. Сами видели двух врачей, которым была предоставлена величайшая возможность неповторяемых наблюдений. Вы видели, как они не могли вместить такие возможности и явно уклонились от главного, лепеча нелепые формулы. Сотрудничество заключается во взаимном заботливом и сердечном труде.

247. Не сведущие в Великом Служении могут даже укорить трудность такого подвига. Но прикоснувшиеся уже не могут представить существования без него. Пустота ужасная покажется без приложения сил на Общее Благо. Темнота страшная выглянет отовсюду без Общения с Иерархией. Сама жизнь, как отцветший цветок, потеряет смысл без Великого Служения. Огненный Мир неосязаем, и само понятие его вместо привлекательности оказывается угрожающим. Равновесие устанавливается большими мерами, но утверждение Щита Иерархии приходит после посвящения себя на Великое Служение. Сам дух решает судьбу свою. Сам, без уговоров, дух определяет жертву свою. Размер жертвы решается в сердце. Никто не может побудить к увеличению жертвы, но много радости творится о жертве неумаленной. Учитель советует узнавать свои размеры по жертве, принятой сердцем добровольно. Как велик закон такого добровольчества — оно определяет будущее от малого до большого и до великих событий!

248. Бессердечное чтение и даже заучивание мало помогают. Можно даже составить таблицу, насколько участие сердца вызывает истинное понимание. Пусть не понимают это отвлеченно. Пульс по качеству своему покажет, насколько сердечное участие помогает явлению восприятия. Такое понятие приблизит и к Миру Огненному. Скучно слушать лишенное сердечности бормотание, особенно когда число печатных книг достигает ужасающего количества. Редко количество настолько расходилось с качеством! Признак бессердечия и в этом сказывается. Мы поощряем каждое горение духа. Пылающее сердце есть факел Огненного Мира. Следует привыкать к погружению в смысл сказанного, для этого полезны и переводы на разные языки. В них высказывается точность понимания. Учитель всегда должен вращать понятие, чтобы оно коснулось сознания ученика во всей своей сфере. Невозможно принять неотложность многих понятий при первом чтении. Нужно возвратиться к ним, как уже сказано, при всех окрасках утра и вечера. Ночь и та принесет луч понимания. Сами видите, насколько странно люди судят прочтенное. Когда они слышат о Мессии, они лишь думают: не демон ли? Когда они читают о сердце, они опасаются: не колдовство ли? Значит и демон, и колдовство им близки. Человек, чистый сердцем, не будет думать прежде всего о тьме.

249. Не магия, но Боговдохновенность была заповедана в древних Заветах. Когда Высшее Общение начало прерываться, сами люди уже от земного мира сложили магию как способ насильственного общения. Но, как все насильственное, магия докатывается до самых темных проявлений. Сама граница между черной и белой магией делается неуловимой в своей сложности. Потому на пути к будущему следует отставить всякую магию. Не нужно забывать, что старые методы магии были связаны с иными формами жизни. Ведь магия основана на точном выполнении техни-

ческих условий, но если все формулы жизни изменились, то и магические следствия должны соответственно видоизмениться. Так оно и есть, почему современная магия и погрязла в некромантии и в прочих низших проявлениях. Все, изучающие механику формул, не отдают себе отчета, что это было записано для совершенно другого применения. Кроме того, совершенно забывают, что все условия и высшие формулы вообще не записывались, и если отмечались, то в таких символах, что теперь их смысл затемнен. Таким образом, современные изучения магии сводятся или к бессмысленной схоластике, или, катясь вниз, впадают в черную мессу. Потому произносим очень нужное слово, говоря об отмене магии. Пусть она остается у темных некромантов. Слишком много одержания на Земле. Единый путь к Высшему Общению — через сердце. Никакое насилие не должно запятнать этот огненный путь. Неужели люди думают, что вызывание низших сущностей может быть безнаказанно?! И какое такое улучшение жизни произошло от такого вызывания? Никто не скажет, где польза от некромантии и где сердце, которое возвысилось от некромантии. Нужно обратиться к краткому и Высшему Пути, который даст здоровье духа, и от него придете к здоровью тела. Отмена магии будет камнем белым на пути мира.

250. Отчаяние есть прежде всего невежество. Говорю не для ободрения, но для преуспеяния. Много прекрасных строений нарушено из-за неуместного отчаяния. Всегда оно оборевает человека накануне совершенного достижения, точно кто-то временно потушил огни, но ученик не знает такого ужаса.

251. Изгнание магии не значит пресечение проявлений Тонкого Мира. Наоборот, связь с Высшим Миром может лишь укрепиться при изъятии всего насильственного. Именно невежественное насилие может нарушать гармонию сочетаний. Природа и в малом и в великом противится всякому насилию. Изучать и познавать чудесные подходы к Миру Тонкому и Огненному не будет магией. Молитва сердца не магия. Устремление духа к Свету не магия. Нужно уберечься от всякого невежества, ибо оно источник лжи, и ложь есть преддверие тьмы. Умейте найти в сердце своем правду обращения к Единому Свету. Ужас наполняет Мир. Не следуйте по тропе ужаса. Можно укрепиться на примерах бывших времен. Сами подвижники прикасались к Миру Огненному сердцем, то же сердце дано всем. Умение слышать голос сердца уже ведет к правде.

252. Пословица народная есть свет в окно. Не бывало неверных пословиц. Ценны отложения мудрости. Но сейчас перед нами великое смутное время. Нужно призвать все мужество, чтобы найти слово каждому. Уявлено время пробуждения народов.

253. Только опытное сердце поймет Майю не только отчаяния, но и восторга. Не легко указать, что восторг и ликование не далеки по химизму от отчаяния. Ликование без основания не походит на мудрую радость, когда все сердце вибрирует с Космосом. Многие вообще не могут вместить пребывания на Земле при постоянном напряжении. Но их можно послать в некоторые химические лаборатории, где вновь пришедший совершенно не может дышать, но постоянные работники даже не замечают таких нагнетений. Такой пример должен убедить, насколько можно приучить себя к постоянному дозору как к магниту напряжения. Кто вступил на лестницу восхождения, тому начальная ступень уже труднопереносима. Так Майя переходит в сознательное познание космического напряжения.

254. Действительно, многие хотели бы уничтожить каждое полезное начинание. Трудно сказать, кто вреднее — темные или изуверы? У последних часто сердце еще недоступнее. Они, присвоив чужие наследия, утвердили самые беспощадные угрозы всему человечеству. Не удивляйтесь, что они захватывают лучшие символы, чтобы их обезобразить. Недаром изуверы назывались обезобразителями. Одно из отличительных свойств их будет отсутствие чувства красоты. Они могут самое прекрасное очернить не по злобе, но по отсутствию чувства красоты. Конечно, такие падения равняются очень темному слою, но много изуверов и они затрудняют путь знания.

255. Говорят, каменщик должен только складывать камни, но, если он может спасти человека, разве он не должен это сделать? Ведь не только камни на свете, также сердца имеются!

256. В молитвах нередко упоминаются обращения: «Воззри на меня» или «Обрати взор ко мне». В таких словах выражалось большое знание значения взора. Именно взор может даже изменять состав ауры. Не только мысль, но сам химизм взгляда имеет огненное последствие. Знающие просят Высшие Силы посмотреть на них, ибо в этом магнетическом химизме будет заключаться полное благо. Не забудем, что каждый взгляд человека имеет соответственно такое же значение, тем более получит силу взгляд, сопровожденный мыслью. Это не будет прямое внушение, лучше назвать это наполнением пространства, ибо такой химизм распространяется гораздо дальше, нежели можно ожидать. Можно представить значение взгляда, когда будут сфотографированы излучения. Можно будет наблюдать влияние безумных взглядов и мысленных посылок. Радостно видеть, как утешительные взгляды могут оздоровить ауру. И такое постоянное воздействие может быть утрированным улучшением всего Бытия. Не забудем, что присутствие некоторых лиц вносит значительно улучшенную ауру среди целого собрания. Можно их назвать Маяками Спасения, даже когда они не устремляют энергию, все-таки их Од проникает во все окружающее. Нужно очень ценить таких естественных оздоровителей.

257. Каждое пресечение колдовства есть доброе дело. Тем более, что опасность такого воздействия велика. Нужно иметь не только мужество, но готовность духа, чтобы в каждом случае понять, как приступить. Прежде всего нужно разрушить магический круг. Но такое прикосновение требует еще большего огненного напряжения, нежели вложенное заклинателем. Распознание соответствия сил дается чувствознанием. Нельзя без ожогов касаться сильнейшего пламени, но когда огненная энергия превосходит, то не бывает ужасных следствий.

258. Вы могли слышать, что мудрые люди иногда, в час опасности, восклицали: «Радость, радость!» Не могло это восклицание означать лишь самовнушение. Они знали о сокровище радости и как бы хотели занять оттуда воспламенение чувств, необходимых для подвига. Не нужны призраки там, где есть сокровенная связь с Иерархией. Можно занять из Хранилища неисчерпаемые силы, только нужно призвать их пламенно. Никто не может противиться радости подвига. Нельзя покоряться насилию, но радость есть завершение. Так будем растить ее, как ценнейшие цветы, но не умалим ее подозрением, что она есть иллюзия. Нет, мы знаем, как радость звучит трубою Кундалини. Мы не можем часто словами пояснить, отчего возникает эта радость-предвестница, но на легкокрылом луче Иерархии она посещает нас. Кто знает, из какой Беспредельности звучит призыв к радости? Кто же знает, что уже приблизилось время явления радости? Но закон непреложен, и потому радость есть особая мудрость. Как давно сказано это! Но в движении спирали оно становится реальным и понятным. Также растет и сердце, и сознание, и мудрость огненная.

Не видим, как растет трава, но ощущаем след ее. Также и радость подвига.

259. Уже слышали о некоторых пустых гробницах. Слышали о древнейшем обычае, когда мнимоумершие заменялись другими. Нужно не забыть, что во все времена совершались множества необычных деяний, и жизнь преломлялась не однажды. Люди приобщались к тайнам Бытия, и сколько имен написано над пустыми гробницами! Так помимо избитых путей истории творятся неисповедимые подвиги. Нужно привыкать в сознании ко многому, не вошедшему в законы земные. Кто может утверждать, как творятся события? Можно заметить лишь несколько внешних признаков, но истинное русло жизни не записано в государственных анналах. Так люди удивляются, когда после прочтенной надгробной надписи мнимоумерший через десять лет снова появляется и свидетельствует себя многими лицами. Конечно, легко не обратить внимания на такие несомненные свидетельства. Но честные наблюдатели могут собрать много таких достоверных событий. Именно есть история Мира внутренняя и внешняя. Не колдовство, не магия, но путь Мира Высшего.

260. Привыкайте к Моему Совету, что события творятся особыми мерами. Не нужно умалять строительство соображениями обычной радости или печали.

261. Напрасно думают, что силы тьмы нападают лишь на слабые места. Очень часто хаос теснит именно самые сильные твердыни. Также буруны яростнее против утесов. Потому нужно охранять каждую стену — и низкую, и высокую. Не забудем это, ибо часто люди думают о защите слабого и покидают сильного. Повсюду устрашение хаоса, утроены напряжения. Кому не дорого ощущение защиты, тому читайте о гибели великих народов.

262. Да, да, да, если люди не обратятся к Иеровдохновению, то произойдет много смятений. Равновесие и соответствие нарушены механическим миропониманием. Еще полвека назад Мы заботились о преумножении физического знания. Действительно, в этом направлении достигнуто многое, в то же время духовное сознание отстало от физического. Этика утерялась среди нагромождений формул. Машины отвлекли человека от искусства мышления. Сейчас довольно роботов! Для равновесия Мира нужно сердце, в этом Указе находится спасение неотложное. Злая воля нагнетает земную ауру.

263. Опытный хозяин найдет применение всем отбро-

сам. Современный строитель должен принять на себя этот подвиг. Он особенно тяжел, ибо не легко приложение роботов, когда требуется осознанная обоснованность.

264. Многие никогда не поймут, что йог должен быть весьма осмотрителен относительно здоровья. Многие, по невежеству, воображают, что здоровье йога застраховано и ничто физическое ему не супротивно. Он, по мнению некоторых, не чувствует ни холода, ни жара. Между тем даже свая моста более подмывается волнами, нежели болото. Песок болота не терпит столько от движения воды, сколько свая, утвержденная против течения. Потому как безумно полагать, что йог может выносить усугубленные тягости, явленные невежеством. Правда, он не выявит своего напряжения, но оно будет так же сильно, как и огонь его сердца. Простой закон соответствия и здесь окажется в полной силе. Если спросят, не от давления ли развивается сопротивление, то такой вопрос будет не лишен истины. Тем более нужно соблюдать силы, когда знаем, для чего они нужны.

265. Устремимся к пониманию явления самого необходимого. Решение степени необходимости есть качество Вождя. Много одновременных запросов нужно уметь расположить в мозаику общего и последовательного порядка. Ни логика, ни разум, ни формулы, но огонь сердца осветит путь такого шествия действий. Нужно всем сердцем познать, где достаточный проход, чтобы не толкнуть соседа. Сердце укажет, когда не следует переполнить давление. Такие испытания сил называются крыльями справедливости.

266. Пустота не существует, но часто люди ощущают как бы подобие пустоты. Что же может значить такое тягостное чувствование? Конечно, оно не без основания. Люди своим мышлением отравляют окружающее и претворяют его в хаос. Так называемое чувство пустоты и есть ощущение хаоса. Сам по себе хаос вовсе не пустота, но он так далек от сознания человеческого, что приближение его уже составляет потерю руководящего начала. Такое мертвенное начало ощущается как пустота, в ней заключается не малая опасность, нарушается равновесие и происходят самоубийства и разные безумия. Не пустота, не хаос, но гадкое мышление поражает неумных отравителей атмосферы. При этом они заражают окружающее и тем поражают своих соседей. Поистине, человек может становиться общественным лишь при известном уровне мышления.

267. Не огорчайтесь, если Учение будет приписано

самым различным источникам, даже уложению самых неизвестных писателей. Может быть, оно будет приписано вам самим, и такое обстоятельство будет из лучших. Не следует даже преследовать изобретателей. Никогда в Мире не бывало единогласия. Пусть совершается самое главное. Пусть потребные для улучшения жизни указания проникают в народ. Также не огорчайтесь каждым суждением. Когда Имя Братства не должно быть названо, тогда пусть каждый принимает по сознанию. Конечно, меры оповещения вне понимания людей. Но все делается так, как нужно.

268. Очень плачевно, что люди вредят себе постоянным недовольством,— тоже нарушение равновесия, вредное на далекое пространство. Можно видеть людей довольно умных, но все-таки жалующихся на судьбу. Даже земные богатства не помогают удержаться от недовольства. Конечно, о духовных богатствах обычно вообще не думают.

269. Различное выражение портретов, замеченное вами, уже относится к области Иеровдохновения. Уже в глубокой древности понимали это духовное проникновение. Уже в Египте портретные изображения являлись посредниками для общения на расстоянии. Священные Изображения также отвечают духовному общению. Но следует понять это естественное явление не как магию или колдовство, но как еще одну крупицу знания. Никто не может ограничивать и очертить границу знания духа. Никто не имеет такое воображение, чтобы признать, где может пресекаться величие энергии. Потому нужно так добросовестно отмечать все понятые подробности разных явлений. Нужно радоваться каждому такому осознанию. Ведь эти огненные вехи ведут к Миру Огненному. Значит, на таких путях нужно применить великое внимание. Нужно брать действительность как она есть. Не недоверие или усыпленность, но глаз добрый и открытое сердце приведут к пониманию новых проявлений Огненного Мира. Замечайте, насколько выражение изображения меняется, и впоследствии можете сравнить с событиями. Нужно, конечно, производить наблюдения над лицами, которые имеют для вас особое значение и которых вы знаете. Явление таких перемен выражения называлось египтянами зеркалом души.

270. Кто может сказать, где начинается Несказуемое? Кто дерзнет отмерить, где то, что не подлежит произнесению? Но сердце знает и может охранить от произнесения хулы. К такому знаку сердца нужно уметь прислушаться. Нужно настойчиво и терпеливо познавать знаки сердца. Нужно уметь обратиться к Иерархии. Нужно признать, что иного пути нет. Сказано — предадим дух Господу, но не сказано — отяготим Господа.

271. Искры Фохатические показывают степень напряжения, именно неповторяемое напряжение среди всего Мира. Не знаете и не можете вообразить степень столкновений.

272. Видели вы кольца, которые меняли цвет свой в зависимости от состояния носителя и от окружающих обстоятельств. Можно было видеть, что разнообразная окраска их не могла зависеть от качества самого металла. Значит, на кольце отложился химизм внешний, но и химизм не может произвести такой феномен без огненной энергии. Конечно, когда явилась возможность перенести внешнее воздействие на сердце, то древний феномен стал ненужным. Его можно было показать как упоминаемый в древнейшей литературе, но не нужно затрачивать энергию там, где сердце уже вступило на огненный путь Иеровдохновения. Также и во всех прочих проявлениях энергии нужно немедленно обращаться к Высшему Общению, как только условия организма позволят. Задача Учителя прежде всего состоит в возведении скорейшем для степени Иеровдохновения.

273. Можно видеть, как огненная энергия опережает все другие. Считаю, что никакая физическая энергия не может проявиться без предшествия огненного импульса. Потому каждое приближение к Огненному Миру есть уже желанное и трудное поступление.

274. Чрезмерная худоба, так же как и толщина, одинаково вредны для восхождения. Они одинаково уничтожают психическую энергию. Путь средний предусматривает лучшие условия. Также вместо устремления естественного люди предпочитают несоответственные крайности. Творчество Космоса не терпит неравновесия. Оно знает, что хаос уступает натиску сил равновесия, но тот же закон должен быть проведен во всей жизни. Мы — микрокосмы и должны подлежать всем условиям Макрокосма. Но мало кто будет даже говорить о таком условии Бытия. Потому такое несоответствие потрясает Землю.

Мы часто предупреждали о возможности огненной эпидемии, она уже начинается. Конечно, врачи не замечают ее, ибо она проявляется в различных видах. Перемена многих симптомов болезни не останавливает внимания. Человеческое суждение слишком привязано к призрачным формам, которые случайно кем-то были усмотрены. Изменить кругозор — самое трудное, но все-таки нужно напомнить, ибо нужно выполнить долг. Часто Мы посылаем мысли дружелюбия туда, где о них и не предполагают. Но и такое нежданное доброе лекарство со временем помогает.

275. Можно удивляться, насколько люди даже из безобидных философий почерпают лишь злобу. Можно удивляться, насколько низко сознание, которое может впитывать только скверну. Разве люди забыли, что каждая философия прежде всего запрещает злобу?

276. Самое высшее есть Иеровдохновение, оно сопутствует во всей жизни. Не нужно ритуалов там, где есть пламень Общения. Нужно хранить очаг Огня. Даже древние понимали символ непрерывности Огня. Нужно жизнь наполнить горением. Сперва человек думал о себе, затем — о других, но после его действия полезны для всего Сущего. Он уже не думает о пользе, но дышит ею и дает жизнь на пространстве Необъятности.

277. Не только сантонин, но и некоторые иные растительные вещества помогают видеть намеки ауры. Но и такое механическое воздействие нежелательно. Каждый яд не может не отражаться на нервных центрах, если долго принимается. Когда мы говорим о сердце огненном, то осознание излучений приходит естественно. При этом самое правильное — ощущать качество ауры. Ведь многие оттенки являются очень смешанными, и одна зримость не дает понимания их сущности. Так, иногда синяя аура может быть подвержена нежелательному желтому излучению, получается как бы зеленый свет, но такое сочетание будет отличаться от чистого зеленого синтеза. То же может случиться и с фиолетовой при приближении алого. Так одна зримость мало что значит. Нужно сердечно почуять сущность происходящего. Так, например, может случиться, что от болезни излучение может потускнеть, но огненное сознание поймет, что природа излучения недурна и лишь от случайной болезни изменилась временно. Также может случиться, что излучение может подвергнуться внешнему влиянию, как бывает при одержании. Также лишь огненное сознание поймет истинную причину. Потому, когда Говорю о будущих снимках аур, нужно не забыть, что огненное чувствознание и в этом предмете будет нужно.

278. Учение должно прежде всего иметь в виду спра-

ведливость. Нужно предусмотреть случаи, когда механика очевидности должна быть под наблюдением огненной действительности. Много случаев, когда из дальних примеров можно судить о внешних влияниях.

279. Можно одним сожжением деодара много очистить сознание. Также и Мориа стоит на страже и не допускает многих нежелательных гостей.

280. Цените людей, которые не только говорят, но и делают. Утверждайте умение понять действие. Трудность времени сложилась от дезорганизации. Причина такой дезорганизации смешна в своей ничтожности — забыто сотрудничество сердец. Сходясь на молитву, люди забывают, как настроить себя для служения. Между тем такое условие необходимо и легко достигается, в этом нужно только помочь друг другу. Сохранить необычное настроение уже значит подойти к Миру Огненному. В условиях жизни такое настроение не легко, но именно оно не должно быть отставлено. Не следует входить в храм ни с чем, кроме молитвы. В молитве возносится и улучшается Бытие, потому каждая молитва, как и каждое возношение, должна быть лучше предыдущей. Каждая ступень лестницы духа должна быть пройденной. Как величественна Лестница к Огненному Миру, которая имеет в году триста шестьдесят шесть ступеней днем и триста шестьдесят шесть ночью! Каждая ступень отличается от другой и пусть будет лучше другой. Радость Учению, разве не будет она истинным украшением ступени? В каждой радости Учению уже заключается новое познание. Часто мы не можем выразить словами эту ступень, данную в радости. Она несомненна, и какая гора восходится молитвою радости! Ею утишаются боли, ею преуспевает труд. Никто и ничто не может препятствовать этой радости. Так будем иметь преимущество преуспеяния. То же можно желать и всем, ибо на лестнице духа нет тесноты. Пусть каждый радуется лишь красоте новой ступени. К чему же пойдет кто-то вспять? Но трудно и тяжко потерять уже пройденное. Низвержение всегда пагубно даже для тела. Можно себе представить, насколько оно гибельно для духа и существа огненного. Прикасание к Огню уже дает особую ткань, которая сияет кверху, но испепеляется вниз. Лестница восхождения есть мера великодушия, значит, великодушие может быть постигаемо ежедневно.

281. Страх будущего есть ужас Мира. Он вторгается в жизнь под различными пониманиями. Он постепенно разлагает ум и омертвляет сердце. Такой страх ложен

в природе своей. Люди знают, что каждое их местонахождение не вечно, значит, разумно будет немедленно приготовлять нечто будущее. Но части хаоса, аморфные и неподвижные, прикрепляют сознание к призрачным местам. Нужно напрячь познание действительности, чтобы признать ложь Майи и понять, что правда лишь в будущем, когда мы приближаемся к Обители Огня. Невозможно описать, как люди пытаются прикрыть страх перед будущим. Они стараются показать, что не будущее, но прошлое должно занимать их мышление. Они постыдно избегают всего, что напоминает о движении в будущее. Они забывают, что таким образом появляется пагубный яд пространства. Даже на самых чистых местах можно заметить волны такого яда. И люди отравляются взаимно. Но самая здоровая и прекрасная мысль будет о будущем. Она соответствует Миру Огненному.

282. Для Иеровдохновения полезен ток, который зовется «Печать Иерарха». Можно почувствовать на темени, он сияет, как явление белого луча. Можно при знании Иеровдохновения помнить это ощущение.

283. Тонкий звук подобен языку Тонкого Мира. Он понимается без грубых вибраций земных, так же как и музыка сфер присоединяется к нашим тонким вибрациям, и тогда получается ощущение прекрасного.

284. Обычно люди не понимают, что большое явление еще чувствительнее, нежели малое. Именно в большом явлении требуется еще бóльшая психическая энергия, значит, каждое затемнение, раздражение и сомнение особенно пагубно. Когда Мир ждет новых обстоятельств, нужно проявить особую чуткость.

285. Учение следует читать в разных состояниях, но следствие будет неодинаково. При смятенном уме Учение даст успокоение, при горе — утешение, при сомнении — утверждение, но для впитывания действенности Учения нужно покрыть случайные чувствования проникновением в сокровище Иерархии. Не только для утешения дано Учение, но для движения по лестнице восхождения. Конечно, при особых обстоятельствах Мира особенно трудно постигательное углубление. Не раз уже Мир содрогался на границе механики и духа. Именно теперь такое время, усугубленное натиском сил темных. Разнообразен базар материальных отбросов, прежде всего нужно оценить их, чтобы предложить новые ценности. Так умение переменить оценку сознания будет уже порогом будущего. Допущение

уже есть признание, и много темных гостей допущено человечеством. Такие приглашения утяжеляют переходное состояние. Нужно просить сердце поднять голос на обновление Мира.

286. Добрый человек тот, кто творит добро. Сотворение добра есть улучшение будущего. Можно благотворить ближнему, чтобы улучшить его бытие. Можно поднимать целые народы героическим подвигом. Можно вносить в жизнь самые полезные открытия, которые должны преобразить будущее. Наконец, можно улучшить мышление народа, и в этом будет заключаться синтез добра. Как прекрасно мысленное творчество, не направленное ко злу! Когда народ поймет все зло осуждения, он откроет новые врата к будущему. Сколько времени освободится для познавания, для искусства мышления, для творения истинного добра, при этом зажгутся лучшие огни сердца. Во зле такие огни не зажигаются. Такое добро спасет здоровье и очистит на большое пространство атмосферу. Нелепо думать, что добро — отвлеченность или заслуга. Оно есть спасение будущего, ибо без него нет утверждения восхождения. Так, каждая мысль добра есть уже стрела Света. Она уже где-то искоренила разъединение, ибо каждое разъединение во злобе есть низвержение в хаос. Потому учите мыслить о добре.

287. Мы слышим часто о болях старых ран. Они как будто зажили, физическая ткань соединилась, но тем не менее страдания продолжаются. Также можно слышать, что только внушение может помочь в таких случаях. Разве тонкое тело не будет болеть, если оно было повреждено? Рана заживет физически, но тонкое тело может ощущать боли. Конечно, если сознание человека развито, он своим приказом заставит тонкое тело оздоровиться. Но в других случаях требуется внушение, чтобы соответственно физическому процессу воздействовать на тонкое тело. Так понимающие комплекс организма улучшат положение всех его тел.

288. Текущие события еще раз указывают на значение мысли. Уже видите, что роскошь потрясена, тоже видите, что магия получила осуждение и мышление направлено к Иеровдохновению. Эти два условия очень губительны для темных. Без роскоши и без колдовства они значительно обессилят. Но у них остается третье условие, а именно: смущение слабых умов. Самое плачевное, что слабые умы не вмещают здоровых начал. Их неустойчивость поглощает

много энергии, потому Мы обращаем внимание на самое главное, чтобы сосредоточить энергию на необходимом. Слышали о Знамени Нашем. Действительно, пусть несут его, кто может. Тоже и в другом проявим терпимость и заставим темных послужить.

289. Благословен, кто в сердце своем немедленно признает сущность Иерархии. Но если очи сердца закрыты, то укажите ему на преемственность во всем Сущем. Начните от самого домашнего обихода и так дойдите до основ мироздания. Если же он останется глух к знанию, то значит он от тьмы. Нужно помнить, что закон тьмы основан на отрицании. Нужно не забывать, что у всех народов был смысл преемственности и так они восходили к Иерархии.

290. Поистине, Египет был велик достижениями до времен Соломона. И Будда, по особому значению, получил чашу из Египта, так стройно полагались основания Мудрости. Конечно, и Веды имели связь с прошлыми расами. Часто Заветы нарастают эволюционно, но иногда, по глубине кармы, они инволюционируют. Тем не менее преемственность существовала, именно она являлась равновесием народов. Отрицание преемственности — невежество. Само качество жизни, само осознание пути уже основаны на преемственности как протяжении в Беспредельность. Сама Иерархия должна быть осознана в Беспредельности. Особенно часто представляется Иерархия предельною, и отсюда происходят всякие ограничения и умаления. Величие Иерархии в Беспредельности.

291. Похвально, что врач признал напряжение в ушах как огненное явление. Так же он оценил бы напряжение в глазах и пульсацию в конечностях. Можно заметить многие новые ритмы, явленные как предшествующие огненным энергиям. Но необходимо, чтобы врачи начали замечать некоторые качества заболеваний.

292. В первобытных религиях прежде всего преподавался страх к Богу. Так внушалось чувство, которое обычно кончается восстанием. Конечно, каждый, прикасающийся к Высшему Миру, испытывает трепет, но это неизбежное ощущение не имеет ничего общего со страхом. Страх есть прекращение творческой энергии. Страх есть окостенение и предание себя тьме. Между тем обращение к Высшему Миру должно вызывать восторг и увеличение сил к выражению прекрасного. Такие качества рождаются не страхом, но любовью. Потому высшая религия учит уже

не страху, но любви. Только таким путем люди могут привязаться к Миру Высшему. Оковы страха свойственны рабству. Но прекрасное творение не рабство, но почитание любовью. Сравним сделанное страхом и любовью. Сокровище духа не из темницы страха, потому Посоветуем людям любить и укрепляться чувством преданности. Никто не может защищать место страшное, но подвиг совершается во имя любви. Приложите эту меру к Вратам Мира Огненного.

293. Не напрасно древние мудрецы предлагали заниматься художествами или ремеслами. Каждый должен был приобщаться к такому рукоделию. Они имели в виду средство сосредоточения. Каждый в стремлении к совершенствованию напрягал волю и внимание. Даже на немногих дошедших до нас предметах можно видеть высокое качество ремесла. Именно теперь настало время снова вернуться к качеству рукоделия. Нельзя положить духовное ограничение в предел машин. Нужно заполнить время качеством рукоделия, которое обновит воображение. Именно качество и воображение соединены на ступенях огненного достижения.

294. Именно нужно понимать источники древности. Когда откроется значение их, тогда придут и новые нахождения. Можно найти многое, но дикое помышление не должно касаться сокровищ. Не отнимем разумности эволюции.

295. Злоба неверия заливает Мир. Такая злоба самая лютая, ибо она состязается с сущностью Бытия. Она сама себя раздражает и во лжи умертвляет все возможности.

296. Иеровдохновение нисходит при одном основном условии. Не сосредоточенность, но приказ воли, но любовь к Иерархии рождает непосредственное Общение. Не знаем, как можно лучше и точнее, нежели приливом любви, выразить закон ведущий. Потому так своевременно отставить насильственную магию, чтобы углубиться в существе своем любовью. Следовательно, можно легко приблизиться к началу Бытия самым прекрасным чувством. Именно среди разложения планеты нужно обратиться к наиболее здоровому началу. Что же может сильнее соединять, как не Мантрам: «Люблю Тебя, Господи!» На такой зов легко получить луч познания. Заметьте это.

297. Нередко люди спрашивают: как поступать с заветами ушедших? Часто такие поручения не отвечают убеждению исполнителей. Можно предложить, кроме брато-

убийственных поручений, исполнить все остальное. Не следует принимать карму чужую, тем более что ушедшие продолжают развивать энергию по принятому ими направлению. Ведь очень трудно изменить убеждение, продолжающееся в Тонком Мире. Потому исполнение завещаний очень полезно для гармонии токов.

298. Если бы заняться составлением диаграмм земных привычек, можно получить своеобразное представление о жизни планеты. Многие привычки переживают расы и целые периоды. Никакая перемена всех условий жизни не влияет на привычки, сложенные уявлением упрямства. Можно поражаться, насколько привычки косности древни и не зависят от форм общественных. Потому так часто Говорю об умении преодолевать привычки. Такой совет касается пути к Миру Огненному.

299. Итак, везде можно наблюдать три пути: путь легкий, путь трудный и путь ужасный. Первый слагается при познании всех удачных, полезных и добрых сочетаний. Второй, — когда некоторые добрые сочетания покрыты самыми вредными и разрушительными построениями. Труден такой путь и подобен бегу с завязанными глазами. Третий путь, когда невежество вовлекает во тьму разложения, поистине, ужасен. Между тем люди не имеют права винить других в таком ужасе, они сами закрыли глаза и уши. Они отказались от помощи и допустили хаос в мышление. Так пусть Строитель следует первым путем.

300. Может ли Свет заключить союз с тьмою? Он должен потушиться, чтобы соединиться с противоположным началом. Пусть Вождь Света не вздумает принять в стан тушителей и противников Света. Не может Свет увеличить тьму, так же и тьма не может увеличить Свет, значит, такие союзы противоречат Природе.

301. Сведения о языке Светил нужно понимать очень внимательно. Можно иметь лучшие сочетания и не прилагать их. Также можно миновать самые опасные знаки, обращая ярую устремленность к Иерархии. Из этого Источника можно черпать полезные достижения, которые могут облегчить карму.

302. Понимание Света и тьмы, так же как и соответствия Светил с Нашим Источником, будет уже советом Огненного Мира. Жалок, кто надеется получить Свет из тьмы. Он не может взвешивать сокровище среди мрака. Не думайте, что такое указание отвлеченно, наоборот, каждый день полон союзами Света с тьмою. Когда вы приведете такого союз-

ника темных, никто не почует его, только пес зарычит на тьму. Можно ошибиться, но непростительно не выслушать совета. Мы не прекратим доброжелательства, но зачем оказываться в бурном море без спасательных поясов?!

303. Посмотрим, как они приходят, те, кто требует только новое. Вот он, требующий, но даже не знающий гармонизации центров, — разве ему можно дать новое? Вот он, лишенный энтузиазма, — разве ему можно дать новое? Вот он, не знающий радости, — разве ему можно дать новое? Вот он, не освобожденный от злобы, — разве ему можно дать новое? Вот он, трясущийся от зависти, — разве ему можно дать новое? Вот он, серый от страха, — разве ему можно дать новое? Вот он, отвратившийся от Истины, — разве ему можно дать новое? Вот он, раздраженный и умерший сердцем, — разве ему можно дать новое? Многие придут и спросят, где же новое? Мы готовы попрать его. Мышление наше готово к отрицанию. Наше желание — уничтожить то, что вы скажете, — такие слова наполняют Землю. Слугам тьмы нужно слышать для отрицания и приближаться для поношения. Различайте по отрицанию, оно уже угнездилось на месте сердца у служителей тьмы. Можно часто указать это, когда холод отрицания будет приближаться.

304. Невыдача существа знания есть первое условие успеха. Нужно проникнуться сущностью собеседника, чтобы не ошибиться в его намерении. На многие века можно посеять плоды такого предательства. Особенно когда касаемся жизни Огненного Мира. Пусть люди поймут, что для познания нужен флюид принятия. Отвращение, и отогнание, и поношение не годятся для путей Огненного Мира.

305. Многие события наполняют пространство. Можно видеть, как некоторые из них устремляются там, где нет очевидных возможностей. Уже знаете, что человеческие возможности отличаются от возможностей космических, за которыми нужно следовать. Также знаете, что узлы событий подобны метательным машинам древних.

306. Могут спросить: в чем же главный вред черной магии? Ведь поверх личного вреда должен быть и вред космический? Именно так. Уявление смешения элементов и вызов частей хаоса есть наибольший вред от низших заклинаний. Нужно представить себе, что сущности низших слоев таким образом получают доступ в неподлежащие сферы и продолжают вредить по широкому пространству. Потому нужны меры обширные, чтобы оградить и без того больную планету. Нужно отставить магию вообще.

307. Но явление вреда черной магии можно в значительной степени ослабить сознательным противлением. Когда сердце наше подает весть о нападении и черные звезды уявляются, нужно спокойно и без страха обратиться к Иерархии. Многие нападения пресекаются немедленно. Но было бы ошибкою пренебречь естественными знаками сердца.

308. В чем же главная польза от посылок мыслей? Кроме полезности для добрых дел, ради которых мысль посылается, главная польза в укреплении самого пространства добром. Такое насыщение пространства есть великая защита здоровья планеты. Таким образом, можно приучаться много раз ежедневно посылать добрые мысли как пространственные стрелы. Мысли могут касаться как отдельных лиц, так и быть безличными. Явление добра есть великая ценность, не теряющаяся в пространстве.

309. Также и путники, каждый может наполнить пространство полезными связями. Даже в древности общинножители после известного срока расходились временно. Такая протянутая флюидическая сеть имеет огромное спасительное значение. Нужно не только посылать мысли, но и психическую энергию на большие расстояния. Древние называли такую флюидическую сеть тканью Матери Мира. Потому, когда Глава Общины возглашал о наступлении срока выхода, явленные сотрудники радовались, ибо это означало, что сеть психической энергии уже была сильна.

310. Все высшее находится в непрерывном действии. Явление привлекательности приличествует действию высшему. Так облечем сердце наше в привлекательность. Ничто иное не соответствует великому действию. Нужно приучаться к пониманию привлекательности для Общего Блага — в этом будет заключаться закон сердца. Так же и все телесные законы будут укрепляться действиями привлекательными.

311. В действии высшем не будет ничего отталкивающего, предоставим это свойство стихиям хаоса. Поймем, что и электричество при явлении положительного и отрицательного не будет отталкивающим, ибо энергия уже высшего размера. Учение обмена и сотрудничества не будет отталкивающим. Мысль отталкивающая уже есть основа ограничения. Мысль недопущения уже противна Огненному Миру.

312. Даже в незримости своей огненные явления повергают земные существа в трепет. Токи и лучи Огненного Мира потрясают даже утонченные существа. Явление незримое уже невыносимо сердцу. Как же сильно оно отзовется при перенесении в зримость, приближаясь к закону воплощенного Бытия! Нужно очень осознать это соответствие. Даже сильнейшие духом падали в бессознание, и седели, и слепли, и немели, и теряли оконечностей движение. Явление Огненных Существ не должно уничтожать наше сознание. В близком будущем через сознание люди будут приучать тело свое к восприятию высших энергий. Таким образом, люди могут постепенно противостать огненным эпидемиям.

313. Однажды один Учитель был позван царем для мудрой беседы. Учитель посмотрел пристально на владыку и начал говорить о красоте короны его, о блеске самоцветных камней, о высоком символе, заключенном в золотом обруче, сравнивая с магнитом притяжения. К удивлению учеников, сопровождающих его, и к удовольствию владыки, беседа ограничилась рассказом о значении короны. Когда же после ученики спросили Учителя, почему царю не было сказано о Начале Вселенной, Учитель сказал — явление разумения уровня сознания должно быть мерилом. Говоря о Начале Вселенной, царь в лучшем случае впал бы в скуку, в худшем — царь ввергнулся бы в бездну отчаяния. И то и другое было бы вредно. Но можно было заметить, что корона для царя — самое драгоценное сокровище, потому было полезно возвысить его и напомнить о значении Венца Мира. Постоянно имейте в виду лучшее, что имеет ваш собеседник. Если даже это будет самый обыкновенный предмет, то все же надо найти его наивысшее значение. Только так вы сделаетесь привлекательными и откроете путь к дальнейшему. Негоден и даже преступен наставник, говорящий не по сознанию слушателя. Особенно запомним эту притчу, когда собираемся упомянуть Мир Огненный. Всякое вызванное поругание Высшего Начала слагает тяжкую карму.

314. Непоколебим тот, кто предался самому Высшему. Если есть какое-то колебание, значит, не было представления о самом Высшем. Дух, не могущий представить себе Огненного Величия, не умеет вознестись к Высшему. Повторим, что всякая боязнь Огня уже есть духовная слепота.

315. Нужно уметь сочетать многие понятия, кажущиеся разнородными. Так, для непонимающих Иерархия и самодеятельность представляются понятиями противоречивыми. Между тем Иерархия именно требует развития самодеятельности. Не может приблизиться к Иерархии, кто не понимает самодеятельности. На ступени восхождения первое

условие будет самодеятельность и находчивость. Следует рассчитывать на помощь Иерархии, когда все самодеятельное умение напряжено. Каждый знает, что по мере приобретения познания приближения Учителя становятся все реже, ибо человек поднимается на ступень сотрудника. Нужно понять, что Завет самодеятельности есть уже знак доверия. Кроме того, именно доверенный сотрудник может почтить Иерархию со всею сознательностью. Так мы можем помогать Высшим нашими самодеятельными жертвами. Люди и этот Завет не поняли и начали приносить кровавые жертвы. Но разве пролитая кровь нужна Иерархии? Обмен сердечной энергии есть укрепление сотрудничества, потому явление Иерархии при самодеятельности будет правильным восхождением к Миру Огненному.

316. Поистине, следует сочетать условия космические с приемами Нашими. Так, когда твердо указываем на отмену магии, Мы хотим помочь естественным путем.

317. Хорошо, что вы понимаете развитие действий и противодействий. Действительно, с каждым днем действия расширяются и захватывают новые слои. Также хорошо, что понимаете, насколько Князь Мира сего принимает меры к новому сражению на всех частях Мира. Потому можно ценить каждое проявление преданности. Мало преданности в Мире, нужно поощрять каждое проявление.

318. Наверно, кто-то спросит: где же слова об Огненном Мире, поучения Этики не обозначают для нас стихию Огня. Такие люди никогда не поймут, что начало приближения к Огненному Миру будет в усвоении основ жизни. Только невежда будет требовать химический состав Огненного Существа. Но утонченное сознание знает, что психическая энергия приводит к пониманию Огненного Мира. Только сердце подскажет, как можно по гладкому камню подниматься к высотам.

319. Даже в самых тесных условиях можно получить обновление и укрепление. Часто растение укрепляется между камнями гораздо прочнее, нежели в жирной земле. Только тесные условия поведут корни в расщелины и подкрепят их против вихрей. Скажет дровосек: зачем угнездилось дерево на неприступном месте? Конечно, от дровосека.

320. Каждый человек чувствует внутреннее облегчение, когда поступает правильно. Можно объяснить такое чувство сознательным рефлексом нервных центров или, как говорят, совестью, но не забудем и космическую причину такого состояния. Правильное действие будет в сотрудничестве с Огненным Миром, получается соответствие, и огненные центры организма созвучат с великою мыслью пространства. Так каждый правильный поступок благодетелен не только нам самим, но и является пространственным действием. Огненный Мир радуется правильному действию.

321. «Зефирот Херим» называлось пространственное осуждение, которое происходило как противодействие неполезным действиям. Люди, давшие такое определение, глубоко знали о связи Огня с нашим Бытием. Они понимали, что кроме Закона Кармы каждый поступок затрагивает Огненную стихию. Он может нарушать целые спирали построения и так наносить немедленный обратный удар. Потому теория обратного удара имеет кроме этических причин также совершенно химическое основание.

322. Правильный путь тем хорош, что каждый его размер уже полезен. Даже не следует задумываться, где предел пути. Можно улучшаться на любом размере.

323. Водолаз являет приготовление к самому низшему слою воды. Его не заботит верхний слой, но ему нужно предусмотреть все давление в низшем слое. Так, и отправляясь к народам, нужно иметь представление о самом низшем сознании. Каждый мыслящий о Мире Огненном должен уметь постигать мышление полуживотного сознания. Не следует пренебрегать пониманием самого низшего сознания. Наоборот, нужно запастись всею находчивостью, чтобы даже в зверином рыке уловить звук человеческий.

Самое опасное — неумение примениться к сознанию. Сколько несчастий произошло от явления не к месту сказанного слова! Явите находчивость.

324. Настигнутый погонею вестник бросается с конем в самом широком месте реки. Погоня останавливается, ибо надеется, что вестник потонет, но он выезжает на берег. Преследователи для ускорения спешат к узкому месту и тонут в течении. Поистине, где узко, там опасно. Такое соображение следует применять везде. Поиски миража облегчения не приводят к подвигу. Самое трудное есть и самое доступное. Люди не желают понять, что искания настойчивые уже пробуждают сильные энергии. Потому не будем устремляться к узкому, предпочтем широкое начало.

325. Действительно, торжественность нужно воспитать. Уявление умения направить чувство кверху уже даст торжественность и ток огненный. Значит, мы не далеки от Мира Огненного, когда спасительный луч может быть почувствован. Устойчивость на мышлении о Мире Огненном уже пере-

рождает нашу природу. Обычно мы не чувствуем такого перерождения. Только при узловых событиях мы замечаем совершенно иное наше к ним отношение. Мы у трещины Мира почуем, о чем жалеем и чему радуемся.

326. На самом простом рукоделии, на музыке можно иметь поучительные опыты. Иногда лишь один палец не вполне приложится к месту, и тем теряется весь явленный тон, при этом такое неудачное приложение вовсе не будет знаком непоправимым. Одни центры сочетаются быстро, но другие по многим причинам требуют более длительного сотрудничества. Терпение, это великое качество преуспеяния, будет испытано на таких приспособлениях центров. Часто именно более длительные приспособления служат ко благу, они не только сочетают центры, но как бы соединяют энергию на будущее. Так, терпение есть украшение сердца. Каждый, неопытный в терпении, не будет знать, как приспособиться к Огненному Миру.

327. Уже сказано, что кощунство должно быть отринуто, но следует усвоить, что каждое и всякое кощунство недопустимо. Иногда люди избавляются от кощунства лишь в тесном кругу понятий, но язык их произносил тяжкие кощунства по отношению к соседу. Кто может судить, какие высокие сердечные провода могут быть затронуты этими злыми поношениями? Потому вообще кощунство должно быть изъято из жизни, как действие недостойное и вредное.

328. Человек не может двигаться сразу двумя ногами. В такой смене рычагов заключается пример смены энергий. Нужно очень привыкать к смене деятельности центров. Не могут сразу звучать все центры, именно преуспеяния их зависят от смены деятельности. Но молчание центра не означает смерть его. Наоборот, он, как спящий человек, обновляется в общении с Высшими Мирами.

329. Даже в обычных письмах встречаются условные выражения, которые понятны только посвященному в переписку. Также и в пророчествах можно удивляться некоторым неясным для нас выражениям. Но когда вспомним время и все обстоятельства пророчеств, можем ясно увидеть, что условность выражений существует для нашего времени, ибо века изменили многие понятия и выражения. Нужно запастись такой осмотрительностью, чтобы не впасть в невежество.

330. Сказано — наука Светил точна, пока Светила существуют. Но и здесь не забудем относительность. Можно

представить, что кроме химизма лучей самого Светила нужно понять, насколько атмосфера вибрирует на прохождение небесных тел и волн космической пыли. Потому астролог должен быть и астрофизиком, и астрономом. Кроме того, он должен чувствовать земные условия, противодействующие лучам Светил. Только при соблюдении этих условий выводы его освободятся от ошибок.

331. Должны ли люди знать все опасности, их окружающие? Можно представить себе состояние человека, знающего, сколько скорпионов или змей находится около него или сколько смертельных мух или пауков окружают его, получится плачевное положение. Особенно опасно будет, когда человек знает эти опасности и тем более приближает их. Потому лучше чувствознание, которое ведет наиболее безопасным путем и не отяжеляет множеством ненужных перегружений. Так огненное начало, которое живет в чувствознании, называется крыльями спасения.

332. Сравните огонь плавильной печи с пламенем бушующего пожара, сопоставьте согласованное действие со стихиями хаоса, и вы призовете все спасительные ритмы, чтобы уявить согласованность действия. Потому школы должны развивать ритм согласованности. Мы уже не раз напоминали о согласованности гимнастических упражнений. Не только для войны, но для духовной защиты нужна дисциплина толп. Нельзя устремлять толпы к озверению, но ритм внесет согласованность в сборище людей. При этом не забудем огненные примеры. Именно огненное начало живет особенным ритмом.

333. Следует избегать предубежденности как в большом, так и в малом. Много возможностей пресекались предубеждением. Именно огненная энергия очень чутка на предубеждение. Но, зная такое качество энергии, можно противодействовать внушением.

334. Действительно, разобщение цепи Миров ужасно. Никто не думает в космическом размере, но следует думать о путях тонкого продвижения. Следует постоянно держать в сознании, что мысль не перестанет двигать вперед, если мышление сохранено. Также и единение с Иерархией не оставит в движении. Отвечаю на вопрос: не будем ли покинуты? Истинно, не будем, когда сердце наше прикреплено к Иерархии. Мы можем двигаться в Тонком Мире, когда Рука Ведущая не отринута.

335. Сказано — роскошь должна покинуть человечество. Недаром сами люди так обособили это понятие. Ничем

не заменить его. Роскошь не красота, не духовность, не совершенствование, не созидание, не благо, не сострадание, никакое доброе понятие не может заменить ее. Роскошь есть разрушение средств и возможностей. Роскошь есть разложение, ибо все построения вне ритма будут лишь разложением. Можно достаточно видеть, что роскошь мирская уже потрясена, но нужно найти согласованное сотрудничество, чтобы излечить заразу роскоши. Самость будет возражать, что роскошь есть заслуженное изобилие. Также скажут, что роскошь царственна. Будет это клевета. Роскошь была признаком упадка и затемнения духа. Цепи роскоши самые ужасные и для Тонкого Мира. Там нужно продвижение и постоянное совершенствование мысли. Явление загромождения не приведет к следующим Вратам.

336. Добрая мысль есть первооснова доброго действия. Мысль светозарна прежде действия, потому будем считать стан добра по огням мысли. Вера без дел мертва, такая вера будет слепым возложением, но не мыслью добра. Мысль тьмы тоже имеет излучение. Уже знаете черные пятна с красным излучением и как сражаются зарницы Света с мрачными излучениями. Тьма мысли ведет к самым уродливым поступкам. Некий царь приказал украсить Священное Изображение рогами из алмазов, чтобы показать силу своего произвола. Некий безумец украсил обувь свою Священным Изображением, но, казалось бы, ничего не случилось, ибо он не мог видеть происшедшее разрушение в Тонком Мире. Он сам убедится в своем безумии. Нельзя мерить Невесомое мерами земными.

337. Когда Иеровдохновение привлекает мысль к определенной стране или месту, значит, космически уже складываются обстоятельства великого значения. Может быть, такое очувствование места необъяснимо земным положением вещей. Может быть, такая страна, с земной точки зрения, находится в самом непривлекательном состоянии, но закон высший уже определяет место особого напряжения. Не видят еще глаза земные, но Иеровдохновение уже направляет сознание туда, где суждено сияние Света Высшего. Так поверх чувствознания светит нам Иеровдохновение. Часто оно как бы противоречит очевидности, но оно говорит слова Мира Огненного. Так и с ощущением, о котором сегодня сказано. Иеровдохновение направляет туда, где уже сияет вершина.

338. Мы особенно радуемся, когда сознается путь, пройденный с Нашей помощью. Это одно из ближайших ощуще-

ний Иерархии. Можно усматривать многие знаки Нашего Общения. Каждое такое усмотрение уже будет укреплением моста в Мир Огненный.

339. Каждая добрая мысль есть мощный рычаг как получающему, так и посылающему. Люди предпочитают посылки о земных предметах, но они не сознают, что земные посылки могут вести как к Свету, так и к тьме. Явление следствия земных посылок зависит от уровня сознания получающего. Но духовные посылки безошибочны. Они не имеют пути к тьме, но при понимании могут влиять благоприятно на земные обстоятельства. Учение особенно останавливается на мысленных посылках. Как огненные действия они имеют большое значение и для равновесия Пространственного Огня. Учение должно предупредить, что беспорядочное мышление не может приносить пользу окружающему. Но мы должны принимать во внимание, чтобы энергия была полезна не только узко по одному направлению, но и для всего размера пространственного. Не забудем, что Огонь, как стихия вездесущая, передает мгновенно посланные вибрации. И никто не может уловить распространения таких тончайших энергий. Сколько раз придется повторять о бережности к энергиям. Не будем судить, как полагают люди, не желающие мыслить поверх земной коры. Когда мы стремимся к Миру Огненному, мы должны осознать признаки такого состояния.

340. Нужно всем со всею внимательностью удалять из мышления все, что может привязать к обычному обиходу. Средства и возможности не следует искать в обиходе. Замечали, насколько Мы строили необычно. Но сейчас нужно еще больше поражать необычностью. Смотрите на нее как на средство к преуспеянию. Люди вошли в узкое место, нельзя следовать их предубеждениям. Нужно покорять их со стороны неожиданной.

341. Мудрый Вождь прежде всего выслушает собеседника и лишь потом скажет свое мнение. Он выслушает не только, чтобы знать сущность мысли, но и понять язык собеседника. Последнее условие немаловажное. Не велика победа, когда законодатель лишь сам понимает свои законы. Нужно, чтобы основы Бытия звучали для каждого в его понимании. Так искусство усвоения языка собеседника относится к большому развитию сознания. Оно усваивается Иеровдохновением или сознательным утончением внимания. В нем не будет заключаться высокомерие, наоборот, сочувствие к понятию собеседника. Много полезных сообра-

жений унижается своеобразным выражением, но огненный глаз усмотрит эти зерна правды.

342. Действительно, можно заметить, как многие полезные вещи приносятся совсем недобрыми людьми. Причин к тому много, прежде всего карма, затем содействие Иерархии, которая пользуется каждым поводом к созданию полезного положения. Потому часто Указываю на как бы случайных людей, и не следует удивляться, когда такие люди сами по себе несущественны. Они могут принести то, что уже века тому назад было готово к посылке.

343. Мысль о невозможности уже есть от темного начала. Нужно уничтожить всякое уныние, ибо этот путь не ведет к Истине. Человек самых рзличных народностей одинаково выражает радость и горе. Значит, путь к пониманию открыт.

344. Как же выдержит сердце, если будет знать все ужасы творимые? Как же будет биться сердце, когда услышит вопли множеств сердец? Ни прошлое, ни настоящее не дадут осилить весь гнет Мира. Только будущее, во всей огненности, перенесет к берегам новым. Только забрасывая спасительный якорь вперед, можем подвинуться к нему. Чем дальше закинем якорь, тем легче и бодрее перенесем сознание в Мир Огненный. Ради этого Мира можем улучшать сознание, просветляться сердцем и мыслить о добре. Ничто другое не может провести человека по всем полям ужасов. Люди не понимают то количество несчастий творимых. Омертвление психической энергии делает людей бесчувственными к действительности. Бесчувственность к действительности является одной из самых ужасных эпидемий. Люди отворачиваются от происходящего и думают так продлить приятное телу существование. О будущем они даже не умеют подумать. Но без будущего немыслимы герои и обновление. Потому будем при каждом случае указывать на Мир Огненный как на цель Бытия.

345. Никто не знает, кто умер или ушел. Много гробниц пустых, и много пепла древесного, но не телесного. Так нужно понять связь с Иерархией как явление Кормчего. Если сегодня нечто непроизносимо, то можно понять, что руль в Мощных Руках.

346. Мир делится на два вида людей. Для одних время тянется нестерпимо долго, для других оно летит несравнимо быстро. Обращайте внимание на последних, у них развиты признаки Тонкого и Огненного Мира. У них развиты возможности работы вечности. Можно ли представить труд

вечный, если остается тягость времени? По счастью, уже в плотном существовании можно освободиться от придавленности времен. Не только дело в постоянном труде, но в таком переносе сознания в будущее, когда недостаточно времени для сложных мыслей.

347. Прекрасно отличить среди земной жизни признаки Тонкого Мира. Так всадник останавливается в пути расспросить о придорожных знаках, так шествует, кто в сердце имеет жизнь будущую. Только понятие пути может соответствовать земному пребыванию.

348. Посеявший — пожнет. Ничто не изменит закон Справедливости. Можно применить его в неземных мерах, но посев будет изжит по силе сознания. Печально, что люди, даже знающие о карме, тем не менее постоянно творят ее, себе вредную. Те же люди, помня о Мирах Высших, все-таки прилагают ко всему земные меры: и ко времени, и к ощущениям, и к помышлениям. Потому часто так трудно по мере возможности облегчать карму. Люди как бы противодействуют всему, им полезному.

349. Сказано, что великое удивление в том, что счастье приходит насильно. Так сказано в древности, но и теперь то же самое не изменилось. Только постоянным повторением можно утвердить меры трех Миров.

350. Нельзя, хотя бы косвенно, нарушать основы сотрудничества. Следует к понятию сотрудничества приобщить понятия учительства, водительства, уважения ближнего, самого себя и тех, кто следуют после вас. Невозможно именно теперь уменьшить значение сотрудничества как средства расширения сознания. Нужно полюбить сотрудничество как залог общего преуспеяния.

351. Злоба, сомнение, недоверие, нетерпение, лень и прочие вдохновения тьмы отделяют земной Мир от Высших Сфер. Люди вместо пути добра пытаются заменить восхищение духа различными наркотиками, дающими иллюзию потустороннего существования. Заметьте, что во многих религиях позднейшими дополнителями введены очень искусные составы наркотиков, чтобы искусственно продвигать сознание превыше земного состояния. Конечно, велика ошибочность таких насильственных мер, они не только не сближают Миры, но, наоборот, отчуждают и огрубляют сознание. Также наполнена жизнь земная постоянными отравами, которыми люди так любезно угощают друг друга. Учителя всех времен преподавали человечеству чистые пути духа для поступления в связь с Высшими Мирами, но лишь

немногие предпочли путь, явленный сердцем. Особенно нужно обращать внимание на освобождение от отрав. Уже заражена значительная часть почвы, уже заражена поверхность над Землею. Люди кроме наркотиков изобрели много ужасных, явленных веществ, которые вместо оздоровления вносят духовную смерть. Масса ядовитых испарений удушает города. Люди думают о производстве многих веществ, которые считаются гораздо убийственнее, нежели наркотики. Наркотики являют вред самим потребителям, но убийственные газы терзают все живущее. Нельзя осудить достаточно наркотики, но нельзя достаточно осудить и убийственные изобретения. Люди когда-то впадали в ошибки ради иллюзии восхищения, но теперь люди совершенно не стыдятся убивать интеллект и дух близких, называя это убийство достижением науки.

352. Нужно обратить внимание на каждое изобретение ученых. Они должны прежде всего отвечать за безопасность нового вещества. Много металлов вводится в обиход не только в чистом виде, но и в сочетаниях. Между тем сплавы уже привлекали человеческое внимание с древнейших времен. Поистине, многие полезные металлы в сочетаниях дают убийственные следствия.

Истинно, знание в будущем будет многосторонне!

353. Следует добавить к вопросу о наркотиках — они требуют постепенного увеличения приема. Как истинные оковы тьмы, они ставят человека в безвыходное положение. Раб наркотиков, даже при желании отказаться от них, не может это сделать без вреда для себя. Увеличение приема убийственно, но отказ тоже может быть убийственен. Конечно, усердное внушение или самовнушение даст спасительный выход. Но доброе внушение и тьма наркоза обычно не живут под одною кровлею.

354. Люди не могут мыслить о будущем, ибо обычно пребывают под чарами иллюзии прошлого. Представим себе человека, который через много дней получит неприятное известие о чем-то, уже давно происшедшем. Уже это событие не существует, сам человек уже жил много времени после случившегося, но он погружается в прошлое и теряет связь с будущим. Ведь древо будущего должно расти и нельзя рубить его уязвлением погружения в прошлое. Нужно обращать внимание в школах на изучение будущего. Каждый Вождь в своем поле будет мыслить о будущем, иначе он не Вождь.

355. Уже упоминалось, что некоторые народы приветствовали друг друга, обнюхиваясь. Скажут — какой собачий обычай! Но даже в этом уродстве заключается память о психической энергии, когда люди посредством обоняния, ощущения, слуха и глаз определяли сущность пришельца. Теперь остался обычай рукопожатия, который не далек и от другого странного способа. Люди забыли о магнетизме и об инфекции духовной. Они так много говорят о гигиене, но не соображают, что прикасание имеет значение. Особенно теперь, при напряжении огненной энергии, нужно очень внимательно помнить о каждом созданном токе.

356. Понять, что Учение преображает сознание, уже будет пониманием сущности, но, чтобы повлиять на сознание, следует повторно утверждать путь Иерархии. Нужно приучить себя к достойному поведению перед Ликом Иерарха. Так Скажу: нужно облечься в непрестанную молитву.

Такая молитва нужна теперь, когда Земля потрясена ужасами.

357. Созидательность, стремление к победе уже есть связь с ритмом Высших Миров. Победа заключается в каждом семени. Семя в сущности своей вечно. Оно перемещается из одной формы в другую, но хранит неистребимую сущность. Очень берегите и почитайте каждое семя, каждое зерно жизни, в нем заключена высшая огненная энергия. Даже в лучших научных исследованиях люди не найдут ее. Она измеряется огненными мерами, и только огненное сердце может иногда постигать пульс зерна жизни. Но, говоря о невозможности открыть зерно жизни земными мерами, все же не огорчим ученых, они могут наблюдать. Много пользы может дать наука о зерне. Также нужно примириться с тем, что нахождение зерна жизни в плотном существовании было бы разрушением Мира. Сочетания равновесия были бы нарушены, и никакие земные силы не могли бы восстановить их. Но когда люди поймут Мир Тонкий и примут Учение о Мире Огненном, они подвинутся на многие ступени к победе над плотью.

358. Иеровдохновение должно наполнять всю жизнь. Это не должно быть каким-то отрыванием от земного Бытия, но должно стать единственным выражением жизни. Когда Иерарх указывает на наступление сознания огненного, то каждое исходящее слово и мысль будут уже соответствовать решению высшему. Нужно на жизни замечать, как становится правильным суждение, и понимание соответственно укрепляется безошибочно.

359. Истинно, Иеровдохновение говорит — усыплен-

ность победителя есть самое ужасное разрушение. Созвучать в ритме и не утвердить его будет нарушением закона. Победа должна принести стройное уложение. Победа не порыв, но созидание во всех законах. Заметьте уравновесие, данное истинной победою. Опасность есть друг победы. Если не поймете это сегодня, то уразумеете завтра. Огненное сердце укрепляется опасностями. Так поймем победу добра во всем ее величии.

360. Спиральная структура заложена во всех токах; то же спиральное строение нужно видеть во всем Бытии. Возьмем пример познания Учения. Кто пробовал Учение однажды, от такого прочтения не будет пользы. Только перечитывая его, можно заметить спиральное строение. Учение как бы возвращается к тем же самым предметам и почти касается их. Но спираль тока проходит ввысь и несет новое зерно сознания. Огненное сознание утверждает нестираемое познание.

361. Некоторые йоги полагают, что выделение слюны и желудочного сока является очищением и потому полезно. До известной степени они правы. При огненном напряжении энергия Огня вызывает и вытесняет из желез явление утроения деятельности. Таким образом, под давлением Огня железы выделяют и уносятся многие отравленные части. Так огненная энергия, даже при космических судорогах, может быть полезна.

362. Невежды полагают, что Светозарный приходит мстить тьме. Но Свет даже не убивает тьму. Вернее, тьма, приближаясь к Свету, разбивается и уничтожается. Очень существенно понять, что тьма сама уничтожает себя, когда приближается к Свету. Так должен запомнить Вождь, когда невежды будут говорить о мести.

363. Немедленность воздаяния тоже будет соответствовать невежеству. Где же часы и мгновения вечности, по которым отмерить части пламени? Там уже не духовное стремление, где можно видеть требование возмездия. Кто может препятствовать движению Кармы? Течение Кармы нужно понимать как приближение возмездия и возможностей.

364. Воинствующая тьма знакома всем народам под разными названиями. В конце концов, тьма остается самым ужасным видом Авидии. Но она очень опасна, когда она начинает действовать. Нужно ее мужественно претерпеть в действии, до конца ее уничтожения. Сказано — тьма как ковер к Огненному Миру. Но, чтобы скорее миновать темное

подножие, нужно зажечься сердцем. Так Огненный Мир будет целью победы над тьмою. Если тьма опасна, то и цель должна быть велика.

365. Несмотря на все достижения науки, люди особенно трудно понимают наполненность пространства. Они говорят о микробах, о неуловимых сущностях, но все-таки подумать о наполненности пространства им почти невозможно. Сказка для них, если напомнить, что так называемый воздух наполнен сущностями разных эволюций. Также трудно человеку представить, что каждое его дыхание, каждая его мысль меняет окружение его. Одни усиляются и приближаются, иные сгорают или уносятся вихрем токов. Человек не хочет понять, что он одарен сильными энергиями. Он, поистине, Царь Природы и Повелитель несметных легионов сущностей. Можно иногда в школах показать детям на сильных микроскопах наполненность пространства. Они должны приучаться к воздействию психической энергии. Взгляд развитого человека действует на сущности, даже под стеклом микроскопа малые сущности начинают беспокоиться и ощущать токи глаз. Не есть ли это зачаток живого и мертвого глаза? Огненный путь нуждается в представлении наполнения пространства.

366. Особое смущение наслоилось около вопроса о жертвоприношении. Люди дошли до такого безумия, что человеческие жертвы стали обычными. Между тем может ли воображение представить такого Бога, который нуждался бы в пролитии крови? В основных законах упоминались жертвы, но лишь позднейшие заблуждения и духовные падения довели человечество до кровавых приношений. Жертва всегда была упомянута, но что же может быть достойным приношением самому Высшему Духу? Конечно, лишь самое очищенное духовное устремление. Такое заложение связи послужит лучшим ручательством искреннего уважения. Такая жертва есть жизненная потребность принести лучший цветок сердца к Престолу Величия. Но люди до сего дня полагают, что осколок ненужного камушка может быть ценнее прекрасного цветка сердца. И такое размышление очень полезно на путях к Огненному Миру.

367. Даже в среднем уровне люди довольно много знают мохнато и беспорядочно. Особенно же опасно, что люди воспринимают не столько самый предмет и его значение, сколько от кого приходит сообщение и причины этому. Таким образом нарождается самый вредный предрассудок. Но ведь и волки могут принести! На долгом пути много собира-

жений нужно усвоить. И это размышление полезно на путях к Огненному Миру.

368. Когда Говорю: «Берегись!» — значит, нужно напрячь всю настороженность духа. Немудро устремляться лишь по одному направлению, тем можно лишь ограничить себя. Сражение требует настороженности во всем. Древние воины говорили врагу: «Если убьешь, тем хуже для тебя. На Небе Битва удобнее, и там поражу тебя». Так своеобразно выражали древние вечность жизни и Кармы.

369. «Мы не умрем, но изменимся»,— как же еще яснее сказать о вечной жизни? «Мудрый идет ко Мне на Высшем Пути»,— так убедительно заповедано о живом пути. Несправедливо замечание об отсутствии в Заветах о жизни Мира Огненного. Много ясных указаний, но люди избегают их. Разве стихии Огня, постоянно живой, может соответствовать понятие о смерти, о мертвенности? Так полезно размышлять на путях к Миру Огненному.

370. Путник заявляет, что он идет к Самому Владыке. Правда, изумляются люди такому решению, но и уважают такую твердость. Нужно ставить себе наивысшую цель, лишь тогда дорога не покажется отталкивающей. Нужно приобщиться к высшему качеству во всем существовании. Нужно принять высшие меры как единственно достойные Наивысшим Силам. Только обученное и закаленное воображение дает приближение к Миру Огненному. И такое размышление полезно на путях к Миру Огненному.

371. Когда мы касаемся правильного пути, мы ощущаем силу радости. Наше сердце радуется, чуя, что стремление правильно. Можно много огорчаться, бродя вне приложимых помыслов. Но когда сознание представляет себе истину, оно наполняется радостью. Такая радость уже будет мудрой, ибо она основана на Иеровдохновении. И такое размышление будет полезно на путях к Миру Огненному.

372. Именно, как якорь, заброшенный вперед, чувство Иеровдохновения ведет правильным путем. Также правильно мыслить о новых людях. Если при дороге сидят тигры, то лучше этой дорогой не пользоваться. Поистине, путей много, но люди страшатся даже помыслить о новом пути. Людей много, новые подходят и подрастают. Так, если не видно было новых вчера, то не значит, что завтра они не покажутся.

373. Среди огненного пути человек мысленно стремится к ускорению. Много земных препятствий, притяжений и приманок расставлено темными силами. Но однажды он по-

грузился в Иеровдохновение и воскликнул: «Да будет скорее!» Так обновленный силами, не оборачиваясь, спешит человек устремленно к Миру Огненному. И такое размышление полезно на путях к Миру Огненному.

374. Можно совершить немало хороших действий, но затем прикрыть их одним кощунством; оно зовется огнетушителем, оно порождает черное пламя и пожирает Светлую ауру. Повторяйте друзьям, что между хулою и кощунством граница очень мала. Нужно изгнать из обихода хулу на ближнего; ведь это заблуждение открывает доступ кощунству и на Высшее. Тот, кто понимает вмещение, тот поймет и космический вред хулы.

375. Мир Огненный так же наполнен, как и другие сферы. Так же существа разных эволюций, но огненных степеней стекаются для сотрудничества. Если плотное состояние под влиянием хаоса почти не понимает сотрудничества, если Тонкий Мир принимает сотрудничество групповое, то Огненный Мир отличается сотрудничеством полным. И такое размышление полезно на путях к Огненному Миру.

376. Из полезных размышлений складывается совершенное достижение. Станет прежде всего стыдно перед самим собою за каждое хаотическое мышление. Станет невозможным противодействие каждому добру, как бы оно ни выражалось. Разница между выражениями тонка, и мы должны принять ее как паутину на свету. Радость, когда можно утончить размышление.

377. Умышленные, внешние аскетические приемы не что иное, как тщеславие и самопочитание. Помните, Святой, вами почитаемый, не мог быть внешне отличен глазом новопришельцев. Так Он показывал, что внешность не есть огненное тело. И такое размышление полезно на пути к Миру Огненному.

378. Пояснение многих явлений, соединенных с магическими приемами, указывает, что воля была истрачена напрасно. У Нас велик список утруждающих стихии без пользы для Общего Блага. Некоторые сменяют искусственные приемы добрыми мыслями, но многие оказываются лишь раздражителями стихий. Между тем такое отягощение законов приносит вред не только самому человеку, но смущает гармонию пространства на большие расстояния. Простой стрелок в лесу не поручится, кого может задеть его стрела. И такое размышление полезно на пути к Огненному Миру.

379. Однажды Акбар среди Государственного Совета ве-

лел принести Книгу Законов. На книге оказался маленький скорпион. Все советники прервали совещание и устремили взоры на маленькое ядовитое насекомое, пока слуги не уничтожили его. Акбар заметил: «Самый крошечный злодей мог прекратить суждение о государственных законах». Так и на пути к Миру Огненному самое ничтожное обстоятельство может вредить. Только сердце подскажет ту степень равновесия, нужную между стремлением и осторожностью. Если все государственные умы немеют при виде ничтожного скорпиона, то кобра может привести войско в бегство. Воин может устрашиться мыши, если в его сердце не горит огонь веры и стремления.

380. Действительно, остановить мысль труднее, нежели породить ее. Сперва производятся испытания порождения мысли, затем укрепления и сосредоточения ее, и лишь после можно испытывать себя на освобождении от мысли, последнее даже физиологически не легко. Мысль создает особое огненное вещество. Кристаллизация его требует растворения, и этот процесс нуждается в новой огненной энергии. Так называемые навязчивые мысли являются последствием огненной вспышки, которая не может быть уравновешена дальнейшими поступлениями. Мысль успела кристаллизоваться, но дальнейшая огненная энергия иссякла. Потому освобождение от мысли признается весьма нужным показателем правильного обращения огненной энергии. Сколько подозрительности, сколько зависти, сколько мести можно прекратить освобождением от навязчивых мыслей. Так и в пространстве навязчивые мысли причиняют настоящие бедствия. Хорошо, если мысли будут о самоотверженном подвиге, но если будут о вреде или разрушении, то прорытие такого канала в пространстве будет недостойно. Часто навязчивые мысли не выражаются громко определенными словами, и потому воздействие внушением затруднено. Приучение к освобождению от мысли может очень помочь в продвижении к Огненному Миру.

381. Неумение освободиться от навязчивых мыслей может породить немалые трудности в отношении Тонкого Мира. Представим себе, что какие-то неясные и, может быть, даже неприятные уплотнения из Тонкого Мира появились, их образ поразил воображение и породил мысль о них. Именно вещество такой мысли будет еще больше привлекать такие сущности и способствовать их уплотнению. Ведь мысль питательна. Именно таким путем образуются так называемые призраки. Навязчивые мысли уплот-

няют их, и не могут люди освободиться от них, ибо не умеют освободиться прежде всего от своих мыслей.

382. Овладение мыслью есть огненное действие. Сосредоточение мысли и посылки ее есть огненное действие. Но еще больше огненной энергии требует освобождение от мысли. Мы читали о великих подвижниках, презревших земную роскошь и освободившихся от земных нагромождений, но прежде всего они победили свои мысли. Они долгими испытаниями научились призывать мысль и освобождаться от нее. Когда Мы говорим о подвижности, надо иметь в виду прежде всего подвижность мысли. И такое размышление полезно на пути к Миру Огненному.

383. Человек, не мыслящий о Высшем, обращается в пресмыкающееся. Хождение в теле, хождение в мыслях, хождение в духе уже подвигает сознание к Миру Огненному. Нужно озаботиться этим умением передвижения, чтобы получить неутомимость и неутолимость к восхождению. Даже в среднем слое Тонкого Мира жители не умеют стремиться ввысь. Они не привыкли думать о таком устремлении. Им приходится учиться и перестраивать свое сознание, но ведь это не легко и могло быть уже достигнуто много раньше. Так Мы советуем размышлять о качестве, полезном на пути к Миру Огненному.

384. Предупреждения полезны во всех случаях. Земные болезни должны быть предупреждаемы. Невозможно людям дать панацею, если условия жизни не будут очищены. Люди мечтают спастись от рака, этого духовного скорпиона, но ничего не делают, чтобы предотвратить его зарождение. Уже знаете, что данное вам средство одно из лучших против рака, но надо приложить еще растительную пищу и не употреблять раздражающих курения и вин. Также нужно изгонять империл, тогда указанное средство будет хорошим щитом. Но обычно люди не желают отказываться от всех разрушительных излишеств и ждут, пока скорпион ущемит их. Также и прочие ужасные болезни разрастаются, ибо темные врата им открыты.

385. При передаче мысли на расстояние замечается очень показательное явление. Мысль посылается на одном языке и воспринимается на другом. Разве это не свидетельствует, что психическая энергия действует не словесно-мозговыми средствами, но именно огненной энергией сердца. Также до́лжно заметить, что мысль не только произносится на другом языке, но и выражения из сознания находятся наиболее привычные. Такая разница слов часто может пре-

пятствовать признанию передачи мысли со стороны неопытных наблюдателей. Но замечайте, что перевод мыслей делается по смыслу, но не по словам.

386. Тошнота и выделения признаются йогами как самооборона от отравления, которое может быть не только от пищи, но и от вражеских токов. Несомненно, такие токи могут задевать человека и действовать подобно физическому ощущению.

387. Часто случайные сотрясения возвращают зрение, слух и прочие утерянные чувства. Разве это не заставляет подумать, что кристалл империла и другие отложения выталкиваются из организма. Так старайтесь понять, почему в древности иногда применяли сотрясение при некоторых заболеваниях и параличе.

388. Условность наименований постигается лишь после основательного изучения предмета. Иногда пространственный процесс называется как бы личным именем. Но человеческое действие приравнивается к огненной энергии. Действительно, оба процесса, в сущности, очень нераздельны. Потому часто несведущие отрицатели обвиняют Учения в священных перегружениях, но в то же время сами наполняют речь ненужными и условными сокращениями и выдуманными словами.

389. Духовная лень — очень обычное, задерживающее условие. Можно встретить людей, очень духовно способных и в то же время совершенно идущих вспять только от лени. Каждый может видеть, как уносятся вихрем лучшие возможности только от лени мышления. Такое размышление полезно на пути к Миру Огненному.

390. Много раз Мы указывали на потерю равновесия в условиях Земли. Если люди не обращают внимания на эти растущие смены небывалого холода и жара, то, вероятно, скоро им придется испытать огненные восстания.

391. Когда люди проходят через помещение, наполненное электрическими проводами, они бывают очень осторожны. Но кто же почувствует все токи пространства, сильнейшие, нежели часть порабощенной энергии? Когда огненное сердце говорит — сегодня токи тяжкие или легкие, следует к такому чувствованию отнестись заботливо. Такое ощущение совершенно реально, так же как лечение токами на дальние расстояния. Только кто испытал воздействие токов на расстоянии, тот поймет их реальность. Но слишком многие отвергают эти ощущения прежде всего по лености духа. И такое размышление полезно на пути к Миру Огненному.

392. Некий настоятель монастыря, когда посылал монахов на странствование, всегда напутствовал их словами: «Опять наша обитель расширяется». Он знал, что не может быть духовного отчуждения, и такие путевые утверждения только укрепляли размеры обители. Так мыслите, когда часть братьев начинает новое хождение.

393. Благодать каплет в чашу сердечной радости. Когда же может быть бо́льшая радость, нежели при выполнении Поручения Братства? Так нужно понять как идущим, так и хранителям Ашрама. Очень важна бодрость, которая рождается от Благодати.

394. Только слепой не видит, как спешат события. Вы читали о редком сочетании Светил. Но еще значительнее химизм, порожденный таким редким явлением. Народы могут изменить качество своего мышления, но даже и редкие явления, даже феномены не обращают внимания.

395. Карма — действие, иначе ее нельзя определить. Иные полагают, что можно определить карму как следствие, но это походило бы на возмездие и умаляло бы закон. Тот, кто пошел по правильному пути, тот и придет к цели. Каждое искривление отнесет от прямого пути, и люди будут говорить о тяжкой карме.

Действительно, когда путник заблудился в зарослях, ему приходится преодолевать многие препятствия, продолжая свое первоначальное действие. Карма есть порождение действия, и сама она есть действие. И такое размышление полезно на пути к Миру Огненному.

396. Сон являет общение с Высшими Сферами. Сон доказывает, что люди без такого общения существовать не могут. Объяснение сна телесным отдыхом будет самым первобытным. Без сна люди обычно могут жить очень короткое время, затем их мышление впадает в самое болезненное состояние: появляются галлюцинации, оцепенение и другие признаки неестественного существования. Организм стремится к животворному обмену и не находит сужденного пути. Как Мы говорили, сон может быть кратким на высотах, где токи общения могут быть особенно питательны. Люди могут вспоминать о встречах в Высших Сферах или в низших. Плотное тело может препятствовать таким сущностным общениям, но сон как таковой будет даром жизни вечной. И такое размышление поможет на пути к Миру Огненному.

397. Сочетание планет Луны, Венеры и Сатурна, поистине, редкое. Именно такое сочетание производит химизм необычайной силы, потому можно вспомнить, как Мы указывали на помощь Светил в полезных для Мира действиях.

398. Люди, которые устремляются поверх Тонкого Мира к Миру Огненному, правы. Мы постоянно упоминаем Тонкий Мир, но всеми мерами устремляем к Огненному Миру. Человек, в размышлении своем готовый к Миру Огненному, даже и в Тонком Мире поднимается к Высшим Сферам. Мы сами поднимаемся или опускаемся, но если мысль наша сроднилась с Миром Огненным, то получается великое магнетическое притяжение. Если же мысль наша слита с Иерархией, то мост великого дерзания станет действительным.

399. Если огненное сердце чует, что где-то наносится вред, оно не ошибается. Нужды нет, что вредящий прежде всего вредит самому себе. О карме довольно сказано. Нужно посмотреть, как личный вред превращается в пространственное зло.

400. Огонь вечный наполняет все тела и через них соединяется с высшей огненной энергией. Таким образом перерабатывается сок Вселенной. Нельзя иначе назвать эту обновляющуюся, сокровенную Субстанцию. Так все проявленное служит для обновления Субстанции вечной. Круг служит лучшим изображением для сотрудничества энергий.

401. Для сна требуется известное успокоение. Такое переходное состояние показывает, насколько наш организм нуждается в особой устремленности при смене состояний.

402. Вы заметили, что Мы не повторяем некоторых имен. Такое обстоятельство зависит от разных причин и разных токов. Даже бумажного змия пускают не каждый день.

403. Некоторые люди идут в будущее с полным доверием. Откуда же может черпаться такое несломимое доверие? Прежде всего от общения с Иерархией. Но явление понимания Светил также укрепляет сознание. Кроме того, есть еще третье обстоятельство, которое имеет не малое значение. Конечно, три Мира существуют в полном сотрудничестве. Утверждение многих земных начал происходит в Высших Мирах. Вы знаете о терафимах земных, также могут быть терафимы Тонкого и Огненного Мира. Нередко целые построения прежде земного осуществления создавались в Высших Мирах. Можно читать в древних Заветах о Небесных Городах, именно они строятся в действительности на различных сферах, и тем создается магнетическое притяжение. Часто люди не подозревают, что их терафимы

живут уже в разных образах. Иногда ясновидящие усматривают такие действительные изображения и ошибочно переносят увиденное на земной план, тогда как земное отражение состоится позже. Но одно ощущение несомненно — именно существование таких терафимов, оно укрепляет сознание человека. Может быть, некоторые Города уже существуют и в них живут названные люди? Можно идти в будущее так же уверенно, как бы очертания Города были перед земным взором.

404. Действительно, нужна особенная бережность как в духе, так и в земных обстоятельствах. Нужно, как перед пожаром, держаться. В руках утверждение будущего. Каждая бережливость будет оценена как действие мудрости. Я сказал.

405. Именно нужна каждая бережливость как в вещах, так и в духе. Вы не можете учесть все течения токов. Конечно, все временно, но дух закаляется среди вихрей.

406. Сотрудничество, основанное на личных чувствах, непрочно. Кроме уважения к самому труду необходимо и почитание Иерархии. Под вихрем личных чувств люди, как пробковые человечки, будут метаться вверх и вниз и будут толкаться и судорожно сцепляться. Но каждый труд по природе своей не терпит судорог. Труд есть огненное действие, но Огонь не должен быть доведен до судорог. К тому же внешние личные чувства могут препятствовать усмотрению новых возможностей. Сколько прекрасных действий пострадало от преходящих личных миражей! И такое размышление полезно на пути к Миру Огненному.

407. Следует отучаться от личных выражений как от вредных привычек. Чувство, закаленное на огне Иерархии, уже не искривится. Так умейте уравновесить чувства на весах самых верных. Много нужно терпения, чтобы, не утеряв чувства и сердца, мочь проверить качество их на мерах Иерархии.

408. Не следует снова обращаться к мясной пище, если организм уже привык к растительной. Могут быть исключения лишь ради голода, но горсть маиса или риса обычно может быть найдена. Часто люди не подозревают, насколько мясо ограничивает и обезображивает ауру. Но особенно может чувствоваться потрясение, когда организм уже привык к преимуществам растительной пищи. Люди иногда меньше животных разбираются и в пище, и в ее качестве. Такое размышление полезно на пути к Миру Огненному.

409. Благо тому, кто опытом жизни и почитанием

Иерархии освободился от чувства собственности. Поистине, он сократил путь свой. Но если грубая земная оболочка еще не допускает освобождения сознания, то не следует насильственно лишать собственности. Такое насилие лишь разовьет упорство и злобу. Только личным примером и внедрением Учения можно привлечь людей к скорейшему пониманию жизни.

Путник, можешь ли понять, какое прекрасное достижение ожидает тебя, когда, окрыленный, приблизишься к Дому Огненному и ничто не спалит пламя вечное?!

410. Выслушайте и не осуждайте. Часто именно истечение яда освобождает человека для нового пути. Учение подает помощь не отрицанием, но привлечением.

411. Путь равновесия познается размышлением. Следует очень твердить людям, что чтение и даже понимание не есть размышление. Нужно приучаться к размышлению. Познание извне должно дать повод к огненному процессу размышления. Огонь есть великое равновесие. Нужно совершенно сознательно приближаться к Пути Равновесия, где не будет колебаний и сомнений, где останется именно Великое Служение.

412. Не следует предугадывать свое место в Огненной Иерархии. Мы все — труженики в Сфере Света. Меры земные не выражают измерения по пути к Миру Огненному. Каждый имеет частицу огненную, но как и где она преобразится,— это не земное предположение. Но мы отлично чуем, когда нами совершено нечто, достойное Огненного Мира. Так каждый должен равняться по этому священному ощущению. В этом он будет истинным сотрудником.

413. Явление новых напряжений. Враги выдумывают новые уловки, но будем, как скала, и дойдем до победы. Можно радоваться, что каждое нападение дает новых друзей. Незаметны такие друзья, но они, как цемент строения.

414. Человек зараженный долгое время не чувствует заразы. Если это происходит при физической болезни, то тем более такой инкубационный процесс можно видеть при болезнях духа. Можно поражаться, насколько врачи не пытаются замечать начало поражения духа; тем труднее для них замечать все огненные процессы. Но если врачи будут отрицать такие основные обстоятельства, то куда должны люди направиться, чтобы узнавать причину их небывалых ощущений? Также не помогают ученые и школьные учителя, так остаются без совета самые важные зарождения потрясений тела и духа.

415. Помощь целительная на расстоянии должна вызывать усиление кровообращения и усиление явления напряжения. Дело в том, что посылки требуют особой огненной энергии, но по окончании посылки такой излишек напряжения сказывается на всем организме. Целение есть действие большого самоотвержения.

416. Мощные и искусственные молнии могут очищать низшие слои атмосферы. Нужно не превышать напряжения, ибо не следует разлагать материю. Нужно ее очищать, но не разлагать, ибо разложение будет равняться допущению хаоса со всеми его последствиями.

417. Древние пророчества говорят: «Когда все затемнится, тогда люди возомнят, что им все дозволено». Именно тьма сделает людей безумными. Дерзание не есть безумие. Каждый дерзающий сознает сужденные возможности, но безумец являет противление закону Бытия. Тонка граница между безумием и дерзанием. Нужен светоч сердца, чтобы найти эту границу. Притом вступивший в область безумия вряд ли сможет снова вернуться к мудрому дерзанию. Риши дерзали, подвижники дерзали, но не допускали они безумия, ибо оно прежде всего безобразно. Оно ведет к одержанию со всеми мрачными следствиями. Как безобразна явленная картина, когда одержатель пытается изгнать из тела тонкую оболочку. Не может быть ничего безобразнее, когда два тонких тела спорят об одной земной оболочке.

418. Подвиг и испытание имеют глубокое научное значение. Огненная стихия требует нагнетения; она сверкает при напряжении, и потому труд есть огненное действо. Конечно, подвиг как венец труда есть самое сияющее напряжение Огня. Поймем труд во всем его значении, как умственный, так и физический. Умение уважать степень каждого труда показывает вмещение, годное для Огненного Мира.

419. Почему люди лишь иногда физически ощущают присутствие тонких существ? Они окружены ими, но чуют их редко. В этом заключается очень замечательное явление. Земные существа чуют, когда тонкие жители затрагивают их сознание или по желанию их, или по сродству аур. Тогда люди ощущают тот трепет, который у невежд обращается в страх, но у знающих он означает возбуждение Огненной стихии. Немногие от малых лет могут сознательно признавать этот трепет, который даже назывался священным.

420. Сонные видения приобретают значение, сколь скоро осознано приобщение к Высшим Мирам. Действительно, когда человек понял значение сна как пребывание в Тонком

Мире, он знает, что посредством этого состояния могут запомниться очень важные и высокие общения. Каждая книга о Мирах Тонком и Огненном должна не забыть о приобщениях через сонные видения.

421. Йог может чуять жар и холод вне зависимости от внешних причин. Такое трансцендентальное чувствование относится к Тонкому Миру. Достаточно жителю Тонкого Мира подумать о тепле, или о холоде, или о других чувствованиях, как энергия мысли немедленно разовьет их. Так мысль составляет лабораторию для всех реакций. Потому на пути к Миру Огненному Мы так настаиваем на наблюдении за мыслями.

422. Напрасно люди жалуются на оторванность от Тонкого Мира. Многие видят тонких жителей. Многие улавливают речи потусторонние. Многие слышат ароматы неземные. Можно назвать явления бесчисленные как среди людей, так и среди животных. Только упорное предубеждение мешает людям понять действительность. Сколько людей было спасено указаниями из Тонкого Мира. Сколько государственных действий решалось по указанию Свыше. Не только древние эпохи дают тому примеры, но и самое недавнее прошлое может дать самые неоспоримые факты таких постоянных сношений. Земля не может быть изолирована от всех Миров. Даже земные, плотные чувства против всех невежественных суеверий проводят чувства Тонкого Мира. Когда же сознание утончится, тогда можно ждать ценных сближений, которые будут совершенно естественными.

423. Можно замечать удивительные феномены около крови пролитой. Животные не только чуют кровь, но приходят в беспокойство и ужас. Можно заметить, что не только свежая кровь, но даже засохшая производит те же симптомы. Именно необычно сильна огненная эманация крови. Не случайно самые дикие жертвоприношения требовали крови как средства возбуждения. Также черные мессы нуждаются в крови как в сильном уявлении возбуждения. Такие опыты происходят над животными. Явление усугубления чутья к Невидимому очень поражает, тем более что кровь привлекает многих низших сущностей.

424. Света Матери Мира похожи на столбы Северного Сияния. Очень редок феномен, когда микрокосм человека может уподобиться Макрокосму. Ур. видела такое явление, оно отвечало нагнетению мировой энергии.

425. Иногда люди доходят до такой нелепости, что считают каждую мысль о жизни будущей как бы концом земного существования. В то же время они не страшатся распределять свои земные дела на многие годы вперед. Такие действия лишь доказывают, насколько темна мысль о жизни будущей. Значит, все Заветы, все явления, все научные достижения не доходят до сознания.

Люди будут требовать от вас новых лекарств, новых указаний о пище лишь для телесного благополучия, но не для улучшения своего будущего, которое нуждается в постоянном заботливом строении. Люди не хотят представить себе, что их земная жизнь короче самой мимолетной остановки поезда. Достойный путник на кратком ночлеге заботится не утрудить хозяев, но сознание его устремлено к цели путешествия. Но путники Великого Пути часто мыслят лишь о ночлеге, маломысленно забывая о своем назначении. Несоизмеримо маломыслие с Великим Путем! Потому Огненный Путь будет путем сознания будущего. Каждый путник, просвещенный мыслью о Вечном Пути, может идти с радостью. В каждом таком шествии нужно исхитить частицу Огня Вечного. Нужно приближаться к Миру Огненному всем помышлением, всем желанием, всем сердцем.

426. Мы твердим о Мире Огненном. Нужно ли бороться с ним или полюбить его? Можно ли оборо́ть то, что наполняет все Сущее? Не будет ли такая борьба самым безумным действием? Не даст ли любовь к Миру Огненному самый мощный магнит? Если в земном существовании любовь — самое творческое начало, то тем сильнее оно в Высших Мирах.

427. Путь радостного подвига стократно короче, нежели путь плачевной обязанности. Как твердо должны помнить эту заповедь путники огненного шествия. Только знак подвига вознесет их над опасностью, но значение подвига нужно воспитывать в сердце как радость духа. Можно не заметить самый благой путь, если глаз не следует за звездою подвига. Нужно даже самые потемки осветить Светом единым. Ничто, никто и никогда не заставит обернуться во тьму.

428. Мечтание должно преобразоваться в дисциплинированное мышление. Уже древние мудрецы советовали матерям передавать детям сказания о героях и знакомить их с лучшими песнями о подвигах. Неужели теперь человечество откажется от этих мудрых Заветов? Мир Огненный прежде всего открыт героям и подвижникам.

429. Люди осуждают Учение за то, что оно не осуждает ближнего. Можно представить, сколько новых слушателей можно приобрести осуждением соседа! Такая преграда будет самая мрачная завеса на пути продвижения.

430. Могут быть настолько невежественные люди, что на целое предписание жизни скажут: «Только-то?» Но сами не исполняют ни одного совета. Никакие втолкования не помогут, где молчит или окостенело сердце. Страшно, когда на всю помощь люди требуют лишь уловок фокусников. У тех людей сознание хуже дикаря. Ничто чистое и ведущее не проникнет через кору хаоса. Люди не хотят подумать, насколько они сами окружают себя разрушительной аурой.

431. Явление своей воли приводит людей к разным достижениям. Кто приучил себя думать о мусорной яме, наверно, найдет ее. Прекрасен закон, что мысль ведет человека. Прекрасная мысль не допустит до тьмы.

432. Письменные размышления об Учении полезны. Можно предложить сотрудникам приучаться к таким работам. Они могут избирать части Учения, им близкие, и сопоставлять с прочими Заветами. При этом можно заметить печать времени на тех же истинах. Задание проследить эту эволюцию уже само по себе будет очень нужным трудом. Мы против осуждения, но сопоставление будет как бы шлифовка камня. Можно при любви к предмету находить много новых сопоставлений и прекрасных прикасаний. Такие размышления, как цветы на лугу.

433. Жизнь новая может начинаться от каждого мгновения. Не может быть устарелой жизни, разве только в нашем собственном представлении. Но к чему мы упражняем и обновляем мышление? Ведь именно к новой жизни. Не будем понимать это как личное понятие самости. Такая жизнь самости была бы каким-то пресмыканием. Но никто пресмыкающийся не может восходить. Новая жизнь во благо слагается в сотрудничестве. Много Огней зажигает такая жизнь. Не будем забывать, что мысль блага зажигает по пути своему множество жизней. Не ново будет умертвление пространства зломыслием. Но самоотверженность сердца направляет мышление к зажжению новых светочей. Разве не мудр закон, который призывает мысль блага для зажжения новых Огней? Проявление новых вечных искр Мира Огненного будет, действительно, новою жизнью.

434. «Ныне Силы Небесные с нами невидимо служат»,— новое понимание реальности пространства Невидимого уже есть шаг к действительности. Мы не можем гордиться познанием, пока не врастет в сознание наше Мир Невидимый. Так будем охраняться от всего, что повредит мысли нашей

о благе других. Откровение мысли огненной будет доступно невредящему мышлению.

435. Одно из ярких огненных действий будет принятие на себя боли близкого. Как маяк, горит огненное сердце и принимает на себя недуги окружающих. Оно может не страдать от такого целения, если свойство ауры недужного не будет посылать темные стрелы спасителю. Даже сильное огненное сердце может быть утомлено от такого незаслуженного ответа. Тем более что нелегко сожигать на огне сердца чужие боли. Особенно нелегко, когда такие боли происходят от недостойных действий. И такое размышление полезно на пути к Миру Огненному.

436. Вернемся к условиям облегчения приема лекарств. Уже замечено, что некоторые народности принимали лекарство под пение, другие — с причитаниями или заклинаниями. Помимо самого значения слов заклинания очень существенно наблюдать ритм, который менялся в зависимости от болезни. Настоящие врачи должны бы изучать эти способы лучшего усвоения медикаментов. Не только внушение, но качество ритма может принести важное заключение. Не будем пренебрегать ничем из древних наследий.

437. Одно из самых зрительно-прекрасных, огненных действий будет сближение и расхождение аур. Оно подобно красоте Северного Сияния, в нем выражается множество психологических моментов. Можно наблюдать, как осторожно приближаются излучения, заградительная сеть трепещет и вспыхивает, прежде чем зазвучать согласно или омрачиться. Целая и полная жизнь химизма и магнетизма сокрыта в пространстве около человека. Мы ожидаем, когда люди начнут терпеливо фотографировать ауры. Потом можно будет наблюдать движение Света на кинематографе, когда фильма будет отражать последовательность движений ауры. Вы знаете, что для удачи снимков требуется много тонких условий. Часто даже неудобная физически комната может дать хорошие результаты. Вы имеете отличные снимки тонких существ, снятых при обычных условиях. Также знаете, когда решили улучшить физические условия, то снимки прекратились. Главная удача лежит во внутренних, незримых обстоятельствах. Нужно применить большое терпение и исключить всякое раздражение и колебание. Каждый огненный хаос лишь затемнит фильму. Ведь и особенно яркие видения не будут при смущенном настроении. Но когда уловится нужная гармония, то и снимки будут легки. Многие внешние условия могут влиять, потому лучше не

приносить новых предметов, когда установилась нужная вибрация. Всякие беспорядочные восклицания тоже вредны. Главное же — терпение.

438. Среди огненных действий нужно наблюдать не только поражающие феномены, но и многие преходящие, малоуловимые явления. Мы должны часто обращать наибольшее внимание на последствия. Характер человека образуется не столько феноменами, сколько постоянными огненными волнами. Если люди будут ожидать лишь феномены и пренебрегать малоуловимыми ощущениями, то они будут потрясены иногда, но не приобретут огненное постоянное сознание. Не должно Учение утруждать нервные центры потрясениями. Наоборот, восхождение будет прочным, когда люди будут признавать в себе явление благодатных вибраций. Пусть люди полюбят самую мысль о Мире Огненном. Такие советы пусть будут насущными. Нельзя привлекать к себе мощь стихии без любви и сердечного порыва.

439. Поступление человеческого явленного огня не совершается без осознания ответственности. В таком осознании будет заключаться утонченная заботливость и бережность, которые соответствуют знанию. Кощунство, прямое и косвенное, невозможно в утонченном сознании. Никакая ложь не соответствует огню истины. Среди действий и забот следут не отвлекаться от мысли об Иерархии и об Огненном Мире, великом и близком.

440. Заметим, что при землетрясении очень пересыхает горло. В таком явлении сказывается напряжение Огня. Так множество понятий рассыпано в жизни, нужно лишь замечать их.

441. Каждый Учитель должен обладать качеством выслушивания. Такое лечение необходимо при многих болях. Нужно дать явить истечение всех вредных веществ. Учитель видит, когда потухающий Огонь освобождается от покрова серого пепла. Здоровый Огонь не оставит за собою перегара. Он претворяет полностью преходящее в вечное. Так и мысль должна очищаться Огнем. Каждый день человек должен помыслить о чем-то вечном. Такое размышление будет полезно на пути к Миру Огненному.

442. Кто-то полагает, что он желает достичь космического сознания,— пусть лучше думает об очищении сердца. Пусть не столько воображает себя победителем Космоса, но желает очистить сознание от сора. Нельзя проникнуть за пределы закона без желания приблизиться преображенным. Истинно, пекарь хлеба, духовного и телесного, не должен помышлять лишь, как самому насытиться.

443. Выздоравливающему опытный врач советует не думать о прошлой болезни и уговаривает думать о будущем и о счастливых обстоятельствах. Так не только физически, но и духовно отметается всякое напоминание о прошлой болезни. Следует прилагать такой же простой метод при всех случаях жизни. Особенно же при огненных действиях, когда Огонь трепещет от мрака, не нужно думать о мраке и о воздействии его на Огонь. Явление будущего воспламенит сердце. Самое подавляющее может рассеяться лишь от будущего. Глупцы кричат о конечной жизни, разве может кончиться жизнь вечная? Нужно произвести столько ужасов, чтобы нарушить жизнь! Даже звери не дерзают обратиться в прах бездны.

444. Смелость сочетается с осторожностью. Иначе смелость будет безумием и осторожность обратится в трусость. Люди, которые представляют себе всю сложность огненных волн, могут оценить совет осторожности. Йог не забывает всю осторожность, в ней будет уважение к великой стихии и почитание Мира Огненного. Можно видеть, как нужно напрячь всю осторожность, проходя между рядами тончайших сосудов. Если эти изделия огненной работы требуют такой бережности, то сами огненные волны умножают путь нашей сердечной наблюдательности.

445. Среди психических заболеваний самые ужасные, почти неизлечимые — предательство и кощунство. Однажды предатель — всегда предатель. Только сильнейший огненный удар может очистить такой зараженный мозг. Если такое преступное состояние происходит от одержания, то такая причина одинаково не утешительна. Можно ли представить сотрудничество с предателем или кощунником? Они, как зараза в доме. Они, как труп смердящий. Так Мир Огненный не имеет утешения для предателей и кощунников.

446. Можно заметить, что Тонкий Мир приближается к земному. Даже посылки огненные не минуют Землю, но сознание людей может быть более, чем когда-либо, далеко от принятия этих явлений. Слово произносится, но сознание молчит. Даже нет беспокойства, уместного перед великими событиями. Мертвенность сознания потрясающа! Можно понять, насколько постепенно может даваться следующее Учение! Готовность приложить Учение к жизни заметна лишь в редких случаях, но огненные проявления не медлят.

11 *

Не претворенные человеческим сознанием, они вливаются в опасные русла.

Мы хотели бы, чтобы происходящее могло удержать людей от безумия. Планеты говорят кровавыми лучами, но и эта древняя наука мертва в руках разрушителей. Под волнами безумия и невежества страдают достойные умы. Легкомыслие не равно открытиям науки. Конечно, каждый сам готовит себе бездну, но безумцы не имеют права увлекать за собою достойных. Без того тяжко последнее сочетание Светил. Нужно бережно обращаться с огненными силами.

447. Зародыш духа, конечно, не начинается с человеческой эволюцией, но проявление его относится к несказуемому огненному процессу, потому примените к человеку слово *возжение* духа. Именно дано человеку возжение огня, который пребывает во всех проявлениях творчества. Следует помнить, что человеку вверены мощные энергии, потому кто не возжет дух, тот не выполнит назначения. Именно само усовершенствование прежде всего заключается в сознании проявления духовности. Не будет приближения к Миру Огненному без проявления духовности. Нужно это запомнить всем.

Полагают, что духовность заключается в прочтении духовных книг. Таких читателей много, но выполнителей мало.

448. Помогайте всему, что стремится к усовершенствованию. Познавайте, где стремление и где страхование грехов. Познавайте, где любовь к восхождению и где беспокойство сомнения. Есть лжеучителя, которые возводят сомнение в догму, но никакое сомнение не соответствует дисциплине духа, зажженного Истиной.

449. Полезно замечать, что во время особо тяжких стечений созвездий появляются сильные духи. Можно проследить в истории, как планомерно посылаются мощные помощники Мира Огненного, чтобы принимать на себя тяготы Мира и заложить магниты будущего. Нужно изучать историю планеты со всех сторон, от разных отраслей знания. Нужно познать поворотные пути человечества как науку, связанную с основными законами Вселенной. Неотложно следует ввести изучение химизма Светил. Уже много накоплено ценного материала, который еще раз подтвердит связь Миров.

450. Нужно договориться, что́ Мы называем осторожностью. Невежды могут предположить, что осторожность есть бездействие или сумрачность боязни. Наоборот, осто-

рожность есть усиление действия, зоркости и мужества. Очень нужна осторожность, когда задеты волны огненные. Можно противостать таким напряжениям Магнитом Иерархии. Когда Указываю осторожность, нужно огненно напрячь сердце к Иерархии.

451. Могут удивляться люди, что место, особо опасное для землетрясения, остается без влияния Огня. Пусть об этом подумают.

452. Будет ли суеверием, если человек будет замечать все происходящее вокруг него? Может ли он быть не оправдан, когда постепенно сумеет оценить все происходящее невидимо? Если все цифры колеблются и нет постоянной величины, то как же внимательно следует относиться к многообразию проявлений Космоса! Именно это бесчисленное разнообразие помогает индивидуальным опытам духа. Казалось бы, невозможное сегодня улавливается завтра, благодаря новому химизму Светил. Только что Индия испытала незапамятный сдвиг. Можно ожидать, что не скоро установится почва в некоторых местах. Среди потрясений произошло несколько видений Тонкого Мира. Потрясение атмосферы создало полезные волны для появления тонких тел. Пусть эти появления были скоропреходящими, но и такое наблюдение полезно. Также можно заметить среди самых обычных условий особые вибрации или звучания. Нужно отличать все такие тонкие проявления.

453. Можно радоваться каждой новой ступени жизни. Новое сочетание элементов производит огненное утончение. Никогда темные силы не сделают радость единения с Иерархией. Кто считает каждый час последним, но другой сознает каждый час первым и новым. Такой счет есть счет огненный.

454. Много правовых уставов измышлено человечеством, но самый непреложный не произнесен — Право Космическое. Можно видеть, насколько часто применяется и ведет жизнь это право. Часто можно заметить, как нечто, невозможное по законам человеческим, все же исполняется. Часто можно удивляться, насколько негодны все человеческие предосторожности. Невозможно не почувствовать, как нечто поверх земных рассуждений ведет обстоятельства, в этом нечто и воля, и химизм, и магнит самый непреложный. Космическое Право приводит назначенных людей к условиям мировым. Они сами иногда не могут объяснить, как слагаются нежданные обстоятельства. Но они сознают, как горит их сердце. Так оно как бы приобщается к чему-то непреложному. Можно по этому непреложному праву перейти самые опасные пропасти. Можно назвать такое полномочие Иерархическим, но когда добавим к нему химизм Светил и начертания дальних Миров, то можно определить такое право космическим.

455. Когда же мы чуем «Лотос космический», мы должны идти вперед, в полном сознании поручения. Именно мы должны понять, как огонь нашего микрокосма созвучит с великим Огнем Макрокосма. Неужели мала обязанность Служения в Огне?

456. Можно заметить, как организм людей отвечает напряжению Природы, как люди огненные должны иногда извергать кровь, чтобы соответственно освобождаться от напряжения. Можно помнить, что на древних изображениях часто можно видеть Предстателей за человечество. Не небылица такой подвиг самоотвержения. Путь к Миру Огненному пролегает через адаманты самоотвержения.

457. Делите все на четыре части: первая — Высшему, вторая — Общему Благу, третья — ближним и четвертая — себе. Но придет час, когда останется только три части, ибо четвертая будет поглощена второй. Такие деления называются огненными. Никто, кроме сердца, не укажет границу этих частей. Но пусть огненно будет начертана последовательность.

458. Слезы добрые и слезы дурные — так различал древний Египет. Первые от восторга, от любви, от подвига; вторые от тоски, от злобы, от зависти. Недавно один ученый обратил внимание на различный состав слез в зависимости от импульса. Конечно, каждая секреция совершенно различается в своей сущности, когда противоположные чувства вводят вредные или благие ингредиенты. Но слезы, как очень чистое явление, могут дать особенно полезные наблюдения. Конечно, и такие наблюдения требуют времени и терпения.

459. Вы видели черные пространственные пятна. Также знаете мутные образования, как бы пространственный перегар. Также знаете все сияние пространственных образований. Все живет и огненно претворяется, также вибрируют наши чувства. Опытный наблюдатель знает, что его зрение иногда мутнеет и затем снова проясняется. То же бывает со слухом, и с обонянием, и с осязанием, и со вкусом. Так можно наблюдать полную подвижность всех наших функций. Конечно, всякая огненная нервная отзывчивость на Макрокосм представляет утонченное состояние, но лишь немногие

дают себе отчет в таком соответствии с внешним Миром. Неусовершенствование сознания вредит всем наблюдениям.

460. Древнейшее выражение: «Смотреть через огонь» — подвергалось неправильному истолкованию. Люди поняли его в физическом смысле. Они начали применять огненную стену, чтобы развивать ясновидение. Но для естественного восхождения такие искусственные приемы не только не нужны, но и вредны. Конечно, следует смотреть на земные вещи через огонь сердца, только такое смотрение может облегчить тенёта Майи. Но огненное напряжение требует и времени, и терпения, и преданности. Привожу этот пример как доказательство, насколько древняя мудрость была извращаема и выражалась в грубых формах магии.

461. Правильно, что не забываете значение соды. Не без причины ее называли пеплом Божественного Огня. Она принадлежит к тем широко даваемым лекарствам, посланным на потребу всего человечества. Следует помнить о соде не только в болезни, но и среди благополучия. Как связь с огненными действиями, она щит от тьмы разрушения. Но следует приучать тело к ней длительно. Каждый день нужно принимать ее с водою или с молоком; принимая ее, нужно как бы направлять ее в нервные центры. Так можно постепенно вводить иммунитет.

462. Могли замечать, что Советую мысленно сосредоточиться на известных лицах, но не нужно думать, что воздействие может достигать только этих лиц. Молнии действуют на известном пространстве, также и молнии мысли облетают целую атмосферу и затрагивают многие обстоятельства. Центральное лицо будет средоточием, но не менее полезно окружающее воздействие. Мысль блага как рассадник добра.

463. Итак, изгоним всякое чувство благосостояния и призовем всю настороженность и поймем, насколько благосостояние неуместно в Беспредельности, но настороженность будет молитвою вечности. Мысля об Огненном Мире, нужно особенно осознать эти понятия. Пусть каждая запись об Огненном Мире кончается советом о бессменном дозоре.

464. Люди так легко погрязают в обиходе жизни, что даже самое поражающее притупляется для них. Неблагодарность, леность, нежелание отвечать сердцем рождаются потемками существования. Но путь огненный сияет огнем сердца.

465. Правильно думаете о благодарности. Лучшее выражение благодарности будет в осознании великого Поруче-

ния. Служение настолько велико, что каждый шаг уже составляет подвиг. С каждым днем, с каждой мыслью уже делается нечто значительное. Сама внутренняя торжественность должна отвечать явлению великому. В этой торжественности также выражается благодарность. Торжественность есть один из лучших магнитов. Так будем мыслить от самого великого, ибо к этой мере прилепится остальное.

466. При изучении огненных путей нужно помнить, насколько история исказит факты. Конечно, можно до известной степени восстановить их, но такое беспристрастное отношение почти не существует. Когда спрашивают об известных исторических лицах, часто невозможно ответить, ибо вся среда, окружавшая их, извращена. Так нельзя также указать некоторые медицинские и научные приемы, ибо они были окружены самыми необычными обстоятельствами. Потому многое требует подготовки сознания, которое совершается длительно. Потому Мы так приучаем к терпению и бережности.

467. Действительно, не может Огонь пребывать в неподвижности. Когда Мы говорим о спирали восхождения, Мы имеем в виду огненное построение. Не может движение застыть, ибо это было бы несовместимо с Пространственным Огнем. У людей приписывается много свойств Огню, но главное условие остается ненаблюдаемо. Водительство огненное есть основание Светлой стихии. Нужно помнить, что пламя направляется кверху, не может оно повернуть стрелу свою книзу. Так и последователи Мира Огненного, по природе своей, не идут книзу. Если заметим падение книзу, значит, Огонь сердца поник. Пусть стоят перед вами примеры сияющих Огней! Можно избрать прекрасное утверждение такими Светочами от Земли до Мира Огненного. Не будем поникать, ибо не приличествует это Огню. Не будем умалять все огненное значение и знамения, которые вы видели и ощущали. Поможем друзьям идти огненно, ибо неутверждение Высшего Мира есть саморазрушение. И заключим Огненный Мир как самое близкое, самое ведущее, самое утверждающее. Нужно мыслить о Мире Огненном как о нашем уделе.

468. Расходование психических сил происходит вольно и невольно. Высокие духи продолжают посев добра непрестанно. Нужно при этом не забыть, что утонченное сознание не может обойтись без некоторой усталости. Такое утомление сказывается очень разнообразно, но обычно падает на физические органы, наиболее подверженные заболеванию.

Потому Мы советуем мудрую осторожность. Трудно остановить течение психических сил, но всегда полезно защититься физически. Не следует прекращать поток добра, но каждая бережность будет лишь укреплением этого благостного потока. Особенно огненный путь будет огражден мудростью осмотрительности. Много огненных качеств мы уже рассмотрели, но не меньше осталось. Только немудрые будут заглядывать в следующую книгу без усвоения предыдущих.

469. «Серебряный Лотос» огненного сердца явлен не часто даже очень высоким духам. Но отдельные лепестки огненного «Лотоса» могут быть видимы, по ним будем собирать целый цветок. Но если даже однажды призванное сердце узрело это огненное чудо, то уже с того часа путь подымается к вечному достижению. Пусть всход являет крутизну непомерную, Мы готовим поручни тем, кто решил взойти.

470. Веселие есть залог радости. Мы знаем, как ценна каждая крупица радости, в ней ступень победы — виджайа!

Пусть путь будет победным!

Путник, собери все размышления о приближении к Миру Огненному.

Путник, пойми, что не может быть иного пути.

Путник, ты должен осознать Огненный Мир как нечто действительное и питающее жизнь.

Путник, пойми, что твоя земная жизнь есть мало-малейшая частица твоих существований.

Путник, прими Руку Водящую. Путник, не страшись взглянуть на Врата Света.

Преподанные размышления очистят сознание твое. Посланные тебе мысли сделают тебя сотрудником огненных достижений.

Так дойдешь до третьей части пути к Миру Огненному.

ЧАСТЬ ТРЕТЬЯ

Никто не скажет, что мысль о Мире Огненном разрушительна, отрицательна, анархична. Не будет вреда от стремления к Высшим Мирам — получается соизмеримость и желание совершенствования. Так, прочтя «Знаки Мира Огненного», ничто не будет отвергнуто и осквернено. Наоборот, мыслитель научится и постигнет радость поверх земного бытия.

Мы еще вернемся к Миру Огненному, когда скажем о высших энергиях. Но пусть к тому дню друзья научатся полюбить Мир Огненный, Мир Света, Мир Прекрасный!

Теперь можно начать приближаться к Огненному Миру, утверждая знаки надземные. Мы много отметили необходимые земные качества. Учение всегда идет от двух токов, которые, сойдясь, образуют цельную линию достижения. Если не легки многие качества земные, то условия надземные могут показаться отвлеченными, но они представляют сущую действительность. Кто привык мыслить в планетном размахе, тот знает, как действительна жизнь в Мире Огня, в Мире Сияния, в Мире Достижений.

Так начнем третью часть Мира Огненного.

1. Нужно не только согласовать Мир Огненный с Беспредельностью, но держать прочно Иерархию. Красота Мира Огненного только увенчается ступенями Иерархии, которая восходит в Свет Беспредельный. Не нужно огорчаться, если лишь немногие сознательно восходят по ступеням Света. Но эти гиганты окружены таким магнитом, что они увлекают за собою невольно не ведающих трудный путь.

2. Сами вы соберете силы, входя на новую ступень. Также лишь немногие могут радоваться пути сияния, когда каждое помышление отдано Владыкам. Можно вырастить подлинные крылья духа, когда осознано порученное сокровище.

3. Многое священное и великое не будет непременно большим по виду. Размеры складываются по внутреннему сознанию. Можно предусмотреть различные условия, но нельзя судить, как и когда войдет Вестник. Люди своими условными мерами затрудняют трансцендентальные явления. Не подумайте, что это слово старо, ибо именно теперь больше всего отрицается сияние духа. Но без Солнца ни Макрокосм, ни микрокосм не могут жить. Вы знаете, что движения Светил как нельзя более благоприятно. Можно ждать века таких сочетаний, но сейчас не века, но малейшие годы уже полагают новые границы человечества. Многие не замечают этих космических построений, тем более немногие должны постичь поражающие события, указанные Светилами. Нужно сознать все величие часа, и к тому заповедана торжественность. Благо, если ощущаете ее!

4. Правильно думать, что между земным планом и Миром Огненным существует координация, только незримы причины всех развитий. Так можно судить о временной тоске на земном плане как о преддверии великой радости.

Тихо огненную волну можно послать на земное царство, но гром слышен на дальних мирах, потому все измерения достигаются различными потенциалами волн. Истинно, все творящие энергии повторяются на земном плане и в Мире Огненном. Ток есть единый провод, только люди не могут всегда понять истинное значение действия.

5. Неведомы причины действий на земном плане, только сознанию Адепта доступно понимание сущности происходящего. Так человечество может воспринять лишь ничтожную крупицу Истины. Потому об Огненном Праве будем говорить сокровенно.

6. Среди вражеских действий нужно отмечать расходование лишних энергий. Растерянные, они могут усмотреть факты лишь как в кривом зеркале. Так, направляемые злою волею, они применяют фокус зрения несоответствующий. Лишь последователи Иерархии Блага могут сконденсировать все энергии в канале Блага. Конечно, только огненное сознание может обнять горизонт Мира, потому события, которые сметают старые наслоения, ускользают от врага. Явление предусмотрительности может быть, истинно, применяемо лишь фокусом зрения строителей. Так Мир Огненный заповедан Носителями Света.

7. Дам напутствие ученику: «Да будет молитва твоя — Тебе, Владыка, служу всем, всегда и везде. Пусть путь мой будет весь в подвиге самоотвержения». Когда ученик познает в сердце радость пути, где трений нет, ибо все претворяется в радость Служения, тогда можно приоткрыть Врата Великие. Среди понятий высших ученик должен помнить сердцем о рекордах Света. Среди ужасающих явлений ученик должен помнить о рекордах тьмы. И начертано на Щите Света: «Владыка, дойду один, дойду в подвиге явленном, дойду, дойду!» И завещано на Щите Света — честность, преданность и самоотверженность. Но страшны рекорды тьмы. Да воздержится рука ученика от начертаний на этих несмываемых скрижалях — ложь, лицемерие, предательство и самость.

8. Среди явлений, которые особенно губительны для восхождения, нужно отметить половинчатое Служение. Невозможно продвинуться, не отвергнув страшную половинчатость. Надо помнить, что, раз избрав Учителя, ученик должен всегда действовать, понимая все губительные следствия половинчатости. Не только явное предательство опасно, ведь против явного можно бороться мечом, но те, скрытые подкопы половинчатости так губительны. Нужно

направить сознание людей на путь честности. Нужно людям понять, что самое главное состоит в честности Служения. Чем утвердить рост духа, чем доказать преданность Иерархии, чем очистить сознание? Только единым законом честности Служения. Так запомним навсегда о губительности половинчатости. Рекорды тьмы содержат все половинчатые решения и действия, потому на пути огненном нужно помнить о следствиях половинчатости. Если бы можно было выявить все рекорды Тонкого Мира, человечество ужаснулось бы, увидев серые тени вокруг разрушения, вокруг половинчатости, вокруг предательства, вокруг подстрекательства, вокруг кощунства, непримиримости и самости. Так запомним на пути огненном об опасности половинчатости и подкопов.

9. Организмы, которые воспринимают тонкие энергии, очень чувствительны, потому так важно то качество, которое является преимущественно в чистых проводах. Так же как различие существует в химических опытах с многообразными сосудами, веществами и сочетаниями, так же разнородны все явления восприятия. Организм, наполненный империлом, даст лишь частичную крупицу послания. Организм, напитанный самостью, даст страшную окраску, которая извратит посылку. Организм, напитанный недружелюбием, отнесет посылку к соседу — так извращение облика даваемого зависит от качества приемника. Правильно спросили: почему Мы не останавливаем такое извращение? Ибо живут рекорды писаний рук человеческих, которые сделались настолько безобразными, что представляют Махатмы Востока осуждающими на сон грядущий — для тех, кто ищет осуждения соседа. Ведь люди приписывают Махатмам даже клевету. Ведь люди приписывают Нам все их земные качества.

10. Продолжим о посланиях и восприятиях. Дано духу огненному принимать тонкие энергии. Лишь огненное сознание может провести ток тонких энергий. Потому рекорды должны рассматриваться с большим распознаванием. Ведь человечество привыкло являть Высшее на низменном плане, потому и Облики Владык приобрели такие формы извращения. Ведь человечество привыкло к мысли, что Высшее должно служить низшему, но не подумают, что только явление понимания Служения дает право на явленное звено Цепи. Так извращение понимания Посланий дает те результаты, которые сорят пространство. Мы знаем случаи, когда Высшие называли ученика Махатмой,

но серые приемники извращали до безобразия великое послание. Потому будем предостерегать всех против извращения и фальшивых рекордов. Когда Мы называем ученика Махатмой, Мы знаем утверждение великого потенциала. Но что же являет медиум или приемник, отравленный империлом? Так нужно очищать в будущем нечестивые человеческие действия и уничтожать эти рекорды. Так в Мире Огненном лишь огненное сознание может быть истинным приемником Посланий.

11. История отмечает всех лжепророков и самозванцев, но недостаточно отмечены все духовные самозванцы и лжеисточники. Если в основание Государства принять духовное начало, можно будет уследить все пагубные следствия лжеисточников. Под рекордами тьмы подразумеваются все лжеисточники и злонамерения самозванцев. Правильно сказали: зачем хулить Высшее Учение? Ответ один — самозванцы живут Майей. Но для того, чтобы получить крупицу для Общего Блага, нужно явление терпимости. Со скорбью являем тем самозванцам прощение, ибо живут они Майей и уйдут в Майю; то же и с искажением посланий.

12. Среди поносителей Учения следует отметить особый род лиц, который берет на себя обязанность стоять на страже Истины. Но являть Истину доступно лишь огненному сознанию. Так называемые стражи Истины трудятся над тем, что они принимают за Истину именно то, что им приятно. Потому столько поносителей Учения и всех Светлых начинаний. Правильно указали на анафему — проклятия, которые явят такие стражи Истины. Столько прекрасного было загублено этими темными побуждениями! Почему не выносят Наших Указаний эти силы тьмы? Ибо Наше Учение всеобъемлюще, и всепроникающе, и стихийно. Тьма особенно борется с Источником, который ближе к Иерархии Света. Если Мы проследим все лжеисточники, то убедимся, насколько их поддерживает людское сознание. Сеятели сомнений и извращений постоянно являют запрещение Истине и всему Светлому. Так Мир Огненный также имеет своих Огненных Стражей. Горе лжестражам и горе тем, кто засоряет пространство лжеучением. Горе тем, кто дал и дает Миру понимание о Иерархии, недостойно умаляя Облики Светлые. Так будем бороться с искажениями.

13. Велико творчество очищения сознания. Всюду такие нагромождения! Ведь без очищения сознания невозможно человечеству продвинуться. И спасти Мы можем лишь,

когда очищено будет сознание. Потому Мы так напрягаем все Наши энергии.

14. Спросят: почему не останавливаем те лжеисточники? Почему не выявляем тех, кто послания искажает? Отвечайте — если бы насильственно останавливать течение, по которому человечество идет, то изуверство перешло бы в зверство. Так злая, свободная воля течет, как лава, поглощающая в истории тех, кто ополчается против Блага. Ведь насильственное явление не может дать человечеству пути праведного, потому все тонкие энергии могут восприниматься лишь огненным сознанием. Так терпимость, истинно, удел огненного сознания. Конечно, нужно очищать всюду те грязные наслоения и удел огненного сознания есть очищение рекордов пространства. Среди накоплений страниц писаний человеческих нужно будет отметить те пагубные рекорды, которые засорили мозг даже недурных людей. Так на пути к Миру Огненному нужно понять великое значение восприятия высших энергий и посланий тонких.

15. Среди приемников Учения есть много русл; каждое русло имеет свое особое свойство и назначение. Но океан мысли Учения может быть дан только через самый близкий источник. Много ветвей и способов сообщений, и особые свойства русл указывают на ограничения восприемников. Функции тех огненных приемников, которые могут воспринимать океан мысли Учения, являются главными объединителями Высших Сил с Миром. Не трудно проследить, как шли эти Иеровдохновения, и не трудно проследить, как шли Носители Огненного Сознания. Потому следует отметить Светлый подвиг от явлений ограничения. В этом подвиге можно, истинно, утвердить огненное понимание человечества.

16. В дни Армагеддона все энергии особенно напряжены. Притяжение всех возможностей для действия блага требует великого нагнетения. Истинно, все космические силы действуют, создавая все нужные условия. Как проснется сознание без толчка, без стремления к перемене настоящего быта? Ведь строители несут всю тягость происходящего, и существенно осознать, что велика битва Армагеддона и также велики все строительные явления для великого Плана. Потом будем благословлять всех препятствующих, ибо Наши энергии развиваются и приобщаются к строительству Светлому. Спросят: нельзя ли без катаклизмов? Нельзя ли без ужасов и бедствий? Нельзя ли без

страданий? Мы напомним нагромождения пространственные и порождения человеческие, которые должны быть искуплены. Так Силы Света являют заботы о великой трансмутации огненной. Так на пути к Миру Огненному нужно помнить, что во время Армагеддона происходит очищение пространства.

17. Утверждение жизненности Учения особенно важно в эпоху, когда происходит разделение на творцов, истинных искателей, и на отрицателей Истины. Кто-то признает настоящее, прошлое и будущее; кто-то видит все в преломлении Майи; кто-то хочет достичь явления высшего отрицанием Иерархии; кто-то считает себя путником без Водителя — так многоцветны ужимки духа. Потому нужно беспрестанно твердить о творческих началах и нужно преображать человеческое сознание жизненностью Учения. На возрождение духа Мы направляем все усилия — в этой огненной трансмутации заключается ключ Нашего труда. В эпоху возрождения огненного нужно явить жизненность Учения. Ведь отрицание законов засоряет мышление, являя разложение. Так пусть человечество поймет мужество принятия трансмутации Огненного Мира во всей жизненности.

18. Человечество не задумывается над вырождением многих народов. Есть злобные нации, которые так явно разлагаются на глазах Мира! Ведь люди с хвостами отражают направление. Можно проследить даже по физическому строению, как вырождается нация: челюсть, скулы, руки, ноги, уши и различные другие признаки отражают явление вырождения. Злобная нация тоже является рассадником болезней и может распространять микробы духа и тела. Так при огненном творчестве и трансмутации духа явлен будет человечеству потенциал продвижения и развития нации. Кто не примет Огненное Крещение, кто не пойдет за Началом Света, тот уйдет в хаос разложения. Можно следить за огрубением и утверждать, что лишь Мир Огненный даст нужное очищение.

19. Как на Вершине мало места для всех, кто взойдет, так нужно понять, что восхождение не может происходить с тяжелым грузом, и нет места на Вершине всему ненужному. И дух восходящий должен постоянно помнить об отрыве от явлений привязанности к жизни будней. Склоны отвесны, и нужно помнить, что лишь подножие Вершины широко. У подножия есть место всему житейскому, но Вершина остра и мала для всех житейских принадлежностей. Виднее с Вершины явления житейские, так нужно

запомнить всем о явлении Вершины и покатом склоне. При восхождении, при мужестве, при твердости, при творчестве нужно вспомнить, что узка явленная Вершина, но необъятен горизонт. Чем выше, тем шире и мощнее; чем мощнее, тем слияние воедино ярче. Так запомним напутствие, явленное для восхождения.

20. Истинно, чем выше, тем мощнее слияние воедино. Так же как путник проходит свой путь к Вершине, отрываясь от житейских привязанностей, так и путник явленного Огненного Права освобождается от всяких воспоминаний, которые жизнь наложила как бремя.

21. Преемственность Учения, так же как и явление магнитного полюса для утверждения огненных манифестаций и для проведения высших законов, может быть дана лишь огненному духу, связанному с Иерархией тысячелетиями. Тысячелетиями тянется напряженное огненное действие. Тысячелетиями куется объединение сознания. Тысячелетия прокладывает путь единый. Тысячелетия сердца сливаются в едином Великом Служении. Непреложен Закон Космический, и нужно понять, что преемственность утверждается веками. Есть много посягателей на это великое право, но космическое право дается творцу Огненного Мира. Потому человечество должно очистить сознание для понимания великого права преемственности.

22. Истинно, нужно принять символ Вершины как восхождение духа. Каждый ученик должен помнить, что уклонение от Вершины уводит путника от пути. Каждый лишний груз не поможет путнику. Явление Вершины остро, и каждая лишняя привязанность к Миру земному останавливает путника. Но трудно остановиться на склоне, потому будем помнить о Вершине восхождения. Трудно достичь Вершины, если дух не понимает основ Иерархии. Так на пути Огненном нет одиночества и пустоты, но есть лишь отрыв от Мира земного и неудержимое притяжение к Миру Огненному.

23. Мир устремлен в поисках завершения. Многообразны пути поисков. Ближе всего подходит к завершению путь Красоты. Религия дала устремление к Нирване, но оно искажено превратными понятиями. Много исканий было искажено понятием Кармы и Перевоплощения. Кто искал завершения Красотою, тот мог найти мощные Законы Бытия. Если взять все изуродованные проявления жизни и сопоставить их с Красотою, мы найдем закон завершения. Если мы возьмем неуравновешенные состояния всех прин-

ципов, введенных в жизнь, и сопоставим их с Красотою, мы придем к Закону Бытия. Если мы взглянем на жизнь планеты со всеми предрассудками, мы неминуемо придем к великому завершению Красотою. Нужно привыкать к сознанию о великом завершении. Это мышление может привести к Миру Огненному.

24. Одно из великих понятий часто толковалось неправильно — именно великое понятие смирения. Оно толковалось как непротивление злу, оно толковалось как добросердце, как милосердие, но мало принимали самоотречение как смирение. Между тем только самоотречение и самоотверженность дают понятие смирения. Воистину, Мы видим великанов духа и героев, отдающих себя на смиренные труды на благо человечества. Мы знаем великие опыты, производимые в лабораториях смиренно на благо человечества. Мы знаем великие огненные опыты отдавшихся смиренно на благо человечества. Мы знаем явление на пути к Миру Огненному, которое вдохновляло все окружающее. Истинно, многообразно смирение, явленное самоотверженностью и самоотречением. Героизм есть проявление разных видов смирения. Так рекорды пространства заполняются великими действиями смирения. Неоценимы эти огненные полеты духа. Так, истинно, герои смирения испивают полную чашу яда на благо человечества.

25. Как высшее смирение и как высшее самоотрешение нужно принять Образ Несущего полную чашу самоотверженности. Они несут тяжкое бремя в сердце. Они несут его за явленное человечеством напряжение. Они несут бремя всего несоответствия. Это смирение есть искупление. Кто отдаст себя на подвиг испития чаши яда? Кто возьмет на себя Щит Огненный на благо человечества? Кто решится на принятие огненных энергий? Кто явит понимание всего космического напряжения? Истинно, тот, кто созвучит Силам Высшим. Ведь человечество привыкло требовать Благо, но так редко человек мыслит о давании. Так смирение подвижника, несущего чашу огненную, есть высшее смирение. В чаше огненной заложены искупление и охрана духа человечества. Так запомним и явим понимание.

26. Для такого огненного смирения дух должен быть закален тысячелетиями и жить в постоянном подвиге. Так происходит последняя ставка для планеты, и в этой великой Битве Мы являем Нашу Мощь. Потому Наше смирение так огненно. Нелегко огненному духу являть смирение. Дух огненный, как горнило, как пламенный факел, и самоотречение и самоотвержение — его удел на последней ступени. Потому последнее пребывание на Земле так тяжко. Каждое преддверие есть тяжкая ступень. Так Мы куем великое будущее.

27. Господство духа, господство сердца так мало понимается, что нужно для явления продвижения человечества расширить эти понятия. Часто непонимание этих великих принципов дает нарушение равновесия. Лучший пример — Восток и Запад. Так, на Востоке не понимают, что господство духа не есть бездействие и господство сердца не есть безволие. Запад разрушил оба понятия и господство материи утвердил основанием явления жизни. Не продвинуться без господства духа и сердца. Нужно принять в обиход формулу вдохновенной материи. Так дух, сердце и материя войдут в жизнь. Мир Огненный утверждает господство духа во всем космическом масштабе. Если бы ученые поняли великое значение господства духа, сколько полезных изысканий могли бы быть даны человечеству! Но книжники не допускают самую мощную силу, именно господство духа. Потому каждый тонкий подход к науке, искусству нужно ценить как истинное огненное мышление. Запомним о господстве духа на пути к Миру Огненному.

28. Утверждает человек сам ту власть, которая царит в его существе. Власть эта будет состоять из главных качеств духа. Люди живут под властью различных потенциалов. Можно отличать явление строительства и разрушения. К строительству притягиваются те, кто живет под властью Красоты. Они создают своим потенциалом господство духа. Они возрождают жизнь Красотою. Но как ужасна жизнь тех, кто живет властью разрушения! Конечно, говоря о власти разрушения, нужно иметь в виду власть самости, которая противостоит власти Красоты. Так нужно понять, насколько человек или ввергается в бездну, или подымается в Беспредельность. Господство духа и сердца есть великий Космический Закон. Потому Мир Огненный творит властью духа.

29. Сегодня, в Наш день, Скажу, как власть Красоты зовет в Мир Огненного завершения. Творчество властью Любви Космической беспредельно. Пространство звучит утверждением закона Космической Любви. Лучи переплетаются в мощном единении. Все землетрясения, которые Мы прекратили, могли быть остановлены лишь объединенными Лучами. Так для Мира утверждается опыт Агни Йоги как огненная трансмутация, но для Мира Высшего существ-

вует знание Закона Космического, который являет опыт Агни Йоги как приготовление к принятию Луча великого Космического Права. Время неповторяемое. Так Мир Огненный являет сущность Космического Права.

30. Только расширенное сознание может понять мощь творчества незримого Космического Луча. Мощь этого Луча есть закон Огненного Мира. Уявлены вибрации лучей. Так, например, напряжение воли, порыв духа, радость и все другие явления духа и сердца дают свои лучи. При этом нужно помнить, что сущность излучений не заменяет Луча Космического, ибо в этом Луче содержится весь потенциал действий. Лучи, сознательно направляемые, представляют Мощь Космическую. Сколько великих строений можно было бы утвердить при высоком напряжении духа и чистоте сердца! Как же мощны могут быть объединенные лучи! Но если дух не устремлен к величию Космических Начал, то дух не может воспринять мощь Космического Луча. Великое будущее будет иметь восприятие Космического Луча.

31. Поведаю о великом Космическом Луче с явлением объединения. На последней ступени земной, перед великим завершением, устанавливается соответствие огненной трансмутации центров с Космическим Лучом. Каждое видимое напряжение имеет и соответственное космическое назначение. Так центры насыщаются Огнем для восприятия великого Космического Луча, который приноравливает все тела к последнему отрыву от Земли. Так тонкое тело, физическое и астральное, принимают один и тот же облик Красоты. Это есть величайшее действие Космического Луча, и огненное право притягивает этот сокровенный Космический Луч. Величайшая Космическая Тайна и величайшее явление в Космосе.

32. Борение духа есть шаг к исцелению. При застое духа и настойчивом самомнении и самооправдании дух не может продвинуться, потому огненное крещение предвидит борение духа. Конечно, напряженные искания приводят к борению духа. Можно заметить, как люди восходят и как замирают в духе. Так можно наблюдать, как дух, имеющий полный синтез, углубляется в искания и не являет чувства законченности. Можно также наблюдать специалиста, который находит в труде самодовольство и чувство законченности. Так же дело обстоит с так называемой деловитостью и размахом мысли и творчества. Потому так важно распознавать людей по их потенциалу, ибо не всегда

явление гения видимо тем, кто ограничен самодовольством, и потому нужно развивать уважение к труду и изысканиям тех, кто обладает синтезом. На пути к Миру Огненному нужны синтез и явление борения духа.

33. Среди борений духа нужно особенно отметить чувство неудовлетворенности. Дух, имеющий синтез, конечно, может утверждать свою силу. Но именно эти огненные приемники не знают чувства удовлетворения. Так, часто в жизни можно наблюдать, как условность не принимает Носителей Синтеза. Каждое проявление видимости всегда всеми оценивается. Нужно лишь сожалеть, что люди так ограничивают себя, порождая узкие рамки. Нужно пожалеть не желающих понять творчество мысли. Правильно сказали о мысли и чувствознании. Превыше всех Самадхи царствует мысль. Чем выше, тем мощнее. Чем пламеннее мысль, тем явление полезнее. Истинно, мысль стихийна и беспредельна.

34. Среди огненных борений дух являет тоску. Особенно знает дух эти борения на последней ступени. Тоска есть явление Тонкого Мира, и неудовлетворенность есть знание будущего. При делимости духа это чувство особенно мощно.

35. Столько говорят о сотрудничестве, но как мало его понимают! Это одно из самых искаженных понятий, ибо в общине человеческой так искажены понятия совместного труда. Жизнь в сообществе сотрудников не имеет в виду никакого навязывания, ни чувств, ни обязательств, ни принуждений, но утверждение совместной работы во имя явленного блага. Если бы община человеческая приняла закон совместного труда как закон жизни, насколько очистилось бы человеческое сознание! Ведь ритм труда общинного может объединять разных специалистов и различных по качеству людей. Прост закон, но сколько искажений вокруг него! Явление человеческой близости духа обусловлено многими причинами как духовными, так и кармическими, но под лучом труда община может состояться законом сотрудничества. Потому нужно воспитывать общинников трудом и утверждением, что каждый сотрудник есть часть общего, но нужно изъять неправильное мышление о личном явлении; подобное толкование поможет общине утвердиться лишь как одно русло. Сколько печальных событий можно избежать расширением сознания и тонким пониманием, что на сердце другого нельзя посягать. Так на пути к Миру Огненному общинники должны понять, что можно продвигаться законом общего труда,— другого мерила нет! Тонкое достигается лишь тонким, и тонкие нити сердца созвучат лишь напряжением тысячелетий. Потому пусть общинники особенно осознают этот единый путь. Именно закон совместного труда не посягает на сердце другого.

36. В общине нужно помнить о сокровенности чувств. Особенно нужно запомнить, что нельзя насильственно вызывать тонкое чувство в сообщиннике. Нельзя развивать в сердце тонкие вибрации требованием извне. Только внутреннее, заслуженное действие порождает соответственную вибрацию. Редко можно найти эту жизнь духа среди удушающих земных вибраций. Явление редкое так прекрасно, когда дух созвучит с духом! Но в развитии сознания общины нужно прежде всего утвердить понимание сотрудничества. В этом понимании может община укрепляться, и червь саможаления пропадет. Так Напутствуем учеников и Утверждаем радость труда без всякого посягательства на сердце близкого. Давно сказано: «Насильно мил не будешь!» Это тоже космическая формула. Но много можно очистить путем совместного труда. Так пусть ученики запомнят явление сотрудничества как главную ступень в каждодневной жизни общины.

37. Достижение духа, когда среди земных проявлений, когда среди борений дух находит высшее устремление. Ведь не утвердится дух среди обстоятельств довольства. Потому общинники труда могут доказать силу духа и устремления среди трудов и трудных дней. Как можно достичь высшего состояния и утончения сознания без труда духа? Сколько благословенных забот на пути очищения сознания! Каждое действие, которое отрывает дух от земных вожделений, есть утверждение высшее. Путь к Миру Огненному ведет через труды духа, через земные лишения и высшие достижения, через отрывы от земных явлений — для искания высших. Так, когда сказано — достижение духа пребудет с теми, кто знал борения и искания знания, такое явление есть огненное достижение. Так запомним на пути к Миру Огненному.

38. Путь явленных восприятий самый мощный, когда дух являет тонкое течение энергии. Самое тонкое восприятие через духоразумение. Сила восприятия духоразумения ни с чем не сравнима. Конечно, в строительстве духовном нужно пользоваться многими каналами, но нужно различать каналы, управляемые волею извне и изнутри. Великий Источник духоразумения есть самый тонкий и выс-

ший утвердитель. Источник извне есть просто канал, через который можно посылать, даже парализуя волю. Потому столько неточных сведений, ибо парализовать волю часто нельзя. Кроме того, эти каналы очень односторонние, и в космическом строении они как одна реторта. Потому так важно понять мощь духоразумения. Не только медиумы, но и другие источники, которые принимают лишь частично, загромождают пространство. Например, забота Иерархии — давать послания общинникам, но, если они не дают посланное общине, в таких случаях канал нечист. Неужели Иерархия будет посылать видения для одного общинника? Опять канал нечист. Потому так трудно расширять сознание.

39. Сущность огненного продвижения состоит из разных утверждений духа. Главный фактор есть развитие самодеятельности. В самодеятельности будет заключаться любовь к Иерархии, в ней будет заключаться чувство ответственности и истинное понимание Служения. Так, когда Мы говорим о самодеятельности, нужно понять все качества высшего утверждения. Когда общинник принимает на себя развитие самодеятельности, то не ограничено поле действия его. Иерархия является огненным побуждением всех действий. Не страшны общиннику никакие нападения, ни близкие, ни дальние, ибо он знает огненное служение, потому так важно очищать сознание от самости. Но общинник должен быть готов принять все трудности, зная, что Служение Иерархии есть высшее достижение.

40. В долгом искании находим то, что принадлежит духу и сердцу. Только долгие искания приводят к завершению.

41. Царственность духа заключается в огненном сознании именно как дисциплина духа, как утвержденный синтез и как явление широты понимания. Так только рабы духа боятся всего огненного, ибо каждое проявление Огня опаляет рабов духа. Можно проследить, как царственно идет явленный общинник, озаренный Огнем сознания. Не только достижения явного героизма нужно отмечать, но великий путь царственности духа среди каждодневной жизни. Невозможно ошибиться в потенциале царственного Носителя Огня. Мы знаем этих великих подвижников, которые насыщают пространство и окружающее своим огнем и вдохновляют на подвиг; так нужно в жизни присматриваться к тонким действиям царственного духа. Ведь нужно тонко разбираться в героизме, ибо не всегда видим огненный героизм духа и основание геройства не всегда

открыто глазу обывателя. Как прекрасен путь царственного духа!

42. Как различно понимается явление героизма. Между тем нужно запомнить, что не всегда трубный глас оповещает героя. Не во всемирном услышании идет герой духа, но в истинном испитии чаши яда. Тем, кто больше требует, тем часто больше дается по требованию; но дары земные не есть утверждение даров высших. Истинно, герой духа идет иным путем. Его ноша будет Ношей Мира. И как чудесен облик героя духа, идущего стремительно в безмолвии и в одиночестве! И огненное творчество героя духа сравнимо лишь с Огнем самого высшего напряжения, ибо незримо высшее Пламя. Пространство так напрягает лучи творцов духа. Не есть ли образ Дающего — образ чудотворного Сердца? Так запомним на пути к Миру Огненному.

43. Сердце героя знает самоотверженность во имя Общего Блага. Оно знает самоотречение и Великое Служение. Ведь путь героя усеян не всегда венцами человеческой благодарности. Ведь путь героя идет тернистыми тропами. Потому нужно всегда почитать тропу самоотверженности, ибо каждое продвижение по лицу Земли, утверждающее героизм духа, есть явленный залог нового начала. Сколько героев духа могли быть на пути человеческом как факелы ведущие! Но незаметны эти огни духа глазу невежества. Так на пути к Миру Огненному нужно почитать героев каждодневной жизни, которые насыщают жизнь достижением каждого часа. Община труда должна воспитывать этих героев, ибо столбы народа утверждаются только качествами героизма духа и сердца. Тот, кто знает героизм самоотречения, не будет случайным героем времени — рекорды пространства отметят навсегда труды героя духа.

44. Если бы люди задумались над ступенями эволюции, то пришли бы к заключению, что законы беспредельны в своем многообразии. Казалось бы, так просто проследить утверждение всех нарастаний и утончений, но человечество отмечает только то, что может уследить в рамках постижения повседневности.

Возможно ли тогда постичь величие законов, которые уравновешивают весь Космос? Мера земная не будет соответствовать величию Космоса, и все неудачные исследования имеют как причину это непонимание. Невозможно ограничивать Неограниченное! И мышление может вникнуть в глубь Космоса, когда дух проникнется сущностью Огня, беспредельного в своей мощи и не ограниченного свойствами. Если бы человечество прониклось сущностью величия огненного строительства, то все ступени эволюции привели бы к утверждению великих законов. Все движимое являет свою спираль к великому утончению. Потому на пути к Миру Огненному нужно знать о беспредельности законов.

45. Если бы человечество поняло эволюцию, то, конечно, пришло бы к пониманию Огненного Права. Лишь Огненное Право может творить космически. Так ступени мощной эволюции могут осуществляться. Все равновесие Космоса держится на огненном объединении Начал.

46. Хотя неуловимы добрые следствия намерений, добрых мыслей и действий, но по закону причинности все приносит следствие. Закон непреложен и величествен. Утверждение причинности в каждом действии дает расширение сознания, ибо не страх, но распознание действий дает правильное направление. Как прекрасен закон, дающий жизнь каждому добру и каждому творческому началу! Ведь строение Космоса напрягается всеми началами каждого часа. Истинно, герои духа знают, как их стремление каждого дня приобщает их к строительству жизни. Так закон причинности может направить мышление к пониманию беспредельного Мира Огненного, когда дух почует, что он является звеном в Космической Цепи как следствие причины и причина нового следствия. Можно будет много познать человеку этим простым пониманием закона причины и следствия. На пути к Миру Огненному запомним о вечном движении наших действий.

47. Как величествен Закон Причинности! В нем заключен ответ на каждый вопрос. Человеческий ум смущается вопросом о бедствиях, но Закон Причинности приводит к Закону Кармы. Человек негодует на бедствия, но Закон Причинности указывает ему на порождения. Человек изумляется странным нарушениям равновесия, но Космический Закон взывает о Высшей Справедливости. Кто приобщается к Закону Причинности духом, тот уже приобщен к Истине. Если бы школы и храмы возгласили Закон Причинности, то и сознание было бы на высшей ступени, ибо не может продвигаться то, что разобщено с основами Бытия. Правильно утверждать, что начало не может существовать без единого Огня Бытия, и в той же мере является Космическое Строительство, объединяя то, что принадлежит по праву друг другу. Так все объединяется в Космосе. Нужно принять Закон Причинности во всей мощи.

48. Как ограничивает человек Огненное Право! Даже не понимает, что идет против самого утверждения Бытия. Сколько чудесных явленных законов сокрыто от человека! Так каждое сокровенное начало должно быть охранено. Близко приоткрытие, но трудно расширить сознание. Так сокровенное познается тем духом, кто так близок Огненному Закону. Объединение есть утверждение Космического Закона Причинности. Огненный вихрь кружит явление пространственного мощного напряжения, потому неверны все человеческие утверждения, что нужно быть аскетом для высших достижений. Конечно, человечеству давалось по сознанию, потому Истина скрыта, но утверждение Огненного Права царит в Пространстве. Так Мы, Архаты, сокровенно храним в сердце Закон Космического Права.

49. Символ Чаши с давних времен является утверждением Служения. В Чашу собирают дары Высших Сил. Из Чаши дают. Символ Чаши означал всегда самоотвержение. Несущий Чашу есть Подвиг Несущий. Каждое высокое деяние может обозначаться символом Чаши. Все самое высокое во благо человечества нуждается в этом знаке. Чаша Грааля и «Чаша» Сердца, отдавшего себя на Великое Служение, есть самый Космический Магнит. Сердце Космоса отражается в этом великом символе. Все образы героев духа могут быть изображены как несущие Чашу. Все Мироздание отражается в «Чаше духа» огненного. Ведь Чаша имеет в себе все вековые накопления, которые собираются вокруг зерна духа. Как великий символ нужно принять утверждение Чаши в каждодневности. И детей, и молодых нужно приучать мыслить о Чаше. Нужно понять все многообразие образов великого символа Чаши.

50. В жизни, которая объединяется Законом Космического Права, можно проследить, как испивается чаша яда, достигая великого Космического Права. Дух несет все утвержденные Чаши самоотвержением. Великая Чаша Красоты явлена духу Огненным Правом как завершение. Истинно, время великое, ибо напрягаются последние энергии последней ступени. Правильно сказано: «Сердце не выдержит, если часто повторять притяжение». Сердце Архата испивает Чашу самоотверженности на последней ступени. Наша жизненная Чаша наполнена и открывает путь к Нашему Космическому Бытию.

51. Правильно сказано о массах и об отсутствии понимания государственности. Нужно добавить об отсутствии вождей народных. Нужно развивать чувство ответственности в народе, чтобы глас народа, истинно, был бы гласом общины. Развитие чувства водительства так выродилось! Душа народа сокрыта, и тот, кто представляет государственность, должен иметь весь синтез народа. Невозможно допустить в будущем явление таких произвольных вождей, которыми наводнилась планета. Право водительства принадлежит духу, связанному с Силами Света, потому не может быть по Высшему Закону случайных вождей. Когда расширится сознание, тогда возможно будет утверждение великого Закона Водительства. На каждом поприще нужно применять тонкое понимание Закона Водительства. Так государственность должна проявляться во всем строительстве жизни. Явление нарушения народного выражения гласом вождя сказывается тяжкими последствиями. Так нужно чтить великое Водительство, которое дается особым правом, государственным духом народа. На пути к Миру Огненному будем чтить Вождя.

52. Меньше всего люди понимают удачу. Обычно, когда поручение, данное Иерархией и насыщенное помощью Иерархии, записывается духом самости как своя заслуга, удача обращается в занозу духа. Когда общинник требует поклонения за данное ему поручение, он этим закрывает рекорды пространства. Сколько обнищавших духов являют рекорды жизни, рекорды, прошедшие во всей славе земной! Общинник, дающий помыслы Общине о том, что Иерархия поступит, как утвердит общинник преуспевший, конечно, вносит умаление Иерарха. Но как тяжко являть понятие удачи среди общинников! Между тем лишь смирение духа и явление благодарности соответствует удаче. Кто же дал все возможности? Кто же дал направление? Кто же явил все добро? Лишь Иерарх, лишь Вождь, лишь Силы Светлые. Удачник общинник, осмотри доспех свой, на каждом кольце написано: Иерархия, не я, не мое, но Твое, Владыка! Так на пути к Миру Огненному нужно помнить, что смирение есть спутник удачи. Общинник да не окажется мнимым удачником, ибо тонки огненные энергии и грубая самость не может вместить Огни. Так запомним о смирении, когда желаем быть истинными удачниками.

53. Правильно сказали о грубости и насколько бессильны тонкие энергии против грубости. Никакое построение не может стоять на столбах грубости, потому каждое явление, насыщенное грубостью, не будет прочным, регресс неминуем. Полный распад будет там, где червь грубости разъедает основу. Каждое человеческое деяние подвергает-

ся той же опасности. Грубое действие может быть покрыто тысячью вожделений, и не скрыть его от рекордов пространства. Каждое государство должно заботиться об искоренении этого ужаса. Каждая община должна бороться с этим бичом. Никакое тесное общежитие не может иметь явленную грубость в своей среде. Народ, воспитанный на грубости, должен будет пройти огненную трансмутацию, и допустивший такое разложение будет кармически ответственен. Также и общинники, которые пребывают в грубости, должны будут пройти через особое очищение. Но, конечно, грубость есть ужасная зараза, которая развивает разложение в окружающем. Так государство не может преуспевать, будучи рассадником микробов грубости. Также общинник не будет истинным удачником, если грубость одержит дух. Так запомним в строительстве на пути к Миру Огненному.

54. Поясним, как принять понимание терпимости. Когда Мы говорим о высшей терпимости, значит Иерархия может являть снисхождение, ибо сердце Иерарха всевмещающе, оно все чувствует, и знает все импульсы, намерения, и взвешивает все хорошее и дурное. Своим снисхождением Высший Дух спускается в сферу сознания ученика и своим снисхождением и терпимостью подымает ученика. Но не так нужно принять указание о терпимости общиннику. Терпимость для ученика, который являет нетерпимость к окружающему, не может называться снисхождением. Когда ему указывается на развитие этого чудесного качества, значит, он прежде всего должен изъять осуждение. Указание на терпимость не значит всегда начальствовать над общинником-собратом; не значит, что дух на таком уровне, что может осудить окружающих. Указание о терпимости прежде всего должно пробуждать в ученике понимание, что дух должен освободиться от самости, ибо самость порождает самые страшные уродства. Так только дух ученика, освободившегося от самости, может являть снисхождение. На пути к Огненному Миру нужно понимать истинное значение терпимости.

55. Дерзание духа есть начало восхождения. Явление истинного дерзания указывает духу как утверждение мерила всех действий, так и направление, ибо дерзание не допускает малодушия. Дерзание искореняет все попытки предательства. Кто познал в духе истинное дерзание, тот знает красоту Служения. Дерзающий знает путь достижения и не страшится ничего. Жизнь его полна преданностью Иерархии. Каждый общинник может подумать о красоте огненного дерзания, ибо оно освобождает дух от всех житейских оков. Дерзающий не страшится явления одиночества, ибо в духе чувствует связь с Иерархией Света. Дерзающий знает, что радость духа заключается только в достижении. Не нуждается дерзающий в человеческих признаниях, ибо его достижение есть венец, сплетенный трудом и устремлением. Только герои духа знают истинное достижение. Так дерзающий будет освобожден от самости. Он знает истинное Служение на благо человечества. На пути к Миру Огненному запомним о дерзании.

56. Никакое продвижение невозможно, никакая строительность невозможна без самых мощных затрат энергий со стороны Иерархии, когда общинники запыляются личными чувствами. Общинники должны помнить первый закон, который утверждает первую ступень — изъятие чувства личной мести, ибо чувство мести есть мощное проявление беспринципности самости. Из личной мести общинник поступится величайшей ценностью. Когда общинник забывает ради самости, какое утверждение нужно усмотреть в духе своем для того, чтобы не забыть Служение, ущерб бывает неизгладимым. Примитивный человек жил и веровал местью, но сознание расширилось и не может человек пребывать больше в тех черных понятиях. Ибо знающий значение Кармы может понять, что человек мстит лишь себе. Не утвердится общинник самостью и посягательством на сердце близкого. И не навязывать уважение, но заслужить его должен общинник-удачник. Царь духа должен прежде всего проявляться в тесном кругу жизни. Рост размеров идет изнутри, и дух может облечься во все венцы человеческой славы, но все же остаться нищим. Так пусть запомнят больные самостью и самомнением. На пути к Миру Огненному эти цепи не приличествуют.

57. Если человечество отнеслось бы ко всему положительному с таким же вниманием, как и ко всему отрицательному, то многое могло бы быть выявлено в Космическом Строительстве. Например, мании, одержание и худой гипноз вошли в сознание, если даже только отчасти, но все же они привились. Но мало осознаны положительные явления. Принято думать, что люди, действующие под силою мании и одержания, всегда приобретают силу действия, но как же нужно направить сознание ко всему мощному влиянию духа! В обиходе нужно применять понятие магнетизма духа. Все отрицательные силы несравнимы с мощью магнита

духа. На пути к Миру Огненному нужно научиться ценить магнит духа.

58. Уровень сознания человека может легко обновиться, если дух проникнется бóльшим уважением к Миру Невидимому. Все отрицания происходят от разрушительных мыслей о Незримом. Если бы люди привыкли думать о Тонком Мире и великом магните духа, то каждый дух понял бы, как важно следить за профилактикой ауры. Когда принято считать все проявления магнита духа за внушение, то, конечно, теряются самые мощные действия человека. Именно не внушение, не гипноз проявляют вожди духа; и не иллюзия есть великая вера в Иерархию, но жизнь Тонкого Мира. Явление последователей и учеников есть последствие магнита духа Иерарха. Так напомним всем малодушным и одержимым, которые не брезгуют употреблять кощунства и предательства. Нет явления хуже непонимания Иерархических Начал Бытия. Явим понимание магниту духа на пути к Миру Огненному.

59. Самый распространенный культ есть культ Себеслужения. Поборники этого культа не остановятся ни перед чем, и виды их посягательств так же разнообразны, как и многочисленны. В кривых зеркалах этих поборников зла можно наблюдать, как уродливо преломляются благие начинания. Воистину, ни чем не поступятся поборники Себеслужения, начиная с мельчайших поступков, угождающих самости, и кончая разграблением даров Высших. Проявление Себеслужения может проявиться самыми нежданными следствиями, например, лженаследник наложит veto на пространственное решение. Не перечислить проявлений всех искажений Себеслужением. Кто же берет на себя жертвенный труд? Тот, кто заменяет Силы Небесные на Земле. Тот, кто знает огненный культ самоотречения. Тот, кто знает Космическое Служение. Общинник, яви понимание губительности Себеслужения. Так пусть запомнит общинник-удачник на пути к Миру Огненному. Жертвенный труд есть венец духа.

60. Религия и наука не должны расходиться в своей сущности. Тонкое изучение материи и атома приведет к заключению, что жизненная энергия есть не электричество, но Огонь. Так наука и религия сблизятся на одном принципе. Материя утверждается как огненная субстанция, и каждый мыслящий дух не будет отрицать силу высшую, которая есть Огонь. Наука не может разрушить понятие божественности Огня, так же как религия не может

наложить запрет на тонкие анализы, являемые наукой. Таким образом, утвердятся понимание и гармония понятий религии и науки. Можно провести такую тонкую параллель между наукой и религией, которая усмотрит все высшие стадии, потому так важно, чтобы ученые обладали тонким оккультным восприятием. Но лишь тонкий организм может обладать этим божественным чутьем, которое не развивается извне, но изнутри. Потому все великие открытия для блага человечества не будут исходить от огромных лабораторий, но будут находимы духом ученых, которые обладают синтезом. Мы, Братья Человечества, видим последствие, которое направит все изыскания по правильному руслу. Конечно, не всегда дар синтеза дается, но те самоотверженные сподвижники, которые обладают синтезом, не нуждаются в специальности. Мы видим и предсказываем великие следствия от синтеза духа сподвижников. На пути к Миру Огненному нужно чтить Носителей Синтеза.

61. Устье реки кормит много русл. Устье свои воды получает с гор и посылает по всем каналам и пополняет моря. Часто устье сокрыто и невидимо; часто устье незаметно и узко; часто оно под землею, и, в каких бы формах ни было устье, но оно питает потоки моря. Самое близкое понятие этого в жизни может быть сердце, которое также близко синтезу устья, хотя и не всегда проявление синтеза видимо. Хотя синтез и кажется непроявленным, но, так же как нельзя остановить мощь течения устья, так же нельзя остановить творчество синтеза, ибо питание синтеза происходит путем тонких энергий; и истечение тонких энергий синтеза происходит самым тонким процессом. Делимость духа может лучше всего показать этот тонкий процесс. Делимость духа связана с делимостью энергий и на высокой стадии может явить делимость центров. Одна группа центров действует на земном плане, другая отдает тонкий флюид Миру Огненному. В трансмутации центров нужно всегда иметь в виду эту мощную делимость духа.

Велика работа тонких энергий центров и никогда не может остановиться. Можно лишь заменить один процесс другим. Когда высокий Агни Йог отдает свои энергии на труд великого космического строения, то в этой отдаче содержится великая огненная трансмутация. В таких случаях явления на физическом плане не могут выражаться ярко и высокий Агни Йог может прислушиваться к мыслям своим, ибо сознание будет нести отпечатки Тонкого Мира и работы в нем. Эти мысли как бы воспоминания творческой работы центров и духа. Говорят, что мысль вдруг осенила, но Мы скажем — дух вспомнил. Так можно утвердить работу великого Агни Йога. На пути к Миру Огненному нужно запомнить, что синтез есть устье, специальность есть русло.

62. Что принято называть воображением? Обычно люди принимают воображение за выдуманные образы, но воображение имеет свои различия и свои корни. Можно найти основание воображения в «Чаше», как отложения многих жизней. Но воображение питается не только воспоминаниями прошлых жизней, но и действием настоящего. Когда дух участвует в Дальних Мирах, или в Тонком Мире, или в Астральном, то часто воспоминание переживания отражается как воображение. Часто ученые получают формулы или направление именно через общение с Тонким Миром. Мысль и устремление также возжигаются Тонкими Сферами, но только дух, обладающий синтезом, не только берет из сокровищницы «Чаши», но он есть истинный сотрудник космических сил. Сколько необъяснимых причин неутолимого воображения и сколько необъяснимых явлений сердечной тоски! Обычно когда затрачиваются силы на строение и делимость духа активна, сердечная тоска неминуема. Кроме того, сердце является самым мощным резервуаром для помощи другим. Ясны примеры великих подвижников, которые питали всеми своими токами и далекое и близкое. Агни Йог является таким мощным питателем. На пути к Миру Огненному будем чутко и бережно относиться к сердцу, которое знает огненную тоску.

63. Истинно, Божественная Сила нисходит на Землю и божественное в духе человеческом устремляется ввысь. Это Божественное Общение есть явление союза Миров, союза Духа, союза Кармического. Много общений можно проследить на плане земном. Много Божественных Искр рассыпано, но есть Божественное Общение, которое вечно. Источник Общения Вечного — дух и действия, связанные мощным явленным Законом Космическим.

64. Когда Божественное соединяет сферы, все энергии являют максимальное нагнетение. Все великие события могут проявиться лишь при нагнетении. И все космические трансмутации, как физические, духовные и планетные, могут утвердиться лишь, когда все огненные энергии восприняты. Можно научно проследить, как нагнетаются все события, как утверждается Свет и тень. Если человечество недостаточно проницательно понимает путь Блага, то хотя

бы по явленным деяниям зла можно указать на великий Подвиг и Битвы. Действительно, можно изменить путь Блага по деяниям тьмы! Одно осознание равновесия должно направить человечество к пониманию великого Космического Закона. Только Союз Великих Высших Сил может дать равновесие. Ведь мы знаем, как притяжение Светил действует, обоюдно нагнетая свои энергии. Мир един, Макрокосм и микрокосм едины. И в том же масштабе, в каком явленный дух напрягает свои силы на разрушение, так же мощно может дух быть создателем, и силы творческие нагнетаются Силами Высших Миров. Так объединен Макрокосм с микрокосмом.

65. Можно весь государственный и общественный строй утвердить на Законе Космическом. Наука дает все направления, и лишь чуткость приложения может открыть столько граней для строительства! Если бы вместо мнимых нововведений и установлений человечество обратило внимание на Законы Космические, можно было бы установить равновесие, которое все больше и больше нарушается, начиная с закона зарождения и до космического завершения. Законы утвержденные едины. На всех планах можно утвердить единство. Путь эволюции проходит, как нить, через все физические и духовные степени. Потому государственный и общественный строй могут применить все Космические Законы для усовершенствования своих форм. На пути к Миру Огненному нужно проникнуться мощью единства в Космосе.

66. Примеряя утверждение Космического Закона к государственному и общественному строению, нужно вспомнить законы притяжения, отталкивания и сцепления. Все строения подлежат одному закону. И располагать людей нужно соответственно с составом аур. Луч, который объединяет явление гармонических аур, приобретает мощь усиленного притяжения. Но несгармонизированное сочетание дает явление отталкивания. Такое сочетание можно сравнить с газами. Так же как несцепленные молекулы давят на стенки сосуда, так же несгармонизированные ауры отталкиваются, и сосуд, который содержит такие газы, лопается. При государственном и общественном строении нужно иметь в виду явление Космических Законов. Две сгармонизированные ауры могут создать Новый Мир. Две сгарманизированные ауры могут быть залогом преуспеяния, ибо реакция от объединения лучей может направить к продвижению каждое начинание. Явим утверждение объединению и сгармонизированию аур. И на пути к Миру Огненному запомним, как мощны лучи объединенных аур. Пусть общинники задумаются над великим законом объединения. Ни самость, ни грубость, ни саможаление, ни самомнение не дадут ничего, кроме отталкивания газообразных веществ.

67. Смысл жизни утверждается в сознании человеческом, когда явлено понимание роли человека в Космосе. У нас мир намечается как поле действия во имя Блага человечества. Когда дух принимает истину, что Макрокосм и микрокосм неразрывно связаны, то устанавливается связь сознательная и сотрудничество становится возможным с космическими энергиями. Но как беспомощны люди, когда они ведут образ жизни, отделенный от космических течений! Конечно, жизнь преображается, когда дух восходит сознательно, понимая начало ведущее — Иерархию. Лишь когда чувство утвердится сознательно на понятии ведущей Иерархии, человечество почувствует свою истинную роль в Космосе. Каждое звено связано со своим звеном, ведущим кверху. Как бедно человечество, когда в сознании не утверждается понятие великих Космических Законов! Лишь творчество явленного духа приблизит связь между мирами. На пути к Миру Огненному запомним о связующем законе Иерархии.

68. Дух, покидающий Земную сферу, напрягается в сознании тех достижений, которые господствовали в его жизни. Жизнь человека имеет как бы свои лейтмотивы, и на этих песнях или плаче дух напрягается. Достижения духа ведут ввысь, и расставание с Земной сферой — всегда радость для духа, который познал Свет подвига Служения. Даже при физических болях дух превозмогает все земные недуги. При отрыве от Земли утверждается связь с Мирами Высшими, к которым дух стремится. Лестница восхождения состоит из преданности Иерархии. Но дух, пребывающий в границах самости, не имеет другого пути, кроме печали, отрыв тогда страшен, и дух надолго привязан тогда к Земной сфере. Много сердец устремлено к Мирам Высшим, которые познали мощь Служения. Луч помощи протягивается преданному ученику.

На пути к Миру Огненному запомним об отрыве от Земной сферы с радостью Служения Свету.

69. Правильно мыслить об очищении догм, которые уводят справедливое мышление. Понятия Чистилища и ада может быть заменено понятиями утверждения жизни Мира Огненного. Нет более мощного Чистилища, нежели жизнь земная, если напряжены все потенциальности духа. Также

нет мощнее ада, нежели земные заразы духа. Утверждать Чистилище на Земле как ведущее начинание к Миру Тонкому и Огненному есть задача очищения сознания. Все устремления человечества к знанию Невидимого Мира должны побудить сознание к принятию мышления очищения, которое продолжит путь земной к Миру Огненному. Ведь лишь понятие единства пути заставит людей жить Красотою и умирать как путники, продолжающие свое странствование. Когда Мир поймет эту неразрывную связь с Тонким Миром, Чистилище примет тот же образ Вечной Истины. Потому так важно утвердиться в понимании нескончаемости жизни, как бы продолжения великого Колеса Жизни. Явление накопления «Чаши» дает великую мощь духу в Мире Огненном, как и путь мрака дает свое мрачное существование.

Направим мысли людей к Чистилищу на Земле.

70. Как чудесное отражение Высших Сил является сознание, устремленное Иеровдохновением. Как чудесный отзвук есть слух сердца. Как сокровенный Источник нужно понимать дух, который утверждается как истинный сотрудник и помощник Космических Сил. Есть много каналов, которые могут звучать лишь одной струной. Видим, как одностороннее мышление воспринимает лишь те токи, которые согласуются с сущностью канала. Видим, как нечистые каналы наносят разные заразы. Видим, как заполняются страницы и записи самообольщением. Видим, как утверждают за собою Право Космическое. Видим, как обходят и посягают на Огненное Право. Наравне со Скрижалями чистого духа в пространстве носятся вихревые кольца разрушения. Наряду с огненными сердцами, Мы видим целые стада самообольщенных, и по Закону Космическому невозможно остановить руку Кармы. Каждое малое сознание прежде всего приписывает себе царственный дух. Скорбно глядеть на рекорды земные. Каждое огненное сердце направляется к омовению рекордов.

Так запомним на пути к Миру Огненному.

71. Среди Огненных Служителей человечества следует отметить особенно тех, кто берет на себя жертвенный труд. Дух этих Служителей человечества как огненный факел, ибо в своем потенциале этот дух заключает все свойства, которые могут вознести человечество. Лишь мощное сознание может взять на себя жертвенный труд. Каждый труд Служителя Человечества отражает качество духа. Если дух назначается как великий Служитель Человечества, то в нем заключается весь синтез. Но как мало знают люди о тех

Огненных Служителях, которые добровольно утверждаются в одиночестве, служа великой насыщающей Силой Вселенной. Сколько мощных проявлений можно отметить на каждом личном подвиге! Принявшие на себя жертвенный труд знают, как Сыны Разума являют свои труды тоже жертвенно. Каждое проявление Огненного Служителя человечества есть творчество на Благо человечества. Нужно утвердиться в понимании жертвенности. Служитель Огненный заключает в себе каждый благой порыв, каждое устремление к исполнению мощной Воли Сынов Разума. Но силы Служителя Огненного нужно хранить.

На пути к Миру Огненному утвердимся в понимании жертвенного труда.

72. Именно дух человеческий есть проводник всех высших энергий. Как мощный провод, дух являет разные функции для утверждения явлений Высшей Воли. Как же иначе связать все проявления на разных планах? Лишь утверждения духа могут являться звеном. Потому сердце и рука Учителя водящего усматривают все факторы, которые необходимы для восхождения. Среди огненных понятий нужно особенно чуять величие звена, которое может связать миры. Из рук Учителя водящего ученик получает напутствие к приобщению к мощи Огня. От сердца Учителя водящего общинник получает огненное сознание. Только дух человека может, истинно, связать миры. Так на пути к Миру Огненному явим огненное почитание земному Учителю, который закладывает зерно всего Высшего.

73. Зерно, которое передает жизнь мощную духу, есть, истинно, то наследие, которое передается Иерархическим Началом. Все желающие утвердиться в понятии достижения должны неотложно примкнуть к принципу Огненного Руководства. Зерно передается как великое огненное приближение. Путник, который осознал удел огненного подвига, должен осознать закон космического наследия. Космические Законы утверждаются на основе жизни, и ничто не будет животрепещущим, когда основа его не насыщена Огнем. Лишь тот, кто может устремиться к огненному принципу, поймет Красоту огненного восприятия Огня. При осознании объединения с Высшими Силами можно проследить, как сердце вбирает Лучи Иерархии. Лишь самые близкие могут созвучать на Лучи, которые утверждают вибрацию огненную. В передаче и в восприятии нужно помнить закон, что каждая вибрация может приниматься духом, стоящим на самой огненной ступени. На пути к Миру Огненному нужно

запомнить, как явление передатчика связывает свои энергии с Иерархией. Такое понимание приведет к единению духа, единого в своей сущности.

74. Среди последователей Учения нужно особенно отметить духов, которые берут на себя ответственные поручения. Как ответственнее нести синтез в сравнении со специальностью! Утвержденный водитель знает все радости, все вмещения синтеза, но в то же время он знает ношу всех проявленных и непроявленных огней. Эти вековые наследия отлагаются в «Чаше» как огненные наслоения, потому несущие огонь синтеза уявляются как несущие бремя веков. Ибо специалист, имея постоянный канал для отвода своих энергий, редко обременен, но несущий огонь синтеза есть бушующий океан энергий. Карма несущего синтез так прекрасна, но ноша велика. Каждое наследие, даже если непроявленное, живет и трепещет в духе. Чувство неудовлетворенности и устремления к совершенствованию отличает носителей синтеза. Как бы путь специальности ни был труден видимо, путь носителя синтеза превосходит во всех условиях путь специалиста. Сколько исканий и самоотверженных подвигов являет носитель синтеза в жизни каждого дня. Истинно, каждое условие роста пути носителя синтеза есть подвиг духа. На пути к Миру Огненному нужно распознавать подвиг огненного носителя синтеза. Так запомним.

75. Самый мощный показатель подвига есть самоотверженность. Конечно, нужно понимать это космическое понятие во всей его красоте. Не только на поле битвы дух украшен мощью самоотверженности. Пройти путь жизни стремительно, пройти все жизни по струне, пройти все пропасти с песнями может лишь дух самоотверженный. В огненном устремлении слагаются все построения, которые следуют своему космическому назначению. Проследим жизнь героя духа. С малых лет дух знает Водителя Высшего. Явление сокровенного Хранителя есть жизненный удел. Преимущества физические и духовные не затемняют сознания. Самообразование есть явление синтеза. Сознание своего превосходства дало духу твердость и терпимость к среде. Все явленные таланты выявлялись во вдохновении имущим и неимущим, ищущим и осиянным. Герой духа знал Покровителя Высшего, потому давал мощь другим. Высший закон направил к Рулю, и видимо-невидимо стал он героем огненным. Так шел мощный «Лев Пустыни». Так укрепился великий закон самоотверженности. Устремление к высшему мощному сотрудничеству дало прямой контакт с силами космическими и с Высшим Огненным Братством. Эта прямая связь далась только Высшим Назначением. Когда среди дебрей жизни дух знает направление, то, истинно, созвучат миры. На пути к Миру Огненному явим понимание истинному самоотвержению.

76. Явление разрушения многих стран напрягается мощно, вся земная битва сопровождается мощными Битвами на Высших Мирах. Все, кто знает значение народной Кармы, могут осознать происходящее. Нужно задуматься над теми событиями, которые потрясают Мир. Легко убедиться, как темные тучи покрывают многие горизонты. События в каждом уходящем строе указывают на то будущее, которое сменит настоящее. Космический Магнетизм очищает и собирает новые силы. Тени мрака над смещаемыми странами. Где не установится равновесие в продолжение короткого времени, там соберутся тучи, которые решат судьбу темных стран и их водителей. Народная Карма напряжена на Западе и на Востоке. С Севера идет Новый Свет. Юг трепещет от огня подземного. Так решится Карма народов. На пути к Миру Огненному запомним, что народная Карма разрешается мощными событиями.

77. Не случайно говорят о странных случаях воздействия жизненных эманаций всех окружающих предметов. Старинный обычай Индии — строить для каждого наследника новый дворец — не без глубокого основания. Если бы можно было представить себе, сколько кровавых теней вокруг многих престолов, сколько ужасов вокруг портретов предков, сколько слез на ожерельях, сколько призраков на стенах, то человечество прониклось бы уважением к эманациям. Ведь кроме физических воздействий эманаций их психическая энергия или созидательна, или разрушительна. Как может Правитель новый идти путем новым среди удушения мрака прошлых эманаций?! Много бедствий причиняют эти наследия прошлого. Древние законы предусматривали не только загробную жизнь, когда хоронили с достоянием. Древняя мудрость предусматривала очищение пространства. Египет знал силу закона эманаций. По событиям и последовательности исторических фактов можно легко убедиться, как протекали разрушения под влиянием эманаций. На пути к Миру Огненному нужно явить бережность и глубокое распознавание эманаций. Как важно охранить каждое благое наслоение!

78. Нужно очень тонко разбираться в понятии традиций. Если это понять как наслоения от предков, то, конечно, мы

придем к тем же эманациям, которые излучались от всей среды; традиции тогда будут заключать в себе все печати времени. Но для эволюции нужно постоянное обновление и расширение. Правильно мыслить о спирали, ибо вечное нарастание утверждает Беспредельность. Творчество напрягается в постоянном обновлении, и Беспредельность сияет именно творчеством разнообразия. Так традиции не могут рассматриваться как принцип руководящий. Обычно утверждаемые людьми так называемые традиции вырождаются в обычаи. Обычаи переходят в привычки. Итак, привычки будут выражать все наслоения прошлого. Потому, веря в Мир Огненный, нужно принять все обновление как движение мощного времени в эволюции. Так традиции идут с преходящим временем, но вечное дыхание движения ведет к Беспредельности. На пути к Миру Огненному запомним о насыщении пространства великими мощными энергиями.

79. Формы жизни есть печать духа народа. Можно судить об упадке или восхождении народа не только по историческим фактам, но и по выражениям творчества. Когда духом овладеют грубость и невежество, то все выражения будут соответствовать установлениям жизни. В этом единении можно проследить все основные черты времени. Конечно, формы жизни дают всю окраску периодам истории. Чем отличаются первые три десятилетия двадцатого столетия? Войны, ужасы, жестокости, огрубение и самые страшные отрицания! Но можно распознать среди этого мрака формы Света. Пусть они меньше числом, пусть они разбросаны по коре Земли, но равновесие Света устанавливается не численностью, но потенциалом, не скученностью, но доблестью духа. Так на пути к Миру Огненному проникнемся значением великих форм и почтим особенно свет очей, которые несут человечеству мощь Красоты.

80. Есть много признаков, по которым можно судить о верности ученика. Первый признак — неотступность, являемая учеником на всех путях. Когда ученик являет среди бури и вихрей свою незыблемость, когда среди подкопов и града камней не страшится продолжать назначенный путь. Другой признак есть несломимость веры, когда путь, указанный Иерархией, есть единый. И еще среди признаков верности можно отметить, как развиваются взаимоотношения. Нужно понять, как важен нуклеус из двух-трех явленных сотрудников, скрепленных огненным уважением к Иерархии и друг к другу. По этим знакам можно определить огненную верность Иерархии. Верность между друзьями-

сотрудниками есть залог преданности Иерархии. Нуклеус из двух-трех друзей-сотрудников может явить самую мощную опору великим делам. Вы сказали правильно о заслуженном фаворитизме, который Мы именуем узами духа и сердца,— так утверждается цепь верности, которая ведет неминуемо кверху. На пути к Миру Огненному нужно осознать красоту верности. Этот чудесный путь исключает тот губительный яд, который Мы называем духовным взяточничеством и духовной подкупностью. Эти язвы несравнимы с земными, физическими язвами. Итак, будем ценить верность на пути к Миру Огненному.

81. Усмотрим, как действует провод только что вступающих на путь Служения. Сперва они устремляются к невидимому, неведомому Свету, все чаяния напряжены, все искания явлены, и огненно устремляется дух. Затем провод утверждается как личное искание, затем следует туча сомнений и устремлений, но когда дух может превозмочь все нашествия темных, то залог устремления и восхождения может утвердиться. Так нужно запомнить водителям духа. Не так страшны бывали явные враги, как подошедшие к Свету, ибо когда не осознаны ужасы сомнения, то и путь Света не осознан. Именно нужно осознать весь Свет, чтобы распознать голоса Света от нашептываний тьмы. Каждый знает, как можно оборониться от врагов: кто являет самооборону, кто предусматривает опасность, кто являет битву врагу. Но пути новоподходящих к Свету должны быть очень направляемы и блюдомы, ибо, когда сомнения не изжиты, нужно устремлять дух к пути Света. Именно, как сказала Ур., нужно все поставить на карту. Так запомним на пути к Миру Огненному.

82. Путеводная Звезда есть Карма, утвержденная действиями многих жизней. Каждый путник знает, как трудно переплыть океан и перепрыгнуть бездну. Путеводная Звезда будет тем челном, который перевезет на другой берег среди бушующих стихий. Можно проследить, как ведет Путеводная Звезда и где тот берег, который примет путника. Кажущееся благополучие не есть челн; среди вихрей жизни не устоит благополучие, ибо утверждение Путеводной Звезды принимает все основы Кармы. Кармические основы жизни будут утверждаться на незыблемых началах, и все творческие накопления будут являть свои насыщенные токи. Путеводная Звезда зажигается каждым излучением, которое жизнь являет. Путеводная Звезда заключает в себе излучения зерна духа. Путеводная Звезда живет каждый миг,

в ней как бы отражение всех жизненных энергий. Дух человека отражает в себе свою Путеводную Звезду. На пути к Миру Огненному запомним путь, явленный Силами Света. Так запомним Путеводную Звезду.

83. Мосты между Мирами отражают все энергии, которые насыщают жизнь Вселенной; по этим проводам текут все жизненные токи как обоюдные насыщения. Там, где есть напряженная деятельность духа, там обмен энергий устанавливается очень усиленно. Можно принять формулу параллельного движения, которая усматривает мощные посылки Земли и обратно. Потому сферы Земные, которые заражены удушающими газами, не могут пропускать токи огненные. Нередко можно усмотреть, как полоса Земная как бы предоставлена своему собственному разложению. Это явление есть уничтожение полосы своим собственным газом. Надземные слои не могут иметь жизненного обмена, и как следствие этого утверждается самоуничтожение. Так в наслоениях сфер имеются все энергии жизни и смерти. На пути к Миру Огненному примем во внимание явление обмена энергий.

84. Для лучшей ассимиляции высших энергий надземных сфер нужно одухотворить центры. Оставляя Земную сферу, дух должен очиститься от низших эманаций. Всякая ненужная шелуха, которую дух приносит с собою в Тонкий Мир, являет ему невыразимые боли. При довольно развитом сознании происходит очищение, которое освобождает дух от шелухи. Но дух, который ревностно оберегает свои земные привычки, испытает в Мире Тонком все недуги, которые он привык переживать на земном плане. Идя в гору, каждая лишняя нагруженность причинит одышку в Мире Тонком. Особенно тяжко нести неизжитое, которое в Тонком Мире является грузом. Труднее всего ощущать свою грубость. Даже в низших слоях надземных ощущается тяжесть от своих огрублений. Часто слышатся вопли с надземных слоев, то есть взывания неочищенных духов о тягости. Невозможно засорять Мир Тонкий с такою же легкостью, как земной. И грубые накопления образуют как бы нестираемые наслоения, которые всегда видны. Так одухотворение центров есть восхождение в Высшие Сферы. Это размышление необходимо на пути Огненном.

85. Соответствие нужно понять как соединение Миров. Не может быть дано и принято то, что не соответствует друг другу. Мир надземный отражает все земные эманации. Не нужно заблуждаться в размышлении об облегчении в сфе-

рах надземных — там, где все тонко, все обостряется. И закон соответствия нужно понять как основание сношений между Мирами. Тоньше и чувствительнее кверху и грубее и нечувствительнее книзу. Так формула сношений между Мирами должна быть понята как соответствие. То, что дух переносит с легкостью в сфере Земной, может быть невыносимо в Мире Тонком. Если в устремлении дух утверждает свой потенциал, то в Мире Тонком дух насыщается всеми тонкими энергиями. Так, например, дух, напряженный в истинном искании, но не нашедший применения своему чистому исканию, найдет полезное творчество в сферах тонких. Так соответствие руководит всеми напряженными энергиями. Печально существование тех, кто одолевается чувствами низкими. Грубость, самость, самомнение и некоторые другие отмеченные человеческие черты проявляются на сферах надземных как страшные кармические удары. На пути к Миру Огненному запомним соответствие как великий закон.

86. Огненное Крещение устремляет дух в сферы, которые соответствуют духу. Прохождение человека через огненную трансмутацию дает ему все возможности для достижения Высших Сфер. Там, где все напряжено стихией Огненной, нужно быть насыщенным для ассимиляции высшим Огнем. Так нужно принять торжественно все ступени Огненного Крещения. Каждая ступень даст открытие новой надземной сферы. Карма народа может тоже пройти через огненную трансмутацию, являя шествие по назначению. Все последователи Владык напрягаются в этом Великом Шествии. Конечно, когда наступит час земной и надземной Битв, Силы обеих сторон объединятся в пламенном напряжении. Здешние и потусторонние энергии являются искрами Единого Огня. Так каждое действие, устремленное ко Благу, находит свои огненные применения в Мире Тонком. Часто можно объяснить равновесие именно соединением двух Миров. Среди земных разрушений можно принять мощь Мира Тонкого как спасительный якорь, посланный Иерархией Блага. Явим понимание Крещения Огненного на пути к Миру Огненному.

87. Истинно, Невидимый Мир поясняет все видимое. От Непроявленного к Проявленному, от Проявленного к Тонкому. Так все энергии насыщаются Единым Огнем. Так трансмутация проявленного Огнем есть вечный процесс эволюции Миров. Все действия, не видимые на Земле, так же жизненны, как каждый земной процесс, и могут утвердить связь

Миров. Часто недоумевают те, кто приблизился к Свету, почему не прекращаются тяжелые испытания. Можно ответить, что каждый процесс вызывает в Мире Невидимом напряжение, явленное Силами Света и полчищами мрака. Человечество является тогда полезным проводником, когда сила духа может притягивать Мощь Света. Но нелегко духу шаткому побороть полчища тьмы. Так запомним на Пути Огненном, что дух вызывает Силы из Мира Тонкого и из разных сфер.

88. На ступенях огненного сознания особенно ярко ощущается космическое одиночество. Когда дух знает все беспредельные радости Мира Огненного, но пребывает среди бури земной, он особенно чует несовершенство, которое облекает земные слои. Космическое одиночество есть чувство «Льва Пустыни». Отрыв от Земли духом являет все признаки космического одиночества. Так, когда Миры объединяются в сознании огненном, трудно не чуять все острые явления Земных сфер. Правильно сказано, что дух может жить без тела, ибо искалеченное тело может заключать светлую душу, но тело не может, несмотря на все внешние совершенства, заключать дух, который не соответствует накоплению прошлого. Правильно, что часто болезни есть благо, ибо они сближают дух с Тонким Миром. Так каждое явление основано на двух началах, которые отвечают измерению Тонкого и земного Мира. Конечно, эти измерения бывают часто обратно пропорциональны. На пути к Миру Огненному запомним, что измерения событий нуждаются в тонком понимании.

89. Сроки планетные соответствуют всем срокам надземным. Мрачное состояние планеты требует всех сил для утверждения равновесия. Легко явить мышление о будущем, когда дух знает связь двух Миров, когда дух может преуспевать в своих устремлениях к Миру Огненному. Нет такого углубления, которое не открывало бы духу простор утвержденного будущего. В Мире Тонком идут события, которые помогут выявлениям на Земле. Особенно напряжены слои, близкие к Земле. Целые Воинства собираются для событий. Целые народы ополчаются против сил разрушения. Мир Надземный не оставит планету без помощи. Так и Матерь Мира, и Иерархия Блага, и Наместники Огненные собирают свои станы. Истинно, великое время, решающее земную участь,— Силы Небесные насыщают пространство — так запомним на пути к Миру Огненному.

90. Трудно насытить сознание тех, кто думает, что путь

каждого может пройти без Высшего Водительства. Каждый из этих малодумов не принимает Иерархию, ибо считает утверждение Водительства как насилие воли. Среди них есть много явленных безбожников, которые считают злокачественной огненную веру в Высшее Водительство. Можно проследить, как извращаются все принципы Иерархии. Как можно просветить сознание, когда дух разъединяется со Светом и утверждает свою ограниченную жизнь? В строении огненном нужно чуять этих ограниченных тушителей Огней. Сознание есть явление жизни, потому каждое мысленное строение приносит свои формы. Именно Мир Тонкий создается всеми соответствиями Космического Творчества. Сферы надземные ярко отражают земную сущность. Явление ответственности перед Космосом должно утвердиться в сознании человека. Так на Пути к Миру Огненному устремимся к осознанию ответственности за создание форм.

91. Дерзание — подвиг Красоты, который венчает Служение. Венец есть явление Космического Сближения. Основание Космического Сближения может утвердиться как сочетание Высших Сил. Великий Венец уготовляется для чела, которое украшено тысячелетними подвигами самопожертвования. Венец подвига сплетается сердцем, и окрыленный дух творит свою возносящую Карму. Трудно просачиваются искры творчества пути Кармы, и еще меньше понимается Истина Кармического действия. Не извне приходит то, что принято считать Кармой. В каждой клеточке заключена Карма, дух несет свое достижение и свой доспех.

Солнцеподобная Карма будет заключать все пламенные подвиги. Творчество такого солнцеподобного сердца вмещает в себе именно все боли и борения духа. Но солнцеподобное сердце сознает принадлежность к течению Космического Сознания. Венец солнцеподобного сердца есть, истинно, пламенный подвиг.

92. Принципы Добра и Зла повторяются на всех планах с той разницей, что, продолжая линию в сферы Тонкого Мира, все выражения обостряются. Лишь принципы строительства дают духу ту равнодействующую силу, которая утверждает сознательное устремление к добру. Слуги тьмы неминуемо будут притягиваться к низшим слоям. Старинные Заветы говорят о пребывающих в Царстве Духа и о живущих под землею. Могут изумляться, почему земные слои и сама Земля обитаема силами зла? Именно притяжение книзу объясняет эти полчища. Каждое устремление к Ми-

ру Огненному удерживает дух в Тонком Мире, но Духи — Носители Света, преисполненные самопожертвования, стремятся к Земле для спасения. Есть на Земле целые страны, которые насыщены разрушителями. Земля соответствует своими отравленными эманациями этим темным исчадиям, потому не удивляйтесь, что части света заселены существами зла.

93. Строительство новых оснований будет заключаться в установлении равновесия, в установлении координации между наукой, искусством и жизнью. Равновесие нуждается в просмотре всех утверждений. Так, Мир нуждается в великом явлении равновесия. Координация утверждается на новом понимании всех тонких начал Иерархии. Даже можно предвидеть, как произойдет трасмутация всех утверждений, как в науке не будет больше разделений между духом и материей, и именно можно будет строить на новых принципах, когда духовное и физическое будет объединено. Можно овладеть знанием тела посредством координации центров, их функций и качеств. Такое объединение всех функций приведет к знанию настоящей жизни. Например, можно изучать различные отложения почек и функций глаз. Можно координировать все функции органов, которые являют двойные разветвления. Можно сопоставлять органы, которые действуют одним каналом. Можно убедиться во многих объединениях функций, которые очень показательны. Так новые построения имеют свои великие принципы и намечен великий подъем в Мире знания. Так огненные Носители Синтеза несут благо и счастье Миру. На пути к Миру Огненному запомним о великом утверждении равновесия и координации.

94. Бездна может быть преодолена разными путями. Мужество перед разверзающейся бездной достигается, именно когда дух ставит все на ставку. Правильно, что закалять дух можно лишь в жизни. Преодоление жизненных трудностей принесет духу свою искру. Духовные преодолевания так трудны! Физическое тело переносит лишения как самоудовлетворение, но дух овладевает трудностями. И духовные огненные борения могут вознести на бо́льшую высоту. Так устремимся к духовным трудностям! Бездна может разверзаться перед сердцем. Так неумолимо, казалось бы, идет жизненный путь; но сердце, познавшее бездну, познает также и Свет. Ибо, когда явлен предел, можно развернуть Огненную Беспредельность. Лишь в цельном устремлении дух может развернуть свои крылья. На пути к Миру Огнен-

ному нужно преисполниться бесстрашием перед бездной. Окрыленный дух знает эту радость достижения.

95. У преддверия перехода в Тонкий Мир происходит разобщение ментала с телом. Развитие огненных восприятий помогает полету в Высшие Сферы. Разобщение ментала может ярко сознаваться духом, который чувствует отрыв от Земли и устремляется в Высшие Сферы; так происходит соединение двух Миров, которое освобождает дух от физического тела. Вопрос смерти очень озабочивает человечество. Именно переход так страшит людей. Можно указать, как чудесно устремляется дух в Тонкий Мир, который понял преходящее существование на Земле. Нужно приготовить сознательно дух к отрыву от Земли. Таким образом утвержденное преддверие раскрывается новоприходящему во всем Огненном величии. Так на пути к Миру Огненному нужно привыкать к отрыву от Земли.

96. Когда дух огненный погружается в сферы надземные, ему не чужды Тонкие Сферы, ибо дух знал явления пространственные. Так новоприходящий может акклиматизироваться в слоях Тонкого Мира. Ощущение радости сопровождает преддверие Тонкого Мира.

97. О последних часах пребывания на Земле следует очень заботиться. Часто последнее устремление может предопределить следующую жизнь, также и слои, в которых дух будет пребывать. Конечно, недопустимо звать в Земные сферы, когда дух уже оторвался. Ткани, которые уже освободились от земного притяжения, напрягаются в страшном усилии, чтобы опять ассимилироваться с земною атмосферою. Нужно приучиться мыслить при уходе так же, как и при рождении, и нужно уметь согласовать приемы. Так же как вредны задержки при рождении, так же вредны задержки при смерти. Тонкое образование нового тела должно быть принято во внимание. Раны, причиненные уходящему, приходится лечить в Тонком Мире. Самое жестокое обращение являют с уходящими. Можно сказать, не смерть мучает, но живые люди. Все, приблизившиеся к Огненному Учению, должны знать об этом. На пути к Миру Огненному запомним о законе, утверждающем последние минуты перехода.

98. Заслуга, как она понимается, должна быть заменена более тонким понятием. Если вместо внешних признаков приучиться рассматривать действительность заслуги по внутреннему качеству действия, то сколько тонких признаков можно будет отметить! Когда дух научается координировать земную жизнь с Высшей, то все измерения принимают другой размер. Жизнь, насыщенная лишь однообразием материального мира, отмерит соответственно и заслугу по своим устремлениям. Но сознание двух Миров утвердит новые измерения. Преходящее не будет фактическим двигателем, лишь стремление к огненному явлению объединяет Миры, и действие будет насыщено соответственно. Сознание устремленного в Мир Огненный насыщается Силою, идущей от Иерархии Блага, но блаженство земное так же быстро разлагается, как и весь преходящий Мир. На пути к Миру Огненному запомним вечно живую энергию Мира Огня.

99. Карма распространяется на все действия, на все Миры. Так же как Карма может ускориться, так же она может удлиниться. Усугубление Кармы отражается не только на следующей жизни, но и все промежуточные состояния будут зависеть от усугубления Кармы. Мир Тонкий настолько связан с земным, что нужно углубить мышление в этом направлении. Понявший смысл связи двух Миров будет беречь свои земные действия. Бережность ко всем энергиям поможет устремленному духу. Главная причина — непонимание истины пространственной жизни: все трансмутируется, все искупается. Правильно указали о Законе Кармы, именно о Законе Кармы в Беспредельности. Именно устремление до Беспредельности и возможности до Беспредельности. На пути к Миру Огненному утвердим сознательное отношение к Закону Кармы.

100. Соучастники Космического строения могут называться истинными Наместниками. Каждая эпоха имеет свих Наместников. Владыка, Богочеловек и Наместник Сил Света составляют ту великую Мощь. Иерархическое начало является основанием всех строений, и для углубления понимания Космического строения нужно утвердиться на осознании явленного закона Иерархии. Силы Иерархии объединены в двух Мирах — Начало Ведущее и Начало, исполняющее Великую Волю, являются единым Источником. На двух Началах Миры строятся. Надземный Мир проявляется посредством земного. Мир земной устремляется в Мир Огненный. Жизнь вечная утверждается в этом огненном объединении, и мощь жизни напрягается в строении огненном. Для тонкого понимания Начала Иерархического нужно вникать в строение Бытия. Воля Высшая давала свои Заветы. Явление Мира Огненного воспринималось Огненными Духами, таким образом обмен происходил, объединяя Миры. Все религии утверждались обменом Сил Огненных. Это

огненное сотрудничество и есть Космическое строение. На пути к Миру Огненному явим понимание Космического строения.

101. Истинно, лишь сердце может вникать во все действия, во все побуждения, во все сущности, являя распознавание. Для проникновения в Мир Огненный нужно особенно распознавать сердцем. Лишь тот источник, который устремлен к основам Истины, может дать понятие истинного строения Космоса. Только тот источник дает правильную меру суждений, который насыщается Огнем тонких энергий. Для утверждения своих сил в Высших Сферах необходимо напрячь силы сердца, ибо нет другого свойства Огня, которое могло бы заменить эти энергии. Сердце так мощно устремляет дух к тонким энергиям. Все Высшие Сферы достигаются напряжением сердца. Этот сокровенный сосуд может открыть все творческие возвышенные сферы. Незаменимы эти сердечные энергии, в них Высшая Воля, истинно, отражается. Творчество сердца можно назвать солнцеподобным. На пути к Миру Огненному устремимся к пониманию сердца как связующему явлению между Мирами.

102. Расположение людей по аурам и взаимопритяжению будет научной истиной, но до научных исследований нужно применить тонкое распознавание. Там, где горит разумение сердца, там будет распознавание. Но где разумение сердца неактивно, там бездействует энергия огненная. Нужно чуять, как около огненного сердца собираются приближенные устремлением к Огненному Служению. Как закон действует притяжение магнита сердца, при этом нужно помнить, что каждая жизнь сердца сближает тех, кто являет сродство духа. Жизнь начавшаяся продолжается в сферах надземных. Там можно легко объяснить каждое кармическое явление. Люди мало задумываются над этим законом; и Мир не столько страдает от разных бедствий, сколько от этого Великого закона, который был сокрушен вторжением человеческих недомыслий. Вторжение в гармоническое постановление всегда проявляется в нарушении кармических следствий. Явление многих неисповедимых бедствий было вызвано кармическими нарушениями. В истории можно проследить, как короли лишались самых верных служителей; как военачальник лишался войска и духовные руководители — своих учеников из-за страшного вторжения в карму связующую. Поразмыслим на пути огненном о неуязвимости кармы для продвижения.

103. Трансмутация центров нагнетает творческие энергии, которые необходимы для перехода в Мир Тонкий. Каждое духовное устремление дает свои отложения, которые принимают вид тонких энергий при переходе в Тонкий Мир. Так важно устремляться в Высшие Сферы. Восторг духа и радость сердца дают те энергии, которые питают тонкое тело. Конечно, только чувство, насыщенное высшими порывами, дает нужные энергии. Нужно понять, что империл и грубые земные вожделения дают свои тяжкие язвы, которые дух должен залечивать в тонком теле. Язвы духа переносятся в Мир Тонкий, если они не изжиты на Земле. Освобождение от физической оболочки не значит освобождение от духовных язв. Когда дух сознает перед отрывом от Земли, как он являл свои энергии, то сознание может искупить многое, но сознание нужно направить к мысли о Высших Мирах. Даже самый тяжкий преступник может быть направлен к пониманию тяжкой кармы, но для этого нужно трансмутировать общественные условия. Так на пути к Миру Огненному нужно приучиться к мысли о трансмутации центров, ибо освобождение от тела не есть освобождение от духовных язв.

104. Силы, явленные для Служения Свету, не вторгаются в Карму, как думают некоторые, не посвященные в мощь Кармы. Силы Света наблюдают за действиями человеческими, давая направление, но не вторгаясь в жизнь. Примеров тому много. Вестники появляются, предупреждения посылаются, дается направление и указываются пути, но выбор назначенных утверждений напрягается волей человеческой. Таким образом, явление кооперации двух Миров насыщается этими понятиями. Именно самодеятельность духа может приблизить к лучшей Карме. Тем же можно объяснить, почему Силы Света не останавливают дух от разных действий, которые часто нарушают назначенное. Недоумевают часто: почему не указывают разные пути? Недоумевают также; почему через разные каналы утверждаются Послания? Недоумевают: почему Силы Света не предотвращают разные течения? Ответим — Силы Света никогда не вторгаются в кармы человеческие. Этот закон нужно помнить на пути к Миру Огненному.

105. Закон свободной воли часто не позволяет Нам указывать явление, которое кажется неясным. Этот же закон указывает Наши скрещенные пути, когда свободная воля устремляет сердце навстречу сердцу.

106. Утвердиться сердцем на Владыке есть первое условие на пути к Миру Огненному. Невозможно прийти к Вра-

там завещанным без этого огненного условия. Ведь Руководство должно быть осознано духом и сердцем, ибо только принятие Руки Владыки недостаточно без отдачи сердца Владыке. Нужно понять тот закон, который связывает Учителя с учеником, ибо без явления полного примыкания к Владыке не происходит связи. Полное принятие Руководства требует сознательного отношения, ибо нужно понять и почувствовать в сердце тепло, которое исходит из недр духа. Нужно особенно чуять и научиться распознавать то, чем связана сущность Владыки с сущностью ученика. Так нужно помнить, что вибрации и Карма являются связующими звеньями на Пути к Миру Огненному.

107. Дух нагнетается различными рычагами. Любовь и устремление являются самыми мощными рычагами. Любовь к Иерархии и устремление к Служению дают импульс для высших насыщений. Эти мощные рычаги направляют дух к совершенствованию не только на Земле, но и в Тонком Мире. Если можно на Земле как будто освободиться от разных явлений, то сферы надземные не так легко позволяют духу менять сферы. Надземные сферы имеют свои вихри, в которые дух втягивается. Эти вихри можно назвать вихрями искупления. Смотря по условию устремления или вожделения, дух попадает в эти вихри и может перейти в другие сферы, лишь искупив и трансмутировав свои энергии. Условия Тонкого Мира нужно понять. Если бы человечество задумалось над этой неразрывной связью с Тонким Миром, понятие Кармы стало бы ясным. Нет действия, или мысли, или ступени, которые не устремляли бы дух в известный вихрь. Огненный дух является незыблемым звеном между Мирами, ибо все пути открыты.

108. Конечно, невникание в существующую связь между Мирами Огненным и земным лишает жизнь значения. Каждое жизненное проявление становится без смысла. Конечно, вникание в Мир Огненный необходимо для понимания в жизни, что соединение двух Миров космически направляет мышление. Лишь соединение каждого жизненного явления с продолжением в Мире Огненном утвердит значение всех жизненных процессов. Невозможно представить себе, как трудно устремить мысли, если этот закон не осознан или когда этот закон извращен разными толкованиями. Насколько яснее может представить себе дух процесс жизни и смерти, когда понятие Надземного Мира живет в сознании! Так вихри сфер тонких напряжений устремляют дух при восхождении и возвращении. Ведь связь духа с Кармою

проявляется на двух Мирах. Понимание связи направит к Красоте, утвержденной Космосом. Распознание тех жизненных импульсов, которые дадут в будущем условия для тонкого существования, так важно! Ибо нельзя принимать вечность за преходящее и преходящее за вечность. Так дух научается, живя в материальности, ценить преходящее, но в Космосе заповедана Вечность!

109. Связь между Мирами должна занять мысли человечества. Как же иначе объяснить некоторые невидимые процессы, которые насыщают жизнь? Можно проникнуться тем значением, лишь когда дух примет в сердце явления Невидимого Мира. Как же объяснить жизнь и переход в Тонкий Мир, если не утвердиться в Огненном Мире? Ведь каждое земное проявление имеет за собою невидимую причину, которая и является потенциальной силой. Можно легко понять, что для огненного восприятия нужно прежде всего утвердить мысль на связи с надземными сферами. Явления в жизни могут осуществляться, лишь когда дух чует каждую высшую вибрацию. Конечно, человечество живет без сознания сердца, которое движет силой Мира Огненного. Для лучших форм нужно смотреть на жизнь как на объединение двух Миров. Каждое устремление в этом направлении будет поучительно для восхождения в Мир Тонкий. Если принятие высших энергий установится как жизненный процесс, то можно будет осознать, что жизнь земная продолжается со всеми болями на следующем Мире. Так поймем закон искупления на Земле в действиях и размышлениях.

110. О назначении человека на Земле — с древних времен этот вопрос занимал людей. Все религии усматривали утверждение о назначении человека как подобия Силе Высшей. В чем же выявляется подобие Силе Высшей? Лишь в совершенствовании духа человек может уподобиться Высшей Силе. Назначение человека не может рассматриваться как нечто случайное. Также невозможно рассматривать формы однообразно, ибо на всех сферах существуют свои формы и очень четкие соответствия. Мы говорим часто о связи двух Миров, потому что необходимо выйти из заколдованного круга, который опоясал планету. Необходимо найти выход. Мышление нужно направить к более тонким принципам для того, чтобы найти точки соприкасания. Вдумываясь в самые простые процессы, мы дойдем до самых высших понятий. Если мы найдем связь тонкую во всей жизни, то, конечно, и стремление к Высшим Мирам не замедлит. Если до сих пор было довольно трудно пробудить сознание, то теперь нужно настойчиво проталкивать все основы связи. Все события, все утверждения зовут человечество к подвигу трансмутации основ Миропонимания. Нужно особенно вникать в назначение человека.

111. Никакое восприятие невозможно без сердечного устремления. Конечно, интеллект воспринимает, но несравнимо тонкое воздействие сердца. Именно, когда говорим, что мысль осенила, значит сердце явило насыщенное воспоминание и восприятие. Конечно, только тонкие энергии могут приобщаться к тонкому, потому сердцем — скорейшее достижение. Устанавливается связь с Миром Огненным насыщенным сердцем, ибо лишь этот сосуд дает проникновение в Мир Огненный. Понять устремление сердца как символ творчества принесет духу утверждение Мира Огненного. Сердца несет ношу Мира. Сердце освобождает от земной Ноши. Так запомним на пути к Миру Огненному.

112. Заградительная сеть образуется из тончайших энергий. Все центры принимают участие в формировании этого мощного щита. Для полного круга необходимо, чтобы все духовные центры нагнетали свои энергии. Из центров духа нужно особенно нагнетать сердце, ибо оно в своей мощи может трансмутировать мышление. Правильное мышление даст устойчивость, которая является первым условием. Устойчивость изгонит двойственность, страх и сомнение. Заградительная сеть может охранить человека, сделав его неуязвимым. Но щит его может лишь тогда утвердиться, когда все тонкие энергии сгармонизированы. Опыт Агни Йоги дает именно этот щит, но необходимо самое бережное отношение к центрам. Заградительная сеть должна постоянно насыщаться энергиями изнутри, как огненная, вечно восходящая спираль. Духовные центры должны питать эту мощь. Заградительная сеть переходит с духом в Мир Тонкий. Сотканная из тончайших энергий, она может ассимилироваться с Миром Огненным; в ней можно отразить лишь высшие устремления. Люди, живущие низшими центрами, не имеют явления заградительной сети. Одержимые не имеют этого щита. Потому на пути Огненном нужно заботиться о сплетании тончайших энергий.

113. Заградительная сеть может насыщаться только, когда центры трансмутированы. И на последней ступени, перед принятием Огненного Луча, заградительная сеть особенно напрягается.

114. Ткань заградительной сети нагнетается самыми различными энергиями. Каждый духовный центр основан на собирании тончайших энергий, которые являют свои отложения в заградительной сети. Все центры трансмутируются и насыщаются огнем, который ткет нити заградительной сети. Так этот щит есть утверждение всех космических токов, которые преломляются в заградительной сети. Каждый удар по ауре может как бумеранг отразиться на нанесшем его. Когда заградительная сеть может отображать все высшие Огни, то, конечно, в этом горниле могут расплавляться столько явленных ударов! Каждое устремленное сознание должно ткать свою заградительную сеть. Можно отвратить много ударов и болезненных уколов, если заградительная сеть остается непроницаемой. Иммунитет духовных центров может достигать насыщенных размеров, когда заградительная сеть постоянно питается изнутри огнем. Потому нужно так заботиться о напряжении заградительно сети. Психическая энергия, устремление духа и огненная трансмутация дадут нужную ткань для заградительной сети. На пути к Миру Огненному запомним о мощи этого Щита.

115. Как ни различны Миры по своим свойствам и функциям, все же нужно приучиться мыслить о мосте к Огненному Миру. Все имеет свои связующие энергии. Как же не устремиться к пониманию моста к Огненному Миру! Так же как человек отображает все свойства земной жизни, так же он должен заботиться, как проложить мост между Мирами. Так же как видна бездна людская с надземных сфер, так же нужно уметь принять в сознание Мир Высший. Мост между двумя Мирами заключается в устремленности мышления. Правильно сказали о красоте мысли, которая открывает все Миры. Конечно, мост между двумя Мирами может осуществиться, когда действия наполнены Красотою. Именно не слова, но действия дают все насыщения. Мост между Мирами будет основан на сгармонизировании токов сердца и духа. На пути к Миру Огненному явим понимание моста между Мирами.

116. Мост между жизнью каждого Служителя Света и следующей ступенью являет насыщенное устремление сердца. Конечно, люди опошляют чувство любви и толкуют пошло мощный закон. Но нужно тонко прислушиваться к великому закону. Так, конечно, Йога Сердца приближает к мощным вершинам сознания гораздо мощнее и скорее, нежели Разум, как бы он ни был изощрен. Потому великая Эпоха Женщины будет отличаться большею тонкостью чувств и сознания.

117. Мост между Мирами основан на сгармонизировании всех тончайших энергий. Конечно, большинство думает, что трансмутация центров происходит на физическом плане,— это заблуждение. Нужно осветить такое сознание. Трансмутация центров Огнем есть соединение всех центров, как физических, так и духовных. Происходит одухотворение всего существа. В огненной трансмутации Огненный Мир выявляется особенно мощно, ибо во всем естестве происходит огненная гармонизация, приобретая все высшие напряжения. Потому можно принять закон сближения Миров в каждом процессе утончения духовных центров. Накопление этих энергий дает стремительность духу, которая проложит кратчайший путь. Так нужно принять понятие моста между Мирами, и нужно запомнить, что бессознательного труда центров не существует. Сознательная сгармонизированность центров есть великое таинство. Так на пути к Миру Огненному явим понимание пути кратчайшего.

118. Среди таинств, существующих в Космосе, нужно отметить таинство чередования существований. Ритм этих существований так же различен, как и Монады. Некоторые думают, что нужно провести множество жизней во дворцах; другие думают, что нужны конницы для геройства; третьи думают, что нужна слава; четвертые думают, что нужно растерзание духа и тела, и так до бесконечности. Но Мы скажем — нужно достижение духа. И это огненное качество достигается лишь внутренним огнем сердца. Правильно сказано, что основанием являются деяния сердца. Разумение сердца и утверждает великую сущность. Потому сердце так мощно в своем магните. Ведь естество живет во всей потенциальности. Для известного цикла лет потенциал являет один образ действий, для другого цикла другие действия выявляются — так проходит целый мир действий в одной жизни. Вспомним, сколько светоносных действий наполняют рекорды Книги Жизни. Учтем каждое явление Света, ибо нужно особенно осознать те мощные энергии, которые наполняют естество на великой ступени.

119. Силы духа и есть те токи духа, по которым различные энергии доходят. Можно посылать Иеровдохновение только токами духа. Мощь неземная заключена в Носителях этих токов. Дух и сердце, которые насыщаются этими токами, противостоят многим нападениям. Часто Мы наблюдали, как одинокий путник на Пути Служения мог отражать напоры тьмы. Силы духа дают мощь действия чувствознанию. Токи духа есть связь с Высшими Силами. Когда мощные энергии насыщают существо, то является развитие всех

высших центров. Иеровдохновение может утвердиться лишь в сердце, горящем близостью к Иерархии Света. Потому так важно на пути к Миру Огненному различать эти токи, ибо сознательное отношение нужно применять ко всему, чтобы найти связь с Невидимым Миром Огня,— так силы духа могут, истинно, завоевать Миры.

120. Перенесение чувствительности нужно бы тонко исследовать. Перенесение чувствительности вовнутрь или же наружу составит очень важную отрасль науки. Не только для исследования человеческого организма, но и для изучения обоюдного нагнетения Макрокосма и микрокосма. До сих пор были сделаны попытки между людьми и предметами, дальнейшие опыты будут с растениями и животными. Расширяя исследования, можно прийти к изучению обмена тонких энергий. Так все животные могут служить для перемены токов больных. Конечно, нужно будет развивать иммунитет от заразы для этого исследования. Магнетизм Земли и корней деревьев, также Прана могут служить очищению эманаций. Можно достичь в Космической Лаборатории всех основ для этих исследований. Перед опытом перенесения чувствительности нужно изучить явления Агни Йоги, ибо лишь тонкое восприятие даст тонкое понимание. Нужно проникнуться токами духа, чтобы понять все могущество, которое насыщает Мир Огненный.

121. Принцип перенесения чувствительности так ярко указан в набухании губы Ур. Накопление огненных энергий в горле разряжается в другом центре. Также кровотечение носовое есть мощный перенос огня центра, явленного третьим глазом, наружу. Если тонкие энергии насыщаются огнем, то трансмутация центров настолько мощна, что неизбежно разряжение. Огни бушуют, потому нужно очень беречь здоровье. Напряжение токов пространства очень отражается на тонких организмах. Пространственные токи очень напряжены. Видение черных сплетений показало всю черноту сети, которая окружает планету. Смерч носится по пространству. Так Мы разряжаем пространственные нагнетения.

122. Мир погружен в такое мрачное состояние, что сферы надземные наполняются удушающими газами. Разные явления указанные утверждают, как обволакивают черные нити сферы Земные. Правильно думать и готовить сознание к явлениям огненных потрясений. Пространство нуждается в очищении, и новый разряд может достичь сферы Земной, когда духовные токи творчески воспрянут под напря-

жением новых импульсов. Невозможно ожидать возрождения на планете без утверждения новых принципов и координации. Лишь пространственные токи нужны для координации с жизненными потенциалами. Так на пути к Миру Огненному устремимся к восхождению огненными духовными токами.

123. Если бы приучиться проникать в недра сердца, то можно было бы вызвать вибрации токов тонких чувств. В недрах сердца можно разбудить явление Космического Магнита. Ведь нужно только вспомнить те мгновения жизни, которые являют звучание тонких струн. Устремленный взор в недра сердца найдет все токи духа. Истинно, можно сказать, что люди пребывают без жалости. Прежде всего нужно понять, что в Мире Тонком нет ничего страшнее, как бессердечие; оно низвергает дух на такую ступень, на которой Мир людской становится чужд человекоподобию. Потому великодушие может следовать тогда, когда изжито бессердечие. Нет страшнее бессердечия, которое выявляется в мнимом великодушии, которое живет в сердце самости. Потому путь Истины являет духовный ток, который освещает явления искания. Мнимое великодушие не есть основание творческого сотрудничества. Посягательство на сердце ближнего не есть великодушие. Так пусть общинники особенно заглянут в недра сердца, ибо, как правильно сказала Ур.: «Не следует влезать в душу своего друга, но лучше смотреть в зеркало своего духа». На пути к Миру Огненному мнимое великодушие есть камень преткновения.

124. Мир страдает от расчленения, которое поглощает все великие начинания. Вместо единства проповедуется везде расчленение. Не осталось ни одного принципа, который бы не был искажен в своей основе. Каждое начинание утверждается прежде всего как часть великого Целого. Не так ли обстоит дело с человеческими исканиями? Незримое отделяется от видимого Мира. Высшее отделяется от Земли. Только устремление к объединению понятий величин может установить необходимую связь Миров. Без насыщения сердца невозможно обнять Миры, ибо как утвердить связь космическую без принятия Единства всего Космоса? В малом и в великом явим понимание этого Великого Закона. Расчленение Миров приводит к одичанию. На пути к Миру Огненному запомним о единстве Миров.

125. Столько извращений, столько неточностей допущено в Учениях. Всякое очищение является великим Служением, воистину. Каждое устремление обновить Истину,

как она была дана человечеству, есть Огненное Служение. Виденные черные нити представляют не только черноту атмосферы Земли, но и ту сеть, которая закрывает человеческий разум и сердце. Трудно представить себе, насколько затуманены умы различными злотолкованиями. Каждый человек напряжен в искании новых толкований, удаляясь все больше и больше от Истины. Расчленение так ярко утверждается в религиях, в науке и во всем творчестве. Каждый Мир имеет свое соответствие с другим Миром. Каждая Истина исходит от другой Истины. Только открытому сердцу открывается Истина. Так напряженное сознание, которое чувствует пульс космический, передает свое биение светлыми мыслями. Истинно, велик Огненный Пульс, явленный огненному сердцу.

126. Именно огнем и мечом очищается планета. Как же иначе проснется сознание? Стремление человечества тонет в земных вожделениях. Волны грубых вожделений затрудняют каждую светлую полосу, и каждый миг являет океан беспредельных вожделений. Если бы человечество сопоставило Свет с тьмою, Мир видимый с Невидимым, то, конечно, можно было бы утвердить Огненную Истину. В надземных сферах дух горько искупает свои земные деяния. Если представить себе вихри добра или зла как бы втягивающими дух в свою орбиту, то можно явить понимание токам космическим. Свободная воля порождает причину космического тока, ибо ток зла или ток добра будет избран духом свободной волей, выраженной действиями каждого явленного дня. Так на пути к Миру Огненному сопоставление токов добра и зла дает импульс для чистого устремления.

127. О том, как применять свои качества в Служении. Мало сказать: «Я пришел и хочу служить»,— ибо готовность служить обязывает ученика приобрести дисциплину духа. Недостаточно сказать, что приняты все указания Учения, ибо лишь в жизни можно выявить принятие Указаний. Если земной план налагает твердые правила, то мир духа накладывает явление устремления в жизни к принятию Завета Иерархии. Твердое устремление нагнетает дух и закаляет для истинного Служения. Нужно заслужить утверждение Зова, нужно понять Зов, нужно освободиться от многих тягостей, так нужно понять истину приближения к Учению. Нужно понять красоту даяния, ибо часто лишь земные даяния не утверждают «Чашу». Так на пути к Миру Огненному пусть общинники поймут Зов к Служению.

128. Можно представить себе радость духа, осознавшего созидание Нового Мира. Если устремление велико, то каждая форма принесет углубление в усовершенствовании. Объединение Миров может продвигать сознательное устремление. Возьмем формы Тонкого Мира и применим их к земному плану. Правильно употребили сравнение между психической энергией и механическими восприятиями. Ведь творчество может проявляться именно высшими энергиями, но для такого тонкого восприятия необходимо явить трансмутацию центров. Только когда дух чует общение с Невидимым Миром, можно утвердить пространственный ток. Даже простые опыты требуют полного доверия. Насколько же мощнее должен дух утвердиться в полном общении с Миром Невидимым!

Все, что принято считать феноменами, есть не что иное, как трансмутация одного из центров. Как же мощно творит дух Агни Йога, центры которого зажжены сокровенным огнем! Так на пути к Миру Огненному можно проникнуть в мощную деятельность Агни Йога. Почтим Матерь Агни Йоги. Я сказал.

129. В духе каждого человека живет начало добра, которое может насыщать все Сущее, если сознательно вызывать эти энергии Света. Строительство духа может быть напряжено токами, явленными добром или злом; зависит от человека обратить в действие различные рычаги. Каждый строитель может честно себе сказать, кому служит — духу или материи. Конечно, легко убедиться, по какому назначению идут силы духа. В зерне своем каждый дух знает правду, явленную тихими токами, потому это углубление направляет дух к правильному мышлению. Ведь сознание единства может открыть все затворы, которые отделяют человека от Высшей Истины. Мир духа нуждается в понимании. Так каждый может вызвать самый тонкий ток из недр сердца. Лучший провод к Миру Огненному есть недра сердца, в них таится Огонь Космический.

130. Разграничение между Высшими и низшими сферами должно показать, что может произойти их объединение. Есть много путей для объединения Миров. Прежде всего нужно приучить сознание к мысли, что все возможно. Раз все возможно, то дух может достичь ступени Прообраза Огненного, давшего стремительное строительство. Когда дух человека привыкнет к мысли о Тонком Мире, станет понятно явление многих законов Бытия. Самый устремленный закон направляет человека к принципу единения, к преображению человека, путем Огня трансмутируя все центры.

Даже темные силы верят в единение Миров. Конечно, в ограниченном сознании объединение Миров выражается примерами, низводящими Высшее к низшему, но устремленное сознание поднимается из земных сфер к Мирам Тонким. Так на пути к Миру Огненному научимся подыматься к сферам, утвержденным Огнем.

131. Когда люди научатся чтить Космические Законы, то, конечно, Космический Магнит укажет им путь к завершению. Тонкое понимание этого закона может облагородить все человечество. Великий закон может пробудить все благие устремления. Чистая, великая любовь рождает благородство духа, которое может переродить человека. Можно легко представить себе, как явлены будут все великие чувства, рожденные объединенным сердцем.

132. Часто дух — носитель синтеза утверждает свои знания изнутри «Чаши», ибо накопленные сокровища творчества напрягаются именно вибрациями творческими. Часто дух как бы находит подтверждение свое на основании объединенного сознания. Явление творческих вибраций часто вызывает мысль, которая жила в недрах сердца. Нужно прислушиваться к тем думам, которые как нечто знакомое живут в духе. Можно найти много тождественных вибраций, тонко разбираясь в своем сознании. Сокровища «Чаши» не являются случайными, они составляют потенциал духа. Эти творческие вибрации открывают много затворов, ибо сокрытое знание, которое живет в нем, может быть явлено. Часто устремленный дух находит ту вибрацию, которая связывала его с Высшими Силами. Как представить себе эту сокровенную мощь, которая объединяет недра сердца с Миром Огненным? Рекорды пространства ему часто доступны, ибо единение мощно явлено как связь между Мирами. На пути к Миру Огненному нужно помнить о вибрации, которая касается недр сердца носителя синтеза.

133. Даже трудно представить себе, как заражена планета! Не остается ни одного закона, который не был бы проникнут ядом разложения. Каждое высшее проявление настолько покрыто черною мыслью, что очищение слоев земных и надземных — самая важная работа. Высшее Учение применяется только лишь для того, что ближе духу толкования тьмы. Завет Огненный тогда утвердится, когда дух человеческий очистится от тех явлений, которые затмили дух и сердце. Проследим, как утверждается Истина. Огненный Дух утверждает Завет Высший. Его преемники утверждают данное Учение. Дух избранный очищает Завет, дан-

ный Огненным Законодателем. Так объединяются руки Дающего с принимающим для утверждения Новых Заветов. Мало задумываются над этой священной связью. Ведь объединение Миров только таким образом может произойти. Видимый Мир и Невидимый могут найти свои жизненные применения, лишь когда связь утвердится. Потому принявший на себя очищение Учения несет Ношу, явленную человечеством. Так на пути к Миру Огненному проникнемся уважением к очищению Учения.

134. Потому так огненно прекрасен труд очищения Учения. Не бывало, чтобы Учение утверждалось без огненного очистителя. Этот труд тоже может назваться жертвенным. Лишь ближайший сердцу дух может взять на себя это поручение. Лишь объединенное сознание может знать утверждение Истины. Лишь объединенное сознание может чуять, как давать очищение Учения. Мы все, в свою очередь, утверждаемся как Законодатели и Очистители — это Закон Высший. Океан Учения дается лишь ближайшему. Человечество так болеет самомнительностью и самостью, что необходимо утвердить источник ближайший. Потому пусть сердце чует и знает в недрах своих, что через Матерь Агни Йоги Миру дается Мое Огненное Послание. Главное, недра сердца должны чуять эту огненную Истину на всех путях.

135. Живая Этика усматривает все понятия, которые являются Основами Жизни. Для того чтобы приложить Живую Этику к жизни, нужно прежде всего найти в себе качество истинного Служения Иерархии. Именно все ханжи прежде всего отходят от Живой Этики. Никакое предстояние перед Предметом, символизирующим Высший из Обликов, не поможет, если нет истинного почитания. Мы знаем ханжей, которые могут молиться словами, но молчать сердцем. Именно эти ханжи любят говорить о священном Изображении, висящем у них в углу или стоящем у них на столе. Живая Этика должна прежде всего выражаться в Этике явленных действий каждого дня. Живая Этика поможет охранить обличие человека. Эти Огненные Законы дадут духу понимание Иерархии. Служение может быть чудесным мостом между Мирами, ибо Мир Тонкий не поможет духу окружиться тонкими энергиями, если заразы духа не изжиты на Земле. Не нужны все уверения в преданности, не нужны понимания Учителя, не нужны почитания Владыки там, где нет понимания Живой Этики. В Мире Тонком не уйти от своих переживаний. Так же как собственный свет

освещает окружающее, так и собственная тьма заглушает все пространство. На пути к Миру Огненному нужно задуматься о грозных последствиях, если Живая Этика не была применена в жизни.

136. Так Живая Этика должна войти в жизнь каждого дня. Если Живая Этика не будет принята, то ряд грозных последствий может явить свою мощь.

137. Живая Этика заключает в себе законы для явлений Истины. Жизнь утверждается на всех высших понятиях; так творчество Живой Этики направляет мысль к созиданию Сущего. Все устремления во имя Живой Этики будут направлять мысли к строительству Высшему. Именно не словами, но действиями будут слагаться ступени будущего. Каждый животворный Огонь должен вызвать свои формы. Потому творчество Живой Этики может направить человечество к Свету. Мир Тонкий утверждает свое творчество, которое явлено для улучшения Бытия. Как велика ответственность человечества за все порождения, которые явили такое разрушение! Каждое порождение, в свою очередь, порождает свое разрушение, и планета окружается удушающими газами. Потому так важно принять Высшее назначение жизни как устремление к истинной Живой Этике. Невозможно разрядить земные и надземные сферы без этого очищения. Теперь явлено время для углубления этих великих назначений, ибо явлена Битва между Светом и тьмою. Так на пути к Миру Огненному напряжем энергии во имя Живой Этики.

138. Предстояние перед Владыкой может выражаться лишь сердцем. Наполнение сердца Владыкою устремляет каждое качество духа. Лишь внутреннее постижение даст тонкое разумение. Ничто внешнее не омоет тела Христа. Ничто внешнее не заменит наполнение сердца Владыкою. Даже малые проблески сознания показывают, как ничто не сравнимо с огнем духа и чистым побуждением. Если бы дух мог сохранить память о сферах Тонкого Мира, то, конечно, многое можно было бы установить. Но невозможно было бы оставить память о переживаниях, ибо тяжек путь неизжитых чувств. Слои надземные имеют свои рекорды, и решения эти направляют следствия следующих жизней. Все религии давно дали этот закон. Предстояние перед Господом, предстояние перед Судьей, предстояние перед Владыкою — единое понятие. Потому на пути к Миру Огненному запомним, как нужно предстояние перед Владыкою.

139. Даже и не подозревают люди, насколько напряжена планета! Все условия, которые государства создают, сравнимы с вулканом. Каждая волна действий насыщается разрушением. Нет таких положений, которые указывали бы на продвижение к спасению. Но чем удушливее, тем скорее может разрешиться великая Мировая Проблема. Сферы надземные тоже волнуются. Истинно, каждый устремленный в будущее дух может чуять то Нечто, о котором знают лишь Владыки. Именно нужно думать о надвигающихся тучах, которые неминуемо разрушат страны, идущие против Света. Новая Заря уже светит на темном горизонте. Уже события идут и новые силы строят лучшее будущее. Потому нужно задуматься о явлении Огненной стихии, ибо кто от Огня, тот восторжествует с Огнем.

140. Во время всех поворотов в истории Мира можно было наблюдать, как распространялись огненные понятия. Наряду с отживающими понятиями, нарождались новые пути. Все великие перевороты напрягались двумя полюсами космических течений. Так устройство Мира насыщается энергиями этих двух полюсов. Чем мощнее напряжение тьмы, тем мощнее творчество Света. Огненные энергии могут утвердиться лишь в большом напряжении. Взрывы этих напряжений дают новые энергии. Зоркие духи знают, смотря на карту Мира, где именно закладывается Новый Магнит будущих построений. Можно легко убедиться, как идут энергии космического поворота, стремительно подходя к конечной Битве. Все космические энергии собираются для водворения огненных оснований. Конечно, вся эта великая трансмутация могла произойти иным путем, но, как сказано в древности: «Хотеть — значить иметь». И этот принцип мощно утверждается в жизни. Нужно чутко внимать приближению Огненного Мира.

141. Именно на Земле должно утвердиться Огненное **Очищение.** Подобно тому как жизненные энергии должны напитаться земными эманациями, огненные потенциалы должны явить свои энергии в сферах Земных. Путь огненных очищений должен достигать своего мощного предела, ибо организмы, являя свои напряжения воли, могут установить священную связь с Миром Огненным. Потому лишь насыщенные духи могут продолжать свои труды над утончением центров. Без этого насыщения невозможно объединить работу духа в двух Мирах. На пути к Миру Огненному нужно принять закон Очищения Огнем.

142. Воскресение духа — какое великое понятие! Его

нужно понять как зов Красоты. Воскресение духа может не только означать следующую ступень в смысле воплощения, но, как магнит, трансмутирующий в жизни. Пробуждение высшего Манаса можно назвать явлением воображения. Как нужно стремиться к тем утверждениям высших эманаций, которые могут пробудить высшие проявления Манаса. Человек не изучает свои недра сердца, между тем сколько великих мощных формул могут найтись в недрах сердца! Но люди заглушают каждый намек на углубление, представляя из себя поверхностные обличия, скрывающие такую бездну нагромождений разных духовных переживаний! Воскресение духа нужно понять как самый жизненный закон. Некоторые облики Подвижников дают этот великий закон воскресения духа. Как Огненный зов может явить свою мощь воскресение духа! Так нужно понять Огонь трансмутирующий.

143. Воскресение духа может проявиться в любой сфере жизненной деятельности. Любая ступень может явиться стимулом этого очищения. Но воскресение духа требует истинного действия. Слова, обещания или намерения не явят воскресения духа. Правильно указали об обещаниях, которые не задуманы для исполнения. Утвердить можно воскресение духа лишь истинными устремлениями к действию. На пути к Миру Огненному нужно запомнить, как можно достичь воскресения духа.

144. Поговорим о страхе и предвзятости. Страх видит свое отражение. Каждое предвзятое понятие именно отражается. Страх разрушает каждое благое начинание. Предвзятость напрягает самые мощные устремления, и Мы можем указать на кладбище, которое содержит эти рекорды страха. Предвзятое толкование есть самооправдание, потому предвзятость есть часто смерть.

145. Состав ауры очень сложен. В него входят психические и физические эманации. Каждый порыв или мысль в ней отражается. Каждое устремление дает свою явную эманацию. Но при изучении ауры нужно будет тонко отнестись к разделению двух эманаций, которые будут соответствовать двум Мирам. При болезнях нужно тоже осторожно изучать излучения, которые могут быть следствием Огненного Мира. Так, когда Мы касаемся ауры, нужно принять во внимание тонкое тело, которое будет излучать свои лучи от центров к поверхности окружающей ауры. Творчество духа особенно может отражаться на ауре. Конечно, все флюиды имеют свои слои, которые будут очень

показательными для многих научных исследований. Также конечности очень важно исследовать, ибо магнит конечностей пальцев, ног и излучения глаз могут дать мощную комбинацию для соединения личного магнетизма с магнетизмом Земли и Стихий. Так на пути к Миру Огненному нужно утверждать каждое соединение эманаций с Космосом.

146. Пространство дышит. Пространство звучит и творит. О пространственных токах так же мало знают, как и о других Высших Мирах. Огненная сущность, которая насыщает все живущее, есть Космический Огонь, исходящий из Недр Космоса, идущий в беспредельном творческом явлении. Правильно сказано о чудесах жизни. Закон Космоса есть огненное творчество. Оплодотворение Космической Энергии есть Закон Космоса. Его вездесущность может являть свое напряжение. Его вездесущность выражается во всей жизни. Этот Огонь Пространства оплодотворяет мысль объединением тонких энергий. Пространство заключает в себе тонкие формы для материализации. Нужно лишь пробудить в себе те энергии, которые могут объединиться для творчества. Мысль и устремление есть те предвестники, которые могут притянуть пространственное оплодотворение. В древние времена знали значение взываний к Высшим Существам. Потому мыслетворчество есть великое явление в Космосе, ибо Огонь Пространства принимает формы в духе, явленном на планете. Так объединение Миров утверждается жизненно.

147. Знать свое назначение значит знать, что дух человека есть выражение Высших Сил. Лишь тот, кто знает эти устремления, может понять, как нужно тонко прислушиваться к голосу Высших Сил. Какое чудесное понятие, что человек создан по Образу Божьему! Ведь это и открывает Беспредельность, умножая все силы и устремления. Разве может человек отрицать Беспредельность и Бессмертие, когда перед ним великое сравнение Образа Макрокосма с микрокосмом? Ведь такое напутствие есть мощный зов к совершенствованию духа. Напоминание о Прообразе Божьем должно вывести человека на Новый Путь, ибо невозможно безнаказанно попирать Высшее назначение явлением отрицания. И страшилища, утверждающие самовольное пребывание человека на Земле, погибнут вместе со всеми врагами Света. Так явим чуткость устремления к пониманию нашего назначения.

148. Духовное прозрение дается только тогда, когда открыто сердце. Духовная прозорливость может открыть тайны духа и материи. Прозрение может внимать Космическим Силам, которые утверждают жизнь. Именно прозрение может открыть то, что скрыто глазу. Не нужно удивляться, что ключ знаний находится в руках Посвященных, ибо духовное прозрение насыщается Огненными Силами. И энергии, которые неуловимы человеческим разумом, открывают прозрение духа, ибо только высшее объединенное сознание может побудить прозрение духовное. И это знали Мудрецы старины, ибо тонкое восприятие считалось в древности Знамением Высших Сил. Духовно прозревшему дано чувство объединения двух Миров.

149. Прозрение духа также выражается в трансмутации тонких энергий. Когда дух утверждается как ведущее начало, то его мощь насыщает каждое проявление. Потому можно часто назвать чувствознание духовным прозрением. Запомним это мощное качество.

150. Мысль, истинно, беспредельна, ей открыты области Космоса. Нет ограничений там, где царствует дух. Разве не есть чудо мысль, всепроникающая и являющая Красоту Космоса? Мысль, исходящая из Недр Космоса, открывающая все источники, есть самое огненное из явлений пространства. Даже если мысль не находит своего приложения на Земле, она все-таки огненно насыщает пространство этими творческими рекордами. Мыслеформы напрягают каждое жизненное назначение как огненный импульс жизни. Источник творчества неиссякаем, когда жизнь наполнена мыслью. Потому мыслить — значит строить жизнь. Мыслить — значит утверждать формы жизни. Преддверие, явленное мыслью, всегда приведет к назначенной цели, ибо мысль царствует вечным Огнем. Недостаточно изучают мысль, которая ведет к мощи великого Космического Строительства.

151. Космические вибрации устремляют энергии к действию. Если бы человек привык прислушиваться к космическим вибрациям, то он обнаружил бы много пространственных явлений. Вихрь космический, устремляющий энергии мощными колебаниями, может быть сравним с мощью сильного магнита, который творит различными утверждениями. Энергии, которые собираются насыщенным вихрем, распределяются по полюсам притяжения. Не учесть приложений этого закона притяжения к разным назначениям человека во всех Мирах. Так же как человек притягивается к известному родству на Земле, так и в духовном

Мире он притягивается вихрем, созданным своими действиями. Трудно освободиться от Космического вихря, потому нужно устремить человеческое сознание к незыблемым законам. Творцы Кармы и законов жизни нуждаются в истинном понимании Космического вихря. Пространство состоит из этих вибраций, вечно движимых спиралью вихря.

152. Те рекорды, которые наполняют пространство, не вмещаются в явленном строительстве. Ум человека так далеко удалился от высших рекордов. Человек жаждет иллюзий и все больше и больше удаляется от действительности. Из всех великих законов и принципов можно указать на извращенные крохи, которые затемняли сознания. Что же осталось от всех Огненных Заветов? Разум не подчинил себе Вселенную, но увяз в ужасе своих порожденных форм. Потому так трудно объединить сознания двух Миров.

Огненные энергии стучатся, и усмотрены новые формы творчества во всех областях. Но каждое благое утверждение, которое приходит на объединение Миров, остается незамеченным. Вихри, которые окружают человечество, уносят все творческие огни. Разряды, которые разрываются вокруг Земли, явятся источником Ужаса. Мы грозно говорим народам, ибо те народы, которые получили истинные искры познания, должны нести ответственность за сотворенное ими.

153. От малого до великого человечество извращает все Истины. Чем выше закон, тем ниже сокрушение его. Соединение энергий утверждает так много для сознательных устремлений, но человек наложил свое клеймо. Потому Огненное Очищение законно приходит. Насыщается пространство великими рекордами, которые раскроют человечеству великую Истину Бытия. Идет великая подготовка для Мирового переворота, в котором примут участие Силы Огненные. Так все принципы Огненных Законов будут даны человечеству как последний пробный Камень. Так Мы готовы к Великому Часу.

154. Качество духа — распознание — может рассматриваться по тем действиям, которые особенно ярко раскрывают недра сердца. Именно там, где отсутствует смирение, там будет место самозванству. Там, где Иерархия не почитается, там будет место кощунству. Там, где Указ Высших Сил утверждается лишь своевольно, там кроется самость. Но где Огненный Учитель отсутствует, направление не будет в сторону Учения. Невозможно осознать великого

Учения без Огненного Учителя, без устремления духа к Миру Учителя. Явление Огненного Учителя есть путь к Миру Огненному. Так рекорды пространства наполняются самовольными Учителями, но Ведущее Начало есть Огненный Учитель. Не пройти без Него, не продвинуться без Него, не достичь без Него. Так запомним, творя лучшее будущее.

155. Из всех тонких энергий самая восприимчивая есть энергия, исходящая из сердца. Ток, который объединяется с Огнем Пространства, должен иметь излучение от сердца. Это понятие глубже и шире, нежели принято думать. Ибо, говоря о токе сердца, нужно думать о творчестве его, ибо именно, когда мысль прочувствована, она может творить. Именно, когда сердце бьется в унисон с Космосом, все токи могут объединиться Огнем. Потому ничто насильственное не может заменить огненного трепетания сердца. На пути к Миру Огненному устремимся к этому трепетанию, открывающему Врата ко всем достижениям.

156. Трепетание сердца являет радость и боль. Как же не трепетать, когда оно знает прошлое и будущее? Как же не болеть огненному сердцу, когда устремление является творчеством? Как же не трепетать сердцу, когда оно знает в недрах своих назначение Космоса?

157. Царственный дух знает истинное Служение. Человек, устремляющийся к познанию Истины, вникает в самую основную сущность жизни. Без этого явления вникания невозможно знать сущность всей жизни. Сколько необходимых обузданий нужно явить, чтобы человек принял надлежащую человечность. И сколько энергий будет проявлено, прежде чем дух человека найдет свое истинное назначение!

Царственный дух Иерарха есть та мощь, которая будит сознание, которая проявляет высшее понятие Истины на планете. Царь духа — Огненный Иерарх! Сколько мощи проявляет этот великий Страж Огня! Сколько великих строительств зиждится на огненном Царе духа! Так запомним на пути к Миру Огненному о той благой мощи, которую несет Царь духа — Иерарх.

158. Для явлений космических энергий нужно особенно явить осторожность. Злоупотребление энергиями сказывается на всем утверждении космических сил. Только сознательное и бережное отношение может устранить те страшные последствия. Вызванные силы из Тонкого Мира нуждаются в обуздании, которое лишь сильный дух может проявить. Иначе эта необузданная сила явится утверждением Космического Хаоса. Когда приближаются огненные сроки, нужно очень знать это, ибо велико будет явление вызываний.

159. Заградительная сеть содержит в себе отражения центров. Невозможно утвердиться никаким явлениям, не затронув заградительной сети. Можно себе представить эти отражения центров как потенциалы центров, которые воспламеняются или пробуждаются в зависимости от того или иного чувства, устремления или действия. Даже при физических заражениях можно искать причину в несохранности заградительной сети. Эти процессы указывают, насколько важно следить за явлением заградительной сети и как легко можно нарушить эти излучения духа. Конечно, когда излучение насыщается высшими чувствами или устремлениями, то заградительная сеть охраняется этими энергиями. Но пятна, наблюдаемые на ауре, нужно изучать как показатели разных духовных язв. Потому только тот, кто поймет всю творческую мощь духа, прозреет к устремлению охраны заградительной сети. Коснувшись Пространственного Огня, нужно понять все процессы лаборатории центров. Так на пути к Миру Огненному нужно утвердиться сознанием на губительном воздействии самости, которая вызывает раздражение, являя отравление именно империлом.

160. Именно мощно творит Огненный дух, именно мощно звучит слово его. Именно не знает половинчатости Огненный дух. Творчество сердца явит все свое назначение. Незыблемая сила, истинно, — сердце огненное. Так Мы творим вместе. Такое насыщенное время явлениями построений для великого будущего.

161. Огненная мысль не знает границ. Как предвестник беспредельного творчества мысль стремится в пространство; к этому нескончаемому явлению нужно приучать сознание. Примерив все понятия к Беспредельности, можно прийти к ступени Строительства Космического. Только соизмеримость может дать ту великую ступень, которая мощна Огненной Беспредельностью. Огонь проявляется как импульс в сердце, как движение мысли, как великий объединитель Миров. Творчество нужно понять как соединение различных энергий, явленных Огнем Пространства и духом человека. Наука будущего явит законы этих соединений, ибо нужно установить самую тонкую космическую кооперацию, — так можно осуществить то, о чем думают Огнен-

ные Служители. Все огненные формулы живут, ожидая своего воплощения. Потому наука может устремиться к изысканию пространственных энергий.

162. Огненные Служители могут утвердить новые принципы. Перед каждой великой Эпохой пространство наполняется огненными формулами. Так огненно утверждается каждое великое начинание. Так мощно утвердится каждое великое явление объединения. Строительство Космическое утверждает самое высшее для Новой Эпохи. Потому на самых высших началах будет строиться будущая эволюция, ибо то, что было разрушено, должно снова войти в жизнь как великое ведущее основание. Явление Закона Огненного Права положит начало Новой Эпохи, Эпохи Равновесия и Красоты Бытия. Устремление к созданию новых великих формул даст человечеству новую чудесную ступень.

163. Молния, рассекающая пространство, творит очищение сфер. Каждое космическое явление трансмутирует те энергии, которые должны быть переработаны. В Космической Лаборатории есть много способов разряжений пространства. Очищение есть процесс, необходимый в Космосе. Зная единство Макрокосма с микрокосмом, нужно найти понимание каждого процесса. Кто же будет трансмутировать дух человечества? Скажем — молния Духа Носителя Огня. Кто же пустит стрелу космическую для разрушения зла? Кто же возьмет труд очистить Знамена доверенные? Правильно вспомнили Меч Христа. Когда космические энергии напрягаются в огненной мощи и молнии очищения содрогают пространство, Дух Огненный творит соответственно. Мир болеет от полумер и задыхается от попустительства, да, да, да! Молния духа может очистить пространство. Молния духа может явить дальние Миры. Молния духа может дать чудесное будущее, ибо молния духа насыщает пространство огненными энергиями. Кто же явит вещий Огонь Очищения? Лишь Сотрудник Космических Сил, лишь Сотрудник Сил Света. Тебе, Сотрудница Космических Сил, Спутница Сил Света, Я завещал молнию духа. Тебе явлено право творить Космическим Мечом. Тебе дано Огненное Сердце — да будет Свет молнии Красоты, да, да, да! Я сказал.

164. Космическое Строительство насыщается всеми мощными энергиями. Также строительство духа являет свою мощь синтезом всех огней. Можно творить, насыщая окружающее, лишь когда возжены энергии сердца. Без

этих сокровенных огней невозможно утвердить высшую Этику. Живая Этика может водвориться как цель устремления и жизни, но для этого необходимо знать и устремляться к высшему и тонкому пониманию. Явить Живую Этику могут лишь тонкие духи. Приложение принципов в жизни делается устремленным действием. Пустое слово оставляет соответственное наслоение, но действие огненного сердца вызывает и зажигает огни в сердцах окружающих. Так творит истинный Агни Йог.

165. Силы тьмы наступают различными способами, утверждаясь в слоях, которые находятся ближе к Свету. В Тонких Сферах эта близость, конечно, невозможна, но в земных слоях, где настолько сгущена атмосфера зараженными газами, конечно, силы тьмы стараются приблизиться к Свету. Импульс разрушения устремляет силы тьмы к тем Светочам Истины. Не так страшны враги, поднявшие меч, как те, проникающие под личиною Света. Есть сознательные и бессознательные орудия тьмы. Бессознательные на первых порах будут творить как бы в унисон с творимым добром, и эти носители зла заражают каждое чистое начинание. Но сознательные служители зла придут в храм с вашей молитвой, и горе нераспознавшим! Для них уготовлены темные тенёта. Негоже пустить в Святая Святых преступников духа. Джины могут помочь на земном плане и даже помочь строить храм, но духовный план им недоступен. Так на пути к Миру Огненному запомним о служителях тьмы, которые стараются проникнуть в Святая Святых.

166. При переустройстве пространственных утверждений, вызванных нагромождением земных построений, нужно принять все меры к удалению темных накоплений. Каждое земное переустройство является отзвуком сфер надземных. Наш Огненный Период насыщается особенными энергиями, которые должны войти в жизнь до назначенных сроков. Ибо Огненный Период может творить огненные явления, когда наступает та пора, которая может быть встречена человечеством; так нужно понять Огненное Переустройство, которое даст начало Новой Эпохе. Но нужно утвердить дух на понимании Пространственных Огней. Ибо лишь огненная ассимиляция может возродить требуемую энергию. Уявление огненных сроков приближается. Да видят зрячие, ибо Время Великое идет!

167. Перед великим переустройством Мира явление всех темных сил выявляется для лучшей трансмутации.

Происходящее в Мире невозможно назвать ступенью эволюции, но именно можно сказать, что выявляется самое низшее, самое напряженное, самое насыщенное силами тьмы. Но велика работа, которая собирает все могущее для великого переустройства. Так же как сгущенные слои Земных сфер готовятся к Битве, так явление Сил Света стоит на дозоре. Ступень, которую планета переживает, сравнима с горнилом Космического Огня. Все плотные энергии разгораются в напряжении, и на дозоре стоит Огненное Право. Творчество огненное собирает все огненные энергии — так Мир переустраивается напряжением двух полярностей. Надо зорко распознавать эти бушующие энергии.

168. Огненная пора началась. Как изучают сейчас явления физические, так будут изучать огненные явления центров. Агни Йога является предтечей Великой Эпохи, да, да, да.

169. Каждый должен мыслить о переустройстве Мира, ибо, когда мы поймем происходящее, мы поймем приближение будущего. Каждая мысль, направленная к строительству Новой Эпохи, даст свои формы. Мыслеформы явят направление будущего, потому нужно понять цепь, насыщенную устремлением. Творчество духа как огненный рычаг в пространстве, как мощный устремленный огненный творец, как правитель в пространстве, как великий насыщающий Огонь. Так мыслящий о преимуществе и о великом будущем слагает утверждение строительства. Пространство нужно цементировать и явным огнем духа оплодотворять формулами огненными. На пути к Миру Огненному явим устремление к пониманию переустройства Мира.

170. Пространственный Огонь содрогается при толчках земных. Тонкая связь, существующая между сферами и между Мирами, так мощна, что нет такого явления, которое не было бы рекордированным, являя свое воздействие. Тонкая связь так ярко выражена именно в соответствии Макрокосма с микрокосмом. Состояние духа так часто отражает проявления на разных сферах. Явление Пространственного Огня служит часто разрядителем для очищения атмосферы. Конечно, можно было бы пользоваться этими энергиями сознательно, но для этого нужно утончить организм. Можно отметить, как огненный дух должен обуздывать свои тонкие энергии, ибо несоответствие между огнем центров и планетным состоянием настолько велико, что невозможно явить полную работу без повреждения.

Экстаз Святой Екатерины мог проявляться, ибо Святые жили обособленным миром. Устроение жизни, когда проявлялись такие образы, так разнится от Армагеддона! Никогда еще не бушевали так Пространственные Битвы. Напряжение всех сфер огненно. На пути к Миру Огненному нужно особенно осознать связь между сферами.

171. Да, Сердце Архата равно Сердцу Космоса. Но в чем же заключается солнцеподобие сердца Архата? Скажем — именно в любви, но не в том Облике, в котором человечество себе представляет, но не в той благостной любви, которую люди приписывают любви Патриарха. Нет, солнцеподобное Сердце Архата утверждает на подвиг и разит все тленное. Сердце Архата борется с тьмою и утверждает огненное устремление.

Чем же питается Сердце Архата? Скажем — любовью. Лишь этот источник знает, как насыщать огненное сердце. Великая Матерь Мира знает этот Источник. Каждое чистое сердце знает этот Источник. Чем же слить сердца? Скажем — любовью, тем мощным источником, который превращает жизнь в явление Красоты. Тем источником, который содержит все тонкие энергии сердца. Сердце Архата есть сокровенная твердыня, которая хранит сокровенный дар Космоса. И не вне жизни, но в самых недрах жизни куется Сердце Архата скажем — любовью. Да, да, да — так говорит Шамбалы Владыка.

172. Труднее всего человечеству понять красоту подвига. Именно подвиг в жизни имеет устремляющее действие, ибо что же может пробудить в сознании красоту подвига? Что же может дать устремление в высь и оторвать от низших слоев, как не устремленный к подвигу дух? Направление человечества являет как раз обратное и утверждается в сферах, которые привязывают дух надолго к Земле. Потому каждое возвышенное чувство принимает такие уродливые толкования. Жизнь, истинно, зовет к огненному подвигу, к великой Огненной Красоте. Но человек с таким трудом отрывается от обыденности! Так на пути к Миру Огненному устремимся к подвигу Красоты.

173. Существует много различных способов разредить плотное тело. Конечно, каждую тонкую мысль нужно рассматривать как явление огненное, потому нужно приучиться думать огненно. Разрежение плотного физического тела нужно понимать тоже с духовной точки зрения, ибо, пребывая в плотном теле, все же можно не уявлять плотность. Агни Йог, который прошел через Огненное Крещение и огненную трансмутацию, не пребывает больше в плот-

ном теле. Ибо, когда тело пропускает огненные токи, вся его сущность меняется. Основание этого опыта огненной трансмутации центров есть это разрежение. Конечно, только тонкому доступно тонкое, и наука будущего будет изучать тело тонкое. Все возрастающие огненные явления, устремляя дух в Высшие Миры, делают сферы земные тяжкими. Запомним, **что** тонкое доступно лишь тонкому, и почтим Великую Матерь Агни Йоги.

174. Ток огненный может ассимилироваться лишь с разреженным организмом. Лишь огненное сердце может приобщиться к Сердцу Космоса.

175. Каждая Эпоха оставляет свои отпечатки в Вечности. Эти явленные остатки времени так же жизненны, как сама жизнь. Каждая Эпоха оставляет свое эхо как повторение рекордов пространственных. Но никогда рекорды не являют повторения, ибо к ним присоединяются новые энергии и новые решения. Так можно утверждать тождественность времени, но переустройство планеты имеет свои новые рычаги и на смену идут новые энергии. Так Вавилон пал, так Рим пал, так пески покрыли цивилизации и воды поглотили Царства. Но на смену нашего Цикла идет самое огненное и самое великое разрушение и строительство. Пространство насыщается огненными энергиями для переустройства. Необычно время, бушует Огонь! На пути к Миру Огненному явим понимание идущему Огненному Циклу.

176. Напрасно люди думают, что Силы Света переносят легко ту борьбу с силами тьмы. Если силы тьмы получают ожоги от прикосновения Сил Света, то нужно понять, как тяжко прикасание к темным сферам. Битва надземная и земная опаляет темных, очищая пространство. Но именно прикасание к темным сферам дает свои напряжения и боли. Как на высшем плане, так и на земном рыцари духа чувствуют боль от прикосновения темных снарядов. Сеть защитная, конечно, заграждает от поражения, ибо Свет поражает тьму, но рефлексы и удары по ауре и заградительной сети являют свои ощущения, потому нужно тонко прислушиваться к утверждениям Битвы Света с тьмою. Познавшие эту Огненную Битву знают все проявления пространственных напряжений. Познавшие огненную боль в сердце знают Наши напряжения.

177. Недуги человечества связаны с психическим состоянием. Каждое человеческое несовершенство духа отравляет также и физический мир. Не удивляйтесь, если заразы духа и тела так же заразительны, как и пространственные заразы. Ведь атмосфера, окружающая планету, насыщена воплями несовершенства. Ведь ауры человечества настолько физически и духовно заражены, что лишь огненное очищение может дать спасение. Полумеры не достигают никакого очищения, потому нужно привыкать к мысли о мощном очищении, ибо твердь нуждается в грозном утверждении. Правильно сказала Ур., что чистое явление должно покрываться грязным плащом для того, чтобы хотя искры могли дойти. Так человечество должно искупить все порождения и все поругания, которые так вкоренились в сознание. На пути к Миру Огненному запомним закон огненного очищения.

178. Чье же сердце приняло Ношу непомерную? Слитое Сердце, знающее Космическую Ношу. Кто же несет бремя веков? Единое Сердце, знающее явление Беспредельности. Кто же устремляется в огненном подвиге? Единое Сердце, знающее Космическое Право. Так, истинно, Мир насыщается единым Сердцем. Человечество больше страдает от духа, нежели от материи, и лишь, когда дух приобщится к Закону Космического Права, человечество победит свои духовные недуги. Планета утеряла свое великое и чистое назначение. Материя настолько погрузилась в плотное состояние, что необходимо утончить ее. Когда великая Весть Объединенного Сердца насытит дух чистым устремлением, жизнь, истинно, преобразится. Кто же даст Миру Весть об Огненном Единении? Скажем — Слитое Сердце, Сердце, явленное Огнем вечным, да, да, да! То, что слагалось Космическим Правом и мощным устремлением воли, есть закон непреложный. То, что от Космоса, то с Красотою Космоса и пребудет — так говорит Владыка Шамбалы.

179. Флюиды огненного сердца и духа питают заградительную сеть. Центры огненные есть самая мощная панацея. Агни Йог, утвердившийся в мощи огненной энергии, владеет силою Света, потому не будем удивляться, если сердце, насыщенное Высшим Огнем, не знает ни нашептываний, ни искушений. Флюиды такого сердца действуют как бы очищающие энергии в пространстве. Токи тонких флюидов насыщают на огромные расстояния, служа мощными разрядителями. Например, когда солнечное сплетение напряжено, то сердце посылает на дальнее расстояние свои очистительные энергии. Например, если отсутствие так замечается, значит, делимость духа творит. Пульсация в конечностях и в сердце означает посылки огненных снарядов. Отнесемся тонко к различным проявлениям простран-

ственного творчества мощного Агни Йога. Эти космические посылки утверждаются Нашей Тарой, принявшей на себя весь подвиг Красоты и Огня.

180. Твердь земная заражается и очищается самим человечеством. Каждое жизненное явление оставляет свои отложения во всем пространстве. Все должно трансмутироваться, все должно быть изжито. Так каждый слой представляет насыщенную сферу человеческими вожделениями, пережитками и устремлениями. Флюиды сердца и духа, которые насыщают пространство чистыми огнями, разрежают пространственные наслоения. Равновесие может лишь таким образом устанавливаться, ибо энергии мечутся в пространстве и человечество окружено как бы взрывчатыми снарядами. Эти флюиды накопляются и взрываются во всех сферах. Так и цепь последствий утверждается насыщенными действиями человечества. На пути к Миру Огненному напомним о снарядах пространственных.

181. Как Огненные Стражи стоят на дозоре, так мощные Разрядители очищают пространство. Все Космические Битвы насыщаются силами, идущими из всех Центров Космоса. Центры, огненно напряженные, строят все космические утверждения. Когда Мы говорим об огненных Центрах Космоса, нужно иметь в виду те огненные устремления, которые излучаются центрами великих явленных Архатов в сферах дальних и земных. Без этих огненных центров Спасителей Человечества невозможно было бы удержать события до назначенного срока. Истинно, велика эта работа на защиту человечества!

182. Да, да, да, велика работа огненных центров. Разрядители сфер есть самые мощные Служители Космоса. Самые тонкие нити объединяют между собою этих великих Служителей Космоса. Но эта работа тоже происходит только при огненном объединении. Огненное равновесие может спасти планету. Только огненная мощь может в последний момент дать новую жизнь. Творчество объединенного сердца даст спасение планеты и утвердит Новый Цикл. Потому Наше Сердце напряжено в унисон стремительным током Огня — так сущность жизни являет свое Огненное Право. Напряжение велико, в Мире осуществляется великая Мировая Тайна. Я утверждаю великую Космическую Истину. Тайна эта есть само Бытие.

183. Строительство новых начинаний может утвердиться на великих принципах, лишь когда человечество воспримет все высшие Начала. Без этого невозможно явить

красоту Бытия, ибо проявления жизни идут в соответствии с мышлением человечества. Творец мысли создает формы. Но как ужасны те движения в Мире, которые идут из разложившихся источников! Эти источники заражают атмосферу, окружающую планету. Нужно очистить слои для принятия новых энергий. Сколько мощных сил ждут принятия и применения, но почувствовать их — значит уже проявить. Но можно ли уявить разрушителю эти энергии в данное время? Ведь планета проходит Армагеддон, и все ее утверждения так резко разделяются на грани Света и тьмы. Потому разряжение великое ведет к огненному очищению. Затем можно будет дать утвержденную Красоту Бытия. Истинно, время приближается. На пути к Миру Огненному запомним о великом принципе Красоты.

184. Каждая Эпоха имеет свои отличия. Каждая особенность времени есть отпечаток сознания. Проявление особенностей может напрячься волею человечества. Так же как вызывания, так и особенности эпохи имеют свои корни в сознании. Те видения и условия, которые наполняли несколько столетий назад, нарождались в духе служителей религии как ответ на народное требование. Давно указано: «Ищите — и обрящете». В этом эволюционном и неусыпном вращении спирали человек и обретет Истину. Из всех извращений очистится утверждение Истины, ибо отбросы и наслоения преходящи, но Истина является в Беспредельности. И хотя человеческое затемнение продолжается, но из-под темных наслоений вырываются утверждения Света. Так назначенное входит в силу видимо-невидимо.

185. Так все великое входит незаметно и мощно в жизнь. Явление Космического Права входит так же огненно в жизнь. Невидимо насыщается пространство — так мощно протягиваются огненные нити. Но когда придет час преддверия, мощь огненная вспыхнет всеми явленными лучами Красоты. Потому Утверждаю, как нужно понимать мощь той великой огненной силы, которая воплощена в Матери Агни Йоги. Видимо-невидимо приближается преддверие — так великое Таинство входит в жизнь.

186. Именно воскресение духа даст новую Эпоху. Что же может сравниться с мощью духа? Нет другого рычага, который бы мог напрячь огни центров. Каждое творчество, которое будет насыщаться воскресшим духом, может быть залогом великой Эпохи. Каждое строительство, которое будет зиждиться на воскресении духа, может быть залогом восхождения. Духовное продвижение начнется, лишь когда придет понимание обновления духа. Невозможно пребывать в старых искажениях. Невозможно создавать великое Царство Духа без осознания утверждения чистого огненного понимания подвига. Так лишь обновление духа дает прочный фундамент для нового строительства. В нем человечество найдет свое великое назначение и свое место в Космосе. Истинно, воскресение духа будет творчеством Новой Эпохи. Так насыщаем Пространство.

187. Звучание на космическую ноту пространственно может передаваться духу, который чувствует тонкие токи. Среди тонких проявлений звучаний духа нужно особенно отметить те, которые слышимы огненному духу. Как нужно прислушиваться к той, казалось бы, неслышимой ноте, которая может передать духу пространственную радость или тоску. Явление необъяснимой тоски может иметь свое значение от звучания пространственной ноты. Тонкий организм этого носителя Огней содрогается от этих нот пространства. Физическое ухо может не слышать, но тонкий слух уловит то, не слышимое ухом, и воспримет сердцем. Потому устремленный дух — творец в унисон с Космосом, и знает космические звучания, которые напрягают пространство; в них содержится зов или клич; в них победа или битва; в них вопли или радость. Истинно, знающий эти звучания и испытавший радость и тоску общения с пространством может назваться великим Огненосцем. Об этом свидетельствует огненное Сердце Матери Агни Йоги. Так запомним великое объединенное Сердце!

188. Космическая нота пламенно насыщает пространство. Она может общаться с сердцем непосредственно, потому эти токи действуют на сердце. Мы тоже получаем эти звучания, которые передаются сначала сердцу, и Мы ищем их зарождение. Так тоска и радость Мира передаются и Нам этими пространственными нотами.

189. Созерцание Мира даст понимание недочетов и разновесия, которое утверждается как явление губительное. Прежде всего нужно понять, как действует на планете тот наплыв энергий, который состоит из новых непринятых энергий. Эволюционное движение не утвердится, пока не установится соответствие между сферами. Ибо когда Высший Мир устремляет в высь, но человечество стремится вниз, то, конечно, космический ток утвердиться не может. Потому явленное разновесие царствует в Мире. Не напрасно вспомнили сказанное о Будде. Недаром вспомнили слова Христа: «Оставьте мертвым хоронить мертвых». Именно миропонимание может утвердиться, если только огненное устремление победит.

190. Законы, которые попираются человечеством, должны будить сознание, ибо чистые основы утверждаются как начало ведущее. Утеря связи между высшими принципами и самой жизнью далеко разнится от священных начал, которые одни лишь могут вернуть нарушенное равновесие. Среди основ можно назвать утверждение самых жизненных начал, которые изуродованы до неузнаваемости. Очищение Основ жизни и великих Учений можно назвать самым огненным творчеством. Так носитель огней насыщает пространство явлениями, утверждающими равновесие жизни. На пути к Миру Огненному устремим зов в пространство к очищению Основ Учения.

191. Если разные Эпохи входят как разные ступени в эволюционном восхождении человечества, то нужно понять, как каждая Эпоха росла. Определение тонких токов, которые насыщали Эпоху, даст ключ к пониманию сущности. Если духовный подвиг насытил народный дух, значит, утвердился подъем той Эпохи. Но никогда еще Мир не нуждался так в мече духа! Когда все энергии являли свое потенциальное движение, магнитная стрелка выявляла колебания космических магнитных полюсов. Эпоха Меча Духа так огненно напрягает самое Высшее Начало. Потому Весы Космические отмеряют самое высшее Огненное Право. Эпоха Меча Духа будет утверждать то Начало, которое возвещено для Высших Миров. Пространство насыщается Огнем Космического Магнита. Так у преддверия Эпохи Огненного Права Меч Духа стоит на дозоре.

192. Истинно, человечество не может выйти из заколдованного круга следствий. Как же может человечество побороть все злокачественные энергии, которые насыщают жизнь? Лишь коренные явления могут дать истинное направление, но заколдованный круг, который является утвержденным человечеством, только тогда рассекается, когда Меч Духа пронзает сотканную ткань тьмы. Борьба со следствиями не приведет к назначенному явлению, которое должно приблизить великое будущее. Правильно сказали о том, что Вождь знает причину космических явлений. Потому на пути к Миру Огненному последуем за Иерархом Света, знающим те причины и следствия. Так запомним, когда великая Эпоха Огня приближается.

193. Основы Жизни могут утвердиться при воскресении духа. Очищение основ должно утвердиться, ибо без этого невозможно явить Новый Мир. Вырождение основ разрушительно; и не притянуть к земному плану чистых энергий без трансмутации нагромождений, которые душат планету. Как же утвердить Новый Мир? Как сказано — Огнем и Мечом! За старым последует новое очищение, которое даст великие Основы Бытия. Огненный Меч Духа поразит тление планеты. Смотрящие в будущее не боятся Огненного Меча, ибо закаленный дух знает истинное творчество Меча Духа. Творчество огненное может утвердиться как великая трансмутация тьмы во Свет. На пути к Миру Огненному явим понимание Огненному Мечу Духа.

194. Конечно, если бы человечество не нарушило явление Начал, Основы Бытия удержали бы ту основу, которая являет красоту жизни. Космическое Право дает понимание, что однобокое правление планеты низвергает ее в бездну. Космическое Право дает человечеству то Начало, которое может пробить тьму. Космическое Право явит планете единство Принципа, который руководит всей Вселенной. Космическое Право явит Женское Начало как явленную мощь. Космическое Право явит величие того Женского Начала, которое являет самоотверженность и перед которым, истинно, преклоняются великие Архаты. Истинно, Мы чтим великое Женское Начало. Истинно, Мы чтим Начало дающее, которое дает жизнь Красоты и Сердца.

195. Человечество должно готовиться к переворотам и переустройству порожденных условий. Невозможно принять существующее на планете как законное утверждение, ибо все порождения должны быть искуплены и истреблены. Каждое отступничество от великих законов дает тяжкие последствия. Творчество Космоса определяет иную судьбу жизни, потому искупление неизбежно, ибо Очищение Огненное дает новое направление течению Кармы. В пространстве являются готовые энергии для трансмутации всех существующих накоплений. Истинно, человечество должно готовиться к Огненному Очищению. Тот, кто не устрашится Огненной стихии, тот, истинно, пройдет с Космическим Огнем. На пути к Миру Огненному запомним о стихийных событиях, которые очистят пространство.

196. Когда Силы Света напрягаются, конечно, тьма собирает свои силы, но Свет мощнее. Так Мы творим явления. События приближаются, время важное и насыщенное. Так Мы побеждаем.

197. В Космическом Бою отстоим то, что сокровенно.

В Космическом Бою утвердим ту основу, на которой держится само Бытие. В Космическом Бою явим то, чем строится жизнь будущего. Мир будет иметь в своем огненном основании те великие законы, которые Мы отстаиваем в Космическом Бою. Человечество утверждает свое сужденное назначение в Космическом Бою. Так же как землетрясения выбрасывают из недр Земли на поверхность различные накопления, поглощая из надземных сфер более тонкие энергии, так же духовное переустройство вмещает самые темные накопления. Истинно, когда самое Высшее и самое низшее встречаются в Космическом Бою, можно быть устремленным к достижению великого Огненного Очищения. Так при великом переустройстве нашей планеты Мы насыщаем дух человеческий сознанием несовершенства форм порожденных и сужденной красоты явленных форм жизни. В Космическом Бою утверждается принцип Нового Мира. На пути к Миру Огненному запомним о Космическом Бое.

198. Конечно, древние Посвященные Египта знали великий закон, который правит всей Вселенной. Сама Пирамида походила на символ горы с широким основанием и узкою вершиною. Конечно, значение Палаты явленных Царя и Царицы и есть завершение, которое предстоит при приближении всех Космических Огненных сроков. Нужно запомнить эти явленные сроки. Нужно запомнить эти древние указания и вычисления. Так можно проследить, как с самых древних времен утверждались космические сроки. Нужно также обратить внимание, что те вычисления приводят к нашему сроку и времени. Так незыблемо Право Огненное, которое записано на всех Скрижалях, которое записано великою жизнью вечного Магнита.

199. В Космосе Циклы имеют свои определенные значения. Можно проследить, как сущность утверждается различными энергиями, которые предопределяют целые эпохи. Можно отметить, как каждый Цикл особенно выражает и выявляет сущность космических устремлений. Но над всеми Циклами есть единое Космическое Право, которое напрягается всеми энергиями Мира. Так все строение Космоса ведет к тому принципу, который заложен в Бытии. Утвердим Цикл Циклов, и то, что предназначено, свершится. В Космическом Бою закаляется великое завершение. В Космическом Бою закаляется каждый закон, но великое Огненное Право насыщается космическим напряжением. Так Цикл Циклов является победою Космоса.

200. В Горниле жизни нужно многие понятия трансмутировать. Столько наслоено на самых высоких понятиях, что, истинно, Огненное Крещение должно быть явлено планете. Вокруг понятий Огненных Образов собраны те представления, которые близки духу низкому. Не так учили Великие Учителя. Не так жили Великие Учителя. Не так шли Великие Учителя. Истинно, не так, как утверждают люди. Огненные Образы должны принять те явленные утверждения, которые Им принадлежат, потому распространение Учения должно идти огненно, наряду с очищением Обликов Великих. Творчество истинных устремлений даст те новые ступени, которые дадут Миру воскресение Духа. На пути к Миру Огненному запомним о том, что нужно омыть Учение Красоты подвигом и служением.

201. Столько великого впереди! Такая великая ступень ожидает своего огненного утверждения. Столько великого явит человечеству Наше Учение и утверждение Высших Начал. Приближается великая пора. Так Мы творим вместе.

202. Строительство Света утверждает свою мощь, именно являя все напряжения и потенциалы. Не нужно думать, что Силы Света не допускают великого напряжения. Правильно представить себе Силы Света в том космическом масштабе, который может свершить лишь Строительство Космоса. Истинно, лишь утверждение самых мощных энергий даст явления мощного строительства. Потому насыщается пространство нужными энергиями. Силы Света устремляют все огненные центры. Строительство Космоса идет, направляя все нужные энергии. В этом строительстве напряжем все силы огненным сердцем и мечом духа. Так Мы построим великое будущее. Так явленный великий закон будет возглавлять будущее!

203. Мосты духа, переброшенные через все трудности, через все пропасти идущими путем устремления, будут теми строительными энергиями в Космосе. Дух, истинно, может объединить разные центры. Человечество напрягается в видимом строительстве, которое не вдохновлено высшими устремлениями для Космического Строительства. Каждый мост духа утверждает именно сознательное Строительство, которое являет космическую связь между построениями. Так в Эпоху Огненную нужно особенно отдаться тонкой, сознательной деятельности духа. Лишь мост Духа может уничтожить ту пропасть, которая разверзлась перед человечеством. Мост Духа есть мост Красоты — этими понятиями подвига духа мы взойдем на великую Вершину, которая объединяет Миры.

204. Насыщение пространства формулами, очищающими Учение, даст свои великие следствия. Так Мы утверждаем явление Нового Мира. Так уявление Предназначенного свершится.

205. Великая магнетизация продолжалась с устремленной силой, начиная с Эпохи, которая возглавлялась Огненным Правом. С тех пор, когда дух человеческий принял течение, которое унесло его с пути Истины, с каждым Владыкою Мир получал огненную Истину — так проходила магнетизация космическая. Космический Магнит устремляет дух к исканию, которое приведет дух к осознанию великого Огненного Права. Если каждая мысль есть магнит, то каждое устремленное искание есть мощный магнит. Эти магнитные флюиды наслаиваются в пространстве и образуют явления магнитных полюсов. Если физический план утверждает, насколько магнетизм мощен, то насколько же мощнее устремление Магнита Космического! Истинно, магнетизация духа может создать мощные наслоения, которые создадут все великие энергии. Потому искания духа приведут к Огненному Праву. Истинно, весь Мир ищет ту Космическую Истину. Великая Эпоха Огненного Права даст ключ к высшему существованию.

206. Самый мощный Источник огненных энергий — сердце — еще не исследован как явление двигателя и творчества. Нужно проникнуть в сущность творчества, чтобы понять, насколько сердце непобедимо, когда все огни зажжены. Нужно знать, что лишь истинный источник мощных энергий может создавать. Потому воспитание сердца должно быть понято как возжение всех огней. Каждое истинно высокое проявление сердца зависит от напряжения высших энергий. Огненное сердце насыщает тела тонкие тонкими энергиями. Те вибрации, которые устанавливают священную связь между Тонким Миром и Миром Огня, являются огненными вибрациями сердца. Именно на пути к Миру Огненному нужно устремляться к созданию этих сокровенных вибраций сердца. Так Солнце Солнц есть Сердце.

207. Все проявления энергий будут творчески насыщены, когда импульс, который ими движет, будет исходить из источника сердца. То, что в Космосе считается истинным двигателем, то в лаборатории сердца называется устремлением. То, что в Космосе называется Источником Истины, в жизни называется искренностью. То, что в Космосе собирает и создает, то, что огненно утвердилось в жизни, есть пламень сердца. В пространственных объединениях тел можно утвердить пламенный, чистый стимул сердца. В Мире Огненном сила объединения есть стимул сердца; только огонь может зажечь все огни. Не продумание, но прочувствование дает откровение духа. Только пережитое может быть изжито. Только зажженное всеми огнями сердце может познать Красоту высшей жизни. К познанию этих высших объединений ведет будущее. На пути к Миру Огненному устремимся к познанию Высших Законов Бытия.

208. Как же сердце осознает всю Красоту Бытия, если оно не проникло во все радости и горести жизни? Так, часто, прочитывая Книгу Жизней, сердце трепещет, но и слеза страдания трансмутируется в жемчужину. Чем сердце огненнее, тем больше радостей и страданий. Закон Огненного Права куется в жизни. Высшее Веление утверждается, проходя все жизненные ступени сердцем. Творческие импульсы должны насытиться в сердце, потому каждая жизнь дает свои излучения сердца. Ведь Огненное Право не есть тот призрак совершенствования, о котором человечество привыкло мыслить, но есть огненное возжение всех жизненных огней сердца. Не в ровном существовании насыщается сердце огненной любовью.

209. Истинно, и дух, и сердце должны прислушиваться к тонким и невидимым явлениям. Именно неведомое достижение должно войти в жизнь. Именно высший принцип Огня утверждается в Космическом Творчестве как главный стимул. Правильно указали на те тонкие физические явления, которые утверждают сущность невидимых и огненных энергий и которые должны разбудить и расширить сознание человечества. Именно такое осознание Космоса открывает каждую новую ступень. Неуловимое сегодня будет слышимо в будущем, и будет зрим Тонкий Мир. Когда дух и сердце преисполнятся устремления, когда человечество примет Закон Существования Миров, тогда можно будет начать расширять сознание. Сам человек объединяет Миры своим сознанием. Так на смену узкого горизонта идет великое время. Так Наше утверждение великого Огненного Права даст великую Огненную Эпоху. Эта великая Эпоха должна преобразить лик планеты — так Утверждаю!

210. Луч Высшего Сознания объединяется с лучами близких сознаний при огненном устремлении. Когда порыв огненного духа напрягается в творчестве блага, дух всегда объединяется с Высшим Сознанием. Огненный закон являет свою мощь на Земле, потому так нужно явить понимание Тонкого Мира. Каждое действие может получить Силу двойную объединением лучей. Объединенное сознание самый непреложный щит. При полном устремлении и огненном понимании лучи всегда будут творить, являя единую мощь. Луч может пронзать сознание, но Мы назовем объединение лучей сознания Иеровдохновением. Лучи творчества сердца являют самую огненную работу в Космосе, но сердце, именно, должно насыщаться устремлением подвига, именно Солнце Солнц будет побеждать все препятствия и творить новые начинания. Мир Огненный чтит творчество сердца.

211. Именно, как сказала Ур.,— исполнение своего долга. Именно распределение назначений в Космосе удерживает основы, и Иерархическая Цепь удерживает равновесие. Есть в Космосе одно великое действо, которое допускает объединенную Карму, но так как это действо сокровенно в Космосе, то и слияние Кармы есть решение Высших Сил. Огненное сознание и сердце могут слиться и несут эту Ношу Мира, и это есть посвящение для нового строительства, которое назначено в Космосе. Явление Космического Магнита должно быть насыщено творчеством духа и сердца. Так утверждается единая Карма. Нужно понять это как высшее Знамение. Но когда закон высших значений прилагается к житейскому быту, то это идет вразрез с Космическим Назначением. Потому на пути к Миру Огненному проникнемся значением высшего объединения Кармы.

212. Напряжение всех энергий духа, конечно, выявляется при столкновении сил. Конечно, лишь устремленный к творчеству дух может осознать ту мощь, которая заложена в противодействии. Как же утвердить огненное возжение и напрячь каждый канал Огня? Притяжение всех соответствий происходит, когда все огненные струи зажжены. Необходимо принять закон противления как стимул творчества, стимул, который напрягает каждое строительство. Притяжение духа развивается именно огненным напряжением всех сил. Именно каждое начертание пространства может войти в жизнь как магнитное сопротивление силам тьмы. Восходя на пути к Миру Огненному, запомним об устремлении в высшем напряжении духа, когда на краю пропасти, когда на вершине, когда перед глухой стеной. Так напряжем все силы.

213. Все народы напрягают свои силы. Все напрягается к трансмутации. Время великое и грозное — так утверждается великое будущее. Утверждаю великое насыщение пространства.

214. Циклы, которые закладываются Космическим Магнитом, имеют в своем основании утверждение Высших Сил. Эти огненные Циклы являются основами планетной жизни. Космический Магнит строит соизмеримо с пространственной мощью. Дух Строителя Цикла должен быть той Мощью, которая соответствует назначению Цикла. Весь синтез Цикла должен был насыщаться в Духе, явленном для Космического Синтеза. При огненном смещении Цикла опять дается Огненное Начало для очищения планеты. Так мало духов, понимающих основы Огненного Бытия! Так мало духов, понимающих, Кто стоит у Руля! Красота Цикла может озарить лишь сознание, которое может понять Мощь Начал. Руль жизни планеты и Основы Бытия утверждаются Огненным Правом. Так на пути к Миру Огненному явим понимание Основанию Циклов.

215. Начертания Космических Циклов утверждаются целыми тысячелетиями, в них Воля Высшая сочетается в Избранном Духе, который своим огненным напряжением создает ту предназначенную Эпоху. Своим духом и волею каждый огненный дух создает тоже известный цикл вокруг своих устремлений. Эти создания Циклов мощно объединяются в цементируемом пространстве. Каждое огненное устремление уже может быть залогом нового звена в утверждении Цикла. Если бы сознание утвердилось на явлении построения Циклов, конечно, Космическое Строительство облекло бы Красотою Мир. Истинно, мироздание может выявиться в каждой устремленной мысли. Так на пути к Миру Огненному будем сознательно строить звенья в Мировых Циклах.

216. Осознание ответственности за дух и религию поставлено человечеством на последнее место. Суд человеческий заботится охранить физическое тело, преследуя калечения тела. Но существующие законы и храмы не заботятся о тех миллионах искалеченных духом. Правильно сказала Ур. о той грозной ответственности, которую должны нести религии. Ведь связующее явление религии не утвердилось на планете. Та священная мощь Земли вместо того, чтобы возносить, превращена человечеством в ту явленную разъединенность, которая есть меч рассекающий. И жрецы, и брамины, и священнослужители все искажали космическое назначение. Истинно, только утверждение истинного назначения устремит дух к высшему пониманию великого Космического Права. Так устремимся к великой ответственности за дух и религию. Сколько нужно очистить в Учениях Мира! Задание устремленно очистить религии даст новое сознание. На пути к Миру Огненному утвердим Носителей Огненного Очищения.

217. Из всех порочных черт человечества нужно тонко отметить малодушие. Это свойство граничит со многими темными чертами. Ближе всего это понятие к предательству. Малодушие граничит со страхом, трусостью и с самостью. И в Мире Огненном нет места малодушию. И венец мужества может быть возложен лишь на чело, украшенное самоотвержением. Да, пусть одиноко воин бьется. Пусть стрелы ханжей вонзаются в грудь. Пусть каждое явленное устремление будет встречено отрицанием. Но доспех его будет украшен мужеством. Кто же знает огненное устремление воина? Кто же знает истину напряженного сердца? Лишь явленное огненное сердце. Тонкое сознание осенит явление мужества. Малодушие есть презрение к высшему Эго. Малодушие есть рабство духа. Лишь чело, не преклоняющееся перед малодушием, будет украшено великим венцом. И презрение рабов духа есть достижение для воина, идущего огненным путем; и одинокий, презираемый малодушием, мужественный воин найдет Врата Огненные к Иерархии Света. Истинно, малодушие и самообольщение — сестры тьмы!

218. Кристаллы психической энергии вырастают в своей интенсивности при каждом возвышенном устремлении. Каждое напряжение мощи духа размножает кристаллы психической энергии. Отложения утвержденных кристаллов состоят из тонких энергий, которые химически переработаны в организме, питая те органы, которые особенно нуждаются при затрате энергии. Кристаллы психической энергии расплавляют субстанции, вредные для организма. При сознательном напряжении можно вызвать эту трансмутацию кристаллами, которая может служить противодействующим утверждением. Сознательные посылки психической энергии зараженным или поврежденным органам могут явиться исцелением. Напряжение волевое и сознательное устремляет к насыщенному действию кристаллов. Так мысли о психических кристаллах могут принести нужную помощь при тех повреждениях внутренних органов. На пути к Миру Огненному нужно осознать те огненные батареи, которые заключены в человеке.

219. Центр солнечного сплетения является фокусом радиации огня. Нужно представить себе, как действует огонь. Как все высшие функции Космоса действуют изнутри, так и огонь солнечного сплетения напрягается в самом зерне. Центр солнечного сплетения дает равновесие всем телам, и радиации его насыщают также эфирное тело, которое питает астральное тело. Переплетание всех центров и всех тел сравнивается с кольцами спирали, которые объединяются в центре солнечного сплетения. Каждая планета, каждый огненный центр имеет свое солнечное сплетение и Божественный Огонь жизни. Если сознание расширится в понимании этих явленных соответствий, то связь Макрокосма с микрокосмом станет огненной Истиной. Волны токов беспредельны в своем разнообразии. По этим волнам огненный дух сообщается с пространством и другими Мирами. Так же как в древности изображали солнце со своими лучами, так можно изобразить и солнечное сплетение, которое имеет свои особые излучения, исходящие из зерна через всю заградительную сеть. Эти мощные токи приносят сердцу все отражения пространства.

220. Потому, когда космические явления напрягаются, солнечное сплетение трепещет. Трудно сердцу огненному, когда в центре солнечного сплетения волны разбиваются, принося все пространственные отзвуки. Явление лучей утверждается как явление заградительной сети, и, конечно, каждая струя звучит своим огнем. Так солнечное сплетение напряжено столькими огненными лучами! Явление усталости Матери Агни Йоги космического значения. Темные силы бросают на весы все свои ставки. Мы же посылаем лучи, которые разбивают их намерения. Центр солнечного сплетения чует эти колебания весов. Космическую мощь нужно напрягать в направлении Света. Так огненное сердце знает утверждение этой Битвы.

221. При заболевании физическом, конечно, эфирное тело очень ослабляется, и только при огненных центрах оно остается мощным. Это объясняет, почему люди, являющие жизнь лишь низших центров, так страшатся смерти. Дух огненный являет радость, отражая огнем темные явления. Духи низшие чуют свое разобщение с астралом из-за повреждения эфирного тела.

222. Магнитное притяжение ауры так меняется в зависимости от состава явлений разных напряжений. Сознание воспламеняет мощь ауры. Когда сознание насыщено высшими устремлениями, когда оно устремляется к высшему творчеству, магнит ауры возрастает тысячекратно. Когда дух устремлен к Высшему Источнику, магнит ауры утверждается в своей мощи. Каждое высокое устремление дает отложение, являя свое насыщение каждому действию. Каждый огненный порыв дает особое мощное притяжение ауре, которое незыблемо утверждается как основание высшего действия. Притяжение магнитных волн являет свое воздействие на дальние расстояния, и посылки духа особенно могут притягиваться к ближайшим аурам. Творчество духа действует посредством этих огненных магнитов. На пути к Миру Огненному нужно утверждать свои магнитные притяжения.

223. Вращение солнечного сплетения может иметь много причин кроме всех космических. Нужно рассматривать причины и функции вращения центра солнечного сплетения в связи с организмом и посылками энергии на дальние расстояния. Вращение центра солнечного сплетения есть нагнетение психической энергии. Так как излучения солнечного сплетения проходят через все центры, то, вращаясь, лучи солнечного сплетения пронзают все центры, являя питание и объединение прочих центров одной огненной энергией. Вращение центра солнечного сплетения может также координировать различные энергии, нагнетая как бы один центр, который особенно нуждается в насыщении или укреплении. Излучения солнечного сплетения при этом как бы касаются внешней окружности заградительной сети. При посылках энергии в определенное место все излучения собираются как бы в коническую спираль и все снаряды идут в пространство спирально. Так функции солнечного сплетения также многочисленны, как и его излучения. Являясь также мощным регулятором энергий, исходящих от всех центров. Впитывая космические огненные энергии, центр солнечного сплетения распределяет по тем нагнетениям, которые присущи центрам.

224. Явление космических огней подземных нужно очень отмечать по напряжению в солнечном сплетении. Можно наблюдать такие точные совпадения. Путь напряжения подземного огня всегда отражается в сопутствии красного пламени. Так можно утвердить огненный сейсмограф.

225. Если бы можно было невооруженным глазом видеть процессы, которые происходят при различных трансмутациях и функциях центров на окружающей человека ауре! Каждая вибрация внутренних огней насыщает пространство

вокруг огнем. Каждая вибрация наполняет пространство или разрядами очищения, или разрядами творческих искр. Неявленные энергии притягиваются к этим разрядителям. Огненные излучения центров насыщают и напрягают все соприкасающиеся сферы. При посылках огненной энергии дух трансмутирует на пути также все пространство. Обратим внимание на великую лабораторию духа, которая творит тонкие энергии. Лишь тонкое достижение может проникнуть в Тонкий Мир. Все достижения в этих тонких пределах дадут достижение Огненного Мира.

226. Такое напряженное время! Космический Магнит смещает и перерождает явление человеческих действий. Так Утверждаю Новую Эпоху. Так сроки приближаются, идут события.

227. Сознание содержит в себе все следы пройденных жизней, отпечатки каждого проявления, как и каждую мысль, и устремление к проявлению широкого горизонта. Сознание питается «Чашей» и сердцем, и каждая нагнетенная энергия отлагается в сознании, неразрывно связанном с духом. Ведь дух, отделившийся от тела, сохраняет всю совокупность энергий высших и низших. Именно мудро ведет Учитель, указывая на утверждение жизненной трансмутации. Именно в бессмертии духа будут заложены все явления жизненных энергий. Каковы отложения, таковы будущие кристаллы. И мысль, и сердце, и творчество, и все другие проявления собирают эту энергию. Весь огненный потенциал духа состоит из излучений жизненных энергий. Потому, говоря о духе и сознании, принять нужно это как кристалл всех высших выявлений. Древние знали о кристальности духа, и дух появлялся, как огонь или пламя, при всех высших проявлениях. Потому так важно понять истинное значение огненной трансмутации. Истинно, дух и материя утончаются в едином порыве к достижению высшего огненного сознания.

228. Божественный Огонь являет свои искры во всем Сущем. Сокрытые потенциалы этих искр хотя и невидимы, но должны быть приняты как основа всех проявлений. Эту искру нужно принять как звено в каждом центре организма. Взяв эту Истину за основу, можно представить себе, как центры объединены функциями. Каждая Божественная искра вдыхает и выдыхает Огонь, который служит объединителем. Все силы потенциала духа напрягаются в этом постоянном обмене. Потенциал каждого центра есть звено к бессмертию, потому так велико заблуждение, которое тол-

кает к физическим упражнениям. Именно не извне, но изнутри может искра Божественного Огня разгореться. Под руководством Луча Учителя искра, конечно, может разгореться, но и здесь дух должен быть подготовлен самодеятельным исканием. Учение Зороастра о Божественном Огне, Любви и Красоте принесло Миру утверждение Высшего Закона.

229. Божественный Огонь устремляет каждое космическое явление к творчеству. Каждый высокий потенциал насыщается этим Божественным Огнем. Каждая искра жизни несет в себе этот Божественный Огонь. Применим ко всем жизненным проявлениям значение Божественного Огня. В каждом центре жизни утверждается этот Огонь. Действия человеческие, конечно, несут в себе эти Божественные искры. Если принять человеческие огни как центры творческие, то можно усмотреть, как тела, объединенные Огнем, имеют свои соответствия в различных планах. Правильно думать, что сущность распределяется по планам, утвержденным тонкими энергиями. Потому, когда говорим о Мире Огненном, нужно уметь представить себе, как объединяются тела вихрем Огня. Так единый Божественный Огонь является объединителем всех энергий.

230. Законы Космического Равновесия управляют планетой. Можно в законы космические включить Закон Кармы, ибо Закон Равновесия содержит в себе все прочие проявления жизни. Равновесие является творческим действием каждого проявления. Так же как Светотень творит и насыщает действие, так и Закон Равновесия утверждается сообразно развитию воли. Космические Весы утверждают сообразно нарастанию народной Кармы. Весы кармы человека утверждают свое измерение свободной воли. Потому так важно утвердить понимание стремления к усовершенствованию, ибо устремленное в пространство желание может всегда притянуть желаемое и по качеству желания определится Равновесие. Так пожелаем те энергии, которые могут быть исполнены и применены к жизни. Равновесие может только тогда являть утверждение свое, когда свободная воля изберет путь Общего Блага.

231. Космические законы Равновесия приложимы ко всем срокам на планете. Пространственные решения притягиваются к назначенным срокам и могут проявиться во всех утверждениях жизни. Равновесие насыщается этими пространственными решениями. Потому сроки назначенные должны быть тонко вычислены. Можно проследить карту

Мира в разные эпохи и можно представить, как Космические Весы являли великое Равновесие. Веление утверждало свои явленные действия как Космическое Равновесие. Сроки притягиваются по этим спиралям Космических Велений. Так грозные эпохи смещались творческими и разрушительные эпохи смещались строительными. Можно усмотреть по спиралям творчества космические надвигающиеся смещения. На пути к Миру Огненному явим понимание смещению, утвержденному сроками Космического Равновесия.

232. Сроки приходят. Утверждается смещение в самых недрах планеты, в самых недрах народов, в самых недрах жизни. Цикл утверждает смещение и появление новых начал. Так Мы творим вместе Новую Эпоху.

233. Распределение различных явлений зависит от Равновесия, на котором строится жизнь. Например, дух, который жаждет каких-то утверждений внешних, может их притянуть своей волей и в зависимости от своих устремлений, и закон Равновесия или насытит, или лишит дух свойства какого-либо другого. Закон Равновесия предупреждает каждое несвойственное явление. Мир болеет от этих неуравновесий. Дух человека настолько уклонился от явления желаний, способствующих Равновесию, что каждое человеческое проявление приносит силу разрушения. На пути к Миру Огненному нужно запомнить эти законы, которые насыщают Космическое Равновесие.

234. Эти законы Равновесия управляют также и внутренними жизнями, которые насыщают каждое существование. Так каждый дух притягивает свои создания. Но и в самых высших законах Равновесие происходит жизненными проявлениями. Потому жизнь, которая ведет к сокровенному Таинству Завершения, насыщена самыми огненными переживаниями.

235. Преуспеяния Духа могут утвердиться на Земле как залог жизненных восхождений. Преуспеяния духа могут преобразить жизнь Космоса. Преуспеяния духа могут открыть новые пути к пространственным сокровищам. Но каждый дух должен найти в себе тот стимул, который указывает путь к преображению духа. В космическом бою, в творчестве, в искании достижений, в красоте, в устремлении дух найдет тот стимул, преображающий жизнь. Но горе тем, кто утверждает отрицания и разновесие, ибо Космические Весы колеблются и в переустройстве Мира небывалое напряже-

ние, которое не вмещает разновесия и тех, кто являет разрушение. Так на пути к Миру Огненному устремимся к основе Равновесия.

236. Переустройство Мира напрягается. В пространстве собираются новые энергии, утверждаются новые начала. Так творится Новая Эпоха.

237. Воля, направляющая к объединению с Высшей Волей, приобретает мощь магнита. Среди творческих утверждений нужно отметить каждое проявление воли. Этот мощный магнит может предуказать и утвердить жизнь. Он может притянуть все нужные энергии. Именно Божественная искра может разгореться в пламя при устремлении воли. Слияние Воли Высшей с человеческой дает стихийное соединение. Творчество насыщается этими энергиями. Сотрудничество с космическими энергиями проявляется в соответственном пространственном слиянии. Так устремление насыщенной воли дает новые космические комбинации. На пути к Миру Огненному утвердимся на слиянии воли с Высшей проявленной Энергией.

238. До тех пор пока человечество не научится управлять своими энергиями, не научится управлять своими качествами, трансмутируя свои человеческие тяжкие черты, до тех пор каждая космическая энергия будет опасна. Мы видим, как управляет человечество теми данными ему энергиями! Каждая сила, открывающая новую возможность на Общее Благо, космически являет канал для других открытий. Но каждое откровение уподобляется всему прочему явленному человечеству. Не идя с Космическим Магнитом, человечество идет против него. Даже в лучшем случае начинания строительства утверждаются на самом личном явлении. Так как Космический Магнит теперь собирает свои части, то и сам Магнит отвечает космическому движению, и тем части Магнита приближаются к великому заданию. На пути к Миру Огненному запомним закон Космического Магнита.

239. Великий горизонт смещения может быть объят сознанием, насыщенным Космическим Магнитом. Когда радость будущему живет в сердце, тогда каждое преграждение есть лишь ступень к восхождению. Потому так важно воспитывать сердце в этом устремлении к созданию мощного будущего. Стремительность потока смещения не пугает дух, закаленный в бою. Так, когда старые и отживающие энергии смещаются новыми, сердца огненные знают все значение великого времени. Смещение энергий насыщает простран-

ство. На пути к Миру Огненному утвердим закон смещения энергии и создания новых великих путей.

240. Равновесие Мира держится на основе Бытия. Как мощно утверждается жизнь, когда высшее явление держится в сознании. Каждая высокая мысль будет залогом устремления духа. И в нескончаемой цепи действия и мысли можно выражать все новые направления эволюции. Пространство утверждает свои напряжения, которые соответствуют тем действиям и мыслям, зарожденным на Земле. Тем ответственнее человечество за все порождения, ибо Мир Тонкий задерживается в своем развитии так же, как и вся цепь эволюции Земли. Потому мысль о духовности должна войти в жизнь, но как истинное понимание Основ Бытия. Равновесие Мира не может установиться без истинного понимания Начал. Так каждое огненное слово сердца, идущее на очищение Учения, есть стимул огненный, который даст сдвиг сознанию. Потому утвердимся сознанием на мощи Равновесия как стимуле Бытия, Начал и Красоты.

241. Потому так необходимо утверждать в духе Начало Женское. Ибо Знамя великого Равновесия Мира дано поднять женщине. Так настало время, когда женщина должна завоевать право, от нее отнятое и которое она отдала добровольно. Сколько мощных рекордов наполняют пространство достижениями Женского Начала! Как Учитель творит через учеников, так женщина творит через Мужское Начало. Потому женщина огненно возвышает мужчину. Потому и вырождение, ибо без истинного рыцарства дух не может подняться.

242. На Космических Весах взвешиваются судьбы стран. Идущие с Космическим Магнитом предстанут перед Светом Будущего, но идущие против всех светлых начинаний познают всю тяжесть Кармы. Ведь Битва Света и тьмы насыщает все пространство. Сколько явлений взвешиваются на Космических Весах! Каждый час приносит новую космическую волну, и на Космических Весах ежечасно утверждаются новые колебания. Пространство звучит новыми условиями, ведущими к Миру Огненному. В космическом напряжении создаются новые огненные условия. На пути к Миру Огненному примем закон Космического Магнита в каждом действии и каждом стремлении.

243. Разновесие настолько увеличилось, что пришло время, когда человечество должно вникнуть в сущность. Вся оценка жизни и ее рычагов так извращена, что человек живет в порождениях своих. Но истинных рычагов ни-

кто не знает, начиная с Основ Бытия до каждого рычага жизни в созданном ими же Мире. Истинный Мир так же разнится от порожденного, как Свет от тьмы. Пространство, истинно, нуждается в соединении существующих великих Основ. Потому не возродится Мир без утверждения Равновесия и уничтожения сущности разновесия. И в этом утверждении Космические Весы колеблются. Мир Огненный утверждается на этом великом законе.

244. Свободная воля устремляет утверждение к соединению обстоятельств, создающих цепь действий. Так важно создать ток напряженного действия и сознательного направления, ибо в этом соединении внутренних импульсов с внешними энергиями заключается сосредоточие тех действий, которые создаются как Карма. В сознательном напряженном устремлении воли можно притянуть космические энергии, которые необходимы для строительства Блага. Потому сознание, объединенное с Высшей Волей, дает ту мощную силу, которая может противостать всем напряжениям Тьмы. Распознавание добра и зла уже есть залог предстояния перед истинным путем. Преображение духа утверждается устремлением трансмутации и объединением воли со Светом. На пути к Миру Огненному устремимся к соединению нашей воли с Высшим Светом.

245. Космические законы являют в своих потенциалах ту мощь, которая лучше всего может направить жизнь. Затруднения, которые явлены планете в координации космических законов, нарождаются не от неприменимости космических законов, но от разобщения с Высшими Мирами. Во всем строении Космоса явлена огненная целесообразность. Потому нельзя принять законы космические, как неприемлемые. О Единстве в Космосе давно сказано. Во всех старых Учениях указано на это магнитное Единство. Столько пространственных рекордов не запечатлено, несущих сокровенные утверждения Единства! Столько пространственных рекордов, указующих на порождение разобщения! Так же как тысячелетиями планете приходится повторять о вечном Единстве, так же точно приходится утверждать те следствия разобщения на планете.

246. Соответствие между Мирами является действием утверждения прочных оснований. Нарушение соответствия дает следствие в каждом направлении. Человечество, дав перевес Миру видимому, тем отстранило от себя Миры Невидимые. Пребывая в Мире внешнем, человек отстранился от устремлений внутренних, которые напрягают дух в иска-

нии. Разобщение Миров так утверждается каждым действием человека! Явление разобщения проникает во все основы и взаимодействует, ибо отрицания есть подтверждение силы разрушения. Миры Невидимые являют все мощные энергии. Как же утвердить царство Божественного Огня? Как же восстановить закон Бытия? Как же утвердить сознательное стремление к явлению объединения? Мир содрогается от нарушения Основ, которые требуют восстановления и объединения Основ. На пути к Миру Огненному примем закон Соответствия Миров.

247. Жизнь уравновешивается лишь духовным подвигом. Лишь духовный подъем может дать направление к достижению и Общему Благу. Когда человечество поглощается в своих желаниях и порождениях, как же притянуть из Тонкого Мира энергии и как согласовать их с человеческими действиями и устремлениями? Порыв к достижению не даст накопления энергий, если не будет действовать воля в утверждении начинаний Блага. Правильно сказали о кривом зеркале. Человечество именно претворяет каждое великое начинание в своем кривом зеркале. Очищение сознания и Учения есть величайшая задача нашего времени. Так на пути к Миру Огненному запомним о необходимости уравновесия жизненных начинаний.

248. Закон соответствия должен приобщить дух к познанию огненному. Творчество духа открывает все возможности к общению с Тонкими Мирами. Преодоление сгущенной мысли даст напряжение, которое будет соответствовать формуле Тонкого Мира. Так же как дух может утончить уплотненную мыслеформу, так же может дух уплотнить тонкие формы. Ведь каждое понятие будет звучать соответственно этим утончениям или уплотнениям. Дух может управлять своими утонченными устремлениями. Нужно сначала привыкать к утончению своих чувств, чтобы насытить дух необходимыми влечениями к Миру Красоты. Так условное понятие стандарта заменится истинным понятием Красоты. Конечно, откровение утончения чувств должно быть введено в жизнь.

249. Проникновение в глубины пространственные открывает новые формы. Можно уплотненной мыслеформой создать столько приемлемых утверждений для нашей жизни. Каждая мыслеформа нуждается в одухотворении человеческим духом. Прикасание к различным понятиям Тонкого Мира даст возможность одухотворить эти формы. Так и каждое устремление к утончению чувств даст огненные

проявления Красоты. Можно принять закон огненного устремления к утончению и уплотнению мыслеформ. Строительство на плане земном и надземном может объединиться в этих явленных устремлениях. Расширение горизонта и границ творчества будет залогом новых форм и новых ступеней. На пути к Миру Огненному уявим огненное устремление к утончению чувств и уплотнению мыслеформ.

250. Сознательное отношение к пространственным рекордам даст подход к разным высшим энергиям. Гармонизация разных вибраций установит совершенство физических сношений между мыслеформами и энергиями, которые помогут уплотнять мыслеформы. Сущность сношений утвердится как соответствие между Мирами Тонким и земным. Утончение форм зависит от устремления к Красоте, потому каждое более утонченное представление о форме приблизит Красоту. Потому утверждающие, что путь к Миру Огненному лежит через сердце и красоту, правы. Потому Космическое Строительство утончается явлением духопонимания.

251. Явление строения Нового Мира подтверждается огненными способами. Рождаемые энергии проявляются и собираются под явлением особых лучей, направляющих те царства, которые будут творчески напрягаться. Творцы планеты огненно направляют те энергии, и, конечно, они будут обладать мощью уплотнения и утончения.

252. Сознание, что дух в зерне своем содержит то качество Света, которое может возжечься в устремлении, истинно, может служить вечным двигателем к восхождению. Каждый дух должен чуять это единство со Светом, которое огненно живет в зерне. Как же не устремиться к той силе, которая может пробудить лучшие импульсы в духе! Каждый дух являет свои возможности приобщением к огненному Источнику. Лишь разобщение со Светом уводит дух от огненного пути. Когда проснется это высшее понятие, дух направится к огненному исканию. Пространственный Огонь зовет человека к достижению высших энергий. На пути к Миру Огненному познаем сердцем мощь зерна духа.

253. Сущность человека может быть трансмутирована вызыванием лучших вибраций. Лишь такое напоминание даст человеку доступ к высшему достоинству. В настоящее время человечество находится в постоянных вибрациях низших сфер, потому Манас низший напрягает жизнь. Прикосновение Луча Высших Сфер именно даст ту вибрацию, которая разбудит сознание. Очувствование искры Божественного Огня в зерне духа положит основу новому человечеству. Именно то, в чем религия не преуспела, нужно заложить в духовное строительство и каждое утвержденное проявление применить к закону притяжения. Ибо осознание Света в сердце устремит к Свету, но тьма пребудет во тьме. Так запомним на пути к Миру Огненному.

254. Воля воинствующего духа может направить целое воинство ко Благу. Воля воинствующего духа может направить целый воинствующий мир. Воля воинствующего духа может утвердить новые каналы для проведения строительства, потому каждая стена может разрушиться под напором воинствующей воли. Воинствующий дух, открывающий огненный горизонт, есть дух, утверждающий Мощь Высшую. Воинствующий дух может насытить каждое явление, идущее с Космическим Магнитом. Сколько напряжений может дух воинствующий превозмочь! Воля воинствующая создает и творит новые возможности. Так пусть все, идущие к Свету, поймут значение направляющей Воли воинствующей, ибо идущие за Волей воинствующей следуют за Огнем. Так явим понимание огненным носителям Нашей Воли.

255. Внешнее проявление устремления к Учению Блага не продвинет сознание, не расширит мысль, не откроет широкого горизонта. Ведь лишь углубление в самую сущность жизни духа даст нужную мощь поднятия к Высшему Облику. Каждое устремление вглубь принесет новое явление проникновения духа в Свет Красоты. Силы духа насыщаются Космическим Огнем. Сознание может приблизить к себе именно Мир Огненный и Тонкий. Значение устремления в Миры есть познавание глубин духа и сердца. Так на пути к Миру Огненному осознаем устремление к перерождению духа и сознания.

256. Когда сознание стоит, оно равняется каменному состоянию. В таком состоянии люди походят на истуканов. Эти истуканы духа утверждают гибель планеты. На всех путях встречаются эти истуканы духа. Судя по очевидности, можно утвердить явление как бы жизни, но не жизнь окружает истуканов духа, истинно, смерть и разложение. Кто же может допустить, что такое окостенение может дать планете нужное равновесие! Истинно, истуканы духа порождают катаклизмы и катастрофы. Окостенение заражает атмосферу так же, как самая ужасная эпидемия. Потому надо так очищать пространство и каждое утверждение жизни. Лишь очищение поможет спасти планету. Редко, когда явление огенного Носителя Меча Духа понято. Но «Лев Пустыни», Солнечный Дух, идет стезею великого Света и с ним Мы.

257. Принцип жизни разработан на всех Высших Началах и вмещается в жизни так, как предназначено Бытием. Применимость всех Высших Начал и есть основа жизни, ибо каждое Высшее Начало утверждается как само дыхание и движение жизни. Принцип Высший есть само пространство и сила всего жизненного явления. Каждый утвержденный принцип может дать свое достижение, предназначенное Красотою. Потому нужно освоиться с применением Высших Начал. Разграничение Начал не дает равновесия. Истинно, принцип творчества принесет то величие, предназначенное планете, но выбор в руках человечества. Свет или тьма, строительство или разрушение — это решит само человечество. На пути к Миру Огненному принесем устремление к Огню и принципу Красоты.

258. Очищение пространства простирается на все начинания. Наступило время выявить силы, идущие со Светом или тьмою. Именно соблазн князя тьмы в том, что он сулит спокой, но Мы говорим — час последний! Лишь ускоренное очищение даст возможность планете спасти ее — конечно, не явление нескольких лет, не эонов. Конечно, огненный взрыв спасет планету. Огненный взрыв должен проявиться в каждом явлении. Лишь очищение пространства, лишь очищение сознаний, лишь очищение Учений даст явление очищенных взрывов духа. Конечно, тьма сгущается, но когда напряжение сил тьмы достигнет своего предела, тогда силы Света утвердят свою мощь. Так нужно готовиться к принятию великого напряжения. Свет побеждает тьму.

259. Пробуждение в зерне духа вызывается огненными вспышками, которые могут проявляться различно. Насыщенное сознание может вызывать проблески явленных накоплений «Чаши». Огненное сердце пробуждает устремление своим напряжением. Основание явленных огней пробуждает зерно духа, закладывая новые потенциалы. Потому вибрации нужно изучать и применять к жизни, ибо каждое явление может послужить связью между духом и Пространственным Огнем. Зерно духа нужно привыкать чуять — так, напрягая силы духа, утвердимся в высших исканиях.

260. Сплетение обстоятельств нужно изучать. Как бы тонкими токами окружается нужное сплетение, когда нужное приводит к тому течению, которое заключает лучшую магнитную силу. Каждое начинание нужно уметь утвердить.

По данному зерну можно определить каждое следствие. Если бы человек принимал великое зерно задания в его потенциале, то, конечно, Мир был бы великим отражением Высшей Воли. Потому можно утвердить, что Высшая Воля предполагает, но человек располагает, и так гибнут лучшие начинания. Есть лишь единственный путь преуспеяния, когда дух осознает во всей мощи утвержденное зерно задания. Но вместо того люди перекраивают на свой лад, и остаются жалкие останки. Так нужно устремляться во всех огненных начинаниях и понять, как принять зерно, данное Наместником. Ведь подымаясь к Высшему, мы с Высшим и пребудем. На пути к Миру Огненному познаем Силы Высшие.

261. В созидании нужно помнить о великом соотношении. Те, примкнувшие к Источнику Света, должны понять, что горение духа есть Красота и Щит в служении Благу. Но лишь приносящие Красоту знают все величие Служения. Потому нужно обратить внимание на тех, кто поносит явление Учения. Можно найти больше поносителей Учения среди примкнувших к Пути, нежели среди явленных врагов. Указали правильно на непонимания, которые наносят удары по Щиту. Именно применение недостойных явлений. Кто же будет последователем, если Учение есть лишь абстрактное явление? Каждое печальное последствие можно проследить именно как упущение понимания Живой Этики. Есть огненное сердце, которое знает утверждение Служения с Учением. Явлю Мою Волю водворения Живой Этики и очищения Учения. Без этого пути к Огненному Миру нет. Величайшее задание — утвердить новое тонкое сознание. Моя Воля передает Таре Мои заветы.

262. Перерождение мышления должно утвердиться как основа лучшей Эпохи. Мышление — залог преуспеяния, залог нового строительства, залог мощного будущего. Претворение жизни именно утверждается трансмутацией мышления. На каждом проявлении можно проследить, как мышление эволюционирует или инволюционирует. Кроме устремленного мышления действует импульс зажигания мышления. Потому закон устремления дает то соответствие, которое сближает Миры, насыщая творческим огнем. Дать себе отчет в направлении мышления уже поможет сдвинуть сознание. Так на пути к Миру Огненному устремим мышление к лучшему будущему.

263. Строительство будущего явит нужный сдвиг сознания. Перерождение мышления принесет свои плоды. Так строительство будущего происходит, насыщая пространство. Время великое и грозное!

264. В эту пору мирового засорения есть лишь единый путь перерождения мышления. Именно нужно будить сознание. Именно когда дух может уже оглядываться назад, зная, что день вчерашний со своим мышлением уже миновал, то происходит трансмутация распознавания. Именно минувшее время может духу указать, как проходят и перерабатываются все энергии. Но горе желающим встретить будущее, оглядываясь назад! Ибо дух, обремененный останками вчерашнего дня, нагружен громадами; с таким грузом не взобраться на Гору, не пройти через Врата Света, не приобщиться к светлому Будущему. Так, если Отцы Церкви зовут в прошлое, то Служители Света зовут в будущее. Пробуждение сознаний, очищение Учения и зов в будущее дадут великое перерождение мышления. На пути к Миру Огненному Моя Ведущая Рука смещает энергии.

265. Вибрации могут вызвать в сердце столько тонких чувствований! Если бы человек понял, как пользоваться утвержденными вибрациями для того, чтобы вызвать из недр сердца тонкие чувства, можно было бы отвращать многие злые действия. Наука должна заняться именно исследованием способа вызывания этих вибраций. Конечно, звук, и цвет, и обоняние могут дать весь синтез для высших чувствований. Когда грубые методы духа заменяются тонкими, дух овладевает чуткостью восприятия. Прикасание к более тонким энергиям дает утончение всего образа жизни. Когда пространство зазвучит тонкими энергиями, нужно будет знать, как их жизненно применить. Потому прикосновение к грубым преступникам можно утвердить как искание новых образов перерождения духа. Нужно найти новые способы вибраций. На пути к Миру Огненному подумаем, как очистить дух человечества.

266. Человечество придает значение лишь тем понятиям, которые укладываются в сознании посредственности, ибо оно облекает в своем сознании каждую форму соответственно. Почему же не привились все Высшие Понятия? Почему же столько искажений? Почему же так много умалений? Ибо, истинно, дух человеческих исканий и устремлений обращен вниз. Но задача Нового Мира — пробудить сознание и вернуть Миру предназначенный Облик Красоты. Творчество духа должно напрягаться именно к восхождению. Именно не низводить Высшее, но подымать. Потому первым условием будет творить Образ Божий по Божественному. Когда человеческое сознание перестанет изображать Божественность по-человечески, тогда достижения духа будут огненны.

267. Пути земных сил являют свои тенёты там, где силы темные чуют неустойчивость, но каждый план сил темных можно легко разрушить, освободившись от непротивляющихся злу. Пути темных будут следовать путями Света, но там, где доступ открыт Свету, туда не проникнет тьма. Ибо те тонкие, огненные слои являются недоступными для темных. Потому те пути частичных откровений не являют достижений. Силы Света, устремленные к мировому строительству, должны потому так огненно вооружаться против сил темных, которые стараются проникать в твердыню формулой — Господом твоим. На пути к Миру Огненному нужно твердить об этих опасностях, ибо много попыток проникнуть в твердыню Света. Так будем помнить все личины, под которыми прячутся скребущиеся.

268. Фохат так мало понят именно как вездесущий Огонь. Так же мало понимается Лаборатория Вселенной. Великое Выдыхание и Вдыхание Космоса нужно применить ко всем проявлениям. Именно не задумываются над общением сил выдаваемых и сил, возвращаемых в сокровищницу Космоса. Так роль человечества не состоит лишь в том, чтобы заимствовать, но в том, чтобы, насытившись, отдать силы, общаясь с Огнем Пространства. Так, приняв это общение за Истину, можно обнаружить, почему именно такая разница между даванием и отдаванием. Разновесие в этом принципе и есть то, что на Космических Весах представляет Карму человечества. Невежды удивляются, что Тонкий Мир бывает хаотичен, но нужно подумать, как фохатические искры остаются неоплодотворенными и сколько сил остаются неприложенными или искаженными. На пути к Миру Огненному нужно углубиться в понимание хаоса сознания человечества.

269. Именно самое высокое стремится к Огненному Принципу, тогда как сознание низшее творит Образ Высший по подобию своему. Вместимость малого сознания будет соответствовать созданному Облику, потому и столько явленных извращений! Как можно малое сознание наполнить Всеобъемлющим Понятием, когда всеобъемлемость приводит дух в исступление? Скажу — тяжко человеческое мышление! Пространственный горизонт доступен лишь тому, кто знает Всеобъемлемость Принципа, ибо царственный дух может слиться с Высшим Принципом, точно так же как

Макрокосм слит с микрокосмом. Потому дух малый не может слиться с Огненным Приципом. Мощь огненная открывает все Горнило, явленное тому, кто ощущает пульс Мира Огненного. Это животворящее Начало строит жизнь на Фохате. Так запомним, что лишь малое сознание отрицает, но дух огненный всеобъемлет. На пути к Миру Огненному запомним о великом Принципе.

270. Пространственный Огонь содержит в себе те фохатические искры, которые притягиваются ко всем жизненным проявлениям в Космосе. Так эти искры питают каждую жизнь, и, смотря по потенциалу существа, эти искры умножаются в своем устремленном притяжении. Разрежение их связано с тем нагнетением или нагромождением пространства, потому можно проследить, где происходит строительство во благо или разрушение. Можно прослаивать страты пространства мыслью об огненных энергиях и устремлениями духа. На пути к Миру Огненному утвердим мысль об устремленной мысли Огня.

271. Утверждают, что из каждого живого организма в Природе можно извлечь кровь. Мир настолько мощен в своем потенциале, что нужно проникнуться смыслом этой великой формулы. Привыкнув к физическим определениям, человек употребляет все формулы физически, потому нужно переродить это искажение и вернуться к сознательному употреблению высших понятий. Не кровь можно выжать из камня, но фохатическую искру, которая живет и воодушевляет каждый организм в Природе. И в духовном Мире тот же закон. Но по мере возрастания сознательного сотрудничества с Космическим Магнитом дух приобретает тот огненный магнетизм, который соответствует фохатическим искрам. Ничто из физического психизма не имеет ничего общего с этим духовным магнетизмом. Именно высокий опыт Агни Йоги дает этот духовный магнетизм. Настолько мощно воздействие такого магнетизма, что мысль такого Агни Йога, притягивая из пространства фохатические искры, творит Волю Пославшего. На пути к Миру Огненному притяжение духа есть великое творчество.

272. Над разлагающими действиями и их последствиями люди не задумываются. Как устранить ужасные эманации, если утверждают, что зараза распространяется именно этими эманациями, значит, каждое разлагающее действие должно найти себе противоядие. Нужно утвердиться на искании тех огненных энергий, которые могут противостать этим ядовитым эманациям. Устремление к Высшему Образу даст

равновесие духу. Очищение понятий, устремление к высшему исканию дадут противоядие разложению мышления. Так каждое темное разложение должно быть устранено исканиями блага. Пространственные Огни могут разложить флюиды тьмы. На пути к Миру Огненному устремимся к очищению Пространства.

273. Фохат проникает во все явления, которые насыщают жизнь. Именно в духовные явления притягиваются искры Фохата, ибо Огонь Космический насыщает тождественные утверждения. Потому прикосновение к течению Космического Магнита притягивает фохатические искры. Эти огненные помощники утверждают каждое заградительное явление. Так же как действует заградительная сеть вокруг тела, так же действует и фохатическая сеть. Связь между заградительной сетью и фохатической состоит из тех же огненных спиралей, которые исходят от недр центров. Фохатическая сеть именно является тем магнитным телом, которое дух при мощном устремлении и напряжении сплетает вокруг всех явлений, которые дух желает оградить. Так цементируется пространство и каждое напряженное действие, идущее с Космическим Магнитом.

274. Потому сердце пламенное может утверждать каждое явление. Ибо явленный магнит сердца притягивает фохатические искры. Потому сердце, которое творит во имя Космического Права, имеет ту мощную силу и собирает фохатические искры и облекает ими те явления, которые напрягаются для творчества. Этот магнит слитого сердца творит на всех планах. Потому Наше Сердце творит так огненно. Есть сердце, которое может вместить каждую утвержденную степень Огня. Такое сердце может утверждаться лишь Космическим Правом. Сердце, познавшее Космическое Право, имеет все Огни.

275. Именно если утверждать сознание на том, что лишь при равновесии можно развить любую скорость, то человечество привыкнет к мысли о перенесении всех величин, ибо каждое строительство развивается при равновесии. Каждое сознание может достичь этого планомерного строительства напряженным исканием: чем украсить сокровище жизни? При равновесии скорость возрастает творчески, и фокус может утверждать свои излучения для соответственного строительства. Так нужно в космическом переустройстве принять равновесие как основное начало. Мощь роста сооружения утверждается пропорциями, устанавливающими

равновесие. На пути к Миру Огненному устремимся к равновесию.

276. Из фохатических искр тянутся различные нити и каналы передачи, по которым тонкие энергии могут устремляться в пространство. Фохатические искры, примененные огненным сознанием, принимают и собирают, ибо они насыщены огненными эманациями духа и сердца. Эти токи могут противостать всем пространственным усилиям, ибо напрягаются огненной волей. Сказано: «Поднявший меч от меча погибнет». Именно не от Меча Духа, но от разрушающего меча, имя которому злостное устремление самости. Именно фохатические искры могут противостать этому мечу. Там, где грубый физический меч, там и гибель. Но высок и неуязвим Меч Духа, ибо с ним Силы Небесные.

277. Когда вражеские силы являют натиск, нужно думать о предвидении. Служители Света должны осознать, что именно не только вражеский стан рождает предательство, но угроза предательства и разрушения лежит именно в умалчивании и усыпленности. Правильно сказала водительница под Звездою Матери Мира о том, что вождь ценит правду, ибо на поле битвы нужно знать, какие мечи заострены. Лишь самость толкает дух к скрыванию истины. Но безответственный воин может ввергнуть каждое прекрасное начинание в разрушение. Не скрывать, но разоблачать есть самая первая обязанность служителя Света. Именно когда истина укрыта, служитель тьмы действует через служителя Света. Но так ли обстоит дело с Заветом служителю Света? Так ли завещано Иерархией Света? Но так ли начертано, что силы Иерархии Света должны тратить огненные струи помощи, чтобы служитель Света не предал своею безответственностью, самостью и неправдивостью? Так пусть запомнит тот, кто наносит столько ударов в Щит Иерархии Света.

278. Утверждать, что Мир продолжится в благополучии, равносильно утверждению, что можно продолжить существование без перерождения духа. Именно лишь мрак разложения может утверждать, что не существует разложения. Но Силы Света, стоящие на дозоре эволюции, утверждают именно опасность разрушения. Направление Мира являет свою Карму во всех событиях. На пути к Миру Огненному нужно насыщать сознание огненным пониманием очищения путем духовного перерождения.

279. Нет такого зла, которое сравнилось бы с преступностью малодушия. В нем кроется предательство; в его видимости скрывается обманчивое дружелюбие; в нем таится

губительная половинчатость; его повелитель — сатана; его потенциал — самость; его действия заключают в себе строительство одной рукой и разрушение — другой; его лик показывает устремление, но истина являет самость; его царство есть явление самости; его утверждение есть самость; его явление есть компромисс, и каждое явление его ко благу есть самоутверждение и самопричина явленного разрушения. Залог самости лежит в основании малодушия.

280. Сознание, направленное к утверждению перерождения духа, может побороть каждую волю, ведущую к борьбе против духа. Но темные силы и невежественные отрицатели не примкнут к этому утверждению. Нужно устремиться к тем течениям, которые идут с Космическим Магнитом, ибо столько разрушений вокруг источников, которые захватывают дух в свои водовороты. Спираль водоворота уносит вглубь, но спираль духовного восхождения устремляет ввысь. Так нужно являть сознательное отношение к происходящему, ибо много значений вокруг духовного перерождения. На пути к Миру Огненному устремимся по спирали духа и сердца.

281. Сердце Мира может являть свои формы в каждом совокуплении энергий. Каждое новое сочетание из утвержденных форм с новой энергией есть именно выражение Сердца Мира. Конечно, космическое творчество может определяться как действо Сердца Мира. Конечно, можно применять это понятие ко всем проявлениям Космоса, в котором магнит напрягает все притяжения. Ибо мощь, собирающая все подходящие энергии, конечно, действует сознательно. Пространственные Огни подлежат закону притяжения Сердца Мира. Тонок Мир явленных притяжений, и каждая волна притяжения собирает новые сочетания из устремленных энергий к совокуплению. Потому Сердце Мира творит стремительные совокупления. Сколько огненных притяжений в Космосе!

282. Сердце Мира содержит в себе все свойства космических энергий. Каждая сила притяжения действует по закону Сердца Мира. Каждая форма и совокупление действий творят по великому огненному велению Сердца Мира. Явление огненных совокуплений имеет ту мощь объединения, которая собирает космические энергии. Все человеческие действия могут, истинно, насыщаться Сердцем Мира. Но для этого великого действа нужно чувствовать пульс Мира Огненного. В этом огненном творчестве можно, истинно, переродить сознание человечества. На пути к Миру

Огненному устремимся к творчеству в унисон с Сердцем Мира.

283. Каждое космическое сочетание приводит в действие следующее, становясь как бы нуклеусом для нового обновления; из этого движения вырастает спираль, и Сердце Мира притягивает все спирали творчества. Так спираль относится к сфере деятельности человека, к групповой карме, к образованию государств, к зарождению эпох, к притяжению частиц атомов и ко всем творениям Космоса. Потому каждый зародыш в Космосе приносит свое спиральное движение, которое, в свою очередь, напрягает прилегающие сферы. Так струи Космического Огня распределяются Сердцем Мира. Мир Огненный состоит из этих огненных спиралей.

284. Так и творчество идет по спирали, и каждое жизненное притяжение или отталкивание создает свою спираль. Поэтому и спирали Мужского и Женского Начал идут в таких различных направлениях. Мужское Начало устремляется к захвату и не считается с сердцем человека. Мужское Начало прокладывает мосты к своим достижениям, ступая по сердцам и головам. Не в мозге дело, ибо в своем потенциале Женское Начало содержит те же огни. Но Женское Начало нуждается в сердечном освобождении. Когда же Женское Начало привыкнет жить для развития своего потенциала и переродит свое чувство постоянного давания, то Женское Начало опередит Мужское во всех направлениях.

285. Мир покрыт язвами человеческих пороков и порождений. Неисчислимы человеческие болезни духа, которые заражают планету. Одна из больших язв есть неправдивость. Когда Мир рушится, то мыльные пузыри не защитят. Когда нужно действовать на защиту великих утверждений, как Знамя Владык, то непристойно уподобляться воинам, держащим бумажный щит. Нужно отдать справедливость тем темным за их скорые действия и предвидение, ибо каждый день можно сравнить с каждым Днем Вечности. Потому в дни разрушения и переустройства Мира так важно утверждать начала истинного строительства. Потому каждый изъян искажения утвердится явленным ударом в Щит. Именно малодушие и самость есть братья искажения. Явление неправдивости входит в привычку, и самость являет свои губительные следствия. Потому, когда Мир рушится, нужно подумать о том, как уничтожить все искажения.

286. Сердце Мира являет всему Бытию свое утвержде-

ние. Каждый Мир, каждый атом имеет свое сердце; и мощь притяжения соответствует каждому назначению. Центр планеты может считаться тем отображением, исходящим от Сердца Мира. Каждый луч, устремленный от Сердца Мира, уже объединяет другие миры, так жизнь насыщается лучами, исходящими от Сердца Мира. И переплетаются эти огненные энергии, взаимно нагнетаясь в процессе творчества. Закон огненных спиралей утверждается Сердцем Мира. На пути к Миру Огненному утвердимся на осознании Огненного Сердца Мира.

287. Солнцеподобность сердца уявлена в мужестве, когда сердце не знает устрашения, когда самоотверженность Агни Йога уносит дух в разные сферы над Землею и под землею, когда дух неустанно творит всеми огнями сердца, когда чувствования являют отзвук на все космические явления. Дух, истинно, знает Сердце Мира, и знает дух, как неуязвим Щит Иерархии. Солнцеподобное сердце Агни Йога знает ту полную чашу Мира, которую дает приход великого Луча, ибо объединение Миров является для Агни Йога его высшим творчеством. Так каждая сфера Огня есть творчество устремленного Агни Йога. Макрокосм, содрогаясь, вызывает в своем микрокосме те же вибрации. Потому устанавливается равновесие, когда огненные энергии объединяются в пространстве. Так же как снаряды разрушительных энергий, исходя из одного фокуса, летят в разные направления, так солнцеподобное сердце Агни Йога вбирает в себя все космические энергии, концентрируя их в пространстве. На пути к Миру Огненному запомним солнцеподобное сердце Агни Йога.

288. Потому каждый центр Ур. так чует катастрофы. Потому сердце вбирает все энергии как в пространственную воронку, чуя каждую вибрацию. Потому солнцеподобное сердце помогает очищению пространства. Стремительное сердце идет навстречу каждой огненной энергии. Такая стремительность возможна лишь при огненной самодеятельности, которая достигается лишь на высшей ступени огненной трансмутации. Потому так остро ощущается каждая космическая вибрация. Когда Мы указываем на землетрясения, не нужно всегда ждать проявлений внешних. Нужно прежде всего иметь в виду те колебания, которые происходят в недрах. Потому те боли, которые центры ощущают так глубоко, имеют отношение к недрам Земли. Так солнцеподобное сердце чует все огненные явления.

289. Сила духа и воли может тогда космически творить,

когда потенциал солнцеподобен, ибо для воздействия на другую ауру необходимо, чтобы сам источник был высших энергий. Потому все опыты в этом направлении должны быть обусловлены высшей тонкой энергией. Каждый источник, напрягающий с высшей энергией свои волевые токи, утверждает воздействие космическое. Но каждый дух, напрягающий свои токи для насыщения ими другой ауры, должен особенно осторожно утверждать посылку, ибо нет более тонкого процесса, чем при явлении посылок огненных. Потому в лечении болезней такими посылками можно пользоваться лишь высшими энергиями и чистыми флюидами. Можно развить эти источники, если духовное развитие достигнуто явлением трансмутации центров. Так понятие духовных посылок должно войти в жизнь как высшее проявление. На пути к Миру Огненному запомним это огненное условие.

290. Сердце Мира возносит все явленные энергии к строительству, которое управляет Вселенной. Космическое устремление имеет в своем напряжении каждую энергию Пространственного Огня. Но сцепление всех космических творческих сил, так же как управление ими, принадлежит Сердцу Мира. Объединение Миров тоже зависит от этого главенствующего Принципа, который зажигает все жизни. Так причина всех первопричин есть Сердце Мира. Каждый факел жизни зажигается от Сердца Мира. Сознание, которое приобретает огненную вибрацию Космического Луча, чует явление вибрации Сердца Мира.

291. Если бы наука углубилась в изыскания огненных атомов, которые служат жизнедателями каждому явлению, то можно было бы найти столько основных причин. Но каждое изыскание требует, чтобы явление самого насущного было утверждено, ибо устремленные изыскания должны дойти именно до огненного атома. Изучая лишь внешние следы различных воздействий, невозможно достичь огненных решений. Сказано столько об огненной сущности Мира, потому исследования явленных вибраций всех тонких токов и энергий должны утвердиться в их взаимодействии. Спираль, которая соединяет огненный атом с Вселенной, должна быть исследована во всех мощных проявлениях.

На пути к Миру Огненному утвердимся на понятии огненных взаимодействий в Космосе.

292. Взаимодействия между телами нужно исследовать, ибо так же как состояние физического тела действует на состояние астрального тела, конечно, так же воздействует

астральное тело на физическое. Болезненное состояние организма отражается на астрале, и духовное недомогание астрального тела отражается на физическом. Все духовные переживания имеют свое влияние на астральное тело, так же и на физическое. Но в этих явлениях нужно очень тонко разбираться. Но каждое переживание на духовном плане не сразу накладывает свой отпечаток на грубо здоровое тело. Конечно, когда тонкое тело собирает вокруг себя все отравленные флюиды, которые заражают астральное тело, то происходит заражение и грубо здорового тела. В зараженном астральном теле происходит утверждение взаимодействия. Астральное тело воспринимает легко все флюиды физического тела, потому каждое нарушение равновесия сразу отражается на тонком теле. Потому так важно врачу знать духовное состояние больного. При болезнях и борьбе с ними нужно иметь в виду согласованность тел и неразрывную связь между ними. Такое чуткое отношение нужно выработать на пути к Миру Огненному.

293. Когда подземные и надземные огни бушуют, конечно, нужно проявлять большую бережность. Центр Земли так напряжен, ибо притяжение разных слоев действует взаимно. Напряжение творческих центров утверждается Пространственными Огнями. Приливы крови могут подтвердить состояние космического напряжения. Потому нужно так беречь центры. Пространственные Огни бушуют.

294. Причины болезней лежат в корне связи между физическим и астральным миром. Тело отражает все следствия от происходящих утверждений во всех слоях и недрах Космоса. Казалось бы, понятно, какое неразрывное соотношение существует между Макрокосмом и микрокосмом, но кроме просвещенных сознаний это понятие не принимается в соображение и не продвигает дальше научные исследования. Если бы знать, как давление атмосферы влияет на организм, то как же не устремиться к познанию этой связи, мощь которой насыщает каждую клеточку жизни своим Огнем. Связь между телами и взаимодействие токов должны быть исследованы, ибо невозможно точно определить состояние организма и его болезней, не установив огненного соответствия. Тонкое исследование духовного и физического состояния даст возможность найти флюиды разложения.

295. Изучение центров и воздействия Пространственных Огней откроет человечеству доступ к Огненному Космосу. Конечно, больше всего сердце покажет соответствие и соотношение. Сердечная боль отражает космические явления, и это огненное состояние нужно тонко отмечать, ибо оно является отражением воздействия тонкого тела. Физическое сердце не может не рекордировать то огненное состояние. Так, например, болеющий сердцем не может не отметить этого соотношения; и так называемый невроз сердца есть не что иное, как тонкое состояние сердца, которое созвучит с Космосом. Потому нужно очень следить за сердцем в связи с космическими проявлениями.

296. Освобожденный дух стремится всегда в Высшие Сферы, но дух, привязанный к Земле, остается надолго прикованным к низшим слоям Астрального Мира. Связь между телом физическим и астральным нелегко разрывается при земном сознании. Явление разрыва между телами отзывается болезненно на тех духах, являющих земные притяжения. При восхождении духа, конечно, освобождение утверждается при отрыве от Земли. Космический закон притяжения соответствует тому влечению, которое нагнетается энергией сознания. Представим себе сферу, поглощенную газами низших вожделений; те сферы и поглощают духов, не освободившихся от земных тягостей. Дух, устремленный к Огненному Миру, являет свое притяжение, нагнетая все огненные энергии. На пути к Миру Огненному насыщение сознания Миром Высшим дает свою спираль, которая увлечет дух в Высшие Сферы.

297. Связь между физическими и астральными центрами насыщается напряженной трансмутацией при жизни. Функции на обоих планах являют единство, разница состоит лишь в той самодеятельности, которая проявляется центрами на каждом плане. Центры трансмутированные напрягают центры тонкого тела. Но в то же время, когда центры работают в огненном напряжении на земном плане, астральные центры имеют возможность посылать тонкое тело в Огненный Мир. Ощущение болей является на астральном плане и на ментальном, но лишь в начале восхождения. Потом каждый центр, сохраняя связь с физическим телом, может функционировать, напрягаясь в других сферах,— наступает разделение тел, освобождая тонкое тело от болей; физические же боли соответствуют творческому напряжению астральных центров. Так Миры действуют во взаимном нагнетении. На пути к Миру Огненному утвердимся в огненной трансмутации.

298. У порога в Тонком Мире устремление играет решающую роль. Стремление в Высшие Сферы дает духу силу отрыва от Земли. Научить стремлению каждое живое суще-

ство есть величайшее задание. В строительстве жизни отрыв и притяжение ко всем жизненным проявлениям должны одинаково воспитываться в сердце, ибо такое духовное равновесие откроет многие сокровенные устремления. Ведь окно, открытое в Мир Огненный и в сердце, стремление к выполнению жизненных законов устремляют дух к широкому строительству. Именно сознательное отношение земного существа к проходимому Миру и огненное осознание Беспредельности открывают Мир Высшего существования. Освобожденный дух знает отрыв от Земли и всю радость творчества Красоты. На пути к Миру Огненному огненный дух устремляется к вечному строительству.

299. Обмен энергий может быть явлен человеческой волей. Наблюдения над организмом могут дать результаты в этом направлении. При этом нужно знать состояние и созвучие центров для достижения результатов. Нужно прежде всего изучить напряжение центров, ибо напряжение этих центров есть мощный аккумулятор. Обмен энергий должен принести открытие каждого устремления. Явление огненных энергий соответствует космическим переворотам. И каждая эпоха имеет свои явленные знаки созвучий между Макрокосмом и микрокосмом. Конечно, тонкое восприятие энергий отзывается на сознании и на всем организме. Конечно, этот обмен энергий имеет в основании огненное сознание, являющееся звеном и магнитом. Первым условием восприятия и восхождения будет огненная мысль. Сердце знает, когда Космический Огонь нагнетает центры, притягиваясь к огненному обмену энергий, устремленных к организму, и дух может творить с Космосом. Свободная воля служит магнитом, притягивающим Сердце Космическое к Огню центров. Этот связующий магнит есть мощь творчества Агни Йога. На пути к Миру Огненному особенно утвердим эту связующую мощь.

300. Этот обмен энергий распространяется на все функции организма. Этот регулятор насыщает и распределяет космические энергии. Ощущения во время землетрясений не есть только отзвук Космического Огня, но именно обмен энергий. Творчество огненных центров утверждает сотрудничество самое мощное. Потому нагнетение, тоска, также отсутствие указывают на обмен творческих энергий. Пространство наполнено сейчас различными явлениями строительства. Даже трудно представить себе, как огненная мысль Агни Йога проникает в слои пространственные. Истинно, огненное сердце строит самыми огненными способами. Так насыщенное сердце дает огненное строительство.

301. Распределение энергий в организме приносит равновесие при знании, как размещать сознательно приливы сил. Токи могут напрягать тот или иной центр, обладающий наплывом энергий, которые могут устремить огненный вихрь к области центра, нуждающегося в насыщении. Дыхание служит таким регулятором при умении тонко обращаться с флюидами Праны. Явление регуляции в организме нужно считать одним из главных условий равновесия. Так при обмене энергий утверждается нужная регуляция флюидов и вибраций.

302. Мир нуждается в переустройстве. Явление очищения необходимо. Огонь духа и сердца утвердит новое начало. Так будем строить. Чудо у дверей.

303. Дух и Материя объединены в пространстве. Объединяясь, они начинают свое существование в их сфере зарождения. В этом единстве творятся формы Сущего и проходят свои круги усовершенствования. Объединившись с материей, дух может освободиться лишь путем усовершенствования, ибо с момента осознания освобождения утверждается отрыв. В Космической Лаборатории эти два принципа — объединение и освобождение — основы творчества. Лишь стремительность духа приводит к освобождению, которое отзывается на сознании и сердце. Стремление духа нагнетает тончайшую вибрацию. Так освобожденный дух знает космическую огненную вибрацию. Явление духа и материи нужно искать в каждом утверждении жизни. На пути к Миру Огненному устремимся к освобождению от материи.

304. Когда мы говорим о Духе и Материи, мы должны иметь в виду высшее значение Материи. Но, говоря об освобождении духа, мы говорим о тех явлениях, которые могут быть названы материальными, жизненными проявлениями. Нужно знать, что, говоря об этих объединениях под разными формами, подразумевается падение духа. Ибо дух, проявляясь в материи, должен устремляться к высшим функциям вместе с материей. Материя устремляется к творчеству и дает формы и жизнь. И дух должен особенно знать, как священно это пребывание в материи. Космическое понятие Женского Начала как Материи настолько высоко и так далеко от житейского понимания Истины! Лишь чистое и высокое сознание оценит это сравнение. Трудно разъединить Дух от Материи.

305. Тонкий Мир настолько разобщен с человеческим сознанием, что только усиленная трансмутация может открыть путь к утончению и объединению Миров. Произошло именно окостенение сознания, и человек настолько разобщился с Тонким Миром, что напряжение тонких энергий ему недоступно. Лишь сотрудничество тел на разных планах принесет нужную трансмутацию. Правильно сказали, что только чудо спасет Мир. Именно земное устремление не соответствует тому преображению. Творчество Новой Эпохи требует духовного осознания. Ход событий на Тонком Плане не соответствует ходу событий на земном. Истинно, устремленная воля, исходящая из огненного сердца, создает кармическую волну, которая творит вихрь, захватывающий соответственные энергии. Эти волны являются в космическом переустройстве основанием строительства, а также теми энергиями, которые поддерживают планету. Только на этих энергиях может строить Мир свое будущее. Так на пути к Миру Огненному осознаем мощь великого строительства.

306. Сознание, устремленное к Высшим Мирам, может черпать из сокровищницы Космоса. Утверждающие, что человек ограничен в своем проявлении, закрывают этим все возможности. Огненное сознание утверждает меры, которые творят эволюцию Космоса. Притяжение энергий из Пространства — основа творчества, ибо рекорды и явленные энергии могут взаимно нагнетаться сознательным притяжением. Человек является источником знания и самым мощным претворителем Космических Сил. Символ претворителя должен жить в сердце. На пути к Миру Огненному устремимся к притяжению и претворению пространственных энергий.

307. Состояние духа при переходе в Тонкий Мир обусловливается причинами сознания. Изъяв из жизни самое тонкое устремление, дух не может сгармонизировать свои вибрации и остается в пределах Земных. Но не только пребывание в слоях Земных дает духу тягость, но именно борьба между физическими эманациями и проблесками Высшего Магнита делает пребывание духа в низших слоях таким тяжким. Чувство безысходности, которое человек так остро ощущает, дает много мучительных переживаний. Именно безысходность становится уделом лишенного тонкого устремления. Причем на земном плане человек может искупить свою карму, но в Тонком Мире человек зависит от своего устремления. Пространство наполнено этими не искупившими своей кармы на земном плане. Так насыщенный дух не знает этих огненных мучений. Утончение духа есть ключ к Вратам Огненного Мира.

308. Огненные энергии, напрягаемые каким-то центром, могут часто являть усиление действия энергий этого центра. Частичное воздействие энергий дает силу центру проявиться частично. Эти напряжения ведут к тем частичным проявлениям, которые так вводят в заблуждение малораспознающие сознания. Правильно указала Ур. на те явления, вызываемые напряжением одного центра, ведущие к психизму. Ведь каждое раскрытие, насыщение или раздражение центров дает резкое направление огненной энергии, ибо лишь соответствие между организмом и духовным прозрением дает как неминуемое следствие раскрытие центров в высшем напряжении. Частичное нагнетение даст частичное достижение, которое может оказаться очень опасным явлением. На пути к Миру Огненному устремимся познать высшее нагнетение огненной энергии.

309. Уже много сказано о психизме, но все-таки недостаточно понят этот бич человечества. Психизм притупляет каждое устремление, и высшее достижение остается недоступным. Сфера деятельности такого человека, поглощенного психизмом, образует вокруг себя заколдованный круг, в котором находят себе место все задерживающие рост духа энергии. Психизм заключает в себе явление самых низких энергий, и огни центров потухают от этих наслоений. С психизмом неизбежно расстройство нервной системы. Кроме того, отрыв от жизненных действий закрывает путь к самоусовершенствованию. Творчество притупляется, и утверждается пассивное состояние, делающее человека орудием наплыва разных сил. В силу ослабления воли контроль ослабевает, и этим усиливается притяжение разных низших сущностей. Желающий приблизиться к Миру Огненному должен бороться с этими силами зла.

310. На Космических Весах взвешиваются накопления стран. Перевес сил разрушения несомненен, но трансмутация духа и очищение пространства и человечества дадут новое предопределение. В своем переустройстве планета затронет все ценности духовные и материальные. Каждый центр, являющий свою карму, даст новое напряжение. Человечество проходит огненное очищение. Новое утверждение проявится на горизонте планеты. Именно чистилище огненное затронет все концы Мира. На Космических Весах явлены и меч, и огненная трансмутация ко Благу Вселенной. Так Мир Огненный приближается во Благо планеты.

311. Каждое великое переустройство вызывает из пространства великие энергии. Сети строительства закидываются далеко за пределами Земных сфер. Но со всем нагнетением Светлых Сил напрягаются и силы тьмы. Как одно вещество вызывает реакцию от прикосновения, другое так же реагирует на каждое смещение. При космическом преображении пространство реагирует на каждую вибрацию. Именно события нагнетаются, как вещество при химической реакции. Пространственный Огонь начинает собирать новые силы, но подземный огонь хочет пробиться. Так и силы духа распространяются, являя свои устремления в зависимости от тех накоплений. Великая трансмутация приближается, и Огненный Мир ждет утверждения.

312. Меньше всего человечество понимает неразрывность Кармы. Между тем этот Космический Закон приложим к каждому проявлению. Именно человек не является только монадой, завершающей свой эволюционный путь, но он есть часть Монады Космоса. Все зародившиеся монады в одной Монаде Космоса несут ответственность за существование всей Вселенной. Связь между человеком и явлениями Вселенной насыщается обоюдно, и так важно осознать, как один породитель зла задерживает все продвижение. Ход событий указывает, насколько история повторяется. В основе этого лежит проявление тех же монад. Конечно, Карма великого строительства указывает на неразрывность связи между князем тьмы и человечеством. Падение мощных основ неминуемо отражается на человечестве. Но воскрешение духа может воскресить каждое проявление жизни, включая и падшего Ангела. О неразрывности путей монад с Космосом до́лжно подумать на пути к Миру Огненному.

313. Для утверждения действий и успеха необходимо проникнуться сущностью действенного явления. Когда действие предпосылает великую цель, каждый шаг должен соответствовать назначению. Невозможно смешивать великое с ничтожным. Невозможно смешивать предательство с высшим назначением и низшее побуждение с высшей целью — такое смешение неминуемо вызовет острую реакцию. Каждое высшее назначение нуждается в огненном насыщении и в непротивлении пространственным назначениям. Кроме высшей настороженности необходимо сознательное распознавание сил Света и тьмы. Лишь непреклонность и сознательное бесстрашие приносят победу.

314. Состояние планеты такое катастрофическое, что только самое нагнетенное воздействие удержит народы от

зверства. Принявшие Огненный Дозор космических событий могут лишь в несказуемом напряжении блюсти это насыщение. На страже человечества нужно бороться с явлениями несовершенства, малодушия и страха. Карма человечества состоит из мозаики самых страшных искуплений. Лишь Огненная Стража Иерархии спасет человечество. На пути к Миру Огненному соберем все лучшие мечи духа.

315. Сознание, озаренное пониманием непреложности подвига, может встретить Новый Мир. Такое сознание примет устремление к борьбе против тьмы и сумеет противостать всем исчадиям ада. Много житейских утверждений можно сравнить с исчадием ада. Ибо сфера, окружающая человечество, насыщена порождениями действий Кармы человечества. Принятие подвига в сердце откроет все пути к нему. Огненная Битва наполняет все сферы. Явление творчества стремительно нагнетает новые энергии. На пути к Миру Огненному насытим дух сознанием подвига.

316. Сущность устремления зависит от потенциала духа. Стремление к слиянию с Космосом направляет дух к значению единства со всей Вселенной. Сознание, что дух является породителем всего Сущего и носителем порожденного, заставит человека понять все кармические узы. Все существующие законы Космического Строительства указывают на это нерасторжимое единство. Как же иначе объяснить события мира?

Все Светоносители являют дозор этому единству. Питаемый единством Космического Огня каждый дух равняется фохатической искре. На пути к Миру Огненному возрожденным сознанием устремимся к слиянию с Космосом.

317. О качестве добра нужно тоже задуматься, ибо этим понятием так злоупотребляют, принимая за добро каждое выражение слабости и неразумия. Правильно сказано о том, что нужно отстаивать Истину и бороться со злом. Качество добра есть великое насыщение действия справедливостью и сердцем. При высшей справедливости огненное сознание являет свое притяжение к творчеству лучшей Кармы. Притяжение сердца всегда насыщается огненными энергиями. Качество добра должно быть понято во всех высших измерениях. Явим устремление к усовершенствованию понятия качества добра.

318. Настоящее положение Мира соответствует тем отложениям, которые человечество наслоило. Явление соот-

ветствия может утвердить те циклы, которые наступают, в них будут отражаться все искупления Кармы, и каждый цикл принесет свою новую ступень. Говоря о циклах, будем иметь в виду перемещение космического соответствия. Именно будем рассматривать искупление как огненное строительство. Эти циклы будут установлены тремя причинами — трансмутацией старых накоплений, очищением пространства и нагнетением великого будущего. Трансмутация началась. И как со дна морей подымаются чудовища, так из недр черни подымаются все отбросы. В Горниле Космоса многое расплавится на полезное строительство. Усилия трансмутации притянут каждое кармическое действие. Состояние планеты творит неминуемую Карму, сотканную порождениями человечества. Но на пути к Миру Огненному нужно помнить, что очищение пространства принесет великое будущее.

319. Действие зависит от напряжения той сферы, в которой дух пребывает. Как напряженность устремления утверждает мощь действия, так сопротивление насыщает действие сущностью сознания. Планы измерений предоставляют затраты энергий. Там, где плотный Мир требует усилий, там Тонкий Мир не только не требует, но предоставляет легкое передвижение. Плотный Мир утверждает ту силу, которая покоряет все сопротивления. Но в Тонком Мире главный рычаг есть накопление духовного устремления. Превозмочь сопротивление в Мире Тонком можно лишь духовностью. Неправильно думать, что Мир Огненный есть лишь отражение Мира земного. Ибо если слои Мира Тонкого представляют отражение земных, то в Мире Огненном есть слои, предохраняющие сферы Земные в их эволюционном росте. В этих слоях намечаются все течения эволюции. Они являются не только Сокровищницей рекордов пространства, но и Космической Лабораторией. Такие слои занимают самые Высокие Сферы. Восхождение человека зависит от притяжения к этим сферам.

320. В сознании заключается и мощь, и все оружие победы. Устремленное сознание может двигать громадами, но сознание должно пройти все препятствия, и лишь огненные пути приведут к Нам. Потому на пути к Миру Огненному так важно осознание цели и достижения ее. Притяжение духа к цели создает кратчайший путь и может открыть каждую возможность к достижению. Творчество духа именно ведет к назначению огненного подвига. Примем каждое утверждение великой Иерархии Блага. На пути к Миру

Огненному запомним, что подвиг есть тот краеугольный камень, на котором строится великое будущее.

321. Из всех разрушительных энергий нужно отметить вибрацию страха. Ибо страх разрушает каждую творческую вибрацию. Если бы можно было передать все явления, порожденные страхом, то человечество ужаснулось бы этим образам. Страх напоминает страшную геенну, которая на земном плане создает такие загромождения, откуда путь к Высшим Сферам пресечен. Но, кроме того, страх нагнетает темные силы, давая им толчок к темным действиям. Но даже на самых простых примерах жизни можно убедиться, насколько страх разрушает самое утвержденное предназначение. Но каждое действие страха в тонком плане разрушает множество возможностей. Явление страха есть запруда для каждого начинания. Именно мощь совершенства дает очищение от страха. На пути к Миру Огненному нужно искоренить страх, ибо его порождения разрушительны.

322. Предстоять перед Владыкою значит понять Образ Ведущий. Предстоять перед Владыкою значит отдать себя Владыке. Предстоять перед Владыкою значит обратить взоры к Высшему. Предстоять перед Владыкою значит отдать сердце Владыке. Предстоять перед Владыкою значит служить Иерархии Блага. Предстоять перед Владыкою значит являть понимание Служению Света в пространстве. Предпосылая мысли Блага, мы уже творим те каналы, по которым могут собираться энергии Блага. Когда идет великое переустройство Мира, мы должны устремить наши утверждения на помощь созидательства Света. Так создаются новые мосты. На пути к Миру Огненному предстанем перед Владыкою Света.

323. Строй жизни настолько разобщился с Космическим Магнитом, что все порождения человеческие принимают формы чудовищные. Развитие сил пошло по руслу, направленному к разрушению. Так миллионы темных душ воплощаются — душ, утерявших связь с духом. Столько столетий множества душ устремлялись к явлению быта, но не Бытия, и жизнь направлялась этими вожделениями. Карма Мира есть отражение каждого действия. И спасение человечества может прийти лишь от внутреннего познания. Для того и нужно разбудить лучшие энергии, ибо Космическая Справедливость проявляется там, где есть притяжение. Не уйти от кармы, не трансмутировать энергий без напряжения воли. На пути к Миру Огненному устремимся к познанию непреложности Закона Кармы.

324. Преображение Мира вызывает всегда напряжение всех энергий Космоса, и духовные возможности являются насыщенными импульсами новых путей. Возрождение планеты неминуемо вызывает все творческие устремления на всех планах. Прикасание к токам пространства является очень болезненным и насыщенным, ибо все слои пронизаны газами от разлагающихся действий человечества. Не удивляйтесь, когда чуете эту пространственную тягость. Перерождение Мира разбудило все энергии. И трансмутация дает свои последствия. На пути к Миру Огненному понимание пространственной Битвы необходимо, так утвердимся на победе Огненного Мира.

325. Солнцеподобное сердце Иерарха освещает существующее напряженное положение вещей как следствие космического переустройства. Затуманенное сознание человечества не знает причины происходящего разложения. Говорят о Гневе Божьем, говорят о страхе перед нахлынувшими несчастьями, но не говорят о Руке, Воздающей за сложенное руками человеческими. Не мзду, но заслуженное действие приносит Космическое Правосудие. Так человечество должно понять творимое Кармою. Пространственный Огонь бушует, насыщенный утверждениями Света и тьмы. Космические Весы знают Высшую Справедливость. Веление Космическое приближается. Солнцеподобное Сердце Иерарха устремлено к творчеству Огненным Велением.

326. Человечество в положении явного исказителя Законов Космических порождает те следствия, которые отражаются на всех событиях. Ведь уже столетия, как усовершенствование удалилось от человечества, и дух, который насыщает множества, именно стремится к созданию тупика. Водоворот, в который человечество посеяло свои вожделения, создал то разобщение, которое нарушило Космические Законы. Свойства человеческие притягивают духов, которые воплощаются, не имея никаких духовных устремлений. Такое сгущение слоев надземных образует сгущенную и напряженную сферу. Слои надземные настолько наполнены явлениями вожделений, что лучи, пронзающие эти слои, должны быть утроены в своей силе. Творчество лучей особенно напряжено, утверждая новые возможности. На пути к Миру Огненному утвердим сознание в необходимости очищения пространства.

327. Мир содрогается от напряжения. События нагнетаются. На всех планах энергии Света состоят из всех устремлений создать лучшее будущее и удержать Мир от

разрушения. Силы тьмы проникают под всеми личинами Света, стараясь уничтожить созданное Светом и там, где возможно, разрушить основание строительства. В этой грозной эпохе Армагеддона особенно необходимо осознать силы, движущие действиями каждого дня, каждого события, каждого явления, ибо настало время выбора и нет середины на пути к Миру Огненному.

328. Состояние планов надземных надвигает ускоренные события. Слои надземные как бы перемещаются, ибо стремление к Земле пробуждает много спящих духов. Перед великими событиями слои надземные всегда пробуждаются; начинается как бы испытание для духов, которые могут избрать свой путь. Сознания, управляемые низменными импульсами, могут устремляться лишь к низшим слоям. Но так же, как и на земном плане, там стоят на дозоре служители Света, и последний Зов может призвать духов к выбору. Эти кличи раздаются на всех планах. На пути к Миру Огненному напомним о Последнем Зове.

329. Мир переживает самое напряженное время, и слои, окружающие планету, насыщены энергиями, устремляющимися к трансмутации надземных слоев. Состояние планеты настолько острое, что каждое надземное утверждение напрягается в усилиях творческих, ибо нужно создать мощный противовес тьме. Духи, находящиеся в земном плане в неведении о происходящей огненной трансмутации, могут оказаться в Великой Битве опаленными, ибо мощная Битва требует явления принадлежности к стихии Огня. Стремительность выбора утверждает духу место в Космической Битве и в Космической Победе. Знание путей к Свету есть задание Огненного Мира.

330. Изуверство принадлежит к самым ярым проявлениям жестокости. Нет никакого сравнения с явлениями в Космосе, которые оказались бы такими разрушительными, как изуверство, ибо это чувство разрушает сердце, оно уничтожает все возвышенные чувства. Именно сам сатана насыщает изуверством. Именно преступление разрушителей не сравнить со страшными кощунствами изуверов. Явление изуверов способствует разложению каждого Высшего Учения, ибо карма этих безбожников под личиною веры утверждает самое страшное разрушение. Условия жизни показывают, как творит эта карма. Именно эти изуверства являют потоки крови. Строительство Нового Мира требует перерождения сознания.

331. Те вибрации, которые насыщают Мир, отвечают

свойствам низших проявлений. Усовершенствование планетных вибраций может происходить лишь напряжением человечества. Центр всех выявлений есть человечество, которое отражает все слои. Вибрации настолько дисгармоничны, что трудно установить связь с Мирами Высшими. Вибрации, способствующие разъединению, имеют качество самое низменное. Потому слои низшие могут пропускать свои низменные вибрации, тогда как высшие излучения не доходят до Земли. Насыщенный Мир ждет великой эпохи Перерождения Духа. Насыщение пространства вибрациями, помогающими установлению высших излучений, есть задача на пути к Миру Огненному.

332. Человек представляет из себя магнит, свойства которого очень многообразны. Лучше всего можно явить то влияние, которое оказывают на человека Высшие Силы и темные поработители. Когда центры и сознание развиваются соответственно, сила магнита становится неуязвимой, ибо этот магнетизм является соответствующим Высшей Силе. Но дух, насыщенный низменными течениями, не может привлекать к себе. Магнитные токи устремляются только силами, притягивающими их. Утратив притяжение, невозможно отвечать на вибрацию. Человек — магнит, так запомним на пути к Миру Огненному.

333. Как же можно ожидать успешных следствий, когда зерна, закладываемые в строение, несут в себе потенциал разложения? Процесс закладывания зерен есть именно то основание, на котором закладывается главный фундамент. Камни, из которых складывается фундамент, должны быть употреблены с самой точной перспективой всего строения; брешь в них может сокрушить все здание. Процесс закладывания зерна должен рассматриваться как потенциал всего последующего. Так пахарь являет заботу о зернах. Но горе пахарю, устыдившемуся своей пашни! Зерна, которые закладываются слишком глубоко, могут запоздать к жатве. Зерна, которые закладываются глубоко, предоставляют землю тем удушающим терниям. Процесс закладывания зерен есть самый насущный. Творчество потенциала действует невидимыми следствиями для того, кто глуп и слеп, но сущность пашни являет страшный образ следствий тому, кто не внемлет Гласу Правосудия. Горе пахарю, не рассчитавшему закладываемые зерна! Только великое надлежит великому. Только светлое растит светлое. На пути к Миру Огненному нужно запомнить великое значение процесса закладывания зерен.

334. Самый ужасный бич человечества есть его узкое мировоззрение. Лучшие люди думают, что явление их кругозора есть главный ключ к спасению Мира, но границы этих мировоззрений не идут дальше физического мира. Представители Церкви сулят народу спасение духа, но дальше физического мира не идут. Народные вожди направляют мышление своих народов к переустройству, но дальше низших сфер они не ведут. Так можно перечислить все степени человеческого водительства, и становится жутко за тот тупик, в который вошло человечество. Истинно, лишь переустройство Мира и перерождение сознания могут разбудить те энергии, нужные для поддержания планеты. Мы можем неустанно твердить о необходимости очищения сознания, ибо настал час последний к очищению созданного человечеством. Примем в сердце Огненный Завет помочь переустройству Мира.

335. Сознание человечества настолько искажено, что для строительства приходится пользоваться даже такими камнями, которые содержат в себе хотя бы искру устремления. В Лаборатории Природы приходится из массы веществ выжимать только одну субстанцию, а затем отбросить ненужные остатки. Лабораторная работа человеческого строения напоминает эту переработку. Конечно, при существующих ужасах человеческих разве можно ожидать, что направление Космического Магнита будет принято? Если бы открыть это кажущееся стройным существование, то каждый дух ужаснулся бы разложению основ. Жатва ненависти вкоренилась в сознание и должна быть искоренена. Ведь Мы не можем назвать ни одной религии, которая, хваля Господа, не произносила бы хулы. Искажение Учений породило ужас переживаемый. Именно Учения низведены на уровень человеческий, и храмы человечества не есть Храмы Господа. И слово Владык не утверждается человечеством, ибо Учение Света утерялось в темноте человеческого понимания. Лишь сердце, закаленное в бою и знающее сложность жизни, может понять всю темноту человечества. Можно сказать, что Мир спасется, переродив сознание.

336. Равновесие Мира нарушено до самого предела. Духовное устремление идет врозь с материей, и вместо единения получается ужасное разъединение и разложение. Все непримененные энергии остаются в земных слоях, и вместо употребления они несутся в хаотическом вихре. Духовное искание тоже носится в хаотическом вихре, ибо обособленность человечества уничтожает провода от Высших Сфер. Равновесие не обходится без участия всех пространственных и человеческих излучений. На пути к Миру Огненному основа явления равновесия есть утверждение начала светлой Эпохи Мира.

337. Человеческая нетерпимость ко всему Высшему превратила людей в выродков. На все понятия и принципы человек наложил свое клеймо. В каждом Высшем утверждении человек явил свои кощунства. Не Мир жесток, но человек. Не Мир утверждает несправедливость, но человек, ибо избрание человеком пути обособленности и самости явилось самой грозной участью. Нетерпимость ко всему Высшему и Светлому явилась бичом человечества. Очищение сознания есть великое задание на пути к Миру Огненному.

338. Если бы люди поняли всю мощь магнита, заложенного в сердце! Из всех огненных энергий это составляет самую действенную энергию. Для магнита сердца не существует препятствий, ибо солнцеподобное сердце знает, как утвердить великое действо. Солнцеподобное сердце творит Космические Веления и хранит Заветы на протяжении тысячелетий. Если бы люди поняли, что перед мощным огнем сердца склоняются все преграды! Так творит магнит сердца, и нет мощи, равной этому Солнцу Солнц. Так запомним на пути к Миру Огненному.

339. Явление создания чистой атмосферы равняется созданию канала для восприятия огненных энергий. Каждое проявление жизни наполнено ядом, созданным человеческой средою. Отравление это равно самому ужасному рассаднику болезней. Часто удивляются, почему столько трудностей, почему столько неудач и столько бедствий. Человеческое разумение не постигает, что разложение на духовном плане гораздо мощнее, нежели на физическом. Мир физический имеет свои видимые симптомы, но зараза на духовном плане настолько мощнее, что часто показывает, как назревают проявления сущего зла. Потому предатели, и подстрекатели, и творцы темных дел являются самыми страшными нарушителями Космического Равновесия. Потому на пути к Миру Огненному разовьем в себе распознание ликов и устремимся к установлению Равновесия.

340. Сознание человечества настолько насыщено пылью обычности, что необходимо пробить эту стену. Одно зажжение сознания бессильно перед тем ужасом, который затемняет сознания, ибо совершенно падшее сознание может скорее воспрянуть, нежели то, которое прячется под личиною

разных человекообразных. Сознание, напитанное самомнением и своей великой значительностью в мировом строении, тогда как это сознание разрушает строительство Блага, такое сознание безнадежно. Явление такого сознания нужно знать на пути к Миру Огненному.

341. Даже малое предвидение должно подсказать человеку, насколько Мир содрогается, насколько все сферы напряжены в приготовлении пространственных и земных битв. Даже малое сознание может проникаться мыслью о том переустройстве, к которому готовится весь Мир. Даже те, не желающие понять, куда ведут порождения человеческие, должны осознать ту неминуемую Карму, которая приводит все пути к Великому Переустройству. Можно лишь удивляться, насколько человечество живет в сознании миражей. Яснопонимание должно быть устремлением на пути к Миру Огненному.

342. Воля Космическая направляет сознания к пониманию необходимости равновесия, именно равновесия на духовном и земном плане, без которого различные сферы не могут соединиться. Духовный план является таким чуждым большинству человечества! За пределы самых низших сфер человечество не проникает, и низший психизм есть результат этого явления. То, к чему человек стремится, становится его явным бичом и властелином. Зависимость человечества утверждается именно этими вожделениями. Воля Космическая зовет к перерождению сознания. На пути к Миру Огненному устремимся к осознанию равновесия.

343. Состав земной атмосферы и надземных сфер взаимно нагнетается. Состав земных слоев насыщается всеми эманациями, исходящими от всех действий, мыслей и пороков человечества. Не нужно удивляться качеству явленного взаимодействия, ибо токи смешиваются и состав атмосферы является отражением происходящего на Земле. Равновесие Мира может лишь тогда наступить, когда человечество будет являть высшие излучения, ибо все сферы, окружающие планету, заражены эманациями земных действий. Лишь очищающие излучения дают те газы, которые разрежают сгущенные слои; так каждое благое очищение приносит свои каналы. На пути к Миру Огненному очищение пространства есть великое задание.

344. Столько явленных энергий нуждается в понимании, из каких ингредиентов совокупляется планетная атмосфера. Изучение химизма ее может легко открыть те наслоения, которые окружают Землю. Если мы говорим об испарениях

земных, то насколько же важнее испарения, исходящие от духовных действий! Настанет время, когда будут измерять атмосферу собраний. Можно будет определять слои, насыщающие разные помещения. Так как земные слои притягивают надземные сущности, то можно будет определять состав атмосферы на далеком радиусе. Изучение человеческих излучений откроет необъятные горизонты. На пути к Миру Огненному нужно осознать утверждение состава атмосферы.

345. Напряжение высших энергий духа является одним из самых мощных творческих каналов. Напряжение духа касается самых тонких энергий в недрах Сущего. Невозможно упустить такое мощное творчество безнаказанно, ибо лишь в недрах Сущего можно соприкоснуться с самыми устремленными энергиями. Через соприкасание с недрами открываются все качества, которые управляют всеми творческими началами. Потому человечество утеряло свои огненные восприятия, ибо оно прилепилось лишь к внешним проявлениям пространства. Когда напряжение духа приведет человечество к сознанию недр творческих, можно будет утвердить начало Огненного Мира в Красоте и тончайшем Творчестве. Нужно развить это устремление на пути к Миру Огненному.

346. Духовное развитие должно неизбежно раскрыть глаза человеку на те страшные заблуждения, которые лежат в корне зла. Недопустимы рассуждения о более сильном или более слабом начале, ибо такие рассуждения ведут к несоизмеримости. Равновесие Космическое не держится на более сильном и слабом начале. Именно это человеческое разделение привело Космические Весы к такому состоянию. И лишь искупление человечеством нарушенного закона даст новое строительство, ибо можно делить человечество лишь по заложенному потенциалу. Часто человек даже не понимает, что утвердило на Земле разновесие. Законы Космические должны быть рассмотрены как вещие Веления. Потому человечество должно научиться приноравливать малое к великому. В Переустройстве Мира самой важной заботой будет установление Космических Законов, именно в Космическом Велении, но не в земном. Так на пути к Миру Огненному лишь равновесие открывает Врата.

347. В будущем переустройстве Мира на Высшие Сферы не будет доступа тем, кто не понимает равновесия. Долгие воплощения должны будут научить, как создать Космическое Равновесие. Ведь государства пали, народы пали и стра-

ны уничтожились, ибо самый великий вопрос равновесия был уничтожен. Потому нужно очень утверждать значение Начала Женского. Именно не в домашнем масштабе, но в государственном. Если планета удержится, то будущие страны явят расцвет лишь равновесием. Мы даже допустим перевес на сторону Женского Начала, ибо явление борьбы будет очень напряженным. Именно Советы Министров должны будут включать женщин. Женщина, дающая жизнь народу, должна тоже иметь право располагать его судьбою. Женщина должна иметь право голоса. Если бы женщина была принята, как заповедано, то Мир был бы иного насыщения. Так только утверждение Закона Бытия может вернуть человекообразие.

348. Человечество настолько ушло от истинного созерцания Мира, что все Сущее становится иллюзорным. Разве люди хотят знать те корни зла, которые разрушают строительство? Закрытие глаз на существующее зло и на его породителя низвергнет человека еще ниже. То, что существует начало злое как противопоставление Свету, давно известно. Так же как добро проявляется во всех проявлениях и во всех видах, так и тьма — во всех своих видах. Конечно, человечество предпочитает явления непроявленного зла. Ведь тьма так привлекательна для малого сознания, ибо не нужно так огненно искупать свои действия и олицетворения зла принимают такое привлекательное применение! Сознание человечества так лишено явления соизмеримости! Потому только очищенное сознание может принять Свет и его антитезу — тьму.

349. Кругозор, который обнимает лишь ограниченные понятия, всегда разобщает человека с Высшими Принципами Космоса. Единство Космоса может устремить дух к явлению созерцания Огня. Сознание, обращенное к Принципу Единства, может понять цепь, которая объединяет все высшие понятия. Можно утверждать, что разложение является причиною тех проявлений, которые разъединяют все огненные принципы, ибо при всем многообразии космических явлений в основании всех построений лежит Огненное Единство. Так для водворения Красоты и Высших Принципов нужно огненно понять величие Единства.

350. Планета совершает круг, который приводит все к завершению. Приходит время, когда каждое начало должно выявить весь свой потенциал. Эти круги рассматриваются в истории как падение или расцвет. Но нужно принять эти ритмы именно как торжество Света или тьмы. Настало вре-

450

мя, когда планета приближается к такому кругу завершения, и лишь самое насыщенное напряжение потенциала даст победу. Круг завершения пробуждает все энергии, ибо в окончательной Битве будут принимать участие все силы Света и тьмы — от Самого Высшего и до отбросов. Чуткие духи знают, почему проявляется столько Высшего, наряду с преступным и косным. В бою перед кругом завершения будут состязания всех пространственных, земных и надземных Сил. На пути к Миру Огненному сотрудники должны помнить Веление Космоса.

351. Круг завершения есть Высшее Веление. Круг завершения являет свое Веление и для Огненного Права. Круг завершения является высшим творчеством Космического Магнита. Потому все Веления и события сводятся к настоящему времени. Так в Светлом Велении также и мощь князя Мира сего напрягает все свои силы. Потому Космическое Право входит в жизнь. Осознание круга завершения открывает много строений, которые насыщают Мир Светом и тьмою.

352. Мир переживает те стадии, которыми знаменовались все решительные моменты в истории человечества. Стадии разрушения предшествуют строительству. Творчество, напрягаясь, вызывает к жизни все энергии. Та эпоха, в которую вступило человечество, неминуемо выявит все потенциалы сил, ибо эта эпоха есть решающая, и поворот в истории наступает. Ведь состояние планеты не является случайным, и каждое напряжение свидетельствует о том потоке, который захватывает все сферы. Если борьба неумолима, то и победа будет решительная. Ибо все силы и сферы участвуют в этой Космической Битве. На пути к Миру Огненному нужно принять Меч Света для строения Новой Эпохи.

353. Волны, которые захватывают народы, исходят от народной Кармы. В Космическом Строительстве каждая эпоха оставляет свои волны в пространстве. Когда наступает срок и магнитному притяжению, все волны начинают действовать, тем Карма неизбежна. Когда в древних Писаниях сказано было: «Все от Отца Небесного»,— то именно Закон Кармы был назван. Все творится по этим волнам, которые уходят в пространство и сохраняют вечную связь с планетой. Связь между Миром надземным и земным обусловлена этими волнами. Рекорды пространства состоят из этих волн, и народы творят свои исторические искупления. Сознание, что все переходит в волны пространства, может пробудить

лучшие устремления. На пути к Миру Огненному явим устремление к улучшению народной Кармы.

354. Магнитное напряжение так огненно. Каждая энергия проявляется самым мощным образом. Нужно смотреть на происходящие события как на выражение всех потенциалов. Самое неотъемлемое напряжение царит в Мире, ибо эпоха возрождения духа устремляет все энергии к высшей трансмутации. Потому и Свет и тьма так грозно выявляют свои потенциалы. Время прекрасное, когда все события знаменуют наступающее великое переустройство. Насыщенное пространство творит веление Космического Магнита. Мир Огненный открывается перед огненными сознаниями.

355. Тела трансмутируются каждое по своей сущности. Так же как физическое тело трансмутирует и утончает кровь на протяжении эволюции, так и тонкое тело трансмутирует свою соответствующую сущность. Связь между этими процессами особенно важно отметить, ибо в процессе трансмутации тел достигается соотношение, которое так огненно кооперирует с пространством. Если в начале процесса трансмутации физическое тело напрягает центры тонкого тела, то после насыщения центров огнем тонкое тело имеет власть над физическим. Этот огненный процесс переливает психическую энергию из тела в тело. Мощь тонкого тела представляет панацею на физическом плане. Конечно, чувство трансмутации разнится в планах физическом и тонком, ибо чувства зависят от напряжения сфер. Очищение материи и духа также происходит лишь огненными энергиями и центрами, напряженными в пространственном искуплении. Мир Огненный так доступен сознанию, знающему связь с Пространственным Огнем.

356. Центры земные и надземные являют соответственные напряжения, когда события устремляются к переустройству. Нет такого утверждения на планете, которое не напрягалось бы огнем созидания или силою разрушения. Ратники добра являют перевес в Космическом Строительстве, и каждое явление Света имеет превосходство. Ибо, даже несмотря на видимое торжество тьмы, творчество космическое насыщается огненной Справедливостью. Потому спираль творчества Пространственного Огня приводит события к своему огненному торжеству. Так на пути к Огненному Миру запомним, что Тонкий Мир являет соответствие земному.

357. Можно проследить, как события нагнетаются, как нагромождаются тучи, как все центры планеты выявляют свои напряженные направления. Даже недалекие умы могут видеть, что карта Мира меняется. Истинно, немного осталось до великих событий. Переустройство Мира происходит во всех краях, и кажущееся, утвержденное благополучие есть лишь мираж, ибо каждая энергия находится в стадии трансмутации. Нетрудно утвердить, как колеблются Весы Космические. Так на пути к Миру Огненному устремимся к насыщению Космическим Магнитом.

358. Если бы поняли люди, какими основами можно построить лучший Мир. Если бы человечество задумалось над понятиями, которые насыщают жизнь. Сколько высших побуждений могло бы проснуться в сознании; сколько спящих энергий могло бы действовать, если бы человечество приняло Завет Служения так, как это утверждено всеми Высшими Силами! Все огненные качества Служения именно основаны на преданности. Именно это качество есть основа строительства. На пути к Миру Огненному нужно будет утвердить эту основу.

359. Укрепление тонкого тела так соответствует каждому возвышенному порыву. Тонкое тело заключает в себе все духовные центры, сознательное питание его может дать большие возможности. Сущность тонкого тела зависит от этих духовных насыщений. Польза от этих питаний может быть великая для физического тела. Каждый порыв духа укрепляет центры тонкого тела, наоборот, каждый центр физического тела, который насыщается низшими энергиями, разрушает огненные центры. Тонкое тело нуждается в духовном питании. Постоянная связь между телами может, таким образом, утвердить сознательный обмен энергиями. На пути к Миру Огненному осознаем насущность связи между телами.

360. Строительство человеческое нуждается в истинных устоях. Так, как строительство обстоит теперь, Миру предстоит лишь разрушение. Все Космические Переустройства требуют высших устоев, ибо спираль творящая утверждается в восхождении. Лишь устои человечества находятся в состоянии напряженного разложения. Все космические процессы являют трансмутацию к Высшему, но воля человечества зашла в тупик, ибо круг самости пожинает свои посевы. Потому Огонь Космический не претворяется человечеством, и вместо эволюции получается инволюция.

361. Трансмутация неизбежна на всем Космическом Плане. Только огненное переустройство даст новые творческие энергии. Космический Магнит творит и напрягает

все Сущее, ибо подходят сроки, которые заставят всех участвовать в Космической Битве. Пространство нуждается в разряжении. Космические Весы утверждают явление колебаний, во всем пространстве звучит зов к последнему напряжению. Утверждаю, что трансмутация энергий даст новые ступени в эволюции. Потому нужно устремиться сердцем и духом к Миру Огненному.

362. Можно представить себе, как колеблются Космические Весы, если положить на одну чашу Весов все исторические события, которые предшествовали настоящему времени. И если объять Мир грядущий, то можно рассмотреть, как разрастается Битва. Можно убедиться, как разрастаются Пространственные Огни, и можно наблюдать, как Силы Небесные вооружаются огненным доспехом и как силы земные сгущают каждое пространственное явление. Об этом нужно думать, ибо Огненное Переустройство должно застать сознание являющим понимание происходящему. Огненное Колебание Весов создает вихри, которые угрожают неустойчивым, но подымают к Высшим Мирам огненно устремленных. Среди колебаний Космических Весов человечество не может избрать срединного пути, ибо лишь Свет или тьма будут оспаривать победу. На пути к Миру Огненному запомним о Космических Весах.

363. Если бы сознание человечества могло сопоставить вечное с преходящим, то явились бы проблески понимания Космоса, ибо все ценности человечества зиждятся на вечном основании. Но человечество настолько прониклось уважением к преходящему, что оно забыло о Вечном. Между тем как показательно, что форма меняется, исчезает и заменяется новой. Преходимость так очевидна, и каждая преходимость указывает на жизнь вечную. Дух — творец каждой формы, но отвергается человечеством. Когда поймут, что дух вечен, тогда и Беспредельность, и Бессмертие войдут в жизнь. Так нужно направлять дух народов к пониманию Высших Начал. Человечество поглощено следствиями, но корень и начало всего — творчество, но оно забыто. Когда дух будет почитаться как священный Огонь, то подтвердится великое восхождение.

364. Если взвесить, что́ именно заглушает высшие понятия, то мы неминуемо придем к сознанию, которое все сравнивает с низшими явлениями. Сравнять все с низшим есть работа темных, и человечество поддается именно этим устремлениям. Каждый инстинктивно прибегает к этому разрушительному действию. Потому состояние сознания

является лучшим показателем всех эпох и всех человеческих направлений. Куда приведет такое заблуждение, утеряв связь с Огненным Миром? Именно очищение сознания даст доступ высшим энергиям. На пути к Миру Огненному нужно бороться с темными сознаниями.

365. Именно уничтожение прикасания к высшим энергиям разобщает человечество с Космосом. Как же можно существовать в Космосе, являя непонимание мировой эволюции? Так сознательное отношение к мировой эволюции непосредственно включает понимание Иерархии как животворящего Начала. Именно психизм и медиумизм отвращают человека от Высших Сфер, ибо тонкое тело настолько насыщается низшими эманациями, что вся сущность меняется. Именно самое трудное заключается в очищении сознания. Именно человек не различает огненного состояния духовности от психизма. Так мы должны преодолевать ужасы психизма. Именно ряды этих инструментов пополняются служителями тьмы. Так на пути к Миру Огненному нужно бороться с психизмом.

366. Так же как сознание может быть залогом расцвета, так же оно может явиться разложением. Мысль ограниченная является проводом для всех темных проявлений. Потому мысль может развиться в великое напряженное начинание или может разрушить каждое начало. Ограниченное мышление сокрушает все возможности, ибо явление строительства зиждется на росте сознания. Как можно устремляться к Высшему Идеалу без расширения сознания! Ведь Облик Высший может быть осознан огненным и бесстрашным сознанием, ибо нет предела мощи огненного сознания. Так на пути к Миру Огненному нужно напрячь все силы к расширению сознания.

367. Положение планеты ухудшается из-за сознания человечества. Силы духа расходуются на утверждение разрушения. Малодушный страх перед всеми понятиями, не соответствующими настоящему сознанию, приведет человечество к тому пределу, который явится разрушением. Силы духа могут вывести человечество из тупика, если человечество очистит свое мышление. Каждый великий принцип является тем началом, который возносит дух. Искание высших принципов есть первое задание. Сущее Мира утверждается огненными принципами. Потому устремление к Высшему должно быть явлением самым насущным. Человечество должно задуматься над перерождением своих действий. Карма искупления приближается. Каждое стремление

должно быть направлено к Источнику Света. На пути к Миру Огненному явим подвиг осознания великого в действии.

368. Когда ярко горит в духе понимание Основ Бытия, то и бездна жизни перестает казаться непроходимой. Когда горит в сердце сознание подвига, то и день грядущий кажется близким. Горизонт, обнимающий Мир во всем его построении, поймет всю преходимость и кажущуюся Майю. Так пространство насыщено творчеством Огня и грядущим построением. Знание преходимости дает чувство отрыва от Земли и устремляет дух к тем планам, где человек, истинно, пребывает в его огненной сущности. На пути к Миру Огненному явим устремление к пространственным энергиям, помогающим духу перейти бездну непонимания.

369. Именно бездна непонимания является той тропой, по которой человечество идет. Именно современное мышление указывает на ограниченность психических исследований. Но насколько можно пойти дальше и глубже, зная о разделении и связи между тремя телами. Ибо если физическое тело уже оформлено, то астральное тело почти оформлено и самое тонкое ментальное тело оформлено лишь у избранных. Но посвященные в высшие огненные энергии и знающие огненную трансмутацию центров могут утверждать о явлениях огненных. Все другие явления нужно разделять по двум категориям: первая,— когда дух не может перейти бездну, потому что тело ментальное настолько еще не оформлено, что дух не может проявляться за пределами низших слоев; другая категория, когда один центр проявляется частично. Причем нужно помнить, что Огненный Мир недоступен духу, покуда высшие центры не начнут трансмутироваться. Но поверх всего стоит дух, зажегший свои духовные огни, ибо его ментальное тело творит соответственно. На пути к Миру Огненному нужно тонко разбираться в психических явлениях.

370. Продвинуть сознания так же трудно, как сдвинуть гору. Самые неподвижные сознания именно старые и окостеневшие. Это относится ко всем тем, кто идет, оглядываясь назад, и кто не взирает на будущее. Утверждаю, как окостеневшие сознания требуют мощных мер, так же как и те, не выросшие за пределы детского возраста, ибо соизмеримость нужна при оценке событий. Окостенение и отсталость могут разрушить самые огромные возможности. Потому самое важное при построении — помнить о том, что грозное время требует огненных мер. На пути к Миру Огненному явим понимание мощи поднятия Огненного Меча.

371. Степени сознания ставят человека на протяжении последних столетий на ступень замерзания. Сколько врат открылось перед кругозором человечества! Сколько вех расставлено вокруг, сколько завершений являются возможными! Но приоткрытие завесы должно напрячь дух к истинному огненному достижению. Чему же являемся мы свидетелями при этом насыщенном даянии, когда Мир трепещет от Битвы Армагеддона? Трудное творчество может обратиться в праздник духа, который явит Миру светлое будущее. Но Рука протянутая не должна оставаться отринутой человеческим непониманием пути Света. На пути к Миру Огненному нужно понять неотложность стремления к Началу Светлому.

372. Как мало задумываются над теми основаниями, которые являются устоями созидания, между тем это явление есть самое насущное. В основание созидания закладывается самое прочное и самое устойчивое утверждение. Из всех устоев самый огненный есть магнит сердца. Изъять его значит оставить построение без души, ибо магнит сердца вмещает все космические насыщения. Магнит сердца является синтезом всех тонких энергий. Магнит сердца состоит из накоплений тысячелетий, в нем выражаются карма и притяжение. Так же как нельзя заменить солнце, так и сердце остается мощным создателем. Так на пути к Миру Огненному нужно особенно помнить, что огненный магнит сердца есть основа созидания.

373. Карма творит свои следствия во всем Мире. Сознательное отношение к мировому переустройству может положить основание Новому Миру. Устроение современное настолько уклонилось от явленного Космического Магнита, что, истинно, все Силы Света собираются для помощи человечеству. Строительство напрягается на всех планах. Разве можно среди Армагеддона представить себе какое-нибудь благополучие в тех краях Мира, которые подлежат переустройству? Построение Духовных Сил выведет человечество из тупика. Время трансмутации принесет высшие энергии Миру. На пути к Миру Огненному приложим все силы к строительству новому.

374. Сознание большинства людей не проникает в глубь космических построений. Не задумываясь над смыслом принципов, люди тем разобщаются с Огненным Миром. Все творческие способности нуждаются для проявления в этом

космическом приобщении, ибо это приобщение утверждает соизмеримость, которую человечество утеряло. Человек, который предназначен Космосом быть создателем и сотворцом, сам отрешился от этого венца. Совершив свой круг действий, человек не принял космических принципов в основание, потому Мир Огненный отличается от Мира, созданного человеком. Все преломляется в сознании в несоответствии с Законами Космоса. На пути к Миру Огненному нужно явить осознание приобщения к Законам Космическим.

375. Притяжение магнита сердца действует мощно на расстоянии. Эти токи пробуждают созвучия в соответствии с силою посылки. Конечно, нужно соответственно звучать на протянутую нить. Творчество сердца неограниченно и неизмеримо в своей мощи. Стремление к пробуждению энергий относится к самому насущному принципу развития творчества. Развитие этого рычага нуждается в огненном сознании. Так нужно понять насущность этого развития сердца. На пути к Миру Огненному утвердимся на понимании рычага Огненного сердца.

376. Те слои, которые человечество творит, окружая ими планету, становятся все более и более уплотненными. Ибо та жизнь, которая водворилась на Земле, мешает разряжению не только духовному, но и физическому. Соответствие между Мирами пространства так зависит от насыщения этих слоев! В космическом пространстве каждое явление отзывается целою цепью следствий. И атмосфера Земли образует как бы кору, испещренную темными пятнами. Зная, насколько Миры нуждаются в питании высшими энергиями, можно себе представить следствия такой изоляции! Стоящие на Вечном Дозоре устремляют лучи Света, напрягая все силы. На пути к Миру Огненному явим осознание этого напряжения, в котором Силы Света спасают планету.

377. Битва Космическая, которая напрягает пространство, захватывает весь Космос. В этой Битве решатся многие задания, которые дадут повороты в истории и утвердят новые принципы. Каждая энергия трансмутируется этими Огненными Битвами. Повороты будут крутые, но бесстрашное сознание знает радость духа. Ибо лишь дерзание может обратить дух к новому будущему. Лишь знание этой Космической Битвы откроет понимание происходящего, ибо Карма нагнетает все события. Огненное бесстрашие откроет завесу завтрашнего дня и утвердит причину, напрягающую пространство. Потому искание причины откроет следствие.

Так Мир Огненный утвердится доступным человечеству. Так обратимся сердцем к Миру Огненному.

378. Явленная Битва зовет к распознаванию путей, ведущих к Свету и тьме. При космическом напряжении всех сил это распознавание необходимо, ибо пространство насыщено стрелами огненными. Каждое сознание должно преисполниться утверждением Огненной Битвы. Ведь при таком огненном напряжении явленных стрел человечество неотложно должно принять то спасительное направление, которое ему указано Силами Света. На помощь планете посылаются течения огненные, нужно их принять духом и сердцем. На пути к Миру Огненному особенно важно уяснить мощь, протянутую на спасение человечества.

379. На пути к Служению нужно запомнить насущность правдивости, ибо это есть первое требование в построении. Искажение фактов есть искажение построения. Ведь лишь самообольщение толкает дух на искажения. Зеркало кармическое отражает эти искажения, и дух, явивший кармическое злотолкование, наносит ущерб всему построению. Почему же человечество окутало так планету ложными эманациями? Искажение истины, искажение Учения, искажение принципов приводят к разрушению. В этом тупике пребывает дух человека, который живет самостью. Приходится сметать пыль, и щели зияют при сорном строительстве. Истинно, язвы духа мешают подыматься строению. Нужно тонко различать терпимость и подвижность от тех свойств, которые так хаотично проявляются на опыте с людьми, которые поворачивают, куда ни совесть, ни честность, ни истина не зовут дух. На пути к Миру Огненному первое условие Огненного Служения есть честность. Так запомним.

380. Нагромождения вокруг планеты являют самую сгущенную массу. Если бы исследовать ту массу, то можно было бы открыть много полезных явлений. Именно эта атмосфера содержит составы, которые притягивают к Земле соответственные энергии. Если бы исследовать эти составы с точки зрения тонких энергий, то можно было бы заметить, что каждый насыщен человеческими эманациями, исходящими из психической деятельности человека. Аура планеты собирает все энергии, которые составляют насущные проявления человечества. Потому очищение пространства есть самое главное задание на пути к Миру Огненному.

381. Как же достичь огненного посвящения без действенной борьбы? Как же пройти жизнь без действенной битвы? Лишь низкое понимание может иметь представление

о высшем достижении без напряжения. Пройти жизнь и достичь значит пройти по краю бездны, значит пройти через скорби и напряжения. Так же как Космическая Лаборатория трансмутирует эти энергии сердца, так человеческие души проходят чистилище на Земле. Без этого огненного приобщения к Космическому Огню сердце не познает посвящения в Высший Мир. На пути к Миру Огненному нужно помнить о чистилище жизни.

382. Мир погружается в следствия, созданные человеческими деяниями. Можно ли удивляться происходящему на планете? Газы, образуемые духовным удушением человеческих построений, запрудили пространство и окутали планету во мрак. Стремления человеческие соответствуют происходящему. Слои земные и надземные насыщены явлениями, созданными злодеяниями человечества. Слои, истинно, заражаются взаимно. Это и есть явное кармическое действие. На пути к Миру Огненному нужно принять меры к утверждению новых кармических следствий.

383. Космические энергии огненно собираются вокруг планеты и, пробивая толщу земной атмосферы, напрягают токи. Состояние человечества зависит от этих токов, которые физически и духовно являют свои воздействия. Эпидемии физические и духовные зависят от этих наслоений, и можно проследить, как текут разные события. Каждая эпоха имеет свои предзнаменования, которые являются накоплениями действий человечества. Наслоения эти дают себя чувствовать из пространства, превращаясь опять в действия. Таким образом, закон вечной трансмутации входит в жизнь. На пути к Миру Огненному явим понимание закону вечной огненной трансмутации.

384. Восторг духа есть огненно созидающая энергия. Восторг духа насыщает каждое явление лучшими устремлениями. При воспитании сердца нужно особенно распознавать эти творящие энергии, которые насыщают дух самыми тончайшими эманациями. При восхождении так важно утончать все чувства. Строение всегда напрягается восторгом и устремлением духа и сердца. Притяжение огненных энергий из пространства имеет в основании своем каждое возвышенное чувство. Как важно пробуждать все огненные устремления! На пути к Миру Огненному устремимся к познанию радости Служению Великой Иерархии Света.

385. Устремленная воля к творчеству с Космическим Магнитом может создать много высоких созиданий, ибо воля, направленная сознательно, творит усиленно. Потому

выбор путей и знание направления могут насытить дух в огненном устремлении. Человечество не принимает этого закона сознательно направленной воли, потому и столько заблуждений. Можно утверждать, что каждое человеческое действие творится без истинного понимания его приложения. Таким образом, жизнь человеческая полна нецелесообразности. На пути к Миру Огненному нужно помнить великий закон сознательного направления воли.

386. Условия Бытия ставят дух в зависимость от объединения с космическими течениями. Именно нужно развить сознание в этом направлении. Когда человечество напряжется в сознательной работе, то и все энергии будут ему доступны. Ведь заколдованный круг создается самим человечеством и тупик тоже есть творение человека. Просвет может прийти лишь через сознательное отношение к космическим энергиям. Разобщение с Высшими Силами повело к тем событиям, которые так укрепили свой ход. На пути к Миру Огненному явим сознательное отношение к космическим энергиям.

387. Самый ужасный бич человечества есть самоуничтожение во имя своей явленной самости. Человек, утверждающий, что, служа своему Идеалу, он уничтожает все другие, не совпадающие с этим путем, есть разрушитель основ эволюции. Космос требует выражения всего Сущего, и на духовном плане не может произойти уравнения. Все высшие Учения имеют в основе своей тот же Источник и не будут уничтожать то, что служит пищею духовною. Истинно, требующий уравнения всех основ, всех Учений превращает каждую великую основу в прах. Весы не очень колеблются между безбожием и ханжеством. Так на пути к Миру Огненному запомним, кто рушит основы строительства.

388. При падении эпохи прежде всего наблюдается раскол среди внутренних построений. Когда духовное падение одолевает народное сознание, эти признаки особенно ярки. Осмотрев карту Мира, можно легко убедиться, что разложение предшествует расцвету, который может осуществиться лишь обновлением духа. Искания истинного расцвета приведут к обновлению духа и принципов, и может утвердиться новое строительство. Так невозможно утвердить новое строительство без истинного обновления духа. Служение Свету должно придать мужество духу явить огненное строительство.

389. Самое близкое определение тонкой комбинации энергий есть сгармонизированная аура. В этом сочетании можно найти все творческие энергии, ибо в сгармонизированной ауре состав содержит все тонкие ингредиенты. Сгармонизированная аура объединяет объединенное сознание и объединенное сердце. В каждом напряжении сгармонизирования можно пройти особым током без ущерба, когда силы полюсов одинаковы. Тот же закон применим к посылкам, ибо посылающий и принимающий должны соответствовать одной вибрации, потому фактор сердца так важен. И если можно действовать на расстоянии мысленно, то мощь сердца несравнима, ибо сердце может разбудить все спящие энергии воспоминаний и накоплений прошлого. Так нужно понять ту мощь сердца как выявление Мира Огненного.

390. Карма являет всегда свои знамения. Этот идущий год явит и свои воздаяния. Карма Мира и народные шествия покажут следствия мировых событий. Силы Света проникают во все мировые движения. На Весах Космических будут колебаться самоотверженность и уявленное злонамерение. Так во всем переустройстве можно будет наблюдать космические колебания, которые выявят Мощь Света в окончательной Битве. Так Мы насыщаем пространство. Идет новая ступень насыщения строительства. Так Мы напряжением всех сил победим.

391. Восприятие тонких энергий сопровождается всегда утончением организма. При этом нужно помнить, что сознание помогает прежде всего, ибо тонкие энергии могут восприниматься лишь при утончении организма. Этот принцип нужно очень помнить, ибо обычно происходит смешение понятий. И это непонимание и смешение ведут к очень опасным заблуждениям. При очищении сознания нужно очень распознавать эти явления, ибо люди всегда склонны к утверждению психизма вместо высших огненных понятий. Дух, впадающий в эту крайность, может оказаться настолько окруженным психическими флюидами, что даже при желании окутаться другими высшими энергиями это ему не удается. И в этом укажем на сознание как на спасительное действо. Так на пути к Миру Огненному можно утверждать, что огненное сознание даст ключ к распознаванию.

392. Сознательное отношение к силе своих излучений может дать большое насыщение. Дух, устремленный к сознательному применению излучений, должен напрячь явленную мощь сердца, ибо этот солнцеподобный источник может открыть все пути. Сознательное утверждение излучений, конечно, применимо, когда все высшие огненные энергии

сердца возжены. На пути к Миру Огненному утвердим сознательное отношение к излучениям сердца.

393. Излучения сердца имеют огненные свойства, которые являют мощное насыщение во всем пространстве. Если бы люди научились утверждать строительство этими огненными энергиями, то многое установилось бы соответственно Космическому Магниту. Излучения сердца имеют строительную мощь, и ничто не может сравниться с огненными излучениями сердца, ибо даже пространственные энергии подчинены мощному действию излучений сердца. На пути к Миру Огненному нужно явить понимание этому Светочу Светочей.

394. Чуять напряжение Мира есть качество огненного сознания. Скрытые язвы Мира дают себя чувствовать сердцу огненному. Те вибрации, которые насыщают пространство, остаются незамеченными теми сознаниями, которые попали в тупик мировых движений. Лишь сердце, принимающее сознательно эти язвы, может, истинно, назваться сотрудником Космического Магнита. Сознание, обособленное от Битвы Космической, не приблизится к Миру Огненному, ибо это основное распознавание необходимо, когда Мир трепещет в Битве Сил Света с тьмою.

395. Особое качество в тонком духе есть признание качеств и достоинств в человеке. Чем шире и тоньше сознание, тем больше оно вмещает благодарности, ибо лишь ограниченное сознание лишает всех достоинств. Сердце не может быть истинно великим без этого огненного качества. Именно огненное сердце знает, как утвердить дань сердца дающего и щедрого. Насыщение сердца этими огненными качествами являет свои борения. Велик ущерб духа, когда физическое утверждение берет верх над огненной сущностью. Огненное сердце знает, как явить признание огненному строительству, ибо на этой основе могут строиться прочные устои. И вожди, и короли утверждались лишь этим огненным качеством. В мировом построении было много разрушений, когда это огненное качество отсутствовало. На пути к Миру Огненному нужно запомнить это огненное качество.

396. Утверждаю, как нужно являть огненное качество признания достоинств, ибо без него не утвердить нового построения. Это нужно очень твердо помнить, по всей линии Иерархии оно должно быть проведено. Явление кармы тяжко платит за каждое явление неблагодарности, и даже Силы Света оставляют дух самому себе, когда эти основы попраны. И до высших ступеней закон един, ибо это качество должно достигаться огнем внутренним и сам дух должен развивать это качество. Мы не вторгаемся в сознание, когда Мы видим отсутствие этого огненного основания.

397. Неисчислимы причины болезней, и наука должна разобраться в этих причинах. При этом нужно иметь в виду строение всей планетной жизни. Рассматривая болезни, следует изучать духовные и физические течения. Также и среда имеет свое влияние, ибо групповая аура оказывает сильное воздействие на чуткий организм. Мы часто слышали, что лучшие уходят как бы первыми в Тонкий Мир, и во время эпидемий болезни часто уносят многих чутких духов. Нужно расследовать это явление, ибо не всегда недостаточность психической энергии есть причина заболевания. Микробы духовных зараз, насыщающие пространство, отяжеляют именно чуткий организм, который располагает большим запасом психической энергии. Можно проследить, как часто заболевание разрешает в критические моменты накопившуюся драму жизни, и часто третий дух принимает на себя тягость, созданную вокруг, которую он добровольно и напряженно несет. Врачи должны очень внимательно расследовать обстоятельства, окружающие и предшествовавшие болезни, ибо они могут найти ключ ко многим заболеваниям.

398. Так и пожар, который угрожал Матери Агни Йоги на высотах, был синтетическим разряжением Пространственного Огня. Кроме огненной трансмутации этот пожар как бы трансмутировал всю окружающую атмосферу. Этот оккультный и физический пожар, истинно, искупил все явления, которые нагромождались в пространстве. Тонкий организм имеет много функций. Функции огненного духа так разнообразны. Агни Йог разряжает пространство, и он является впитывающим все эманации. Он есть мощный воин, сражающийся с тьмою, и та мощь, которую темная свора старается разрушить.

399. Подъем и упадок психической энергии обуславливаются разными причинами. Нужно понять самое основное различие, именно качество духа носителя психической энергии. У огненного духа даже при самом большом упадке психической энергии запас ее никогда не иссякнет. Но дух земной утверждается лишь самыми низшими энергиями, которые очень легко поглощают малые запасы психической энергии, ибо этот Высший Огонь производится нагнетением высших центров, высшими устремлениями и высшими чувствами. Явление психической энергии как бы кристаллизуется

при упадке, но огненный дух может эти кристаллы воспламенить сердечным напряжением. Восторг духа может даже явить потенциал запаса психической энергии. Потому огненный дух не может исчерпать своего запаса психической энергии. Этот запас может сгореть при пожаре центров. Он может поглощаться при израсходовании в битвах и при посылках на дальние расстояния, но этот сокровенный кристалл не может исчезнуть. Лишь действие его меняет свой ритм и свойства, также и напряжение.

400. Запас психической энергии неиссякаем, и при духовном устремлении сила его умножается. При духовном устремлении эта энергия является строительным импульсом для новых запасов. Свойства этой огненной энергии так многообразны, и потенциал ее превосходит каждую энергию, ибо жизнь, заключающаяся в ней, может трансмутировать все другие энергии. Психическая энергия в своей деятельности может побороть каждое сопротивление, если она будет сознательно направлена. Иссякает явленный источник, лишь когда он не поддержан сознательным устремлением. При достижении духа, при огненном насыщении этот сокровенный огненный источник жизни напрягает все жизненные функции.

401. Кристалл психической энергии может как бы померкнуть при больших напряжениях. Но это временное состояние не является потуханием, ибо при огненности духа эта напряженность извне, ибо потенциал кристалла как бы явлен огнем, который возгорается от самого зерна духа. Психическая энергия оформляет и тонкое тело. Когда психическая энергия нагнетает энергию, то каждая энергия соответственно нагнетает тонкое тело. Яснослышание при огненности зависит от состояния психической энергии. Конечно, нужно иметь в виду каждую растрачиваемость психической энергии, ибо нужно помнить, что один и тот же источник психической энергии творит на расстояниях и на всех прочих планах. Так нужно утвердить этот огненный источник, ибо в нем содержится динамика Огня.

402. Способы нагнетения психической энергии очень многообразны. Мысль возвышенная или радость устремленная, порывы духа и каждое внутреннее насыщение мощью могут умножить явления психической энергии. Именно изнутри этот сокровенный источник может пополняться. При больших потрясениях или больших болезнях кристалл психической энергии может наполниться новою мощью, теми энергиями, которые питаются высшими центрами

и возвышенными чувствами. Потому вера, устремленная к Источнику Света, истинно, творит чудеса.

403. При возгорании центров можно заметить различные насыщения психической энергией. Огненная трансмутация как бы поглощает кристаллы психической энергии, которые конденсируются в этой огненной трансмутации. Работа центров поглощает все энергии, и после переработки кристаллы конденсируются новыми ингредиентами, которые дают свои насыщения. Эти насыщения выявляются в разных функциях центров. Психическая энергия отличается тоже своим качеством, и утончение ее может насыщать высшие проявления жизненных функций, которые напрягаются на разных ступенях разными качествами. И так же как творческий Огонь разлит во Вселенной, так же, утончаясь, психическая энергия проходит через свои ступени. Так источник творчества зависит от утверждения силы психической энергии в ее потенциале. Развитие сил духа и является потенциалом психической энергии.

404. Психическая энергия тоже проявляется в других формах, и она может передаваться посредством магнитного тока. Конечно, такая передача может происходить лишь при сгармонизировании токов и аур, но бывают и обратные действия, когда психическая энергия поглощается извне. Эти поглощения происходят от вампиризма и до сознательного разрушения. Также и мысли, которые насыщают атмосферу, могут или нагнетать психическую энергию, или же уничтожать. Пространственный Огонь содержит эти кристаллы. Часто аура мест, где происходят раздражения или творческие действия, насыщается соответственными кристаллами. Качество энергии насыщает соответственно пространство.

405. Психическая энергия напрягает центры при их трансмутации. Состояние напряжения в одном центре, конечно, уменьшает прилив психической энергии к другим центрам, потому и ощущение неуравновесия. Но после каждой трансмутации наплыв психической энергии мощнее. Явление психической энергии приобретает особое качество после трансмутации. Прикосновение к Космическим Огням имеет мощное воздействие, и психическая энергия подвергается большему напряжению. Это качество позволяет духу пользоваться психической энергией сознательно при посылках. Так напряжение центров является великой трансмутацией психической энергии.

406. Насыщение центров Огнем Высшим напрягает психическую энергию. Когда Огонь центров бушует, психическая энергия тоже находится в состоянии высшего напряжения. Уравновесие этих огненных сил после трансмутации дает новое возжение центров. Процесс нагнетения психической энергии идет соответственно с трансмутацией. Центры собирают в себе кристаллы психической энергии, которые утверждают мощь трансмутации. Агни Йог являет мощное нагнетение энергии, которая творит соответственно с явленным Пространственным Огнем. Сокровище психической энергии может создать панацею мощную. Сознание, помогающее устремлять дух к трансмутации центров, являет огненное действие.

407. Не всегда можно сразу представить себе, куда направлен ток психической энергии. Нельзя сразу решить, когда токи идут в разных направлениях и оказывают воздействие одинаковое, ибо из одного источника происходит израсходование психической энергии на творческие действия. Течение психической энергии отражается на сердце и на всем организме, потому трудно сразу определить направление, где психическая энергия творит свои насыщения. Сердечная тоска может быть следствием многих причин, но нельзя тоску сердечную приписать лишь затрате на тягость явлений жизни, ибо причина может быть обратная. Когда струя психической энергии направляется в пространство, неминуемо ощущение сердечной тоски. Нужно очень разбираться в этих чудотворных явлениях и не смешивать их с предчувствиями.

408. Устремленная психическая энергия напрягается особенно огнем духа. Напряжение воли умножает запас и силы психической энергии. Можно убедиться в жизни, как явление напряженной психической энергии противостоит и противодействует различным запрудам. Токи психической энергии могут настолько магнетизировать окружающую атмосферу, что именно установится как бы огненный поток вокруг, который разбивает все надвигающиеся злобные энергии. Сознательное напряжение психической энергии бесстрашия есть великий панцирь. Сознательное применение этих насыщений вызывает огненную стену, охраняющую утвержденное положение. Творчество психической энергии беспредельно.

409. Сознание может напрягать те рычаги, которые необходимы для укрепления психической энергии. Но для этого нужно очень тонкое распознавание, ибо тонкое сознание употребит силы на творческое напряжение, но грубое сознание и дух разрушителя напрягут рычаги на темные

ухищрения. Психическая энергия в руках человеческих есть самое страшное оружие.

410. При космических затмениях явления темных сил напрягаются к усилению их действий, ибо равновесие нарушается и в этом нарушенном состоянии темные сущности, конечно, являют свою силу. Космические затмения особенно напрягают события, ибо они помогают силам выявляться. Явление Битвы усиливается, и ускоряются события; тьма сгущается, но Свет побеждает и ярче горит новая Звезда.

411. Состояние человечества, лишенного запаса психической энергии, ярко выражается в событиях, которые напрягают Силы Света и тьмы. Все течения, которые так очевидно напрягаются в разных направлениях, указывают, как источник психической энергии мало насыщает народы. Ведь и духовная смерть, и иссякание психической энергии, и уничтожение высших стремлений доказывают то состояние, в котором пребывает человечество. Стремление к высшим достижениям окрыляет дух и нагнетает запас психической энергии. Ведь огнеподобие психической энергии нуждается в явленном применении, потому огненное устремление является таким мощным нагнетением психической энергии.

412. Конечно, невозможно строить малодушием, ибо оно вносит всюду разложение. Напряженное строительство требует выявления высшего утверждения: или насыщенная победа, или негодное малодушие. Если бы можно было прояснить человеческий ум, насколько губительны полумеры и компромиссы, то строительство протекало бы иначе. Но человечество болеет этими ужасными язвами, и Нам приходится затрачивать запас кровавого пота на явления исправления, и в этом напряжении творит Иерархия Света. Кровавый пот именно покрывает чело Наше.

413. Порывы духа или внезапное несчастье могут одинаково напрячь приток психической энергии. Это явление понятно при порывах духа, но при несчастьи можно усмотреть много тонких определений. При растерянности, конечно, психическая энергия не может сконцентрироваться и начать действовать. Но при дерзании духа психическая энергия может вспыхнуть, как мощное пламя, образуя как бы защиту против надвигающегося зла. Можно упражняться в этих концентрациях психической энергии, и воля напряженная может нагнести запас психической энергии. Трусость, конечно, может лишь потушить запас психической энергии. Потому развивайте запас психической энергии и напрягайте дерзания, ибо в этом источнике заключается столько мощи!

414. Сердце особенно напрягает психическую энергию, и каждое сердечное переживание отражается на запасе психической энергии. Можно говорить о химической смерти человека, когда запас психической энергии истощается. Можно говорить о воскрешении, когда психическая энергия начинает восполняться. Тонким изучением приемов можно было бы найти способ напрягать психическую энергию, но для этого нужно знать духовное состояние. Но огненный состав психической энергии может нагнетаться лишь огненным стимулом. В борьбе с заболеваниями можно нагнетать психическую энергию как мощный фактор. При очищенном сознании можно напрячь силы духа, которые являются двигателями пространства. В сердце можно найти рычаги для огненного воскрешения психической энергии.

415. Дух, познавший при жизни мощь напряжения психической энергии, может рассчитывать на мощь психической энергии и при переходе в Тонкий Мир. Наше тонкое тело питается этими насыщениями, и флюиды психической энергии оформляют тонкое тело. При трансмутации центров, конечно, психическая энергия действует особенно усиленно, и центры собирают эти мощные флюиды для усиления тонкого тела. Когда психическая энергия накопляется возвышенными чувствами, то трансмутация тонкого тела соответственно насыщается огненными энергиями. Так важно напрячь силы в устремленном понимании мощи психической энергии! Действие огненной энергии напрягает все последующие явления жизни.

416. Психическая энергия проникает во все ткани, устанавливая во всем организме равновесие. При заболеваниях психическая энергия отливает от известного центра, ослабляя работу гланд. Психическая энергия устремляется тогда к тем центрам, которые могут поддержать равновесие. Гланды очень зависят от психической энергии. Набухание гланд можно объяснить как отлив психической энергии. Чем слабее приток психической энергии, тем больше набухают гланды, ибо физическое развитие утверждается без контроля. Потому все наросты, вплоть до рака, могут причисляться к отливу психической энергии. Духовное равновесие может помочь искоренить многие заболевания. Чем продолжительнее такой отлив психической энергии, тем злокачественнее будут болезни.

417. Установления равновесия в нарастании психической энергии можно достичь различными способами, но главным будет духовное условие. При напоре вражеских сил можно заметить, как духовный порыв начинает нагнетать психическую энергию и явление концентрации огненных явлений умножается. Но бывает тоже такой напор, когда как бы весь запас психической энергии исчерпывается. Это явление обычно связано с невозможностью поднять огненный меч очищения. Среди явлений космического нарастания психической энергии нужно очень отличать нарастания изнутри, и особенно когда они нагнетаются самодеятельностью центров. Состояние огненных центров соответствует этой мощи в Космосе, которая конденсирует Прану. Так Макрокосм и микрокосм выражаются в огненном действии. Свойства центров при огненной трансмутации уподобляются самым тонким явлениям в Космосе. Сердце являет солнцеподобие при нагнетении психической энергии.

418. Токи пространства поддаются влиянию психической энергии. Можно напрягать или разряжать токи сообразно устремлению воли. Токи пространства есть тонкие проводники нашей психической энергии. Можно явить различные опыты с мощными посылками психической энергии. Так же как напряженная психическая энергия являет неуязвимые течения в пространстве, так и ослабленная психическая энергия может прервать нити в пространстве. Дух и сердце являются мощными источниками для конденсации психической энергии.

419. Взаимонагнетение токов происходит с мощным импульсом, когда психическая энергия направлена в пространство. Когда дух напрягается в посылках психической энергии, всецело устремляя силы к одной цели, токи пространства отвечают напряжению психической энергии и получается созвучие во взаимном напряжении. Созвучия токов являют те каналы, которые могут изолировать посылки психической энергии, потому Мы говорим, что дух может играть на токах пространства. Каждое огненное насыщение центров является таким мощным резонатором пространства. Токи поддаются этим мощным взаимонагнетениям. Явление сгармонизированной объединенной ауры, истинно, может явить чудеса. Дух, истинно, играет на токах пространства.

420. Дух играет на токах пространства при различных условиях. Насыщение пространства психической энергией при посылках на расстояние напрягает токи пространства. При разрежении пространства токи тоже напрягаются психической энергией. Сознательное отношение к явлениям психической энергии откроет много чудесных манифестаций, ибо можно будет установить взаимонагнетение психической энергии и токов пространства. Мыслетворчество насыщается этими взаимонагнетениями соответственно с условиями космическими и с духовным состоянием. Мощь психической энергии не ограничена в своем проявлении.

421. Сердце управляет психической энергией. Кристалл может умножать свою силу, которая насыщается огненной энергией. При устремлении нагнетать психическую энергию нужно тонко распознавать, какие импульсы именно творят. Ибо от качества импульса будет зависеть напряжение психической энергии. Так бесстрашие и огненное устремление к подвигу дадут кристаллы психической энергии. Эти кристаллы труднорастворимы, ибо они состоят из самых огненных субстанций. Потому явления огненных центров могут быть открыты лишь духу, знающему бесстрашие и мощь огненного устремления к подвигу.

422. Токи гармонические образуют в пространстве каналы, которые позволяют посылкам достигать назначения. По этим каналам психическая энергия может быть посылаема, и токи будут соответственно напрягаться. Пространственные Огни могут соединяться с явленными посылками духа. Сгармонизированные токи творят мощно. Психическая энергия насыщает каждое строение. Истинно, можно утверждать, что напрячь психическую энергию в огненном порыве значит утвердить каждое построение. В сердце заложены мощные рычаги творчества, и от этого Солнца Солнц зависят явления творчества.

423. Чудо огненное нередко скрыто в сердце, но можно проявить его лишь при постоянном стремлении к явлению чуда. Ярко светит чистый Огонь, когда радость живет о чуде. Не следует полагать, что можно достичь лишь временным памятованием. Но чистый Огонь без пепла может сиять, когда все полно устремления.

424. Если спросят: что больше всего мешает всем добрым начинаниям? Скажите — именно отсутствие дружелюбия. Никакое творческое достижение, никакое сотрудничество и, конечно, уже не община невозможны без дружелюбия. Можно наблюдать, как при дружелюбии в десять раз облегчается работа, и, казалось бы, чего проще при устремленном труде только желать добра и успеха ближнему!

Явление радости является результатом труда явленного. Радость — великий помощник.

425. Вот спешит ученик, неся чашу, полную возможностей. Если, нарушая законы доверия и дружелюбия, споткнется, что будет с возможностями?

426. Только в единении сила. Так знали испокон веков и всегда против этого закона погрешали. Именно нужно единение, чтобы творить трудное действие.

Если бы человечество пожелало, оно могло бы объединенным устремлением совершить чудеса. Но мелкие, разрозненные усилия для спасения планеты очень слабы. Опять приходится твердить о необходимости единения.

427. Победа в духе уже предрешает исход. Потому так важно в основе найти правильный подход. Столько силы и времени можно сберечь и так называемого горя избежать.

428. Великие огненные сподвижники — краса и радость планеты. Должно человечество оказать благодарность этим помощникам.

429. Человечество должно лучше изучать мышление. Нужно в школах установить науку о мышлении не как отвлеченную психологию, но как практические основы памяти, внимания, сосредоточенности и наблюдательности.

Конечно, кроме названных четырех областей науки мышления многие качества требуют развития — четкость, быстрота, синтетичность, оригинальность и другие. Можно также излечивать вспыльчивость. Если бы часть усилий, затрачиваемых на спорт в школах, уделялась бы мышлению, то скоро результаты были бы поражающими.

Жизнь и изречения явленных великих сподвижников и героев, конечно, нужно явить во всех школах.

Как тьма есть отсутствие Света, так невежество есть отсутствие знания.

430. О необходимости сосредоточенности Говорил часто. При проблемах сосредоточение является необходимым качеством сотрудников. Являть сосредоточение нужно во всех малых делах.

Явление сосредоточения в древности считалось явлением первостепенной важности. Все Учения твердят о явлении сосредоточения, считая его необходимым качеством.

431. Величие Космоса так мало осознано. В лучшем случае люди говорят о теплоте солнца. Но ведь солнечная система в Космосе как атом в солнце!

432. Явление космического воздействия все увеличивается, но приспособляемость Земли ухудшается. Можно видеть, что ученые начинают признавать воздействия космических токов. Неудивительно, когда токи так усиливаются!

Явление небесных свечений и даже радуга имеют большое значение для окружающего. Но, конечно, Говорю о явлениях, не поддающихся измерениям нынешних аппаратов.

Шумит огонь подземный, но как мало внимания ученые обращают на это значительное обстоятельство. Правильное изучение, конечно, должно быть больше, чем механическое рекордирование силовых отражений.

433. Явление новых неожиданных грозных мировых событий надвигается. Явление неожиданности нужно особенно отмечать в надвигающейся эпохе.

Если сравнить мир двадцатого года и сейчас и применить ту же прогрессию к будущему, то можно увидеть, как трудно людям узнать будущее Мира.

434. Новый Мир имеет новые условия и требует новых действий. Невозможно войти в Новый Мир со старыми методами, потому так Зову к перерождению сознания.

Кого Новый Мир наполняет ужасом, кого Новый Мир пугает работою, но у кого-то при упоминании Нового Мира сердце трепещет — последних ищите.

435. Особо трудно людям понять огненную природу вещей. Каждый камень полон огня. Каждое дерево насыщено огнем. Каждый утес как бы столб пламени. Кто же тому поверит? Но пока люди не осознают огненную основу Природы, они не приблизятся к некоторым энергиям. Велико значение осознания или хотя бы допущения утверждения явления Огня. Можно говорить об Огне как об источнике света и тепла, но такое понятие будет лишь умаляющим величие Огня. С сиянием каждого предмета связаны Миры. Но немногие убеждались в этом сиянии. Пребывание во тьме препятствует пониманию Света.

436. Велико недоразумение около понятия огненности действий. Люди полагают, что огненность заключается в порывистых криках и движениях, но на самом деле Огонь выражается совершенно иным образом. Помните, как выражение и исполнение желания совсем не соответствовали грубо-человеческому пониманию. Самое крикливое и слезливое желание не выполнялось, но тихая мысль получала исполнение. Огненный Мир далек от земных требований. Стихия Огня настолько тонка, что она согласуется с энергией мысли. Слово уже может препятствовать доступу Огня. Потому древние заклинания основывались на ритме и только впоследствии извращались криками и завываниями. Ведь указана сердечная молитва. Можно скорее приобщиться к Высшему Огню в молчании, нежели в словесном требовании. Так на всех проявлениях жизни можно учиться, как приблизиться к Высшему Огню.

437. Интуиция и так называемое чутье будут принадлежать к Миру Огненному. Не задаются вопросом люди: почему лишь некоторые лица одарены чутьем? На аппарате, отмечающем огненность, можно наблюдать и одаренность интуицией. Также явление колебаний пендедума отмечает чувствознание, иначе говоря, огненность. Нередко мы говорим о том же самом под разными названиями. Нелегко положить в сознание, что так далекая огненность близка всей жизни.

438. Ясновидцы не могут видеть по приказу. Ученик понимает, что условия высших восприятий не могут быть потребованы грубым языком. Ступень развития Высшего создается, когда ученик начинает ценить каждую струну надземную. Но, улетая в Надземное, ученик не покидает Землю. Такое совмещение называется костром правильным. Пламя его возносится неискривленно. Но немногие могут поднять такую тяготу. Как лететь, не отрываясь от Земли? Не значит ли это, что нужно возносить за собою всю Землю? Но как понять такую невозможность? Когда осознана огненная основа всего Сущего, тогда нет ни тяготы, ни тяжести. Умножая мысли о Мире Огненном, можно подымать тяжести. Нужно лишь помнить закон соизмеримости.

439. Кто же он, готовый лететь? Только человек, который не унизил свое огненное достоинство. Не много Держателей Земли. Успели забыть о Гигантах, Держащих Землю. Какими словами и образами можно напомнить о природе вещей? Не устанем твердить.

440. Мир Огненный имеет свое выражение под названием психической энергии. Так люди скорее поймут. Каждому понятно, что в нем нечто существует, чему нет в языках названия. Сила или энергия скорее будет принята, нежели искра огненная. Человечество очень противопоставляет себя Огню. «Огонь пожирает, но не творит»,— думают люди. Потому сперва назовите им психическую энергию и только развитому сознанию скажите об Огне. Легче сказать, что мускус, фосфор или янтарь близки психической энергии, нежели Огню. Так первое условие — во всем не затруднять.

441. Мир Огненный легко войдет в сознание человека, имевшего дело с минералами, когда он бывал часто окружен искрами, рождаемыми из твердых тел. У него получится сознание, что тем легче представить Огонь Пространства.

474

442. Все секреции человека слишком мало изучаются. Столько они могут напомнить о психической энергии! Уже Говорил о замечательном содержании слюны. Ведь она может дать такие же показания, как и снимки излучений. Стоит лишь разложить слюну человека в его разных состояниях, чтобы видеть изменения ее. Также иногда будет замечено нечто неопределимое в ее составе. Нечто, свойственное психической энергии. Из частных случаев обозначится и вывод. Как полезно сотрудничество наблюдательного врача!

443. Чрезмерно дóлжно твердить о наблюдательности. Не часто применяют ее, но лишь обострение ее помогает различать искры Мира Огненного. Не стыдитесь разными словами напоминать друзьям о наблюдательности.

444. Думайте, как карма не минует предателей. Не месть, но справедливость неотменима. Нужно понимать, как кружит карма и поражает нежданно. Нужно быть воинами постоянно. Среди Моих жизней был убит редко, по причине зоркости избавлялся. Так храните Меня в сердце как талисман. Явление смущения не годится для Огненного Мира.

445. Все строится в Огненном Мире, затем опускается в тело тонкое. Таким образом, созданное на Земле будет лишь тенью Огненного Мира. Нужно твердо помнить эту череду творчества. Люди должны знать, что многое, созданное в Мире Огненном, еще не опустилось в очертания земные. Потому невежды судят по земной очевидности, но мудрые улыбаются настоящей действительности. Такая череда творчества проста, но малопонятна невеждам. Но даже они знают, что для получения статуи нужно влить огненно расплавленную массу в хрупкую форму.

446. Многое, не дошедшее до земного отвердения, уже закончено в Мире Огненном. Потому провидцы знают то, чтó должно быть, хотя оно еще невидимо близорукому глазу. По тем же причинам много темных шлаков образуется около значительных явлений. Люди понимают иногда, что особенное добро как бы преследуется особым злом. Процесс отливания металлов может напомнить о претворении огненных решений в земные формы.

447. Мир Огненный как бы спирально притягивается с земными происходящими событиями. Но немногие поймут, почему между огненными решениями и земным претворением неизбежны некоторые сроки. Конечно, главное в огненности первоздания.

448. Если психиатр соберет случаи необычных заболеваний, он, несомненно, усмотрит касание Огненного Мира. Если специалист по неврологии соберет факты необъяснимых явлений, он может помочь изучению психической энергии. Даже аппарат нашего физиолога в Калькутте может дать намеки на ту же энергию. Явлены различные имена, но смысл един. Люди не любят придерживаться уже существующих названий и тем лишь усложняют изучение.

449. Задуматься об истинных причинах будет уже касанием к Огненному Миру. Так нужно напрягать прозрение в причины космических явлений. Не будет ли в них участвовать дух человеческий? Особенно нужно наблюдать, как ведут себя люди, которым была оказана помощь. Кто отринул Сен-Жермена, те имели мрачную судьбу. Помощь отринутая обращается в груз непомерный — это закон.

450. Спрашивают о причинах заражаемости, о свойствах крови и семени, но совершенно забывают, что в основании этих явлений лежит психическая энергия. Она предохраняет от заражения, она находится в качестве секреций. Не стоит принимать в соображение механическую сводку сведений, если не принять во внимание участие психической энергии. Люди называют известный иммунитет притоком веры, но состояние экстаза недаром называется сиянием Огненного Мира. Вот такое сияние защищает человека от заразы. Оно очищает секреции, оно как щит. Потому состояние радости и восторга есть лучшая профилактика. Кто знает восторг духа, тот уже очистился от многих опасностей. Даже обычные врачи знают, как изменчиво состояние крови и секреций. Но мало кто связывает это с духовным состоянием.

451. Не следует порабощаться статистикой, можно впасть в ошибки. Еще недавно считали ум по размерам черепа. Так всюду забывали психическую энергию.

452. Невозможно помыслить о Мире Огненном, не изучая, как ведет себя человек в минуты так называемого несчастья. Дух подготовленный скажет: «Поборемся!» — и ополчится доспехом огненным. Но жалкий дух поникнет и допустит великую заразу. Не думайте, что эту простую истину не нужно твердить, большинство людей нуждается в ней.

453. Часто люди не понимают насущности воображения. Но как же иначе представить себе наличность Огненных Образов? Все зарождается в Огне и остывает во плоти. От Мира плотного нужно суметь вообразить путь к огненному зарождению. Только такое отважное представление сделает Огонь неопаляющим.

454. Огненное представление приведет к опрощению самой сущности земной жизни. То же было, когда Огонь начинал сгущать явленные образы, также умейте понять намек об обратном положении. Огненное в плотном, и плотное в огненном.

455. Некоторые образы невидимы, не могут быть уловлены глазом. Так нужно понять многие градации обликов.

456. Иерархическая связь есть одно из проявлений Мира Огненного. Именно могут понять значение такой связи лишь сердца огненные, лишь они ощутят паутину связи, которая держит порядок Мира. Хаос не устает покушаться на эти связи. Кроме распущенного хаоса и силы зла пробуют вторгаться и порывать нити. Следует принимать такие битвы как неизбежность. Только понимание битвы может дать истинное мужество. Победа, когда знают, что именно должно быть спасено. Но связь Иерархическая уже есть самая великая Победа. Нужно не только подчиниться этой связи, нужно полюбить ее как Щит единственный.

457. Предательство есть прежде всего нарушение Иерархии. Оно недопустимо, как открытие врат тьме. Когда в каждой книге поминается предательство, значит, такое чудовище должно быть опознано со всех сторон. Оно может проявиться во время Зова и Озарения, и на Новом Пути, и среди Огня и Беспредельности; оно может поражать Иерархию, и оскорбить Сердце, и даже бороться с Огненным Миром. Ехидна предательства может пресмыкаться на всех путях и может быть поражаема повсюду.

458. Всякие добрые единения нужны. Но не есть единение, когда оно держится на одной гнилой нити. Если сверчок может нарушать настроение, значит, устремление было не велико. Среди Огненной Битвы требуется единение ненарушимое, только так слагается монолит непобедимый. Нужны такие монолиты.

459. В древних Учениях гораздо чаще упоминался Мир Огненный, нежели теперь. У народов явлено представление об Огне не как о высшем элементе, но как о самом обычном обстоятельстве. Наука и новейшие открытия могут оповестить о мощи огненной. Совершенно безразлично, какими путями снова вернется опознание Огненного Мира. Но в эволюции оно должно явиться как основа дальнейшего продвижения.

460. Не следует говорить о чем-то, совершенно оторванном от предыдущего. Спиральные кольца должны почти соприкасаться, иначе спираль несильна. Потому вкладывайте новое почти неприметно, не беда, если скажут — это все старое! Так скорее воспримут и новое. Часто сошлитесь на огненную основу всех открытий. Пусть они назовут все иными именами, но сущность будет та же. Сколько бед происходит от упрямства в именах! Потому никогда не настаивайте на имени.

461. Можно себе представить человека, который путем науки нащупал присутствие огненной субстанции, но не имеет воображения претворить ее в жизни. Именно, каким несчастным будет такой слепец! Он слышал надземные голоса, и для него пусто пространство. Именно как слепец не поймет, что он находится в середине переполненного амфитеатра. Слепец примет шепот толпы за плеск моря. Никто не разубедит его, что он ошибается. Считают, что совершенно достаточны механические познания, но они не приведут людей к преображению жизни.

462. Правы, кто пытается изобразить действительность посредством светящихся точек. Они пробуждают сознание о наполненности пространства.

463. Ум не любит огня, ибо всегда состязается с сердцем. Ум не любит мудрости, ибо опасается Беспредельности. Ум старается ограничить себя законами, ибо он не надеется на полеты. Так можно находить начало земное и полеты в Мир Огненный.

464. Каждая торжественность уже есть приобщение к Огню. Кто же может вас победить? Против Нас никто не силен. Но Мы любим борьбу, иначе она превращается в терзания. Пусть найдут терпение больше Нашего! Ведь тьма нетерпелива. Она тем конечна. Труд во всем; и борьба уже есть утверждение труда. Утверждение есть мужество, потому Мы так заботимся о нем.

465. Может иметь видения, кто их допускает и чье сердце их выдерживает. Огненные видения могут быть выдерживаемы лишь очень редко. Даже тонкие тела внушают ужас. Не следует людям жаловаться на отсутствие тонких видений. Даже начало приближения уже наполняет страхом. Но никто из добрых существ не будет пугать. Наоборот, они охраняют и от злых сущностей. Так не привык плотный мир к огненному восприятию.

466. Уже заседают разные общества, чтобы познавать Мир Тонкий. Но обычно боятся присутствующие и тем понижают проявления. Страх есть огнетушитель. Так пора приучиться к надземному Миру. Ведь страх распространяется по всей ауре и действует далеко. Именно один боящий-

ся уже обессиливает всех присутствующих. Мужество должно быть естественным. Всякое внушенное мужество малодействительно. Запомним это, ибо отвага приходит от широкого познания. Когда достигнута такая ступень, она никогда не покинет человека.

467. Можно наблюдать примеры жестокого одержания. Нужно, чтобы врачи настолько поняли такое скотское состояние, чтобы уметь пресекать заразу. Правильно изолировать одержимых, подобно прокаженным. Степени одержания могут быть неизлечимы. Мозг и сердце перерождаются от двойственного давления, но твердый, честный, познающий дух не ведает одержания.

468. Явление снова потрясет Землю. Пусть подумают люди: отчего? Древняя сказка говорит: «Разгневался царь несправедливо, и обрушился лучший город его. Но не помыслил царь о причине и снова неправедно распалился гневом. И пожрала молния лучшую жатву. Но и тогда не опомнился царь и раскалился так, что чума пожрала народ его. Тогда воссиял чудный знак, где написано было „Убийца“. И неправедный царь пал бездыханным и осужденным». Так знали древние о следствиях несправедливости.

469. Напрасно люди считают границы надплотных Миров далекими. Никто не сознает точную границу с Тонким Миром, она неуловима для сознания. Также и между Тонким и Огненным Миром. Но неизмеримо близки эти границы!

470. Невежды заподозрят в огнепоклонстве, но сами окружают свои Святыни огнями. Ведь делают так, чтобы окружить самое священное самым чистым. Свет и высшая Мощь привлекают человеческое сознание. Не огнепоклончество, но познание качества творящей чистой стихии. Ваятель бережет мрамор и глину, но не поклоняется им.

471. Прежде разверзалась земля и поглощала предателей. Кто может представить удесятеренную судьбу нынешних предателей?! Они сами меньше всего понимают это. Злая участь! Явление растет, и подземный гнев рычит.

472. Может ли человек достойный встретить на пути ехидну, или скорпиона, или тарантула? Конечно, может. Чем дольше путь, тем больше встреч. Разница лишь в том, что малодушный может быть ужален, но мужественный не будет уязвлен. Так не будем считать, что лучшие вестники не будут отличены темными тварями. Напомним о всех примерах.

473. Явления могут быть или тонкие, или соединенные с плотным миром. Нередко темные сущности усиливают себя присутствием плотных тварей, которых они привлекают. Так могут появляться какие-то бродячие собаки, или кошки, или мыши, или надоедливые насекомые. Темные сущности усиливают свою субстанцию из животных. Учение не раз указывало на участие животного мира в явлениях тонких и низших. Иногда они без участия животных и не могут проявиться. Но для мужественного духа все такие проявления ничто. Пусть тарантулы ползают, но для науки очень важно знать эти сочетания животных с Тонким Миром. Не Советую иметь в спальнях животных. Некоторые люди сами чуют разумность такого жизненного условия, но другие, наоборот, стремятся как бы привлечь невидимых гостей.

474. Скажем всем предателям — сами изобличили себя. Рок предателей именно в самоизобличении. Непереносимо ярмо предателей. Откуда же столько несчастных? Они переодетые предатели, воры, убийцы. Обычно в суме их найдутся старые долги. Не понимают предатели, как уплачивают они. Но явно несут они плату.

475. Мир Огненный содрогается от предательства. Такое наступление хаоса противно всему проявленному.

476. Часто произносятся правильные понятия, но без осознания. Пламенный взгляд очень верно напоминает об огненной энергии, посылаемой во взгляде. Скажут о горячем рукопожатии — опять правильно, ибо напомнят о той же энергии, наполняющей все эманации. Но люди не приписывают силу взгляда Огню и думают о блеске глаз или о мускулах руки. Так забываются преподанные когда-то определения. Забыты и извращены многие правильные понятия. Люди твердят, не придавая значения очень необходимым наименованиям.

477. Содрогается Мир. Опять подводные глубины непокойны. Но такие глубины не принимаются в соображение. Сроки многих скал подводных приближаются, но о таких явлениях не принято думать. Если бы умели мыслить о стихиях и Мирах надземных, мышление людей легче обратилось бы к основам. Почему лишь немногие могут думать о самом основном?

478. Остуженный морозом вносит холод с собою. Матери остерегают детей: «Не подходи к холодному!» Обогретый солнцем несет с собою тепло. Около него хотят отогреться. Разве не то же самое с пламенным сердцем, приобщенным к Огненному Миру? К горячему сердцу спешат обогреться и бегут от холода омертвления — так во всем Бытии. Про-

сто и близко присутствие Мира Высшего, но земные сознания каменными глыбами отдаляют эфирное возжение.

479. Приучайте детей улавливать токи тепла жизненного. Помогите детям улыбаться радостно истинному явлению Бытия. Удержите от почитания призраков. Не надо вымыслов, когда Мир раскрывает свое чудесное построение. Так все пространство полно лучами Миров прекрасных.

480. Одни люди устремляются к познанию, но другие опасаются Света. Не искать ли причину по границе Огня?

481. Ничто не возвращается, но все стремится беспредельно. Счастье именно в Беспредельности. Каждое ограничение есть уже оскорбление высшему творчеству. Ограничение есть темница, но полет в Беспредельность уже творит лебединые крылья. Так недаром сложилось название Лебедя.

482. Луна лишь хороша для одного порядка явлений, но в других именно она не полезна. Поверх ее отраженных лучей можно лучше познавать излучения Огненного Мира. Подтвердите любителям луны о низком порядке ее лучей.

483. Каждый может представить себе, как трудно найти причину порчи в сложнейшем аппарате: где-то что-то погнулось, и работа не дает следствий. Никто не заметил, когда именно случилось малое упущение. Но оно произошло, и нужно не только остановить работу, но и разобрать весь аппарат. Так же и в Огненном Мире: противопоставьте самое малое плотное вожделение — и все отношения нарушатся. Но не огорчайте малых, иначе они станут опасаться такой стихии. Огонь любит мужество и стремительность. Но мужественный герой не будет умалять себя плотными мыслями. Стремительность поможет перелететь через мрачные бездны. Много мрака, много бездн, много мрачных предателей. Пусть поверх тьмы сияет Свет!

484. Щиту приписывается прочность, но крепость не в нем, но в руке направляющей. Огонь явлен глазу, но осознан сердцем.

485. Ликуем явлению победы. Не увидят ее люди еще некоторое время, но она уже есть. Подождите, нетерпеливые,— не глаз, но сердце определяет победу. Когда огненное построение уже воплощается в Тонком Мире, тогда могут сердца строителей радоваться. Спящие не чуют, если их вынесут из дома, но пространство уже поет.

486. Почему Настаиваю, чтобы записи велись каждый день? Чтобы ритм не нарушался. Кто усвоил ценность постоянства, тот уже около Огненных Врат. Нужно готовить себя к постоянству во всем. Оттуда придет неутомимость, оттуда — и нерушимость.

487. О чуде люди любят говорить, но боятся каждого приближения к Миру Тонкому. У Нас разделяют людей на три слоя: плотные, допускающие Мир Тонкий и познающие Огненный Мир. Делите встречных по этим границам.

488. Вот приближается замечательный год. Но многие не уловят значения происходящего. Даже слышавшие захотят, чтобы события совершались по их воображению. Обычно каждый хочет по-своему, но замечайте происходящее непредубежденно. Приложите внимание честно, зная, что протекает великий срок. Голуби принесут вам не только масличную ветвь, но и лист дуба и лавра; также Наши жертвенные приношения [замечайте] не как случайность, но как шаги будущего. Именно неизменны сроки великого знания. Умейте полюбить борение творящее. Умейте приложить ухо к земле и засветить сердца, как в великом ожидании. Пусть невежды зла желают, но сроки ткут ткань Мира. Учитесь распознавать. Учитесь лететь к сужденному. Много одежд и покровов, но смысл един. Наступает год предуказанный.

489. Люди удивляются: к чему такие малые преодоления стихий, как поднятие на воздух, или хождение по огню, или сидение на воде, или пребывание под землею? Лишь символ преодоления показан в таких упражнениях дисциплины. Но Мир Огненный не достигается испытанием пяток или упражнением дыхания. Мир прекрасный достижим лишь сердцем. Не будем осуждать всех, обрекающих себя на суровые дисциплины, но поспешим путем сердечного восторга и восхищения.

490. Сурово и напряженно, но и радостно прожить этот год на Земле для мудрых. Утверждаю мощное вращение энергий, а там можно пробудить также и спящих. Не явно приходит Царь Славы, но для мудрых слышен шаг Его. Предоставьте мертвым хоронить мертвых и радуйтесь сложению жизни. Друзьям скажите — наблюдайте, зорко наблюдайте.

491. Некоторые прозорливые люди говорят о близком конце Мира. Они описывают его, как их научили в начальных школах. Они мало виноваты в том, что их головы были с детства наполнены самыми уродливыми представлениями. Но все же они чуют какой-то конец чего-то. Дух их хотя и смутно, но все-таки предчувствует какие-то смены. Их называют лжепророками, но несправедливо такое суждение: они все же по-своему чуют конец Мира устарелого. Только они не могут различить внешние признаки. Конечно, близок час, когда ненужная чешуя начнет спадать и Мир Света начнет нарождаться на радость. Самые важные процессы могут совершаться видимо-невидимо.

492. Когда даны предупреждения, тогда легче различать события. Уже нарождается нечто, но толпы заняты увеселениями. Уже готов взрыв, но толпы устремлены в ристалища. И провидцы древние знали многие смены, которые теперь ясны историкам. Но современники умели лишь побивать камнями всех дальновидцев. Не так ли и теперь?

493. Трудно мыслить о Мире Огненном без подвижности ума. Не вместить всех искр, если кто не умеет обернуться. Так нужно обдумывать связь огненную с каждым явлением жизни. Мало изучают явление и воздействие электричества на нервную систему. Каждый человек может исследовать на самом себе, как ток электрический воздействует на качество его пульса. Различно будут воздействовать пространственное электричество и конденсированное магнетизирование. Пульс в качестве своем покажет значительное напряжение. Вообще нужно не отрицать всякие наблюдения над собою. Люди теряют наблюдательность, но познание самого себя поучительно.

494. Представьте задачу, если долголетие увеличится, рождаемость вдвое возрастет и болезни будут прекращены. Вычислите положение Земли через сто лет и до тысячи. Таким путем поймете, почему нечто не преодолевается. Кроме того, поймете, почему жизнь духа ставится во главу будущего. Появление нового мерила существования может спасти Землю. Но текущие понимания особенно далеки от Истины. Последний год обнаружил неслыханные провалы в сознании людей.

495. Молитва есть выражение лучшей мысли. Все верования предлагают молиться Высшему и в лучших выражениях. Правильно советовать приобщаться к Высшему мыслями самыми возвышенными. Мы всегда указываем на высокую пользу возвышенного мышления. Кому же можно посылать мысли, как не самому Высшему? Советую не упускать времени, когда можно побеседовать о стремлении к Свету. Не прошение и не спор раздражения, но устремленный сердечный обмен умножает великую Благодать. Люди должны учиться мыслить, значит, пристойно утверждать мысль о Высшем — кто ясно, кто туманно, но все по тому же пути Огненному.

496. Учитель ведущий не будет осуждать соседа и тем затруднять путь ведомых. Каждый учитель будет радовать-

ся, если его ученики поспешат вперед и найдут веселье в пути к мысли о Высшем. Не надо принуждать, где есть горение. Лучшее действие сердечно. Очень храните сердечность. Это качество приходит многими страданиями, но огонь сердца есть Священный Огонь.

497. Невежды ожесточаются страданиями, но познающие великие примеры понимают горечь как сладость. Так знание есть путь огненный. Разве не вдохновительно знать, как близок путь к Миру Огненному?

498. Можно ли иметь подложные мысли? Когда придет день снятия ауры, многие будут пытаться подменить обычные мысли чем-то надуманным, прекрасным. Ведь люди умеют проливать притворные слезы. Малые хитрецы будут пробовать скрыть свою сущность, но фильма окажется прозорливее. Произойдет знаменательный опыт. Мысль притворная лишь ухудшит снимок, как бы забрызгает его темными крупинками. Так новая хитрость не удастся. Мысль искренняя, присущая, порождает лучи ясные. У нужных сокровенных устремлений будут четкие цвета. Уже скоро произойдет движение в снятии ауры. Но трудно согласовать полярность фотографа со снимаемым. Много испытаний требуется. Также нужен особый, как бы озонирующий, аппарат для очищения окружающей атмосферы.

499. Духовность является природным заработанным качеством. Но на средних ступенях она может быть воспитываема. Но нужно начинать такое преображение от рождения. Нужно дать чистую атмосферу, не затемнять воображения подлыми видами, научить радоваться именно возвышенно-прекрасному, удалять роскошь и всякую грязь. Человек духовный не будет ханжой, не будет лжецом и трусом. Он познает труд как необходимый способ совершенствования, но сердечная молитва его будет огненно прекрасна.

500. Хуже всего понимать смирение как ничтожество. Смирение есть достойное несение Служения. Разве ничтожен дозор при вратах доверенных? Не ничтожно решение совершить лучшую работу. Не может быть ничтожным предстояние Огненному Миру. Но истинное Служение в труде терпения и совершенствования. Такое качество принадлежит Пути Огненному.

501. Вы уже знаете, что предметы могут передвигаться мыслью или психической энергией. Спросят невежды: почему не всем и не всегда подвластна огненная энергия мысли? Даже до такой нелепости может доходить невежество. Ребенок просит взрослого помочь, где его сил недостаточно,

но невежды не стесняются такими нелепыми вопросами. Ведь в Тонком Мире все движется мыслью, но Мир плотный лишь редко допускает качества тонкие. Законы таких допущений сложны и не всегда допускают такие вторжения в Мир Тонкий. Аппарат, могущий подтвердить физическое воздействие мысли, может быть лишь очень примитивным, ибо смысл пользования огненной энергией лежит не в области воли, но в области сердца. Сердце не допускает зла, но воля может натворить бед. Когда Мир осознает ценность жизни сердечной, тогда плоть преобразится и приблизится к законам Тонкого Мира.

502. Понять нужно, насколько окаменело людское сознание. Потому не дайте пищу, которую оно усвоить не может. Наряду с трудным, дайте и легкое, иначе слушать не будут. Письма Учителя неизбежно разнообразны, ибо направлены к различным сознаниям. Не противоречие это, но просто лучшие пути. Так приучитесь обращаться бережно с сознаниями, как с огнем.

503. Среди детей можно наблюдать, когда они произносят услышанные слова и когда — свои собственные; по этой границе можно отличить наследие воплощений. Легко можно наблюдать истинный унаследованный характер и собирать ценные особенности. Даже среди самых первых выражений ребенка можно представить себе его внутреннее сознание. Он не случайно обратил внимание на те или иные предметы. Также очень значительны слова нежданные, произнесенные в самом младенчестве. Мы уже говорили почти о том же, но сейчас упоминаем со стороны огненной энергии. Можно наблюдать, что в детстве много электричества в теле, как бы то же количество, как у взрослых, значит, элементы огненного тела вложены полностью. Зерно духа уже заложено.

Матери, помните, что дети замечают и сознают больше, чем предполагаете. Но много явлений упускается, например, нередкое свечение детского тела, также жесты и проявления гнева или покоя. Напрасно думают, что детская аура невыразительна. Можно видеть в ней немало принесенного груза.

504. Употребление некоторых лекарств равняется отравлению. Нужно пересмотреть составные лекарства. Рядом с такими отравами забыты те, как ценный бальзам, который вы знаете. Нужно не отринуть жизнедателей, как бы противники не восставали.

505. Нить серебряная — символ сияющей связи и доверия. Можно довести представление о связи до такой ясно-

сти, что нить будет как бы ощутима. Явление Облика Руководителя не покинет, так же как и нить связи. Но воля свободна, она может порвать струны любой арфы. Уже Говорил, как жалобно звучат навсегда порванные струны. Истинно, даже в чаду самого ужасного одержания слышны стенания разорванных струн. Среди хаоса самые потрясающие стоны именно таких погибших нитей. Болезни рождаются от подобных преступных действий. Предатели рвут самые священные нити. Потому предательство есть худший проступок против Мира Огненного. Что же может быть позорнее?!

506. Упускают из вида, что лучи наполняют пространство. Можно ли прервать луч? Можно ли разрубить молнию? Глаз человека иногда может пронизать каменную стену, так силен даже луч, подвластный человеку. Но можно ли постичь мощь пространственных лучей? Потому понять нужно людям ответственность за их действия.

507. Некий царь послал в бой войско свое и на холме ожидал исхода боя. Вот видит он, мчатся всадники, и воскликнул царь: «Победа, враги бегут!» Но приближенные сказали: «Увы, это наше разбитое войско». Царь усмехнулся: «Мои воины имели копья, но у этих нет ни копий, ни знамен». Но советники шепнули: «Они уже побросали оружие». Так разбитый царь долго воображал себя победителем. Также бывает, что победитель значительное время думает, что он побежден. Сроки посева и жатвы разнятся. Только огненное сердце предчувствует, и для него очевидность не существует. Мир Огненный есть действительность.

508. К чему называть огненную энергию психической? Только для лучшего усвоения большинством людей. На явлении психической энергии они еще примирятся, но понятие Огня будет совершенно неприемлемо. Не пугайте боящихся. Пусть они входят через свои двери. Наслоение названий не мешает сущности познавания. Люди боятся того, что им с детства показано грозным. Но не может иметь лишь один признак великая энергия.

509. Кто не может обойти наблюдаемый предмет со всех сторон, тот не исследователь.

510. Лишь непобедимое влечение позволяет познать неиссякаемое Учение.

511. Темным все представляется конечным — в том их тьма.

512. Не думаете ли, что слышимые разряды, как капли орошения, тоже от огненной энергии? Когда привыкнете

признавать повсеместно присутствие огненной энергии, тогда все в жизни преобразится.

513. Утешение в Беспредельности и в осознании постоянного присутствия Высшей Силы.

514. Можно увеличить огненность прямым или косвенным способом. Способ косвенный будет заключаться в ритме явленных движений, пения, причитаний, но проще и естественнее будет костер сердца. Все косвенные способы могут отражаться на организме. Даже массаж помогает одному члену и нарушает равновесие других. Та же неуравновешенность наблюдается при натягивании кожи для временного уничтожения морщин. Они тем скорее дадут себя знать. Ведь равновесие должно быть поддержано естественными путями. Огненность полезна, когда она не выдавливается мускулами, но питается сердцем. Равновесие между сердцем и мускулами есть задача будущей расы.

515. О наследии, о перестроении человек мало думает. Качается ум в крайностях, и путь благоразумия отставлен. Явление употребления огненной энергии подарено факирам и вызывает лишь пустое любопытство.

516. Можно прибавить самое полезное упражнение — помолчать и направить мысли на Самое Высшее. Чудная теплота разливается. Ведь не нужен Огнь пожирающий, но высшая, творящая Теплота. Мудрый садовник не сожжет любимый цветок.

517. Разве не огненный взгляд заставляет людей обернуться и даже вздрогнуть? Всякий трепет уже близок Огню. Но может быть огонь тела горячего и холодного. При высоком жаре могут коченеть конечности, такое их состояние будет соответствовать большому теплу сердца.

518. Молчание иногда наполнено разрядами и светами, но может быть молчание глубокое, когда ничто не шелохнется,— которое больше?

519. Среди толкований о пирамидах усмотрите одно, которое предуказывает три Мира. Вершина — Мир Огненный, где все едино; середина помещения — Мир Тонкий, где естества уже разделены, и низ — Мир плотный. Это разделение достигает глубин — так разделение ступеней между Мирами обозначено символом пирамиды. Поистине, такой символ показателен. Мир плотный так разделяет естества, что даже трудно представить, как они сольются на огненной вершине. Но пирамида строилась для вершины. Основание ее полагалось только для сведения всех сторон гармонично и завершенно. Пусть каждый подумает: сколько раз точка

вершины поместится в основании? Огненной точке нужно овладеть необузданными, рудиментарными камнями на земной поверхности. Много справедливой заботы нужно приложить, чтобы сберечь огненное завершение. Нужно помнить о вершине. Нужно не огорчаться, что довольно разделены естества уже в Тонком Мире. Можно делить ребро пирамиды на четыре части, и на пять, и на семь, и на восемь, и на многие другие деления, но три основных Мира останутся основами. Можно представить себе поверх пирамиды видимой такую же, не видимую в беспредельно расширенном понимании. Но это поверх земного языка.

520. Часто люди жалуются на однообразие внешней жизни их. Но любая жизнь внешняя состоит из богатств внутренних. Жизнь внешняя будет сотой частью внутренней. Потому внутренняя жизнь есть истинная.

521. Когда Говорю — берегите здоровье, Не Посылаю тем вас к врачу, но Прошу не тревожиться. Мы вовсе не развиваем болезненную самомнительность. Хотим сохранить ваше здоровье. Никто не скажет, что здоровье не надо хранить. Повозка должна катиться по сужденному пути к прекрасной цели. Отнимите все кармическое, и цель будет действительно прекрасной. Но чем люди слагают бóльшую карму — внутренней или внешней жизнью?

522. Внутренняя жизнь влияет на карму во сто раз больше. Посмотрите на любое преступление — оно является малою частью внутренней подготовки. Как длительна такая подготовка! Сколько соседних сознаний было отравлено такими ползучими подготовками, и сколько лучших возможностей было отринуто — об этом заблуждении не мыслят. Опять далека от сознания огненная энергия, которая может прерывать ползучее тление. Так легко прервать разложение своевременным прижиганием.

523. Спор об аллопатии и гомеопатии нужно также привести к синтезу. Мудрый врач знает, где полезно применить тот или иной принцип. Даже сахарная вода будет применима с пользой. Не забудем, что пространственные лучи очень аллопатичны. Не уйти от доз, отпущенных Природою. Лаборатория человеческого организма также очень аллопатична. И потому при таких спорах отнесемся примирительно.

524. Попробуйте спросить кого-то: как он чувствует проявление в себе огненной энергии? Может быть, он прежде всего назовет желудочную изжогу. Так мало обращают внимания на замечательное явление организма. Прежде всего обращают внимание на последствия своих же излишеств. Как пояснить, где черта благоразумия? Люди боятся благоразумия, чтобы оно не уличило их.

525. Учитель был спрошен: что скрыто за Огненной Завесой? Когда же он произнес слово: «АУМ»,— никто не ощутил всего значения Наивысшей Мощи. Спросили: может ли эта Надогненная Сила проявляться и среди земных творений? Было сказано — может. Люди снова смутились, ибо если эта Мощь вне стихий, то как же вместить ее? Учитель сказал: «Нет земных слов для выражения Высших Сияний, но признаки их иногда можно замечать». Научимся внимательности.

526. Учитель покажет, как ученики могут избежать опасности, когда крепка связь. Понимать ее нужно во всей жизненности, не только по праздникам, но среди всех трудов. Именно такое постоянство многим недоступно. Священный Огонь должен гореть всегда.

527. Каждый встречал людей, которые решительно отвергали существование Тонкого Мира. Довод был, что они его никогда не видели. Но так же точно некие люди не видели обитателей неоткрытых частей планеты, тем не менее там уже протекала замечательная жизнь. Потому глупы насмешки над исследователями. Если они не имеют вычислений, то сердце их знает правильное направление. По зову сердца вспыхивают Огни просвещения.

528. В Тонком Мире лишь иногда сияют Света Мира Огненного. Обитатели Тонкого Мира чтут такие явления как спасительные сокровенные сокращения пути. Так даже среди редчайших явлений Тонкий Мир понимает ступень высшую. Но на Земле, где больше касаний к Тонкому Миру, тоже бывают сияния Мира Огненного. Почему же плотные жители так полны отрицаний?

529. Тучи несутся, но корабль достигает гавани. Не должен моряк думать о водной глубине под дном корабля. Кругом такие же бездны и не следует опасаться их.

530. Правильно поручать сотрудникам собирать из Книг Учения отдельные задания. Тем исполнят две задачи — прочтут книги внимательнее и подумают, что принадлежит к одному заданию. Со временем можно собрать отдельные недорогие издания. Учение Живой Этики нужно в разных слоях людей. Можно соединить простые положения и затем перейти к требующим предварительного знания. С каждым днем люди нуждаются в большей устремленности в понимании духовной жизни. Смущение Мира требует новых путей.

531. К чему же мучаются здесь люди? Почему страдания не уменьшаются? Почему ненависть так овладевает сердцами? Щит духа забыт. Нет ничего сверхъестественного в напоминании об Огненном Мире, где сгорают грубые наросты. Люди считают чистоплотность нужной, но после водного омовения следует огненное. Полагают, что вода относится к тонкому привхождению, но дальше нужен уже Огонь.

532. Пусть потухнет огонь земной, но Огонь Пространства не тухнет. Разве не вечен стихийный проводник?! Не случайно горят факелы даже в дневных шествиях.

533. Нужно отмечать и долголетие, и перемену характера, и скудость электричества, и новые виды болезней, и все, что отмечает ум внимательный. Учение намекает на многие смены, но и в жизни можно видеть необычное. Пусть не допускают химизма Светил, но он все-таки существует и создает периоды жизни.

534. Наблюдайте значительное явление: когда человек начинает замечать кругом себя явление духовной жизни, он непременно назовет себя оккультистом. Между тем проще считать себя зрячим. Скорее оккультисты те, кто в темноте, втайне остаются. Так следует отмывать сущность понятий. Иначе многие падают в бездну самомнения и сумасшествия. Утверждайте везде, что духовные знаки являются естественным бытием. Но невежды их отрицают, ибо слепы. Много претерпели зрячие, слепые не терпят говор о Свете. Потому не остервените невидящих. Столько сейчас происходит, что лишь полный слепец не обращает внимания на огненные знаки.

535. Способность ребенка, о котором вы говорили, есть прямое доказательство ранее сказанного. Когда ребенок употребляет чистую психическую энергию, он знает неслышимое для других. Но когда воля рассудка действует, то ток основной энергии прерывается. Сказано — будьте просты духом, значит, позволяйте чистой энергии действовать. Не затрудняйте ее потока, поймите, что насилие рассудка лишь обедняет вас. Так ученый знает, какую книгу взять с полки не рассудком, но чувствознанием. Люди правы, когда действуют этим неотменным чувствознанием.

536. Для ослабления диабета принимают соду. Растительная пища полезна, особенно апельсины. Мускус не для диабета, но полезен для равновесия. Можно лечить начало диабета внушением, если достаточно сильно действие. Конечно, молоко с содою всегда хорошо. Но полезны кофе и чай, также все, развивающее внутренний алкоголь. Явление этой болезни часто наследственно через поколение, потому нельзя предусмотреть заболевание.

Также нельзя доверять всем видам мускуса разных животных. Лишь мускусный баран имеет полезную пищу.

537. Пусть не ручаются темные о своей победе. Пусть они не кичатся своим овладением. Уже топор уявлен, и дерево не устоит под рукою справедливости.

538. Думают, что можно безбоязненно сменять Учителя, но забывают и трехлетние сроки, и семилетние, которые ткут связь. Уже читали о позорном конце отступников. Так Огненный Мир охраняет права справедливости.

539. Подумайте о смущении, которое охватывает дух предателей. То самое ужасное, сумрачное погружение в тьму, то самое опасное прерывание огненной связи. Как будто и солнце, и луна все те же для предателей, но они разбили бы солнце в безумии своем. Именно безумие предателей должно быть изучаемо психиатрами. Можно следить за пароксизмами, сменяющимися ужасом. С одной стороны, они как бы обычные люди, но с другой — они уже не принадлежат планете, и дух знает такой путь!

540. Предательство предполагает доверие с противоположной стороны. И чем больше предательство, тем сильнее было доверие. Как наковальня и молот дают сильную искру, так доверие творящее получает от предательства силу огненную. Очень древняя история о взаимности противоположных начал. К событиям особого значения происходят и чудовищные предательства.

541. Истинный механик тот, кто не поворачивает колеса чужой машины. Природный механик ради любви к делу старается улучшить каждый аппарат, с которым он работает. Преданность Огненному Миру заключается в изысканном наблюдении за всеми проявлениями его. Так можно пройти мимо самых значительных явлений, не обратив внимания. Пространство соединяется с каждым человеческим организмом, но многие ли обращают внимание на такие воздействия? Если чуткий организм звенит на дальние землетрясения, извержения и трепещет на атмосферные явления, то то же бывает и перед великими событиями. Уже давно сказано, что лучшие люди станут особо чуткими, тогда как сор Кали-Юги онемеет и оглохнет перед великими событиями.

542. Напрасно удивляются многим появлениям детей, помнящих свое прошлое. Именно теперь много нарождается таких явленных посредников с Тонким Миром. Они помнят и о пребывании между земными жизнями, но их не умеют расспросить. Не в том дело, что они помнят о зарытых деньгах, но они могут рассказать о ценных ощущениях. Так происходит сближение двух Миров, и это обстоятельство предшествует великим событиям. Но многие долго не поймут, насколько все меняется вокруг. Помните старую сказку, как царя везли на казнь, но он был так далек от этого, что по пути заботился о камне, выпавшем из короны.

543. Основа великих событий в перемене пространственных лучей, в сближении Миров, в обновлении сознания, которое даст новое отношение к жизни. Уже многое проявляется.

544. Разве не показательно, что радио не очаровывает змей? Таких доказательств в малых примерах очень много. В основе все та же психическая энергия. Можно везде наблюдать эти проявления.

545. Действительно, большей частью люди больные и так называемые ненормальные проявляют связь с Миром надземным — в этом большой укор человечеству. Ведь именно здоровые люди должны чуять близость Тонкого Мира. Но перемешались понятия больных и здоровых. Люди покрылись корою рассудка, который породил предрассудки. За таким забором не виден Мир Тонкий. Так называемые ненормальные люди обычно свободны от предрассудков, и тем самым они не теряют связи с Тонким Миром. Сколько раз именно в болезнях люди прозревали и прошлое, и будущее, видели свои жизни и обретали позабытые способности. Новая граница должна быть проложена между истинным здоровьем и отупением. Не помогают новые открытия. Должны люди иметь такие потрясения, чтобы и без лихорадок мочь сохранить память о бывшем и сужденном.

546. При исключительных опасностях вспыхивают прозрения, значит, чем-то можно взболтать осадки сознания. Так же бывает при так называемой падучей, когда по словам подверженных ей открывается небо. Значит, и среди земных условий возможно прозрение. Конечно, оно мгновенно, так быстро, что не будет отмечено земным временем. Но и в такой молниеносной безвременности сказывается качество Тонкого Мира. Ведь и сновидения безвременны, между тем они вмещают множество событий. На всяких примерах припомним, что каждый уже знал когда-то.

547. Говорят: почему так много зла допущено? Как самомнительны такие суждения! Кто же может судить, сколько тьмы сожжено и сколько помощи оказано? И вы посылаете много добрых мыслей и помогаете ими. Можно многие Огни зажечь, не зная, где и как. Именно как писание писем, когда они направлены к слепому и помогают кому-то зрячему. Нужно посылать стрелы огненной справедливости. Мир Огненный держится справедливостью.

548. Слышу вопрос: почему так много слов о предательстве? Именно потому, что предательств много. Когда кобра заползет в дом, о ней много говорят. Перед землетрясением змеи выползают наружу. Сейчас много таких змей.

549. Опытные телеграфисты могут, не применяя голоса, переговариваться чуть заметными прикасаниями. Так же и в Тонком Мире голос не нужен и заменен быстрою мыслью, но звучание не покидает Мир. Что же может быть прекраснее музыки сфер? И люди запрещают разговаривать во время музыки. Они правы: звук настолько тонок, что выкрики речи могут порождать самые раздражающие диссонансы. Тонкий Мир в Высших Сферах именно звучит прекрасно. Когда так тяжко на Земле, мысль может возноситься к Мирам надземным.

550. Можно наблюдать, как появляются целые группы людей, когда-то связанных между собою. Можно также усмотреть, что при воплощении начинается общий интерес к прошлым творениям этого лица. Можно намечать как бы спираль появления и сокрытия творчества. Нужно наблюдать подобные пути, ибо такое внимание приближает к пониманию Тонкого Мира. Также и групповые появления заслуживают изучения, ведь сходятся не только друзья, но и враги. Вот замечаете друга, который сохраняет свое давнишнее расположение. Также видите недоброжелателей, которые хотя и не вредят вам лично, но мешают вашим близким. Целое сложное переплетение ясно говорит о сильных связях, которые изживаются многими жизнями.

551. Кто-то не поймет, чтó заставляет указывать на Тонкий Мир, а потом предупреждать против него. Но противоречия нет. Высшие Сферы Тонкого Мира заслуживают внимания и уважения, но низшие могут быть вредными. Чистые сердцем не подлежат заразе одержания, но тухлые сердца могут привлекать ужасных сущностей. Также нет разногласия в понимании Тонкого Мира при слове об Огненном. Самые вершины Тонкого Мира почти соприкасаются с Миром Огненным. Так же как некоторые подробности плотного Мира близки Тонкому. Так поймем навсегда связь Миров как ступени Беспредельности.

552. Замечайте, что сейчас говорят о потустороннем

больше, нежели раньше. Понимание входит глубже. Не судите строго своеобразие многих проявлений. Люди стыдятся, чтобы не показаться думающими помимо базара. Но пространственные токи действуют невидимо. Именно происходит постоянная, устремленная, ясная забота, о чем раньше не думали. Наряду с безумием, происходят искания трогательные. Вы угадываете, какую страну имею в виду. Можно ожидать чудесных всходов.

553. Много раз сказано о необходимости изгнания всякого страха — он парализует. Но особенно следует освободиться от страха перед Мирами Тонким и Огненным. Так страх перед надземными Мирами самый вредный. Нужно его переменить на радость. Только весьма немногие поймут радость эту. Даже если они словесно согласятся, то все-таки внутренний трепет будет расхолаживать тепло восторга. Именно тепло и светло — нужны для легкого вхождения в Сад Тонкий. Над Тонким Садом будет светить Огненное Небо во всей красе. Также бесстрашно нужно встречать новых соседей. Именно светлое мужество спасает от неприятных сущностей. На земном плане люди надеются скрыть страх, но там его не утаить.

554. Отчаяние называют мраком. Такое определение точно — именно погасает излучение и меркнет огонь сердца. Такое состояние не только вредно, но оно недостойно человека — он становится ниже животного. Можно презреть состояние отчаяния. Пользуются им самые ужасные сущности. За ним идет сам ужас. Где тогда будет Сад Прекрасный?

555. Нужно изучать психические силы в разных положениях. Иногда полезно полное отдохновение, но часто нужно напряжение, чтобы достичь проявления. Недаром различные коленопреклонения указывались монастырями. От глубокой древности также знали ценность молчания. Нужно широко понимать, как Мир плотный служит Тонкому.

556. Если, прочтя записи о Мире Огненном, запомнят хотя бы два слова *Мир Огненный*, и то уже хорошо. Может быть и такое опасное суждение, когда скажут: «Если Мир Огненный существует...». В таком «если» уже заключается великое сомнение. Никакие хорошие слова не покроют такое убийственное сомнение. Значит, много такому страннику нужно пройти, прежде чем он увидит Небо Огненное. Много таких утверждений о Мире Огненном и даже от людей, которые считают себя посвященными. Не важно потрясать пальцами или кружиться в хороводе, когда сердце молчит в холоде. Так малое число хочет приготовить себя к пути дальнему.

557. Вы знаете, что нужно говорить просто, но люди ждут самого простого. Можно получить такие вопросы, на которые даже стыдно отвечать. Но каждая мать знает такие вопросы от детей. Каждая мать преоборевает раздражение и находит ласковое слово ребенку.

558. Уменье снижать сознание уже есть милосердие. Омыть рану тоже не всегда приятно. Но еще невыносимее видеть предательство, но и такую мерзость можно оборонь. Победа так нужна для пути. В духе победа есть уже продвижение.

559. Стоит ли познавать Учение, чтобы трепетать от каждой тени? Нужно иногда спросить себя, что из Учения уже приложено в жизни? Такую тему полезно явить друзьям. Пусть подумают и запишут. Ветхое мышление прочищается такими записями — как бы клятва самому себе.

560. Учитель, не оборовший нетерпимости, не может складывать будущее. Учение дается для будущего. Невозможно продвигать дух, не складывая совершенствования. Так можно занять сознание слушателей, но нужнее пробудить движение вперед. Не запрещает Учитель читать различные книги. Каждый боящийся будет ограничивать, но водитель зовет к широкому познанию. Он не удержит от добра во всяческом его виде. Эта щедрость духа необходима. Тот, кто не хочет даже выслушать, уже опасается чего-то. Так огненное условие требует широких врат и скорейших крыльев.

561. Чуткая собака устремляется издалека по следам хозяина. Так же и в человеке существует эта чуткость огненная, но он пытается заглушить ее рассудком. Между тем немало людей могут сознаться, что они иногда слышат необъяснимые запахи. Может быть, то Тонкий Мир шлет ароматы, но редко они слышны. Люди скорее согласятся о животном чутье, нежели об ароматах надземных.

562. Сведения о леопардах-оборотнях правильны. Учение уже обратило внимание на несомненные факты связи человека с животными. Можно видеть, что судьба таких животных отражается на определенных людях. Вместо сказок о ведьмах следует понаблюдать за оборотнями, которых немало. Поистине, Мир чудесен! Сегодня человек не обжигается, завтра он погребен, но жив; затем придет девочка и поведает о своей прошлой жизни — так жизнь расширяется.

563. Почитание утверждается путем негодования — такое древнее средство общо всем народам.

564. Может ли лучший обитатель Тонкого Мира оттуда подняться в Мир Огненный? Может, и его преображение будет прекрасно. Путем очищения тонкое тело начинает светиться, Огонь разгорается, и, наконец, оболочка спадает, как легкий слой пепла; и огненная сущность не может оставаться в прежнем слое и восходит в Мир Огненный. То, что было в Тонком Мире нестерпимым сиянием, то становится в Мире Огненном самым тусклым — такова лестница. Нужно привыкать представлять себе многие слои Тонкого Мира. От алого пламени до самого прекрасного сияния радуги, как волнующееся море, переливаются эти грани и ткут всевозможные сочетания. Но для тьмы, для низших бездн, сияние будет как дальняя зарница. Кто хочет Света, пусть не страшится быть огненным. Сожжение на Земле есть символ превосходного преображения.

565. Явление сил мысли несомненно. Мысль творит. Но в каждой книге нужно напомнить, почему не всякая мысль действенна. Яркая мысль по силе равна молнии. Но каждая двойственность разрушительна и не дает желанного результата. Наоборот, каждая двойственность родит уродов, таких чудовищ неотвязчивых, которые остаются кошмарами ночными. Различными мыслями творятся обитатели пространства, как насекомые докучливые! Часто люди смахивают со лба невидимую муху. Часто чуют паутину. Разве не следует напомнить о таких последствиях мысли?

566. Обычно происходят пререкания о длительности пребывания в Тонком Мире. Назывались длинные сроки, но можно видеть и кратчайшие. Как же примирить? Но в многообразии Вселенной все возможно. Обитатели Тонкого Мира делятся на несколько видов. Одни стараются продолжить пребывание по желанию принести наибольшую пользу — они большие труженики. Другие пытаются остаться подольше, чтобы не принять земного испытания. Третьи — по любви к Тонкому Миру. Четвертые прилагают усилия скорее возвратиться к земному опыту. Правда, дети часто воплощаются быстро, но и среди них можно заметить различные задания. Но трогательно видеть детей, желающих сделать лучше и не боящихся прежних условий, им следует особенно помогать. Ведь такие стремления не походят на бедняка, желающего стать богачом, который, наверное, когда-то потеряет земные сокровища. Но главное счастье в

Тонком Мире — сохранить чистоту и ясность мышления. Именно надо знать, чего хочешь.

567. Не поможет людям не думать о будущем. Каждый день можно прекрасно подумать о лучшей жизни за пределами Земли. Чем прекраснее воображение, тем родятся лучшие возможности там, где царит мысль.

568. Видели игрушку, в которой много шаров, врезанных один в другой. Китайцы тем хотели напомнить о Мирах сокровенных. Трудно понять человеку надземные, невыразимые измерения. Но кто видел цвета Тонкого Мира и слышал его звучание, тот понимает, что для такого Мира лучшее определение *Тончайший*.

569. Сантана — поток жизни — много преображает и предопределяет, но все же остается место для свободной воли. Лучи Светил определяют многое, но крепкая связь с Высшим Миром и в этом обстоятельстве будет иметь большое значение. Можно понять, что Учение о Руководителях во всех верованиях имеет великое значение. Люди должны понять, что им дается возможность пройти сечу и все теснины с помощью Высших Руководителей, но нужно не отринуть Руку Помощи. Нужно полюбить Руководителя всем сердцем. Не земными мерами способствует Руководитель, потому нужно чутко осознавать такую нить огненную. По всей жизни можно видеть чудесную защиту, если открыты глаза. Так сама Сантана не сильнее явления Высших Миров.

570. Который бумеранг сильнее? Когда затронет самого Учителя, тогда оружие возвратится ужасно. Потому понятие Гуру охранено так крепко. Когда явление Гуру затронуто, то оружие злобное возвращается смертельно. Это не есть наказание, но лишь самосуд. Потому будем осторожны с высшими понятиями, в них касаемся Огня.

571. Но черная ложа имеет единое назначение — вредить Нашим делам и разлагать планету. Обычно завлекают в черную ложу именно обещаниями долгой жизни, ибо велик страх перед смертью, и посулами богатств, и полной власти. Особенно теперь развивается желание долгой жизни. Люди не думают о жизни надземных Миров, так они привязаны к Земле. Среди черных внушений будут страсть и корысть, из них порождается самое низкое предательство.

572. Не от яда умер ученый, но от заклятия. Мысли, привязанные к определенному предмету, живут долго. Можно узнать, как в древности особыми заклинаниями подолгу наслаивали мысли на предмете, при этом предмет не выпускался из рук заклинателя, который сам полагал его в закрытое место. Очень замечателен опыт заклятия на долгие сроки.

573. Учение Добра должно быть другом всего добра во всех его проявлениях. Казалось бы, эта истина проста, но злонамерение постоянно пытается ее извратить. Учитель Добра должен печалиться, видя, как искажаются и исключают друг друга работники Добра. Какое калечение Добра происходит — один несет груз добра и не может вытерпеть, когда другой пытается поднять двойную ношу. Если же кто дерзнет помыслить о грузе тройном, то уже не найдет многих помощников. Миллионы лет не научили человечество радоваться о Добре, полюбить его как самое полезное. Учение должно найти на всех носителей Добра явление широкого сочувствия. Иначе это будет не Учение Добра, но учение самости.

574. Битва Огненная — такое выражение можно найти во многих верованиях. Правильно такое выражение: любовь, мужество, самоотверженность, преданность, все лучшие качества сопряжены с Огнем. С другой стороны, гнев, раздражение, злоба, злорадство, зависть и невежество тоже вызывают Огонь, хотя и алый, и темный, но все же Огонь. Так битва Добра и зла будет Битвой Огней. Можно видеть при таком столкновении, насколько разнообразны Огни, порожденные чувствами и страстями. Пусть примут деление на чувства и страсти. Многие никак не представляют себе разницу, но цвет Огней может легче показать каждое порождение.

575. О темных ложах и нужно говорить, ибо их очень много. Часто люди, сами хорошие, даже не допускают мысли, что такая мерзость может существовать. Но можно видеть самые чудовищные преступления. Можно видеть, как темные вторгаются в разные слои людей под видом самых почтенных служителей Общего Блага.

576. Чистые сердца увидят Высшее. Только нужно помнить, что чистота принятых понятий зависит от свободной воли. Люди начинают чистую жизнь как в доме, так и в сердце по своему решению. Так, руководитель не может заставить вычистить сердце, если к тому нет желания. Лучшая чистка Огнем.

577. Люди часто долго не знают, что происходит в доме соседа. Еще дольше неизвестно, что случается в другой стране. Потому неудивительно, что то, что происходит в другом плане, неизвестно. Так сокровенны причины и следствия. Мир плотный замечает лишь переходную Майю. Тем более можно надеяться на будущее. Указ Наш касается истинных следствий.

578. Некий воитель находился под покровительством уважаемого отшельника. После победы он пришел к отшельнику и поблагодарил за два чудесных спасения. Но отшельник сказал: «Непризнательный воин, ты был спасен не два, но двенадцать раз. Ты не признал самых главных избавлений». Обычно люди замечают меньшее, но не большее.

579. Живая Этика есть мост ко всем Мирам. Только в живом приложении создается прохождение неуязвленное. Ничто не поразит доспех огненный. Можно не тревожиться зарослями Метафизики, когда дух знает путь живой мысли. Только мера добра явит Огонь Светлый. С таким светильником можно вступить ясно на великий мост. Только для пути дальнего дается Живая Этика. Нужно любить ее как путевое пособие.

580. Знаете, что хуже ранения явного контузия от снаряда или взрыва,— человек при этом обычно навсегда теряет равновесие. То же самое бывает от потрясения невидимыми силами. Каждый врач может наблюдать одинаковые симптомы как от контузии, так и от невидимых потрясений. Даже говорят о шуме мысли или о порывах ветра, теплого или холодного. Правильно, что мысль может шуметь или создавать ветер. И такое действие будет огненным, но редко люди замечают такие явления.

581. Часто говорят о противоречиях, к ним причисляют много непонятных случаев. Увидят люди в жаркий день путника с теплым одеянием и смеются о противоречии. Но никто не подумает о холоде ночном. Противоречия обычно лежат в скудном мышлении. Множество несчастий происходило от нежелания помыслить. Не противоречия, но пустое упоминание необдуманных слов усложняет жизнь.

582. Ваирага — очень священное пламя отрешения от плотских предметов. Воздержание в мыслях труднее, нежели в действиях. В действии даже мускулы могут способствовать воздержанию, но мыслительные центры так тонки, что человек, не постигший искусства мышления, не умеет уследить за рефлексами этих центров. Говорят, что Тонкий Мир далек от плотного, между тем каждый мыслительный процесс уже есть процесс Тонкого Мира. По тонкости мышления можно представить себе оболочку Тонкого Мира. Тело тонкое тоже весомо, но в тончайших мерах. Но огненное тело уже не поддается измерениям. Ученые могут помочь выявлению Тонкого Мира. Во всех областях можно уследить, что мысль умножает и другие энергии,— так получаются новые сотрудничества.

583. Кто же решится сказать, что пустота существует? Но в невежестве так часто повторяется это слово, что люди привыкли к нему от младенчества. Трудно извлекать из языка слова бессмысленные, но такое очищение необходимо, иначе сознания засоряются.

584. Уметь очищать сознание от ненужных понятий значит уже укладываться в дальнюю дорогу. Только в таком освобождении можно думать о новом сознании. Радость родится, когда Ваирага сияет.

585. Сказано: «Невежество есть ад». Немногие поймут это. Между тем именно Огонь поедающий есть следствие невежества. Можно обменять зло на добро и тем изменить свойства Огня. Чудесный дар человека, что он может изменить свойства стихии. Но как человечество приступит к такому деланию, если оно вообще о стихиях не мыслит? Учение Живой Этики должно напомнить, по каким направлениям должен устремляться ум человека. Не будем нарушать свободу воли: пусть каждый поспешает в своем ритме; пусть по-своему чует великие вибрации, но пусть чует и поспешает.

586. Никогда не приближается к Огненному Миру злобное сердце. Как заслонка черная, стоит обугленное сердце. Только злоба обжигает жизнь, устремленную к пагубе других. Тем нужнее оружие Света, которое без злобы, но в доспехе справедливости стоит на дозоре.

587. О сердце всегда хорошо сказать. О самом нужном уместно помянуть. Именно где сердце, там и Огонь. Каждый путник не выйдет без огнива, не забудет, что оно понадобится ночью. Так без сердца наступает ночь духа. Не преграды страшны, но бессердечие каменное. Нет человека без сердца, ни животного, ни растения, ни даже камня. Значит, бессердечие уже не в Мире проявленном, но в хаосе.

588. Беспокойство есть пучина несчастья. Впавший в беспокойство подобен человеку в горящем доме. Волны пламени почти обжигают его. Он полон желания лишь выскочить из дома. Мысли в обрывках мечутся и раздражают. В этом хаосе порождается страх и воля парализуется. Так, нужно избегать беспокойства. Но спокойствие не есть бесчувствие и бездействие.

589. Очень опасны все приспособления для искусственного сверхчувствования. Человечество уподобляется явленным хвастунам. Лишь естественные достижения ценны.

Кроме того, всякие искусственные приспособления в грязных руках поведут лишь к уродливым проявлениям. У грязного мышления и образы будут грязны. Главное во всем — качество.

590. Появление неразумия часто пустит глубокие корни. От малой видимости рождается великая невидимость. Люди не думают о прекрасном и потому окружаются безобразием. Прежде всего — мышление.

591. Вы уже знаете, насколько нужно повторять, но само повторение нуждается в искусстве. Почти то же самое, но не совсем — как ковер на лестнице. Уставать повторением нельзя — как мостовая из одинаковых камней. И те, которым твердилось без конца, будут гулять спокойно по мостовой, где каждый камень был заложен заботою.

592. Слишком часто употребляют слова в неверном значении. Говорят о сверхъестественном вместо того, чтобы сказать — необычное. Сверхъестественное не существует по всем Мирам. Может быть для неведения необычное, но даже это определение условно. Необычное может быть только для текущего состояния. Так можно значительно очистить словарь. Мы уже говорили об этом, но при переводах на другие языки вы видите, как нужны оттенки выражений. Люди не любят изобретать лучшие определительные, но разные старые наречия доказывают, что нелегко оживлять словарь приличествующими выражениями. Особенно трудно около понятий Огня земного и Небесного. Видимых и невидимых Огней так много, что необходимы более тонкие определения.

593. В мастерских взрывчатых веществ не курят, носят особую мягкую обувь, избегают всяких металлических вещей и даже не говорят громко, и не дышат обычным образом. Там, где плоти угрожает опасность, там люди готовы отказаться от привычек, но не придет в голову, что мысль может произвести гораздо более опасный взрыв, невидимый, но неисправимый. Ужас помогает людям ограждаться от телесных опасностей. Но вся пространственная жизнь для них не существует. Они могут кощунствовать над Великими Силами и злорадствовать, если их собственная гибель им самим не сразу видна. Утеря пространственной соизмеримости в Беспредельности пожирает все лучшие возможности. Между тем именно теперь уже последнее время, чтобы сочетать плотное с тонким, и даже с огненным. Нужно начать упорно и ясно мыслить по направлению сочетания Миров.

594. Даже открыты лучи, делающие предметы невидимыми. Разве такое открытие не напоминает о невидимом, Тонком Мире? Можно самое малое открытие продолжить в Беспредельность. Можно видеть, как такое открытие может изменить всю жизнь земную. Все государственные основания могут поколебаться от такого открытия. Царство машин может нарушиться от одного луча. Так самые замысловатые механизмы могут остановиться от невидимого луча. Кто-то убоится таких возможностей, но другой покроет их мощным чувствознанием. Огонь сердца сильнее таких лучей.

595. Сода полезна, и смысл ее так близок Огню. Сами содовые поля назывались пеплом великого Пожара. Так в древности люди уже знали особенности соды. Поверхность Земли покрыта содою для широкого употребления. Также масло артемизии — полыни — является сильным утверждением нервной системы. Оно не разрушает, но огненно очищает от вредных наносов.

596. Не только в храмах прибавляли валериану в вино, но многие греческие вина знали эту примесь. Так и мускус, и валериана, и сода могут сочетаться.

597. Можно всюду следить, как люди расчленяют одно понятие по-своему. Энергия психическая — тонкая, огненная, божественная — АУМ. Так называют ту же основу, но полагая, что вносят лучшее определение. Удвоив внимание, видим, что не полезны такие расчленения. Пора опять начать собирание. Нужно очень утвердить смысл земного бытия. Нужно упростить его. Нужно поверх всех забот помнить, что путь долог и следует запастись терпением и мыслью обо всем полезном в пути. Но следует такую необходимость уметь сделать для себя радостной. Без этого качества сердце будет все-таки смущаться и тем обессиливать. Также следует познать, что мужество неразрывно с радостью. Ведь даже самый трудный подвиг не может быть унылым. Раб может работать в унынии, но огненный дух преображает все пресветлою радостью. И тепло источается от радости. Но напомните, как радость, тепло и огонь живут в сердце. Не скупитесь напоминать о таких жильцах сердца. Люди все-таки о сердце вспоминают, и каждый любит тепло, называя его задушевностью. Потому умейте сказать всем в самой доходчивой установленности о самом радостном. Так постучитесь в огненную дверь души человеческой.

598. Поучительно наблюдать, как темные пытаются

наброситься на все, лишь бы нанести вред, но в ярости они открывают свои слабые стороны. Зло — плохой советник.

599. Вы помните замечательный случай мальчика с завязанными глазами, проделывавшего удивительные вещи. Но разгадка проста — он был слепым от рождения. Люди не ценили его способности, когда узнавали о его слепоте. Точно его способности терялись от этого состояния. Можно часто видеть, как обращают внимание на самые несущественные обстоятельства, не замечая главного. Некоторые способности слепых заслуживают удивления и наблюдения. Такое состояние иногда называется огненным зрением.

600. Один отшельник хотел подвизаться в молчании, но, не доверяя себе, он терпеливо и накрепко завязывал себе рот. Однажды он увидел на краю утеса ребенка, но не успел снять свою сложную повязку, чтобы предупредить об опасности. Когда он развязал себя, ребенок уже был унесен потоком. Не в узах измышленных достижение! Мы тогда достигаем, когда не можем и делаем. Тот, кто не делает, потому что не может, тот ничего не достиг. Так бывает в телесном и в духовном бытии. Нужно кроме неделания постыдных поступков дать себе отчет, почему такие делания недопустимы. Мысль должна поработать. В каждом творчестве нужна сила мысли. Эволюция без мысли невозможна. Если в близком Тонком и Огненном Мире все движется мыслью, то не трудно представить себе преемственность мысли. В Беспредельности круги спирали, целые циклы мысли промышляют проявлением. На самом ничтожном земном предмете преображается мысль. Разве не то же самое в великом размере происходит в пространстве? Мысль есть Огонь. Мысль есть порождение творящего вихря и взрыва. Мысль — Свет и сияние. Так нужно уважать Мысль Огненную.

601. Искусственные исчисления, не озаренные огнем сердца, несут миру несчастья и смущения. Люди теряют смысл жизни. Не только себе, но всем поколениям они оставят дымное наследие и дыхание отравленное. Так нужно обратиться к мысли как к пути творящему. Каждый имеет достаточно мыслей, лишь бы от детства ему напомнили о сокровище явленном и сужденном.

602. Каждый день, проведенный в единении, уже есть приношение сокровища. Не трудно сотрудничать, не трудно не возмущать пространство. Так можно ежедневно наполнять хранилище сокровенное.

603. Мысль иногда сравнивается с океаном — сравнение

правдоподобное. Каждый человек имеет три основных течения мысли. Наносное — от плоти, связанное с мускульными отражениями, явное в жизни внешней. Второе уже касается сердца и в тонких чувствах способствует улучшению и преуспеянию. Наконец, в глубине сознания зарождается подвиг самоотверженности — там будет близок Мир Огненный. Каждый человек может коснуться всех Миров; даже в своей повседневности может избрать любое мышление. Для этого не нужно быть бедным или богатым, высоким или низким, даже не нужно быть очень ученым, чтобы прислушаться к голосу сердца. Поистине, мысль есть океан со всеми течениями.

604. Допытываются, почему так редки огненные явления. Ответим: потому что сердце плотного мира не выдерживает таких огненных вихрей. Спросите тех редчайших людей, которые имели такие явления. Они скажут, что были почти мертвы после таких огненных Посещений. При образовании правильной мысли можно себя приучить к возможности такого Общения. Но далеко плоти до огненного видения. Только редчайшие сердца выдерживают их.

605. Горные кристаллы от одного огня, но все разные. Можно думать над такими огненными образованиями. Иметь их уже будет хорошим напоминанием о том Светлом Мире, куда каждому дозволено стремиться.

606. Земной огонь скорее поглощает дерево в трещинах, нежели целый крепкий ствол, так же и во всех приближениях Огненного Мира. Когда Предупреждаю о вреде всяких трещин, уже Предвижу, как нужно оберечь человечество от неразумия. Сами трещины как бы привлекают и поглощают низшее пламя. Нужно избегать всех зараз, и боль сердца утихнет. Мысль всепокрывающая будет целительным началом. Спросите врача, насколько дольше протекает болезнь человека, желающего болеть. Так личное желание уже показывает мощь мысли.

607. Мир Огненный и трудно, и легко представить себе. Прерыва нет между Мирами. Тонкий Мир так же относится к Огненному, как и плотный к Тонкому. Кроме явлений видимых могут быть приближения невидимые. Так же в земном Мире иногда только пульс сердца отмечает присутствие тонкого существа. Глаз очень редко замечает как бы какие-то свечения, но обычно их приписывает случайности. Так же можно у редчайших духовных людей видеть как бы световую диадему над головой. Такое явление очень редко и означает кристалл духовности. Сама аура как бы свертывается в кольцо. Так древняя идея короны как знака отличия имела глубокое значение. Не следует изумляться, что высокие явления могут показываться в самые трудные часы. Законы Огненного Мира невыразимы.

608. Центры дают кольцеобразные свечения. Они могут засиять сразу, когда дух помогает на дальних расстояниях. Велики такие напряжения. Не мускулы, не нервы напрягаются — струны сердца звучат. Даже может быть слышна такая струна. Но жутко такое напряжение для человека, не мыслящего о Высших Мирах. Опытное мышление примет спокойно даже такое явление короны и будет наблюдать его как очень необычное, но значительное. Не часто бывает такое напряжение.

609. Астрология — великая наука, но она может быть управляема силами мысли. Именно мысль может иметь значение в астрологии. Ведь мысль творит; мысль химична; мысль даже влияет на карму. С такими мощными законами состязается мысль.

610. Особенно обращается внимание на карликов. Они как особая раса появляются повсюду. Можно заметить не только телесные особенности их, но и особую психику. Никто не распознает причину появления таких маленьких существ. Тем более что, наряду с ними, в тех же условиях и семьях появляются и люди высокого роста. Но уже заметили, что бывают неожиданные материализации крошечных существ. Даже неумело приукрашенный случай из жизни Парацельса напоминает, как он пытался сохранить таких маленьких существ. Конечно, опыт был неудачен. Но сейчас известны отпечатки крохотных конечностей. Нужно посмотреть на них совершенно научно. Разгадка будет в свойстве эктоплазмы — отсюда и великаны, и карлики. Но о великанах уже забыто. Они мало кого прельщают и мало превышают два метра, и материализация великанов редка. Но маленькие существа очень являют свое одноподобие и своеобразие. Карлики Южной Индии, и Африки, и карлики-эскимосы будут очень напоминать европейских собратьев. Когда будут прилежно изучать эктоплазму, то найдут особенные ее свойства. И в отношении Мира Огненного такое изучение будет великим достижением.

611. Явление глаз может быть отличным знаком Огненного Мира. Так не напрасно могут спросить: почему из всего человеческого организма остается подобие глаз? Очень просто, ибо центры глаз есть провод огненной энергии. Само строение глаз оказывается самым тонким среди строений плотного Мира. Так оно сохраняет особенности и Мира Высшего. Когда изображают один глаз, это не будет только символом, но кто-то видел такое явление.

612. И в сложении рас эктоплазма имеет значение. Она связана с лучами дальних Миров. Конечно, она может быть высокого и низкого качества. Также она зависит от горения сердца. Можно заметить у лимфатичных людей низкое свойство эктоплазмы, и тогда возможны такие странные карликовые образования. Медиумы нередко лимфатичны.

613. Та же лимфатичность может способствовать черной магии. Всячески нужно от нее ограждаться. Не думайте, что мало черной магии, она угнездилась как в народе, так и в правящих кругах. Пусть наука посмотрит очень глубоко на такие разлагающие попытки.

614. Целительная сила внушения очень велика, но она может быть еще усилена. К огню внутреннему можно добавить вибрации Огня Пространственного. Под таким Огнем понимаются сила магнита и электричество. Разные виды паралича могут быть излечены под таким тройным воздействием. Конечно, магнит над головою больного должен быть значительной силы. Электризация должна быть двойной, именно как телесная, так и вибрации воздушные. Можно убедиться, что при внушении такой мощи даже застарелый паралич может поправиться. Нужно неотложно изучать внушения. Нужно понять, что краткие внушения мало приносят пользы; требуется длительное внушение; даже временно внушающий должен жить около больного, чтобы сгармонизировать ауры. Между прочим, это условие гармонизации совсем не соблюдается. Приводят чужого человека, окруженного, может быть, вредными устремлениями, и дают полчаса показать чудодейственную силу. Каждый разумный человек должен понять, что при такой случайной постановке кроме вреда ничего не произойдет. Огненная сила требует к себе вдумчивого отношения.

615. Даже скудоумие на нервной почве может быть излечено таким же тройным воздействием. Только внушение должно быть очень успокоительным, тогда как при параличе оно должно быть приказательным. Можно многие случаи тихого помешательства развить в здоровую жизнь. Сколько несчастных томятся в заключении!

616. Тихое помешательство — как бы местный паралич. Нужно дружественно прикоснуться к мозгу и сердцу. Редко происходит такое сердечное прикасание. Больного или

боятся, или презирают. Но заболевание могло произойти не по вине самого заболевшего, могла его оглушить вражеская стрела. Много таких случаев, когда не сам человек виновен, но его задела стрела ядовитая. Можно вылечить многих таких помешанных, как бы контуженных.

617. Лучше, когда в воздухе больше электричества пространственного, иначе подземный огонь слишком неуравновешен. Много злобы в пространстве, потому так Прошу беречь здоровье.

618. Врачебно-психическое воздействие должно быть применено не только обдуманно, но и решительно, до конца. Полумеры, как и во всем, опасны. Можно приоткрыть центры, но пустить на них всякие влияния так, что вместо излечения получатся раздражение и новая зараза, недопустимо. Употребление усиленного внушения требует и согласия самого больного. Каждое противодействие опасно, ибо может окончательно надорвать силы. Можно видеть, что несознательное состояние тоже нежелательно; требуются яркое желание и сотрудничество волевое. Не только при врачебных воздействиях, но и во всех проявлениях жизни нужны те же условия — без них как же мыслить о Мире Огненном? Мир Тонкий может быть достижим и в полусознательном состоянии, но Мир Огненный может быть приближен лишь ясным сознанием.

Никто не скажет, что мысль о Мире Огненном разрушительна, отрицательна, анархична. Не будет вреда от стремления к Высшим Мирам — получится соизмеримость и желание совершенствования. Так, прочтя «Знаки Мира Огненного», ничто не будет отвергнуто и осквернено. Наоборот, мыслитель научится и постигнет радость поверх земного бытия.

Мы еще вернемся к Миру Огненному, когда скажем о высших энергиях. Но пусть к тому дню друзья научатся полюбить Мир Огненный, Мир Света, Мир Прекрасный!

AYM

1936

Первое издание: Рига, 1936

Приступая к труду, озаботимся, чтобы не обессилить в делании. По неведению можно преисполниться мыслями, ослабляющими и затрудняющими расширение сознания. Но напомним себе о Силе Всеначальной. Повторим основы Источника преуспеяния и неутомимости.

Основа Вседающая часто забывается, потому призовем внимание, чтобы запечатлеть о силе всеначальной.

1. Радугу рассмотрим — обратите внимание, в ней нет плотного алого цвета, нет черного; среди излучений высших найдем лишь сияние и тонкость цвета. На земную поверхность проникают некоторые цвета, напоминающие о Высших Сферах. Некоторые люди любят эти отзвуки Высшего Мира, но другие, наоборот, предпочитают самые плотные краски, и по такому отличию можно справедливо подразделять людей. Если кто еще не предпочел тонкого качества цвета, не будет он вообще в состоянии понять о Высших Мирах. Не пытайтесь даже затронуть такого человека, он зальет туманом алым. Часто такие люди уничтожаются, ибо переработка их почти невозможна, но им не будут полезны и многие лекарства.

2. Врач замечает, что некоторые лекарства действуют совершенно разно на людей. Некоторое превосходное жизнедательное средство будет лишь половым возбудителем для определенных людей. Можно испытать людей на лекарствах. Низшая природа извлекает из веществ только низшее. Но каждая приобщенная сила к Высшему почерпнет именно Высшее. Такой закон нужно запомнить. Даже врач редко истолковывает правильно разные последствия лекарств. Между тем во всем есть соизмеримость.

3. Врачи могут быть истинными помощниками человечества в восхождении духа. Разум врача должен усиливаться сердцем. Невозможно, чтобы врач был невежественным отрицателем. Не может врач не быть психологом, и не может он пренебрегать чудесной психической энергией.

Не странно, что врач упоминается в начале записей об АУМе. Следует упомянуть всех, кто ответствен за связь с высшими энергиями.

4. Если земные вещества так различно действуют на людей, то насколько же различно на них воздействие

высших энергий! Люди издавна поняли, что для правильного восприятия этих лучей нужно привести организм в гармоническое состояние. Мудрые послали для того силу священных воззваний. АУМ или, в звучании, ОМ было таким синтезом звуковых устремлений. Молитва, умное делание являются превосходными достижениями, оздоровляющими состояние духа. Каждый по-своему вносил помогающее явление в сосредоточение духа: кто искал решения в музыке, кто в пении, кто в танцах; были даже грубые способы доведения до опьянения и исступления. Много уклонений и заблуждений, но в основании человек стремился к созданию особо возвышенного настроения, способствующего приятию высших энергий.

5. Не может прожить человек, не ощутивший хотя бы один раз теплоту сердца. Конечно, это будет огненным ощущением, но, когда оно окружится светлою диадемою и радугой, оно уже будет соединено с высшими энергиями.

Не должны говорить и жаловаться люди, что им ничто не доступно, наоборот, при земной жизни уже могут они ощущать великие энергии. Не может земное тело всегда чувствовать такие проявления — оно сгорит. Но высшее состояние духа может все же испытать лучи Благодати.

Пусть люди не жалуются, но чище живут.

6. Когда вдумаетесь, то увидите путь Наш. Мы готовы помочь везде, где закон разрешает. Мы скорбим, когда видим, что, не дойдя до спасительной черты, безумцы бросаются в бездну. Сколько мыслей бывает потрачено, чтобы довести до простейшего и лучшего следствия. Но часто тьма окутывает безумцев, и они дерзают покушаться на Высшее. Подобное бывает, когда в океанскую волну бросить камень. Правда, он даст немного брызг, но разве повлияет он на мощное течение? Так бывает со всеми выпадами против великих энергий. Самое свирепое нападение разбивается о скалу непобедимого духа. Хвастовство сил темных лишь показывает их безумие.

Мощное АУМ покроет самое безумное, ярое нападение.

7. Многое творится сейчас. Напрасно кто-то думает, что нечто не существует, когда оно уже есть. Так и с целыми народами — одни ходят мертвые, другие идут новорожденные. Так бывает во всем.

8. Отлично знаете молниеносность и внезапность мыслей, посылаемых Свыше. Забываемость таких мыслей показывает, насколько иная энергия вторгается в обычный строй сознания. Забывчивость такая зависит не от качества

сознания, но от совершенно другого условия сильных энергий. Нужно вспомнить, как трудно удержать в памяти такие посылки. Старания вспомнить не помогают, если же вспомнилось, то как-то нежданно, иначе говоря, при касании подобной же энергии.

Древняя мудрость учила, что для запоминания таких посылок нужно надавливать третий глаз. Совет был очень разумен, ибо центр третьего глаза, таким образом, может задержать луч мысли — просто надавливая пальцем над переносицей.

Также отлично знаете, что состояние Высшего Самадхи опасно для земного тела. Сила высших энергий непереносима для хрупких оболочек, но следует превозмочь состояние обычного расстройства, и тогда касание Высших Крыльев будет не так опасно. Снова вспомним всевозможные способы приведения в восторженное состояние, ими пытались защититься от опасности Сил Высших. Но лучшим средством будет постоянное размышление о Силах Высших. Таким способом психическая энергия привыкает к возможности воздействия Сил Высших, и нервное вещество посильно укрепляется, чтобы не быть потрясенным. Ведь даже лучший друг может вызвать потрясение, если войдет нежданно.

9. Мало кто не устрашится, если рассказать, что́ именно окружает человека. Перечислим лучи и все химические воздействия как от дальних миров, так и от самой Земли. Ведь отраженные и преломленные лучи очень отличаются от основных. Когда же человек услышит, что вместо воздуха, в земном понимании, его окружают кристаллы грануляций и даже беспрестанные взрывы, то многие сердца ужаснутся. Ведь воздух синий и пустой. Земля твердая и неподвижная, а солнце исполняет обязанность фонаря! Спросите лавочника на углу — его соображение будет весьма не далеко от указанного. Люди лишь в меньшинстве пытаются думать об окружающем.

10. Нежелание мыслить закрывает и вход в будущее. Между тем представим себе разницу сознания каждого столетия. Можно изумляться различием качеств сознания. Степень невежества часто будет почти одинакова, но свойства ее будут различны. Нужно в истории Культуры отметить эти колебания, ибо получится весьма замечательно крутая спираль. Усмотрим, как кольца эти почти прикасались и понижались, чтобы возвратиться к подъему. Потому можно быть оптимистом.

11. Могу радоваться, когда Вижу воинов бодрыми. Путей много, и преследователи не угонятся. Кроме того, каждая Битва с тьмою есть действие достойное. Каждое рассеяние тьмы есть долг человека. Герой вызывает трубным звуком дракона, чтобы поразить его. Пока змей под землею, не будут у очага спокойны люди. Каждое истребление скверны уже будет строительство будущего.

Не может смущаться герой.

12. При творчестве, при исследовании, при открытии везде проявляются психическая энергия и посылки мыслей извне. Могут быть посылки человеческие, или Тонкого Мира, или Огненного и, наконец, из Высших Сфер несказуемых. Часто нелегко отличить степень посылок. Нужно для этого много понаблюдать над собою и над окружающим. После наблюдений удастся различить некоторые признаки.

Мысли земные легче ложатся на сознание, но злобные мысли могут вызывать нервное сотрясение неприятного свойства. Мысли Тонкого Мира будут порождать некоторый сердечный трепет и не так легко усвоятся, даже могут причинять головную боль, как бы вонзаясь в мозг. Огненные мысли бывают подобны метеорам, и когда полет огненных вестников зажигает окружающую атмосферу, он даже производит рокот звучания. Явление огненных мыслей сопровождается огнями и даже как бы выбивает течение обычного мышления. Огненные мысли очень мимолетны и забываются легко. Но редко достижимые светлые посылки Высших Сфер подобны молнии и по нежданности, и по пронзанию сердца. Лишь редкие люди выдерживают эти молнии. Можно назвать много признаков посылок мыслей, но особенно важно вообще усвоить существование таких посылок.

13. Нужно признать в сердце, что люди не оторваны от Высших Миров. Такое твердое сознание поможет познать одно величайшее чудо — в какую бы стратосферу ни подняться, какие бы полеты ни измыслить, везде будет нестись мысль вышняя. Только подумайте, что мысль из Беспредельности несется по всем Мирам. АУМ есть Благодать. Уже в глубокой древности люди замечали Премудрость Божью как всенаполняющую энергию.

Разве не великое чудо — мысль из Беспредельности?!

14. Живая мысль из Беспредельности есть уже утверждение человека как одухотворенного существа, как посланца, как стража Светлого. Немногие поймут чудесное значение живой мысли пространственной. Разве не расцветет мир для сознания, усвоившего красоту живой мысли? Утверждаю, что из Беспредельности льется мысль на досягаемом выражении.

15. Пространственная мысль иногда объясняется нагнетением и колебаниями мысли от дальних миров. Мысль, как бы вращаясь в мегафоне Беспредельности, очищается и, возвеличенная, возвращается к мирам проявленным. Не раз люди пытались предлагать свои механические объяснения. Но все такие попытки лишь доказывают ограниченность мышления. Человек по самости хочет, чтобы его же мысль возвращалась возвеличенная. Но когда знаем Беспредельность Иерархии, то гораздо более величественное решение будет уместно. Не будем умалять там, где можно возвеличить!

16. Мысль может двигать телами и плотными предметами. Также должна отражаться и мысль пространственная. К тому можно указать опыты, произведенные уже много веков назад: укрепляли к потолку жилища многие нити разной толщины и цвета и затем, приведя жилище в спокойное состояние, посылали мысли. Так называемая арфа духа начинала колебаться, при этом замечали, как отдельные мысли затрагивали нити определенного цвета; затем наблюдали, как могут воздействовать мысли, посланные издалека. Конечно, при таком наблюдении нужно уметь освободиться от своих невольных посылок. У всех на памяти, как иногда без видимой причины начинали колебаться легкие предметы; для скептиков это лишь сквозняк, так же как и в их голове. Самость людская не желает допустить, что, помимо «их величества», нечто может существовать.

17. Нужно припомнить всякие проявления мысли пространственной. Каждый может ощущать как бы незримую паутину на лице. Каждый может чуять прикосновение и обернуться на неслышимый для других зов. Может человек слышать без аппарата волны радио, значит, и другие волны могут быть воспринимаемы человеческим приемником. Очень важно проследить, что даже чуткость может отзываться на психическую волну. Также можно принимать мысли дальних миров.

18. Многие ли заботятся о мысли пространственной? Так немногие, что и сказать прискорбно. Можно ли прожить всю жизнь, не думая о Высшем? Примеры такого прозябания налицо. Но никто, нигде, никогда не должен равняться по низшему. Потому будем помнить, что дает человеку хотя бы одно приближение к дальним мирам. Ведь такое прибли-

жение отделяет человека от всего низшего. Одно видение дальних миров уже преображает всю жизнь. Понять хотя бы частицу жизни на иных мирах уже останется ярким воспоминанием навсегда — такое приближение уже есть озарение сознания. АУМ — Благодать, и помощь готова каждому готовому отплыть от берега плоти. Нужно ценить даже малейшее приобщение к мысли пространственной.

Пусть вместо сомнений и отрицаний зазвучат струны дальних миров. Каждое ощущение голосов на расстоянии уже есть победа над пространством. Некоторые знают музыку сфер и песню пространственную. Немногие к этой ступени приобщились, но все же они, эти преобразители жизни, существуют. Будем беречь таких провозвестников миров дальних.

19. Только нужно понимать значение помощи. Каждый хочет помощи по-своему, но не многие поймут помощь истинную. Так и теперь, когда мир содрогается, множества людей не замечают огненную опасность. Для появления чего-то особенного им нужен Архангел величиною с небо! Каждый день совершается нечто необразимое. Так прошла неделя года, считайте, что́ уже происходит! Многие народы меняют лик свой.

20. И Землю не оставьте беспризорной. Осознание дальних миров должно расширить сознание, но не должно отвратить от страдания земного. Иначе каждый улетит далеко и покинет очаг свой.

Нужно соизмерять, чтобы небесное и земное жили в мире.

21. Усовершенствование работы земной не повредит познанию дальних миров. Качество работы разовьет и способность сосредоточения во всех планах. Не лишим, но приумножим возможности. Кто желает преуспеть бескорыстно, тот может найти путь к Высшим Мирам.

22. Корабль успеет вернуться, когда море спокойно. Но мореходы знают, как возникают бури, и положат на срок неожиданную задержку. Так можно в самых лучших решениях предположить и стихийные затруднения. Но не ужасны восстания хаоса там, где дух устремляется к Высшим Мирам,— он как бы парит над волнами хаоса.

23. Каждый камень на планете создан мыслью. Каждый предмет овеян творчеством мысли. Нужно уважать каждый сотворенный предмет. Нужно найти снисхождение к несовершенству. Ведь каждый творец когда-то был несовершенен. Каждое накопление давалось и трудом, и напряжением.

518

Только в таком осознании приучимся уважать творчество. От малого осознаем и великое. Чтобы целесообразно начать звучание АУМ, нужно проникнуться уважением к величию творчества.

Так понятие Благодати будет даром прекрасным. Только лучшее устремление получит воздаяние. Мера лучшего понимается как соответствие с Высшим Началом. Струна протянется от чего-то к чему-то. Без укрепления струна будет мотаться в пространстве.

24. Кроме подвига внешнего героизма может быть ценный подвиг незримый. В духе подвижник постигает высшее творчество и тем становится пособником Творца. На Земле и над Землею, в двух Мирах, сливается мысль постигающая, и такой подвиг звучит на спасение человечества.

25. К чему говорить — АУМ, если можно сказать — молитва? В сущности это то же самое, только по древности и утончению созвучие АУМ будет сильнее по вибрации. Пусть созвучие около Высшего Понятия будет обдумано. Слово есть вибрация, такие созвучия нужны для гармонии пространства.

Подвижники молятся не о себе.

26. Придут и будут уверять, что даже самое Высшее Учение их не удовлетворяет. Они хотят еще чего-то. Спросите их: какую личную выгоду они желают,— не ошибетесь в вопросе. Неудовлетворение слишком часто от хотения личной выгоды. Сама Беспредельность не увлекает таких лицемеров. Они любопытствуют лишь из ярого искания телесных услаждений. Недолго будут они прилежать Учению, отойдут, как только почуют не телесное, но духовное. Самые ужасные предатели образуются именно из таких, не нашедших серебреников. Так ни Благодать, ни АУМ не тронут, не просветят — угольное сердце останется черным и испепелится.

27. Сами видите, как лучшие сердца страдают от людских мрачных замыслов. Неземные чистые мысли для злых тварей — лишь цель глумления. Невозможно передать, чем наполнен воздух около Земли! Мыслеобразы служителей тьмы, как когти бесчисленные! Символ жизни — крест — пересечен ими как недопустимое средство восхождения. Даже если этот знак предупреждает об опасности, служители тьмы приложат усилия разбить его. Не следует не замечать происков темных.

Мудро нужно знать действительность, чтобы тем ценить больше Благодать, данную во спасение.

28. Колдовство недопустимо, как преступление против человечества. Не следует понимать колдовство как зло против одной личности. Следствие колдовства гораздо вреднее — оно нарушает явления космические, оно вносит смятение в слои надземные. Если колдун не сумел поразить супротивника, это еще не значит, что его удар не убил нескольких человек где-то, может быть, в разных странах. Может быть, вибрация злой воли нашла себе утверждение в самом неожиданном месте. Нельзя представить себе, сколько смертей и болезней причинено злой волей! По пространству носятся тучи когтей, никто не учтет, где сядет эта ядовитая стая. Сильный дух защитится от злых посылок, но где-то слабый человек получит их заразу. Невозможно учесть такой космический вред. Только мощь звучания АУМ может приносить гармонию среди расстроенных вибраций. Даже Благодать долетит не в полной мере, если она попутно будет расходоваться на рассеяние зла. Можно очень остеречь человечество от всякого колдовства.

29. Никто не должен насмехаться над молитвою. Если она будет даже первобытна, она все-таки будет знаком духовности. Неуместно человеку поносить лучшее устремление собрата. Не имеет права усмехаться человек, когда возносится приношение Высшему. Обычно люди низкие особенно нападают на молитву других. Для них АУМ и другие молитвы будут лишь источником недопустимых шуток. Очень часто встречается такое низкое сознание как следствие грубого невежества.

30. Около верований образовались знаменательные черты. В древности требовалось, чтобы священнослужитель перед молением совершал омовение и надевал чистую одежду. Теперь получилось наоборот — появились роскошные внешние одеяния, но чистота исподняя забыта. Сравним такие инволюции основных понятий и задумаемся о положении духовности. Немало забыто значение обращения к Высшему. Много книг написано, но сердца замолкли. Так нужно помнить, что не роскошь наряда, но чистота нужна.

Пусть чистота пути ведет к чистоте сердца. Молитва не возносится из грязного сердца.

31. Ни одно верование не заставляло строить храмы. Они произошли постепенно как выявление почитания. Первый Завет всегда духовен и преисполнен непосредственности. После уже подчиняется закон духа уложениям земным.

Сколько лучших крыльев опалено земными огнями!

Нужно превозмочь все своды, чтобы возлететь кверху устремленно. Потому пусть священное созвучие АУМ наполнит Благодатью сердце, как было в лучшие дни человечества.

32. Часто найдете непонимание, что значит созвучие. Люди будут представлять его как громкое звучание, но звучание может быть неслышимо, как сердечное напряжение. Ведь сердце поет, оно звучит и наполняет весь организм особой энергией. Само моление АУМ может быть и в сердце, но будет рождать те же излучения, как и громкое звучание.

Нужно приучиться к сердечному выражению. Никто не может лучше выражать свое постоянное устремление, как в молитве сердечной.

33. Правильно заметили, что некоторые мантрамы лишены смысла и содержат лишь звучание. Потому видим, насколько нужна вибрация. По той же причине многое не записывалось, но передавалось устно. Ведь буквы без определенного звучания не дают следствия. Кроме того, и само качество голоса имеет особое значение. Голос грудной может дать больше резонации, нежели внешний, плоский или носовой. Так не только сама мелодия, но качество голоса будет значительно. Считаю, что качество голоса сейчас мало ценится. Не сила, не выражение, но внутренний магнетизм — то же основание будет нужно при всяком пении. Много голосов лишаются природных качеств условиями внешних постановок.

34. Молитва не будет некрасива, она и вблизи, и издалека будет нести тот же мощный мантрам.

Полюбите красоту звучания. Человеческий голос есть уже чудо. Можно видеть, как воздействует голос даже без слов. Каждый слышал хоры на расстоянии — слова уже стерлись, но магия звука жила.

Так нужно всегда напомнить, сколько чудес заключается в человеке.

35. Молитва есть возношение и восхищение. Просительная о себе молитва уже будет позднейшим явлением. Как может о себе молиться человек? Точно Высшая Мудрость не знает, что человеку нужно!

Молитва есть провод к потоку Благодати. Поток льется в избытке, но нужно приобщиться к нему. Нужно найти сердечное соотношение, достойное для встречи Высшей, сокровенной Ценности, потому каждая просьба о себе будет несоизмеримой. Только когда религии стали государственным орудием, наполнились они обиходными прошениями за плату. Молитва и плата — несоизмеримы! Потому так много людей отвращается от служения оплаченного. Сама радость молитвы возношения улетает под звон металла.

36. Вы слышали молитву птиц — малые собратья умеют приветствовать свет. Они находят лучшее выражение для восхищения перед величием Света. Растения к свету тянутся, только люди мечтают о желудке, когда дух должен преисполниться величием Превышним. Так совершается кощунство, которое подобно самоубийству. Написаны лучшие гимны, но читают их без сердечного трепета, как звон разбитой посуды.

Пора снова обратиться к началам, чтобы даже пример низших братьев мог опять вернуть к путям Высшим.

37. Молитва может быть сравнима с магнитом. Действие молитвы напрягает сердце и притягивает из пространства лучшие мысли; даже если такие мысли земных слоев не будут самою Благодатью, они все-таки будут добрыми. Обогащение такими мыслями дает новые силы, как бы встреча с друзьями. Нужно ценить таких друзей. Можно с ними и не встретиться, но они близки. Само пространство полно ими, стоит послать им добрую мысль. Молитва имеет качество магнита.

38. Антипод молитвы — сквернословие. Оно смущает и грязнит пространство. Запрещено в городах иметь фабрики, полные ядовитых газов, но кощунства и сквернословие по следствиям своим вреднее. Люди не хотят освободиться от самого губительного вещества, порождающего устрашающие разрушения. Уже Не Говорю о болезнях, порожденных нарушением атмосферы. Ужаснее всяких болезней будут разрушения слоев около планеты. Сколько же молитв и добрых мыслей требуется, чтобы заполнить эти пропасти и язвы пространства! Если опасны безводные пустыни и смерчи, то же самое наблюдается, когда человечество опустошает вокруг себя живительные силы. Ведь самоопустошенные остовы как гробы гниющие.

Упаситесь от сквернословия!

39. Не может быть договора с сатаною. Может быть лишь рабство у сатаны. Умолить сатану нельзя. Можно лишь без страха наступать на него и через него. Есть старинное предание, как сатана решил устрашить отшельника. Он предстал ему в самом ужасном виде. Но подвижник преисполнился огненного явления и так наступил на сатану, что прошел сквозь него, как бы прожег сатану. Огонь сердца сильнее пламени сатанинского. Нужно исполниться

такого огня, тогда все усмешки претворятся в гримасы ожогов,— так устремимся на сатану.

40. Каждый человек даже в обиходе своем являет особенности своей природы. Немногие особенно любят синеву горных вершин, являя там лучшую утвержденность духа; другим нужна зелень, и ее называют цветом надежды; третьи живут в теснинах городов и там чувствуют себя отлично. Различны будут и молитвы таких людей. Мало они поймут друг друга. Потому нужно воспитывать сознание, чтобы оно сделалось терпимым и могло прикасаться к разным граням Бытия.

41. У одного отшельника спросили: как может он пребывать в постоянном молчании? Он очень удивился и сказал: «Напротив, никогда не молчу и беседую непрестанно — так много собеседников посещает меня». Отшельник настолько приблизился к Миру Незримому, что он стал для него вполне ощутимым. Молитва сделалась собеседованием, и Мир утвердился во всем величии. Такому духу переход в Мир Тонкий вообще неосязаем.

Среди бесед о добре можно подыматься по любым ступеням. Сперва молитва внешняя, потом молитва сердечная и затем собеседование о Благе.

42. Существует мнение, что молитва есть нечто отличное от обихода, между тем она есть основа жизни. Без связи с Высшим Миром немыслимо человечество — оно будет хуже зверей! Так можно рассматривать связь с Высшим Миром как Основу Бытия. Не имеет значения, на каком языке будет совершаться воззвание. Мысль не имеет своего языка, но зато она всепроникающа.

43. Одни всецело посвящают себя молитве, другие умеют совмещать молитву с трудом. Не будем взвешивать, что ценнее, лишь бы молитва и связь с Высшим Миром существовали и преображали жизнь. Не удивитесь, если труженик принесет лучшее качество работы, совершая ее с призванием Высшей Помощи. Не удивитесь, если самая краткая молитва будет доходить лучше.

Так приобщимся к Высшему Миру не по приказу, но по влечению сердца. Можно преобразить жизнь земную лишь связью с Высшим Миром, иначе страдания не уменьшатся, наоборот, они доведут до гибели. Невежество должно быть искореняемо, но лучшее просвещение явится Свыше.

44. Может быть, найдутся столь темные сознания, что не усмотрят вообще надобности связи с Высшим Миром,—

сор везде существует, но упасите детей от такого невежества. Окаменелое сердце уже не сердце, но кусок отброса.

Так найдем во всем место общению с Высшим Миром.

45. Спокойствие сознания образуется по мере познания Высшего Мира. Нет большей радости и красоты, как утверждение существования Высшего Мира. Молитва образовалась от достоверности опознания связи живой с Высшим Миром. Само понятие такой связи делает человека сильным и устремленным.

Явите уважение ко всему, носящему признаки Высшего Мира.

46. Неужели не видят люди всю сатанинскую уловку против Высшего Мира?!

47. Человек молит о прощении и не изменяет образа жизни. Человек скорбит о своих несчастьях, но не покидает ни одной привычки, которые довели его до положения скорби. Но одно моление о прощении не имеет смысла, если не сопровождается исправлением жизни. Не скорбь, но лицемерие, когда Высшая Мудрость утруждается самоможалением. Также не имеет значения принуждение к молитве. Пока люди не примут значения связи с Миром Высшим, они будут лишь кощунствовать своею неискренностью. Не солгать Истине, не утаить перед всепроникающим Светом. И к чему утаивать сокровенное, сердцем оправданное? Связь с Высшим Миром будет привлекательной, когда сердце утвердит свой приговор.

48. Добро и зло испытуются сердцем — так можно донести к Высшему непоколебимое утверждение. Можно признать все сравнительные несовершенства, но тем не менее можно без сомнения утверждать, где добро. Пытаются находить преступников по давлению крови, но не усмотрят, что одно подозрение уже может возбудить весь организм! Лучше приобщиться к Миру Высшему, где открыты все тайные свитки.

49. Сны безвременны — они доказывают условность земных мер. Так же мысль может достигать Высших Миров, не требуя времени. Самое быстрое воздушное письмо все-таки нуждается во времени. Пусть изучают быстроту мысли — такое наблюдение полезно для осознания дальних миров.

50. Звучание может быть понято правильно, но все-таки не дать следствий. Потому не забудем сердечную энергию, которая должна сопровождать звучание. Было бы недостойно, если бы один звук имел решающее значение.

Много певцов тогда могли бы достигать следствий. Звук пустой, как медь звенящая. Слышали о том, как по вибрации разбивались стеклянные сосуды. Но даже такая вибрация должна сопровождаться мыслью. Даже волна посторонней мысли может усилить следствие. Потому мысль так ценна, как двигатель.

Не следует удивляться, что, говоря о молитве, нужно напомнить о вибрационных условиях. Такое исследование всех свойств общения с Высшим Миром будет истинным путем. Сердце не будет забыто среди наблюдений, но все прочие особенности должны будут подчиниться сердцу.

51. Кроме сердца храните ясное сознание. Нельзя видеть сквозь мутную воду. Каждое волнение будет совершенно одинаково как в воде, так и в сознании. Найти нужно правильную меру между отзывчивостью и волнением. Условия земные не легки, чтобы избежать возбуждения, которое так пагубно для здоровья. Явление связи с Миром Высшим дает чуткость и ясность, не замутненную темными струями.

52. Единение и победа — лучший мантрам. Сила темных разбивается о такую скалу. Также нужно помнить, чтобы не утруждать напрасно Учителя. Пусть любовь и преданность тоже живут в сердце.

53. Всевозможные обряды, сопровождающие молитвы, представляют чьи-то тщетные попытки усилить значение молитвы. Много веков изощрялись люди, чтобы утвердить значение Высшего Мира. Но теперь снова человечество отдаляется от принятия основных законов. Вместо ритуалов наука приближает путь правильный, но в суете жизни зовы науки остаются проявлениями, стоящими одиноко.

Так следует снова убеждать в существовании Высшего Мира. Стыдно человечеству, что оно оторвалось от берега познания!

54. Новое считается старым. Потому новое есть забытое и подлежит омытию, иначе вместо прекрасных Ликов останутся запыленные гримасы.

Приглашаем всех, кто способен без поношения приблизиться к великим Обликам. Пусть оденет их по обычаю своего народа, ведь встретим на всех путях, ведущих к Высшему Миру.

55. Люди знают, что каждый видит предметы в своем освещении. Уже имеются объяснения о различном строении глаз, но совершенно не придают значения, что люди видят через свою ауру. Каждый имеет вокруг себя свой цвет и видит через него. Скажите врачам такую истину, и они будут

смеяться, ибо цвет излучений незрим и в учебниках глазных болезней не упоминается. Но даже явление слепоты возможно от потрясения. Так и глухота, и прочие чувства зависят от сердца. Само излучение зависит от состояния сердца. Значит, все, от сердца исходящее как молитва, очень разноцветно. Упасемся от алой и черной молитвы.

56. Молитва обычно вызывает голубое и фиолетовое пламя. Может быть серебряная молитва, но нельзя представить себе молитву коричневую. Световое основание в бытии земном очень существенно. Можно подделать звучание голоса, но излучение сердца будет неподдельно.

57. Молитва есть очиститель. Не следует понимать это определение отвлеченно. Духовное здоровье есть главная основа здоровья тела. Именно молитва, как реальная связь с Высшим Источником, будет лучшим очистителем организма от всех заболеваний. Заражение появляется, когда тело дает вход явленным посланцам зла. Каждое тело предрасположено ко многим заболеваниям, но духовная крепость не дает развития таким восстаниям. Когда же дух может правильно питаться высшими энергиями, он предохранит и тело от опасностей.

Потому можно утверждать, что молитва есть очиститель.

58. Находятся невежды, которые полагают, что молитва, вообще, неуместна среди деловой жизни. Следует поставить им на вид: какое такое дело они считают несовместимым с молитвой — очевидно, дело злое и корыстное? Именно во зле нет места молитве, но всякий добрый труд нуждается в молитве, открывающей Силы Высшие.

Так нужно в Новом Мире утвердить истинные реальности. Не будем ретроградами, если напомним о том, что постоянно и неизменно будет Законом Бытия.

59. Можно видеть, какие недостойные способы сопрягаются с молитвою. Не могут исступления способствовать связи с Высшим Миром. Очевидцы видений Высших подтвердят, что они даже не могут устоять на ногах от сильных вибраций. Кроме того, видения предшествуются особым спокойствием духа. Разве кружение или верчение может быть преддверием прекрасного явления? И не может человек своевольно понудить явление Высшего Мира. Можно привлечь Мир Тонкий, но величие Высшего Мира превышает природу земную. Годы ждут пустынники Высшего Слова. Даже великие подвижники могли лишь однажды вместить явление Высшего Мира без потрясения здоровья. Но сам Высший Мир знает, когда что можно.

60. Уважение к Иерархии утвердит близость Высшего Мира. Как прочные мосты к тому берегу, вы найдете в сотрудничестве с Иерархией. Каждое верование открывает и Ангелов-Хранителей, и Руководителей, и Утешителей — под разными именами то же понятие Иерархии. Действительно, пусть каждый понимает по-своему, но пусть каждое сердце стремится кверху. Только в этом путь к совершенствованию.

Явление молитвы есть собеседование о самом Прекрасном.

61. Молитва есть вдохновитель к знанию. Каждый, кто осознал величие такого собеседования, неминуемо начнет устремляться к познанию. Рост такого сознания потребует всевозможных научных познаваний.

Философия, так же как и естественные науки, поведает те же пути к Высшему Миру. Невежды толкуют о материальных науках, которые отрицают все, грубым глазом не видимое. Но они уже знают о тонких атомах и понимают о необходимости микроскопа и телескопа. Поистине, они сами делают науку пустой оболочкой. Когда появятся и признаки Высшего Мира в сознании, то каждая наука преобразится. Нет такого знания, которое не утверждало бы великую связь миров. Нет таких путей, которые не вели бы к Высшему Миру. Кто не чувствует величия Единения и Беспредельности, тот не дорос в своем сознании. Молитва не есть мертвый крик ужаса, но собеседование, полное любви и преданности.

62. Если что-то содержит в себе тупое отрицание без построения мысленного, нужно смотреть на такое убожество как на безумие. Сами вы сколько раз встречали таких безумцев. Ничего, кроме сожаления, они не возбуждают. Как мелочной лавочник признает числа для своей наживы, но смеется над высшей математикой, так же и невежда из терния великого подвига делает себе зубочистку.

Труд так же ведет к Высшему Миру, как и знание. Ведь каждый труд есть познавание. Так, труд есть молитва.

63. При молитве часто совершаются исцеления. Нетрудно понять, что связь с Высшим Миром помогает сердцу и несет по нервам целительную Благодать. Нетрудно понять это хотя бы с условной научной точки. Но явление невежества таково, что нужно и о таком простом соображении твердить, но нельзя упустить ни одну возможность упоминания о Высшем Мире. Так творится еще одна молитва.

64. Ужасно видеть явление безумия, когда злоба хочет стереть с лица Земли все разумное; подобно губительному вихрю действует злоба. Только связь с Высшим Миром может дать равновесие.

65. Особенно отвратительно видеть, когда, с одной стороны, остается лучшая преданность Высшему Миру, но с другой — темное сатанинство в полной мере. Так можно на примерах жизни находить подобие Армагеддона. Нужно помнить, как Силы Света неустанно поражают тьму. Молитва будет и боевым кличем, когда во имя Высшего поражается ложь. Рассеивая ложь, служим Свету.

66. Раздражение не подходит молитве. Само поражение лжи должно происходить, являя Огненный Меч, но не раздражение.

67. Молитва не принижает, но возвышает. Если кто после молитвы почувствует подавленность, значит, качество молитвы не было высоким. Человек несоизмерим с Беспредельностью, но искра энергии высшей содержит в себе значение даже вне мыслимых пространств. Искра высшей энергии дана каждому человеку, и как носитель ее он облекается высокою обязанностью. Он — мост с Мирами Высшими, значит, невежда, отрицающий Мир Высший, тем отрицает и свое человечество.

Напоминание о Мире Высшем есть пробный камень для испытания каждого духа.

68. Духовное начало предшествует каждому действию. Не может быть действия телесного без предшествующего духовного соединения. Так каждый, отрицающий духовное начало, уже лишает смысла все свои действия. Не может продолжаться эволюция, если главный двигатель будет отринут. Черный Век имеет среди своих свойств отрицание Начал и Основ. Но именно такая тьма преходяща. Человек должен готовиться к принятию Света, но, чтобы не уподобиться кроту, он должен осознать в себе сущность Света.

Когда Говорю о Высшем Собеседовании, прежде всего Предлагаю понять реальность во всей Беспредельности.

69. Молитва не может иметь ничего общего с насилием. Первая молитва ребенка не должна быть осмеяна или порицаема. Мальчик молился: «Господи, мы готовы помочь Тебе». Прохожий очень возмутился и назвал ребенка гордецом. Таким образом первое чувство самоотверженности было поругано. Девочка молилась о матери и о корове, и такая молитва была осмеяна. Но память осталась о чем-то почти смешном, тогда как такая забота была трогательна.

Устрашение Богом тоже есть великое кощунство. Запрещение молиться своими словами уже будет вторжением в молодое сознание. Может быть, ребенок помнит что-то очень важное и продолжает свою мысль кверху. Кто же может вторгаться, чтобы потушить светлый порыв?! Первое наставление о молитве будет наставлением на весь жизненный путь.

70. Обстановка дома также налагает печать на всю жизнь. Даже самая бедная хижина может не оскорблять духовного чувства. Не следует думать, что пустота жизни не замечается детьми. Напротив, они очень чуют построение всего обихода, потому молитва лучше живет в чистом доме.

71. Молитва хороша во всякое время, но имеются два срока смены токов, когда обращение к Высшему Миру особенно желательно,— при восходе солнца и после заката. Кроме того, отходя ко сну, уместно воззвать к Высшему Миру.

Сон не понят наукою. Идея отдыха будет примитивна. Если каждое действие предшествуется духовным актом, то такое необычное состояние, как сон, должно быть особенно отмечено. Люди почти на половину жизни вверяют себя в Мир незримый. Нужно очистить сознание перед входом в сокровенные Врата. Мысль о Мире Высшем, мысль о Хранителях уже осветят увядшее сознание, и встречи могут быть лучшие, и нападения могут быть отвращены. Только сердечная мысль о Высшем Мире может быть непроницаемой кольчугой.

Так осознаем все наиболее прекрасное и нужное в дальней дороге.

72. Пусть сердце биением своим всегда напоминает о пище духовной. Не отвыкайте от молитвы, не отгоняйте мысли добрые. Много раз человек лишает себя права на вход. Мир Высший — не огонь поедающий для друзей и сотрудников. Люди в жизни опасаются ожогов, пусть они так же заботливо отнесутся к своему будущему.

73. Хорошо собираться для объединения мысли — так можно приносить пространственную пользу. Такая мысль есть молитва — не о себе мыслите, собираетесь для Блага. Помощь друзьям так далека от корысти!

Считаю — самые достойные часы, когда посылаем мысли друзьям и всем, кто в нужде.

74. С кем можно укреплять мысли? Только с Гуру. Он, как скала, у которой можно укрыться от непогоды. Почитание Гуру есть путь к Миру Высшему. Но хаос не

терпит построения. Нужно направить внимание на устои мысли, чтобы не подвергнуться вихрю.

75. Бывают люди, которые уверяют, что никогда не молятся, и тем не менее они сохраняют возвышенное настроение — причин много. Может быть, они и беседуют с Высшим Миром в труде, не замечая того. Может быть, сознание их хранит в глубине сердца пылающие воззвания, не слышимые человеку. Может быть, от прежних жизней остались иероглифы на чуждых языках, покоящиеся в сокровенной памяти. Так нередко люди начинают повторять незнакомое слово, имеющее значение на неожиданном наречии. Много сокровенных воспоминаний хранится в сознании. Много лучших поступков руководится причинами бывших жизней. Не нужно связывать себя утверждениями, которые имеют причины глубоких переживаний.

76. Никто не носит чуждой мысли. Свое суждение будет ответственным перед миром. Так отшельник один молился, лишь повторяя на своем языке: «Ты, Ты, Ты!» Он уверял, что в кратчайшем утверждении он сосредоточил сильнейшую мощь. На разных языках разно, но туда же стремятся сознания.

77. Невежда-скептик спросит: «Почему полагать о каких-то Высших Мирах? Никогда не слыхал ни о чем подобном». Придется ответить: «Некоторые виды животных не знают о Высших Мирах, но люди видели и ощущали множество раз прикасания Высшие и могут говорить о действительности. Если кто ни одного раза не почувствует приближения Невидимого Мира, значит, его центры омертвели». Так придется ответить скептикам-невеждам.

Какая же молитва возможна в устах отрицателя? Невозможно даже говорить о молитве при невеждах. Плод унизительных попыток будет очень горек. Чувство развитого сознания подскажет, где нельзя касаться Высших Миров.

78. Некоторые из величайшего почитания утверждают: «Не то, не то»,— чтобы не допустить оскорбления сравнений. Другие, вообще, запрещают произносить слово Бог, чтобы не умалить величия Высшего,— так различно люди приближаются к Беспредельности. Они чуют в глубине сознания, что нельзя выразить или сравнить то, что выше всяких представлений. Слепой ощупает камни низших слоев, но не знает высоты башни. Но человек не может оторваться от Лестницы Иерархии. Путник дойдет до ступеней этого восхождения.

Поет путь Света, и звучат неизмеримые пространства.

79. АУМ звучит не как имя, но как понятие. Постигающий придет к звучанию, которое созвучит с музыкой сфер. Можно лишь редко услышать земным ухом это звучание сфер, но невежда примет это звучание за шум в ухе.

Так пойдем туда, где звучит сама Беспредельность.

80. *Великая Любовь заложена в основание Высшего Мира.* Ответит этому качеству только такая же любовь. Самое явленное почитание не достигает назначения без любви. Какая же преданность будет без любви? Какая же огненность в иссушенном сердце? После уявления любви можно ждать соизмеримости с Высшим Миром. Каждый предмет изучается только при любви. Каждая трудность побеждается силою любви.

Поистине, великая любовь лежит основанием Высшего Мира!

81. *Великое Служение может быть уделом каждого человека.* Новая жизнь вливается в дерзающего потрудиться в великом Служении. Каждый сам отмерит свой явленный вход. Каждый сам прикажет себе не малое, но великое Служение и сам позовет себя к Миру Высшему неотменно.

Так великое Служение есть долг и честь.

82. Умеющий различать в самом малом присутствие Высшего Мира уже на пути восхождения. Именно нужно во всем привязать себя к Миру Высшему. Без такой привязанности долог путь будет. Среди самых плотных условий все же можно устремляться к Миру Высшему, и будет близким этот Мир Прекрасный. Уже в земном теле дух научится привязаться к Высшему Миру, как бы вернется на чудесную родину. Есть притяжение даже к земной, преходящей родине, тем более притяжение к отечеству вечному. Лишь хаос может скрывать от человека ему принадлежащее сокровище. Звучание гармонии побеждает смятение хаоса — АУМ!

83. Чудеса не могут быть чем-то отвлеченным для духа, соединенного с Миром Высшим. Каждое необычное земное явление есть частица самого Высшего Мира, иначе говоря, реальность. То же самое гармоничное звучание уже открывает сокровенные входы. Но замечайте самые малые знаки Мира Высшего. Из таких малых зерен вырастет древо, прочное и высочайшее.

Нужно внимательно замечать все знаки. Не упустите немалые явления, которые вы считаете в обмане плоти не заслуживающими внимания,— плоть груба, только сердце бьется во имя Высшего Мира — АУМ!

84. Огонь или Свет Высшего Мира не есть совершенно необычное явление. Гораздо чаще, чем думают, эти искры проникают в земные слои. Конечно, их объясняют как электрические проявления. Сущность их не чужда будет тому, что принято называть электричеством, но посылки такие происходят от мыслительной энергии Высшего Мира. Не случайно вспыхивают такие Огни и Света — или ободрение, или предупреждение, или подтверждение звучит в Светах посланных. Обычно люди жалуются, что нежданно прилетают эти вестники. Среди обычной работы можно вдруг увидеть Световое указание. Может быть, оно должно влить мужество и бодрость и напомнить о Высшем Мире, чтобы заложить в сознание еще один прочный камень?

Чудесны Огни и Свет Высшего Мира. Они не опаляют там, где добро. Они каждый раз заставляют помыслить о том Величии Незримом. Нужно принимать эти мосты как путь единый. Ужасно убояться Света, иначе Огонь обратится в пламя поедающее. Страх не уместен, и ужас разрушает сам себя.

85. Убедительность есть доверие. Потому осознание Высшего Мира уже не будет забыто во всех жизнях. Именно такое качество останется неизменным всегда. Тем более нужно утвердиться на знании о Мире Высшем. Подтверждение не замедлит.

86. Во всей истории человечества можно видеть осознание Высшего Духа, Святого Духа Утешителя и множество наименований, ведущих к Миру Высшему. Такое свидетельство всех веков и народов должно заставить даже невежд призадуматься. Не может ошибаться все человечество! Под различными условиями люди ощущали то же самое высшее и прекрасное Начало. Люди считали явление духа как философский камень. Можно находить самые многообразные признаки великой Действительности, сохраненные народами. Это не корыстное внушение, но опознание правды. Пусть ищут — в древнем Египте, и в Вавилоне, и среди неоткрытых культур Майи, и везде, поверх изысканных символов, можно найти те же Высшие Образы.

Так наука может вести к Высшему Миру.

87. Снисхождение есть одно из качеств Высшего Мира, потому каждый, в свою очередь, должен уметь оказывать это качество везде, где есть искра блага. Пусть не устают разыскивать эту Благодать. Так можно на вечном дозоре принять на себя служение Высшему Миру. Не нужно гордиться таким отличием, не особая гордость прилична, но особая радость позволительна.

88. Связь с Высшим Миром щедро обогащает сознание. Различно достигают высокие посылки свою цель. Можно уловить их во сне, можно принять их в бодрствовании как мысль молниеносную. Не следует огорчаться, что иногда такие мысли тотчас же забываются, вернее, они тонут в сознании. Может быть, мысль предназначалась для сокровенного сознания. Лишь вовремя она выявится, но пока, до срока, она должна жить и обогащать сознание.

Говорят, что рост сознания подобен росту травы. Не может человек наблюдать за ростом травы каждый час, но так же незаметно покажется завязь цветка. Можно лишь по периодам замечать перемену сознания, но такое изменение будет несказуемо. Сознание растет синтезом, оно не может продвигаться узко. Движение сознания будет от центра, захватывая круги нового понимания.

Посылки ученым также не будут материально узки, они двинут мысль в широком кругозоре. Ум уже даст ножны Пламенному Мечу. Так из Высшего Мира даются задания в широком размахе. Земные ограничения сведут надземную мысль к человеческому слову, но в глубине сознания сохранится оттиск небесного иероглифа.

89. Полезно принять общение с Высшим Миром как необходимость чистого воздуха. Не нужно сидеть в зловонной, ядовитой атмосфере. Даже самые невежественные люди понимают вред отравы.

Также замечается, что при духовном развитии люди освобождаются от неприятных запахов, свойственных неразвитым организмам. Подумаем, что Высший Мир может преображать даже состав крови. Не будем думать, что такие воздействия сверхъестественны; наоборот, это будет самым естественным. Когда человек вернулся из чистого воздуха, он благоухает, так же благоухает сознание, осененное Благодатью.

90. Даже земная мысль может двигать плотными предметами, можно себе представить всю творящую мощь мысли Высшего Мира! Люди говорят, что столкновение мыслей выражает истину,— так люди сами, не подозревая, утверждают великую истину. Действительно, творящая мощь мыслительной энергии есть та тайна, о которой рассуждают мудрецы. Именно не одна мысль, но пересечение мыслительных токов образует спираль зарождения. К тому можно подвести много научных опытов, но прежде

всего нужно установить физическую силу мысли. Если легкие предметы могут двигаться под силою мысли, то это же можно представить в прогрессии Беспредельности. Не духовное, не этическое, но физическое вычисление может дать представление о Высшем Величии. Люди могут понять, насколько их энергия может дать огромные следствия, ведь потенциал мысли доверен каждому и может быть использован научно, разумно или расточительно, во вред всему Сущему. Таким образом, молитва может быть великим научным опытом и доказательством.

Когда Говорю — АУМ, Мыслю о пользе Миру.

91. Не следует считать, что истинная наука не может быть упомянута в связи с молитвою о Высшем Благе. Каждое познание может быть очень близко Миру Высшему, но каждый может приложить свое наблюдение, и на разных концах Мира могут получиться мысленные токи, которые своим пересечением могут создавать пучину новых возможностей. Ведь Мир Высший есть самая прекрасная возможность.

92. Широка область человечества, вершиной своей она касается Высшего Мира в лице героев-подвижников; внизу она производит космический сор, который наполняет камни соседних планет. Непомерно расстояние между подвижником, уже осененным Светом Высшего Мира, и подонками сорными.

Трудно представить, что потенциал основной энергии был дан каждому человеку, но насколько различно обошлись люди с великим даром! Даже само воображение не охватывает такую пропасть. Люди считают трудным, что́ им не нравится, и легким, что́ их не затрудняет,— из такой условности угрожают разверстые пропасти. Люди не привыкают держать в сознании Мир Высший, но нетрудно заменить ощущение пустоты жизнью беспредельною. Насколько прекраснее осознание Высшего Мира, нежели самоввержение в каменные узы!

К чему начинать сначала, если можно восходить беспредельно.

93. Можно растить любое чувство. Бесстрашие тоже воспитывается. Можно задавать себе задачи бесстрашия вместо наполнения чувством ужаса.

Призраки так же реальны, как тени на песке. Но мы знаем, отчего происходит тень. Так же и облики Тонкого Мира не будут невозможностью. Но не будем бояться, но звучно произнесем Имя Учителя.

94. Огня много, потому понятны волны, обжигающие и утомляющие. Огонь подземный и Огонь надземный родственны, но далеки в воздействии. Люди не хотят понять своего воздействия на огонь подземный. Признаки астрологические позволяют подумать об особой осторожности, но вместо того люди лишь увеличивают опасность. Какое дело двуногим, если на другом материке из-за них вспыхивает губительное пламя!

95. Закон Космоса незыблем, но в то же время видим как бы колебания его. Возьмем ли утверждение Кармы, но и она может быть изменена, так же и сроки возврата к плотной жизни могут быть на разных явлениях — от мгновенности до тысячелетий. Незнающие будут недоумевать, как же незыблемость может так отклоняться. Но такое незнание будет лишь свидетельством о непонимании вместимости.

Также не будет понято, какая энергия может служить решающим условием. Во всех космических амплитудах будет краеугольным основанием мысль, она может изменять Карму, она может решать сроки, она открывает врата и может закрыть их. Она растит крылья оплечий. Она приближает к Миру Высшему. Она же низвергает в бездну. Явление закона покоится на мысли. Премудрость мысли есть щит и охрана от хаоса. Именно мысль властвует над яростью хаоса.

Поистине, Закон Космоса незыблем, но просветлен мыслью и потому целесообразен. Понимание соизмеримости лишь научит понимать закон основной.

Так всегда будем помнить мысль творящую — АУМ!

96. Изменение Кармы многим представляется немыслимым, но они заблуждаются, забывая о неземной Справедливости. Ведь можно мгновенно пережить самые высшие осознания. Где может шагать нога, там может перелететь мысль. В некоторых культах погружали в сон и по внушению заставляли спешно переживать всю трудную тропу последствий. Так понимали неизбежность, но и ускоряемость закона. Мысль творит жизнь.

97. Не только Закон Кармы трудно усваивается, но еще труднее воспринимается простейший Закон Воплощения. Часто и Писания с древнейших времен говорили о такой смене жизни. Нередко обитатели Тонкого Мира передавали земным людям свои вести. Нередко люди помнят о своих прежних жизнях. Целыми веками воплощения признавались, но затем они опять забывались, и запрещалось даже мыслить о них. Трудно понять, к чему шла такая борьба против очевидности. Иногда можно было думать, что мудрые хотят обратить внимание лишь на будущее, но такая мудрость была бы однобока.

Люди должны стремиться к неограниченному знанию. Нельзя приказывать не знать. Нельзя отнимать от человека права совершенствоваться. Пусть знают и помнят, но Учитель жизни проведет черту между прошлым и будущим.

Так не будем закрывать глаза перед действительностью. Закон воплощения справедлив. Зерно духа нерушимо и вечно. Беспредельность утверждает вечность, но каждый может видеть Беспредельность, значит, каждый может осознать вечность.

Нельзя отвергать, когда дети утверждают о своей прошлой жизни. Вещественно они знают, что происходило кругом них. Теперь особенно часто будут скорые воплощения. Многие обитатели Тонкого Мира спешат вернуться, и в этом сказываются развитие и спешность эволюции. И в таком ускорении можно видеть сближение Миров.

98. Много нужно убеждать людей, чтобы они могли заметить в своих жизнях происходящие главные моменты. Люди так не умеют различать главное от ничтожного. Часто самые узловые вехи существования не обращают внимания на себя. Школа должна помочь такому просвещению.

99. Особенно трудно людям различать в себе самое важное. Врач, если нащупает зловредную внутреннюю опухоль, поспешит разрезать внешние покровы, чтобы предотвратить опасность, но малодушные будут жалеть кожу и погибают от разрастания опухоли. Если нужно предпочесть что-либо, то пусть самое главное будет охранено. Также и в обращении к Высшему Миру пусть будет найдено время помыслить о самом важном.

100. Тройной палимпсест дает пример наслоений знаков трех Миров. Представим пергамент, на котором был написан космогонический трактат, затем он же послужил для любовного сонета, и, наконец, на нем же был записан счет тканей и мехов. Трудно будет сквозь явные базарные цифры прочесть сердечные излияния, но почти невозможно будет разобрать трактат о самом важном. Разве не то же самое происходит с иероглифом трех Миров? Но опытный ученый умеет читать самые сложные рукописи, также просветленное сознание может понять значение начертаний Высшего Мира.

Не будем путаные знаки базара принимать за законы Вселенной.

101. Все сопоставления пригодятся при встрече с невеждами. Отрицатели любят ниспровергать, но не дадут никакого выхода и решения. Они осмеивают самое лучшее обращение, но не умеют связать и трех букв.

102. Люди становятся набожными, приближаясь к переходу в Тонкий Мир. Они не замечают, что в таком поспешном задабривании они граничат с кощунством. Получается не осознание Высшего Мира, но поспешная плата за лучшее место. Между тем приближение к Высшему Миру должно начинаться с первых дней земной жизни.

Не условные обряды, но сердечная молитва делают Прекрасный Мир близким и насущным. Можно подходить к самому Высшему с наполненной чашей лучших помыслов. Можно приносить лучшие опыты, ручаясь, что они направлены к добру. Когда добро живет, оно отворит все врата к Миру Высшему.

103. Люди, даже знающие о Тонком Мире, полагают, что можно отложить до него совершенствование в мыслях. Они ошибаются: именно здесь должно быть заложено направление мышления. Можно его развивать, когда импульс дан. Опыт мышления должен быть утвержден земным мышлением. Нельзя войти в Тонкий Мир смущенно и рассеянно. Когда сознание ясно, оно несет вверх, как газ помогает воздушному шару. Никто и ничто не задержит в низших слоях твердое сознание, устремленное к добру, потому не будем откладывать утверждения мышления. Кроме этого пути, нет кратчайшего сообщения с Миром Высшим.

104. В тишине помыслить о Мире Высшем будет равно лучшему лекарству. Так можно нащупать относительность Сущего. Но такая мера не будет ограничением, наоборот, она усилит полет мысли. Когда множество смущений овладеет миром, тогда скажите самое простое.

Но не может быть земное существование конечным, и в таком переходном состоянии можно лишь обострить самое нужное для полета будущего, иначе говоря мысль. Крылья растут лишь мыслью.

105. Наверно, часто вас спрашивают о касании Тонкого Мира к земной жизни. Будете правы, сказав, что такое касание беспрерывно. Ни одно действие земное не остается без отзыва со стороны Тонкого Мира. Каждая земная мысль производит или радость и помощь, или злорадство и губительные посылки от Мира Тонкого. Даже несильные духи станут настороже о мыслях земных. Ведь земные, сильные мысли производят и в Тонком Мире углубленную вибрацию, потому так естественно, что Тонкий Мир должен звучать и на земные мысли. Когда Говорю, что падение пера из крыла птички производит гром на дальних мирах, это не есть символ, но лишь напоминание о кооперации всего Сущего. Нужно привыкнуть, что пустоты нет. Нужно утвердиться о важности задания человека, о его обязанности и долге.

Когда человек берет на себя собеседование с Высшим Миром, он, истинно, отважен, но священна такая отвага. Мир Тонкий выслушивает такие зовы и понимает их значение. Такое Собеседование привлекает множество слушателей, как бы сотрудников, потому в молитве не должна быть выражена самость, но лучшая молитва будет самоотверженность и желание добра.

Пусть Учение не устанет твердить о пользе связи с Миром Высшим, только так можно утвердить великое Служение.

106. Не будем огорчаться, если не всегда придет ответ. Не будем удивляться, если ответ настигнет в нежданный час. Научимся понимать надземные условия и, главное, поймем великий труд невидимый. Но уже знаете, как не знают покоя Силы Высшего Мира. Такая светлая Мощь пусть ведет каждого путника в ночной час.

107. Легкомыслие, любопытство, сомнение и неверие из одной темной семьи. Представим себе великого математика, развивающего сложные формулы перед начальными малышами. Они не только не поймут великих заданий, но немедленно впадут в насмешку неверия. Так же, когда кто-то приближается к Высшему Миру из любопытства, можно ждать всех последствий в виде сомнения и предательства. Если сознание на таком уровне, что позволяет любопытствовать там, где должно быть почитание величия, там нужно предвидеть космический сор. Можно ли приблизиться к Высшему Миру из любопытства? Скорее можно положить руку в огонь, так сомнение будет обуглено.

Нужно в сердце нести почитание Высшего Мира как самое важное и прекрасное в земной жизни.

108. Пусть кто-то скажет, что он часто уже слышал такие призывы к Высшему Миру, тем хуже для него, ибо такая глухота непозволительна. Но многие назовут призывы неуместными в деловой жизни — так далеки люди от истинного понимания Бытия, несмотря на миллионы лет существования планеты. Тем звучнее принесем зов к Миру Высшему.

109. Одичание и огрубение теперь достигли невероятных пределов. Дикость наконец ворвалась в города и опрокинула все насаждения духа. Сознание большинства вернулось к самому темному веку. Стук машины заглушает вопль духа, потому каждый призыв к Миру Высшему есть зов о спасении.

110. Полное достижение возможно лишь при полном доверии. Только осознание такой полноты может приблизить к подвигу. Нельзя извне внушить, что есть истинное доверие, лишь сердце может помочь найти этот целительный путь.

Гуру не нуждается в почитании, но доверие к Учителю будет единственной жизненной связью с Высшим Миром. Познав ценность доверия здесь, на Земле, можно перенести такую же степень доверия и по всей Иерархии. Правильно, что понимание Гуру есть крепкий устой всего народа. Разрушение Гуру будет и гибелью достижений.

Так запомним о полноте доверия.

111. Высший Мир был в основании всех человеческих, государственных и общественных строительств. Если люди и не знают первоначального происхождения своих общественных образований, то даже в переходных состояниях можно видеть следы живой связи с Высшим Миром. Не нужно уменьшать древность существования планеты и жизни на ней, вернее будет углубить эту цифру. Только не забудем, что материки много раз меняли свое положение, и сейчас еще можно видеть около полюсов очень многие возможности открытий. Потому будем осторожны в ограничении земной проблемы. За дикарями увидим мудрые ушедшие народы. По оставшимся законодательствам можно утверждать, что импульс к постижению Высшего Мира проявлялся от незапамятных времен.

112. Правильно понимать, что так называемые священные животные были не божествами, но естественными следствиями из-за местных условий. И теперь люди часто говорят о священной обязанности, полагая под этим не религиозные обряды, но полезные нравственные действия. Условия древности часто требовали особого внимания к известным животным или деревьям и растениям. Священное означало неприкосновенное. Так сохранялось нечто необходимое и редкое. И ту же охрану современные люди называют заповедниками, потому следует очень бережно относиться к понятиям неясным. Так много примешано к области религии, что за дальностью времен поверхностные наблюдатели совершенно не могут распознать основу от наслоений. Храм и сейчас является сборным местом, где, наряду с обрядами, совершаются купля и продажа и судятся местные дела. Такое нагромождение происходит и сейчас, потому не будем чрезмерно суровы к животным и прочим забытым символам древности.

113. Молитва должна быть радостна, ибо собеседование с Высшим Миром именно будет полно восторга и торжественности. Но такая радость будет особой мудростью. Она возможна лишь при осознании целесообразности. Она будет целебной при полноте доверия. Она звучит мужеством, когда путь будет един.

Много говорят о Самадхи, но многие ли испытали разные степени такого экстаза? Такая радость освобождает от всякого горя, потому путь такой радости есть путь Истины.

114. АУМ подробно объяснен в разных писаниях. Тонкость вибраций, и мудрость звучания, и красота построения давно известны, но если сердце мертво, то даже такой «сезам» не откроет затвора.

Опять надо помнить о соизмеримости и укреплении сущности сердца. Бессердечию не доступен АУМ!

115. Одной из причин, почему Самадхи происходит так редко, является неуменье людей обращаться с таким возвышенным состоянием. Они постараются прервать начало каждого необычного состояния. Кроме того, люди не оставят в покое впавшего в Самадхи и своими грубыми приемами произведут опасное потрясение. Но даже в самой обычной жизни требуется осторожное отношение друг к другу. Человек, получивший сотрясение, должен быть оставлен в покое. Но редко люди соблюдают даже такую примитивную осторожность.

Так нельзя безопасно давать Самадхи, пока мышление человеческое не поймет, как обращаться с высшими энергиями. Потому каждая мысль о реальности Высшего Мира уже будет полезной.

116. Великое Служение имеет в виду все человечество. Ни народность, ни какие-либо прочие деления не должны ограничивать служение Благу. Нелегко избежать различных наслоений, созданных тысячелетиями. Лишь осознание Высшего Мира может помочь победить все остатки суеверия

и атавизма. При этом невозможно дать своеволие чувствам по отношению к кармическим предубеждениям. Справедливость даже среди неблагоприятствующих условий все-таки укажет справедливое распознавание. Личность как ответственная единица будет объектом суждения. Трудно отличить ценность личности поверх всех условных одежд, только преданность Служению откроет глаза, чтобы усмотреть очень ясно зерно духа.

Так лишь Высший Мир даст и Высшее суждение.

117. Слезы и слюна изменяют состав в зависимости от состояния духа. Но и каждый вздох уже различен в химизме. Если дыхание нелегко исследовать ввиду обычной поверхностности его, то вздох, вызывающий трепет организма, уже будет показательным. Можно заметить, что глубокий вздох вызывает нечто вроде внутренней судороги. Такие нервные сокращения показывают усиленную выдачу психической энергии. Она в зависимости от импульса позовет к деятельности и некоторые органы, которые дадут особый химизм вздоху. При произношении АУМ уявляется вздох, химизм которого будет очень благодетельным.

118. Одни полагают, что человек постоянно умирает, другие знают, что человек беспрестанно рождается. Одни исходят от ужаса, другие — от радости. Одни внушают себе смерть, другие познают жизнь. Так человек в большей степени предопределяет свое будущее. Можно быть уверенным, что определяющий себе смерть не знает о Мире Высшем. Может быть, он уявляет внешние обряды, но сердце его далеко от истины.

Утверждение жизни есть утверждение Света. Дух человеческий бессмертен, но такая простая истина не близка людям, ибо они больше заботятся о теле, нежели о духе.

119. Жизнь обязывает человека восходить, тогда как смерть есть нисхождение. Сами люди в принципе хотят понять смерть как разрушение. Само Бытие утверждает вечное обновление. Каждый умирает для вчерашнего дня и обновляется для завтра. Каждый день происходит обновление всех троичных начал. Каждый день и час человек приближается или удаляется от Мира Высшего.

Пусть каждый качеством своего мышления поможет своему восхождению и восприятию Мира Высшего.

120. Спокойствие есть венец духа.

121. Аура имеет в себе многие качества, они измеряются не только по величине ауры, но и по внутреннему напряжению. Именно напряженная аура — и лучший щит, и самое

мощное воздействие. Излучения бывают иногда хороши по цвету, но недостаточно напряжены.

Усиление ауры происходит при общении с Высшим Миром, когда отпадает самость и возгорается самоотверженность. Так каждое общение с Высшим Миром даст усиление излучений. Этот предмет подлежит научному наблюдению.

122. Действительно, при общении с Высшим Миром можно наблюдать, что согнутые или скрещенные ноги имеют глубокое значение. Пусть врачи рассмотрят, какое влияние на кровообращение и нервные центры имеет такое нагнетение конечностей. Пусть обратят внимание и на состояние дыхательных каналов. Тот, кто понял смазывание каналов дыхательных органов, тот уже умел почуять значение этих проводов.

123. Участие мудрого врача во всех особо полезных проявлениях необходимо; пусть не думают, что Мы избегаем научных наблюдений, наоборот, Мы ценим каждую мысль, научно обоснованную.

124. В напряжении перед опасностью умножаются человеческие силы, также состояние экстаза дает прилив сил надземных. Если установлено такое напряжение, то можно и продолжить этот момент, иначе говоря, можно придать человеку постоянное умножение сил. Нужно только, чтобы Источник Сил стал постоянным и близким. Так вопрос об осознании Высшего Мира станет насущным и сама наука подойдет к нему как к двигателю эволюции. Можно не только мечтать о таком сближении, но можно и приблизиться к Миру Высшему мерами земными. Каждое сближение Миров уже есть победа над плотью.

125. Мировые события часто происходят не самыми действиями, но под знаками приближения действий. Люди творят многое под знаком радости, когда еще радости нет, или под знаком ужаса или войны, когда это еще не произошло. Многое совершается лишь под знаками, потому такие рефлексы приобретают самое важное значение для перемены жизни. Можно видеть это на многих примерах. Зачем сама война, со всеми бедствиями, если один мираж может напрячь энергию? Многое строится совершенно реально, лишь гонимое миражом. Майя иногда может быть сильнейшим двигателем.

Потому нужно так внимательно усматривать знаки ведущие. Явление успеха в понимании таких знаков, конечно, ускоряет эволюцию.

Потому пусть самое важное будет ведущим началом.

126. Если удастся произвести движение лишь под знаком, это будет очень удачно. Самые большие перестроения происходят незаметно, но лишь следствие покажет, сколько произошло. Так во всем можно видеть движения под знаками. Понятие символа не что другое, как напоминание о знаке. Успех целых народов происходит под символом.

Считаю, можно среди самых опасных переходов дойти под Высшим Знаком.

127. Опознание Высшего Мира должно происходить свободно, добровольно и доброжелательно. Насилие неуместно в таком высшем предмете. Так каждый учитель должен преподать Высший Мир как Высшую радость. Никто не назовет радость насилием. Никто не будет осуждать приносящего истинную радость. Но сколько вдохновения нужно развить в себе, чтобы быть провозвестником радости! Если учитель достиг такой степени, он заслуживает всякого почитания.

Мир Высший есть пробный камень сознания.

128. Почему предательство своего Гуру является столь отвратительным преступлением? Можно первое трехлетие утверждать сознание, но затем выбор Гуру уже становится окончательным. Такой закон имеет глубокое значение. Гуру есть мост к познанию Высшего Мира. Такая земная ступень легко установит сношения с Высшим Миром, потому невозможно выбрать Гуру и предать его, — это значило бы порвать связь с Высшим Миром навсегда. Можно подпасть под самое темное влияние, когда оборвана спасительная нить. Люди еще могут двигаться, питаться, спать и злословить, но зараза проказы уже может внедряться. Так же и предатели могут еще прозябать, но достоинство человеческое будет утеряно. Так можно наблюдать мудрые законы, основавшие живые ступени к Миру Высшему.

129. Нужно радоваться приближению каждого врача, пожелавшего изучать основы сближения Миров. Когда тройной знак ведет к триединству, тогда наблюдения над человеческим организмом становятся нужными и необходимыми. Основа троичности может сказываться во всем организме. Врач должен быть осведомлен о Мире Тонком и Высшем. Лишь от такого соображения он может уловить тончайшие состояния организма. И для него не будет пустым звуком АУМ!

130. Если кто-то отметит хотя бы внешние события этого года, он получит самую замечательную запись движе-

ния мировых битв. Конечно, это будет лишь собиранием внешних знаков, но и такая таблица будет историческим документом высшего значения. Конечно, внешние знаки будут лишь искрами внутренних движений, но такие устрашающие потрясения не ужаснут только самых посвященных.

Можно также наблюдать связь некоторых лиц с мировыми событиями. Никто не поймет, как олицетворяется мировое движение лицами.

131. Встревоженный ребенок приникает к коленам матери, он не просит за себя, но чует прочную опору и защиту. Также раньше или позже потрясенный человек обращается к Высшему Миру. Ему некуда будет идти, он может смущаться непрошеными свидетелями, но хотя бы тайно сердце его затрепещет о самом Высшем.

132. Ко многим определениям слова АУМ припомним, что А есть Мысль—Основа, У есть Свет—Начало и М есть Тайна—Сокровенное.

133. Опять спросят: почему речь идет о трех состояниях, когда их известно больше? Следует твердо указать, что существуют два пути: путь расчленения и путь синтеза. Можно найти много промежуточных состояний, так что миры окажутся одним связующим целым. Но после придется снова обособить главные группы, и тогда опять придем к троичному построению.

Даже на Земле можно видеть огромное разнообразие степеней духовности. Можно видеть, как люди иногда почти соприкасаются с Тонким Миром, но в некоторых слоях Тонкого Мира сознание не превышает сознание земное. Так миры не только соприкасаются, но даже заходят друг на друга. Закон последовательности резко выражен во всей Природе. Даже катаклизмы, как бы выходящие за пределы сфер, по существу, отвечают какому-то внеземному ритму.

Так не будем разделять там, где можно группировать законно. Человек так отошел от ясных представлений, что ему нужно войти в простейшие Врата.

134. Человеку необходимо реальное познание и постижение Высшего Мира. Религии несли самые ужасные войны. Самое потрясающее жестокосердие произошло от судорожных мыслей о Высшем Мире. Такое ужасное состояние показывает, что Мир Высший непостигнут во всем его Величии.

Опознание Прекрасного Великого Мира даст поток

истинного мышления. Не убийца, но мудрый творец будет познающим Мир Высший. В духе, на вершине, может человек вдохнуть общение с Высшею Мощью.

Так лишь реальное постижение Высшего Мира даст человечеству равновесие.

135. Равновесие составляет основание Бытия. Когда же человек в земной жизни теряет равновесие? Когда он потрясен и болен, тогда шатается и идет ощупью, хватаясь за случайные предметы. Разве не то же самое происходит, когда человек болен духовно и теряет равновесие по отношению к Высшему Миру?

Опросите людей различных верований, насколько прочно в них представление о Высшем Мире? Вы получите множество самых уклончивых ответов. Многие вообще откажутся ответить, прикрывшись лицемерным нежеланием говорить о таком предмете. Другие повторят заученные формулы, которые не живут в их сердцах. Третьи будут утверждать, что Мир создан за две тысячи лет до Р. Хр. Так, вместо одухотворенных ответов, полных любви и торжественности, можно получить вороха сухих листьев.

Между тем сама жизнь как отображение Бытия Невидимого должна толкать сознание человека. Половина жизни отдается таинственному состоянию, которое не выяснено наукою. Кроме того, каждое чуткое ухо и глаз может заметить многое, что не входит в обиход.

Люди называют равновесием равнодушие и тупость, но сама Природа подсказывает, что равновесие есть напряжение. Считайте, что напряжение есть приближение к Пути Нахождений.

136. Посреди самых высоких слов помните, что за каждое даяние можно отделить часть полученного в общую пользу. Не только материально, но и духовно нужно понимать это основание как закон, ведущий к Равновесию.

137. Обитаемость небесных тел до сего дня остается под сомнением. Даже лучшие астрономы не решаются высказаться по этому вопросу. Причина главным образом лежит в самомнении человека. Он не хочет допустить воплощение в иных условиях, кроме земных. Мешает также и боязнь перед Беспредельностью. Разве многие дерзнут помыслить о таком отдаленном гиганте, как Антарес, который в океане млечного пути предполагает за собою Беспредельное Пространство. Между тем люди должны мыслить о дальних мирах обитаемых.

Люди не могут приблизиться к ним в земном

состоянии, но в тонком теле лучшие духи уже приближались к таким планетам и уносили воспоминания о строении поверхности, о красочности, о населении. Редки такие опыты, но все же они существуют. Они могут укрепить сознание о Беспредельной действительности. К трем Мирам Незримым надо осознать и миры населенные. Нужно понять эти океаны мыслей, которые рождают музыку сфер. Так будем прилежно направлять нашу мысль к дальним друзьям, и сотрудникам, и Покровителям. Не сверхъестественна мысль о населенности дальних миров. Человек твердо пройдет земной путь, зная об окружающем Величии.

138. Мудрые также не однажды советовали держаться ближе к Земле. Не будет ли такой совет противоречить мысли о Беспредельности? Вовсе нет. Мы воплощены на Земле, и к тому были многие причины. Если дозор наш охраняет Землю, мы должны и любить ее. Так, невозможно заботиться о нелюбимом.

Сама Земля полна еще неисчерпанных богатств. Можно упрочить планету, усовершенствовав ее здоровье. От здоровья земного можно не забыть и Высшее Величие — так произойдет истинное равновесие.

139. В Мировой Сокровищнице много Заветов и сказаний, утверждающих Высший Мир. Люди не могут оправдываться неимением указаний, ведущих к познанию. Обычно можно слышать сетования на незнание пути к Высшему Миру. Лицемерны такие жалобы! Сами сетующие не прилагают труда поискать Источник. Можно заметить, насколько стремящиеся люди, даже в самых неблагоприятных условиях, находят силу найти Свет. Мы следим за такими светоносцами, которые преодолевают самые невероятные трудности.

Закон послан, Путь указан,— пусть найдет ищущий.

140. Мысль — другиня искателя. Мысль владеет всем. Мысль в каждом движении мускулов. Мысль ведет и утверждает. Мысль находит пути к Заветам и Указам. Мысль, если не презираема, поучит, как отличить Высшее от низшего. Мысль живет беспрестанно и беспредельно. Она утверждает движение и сознание ритма. Мысль не покидает ни днем, ни ночью. Мысль повышает сознание, когда процесс мышления становится любимым.

141. Каждое мгновение человек или творит, или разрушает. Мир наполнен мыслями противоречивыми. Множество болезней заложено мыслями разрушения. Множество убийств происходит на дальних расстояниях от мыслей

или от скрещенных мыслей, но почти невозможно внушить человеку, что его преимущество есть в постоянном мышлении. Невозможно передать, насколько ответственен человек за качество мышления. Сердце бьется беспрестанно, так же постоянен пульс мысли. Но об этом не принято толковать.

Человек или творит, или разрушает.

142. Безумцы не знают, чем владеют! Обычно относятся с презрением к расточительству, но разве мысль не расточается? Разве великий дар, полученный с трудом, не уничтожается? Мысль как великий дар Учителя пропадает в невежественных действиях. Так люди готовы предать даже свою планету, лишь бы не помыслить.

Уже много раз Мы указывали на значение мыслей и снова будем возвращаться к тому же. Как больным нужно повторять лекарство, так Не Устанем утверждать первую основу — АУМ!

143. Теперь обратимся ко второму знаку Триединого наименования Начало—Свет. Люди настолько смешали понятие Света с освещением, что не могут представить, что Свет есть энергия. Не будем заглядывать в такую Беспредельность, где и мысль, и свет, и все Сущее сливаются воедино; по земному сознанию поймем Свет как целительную энергию, без которой жизнь невозможна. Свет — самый проникающий спасительный посланец. Мы отлично понимаем разницу огня рукотворного и Света Космического. Не огонь, но сияние окружает каждое живое существо. Мыслитель добрый окружается радугой и светом своим несет целение. Мы столько раз предуказывали будущее этих излучений. Мы говорили, что от такого мерила преобразится само строение жизни. Можно по праву называть Свет началом, которое ведет к обновлению. Мысль и Свет настолько связаны, что можно назвать мысль светоносной.

144. «Беспросветная тьма!» — так восклицает человек, впавший в отчаяние. «Свет погас»,— говорит человек, потерявший надежду. Решительно все, относящееся к светлому будущему, соединяется со Светом. Но люди не умеют радоваться Свету как энергии. Виновны и врач, и ученый, которые применяют световые лечения, но не воспользуются случаем объяснить значение Света; и на мускулы, и на кости, и на нервы — на все действует луч Света. Мозг живет Светом, живоносное вещество мозга нуждается в лучах Света. Можно перечислить все физиологические условия, и они окажутся Учением Света.

18 *

Нужно развить внимание, чтобы заметить, какой замечательный обмен происходит между излучениями мыслящих существ и внешними лучами Беспредельности; как нити серебряные, напрягаются лучи пространственные. Можно видеть конденсирование Света в электрических явлениях. Рука человека вызывает из пространства чудесный огонь. Ур. знает, как от одного прикосновения вспыхивает пламя неопаляющее. Такие явления редки, но они существуют и показывают, насколько связь высшей духовности при посылке тока пространственного имеет значение. Но нужно принимать такие знаки совершенно спокойно. Свет не сочетается с раздражением и страхом.

145. Страх и ужас образуют своеобразный магнит. Можно догадаться, что привлекается таким темным магнитом! Народ замечает, что от страха темнеет в глазах. Именно тьма наступает на обуянного ужасом.

Человек каждое мгновение вызывает Свет или Тьму.

146. Свет Тонкого Мира не имеет отношения к земному пониманию солнечного света. В низких слоях затемненные сознания творят потемки, но чем выше сознание и мысль, тем светлее нерукотворное сияние. Именно жители Тонкого Мира видят и Землю, и Светила, но земные Света претворяются сознанием иначе. Также и мысли Тонкого Мира, хотя и основаны на той же энергии, но процесс их своеобразен. Закон равновесия нормирует мыслительные эксцессы.

147. На самом чистом месте самый чистый снег насыщен пылью земной и космической — так наполнено пространство даже при грубом наблюдении. Добавьте множество токов и лучей, и вы получите облик действительности — так окружены воплощенные существа. Мысли Тонкого Мира льются непрестанно, иногда человек оборачивается и вскрикивает от удара мысли, но он все-таки не подумает о чем-то, пришедшем извне. Человек видит искры и целые огненные вспышки, но приписывает лишь себе. Невозможно приучить людей относиться к окружающему с уважением. Люди настолько не понимают равновесия, что или впадают в ханжество, или переполняются самомнением. Так труден для людей мост к Дальним Мирам.

148. Третий знак о Сокровенной Тайне также осознан лишь немногими. Легкомыслие шепчет, что не нужно все Сокровенное. Самомнение подсказывает, что все должно быть доступно, но человек, ослепленный молнией, вопиет о нестерпимом Свете. Человек, придавленный громадою мысли, жалуется на невозможность вместить ее. Поистине,

Сокровенное есть соизмеримость, которая дает возможность подниматься без шатания.

Тайною Мир держится. Нет предела Беспредельности.

149. Сокровенность есть и бережливость, и целесообразность. Можно посадить цветы, которые могут вырасти на данной почве. Нужно знать, когда и кому можно доверить зерна,— так вырастает понятие Гуру. В нужнейшей и простейшей форме Гуру скажет особенно необходимое. Если Он охранит Сокровенное, значит, это нужно временно. Не может быть подозрения, что Гуру утаивает во вред. Нужно принять Гуру как Руководителя, таким образом, и понятие тайны преображается.

Очень важно усвоить, что так называемая Великая Тайна не есть преграда, но лишь охрана пути. Если человек еще не собрался в путь, по причине сомнения и страха, то никакая мера не подвинет его. Посреди пути такой путник обернется вспять, но идти назад отвратительно. Потому Гуру поможет найти лучший путь. Он пояснит, что Сокровенность есть сокровище нерасхищенное.

150. Утрата соизмеримости есть потеря пути. Можно ли опровергать то, что неизвестно? Можно ли утверждать конечность перед ликом Беспредельности? Можно ли допустить злословие, когда предмет беседы неизвестен? Можно ли себя противоставить всему Свету и всей мысли? Как безумие омрачает разум, так и предательство пути Света погружает во тьму.

151. Имена предателей также впишутся в историю человечества. Но куда уйдут предатели в Тонком Мире, когда прояснится память? Не стыд перед другими, но неутолимая горечь позора в сердце загонит предателей в лед и пламя. И где будут те, кто нашептывали им предательство? Отчего не помогают они сынам своим? Они не придут искать их во мраке. Ужасно состояние предателей — убийц тела и духа!

152. Нельзя неосторожно разлить яд. Множество заразятся, и никто не поймет, где положена отрава. Темные отравители, знаете ли всех жертв ваших? Но не останетесь в неведении. Проявится зрение ваше, и увидите во всех концах свои деяния — так осудят себя отравители.

153. Каждый человек носит в себе тайну. Лишь редко приоткрывается завеса прошлого, когда энергия тонкая изобилует и в земном существовании. Только перейдя за грань Земли, человек просветляется в познании части своей тайны. Замечателен процесс, когда тонкая энергия открывает чашу накоплений. Память внезапно озаряется, и прошлое встает во всей справедливости. Можно изумляться, насколько человек преображается в момент, когда он покидает земную сферу. Называют это смертью, но она есть рождение, потому жаль, когда тонкое тело пребывает долго во сне. Особенно замечателен переход при сохранении сознания, тогда ясно можно представить, как отваливается ветошь земная и встает нетленное накопление, — оно может оказаться истинным сокровищем. Можно понять, почему такое тончайшее сокровище не может быть явлено среди грубых условий.

154. Люди могут утончать условия земные: дело не в богатстве, не во власти, но в том трепете торжественности, который доступен тонким избранным. Каждое такое высшее трепетание уже есть победа над плотью.

По праздникам вынимают из сокровенного ларца древнюю пряжу. Не каждый день можно подвергать тончайшую работу грубому урагану. Можно радоваться, когда в земной жизни труд дает высшую радость.

155. Кроме землетрясений могут быть и воздухопотрясения. Могут быть как бы контузии, когда Земная сфера потрясается. Причина не только в пересечении токов, но и в условиях Тонкого Мира. При открытиях нередко нащупывается какое-то неизвестное. Можно при этом вспомнить о Мире Невидимом, полном энергий. Считаю, можно предложить писателям собирать такие неизвестные факты, — так накопится книга новых сопоставлений.

156. Если так часты воздействия из Тонкого Мира, то должны установиться глубокие и длительные соотношения между сотрудниками двух Миров. Так оно и есть. При этом соотношения устанавливаются не столько по родству кровному, сколько по родству духовному. Часто такие сотрудники встречаются и на земном плане, хотя они могут быть разделены различием народности и положения, но внутреннее чувство будет их приближать. Между ними особенно легко будет возникать доверие, хотя могут быть и обратные исключения. Неблагодарность есть погружение во тьму.

157. Жизнь планеты может быть понята как совокупность всех начал, созданных с нею. Тем более велика ответственность всех мыслящих обитателей планеты. Предполагается, что они — венец планеты, но если в венце вместо драгоценных камней оказываются угли, то вред будет уже в планетарном размере. Получится разрушение всех связующих токов.

158. Когда Говорю о сношениях с Тонким Миром, Не Советую какие-то искусственные меры для таких сношений. Эти сношения существуют естественно во всей жизни. Следует лишь приучиться замечать их трезво. Без всяких наркотиков можно замечать вокруг себя много знаков, которые явно выходят за пределы узкоземного бытия.

Нужно понять, насколько такие естественные наблюдения могут расширять человеческое представление о жизни. Молитва претворится в собеседование, и почитание будет не догматичным, но жизненным и преисполненным любви.

Без любви нет созидания.

159. Можно радоваться о том, что находит место в сердце, иначе говоря, о том, что любим. Можно ли без любви произносить знаки о Мысли, о Тайне, о Свете? Тайна обратится в утаивание, Мысль — в замысел, и Свет — в головню пожара — так можно извратить самое Прекрасное. Но истинный путь через любовь не допустит кощунства. Призрачное обратится в действительность; шум торговли встанет на свое место; человек осознает, что такое Торжественность.

Так засияет Великое Служение.

160. Иногда вы как бы отсутствуете в текущей жизни. Иногда можете слышать звучание дальних миров. Иногда можете ощущать воздух и аромат отдаленных местностей,— множество явлений утверждаете среди ежедневного существования. Истинно, не лжете самим себе, чуя эти мимолетные касания, показывающие, как мощно человеческое существо. Нельзя заставить себя ощущать подобные Зовы Пространства,— они достигают лишь открытых сердец. Умудренные, житейские «мудрецы» попытаются доказать, что ощущения ваши — лишь самовнушение, но для каждого самовнушения нужно предпослать мысленный приказ. Вы же отлично знаете, что такие чувствознания долетают нежданно, вне человеческих представлений. Вы переноситесь в отдаленные страны — уявления духа так же быстры, как Свет. Так можно начать осознавать быстроту передвижения в Тонком Мире.

161. Для каждого истинного познавания нужно полное доверие и естественность. Следует очень утверждать эти познавания как основу преуспеяния. Можно доказать, что сомнение и искусственность будут злейшими врагами. Они поглощают жизненную энергию. Они, как острые преграды. Сколько сил нужно положить, чтобы продолжить путь прыжками убийственными! Потому сокровенное звучание может вернуть мысль к основе и Свету.

Так преоборем все преграды и полюбим. Не будем долго говорить о том, что нужно полюбить, ибо сердце знает.

162. Тьма конечна, и Свет явлен беспредельно. Каждый, кто знает эту простейшую истину, уже непобедим. Могут быть допущения о Свете слабом и о тьме великой — тогда победа невозможна. Сколько бы ни дать маловеру, он потопит все в океане тьмы. Так возьмем оружие Света как вернейшее.

163. Следует изучать явления Природы в связи с мировыми событиями. Можно находить характерные соответствия, они еще раз покажут, насколько планета есть живой организм. Все причастное к планете сочетается как органы одного тела, потому невозможно рассматривать каждое существо как независимую особь. Все существа принадлежат к одной организации и должны понимать себя как ответственных членов общины. Таким образом, можно наблюдать строго законченное построение в мироздании.

Не нужно удивляться, видя постоянные попытки отступничества от закона порядка. Сила хаоса подобна водовороту, и слабые сознания легко подпадают под такую эпидемию. Именно следует рассматривать приливы хаоса, как заразные эпидемии.

Наблюдайте и сопоставляйте события. Такие наблюдения помогут понять закон соответствия и сцепления. Учение дает намеки, которые подтверждаются действительностью.

164. Почему врачи мало обращают внимания на атмосферные давления? Они посылают больных на воды, или к морю, или в горы, но не предупреждают, что качество воздуха может быть совершенно измененным по причине воздействия токов. Существуют различные наблюдательные пункты, но они должны сделаться и распространителями сведений, полезных и врачебному делу. Здоровье должно быть охранено государством.

165. Правильно заметили, что великие Воздействия происходят особыми путями. Часто люди внешне будут противоречить, но сами отлично возьмут присланное. Но Нам важно, чтобы произошло полезное. Не следует настаивать, чтобы нечто происходило по мерке сегодняшнего дня,— важно следствие. Мы должны быть терпимыми и не обращать внимания на неумение и грубость. Потому нужно смотреть на сущность происходящего.

166. Считаю, можно направить детей от самых малых

лет к познанию Высшего Мира. Не будет это насилием, ибо поможет детям легко припоминать то многое, что скоро забывается. Притом такое проявление проснется в несравненно прекрасных формах. Народ стремится к красоте и торжественности — на таких основах можно рассказать о надземном Величии. Не следует отрывать от лучших накоплений страны — каждый народ имеет свое выражение.

Превзойти ограничение можно лишь расширением сознания. Нужно знать, как осмотрительно можно при расширении сознания подойти к сердцу человечества. Уже стираются многие границы, но при таких новых путях требуется особое человеколюбие. Нужно воспитывать это качество, наряду с чистотою тела и духа. Пусть гигиена духа займет свое место в школах, тогда Высокие Собеседования будут лучшими часами.

167. Жизнь не требует никаких искушений. Жизнь может преобразиться при любых условиях. Община Духа есть высшее преображение жизни. Многие невежды не желают понять, что Община Духа не зависит от внешней формы. Она творится там, где понятие расширения сознания живет.

168. Община Духа возможна, где существует живой Магнит; тогда можно присоединять к каждому Содружеству и общение через все границы земные. Когда Община живет единым Служением Истине, тогда не существует препятствий и особая взаимопомощь будет естественным выражением.

Признательность растет без насилия, потому явление радости особо утверждает Общину Духа — всем захочется сделать что-то хорошее.

169. Следует перечитывать книги Начал и Основ. Вообще, нужно возобновлять свое впечатление от прочитанного. Напрасно думают, что книга, прочитанная три года назад, не будет новой при следующем чтении. Сам человек изменился за эти годы. Его сознание и понимание не могли оставаться на том же уровне; во всем окружающем произошло изменение, человек не мог бы вернуться к прежним условиям. При обновленном кругозоре человек усмотрит новое содержание в книге. Потому книга прочтенная не должна быть навсегда ввергнута в темницу. Знание живет, и каждый знак его должен быть живым.

170. Не знает человек, в чем его лучшее деяние, потому гордость действиями есть невежество. Деяния людские

находятся в зависимости от множества условий. Миры дальние будут помощниками или противниками. Причины и побуждения вписаны на таких длинных свитках, что следствия не могут быть прочитаны человеческими глазами.

Потому предоставим судить Миру Высшему, сами же приложим все наши силы и лучшие стремления.

171. Наблюдайте, что происходит в чувствованиях при Высоком Собеседовании. Можно замечать, как постепенно пропадает чувство конечностей и, наконец, будет ощущаться одно сердце. Это не будет боль, но как бы напряжение и наполнение. Собеседование может происходить при любом положении тела — стоя, сидя и лежа. Уявление сказанного ощущения в сердце называется — нить серебряная. Может она как бы наматываться и притягивать, но такая связь есть признак близости.

172. Люди часто говорят о двойниках: они видят как бы самих себя. Много объяснений такому явлению. Обычно забывают самое естественное — именно выделение астрального тела. Тонкое тело выделяется чаще, нежели думают. Оно может получить плотность, но видеть его все не будут; требуется степень ясновидения, чтобы видеть тонкое тело. Но сам человек может легче видеть себя как в состоянии дремоты, так и в бодрствовании. Немногие обращают внимание на переходное состояние дремоты. Между тем именно при нем бывают значительные явления.

Но человек не занимается в обычной жизни такими наблюдениями: или он совершенно отрицает поучительность своих ощущений, или впадает в искусственное напряжение, которое не может считаться естественным, потому так необходимо искать равновесие. Если его трудно установить, то, по крайней мере, следует помнить о нем и стремиться к нему.

173. Люди желают из всего сделать обычное и ничтожное; но когда люди усматривают не вмещающееся в их рамки, тогда вместо внимания происходит смятение. Уявление такого необычного размера событий, конечно, будет сочтено случайностью. Так неразумно порываются очень ценные ткани. Явность событий часто бывает потрясающа, но тем не менее найдутся слова, которые нарушат даже очевидность. Умеют люди дробить камни и могут остаться при кучах щебня.

174. Человечество стирает различие племен, потому с особою осторожностью до́лжно говорить о племенах. Даже те племена, которые еще различаются по виду и языку, не

будут, по существу, исконно обособлены. Ясно деление по условным названиям, но не по крови. Происходит смешение, которое так характерно при смене расы. Тем более уместно говорить о человечестве, а не об условных переплетениях ветвей.

Знаменательно наблюдать единство переданных Основ. Не следует забывать индивидуальное выражение каждого человека, редко оно будет племенным. История каждого государства покажет, сколько путников прошло его землю. Честное изучение позволит думать о человечестве, как о целом.

175. К вопросу о человечестве, как о сердце едином, надо обращаться часто. Слишком много невежества и преград везде, где должно быть дружественное сотрудничество. Следует написать историю разделения человеческого сердца.

176. Среди психических исследований забыто одно весьма существенное. Никогда не производилось сравнения между сознанием самого низкого дикаря и сознанием самого высокого мыслителя. Конечно, такая работа требует долгих наблюдений. Но различие таких сознаний будет поражающе. Оно позволит судить не только о многоразличии человечества, но и направит мысль на сознание мира животного и растительного.

Поистине, животные имеют развитое сознание. Оно выражается не только в приручении зверей, но именно в жизни вольной. Также не будет нелепо говорить о сознании растений. Мы уже знаем о нервах растений, но, больше того, можно различать не только отзывчивость на свет, но и привязанность к определенному человеку. С одной стороны, будет человеческая психическая энергия, но, с другой — также будет тяготение к определенному лицу. Можно заметить, как растение, чтобы сделать приятное любимому человеку, даже цветет в неурочное время. Много подробностей можно привести из непосредственных наблюдений.

Но Наше желание напомнить, что сознание живет гораздо глубже, нежели полагают.

177. Минералы тоже имеют зачаток сознания, но этот язык слишком удален от человеческого.

Можно производить много опытов над речью и мыслью, но для такого исследования требуются долгое время и особое терпение. Кто может пожертвовать собою, чтобы без видимых последствий упорно продолжать наблюдения? Также можно знать, что следствия могут оказаться в неожиданном месте. Ведь законы психической энергии иногда трудно уловимы. Они действуют гораздо обширнее человеческого воображения.

178. Злоба подобна ржавчине.

179. Невозможно пребывать в злобе, не отравив сознания. Не только яд телесный, но гораздо худшее разложение вносится злобою — от нее большинство космического сора. Мы не можем равнодушно видеть злобное уничтожение.

180. Уже Говорил о сложности законов психической энергии. Недавно вы могли еще раз убедиться в этом. Особа, никогда не видевшая лично, получает извещение о дне памятном. Если подумать о целесообразности такого привлечения человека, можно понять, насколько такое действие своевременно. Удаленный человек получает весть психическую, и тем самым закрепляется связь в дальних частях света.

Потому следует исследовать психические проявления на широком пространстве. Трудно связать следствия психической энергии, когда нет взаимного оповещения. Так врачи и ученые должны строго сопоставлять факты.

181. Действительно, известный врач лечит не одними медикаментами, но психической энергией. Такая явленная энергия нуждается в пополнении — такое усиление идет из Ашрама. Таким образом, вы видите сотрудничество на дальних расстояниях. Сами, посылающие энергию, только могут чувствовать ее истечение, но, в свою очередь, получат луч полезный.

182. Так называемые символические сны в высокой степени выражают связь с Миром Невидимым. Не может одно сознание синтезировать, оно должно получить импульс Свыше, чтобы видеть будущее в символе простом и ясном.

183. Еще о воздействиях. Может быть, вы слышали об опыте некоего химика, показавшего борьбу воздействий? Он пригласил друзей, чтобы прослушать известных писателей; в то же время он приготовил несколько химических составов, могущих вызывать смех, или слезы, или раздражение, или умиление. Среди самых прочувствованных мест чтения химик наполнял пространство противоположным газом. Получилось, что слушатели во время погребения смеялись, во время радости плакали, а при описании мирных событий гневались. Так после ряда опытов стало очевидным, насколько слово было побеждено чем-то невидимым и неслышимым.

Если даже сравнительно грубые воздействия газов могут преоборть речь и образы, ею созданные, то насколько сильнее будет воздействие психической энергии мысли, которая также творит образы!

Так во всей жизни проходят воздействия и грубые, и самые высшие. Правильно знать и самое темное одержание, и высшее вдохновение. Называйте, как хотите, но такие воздействия существуют.

184. Опытный врач, оказав врачебную помощь, говорит больному: «Забудьте о болезни». Он знает, что обычно люди не умеют внушать себе выздоровление. Потому пусть лучше не утомляют себя сомнением о своем состоянии. Люди могли бы помогать себе выздоравливать, направив силы на заживление, но они предпочитают обессиливать себя, не давая Природе делать свое благое действие.

Разве не полезно вспомнить о воздействиях, когда говорим о Высших Мирах?

185. Посылающий воздействие не всегда знает о творимом. Он заметит, что истекла его энергия, он может почуять утомление внезапно, но, как щедрый жертвователь, он не знает меру своим благодеяниям. Так родится сострадание, а затем любовь к человечеству.

Тот, кто любит, тот имеет доступ к Высшему Собеседованию.

186. Когда человек осознает все воздействия, тогда он сможет начать самодеятельность. Он научится распознавать, где высшее Иеровдохновение и где низшее разрушение. Не так легко отличить все уловки, но счастье, когда сердце трепещет осознанием полезности Высшему Миру.

По всей жизни раскинуты соприкасания к Высшему Миру, даже в малых обиходных делах можно различать искры высшего напряжения. Не могут быть действия, которые не были бы напряжены, если они касаются Высшего Мира.

Нужно полюбить такое напряжение, без него не может быть великого Служения!

187. Если человек устремляется к Миру Высшему, он не будет совершать худых дел. Одно наименование: Мир Высший уже показывает, что все, сопряженное с ним, будет высоким. Пусть люди называют такое устремление разными именами, сущность его одна, и деятельность в нем всегда полезна человечеству. Не о внешней деятельности Говорю, но о сердечном огне, который отеплит каждый труд прекрасным качеством.

188. Кузнец выбивает молотом много искр. Не будем думать, что он чернорабочий. Пришло время пересмотреть касты. Начало их стерлось в веках, следствия их у всех на глазах.

Потому пусть каждое сердце принесет лучшую мысль Миру Высшему.

189. Троичное созвучие произносится, как ОМ. Как будто две буквы сливаются, но и основа, и начало, действительно, слиты в одно Неделимое. Можно повсюду наблюдать, как целесообразно установлены законы звучания.

190. Кто хочет легкую жизнь, тот лучше не живи. Кто требует самовольно по заслугам, тот пусть не мыслит о Мире Высшем. Кто полагает ценность в плотном мире, тот нищ в Мире Высшем.

191. Не будем понимать ценность только мерой земной, ту меру не применить даже в Мире Тонком. Приучимся легко расширять меры, иначе даже малейшие частицы пространства задавят нас.

192. Да не подумает кто, что, зовя к Миру Высшему, Мы отрываем от Земли. Наоборот, величие Мира Высшего лишь утверждает и все остальные проявления жизни. Земля не будет ничтожной планетой, когда ее окутывает та же энергия, которая исполнена Света Высшего. Каждое сопоставление с Миром Высшим делает и земные мысли доброкачественными.

Только зло может разделять миры; только невежество может расчленять явления; только непонимание может остерегать, что земная жизнь не есть часть прекрасного творчества, потому направим всю науку, чтобы подойти к познанию праведному. Ничто не может отвратить сердце, если в нем есть чувство преданности, чувство прекрасного.

193. Хозяйка, получив из молока кусок масла, уже тем познала очень важную Космогонию. Она поняла, как зачинаются небесные тела. Но прежде чем приступить к пахтанию, хозяйка послала об этом свою мысль; только от соединения мысли и пахтания слагается полезная масса, затем происходит и сыр, уже с зачатками населения. Не будем улыбаться такому микрокосму, та же энергия вращает и системы миров. Нужно только твердо осознать значение мысли, значение великой энергии. Разве не чудесно, что та же энергия сияет в сердце каждого человека?

194. Опыт над письмами имеет большее значение. Если можно наглядно показать, как насыщена рукопись психической энергией, то такое доказательство непременно может быть приложено к прочим приложениям той же самой энергии. Человек насыщает своей энергией каждый предмет при касании. Кроме того, человек оставляет на всем свою характеристику. Можно знать по письмам качество писавшего — это можно развить и на других предметах. Лик человека не тайна.

195. Пока человек беседует единолично, не появляются многие затруднения, но всякая соборность уже полна затруднений. Ведь человек даже одной мыслью может нарушить цельность любого собрания. Пытались сблизить сознания людей разными курениями и сожжением смолистых веществ, но и такие меры не могли привести собрания в возвышенное настроение. Так невозможно никакими насилиями достичь построения Храма Сердца. Разные века и верования не могли созвать людей к единому возвышенному порыву.

Но можно представить себе группу людей, сошедшихся без насилия, они могут постепенно понять мысль, ведущую к Высшему Миру. Можно радоваться, когда собираются во имя добра и решают нести это целебное благо на всех путях.

Утверждаю, что можно совершить множество полезных деяний, когда не будет растрачиваться энергия на бездельные споры и ссоры. Где будет Высшее Собеседование, если мозг и сердце обернутся алым пламенем? Даже сама Битва за Мир Высший не будет рождать алое пламя. Может быть рубиновый свет мужества, но каждое раздражение уже будет обессиливание.

196. Курукшетра — здесь, на Земле. Армагеддон представлен земным полем. Древние священные битвы Вавилона тоже имеют земные наименования. Самое духовное на Земле названо.

Так будем познавать неделимость Миров. Когда люди построят жизнь на величии Неделимости, они преобразят все Бытие.

197. Жертва и помощь творятся втайне, такова природа этих действий. Только Высший Мир знает, кто кому помог. На списках нетленных записаны жертвы. Прекрасен закон сокровенной жертвы сердца.

198. Все верования указывают не произносить всуе Имени Высшего, и этот закон прекрасен — в нем сказана высшая соизмеримость. Даже земные дети охраняются, но насколько бережными следует быть с Высшим Понятием. Когда Советовал на колонне отметить соизмеримость, то каждый мог понять поражающую прогрессию. Впрочем, найдутся двуногие, которые на капители поставят себя. Мрачна бездна невежества!

199. Сказано — дано будет много матерей, отцов, жен, сестер и братьев, даже такое ясное указание не заставит подумать, где такое произойдет? Не хотят подумать о земных жизнях! Самые мудрые Заветы не достигают ушей заложенных.

200. Могут ли злые Говорить о Добре?

Будьте учениками Знания и полюбите Мир Высший.

201. Искры законов Высшего Мира щедро рассыпаны по лону Земли. Можно собирать их, как самые драгоценные сокровища. Среди таких сборов все станет прекрасным. Самая Высшая Целесообразность украсит сочетания свободной воли, понявшей все сцепление рабочих частей. Поистине, вся жизнь становится выполнением полезных заданий, вверенных от Мысли Высшей.

Не труд согбенный, но героическое преодоление будет знаком Любви-Победительницы!

202. Возжение центров не вызвало достаточно врачебного внимания. Очень важно отметить, что воспламенение каждого центра дает симптомы местного органа, но сам орган не болен, но лишь вибрирует на огонь центра. Можно представить, сколько ложных болезней провозглашается врачами, если они не признают основную причину ощущений. Также мало исследуется сама причина воспламенения. Можно указать чисто космические условия, не меньшее место имеет и массовое состояние человечества.

Люди, несущие на себе тягость Земли, подобны символу гиганта Атласа. Таких колонн Мира очень мало, люди должны беречь их, как громоотводы, но вместо того в лучшем случае люди смеются над какою-то истеричностью и не желают углубиться в самую основу явления.

Не может происходить понимания, пока не осознаны три Мира и их соотношения.

203. Можно ли выдерживать осаду Земли, если нет осознания Иерархии? Учение Мира Высшего посылается как нить спасительная. Может такая нить превратиться в канат прочный, но огни земные могут пережечь и самый крепкий канат. Потому огни земные могут служить Огню Мира Высшего.

204. Кто может слышать музыку сфер, тот также слышит пространственные вопли. Не примите такие вопли как отвлеченные символы: они несутся и от Тонкого Мира, и от

Земли. Человечество может спать, но сердце его может вопить и стенать. При жизни дневной спят многие сердца, но когда рассудок не мешает и сознание просыпается, тогда сердце стоит перед действительностью. Не случайно говорилось, что днем люди спят, а ночью бодрствуют.

По степени воплей можно судить о прозрении сознания человечества. Оно вопит, когда открывается действительность. Также сказано — базар есть завеса действительности. Под пылью явленного базара умолкает сердце. Нужно глубоко осознать Мир Высший, чтобы под знаком его уметь перейти грязь улицы.

Не следует впадать в горе от ужасных пространственных воплей. Они выражают смятение мира, но вы знаете, насколько глубоко это смятение. Тот, кто знает, тот уже не смущается. Тот, кто прикасался в сознании к Миру Высшему, тот тверд и непобедим. Он дал волю духу своему, нерушимому и явленному в Беспредельности.

Нужно быть готовым услышать не только великую музыку сфер, но и вой животного ужаса. Невозможно знать лишь одну сторону Бытия. Только познание всего мироздания даст утверждение победы. Неразумный боится каждого мрака, но для познающего даже мрак есть сравнение со Светом. Знающий о Мире Света не устрашится мрака.

Так нужно познать чудную музыку сфер, но и понять, что на этой ступени слышны и вопли Мира.

205. Если соберем факты, то поймем стремительность событий. Можно видеть, насколько каждый час несет небывалые события.

206. При опытах над психической энергией следует обратить внимание на различные оттенки проявлений. Первоначально наблюдение даст как бы схему, но внимательный исследователь уловит множество своеобразных подробностей. Так, например, вы уловили необычное крестообразное движение над мозгом наблюдаемого. Действительно, такое движение очень прискорбно. Оно означает или высшую степень одержания, или безумие. Также можно заметить, что на протяжении весьма краткого времени показание резко меняется. Потому нужно производить повторные наблюдения. Ведь психическая энергия, как волны океана: в них множество течений, многие условия влияют изнутри и извне. Очень важно наблюдать такие кривые, как температура духа. Также очень важно отмечать, когда покажется то же самое качество и для живого, и для мертвого. Немало причин такому явлению. Может быть, жизнь уже отлетела, может быть, одержание затемнило основную природу, может быть, гнев погасил все центры. Может быть, болезнь овладевает организмом, но во всяком случае такое явление заслуживает внимания.

Можно наблюдать рост круга сознания, и следует порадоваться такому подвигу. Также нужно обращать внимание на всякое дрожание, остановки, перебои и отступления от правильных фигур. Они зависят от психического состояния и от различных заболеваний. Потому нужно наблюдать как здоровых, так и больных. Ту же задачу можно продолжить над рукописями, над цветными поверхностями и вообще над предметами, бывшими в человеческих руках.

Таким образом, и вопрос о человеческой ауре и человеческих накоплениях на предметах может получить новое движение. Конечно, ясное сознание самого наблюдателя много помогает. Раздражение — плохой проводник.

207. АУМ в своем высшем звучании приводит сознание в лучшее состояние для наблюдений за психической энергией. Можно радоваться, когда простыми средствами можно приближаться к очень важному и наглядному опыту.

208. Мысль о Нас, как очищение сознания, подобна смотрению вдаль. Тогда дух человека приобретает особое мужество, которое теплится и переносит через опасности. Без Высшего Мира трудно отправляться в путь.

209. Не надо смущаться, если кто приложит слово *физиология* к Миру Высшему. Конечно, каждый сознательный человек выберет наименование более достойное, но для среднего понимания и материя, и физиология не будут неверными определительными. Материя есть дух, физиология есть Закон Бытия. Никто не может сказать, что дух не вмещает всего. Физиология — только условное определительное многих действующих законов.

Конечно, при глубоком изучении найдутся и более отвечающие наименования. Но даже для самых высших понятий можно найти сопоставления в физическом обиходе. Люди не закрывают накрепко больной зуб или открытую рану. Они понимают необходимость доступа воздуха, чтобы не лишить полезного вещества, так же и духовное познавание не должно быть лишено общения с Миром Высшим. Так же как телесная гигиена необходима для земной жизни, так же нужна и профилактика духа. Не удивляйтесь, что и Мы прилагаем врачебные термины к духу, но ведь таким образом и врач почувствует, что его сфера близка Миру Высшему.

Пусть каждый от своей меры, хотя бы терминами механики, направляется к тому Единому Пути.

210. Так, невозможно запрещать свободное познавание. Такой запрет будет свидетельством невежества. Среди познавания отличен будет истинный путь. Чем разнообразнее будут исследования, тем прекраснее будут следствия. Не может быть темных путей для просветленного глаза — он отличит особую убедительность при исследовании самых различных исканий человечества. Мы не отрицатели, ибо отрицание не позволяет углубить изучение. Много иероглифов рассеяно по миру, только в добром желании можно приблизиться к сокровенным знакам.

211. Нужно людям освободиться от всякого высокомерия по отношению ко всему, им неведомому. Так можно постоянно замечать, что невежды утверждают оскорбительное суждение обо всем, что им недоступно. Необходимо, чтобы ученые первые показали пример, достойный в широком допущении. Совершенно исключается эволюция, где люди не признают возможности познавания Беспредельного. Повторяю — успех усовершенствования начинается от самоусовершенствования.

Каждый, желающий примкнуть к Великому Служению, должен избавиться от высокомерия.

212. Нужно стараться находить простейшие причины явлений. Люди замечают, что яснослышание удается на рассвете. Причина к тому изыскивается очень далеко от истины. Полагают — организм отдохнул после ночи, думают — токи предрассветные помогают, но самое простое, естественное решение забывают. Конечно, ближайшая причина в том, что за время сна человек соприкоснулся с Тонким Миром и в нем усилил свои тонкие свойства.

Подобное сопоставление можно привести из многих областей, но все они лишь доказывают, что человек слишком мало думает о Мирах Высших и тем лишает себя решения наивернейшего.

213. Сон есть приобщение к Тонкой Сфере. Состояние сна показательно с точки зрения психической энергии. Она, несомненно, усиливается, но в особом качестве; иначе говоря, она приобретает своеобразное качество Тонкого Мира.

214. Найдутся люди, которые не захотят понять, что́ есть высокомерие. Поможем им понять и Скажем — не умаляйте и избавьтесь от отвратительного червя умаления.

Умалитель почти равен предателю. При наличии таких ехидн не может быть и речи о собеседовании с Высшим Миром. Делать ничтожным — недостойное превращение! Думающий о ничтожном и сам окажется на ничтожном пути. С мыслью о ничтожном невозможно Великое Собеседование. Можно собеседовать в простейших выражениях, но смысл их не будет ничтожным. Кто озабочен превратить ближнего своего в ничтожество, тот мерит в свою меру ничтожную.

215. Найдутся такие враждебные люди, которые заподозрят в слове АУМ нечто невместное. Скажут они: «Зачем забыты другие прекрасные символы? Какой умысел в неупоминании других превосходных понятий?»

Скажем: «Ничто не забыто, ничто не умалено, ничто не разрушено. Мы не умалители и не страдаем высокомерием. Но никто не может отнять древности понятия АУМ во всей его знаменательной троичности. Не следует отбрасывать знаки первоначальные. Вместо враждебной невежественности лучше проявите человечность и покажите любовь к познаванию. Преуспейте любовью!»

216. Бывают люди, могущие уловить радиоволны без аппарата. Сама по себе такая способность не представляет особого достижения, но дает полезное сопоставление с передачею мысли: основная энергия тождественна. Если более грубое послание радиоволн может быть воспринято, то и следующая ступень вполне возможна. Люди постоянно воспринимают мысли пространственные и транспонируют их на своем языке, но даже такую простую истину нужно твердить.

Непонятно, почему люди так противятся простейшему соображению о мысли как об энергии. Точно такая истина может потрясти очаги людские! Правда, энергия может вытрясти некоторую пыль, но дом от этого чище будет.

Не избегайте случая поговорить о мысли как о двигателе!

217. Когда тело устало в одном положении, советуют переменить состояние. То же самое и во всех обстоятельствах жизни. Каждая смена имеет свои причины. Научимся рассудить о них, тем самым каждое состояние удостоверит свои преимущества.

Так Повторяю, утверждая терпимость.

218. Основа жизни должна быть чиста. Правда, некоторые двуногие всю жизнь проводят в грязи; они все же

564

как-то прозябают, но каждый, привыкший к чистоте, задыхается в грязи.

Совершенно то же и в пище. Кто привык к пище чистой, тому нездорово наполняться нечистыми разложениями. Кто от детства привык к пище нечистой, тот не подвержен последствиям, но должен помнить, что в пище нечистой заключаются зачатки самых ужасных болезней. Можно не отдавать себе отчета лишь некоторое время, но потом посев даст жатву.

219. Летаргия есть особое, необъясненное состояние между сном и смертью. Сердце почти не работает, тело неподвижно, и утверждается неземное выражение лица. Между тем человек не только жив, но и возвращается к бодрствованию по своей причине, которую никто не понимает. Наступление летаргии неожиданно, и обстоятельства такого переходного состояния никогда не могут быть известны окружающим. На Нашем языке это есть длительное выделение тонкого тела. Такое состояние не есть болезнь и должно быть рассматриваемо как неестественное напряжение организма в отношении Тонкого Мира. Оно может получиться от переутомления, от испуга, от потрясения горем или неожиданной радостью. Особенно замечательно мгновение пробуждения. Обычно присутствующие очень вредят неуместными восклицаниями и вопросами. Каждый такой вопрос уже есть внушение. Следует с величайшей осторожностью не расплескать удержанные впечатления. Потому чаще всего люди, вернувшиеся из летаргии, начинают уверять, что они ничего не помнят. Вернее, такие воспоминания выбиты из сознания какими-то несвоевременными вопросами или шумом. Таким образом, пропадает возможность ознакомления с Тонким Миром. При пробуждении очень полезен аромат розового масла.

220. Также нужно обратить внимание на так называемые родимчики. Они показывают развитие нервных центров. С таким состоянием нужно проявить особое спокойствие. Природа таких детей очень одаренная, но щит тела должен быть крепок. Нужно увидеть в таких проявлениях как бы переполнение «Чаши». Недаром в древности называли это Божественным Посещением. При таких припадках нужны полное спокойствие всех окружающих, тепло, запах розового масла, ровная температура. У некоторых народов употреблялась тихая музыка, и такое проявление могло помочь, ибо помощь должна быть психическая.

221. Каждый нервный припадок может быть исцелен при условии спокойствия окружающих и при воздействии звука, цвета, аромата и ровной температуры. Но трудно найти все такие условия. Кроме того, необходимо применить именно то сочетание звуков, цвета и аромата, которое индивидуально нужно в этом состоянии.

Потому очень важно, чтобы как можно больше производилось опытов с воздействием звуков, цвета и аромата. Уже в школах можно производить многие полезные исследования. Трудно в частных домах найти для этого особую комнату с достаточными приспособлениями. Но в школах и в больницах следует иметь хорошее помещение с некоторыми приборами. Так можно присоединить к внушению много полезных условий.

222. Многие параличи можно излечить посредством усиленного внушения. Много болезней, например зачаток рака, туберкулеза и язвы желудка, могут быть остановлены внушением, усиленными психическими воздействиями. Можно заметить, что страдания рака усиливаются от алого цвета, но фиолетовый успокаивает. Также и в звуках консонанс мажорный будет усилять воздействие фиолетового луча, но диссонанс будет усиливать боли.

Не будем отнимать от врачей возможности новых нахождений. Пусть исследуют многие сочетания, но нужно напомнить о ближайших путях науки. Когда в основе лечения лежит созвучие, тогда можно представить себе, какая тонкость энергии будет вызвана на помощь человечеству.

223. Никто не должен называть психическое воздействие колдовством. Пусть такое невежественное суждение останется в далеких временах. Наоборот, всякое исследование психической энергии есть истинный прогресс.

224. Напрасно думать, что психическое лечение поставлено удовлетворительно. Попытки лечения светом или звуком слабы и разрозненны. Никто не занят изучением соответствий аромата к цвету и звуку. Но главная ошибка в том, что почти нет врачей, которые поняли бы соответствие Миров. Без познания этих основ можно погрязнуть в узкоматериальном плане, но сфера психической энергии касается всех планов. Она может быть познаваема лишь во всей утонченности. Так врач не может говорить об одержании, если он сам не имеет представления о Мире Тонком. Врач не может понимать световое лечение, если он не распознает шкалу красок. Не может распознать утонченную тональность, если кто любит грубейшую музыку. Нельзя прописать лечение ароматами, если кто не может сам распознать их.

Говорю не к унижению врачей, наоборот, Хотел бы вооружить их на спасение человечества. Слишком много отравы умножилось. Много средств направлено лишь на разрушение психической энергии, потому не только в городах, но и среди Природы уже нарушается Прана вторжением нераспознанных токов. Между тем нужно понять, что человечество не имеет права отравлять атмосферу Земли — оно ответственно за гигиену планеты.

Можно просить врачей отнестись внимательно к пониманию соотношения Миров и к утончению своих чувств. Не может злой говорить о добре. Не может грубый судить об утонченности.

225. После познания внушения можно думать о средствах, усиляющих его. Но сперва нужно познать все стадии внушения. Если человек постоянно внушает и находится под внушением, то как же внимательно нужно уметь различать степень земного и тонкого воздействия! Для этого научного исследования нужно, чтобы сам ученый был познающим градации миров. Если он будет отрицателем, то лишь взрастит поколение невежд.

226. Ни в одной врачебной школе не преподается психология. Такой предмет вообще не существует. Слово «психология» связывается с педагогикой, но не с познанием качеств психической энергии. Невозможно допустить, чтобы врачебное образование могло обойти такой основной предмет. Познавание психической энергии позволяет явить внимание к лекарствам. Насколько меньше потребуется лекарств, когда врачи смогут применить психическое лечение. Условия помощи психической энергией обновят все явления жизни. Не будем отделять высшее понятие Бытия от врачебной помощи. Сколько древних источников указывает, что священнослужители были и врачами. Так, подчеркивалось, что врач должен иметь авторитет, иначе он будет ходить в хвосте болезней, не имея возможности предотвратить их.

Но нужно найти смелое слово, чтобы утвердить Высшую связь Миров как залог здоровья народа. Не будет здоровья, пока люди не будут знать, зачем они несут земную тягость. Невозможно удовлетворить сознание в сфере одной маленькой планеты. Ужас будет скрести сердце, которое отделится от прекрасной идеи Единства Миров.

Пусть именно врач как жрец науки вносит в дома знание Мира Света.

227. Пусть народ ценит каждое знание!

228. Пусть правитель покажет первый уважение к науке. Ибо часто именно правитель не считает себя обязанным преклониться перед знанием.

Через знание вновь войдет осознание Мира Высшего. Нет иного пути!

229. Пусть покажут люди, что они хотят не прозябать, но стать лучше. Они забывают прекрасный закон улучшения. Нередко слово *эволюция* понимается как какая-то навязанная обязанность, но радость улучшения не от навязывания и неразрывна с зерном духа. Только в этом понимании можно пройти все ущелья тьмы.

230. Всегда Советую записывать разные наблюдения, из них со временем образуется ценная хроника. Такие записи помогут изучению истории эволюции. Например, Напомню одну запись. Некий опытный наблюдатель рассказывает о своем свидании с известным деятелем: «Во время разговора можно было заметить, что собеседник находился как бы в сонливом состоянии. В то же время около него можно было различить смутное облачко, которое волновалось и меняло место. Можно было понять, что тонкое тело почти вышло из моего собеседника, но он был невозмутим, излагая план своего будущего выступления. При прощании он снял перстень и неожиданно просил меня принять его на память. Через три часа мой собеседник был убит злоумышленником. Является вопрос: если тонкое тело видело приготовления к убийству и дух уже дал перстень на память, то почему сознание не предупредило о заговоре? Видимо, мы имеем дело с очень сложным законом Высшей Мудрости». Так записывал на французском языке наблюдатель.

Можно припомнить несколько раз такое наблюдение, когда люди недоумевают, почему кто-то как бы не знает близкого будущего. Можно понять сложные Законы Кармы и Познания в тонком теле.

231. Очень полезно изучать древние языки — в них запечатлена история мысли человечества. Можно следить, какие понятия развивались или упразднялись. Возьмем санскрит и латинский язык; можем видеть, насколько латинский уже обходился без очень глубоких понятий, и Рим, устремленный к материализму, несравним с памятниками мысли Индии.

Язык есть летопись народа, словарь есть история Культуры.

232. Душа народа есть открытая книга. Можно знать, насколько она звучит в каждом проявлении. Потому изучение народа есть наука. Кто хочет заглянуть в будущее, должен знать, какие врата можно открыть. Добро и доверие могут быть сложены на знании народа как целое. Можно промерить, где сокровище и где ветошь.

233. Утешение — в понимании трех Миров. Ничто другое не может оценить достояния Истины.

234. Несомненно, встретите нарекания: почему Высший Мир упоминается на тех же страницах, что и наука? Так будут говорить те, кто не понимает Мир Высший и умаляют науку. Такие малые грамотеи очень распространены и по бессердечию своему весьма злобны. Они занимают разные общественные положения и потому могут шептать во многих местах. Отвечать им было бы бесполезно. Каждый сердечный человек будет радоваться каждому доброму пониманию о Высшем Мире. Каждый умный человек оценит слово в защиту науки.

Из земных предметов любовь и творчество больше всего сочетаются с понятием Высшего Мира. При упоминании о Мире Высшем достойный человек будет радоваться. При рассуждении о науке он будет сердечно восхищен. Если оба понятия вызовут лишь осуждение, это будет знаком мертвого сердца. Не огорчайтесь, встречая отрицателей и осудителей,— это так же неизбежно, как существование Света и тьмы. Чувствознание подскажет, где такая степень тьмы, что дальнейшие убеждения невозможны. Сеять можно на доброй земле. Вы уже знаете, что понимающие друзья приходят вне земных соображений. Бывает, что даже джины строят храмы, но Высший Мир и Знание им недоступны. Рано или поздно они возмутятся и вернутся во тьму. Не назвать ли примеры?

Так послужите Миру Высшему и науке. Пусть через любовь в свете Знания прояснится мысль о Мире Высшем.

235. Особенно непонятно видеть, как люди из почитания часто впадают в умаление. Они пытаются изобразить неизображаемое, получается Облик ложный, который лишь унижает высокое понятие. Много таких ложных представлений рассеяно в веках. Люди твердят о Незримом и тут же облекают Свет в каменные формы.

Пора проявить соизмеримость.

236. Неподкупен Мир Высший, но люди вместо очищения мыслью и трудом все же пытаются подкупить Милость Высшую. В таком невежестве сказывается полное нежелание подумать о сущности Миров. История возникновения молитвы показывает, что сперва произносились гимны, потом — моления о всех и лишь позднее человек дерзнул докучать требованиями о себе. Даны достаточные доказательства, насколько все, порожденное самостью, непригодно для эволюции. Нельзя купить милость и справедливость. Разве не позорно, что приходится твердить такие слова?

Можно заподозрить — не происходит ли инволюция? Конец Кали-Юги может дать и такие явления. Указаны страшные катаклизмы, но что может быть ужаснее, нежели катастрофа в духе? Никакое землетрясение несравнимо с разложением сознания. Нужно напрячь все силы, чтобы удержать человечество от пропасти, потому каждое размышление о Мире Высшем есть необходимость дня.

237. Правильно замечено, что некоторые растения имеют аромат мускуса; полезно собрать сведения о таких растениях. Они не будут обладать всеми ценными качествами жизнедателя, но все же в них скажется полезное свойство сохранения бодрости. Иногда можно заметить, что и соседние растения начинают приобретать тот же запах,— корни и почва могут быть проводниками.

238. К самому сложному можно приблизиться простейшим путем, главное — внимательность. Даже очень опытные наблюдатели растеривают ее среди обыденности. Но Мир Высший желает любовь и признательность. Как же иначе через плотные условия рассмотреть тонкие признаки?

239. В Мире все неповторимо. Так, можно усвоить, насколько много необычного. Без такого понимания люди не найдут своего земного положения. Нельзя мыслить об эволюции, если неизвестны отправные причины и достижимая цель. Не имеет смысла земное существование без понимания причины и следствия. Но если люди хотя бы отчасти осознали необычность окружающего, они могли бы легче напрячь мысль к Высшему Миру. Нельзя уговорить людей без переходной ступени обратиться к столь отличной сфере, как Мир Высший. Но если глаз будет постепенно различать окружающее многообразие, он легче приучится к распознаванию тонких проявлений. Поистине, все должно быть воспитываемо.

240. Могут спросить: почему люди не должны в плотном

мире помнить о своих тонких пребываниях? Одна из причин, почему нельзя припомнить все из Мира Тонкого, есть уже невозможность вместиться в оболочку плоти. Именно не мог бы дух принять плотную эволюцию, если бы он сохранил в себе память о пространствах Мира Тонкого. Ведь из Мира Тонкого можно иногда узреть и огненное величие, которое Мир плоти может постигать лишь в редчайших случаях. Даже лучшие духи лишь иногда могут вспомнить свои земные существования, но совсем редко они сознают себя в условиях Тонкого Мира. Иногда выделение тонкого тела приносит некоторое познание жизни в Тонком Мире. Но припомнить тонкие существования очень трудно и несовместимо с земными условиями.

241. Могут вам объяснить, что три буквы АУМ означают прошлое, настоящее и будущее. И такое значение имеет основание. Основа — прошлое, Свет — настоящее и приближение к Сокровенному — в будущем. Конечно, сеятели разных толкований имеют в виду лучшие разъяснения. Но такие объяснения часто направлены от земного понимания. Мысль не имеет ни прошлого, ни настоящего, ни будущего, мысль вечна, как Беспредельность. Если будем рассуждать о Беспредельности, то все меры изменятся, вырастут понятия конечного и беспредельного. В бесконечном не будет произвольных толкований, ибо в Беспредельности все вмещается.

Потому когда говорим о величии основ, то убережемся от применения земных мер. Тем более не будем основываться на конечном, ибо в сущности конечного не существует.

242. Пусть мысли приобретают полезные полеты. Нужно воспитывать их, чтобы дальние расстояния не смущали мыслителей. Прежде чем почувствовать себя гостем всех планет, нужно приучить сознание к малым размерам Земли. Особые преступления зарождались от несоизмеримости представления Земли и ее места во Вселенной. Из этого происходило затемнение религий, невежество государственное и преждевременное заболевание.

Потому мысль должна не только охватить Землю, но и любить мысленные полеты к дальним мирам.

243. Казалось бы, сказанное просто, но почему же оно так редко применяется? Не отвлеченность преподана, не блуждание мыслей заповедано. Нужно заострить стремление мыслей во всей реальности. Но только немногие поймут различие между мыслью, отвлеченно блуждающей, и мыслью реальной. Только в непреложности может сиять Мир Высший.

Так же просто соображение о наполненности пространства. Много написано об этом, но большинству людей такое сообщение все-таки будет непонятно.

Нужно воспитывать мысль.

244. Много указывалось о необходимости развития терпения. Но на чем будет такой пробный камень? Полезно начать разговор с самым узким отрицателем. Пусть он излагает неправдоподобные измышления, но терпеливый мыслитель покроет каждое невежество, не прибегая к отрицанию. Мыслитель в творчестве мышления убережется от раздражения — во время урока терпения не раздражаются. Пусть невежды выходят из себя, ведь у них не имеется другого довода, но испытатель терпения не унизится приемами, свойственными невеждам. Пусть даже в школах задают задания терпения.

Невозможно без познания терпения помыслить о Беспредельности. Размеры задания Высшего Мира требуют испытания терпением.

245. Много гонений на мыслителей. Но пусть гонимые скажут: «Нас гоните, но мысли наши уже посеяны, ничто не может истребить мысль в пространстве». Не имеет смысла изгонять мыслителя. Ведь его достояние неразрушимо во всех мирах. Не только неразрушима мысль, но даже она растет в пространстве. Само удаление мыслителя из плотного мира лишь дает ему широкую область мышления. Убийцы и отравители не дельно поступают: они думают освободиться от посевов мыслителя, но тем самым они лишь укрепляют их.

246. Около одного уважаемого учителя собралось много учеников. Занятия шли успешно, но потом прошел слух, что в отдаленном городе появился другой учитель. Такое сведение постепенно поселило в учениках сомнение, раздвоение мышления, обессилило их внимание и лишало успешности.

Однажды учитель сказал: «Пойду в горы, вы же между тем укрепитесь в усвоении Учения». Учитель ушел. Но через краткий срок, нежданно, ученики были посещены новым учителем, которому весьма обрадовались. Наконец, один ученик, желая сказать приятное новому учителю, воскликнул: «Насколько твое Учение превосходнее и понятнее прежнего!» Тогда новый учитель снял тюрбан, распахнул одежды, изменил выражение лица, и все ученики узнали своего первого учителя. Они пришли в великое смущение и шептали: «Зачем изменил ты облик?» Он же сказал им: «Хотели иметь нового учителя и превосходное Учение, я помог вам в этом». Так можно и в древних сказаниях найти свойства людские, обычные для всех веков.

247. Не следует устремляться к новому лишь для отрицания основ. Познание есть Наш совет и приказ. Познание не имеет ничего общего с предательством и кощунством. Там, где гнездится скверословие, там не ищите истинного познания. Никто не запрячет тончайший цветок в кошель, желая не испортить его. Тонкое требует и тончайшего обращения. Не только по редчайшим праздникам, но и ежедневно не следует рвать одеяний. По праздникам люди берегут одежды, но в обиходе не заботятся о них. Сколько же тончайших одеяний погибает!

248. Неосторожность приведет к заблуждению. Где прежнее, и где новое? Нужно быть бережным.

249. Сами видите, насколько люди не понимают значения простых слов. При таком уровне нужно пощадить смущенные умы и твердить, как глухим. Много раз, говоря с глухими, вы не могли быть уверены, много ли из ваших слов дошло до их сознания. Очень трудно принять в соображение все недостатки слуха, зрения и других чувств. Но идите, зная, что немногие слушатели услышат, немногие — увидят, но пространство видит и слышит. Так идите.

250. Уже наблюдали, как при известном напряжении зрения можно видеть лики прежних воплощений. Можно ясно убедиться, как перестраивается облик нынешний в облик минувших веков. Вибрации и кристаллические образования доказывают присутствие определенной энергии. Не может быть вопроса о самовнушении, ибо оба действующие лица не знают, во что выльются образования. Часто они начинаются не от изменения черт лица, но от каких-то подробностей головного убора или одежды. Сам характер лица меняется совершенно незаметно и в самых неожиданных чертах. Можно отметить, что редко лица остаются в нынешнем облике. При всех таких неожиданных превращениях исключается всякая преднамеренность. Само очень болезненное напряжение глаз показывает, что процесс не ментальный, но психическая энергия действует через глазные центры. Частые такие опыты могут повредить зрение, но наличность таких физических ясновидений чрезвычайно важна. Могут быть ясновидения под внушением, но тогда психическая энергия будет действовать через мозг, и всегда

можно заподозрить внушение со стороны, от самого гипнотизера. Гораздо убедительнее, когда психическая энергия действует непосредственно. Та же непосредственность сказывается и в действиях с маятником жизни. Самовнушение также исключено. Честный исследователь не знает получаемых следствий. Он бывает изумлен более всех присутствующих. При первом и во втором случае присутствующие вообще нежелательны. Не следует иметь поблизости нечто, могущее влиять на психическую энергию.

Древность таких опытов неисчислима. Кроме того, они служили как в государственных, так и в судебных делах. Нужно признать всю необычную пользу таких опытов с психической энергией. И душевные болезни, и колебания духа, и сама искренность будут доказаны, также и одержание.

251. Если собрать все опыты с психической энергией, то получится ценная сокровищница доступа к Высшему Миру. Ничто сверхъестественное или темное не утяжелит такие наблюдения. Так естественно, честно и полезно будет наблюдение над великой психической энергией.

252. Предложат и такое толкование АУМ: первое — на Основе проявленное; второе — явленное в тончайших энергиях; третье — Несказуемое в огне и величии. Каждое толкование, в сущности, сводится к тому же троичному построению, от которого, как от Истины, не уйти.

Также скажут, что общим значением «да» будет такое же утверждение. Можно найти его во всех верованиях, иногда оно будет даже внешне созвучать. Так не будем чрезмерно погружаться в толкования, которые не однажды изменялись. Главное в том, чтобы сущность понятия была не поколеблена. Призовем всю устойчивость.

253. Неустойчивость была особенно осуждаема в древности. Она называлась гибелью, она ставилась в упрек как противовес продвижению. Шатание считалось невежеством и неудачею первого образования. Предполагалось, что от истинной основы ученик не будет блуждать, но станет непрерывно совершенствоваться.

254. Совершенствование не полагалось как нечто от самости. Улучшение имеет в виду Общее Благо и по природе своей не может быть достоянием личным. Пример — каждая добрая мысль уже общеполезна в пространстве.

255. Во многих странах, когда люди хотят подтвердить непоколебимо, они торжественно произносят слово *Amen* или *Аминь*. Явление многих слов можно установить в древних источниках. Когда посмотрим значение слова Amen

по-гречески, по-еврейски, по-египетски и по-шумерийски, то через многие ступени придем к тому же утверждению троичного символа.

Так, вместо разъединения знание лишь научит объединению. Только злые в природе своей могут стремиться к умалению и разъединению. Каждый последователь знания найдет всюду золотой путь к единству Величия и Света.

256. Найдутся люди, которые особенно ненавидят подтверждения и доказательства. Такие люди будут настоящими невеждами. Правильно будет спросить — имели ли они когда-либо сознание или они происходят из животного состояния?

Часто вас могут спросить — изнашивается ли сознание? Зерно духа прочно, «Чаша» накопляется, но степень сознания может колебаться. Главная причина будет — леность в Тонком Мире. Такое свойство может запереть зерно духа и «Чашу» на сорок затворов. Особенно может быть подвержено такой лености слабое сознание, проведшее земную жизнь без преодоления препятствий и без труда. Можно наблюдать, как такие сознания цепляются за Тонкий Мир; не две тысячи лет, но гораздо больше они хотели бы удержаться от нового испытания. Так нарождаются отрицатели злые.

257. В Тонком Мире можно быть в низших слоях очень долгие столетия. Не следует изумляться находчивости некоторых людей, в безумии они могут произвести многое, невозможное здоровому человеку. Своего рода безумие бывает в Тонком Мире. Несомненно, закон настаивает на сроке воплощения, но может быть такое безумие сознания, что только зло может породиться в большом размере. Как трусливые воины отрубают себе пальцы, чтобы избежать сражения, так и безумцы, обитающие в Тонком Мире, ухищряются избежать призыва под знамена труда. Нельзя совсем избежать закона, но укрываться временно во тьме возможно.

258. Если сказать ученым о намагниченной воде, они могут принять такое выражение; но если сказать о воде, заговоренной или очарованной, то будете сочтены за невежд. Между тем различие лишь в названии, но, по существу, будет применена та же энергия.

Пора науке расширить кругозор, не стесняясь случайными наименованиями. Именно из-за названий происходят все драмы жизни. Нужно приучиться от малых лет усматривать сущность.

259. Вы знаете, насколько психическая энергия работает в тончайших выявлениях. Трудно людям представить себе, что каждое проявление мысли уже оставляет след, физически заметный. Разве не чудесно следить за переливами мысли в каждой строке рукописи? Также не менее замечательно, как одна психическая энергия вызывает показание другой, наслоенной на предмете. Можно таким образом понять, насколько атмосфера, насыщенная отложениями психической энергии, проявляется в виде приметных кристаллов. Будет время, когда откроют весомость мысли.

260. Множество болевых ощущений происходит от психоатмосферных напряжений. Не имеем в виду лишь атмосферные давления, но именно психические волны, которые могут создавать не только настроения, но и отражаться на нервных центрах. Невозможно представить себе, насколько часыщена атмосфера психическими энергиями, такие эманации производят следствия не только на животных, но и на растениях, потому нельзя легкомысленно приписать все явления лишь грубым физическим условиям. Много тончайших психических проявлений пока еще не разгадано, но и сознание часто примитивно. Вы не раз наблюдали такие необычайные несоответствия.

261. Итак, вы наблюдали, что психическая энергия, наслоенная на предмете, нестираема ни расстоянием, ни какими-либо иными условиями. Но тем бо́льшая ответственность лежит на человеке, как носителе такой мощи. Об этом давно сказано, но сокровенные выражения не позволяли людям осознать значение силы психической энергии. Какое право имеет человек пятнать окружающее пространство нечистыми мыслями!

Следует много писать о значении основной энергии, иначе неточное, непросвещенное мышление снова забудет источник процветания. Люди не написали еще одну историю, а именно историю забвений. Такая хроника инволюции была бы полезна. Конечно, изучение древних периодов очень затруднено, ибо многие нахождения ждут открытия, но и те некоторые данные, которыми человечество располагает, уже достаточны, чтобы отметить многие волны забвения.

262. Предметы добрые и злые создаются человеком. Мысли добрые и касания благие сотворят предмет благословения, и наоборот, касания злые могут создать очаг очень заразный.

Не будем легкомысленно относиться к сущности психической энергии.

263. При опытах с психической энергией неизбежна некоторая усталость. Такое ощущение лишь доказывает, что действует именно энергия. Нельзя унижать эту энергию как низшую физиологическую силу. Можно проследить ее во всех сферах и заметить усиление ее в пространстве. Опыт на Высоких Сферах может дать значительные следствия.

264. При изучении истории верований можно заметить, как неоднократно человечество уже охватывало тонкие понимания, но затем старалось забыть и отвергнуть уже постигнутое. Можно видеть, как издревле люди постигали закон перевоплощения для того, чтобы в судорожном гневе снова отвергнуть его. Причина жреческого отрицания понятна: каста защищала свои прерогативы, а Закон Бытия мог уравнять права людей.

Так происходило в разные века, но волны познания и невежества везде одинаковы. Они создают возмущение вод, так нужное для продвижения сознания. Потому каждый, стремящийся к познанию, приобретает спокойствие духа среди волнений и бурь.

Не будем оставаться в невежестве, когда знание стучится во все врата.

265. Знание будет всегда положительным и утверждающим. Нет времени заниматься отрицаниями и запретами. Неверие и заблуждения будут уделом невежества. Знание ищет, исследует и утверждает. Когда оно встречается с противоположениями, оно прежде всего испытует — нет ли чего-то кажущегося? Не предстал ли призрак противоречия? Поединок знания не может быть с призраком, потому знание прежде всего дружественно будет исследовать кажущиеся противоречия. Не допускает знание препирательств перед лицом Высшего Мира. Обмен мнений не будет препирательством.

266. В человечестве так много нетерпимости и зверства, что нетрудно вывести заключение о степени невежества. Такая степень невежества заставляет твердить об Основах. Что пользы в том, что человек научился читать, но остался зверем! И животные научились понимать некоторые знаки, но были все-таки животными, готовыми к кровопролитию.

Потому нужно особенно кратко и спешно сказать о позоре невежества.

267. Каждая молитва есть преддверие, но не заключение. Обычно молитва понимается как нечто заключительное. Не может общение с Высшим Миром быть без последствий. Каждое приоткрытие сокровенных Врат уже обновит струны сознания. Обновление не будет о прошлом, но должно направить в будущее. Молитва, таким образом, будет Вратами в будущее. Следует запомнить эту творящую силу. Нельзя ограничивать себя явлением внешней молитвы, такое притворство будет самым вредным кощунством. Но нельзя утверждать силу общения с Высшим Миром, пока не будет осознана основная энергия. Потому знание Тонкого Мира поможет сложить ступень к Высшему Миру.

Тонкий Мир уже становится почти лабораторным понятием. Пусть будут наименования разные, но цель изысканий будет едина. Не потревожим ученых, которые приближаются к Великому Неизвестному. Нам безразлично, как они назовут искры Света Единого. В приближении они заподозрят множество разделений. Они будут по-своему правы, ибо психическая энергия явит им свой лик в зависимости от качества энергии исследователя.

268. Многообразие психической энергии показывает ее мощь. Она не может оставаться в инертности. Она, как истинный огонь, вибрирует и действует непрерывно. Люди могут думать, что их энергия спокойно спит, но, в сущности, она не может оставаться в бездействии. Такова связь ее с Энергией Высшей.

269. Каждый, желающий исследовать психическую энергию, должен прежде всего заняться испытанием своей психической энергии. При различных опытах можно заметить, как действует своя энергия. Каждая энергия имеет особые свойства. Ошибочно думать, что если закон един, то и все частичные проявления будут совершенно одинаковы.

Чем тоньше энергия, тем и качества ее будут неразличимее на грубое зрение. Так, нужно прежде всего установить прочно основное качество, которое будет пробным камнем. Таким качеством будет чистота мыслей при желании принести самоотверженную пользу. Лучи подвига будут лучшими светочами при изучении психической энергии. Внимательность также будет другом таких опытов. Всякое предубеждение будет вредно.

Психическая энергия оседает на всех предметах. Осадки ее будут относиться к пространственным отложениям, потому можно изучать не только состояние личной энергии, но и энергии собирательной. Для этого нужно наблюдать снег или дождевую воду. Вообще развитие наблюдений даст много новых сочетаний.

270. Также для опытов полезна помощь от Тонкого и Высшего Мира. Чистое мышление уже будет обеспечивать сотрудничество. Не нужно никаких вызываний, но созвучие сердца уже создает мост светлый.

Так во всем можно находить лучшую пользу. Уже одна мысль о психической энергии даст возможность расширить сознание.

271. Познавательность есть особое качество сознания. Оно не зависит от рассудка; не зависит от окружающей среды; не зависит от школьного образования — оно слагается в области сердца. Человек, накопивший это качество, не может быть отрешен от познавания. Посредством психической энергии он найдет возможность познавать даже среди самых отвратных обстоятельств.

Особенно значительно наблюдать таких людей от малых лет. Они отличаются от окружающих их и как бы знают свое назначение. Иногда эти знания проявляются даже в неожиданных словах. Иногда сами действия ребенка показывают, насколько дух его ищет нечто определенное, но обычно не поняты такие стремления. Очень осмеяна священная особенность, зовущая к восхождению. Но в будущей эпохе именно такие особенные познаватели будут оценены.

272. Напрасно некто утверждает, что Мир Невидимый не существует,— такая ложь будет равносильна отрицанию мысли. Мысль тоже невидима, но лишь невежество отрицает мыслительный процесс. Так можно начать отвергать все энергии, ибо они невидимы. К тому же разве Мир Невидимый для всех незрим? Пусть отрицатели не судят по себе. Суждение по себе есть рассадник самости.

273. Может показаться, что Учение дается в одном размере, но если сопоставить последовательность Учения, то можно видеть обороты спирали восхождений. Такой оборот производится, чтобы человечество незаметно двигалось вперед. Как рост травы невидим в каждое мгновение, так и новый оборот спирали не поражает сознание. Ведь разум человеческий не может вместить огненного построения, и потому нужно целесообразно дать ему, насколько он может воспринять. Последствия несоизмеримости уродливы, и никто не может производить уродства в Мире по своему невежеству. Построение должно быть гармонично, потому поучительно сравнить ступени, даваемые Учением,— получится знаменательная лестница восхождения.

274. Если человек скажет вам: «Я все сделал, что в силах моих»,— не верьте, он оправдывает себя, но в то же время и ограничивает. Когда человек воображает, что все исчерпано, именно тогда он теряет ключ к спасительному входу. Часто, по невежеству или по лености, люди отказываются от лучших решений. Сколько раз Мы твердили о неисчерпаемости сердечной энергии, но сам человек может закрыть ее и лишить себя лучшей возможности. По существу, заявление о всех силах исчерпанных, кроме всего, и самомнительно. Не сожаление ли о самом себе подсказывает отступление и умытие рук? Часто человек жалеет себя и закрывает доступ Силам Высшим.

Когда люди осознают соотношение энергий, они найдут оплот своей непобедимости.

275. Правильно обращаете внимание на удары, отраженные аурой. Именно немногие осознают такие нападения мысленные. Обычно люди приписывают такие явления случайным физическим причинам, но развитое сознание даже во сне разберется в истинной причине. Сознание есть верный щит. Аура и сознание образуют доспех защиты.

276. Люди обычно избегают слова *единение* — они боятся его. В то же время они много говорят о сочувствии, но забывают, что оба понятия тождественны,— одно без другого немыслимо. Так же точно и в другие понятия люди пытаются подставить менее ответственное. Сочувствие может ограничиться словами, но единение должно вызывать действие. Каждое действие уже пугает малодушных. Они не хотят понять, что каждая мысль сочувствия — уже сильное действие, если мысль подобающе выражена. Часто сочувствие ограничивается звуком пустым. Таким образом, ни мысли творящей, ни действия не происходит. Сочувствие убито безмыслием, единение разбито бездействием. Человек опасается ответственности, но вместе с тем впадает в бессердечие.

277. Частицы высшей энергии, которые имеются в каждом человеческом организме, должны быть соответственно и в других царствах Природы. Царство животное и царство растительное умеют сохранять частицу энергии и в Тонком Мире. Особенно некоторые животные, бывшие около человека, сохраняют некоторую связь с организмом тонкого обитателя. Когда Советую милосердие к животным, то Имею в виду, что лучше встретить маленьких друзей, нежели врагов. Конечно, следует сохранять соизмеримость во всем, иначе можно получить неполезные животные излучения.

Также, когда Указываю растительную пищу, Охраняю от пропитывания кровью тонкое тело. Сущность крови очень прочно напитывает тело, и даже тело тонкое. Кровь настолько не полезна, что даже в крайних случаях Мы разрешаем мясо, сушенное на солнце. Также можно иметь те части животных, где субстанция крови вполне переработана. Так пища растительная имеет значение и для жизни в Тонком Мире.

278. Часто спрашивают — сохраняют ли свой облик животные в Тонком Мире? Редко, ибо отсутствие сознания часто делает их бесформенными, — туманные очертания иногда, как импульсы энергии, но часто даже неуловимы. Явление животных, конечно, относится к низшим слоям Тонкого Мира. Такие потемки могут устрашать смутными обликами. Считаю, что тело человека не должно оставаться в этих слоях, но нередко люди походят сознанием на животных.

279. Мир Тонкий наполнен прообразами животных, но лишь крепкое сознание усматривает их. Конечно, виды таких представителей животных несчетны — от сложнейших до разлагающихся, как сор. Не следует думать, что обитатели Тонкого Мира все обладают одинаковым зрением.

Хорошее четкое зрение обязано четкости сознания, потому от начала до конца Мы советуем заботиться о ясном сознании. Давно сказано, что добро не живет в мутном колодце.

280. Можно наблюдать, насколько одновременно живут на Земле существа самых различных состояний — от первобытных дикарей до мыслителей самых утонченных. Кто-то будет уверять, что Земля находится в периоде палеолита, но другой будет доказывать, что Земля уже вступила в Золотой Век, — оба будут руководствоваться очевидностью. Также и в рассуждениях космогонических не следует удивляться соприкасанию очень различных периодов. Так многоразлично Мироздание в своей великой Беспредельности.

281. Психическая энергия толпы должна быть наблюдаема. Можно установить возрастание силы в усиленной прогрессии — именно, где двое объединены одною мыслью, там уже сила трех. Но не нужно забывать, что каждая противодействующая мысль поедает много окружающей энергии, потому так редко можно наблюдать успешное единение. Именно один конь может задержать весь караван, и успешное следствие может быть разрушено. Снова будет соткана ткань лучших энергий, но человечество щедро

расточает сужденные ему достижения. Так легко прийти к пониманию ценности объединенных энергий. Это не отвлеченность, но сама физическая действительность.

Люди хотят все завоевать и присвоить, но сила мысли для них — пустое мечтание! Так расточаются истинные сокровища.

282. Лжец еще уверен, что его ложь не будет открыта. Убийца думает, что его преступление останется тайным. Иногда можно слышать, что в суде применяются внушения и психическая энергия, но такие попытки остаются одиночными и не происходит осознания естественных возможностей борьбы со злом.

283. Следует противостать злу как проявлению хаоса. Целые страны защищаются от океана, который может залить их навсегда. Соединенные труды всего народа создают поражающие сооружения защиты. Так же и хаос может поглотить все достояние народа. Нужно понять, что волны хаоса проникают в сознание человечества. Эволюция есть антипод хаоса. Не будем глухи к раскатам хаоса!

284. С трудом люди решаются произнести простейший закон: «Благословенны препятствия — ими растем». Испытания довольно легко допускаются, но пока они не наступили. Никто не хочет ускорить продвижение через препятствия.

Но еще несноснее человечеству слышать о пользе страданий. Причина не в том, что некоторые боялись бы боли или неудобства, но они не сознают жизни вне земного существования. Они готовы претерпеть неудобства ночлега ради завтрашнего праздника, но соизмерить жизнь земную с Беспредельностью они не желают.

Ужас перед Беспредельностью является самым недопустимым позором мыслящего существа.

285. Где же будет мысль о Бесконечности, если человек ограничивает себя земным существованием? Никто не поможет ребенку радостно посмотреть в будущее, потому и труд оказался проклятием. Правда, люди становятся долголетнее, но к чему такая отсрочка, если они по-прежнему не знают о величии Беспредельности?!

286. И другое непонимание вредит восхождению человека: он не обращает внимания на происходящее около него, ему нужнее чье-то чужое. Только чужое производит впечатление, но самое ценное, близкое не вызывает внимания и изучения. Такая несоизмеримость есть следствие неведения. Нужно во всем прилагать справедливое наблюдение. Такое

обстоятельство очень обычно, но развитое сознание должно исправить и такую ограниченность.

287. Психология есть наука о мысли. Изучение мысли не может ограничиваться одним народом и одним слоем народа. Сравнение сознания различных племен даст неожиданные выводы. Можно заметить, насколько потенциал мысли не зависит от внешней цивилизации. Также можно убедиться, что богатство не будет спутником мысли. Самые, казалось бы тяжкие, условия способствуют углублению мысли. Ущерб средств благоприятствует утончению сознания.

История показывает, как слагались гнезда истинных мыслей, потому наука о мысли есть наука о Бытии. Нельзя усложнять изучение мысли никакими ограничениями. Кроме того, эта наука должна быть вечно живой, ибо мысль постоянно вибрирует и живет в пространстве. Так устремление к изучению мысли приведет к пониманию так называемых феноменов, которые есть не что иное, как неосознанная психическая энергия в различных ее проявлениях.

288. Совершенно недопустимы молитвы вредительские и саможаления. Когда человек кричит: «За что?» — он не думает ни о прошлом, ни о будущем. Он отрезает себя от Сил Высших, как бы обвиняя Их. Также жалок человек, наущающий Высшие Силы вредительствовать. И самомнение, и невежество звучат, когда человек вместо слияния с Высшими Силами пытается Их наставить на путь ненависти и жестокости.

289. Можно находить самые странные попытки изучения передачи мыслей на расстояние. Привязывали навощенную шелковинку около кисти руки и такою нитью соединяли двух человек на расстоянии. Обращали внимание на чистоту шелка и на особое качество воска. Много думали, как лучше изолировать нить над землею, но менее всего помнили, что психическая энергия не нуждается в нитках и воске. Людям казалось, что именно механическое пособие им дает успех. Но первый, предложивший такой метод, считал нить просто символом, на котором сосредоточить внимание.

290. Если существует передача мыслей на расстояние, то должно быть возможным и перехватывание таких мыслей в пространстве. Действительно, следует очень помнить это обстоятельство. Кроме проникания посторонних мыслей и в земном, и в Тонком Мире возможны особые обстоятельства, способствующие перехватыванию мыслей. Одинаковость аур может облегчать доступ мыслей, когда люди долго жили вместе или вели переписку, тогда они могут вмешиваться в ток. Если такие люди сделались опасны, тогда необходимо прервать связь аур. Такое воздействие не может быть мгновенным, иначе оно отразится на здоровье. Каждый такой процесс должен происходить естественно.

291. Решительно все неравновесия должны быть изжиты естественно. Каждое страстное неравновесие не может быть прекращено приказом и насилием. Устремление на основе утонченного сознания будет строить мост прочный. Нужно познать пользу, и тогда придет правильная эволюция. Но без осознания невозможно преодолеть земные, низшие страсти.

Сфера, окружающая Землю, уплотнена людскими страстями. Никакие силы не развеют этот туман, сотканный самим человечеством. Потому и созвучие, и цвет, и лучшие мысли будут как противоядие от заразы хаоса.

292. Во время особо тяжких токов Учитель должен напоминать о всех обстоятельствах, которым нужно противостать. Не нужно думать, что такие усиленные напоминания представляют намеки на забывчивость, наоборот, они должны лишь подкрепить, когда сложность событий как бы стирает ясность пути.

Сложность событий есть столкновение проявленного с хаосом или Света с тьмою. При самой сильной Битве можно видеть множество переходных ступеней, потому понятны недоумения тех, кто не очень разбирается в тончайших уклонах. Около радуги много разных преломлений.

293. Если исследовать пространственные осадки в городах, то можно найти среди ядовитых веществ нечто, подобное империлу. Осторожно наблюдая этот яд, можно убедиться, что он есть империл, выдыхнутый злобным дыханием. Несомненно, дыхание, пропитанное злобой, будет вредоносным. Если яд отлагается в организме при раздражении, если слюна может сделаться ядовитой, то и дыхание может стать ядоносным. Нужно предвидеть, сколько злобы выдыхается, какое разнообразие зла может составить новые сочетания ядов при огромных скопищах народа! Оно будет усилено разными испарениями разлагающейся пищи и всевозможных отбросов, которые валяются на улицах даже столиц. Пора позаботиться о чистоте задворков. Чистота нужна и на дворе, и в человеческом дыхании. Империл, выдыхаемый раздраженными людьми, есть та же грязь, тот же отброс постыдный. Необходимо протолкнуть в людское сознание, что каждый отброс может заражать близких.

Отброс нравственного разложения хуже всех извержений.

294. Ничто не может оправдать самопроизводство яда, оно равняется убийству и самоубийству. Даже самые неразвитые люди чуют, когда входит такой ядоносец. С ним входят и огорчения, и тревога, и страх. Сколько физических болезней вспыхивают от проникания империла, точно поджигатель проник.

295. Быстрота передачи мысли на расстояние неимоверна. Но существуют условия, которые замедляют даже эту молниеносную энергию,— именно отравленная империлом атмосфера. Наблюдения над мыслью могут дать замечательные выводы как физические, так и психические. Можно видеть, как злая мысль порождает империл, вещество физическое, затем то же вещество вмешивается в психическую передачу и даже может препятствовать срочному получению посылки. Так империл может последовательно усложнять следствия мыслей. Обратите внимание на то, что империл порождается самостью, но затем действует на широкие массы. Значит, самость преступна не только для собственника, но и в отношении народов.

Много полезнейших наблюдений происходит при опытах над мыслью. Именно такие размышления составят противоборство против самости. Каждое ущемление уже есть продвижение.

296. Можно наблюдать много примитивных методов для вызывания событий в памяти. Можно читать, как один правитель наклонял голову до колен, чтобы перемена кровообращения способствовала пробуждению спящей памяти. Известно, что отшельники били себя в грудь, чтобы воздействовать на «Чашу». Уявление многих примеров показывает, что физическое кровообращение связано с психическими функциями. Тем более нужно уважать науку, которая рассматривает физическую сторону жизни, но тем самым открывает новую связь, духовную, присущую всему Бытию.

297. Орудие доброе при всех испытаниях лишь проявит новые свои качества. Истинно, все доброкачественное не боится испытаний. Каждое испытание уже научит новым условиям, которые могли остаться незамеченными. Кто боится испытаний, тот трусливый невежда. Когда человек в сердце готов воспринять все опыты жизни, значит, он может мыслить о продвижении. Он может различать, где вред и где польза.

Какая радость отдать себя Общему Благу — не отвлеченному, но сознательному продвижению!

298. Часто Мы упоминаем врачей и ученых, но не следует думать, что и другие занятия не должны быть упоминаемы, когда говорим о Высшем Мире. Законники и судьи, могут ли они применять законы земные, если не имеют понятия о законах Мироздания? Как будут они устанавливать право земное, когда не мыслят о справедливости мировой! Нельзя изолировать Землю от всех Миров, нужно понять взаимодействия Мира земного и Тонкого, чтобы иметь право судить о поступках людей. Невозможно ограничивать себя какими-то случайными, бывшими решениями, которые не соответствуют действительности. Каждое время имеет свои особенности, и без представления о положении эволюции суд будет неправым. Так судья принимает на себя великую ответственность, чтобы остаться на гребне мировой справедливости.

299. Также и строители должны обогащаться вдохновением из сокровищницы Мирового Познания. Стиль времени складывается из жизни, окрыленной знанием. Как прекрасны строения, в которых запечатлена мысль о Красоте. Можно видеть, как целые эпохи восходили строительным вдохновением. Само качество строений ощущается в прочности материалов. Созидатели должны знать и средства прочные. Может ли строитель отрицать Мир Высший?

300. Излишне говорить о смысле устремления к Высшему Миру поэтам, музыкантам, художникам, ваятелям, певцам, ибо их выражение Красоты основано на вдохновении. Кто же может обозначить грань между вдохновением и Иеровдохновением? Неразличима такая грань между вдохновениями. Каждое вдохновение содержит некоторую частицу Иеровдохновения. Только само сердце может определить степень восхищения. Сам участник Красоты может почуять, когда поверх земных выражений нисходит Начало Ведущее. Потому излишне убеждать служителей Красоты о ее вершинах.

Если кто не трепещет осознанием творящей Красоты, он не будет работником на поле творчества.

301. Прочие области труда человеческого также не могут отрешиться от Начала Высшего. Труд земледельца не будет расширяться, если он будет рабом поденным. Каждая работа имеет творческую область. Мысль земная свяжет земными пределами, но эволюция содержит в себе и Высшее Начало.

Пусть будут написаны книги по разным областям труда. Пусть в них сравнивается труд рабский, ограниченный с трудом вдохновенным и беспредельным. Нужно показать во всей научности, какие возможности открываются при обновлении качества труда. Люди, обиходом подавленные, теряют кругозор. Также глаза человека не могут сразу освоиться со светом. Пусть наука всемерно помогает расширению кругозора.

302. Можно замечать на подробностях жизни, сколько космических волн касается Земли. Только невежды могут отрицать, насколько часто великие токи проникают пространство. События могут быть предуказаны, но также знаменательно проследить связь событий с психическими и физическими явлениями. И без астрологии лишь наблюдением Природы можно сопоставить явления физические с событиями.

Человечество творит больше, чем думают.

303. Следует сказать человеку — не обессиливай себя: недовольство, сомнение, саможаление поедают психическую энергию. Явление труда отемненного — ужасное зрелище! Можно сопоставлять следствия работы светоносной и работы отемненной, когда человек сам себя обокрал.

Считаю, что наука должна и в этом вопросе помочь. Уже существуют аппараты для измерения давления крови, также будут аппараты для сопоставления отягощенного или вдохновленного состояния организма. Можно убедиться, что человек, не поддавшийся влиянию трех указанных ехидн, работает в десять раз лучше, кроме того, он сохраняет иммунитет против всех заболеваний. Так опять можно наглядно убедиться, что психическое начало главенствует над физическим.

Особенно сейчас можно видеть, сколько вреда наносит себе человечество. Каждая мысль — или камень созидания, или яд в сердце. Не нужно думать, что, говоря о самоотравлении, Мы имеем в виду нечто новое — истина эта стара, как Мир! Но когда корабль близится к крушению, тогда следует вызвать к общей работе все силы.

304. Заботы земные, как камни с горы, чем ниже — тем стремительнее натиск обвала. Не лучше ли взойти на самую вершину, где нет камней обрывающихся? Устремление кверху преображает и заботы о земном. Они хотя и остаются, но смысл их меняется.

Так можно познавать, насколько вершина полезнее ущелья.

305. Одержание и самоотравление — близкие соседи. То и другое одинаково мало признаются людьми. При самоотравлении особенно легко одержание, но при одержании окончательно происходит отравление; такое отравление неотменно. Некоторые утверждают, что при одержании здоровье не только не ухудшается, но даже улучшается. Большое заблуждение,— только напряжение нервное дает кажущееся здоровье. Но вторжение чужой психической энергии непременно откроет вход разным заразам. Одержание не есть психизм, но есть поражение всего организма. Скажем определенно: одержание есть не только заболевание психическое, но и явление заразы всего организма. Многие эпидемии имеют в основании одержание. Конечно, темный одержатель не будет заботиться о здоровье последователя. Каждая болезнь есть уже разложение, которое приятно тьме. Две психические энергии не могут долго жить вместе. Может быть периодически ослабление одержания — такой метод применяется одержателями, если они дорожат жертвой.

306. Устремление к Высшему Миру есть лучшее средство против одержания. Помыслы о Высшем Мире оказываются лучшим противоядием. Возвышенные мысли не только влияют на нервное вещество, но и очищают кровь. Опыты над составом крови в зависимости от мышления очень показательны.

307. Истинно, атмосфера тяжка. У Нас заметно уплотнение низших слоев около Земли. Причин много, но нельзя, чтобы бой не имел последствий. Тем более нужно беречь здоровье и вообще быть осторожными во всем.

Когда Говорю об единении, то Имею в виду не только духовную необходимость, но и физическое здоровье. Люди не хотят знать это последнее обстоятельство и после сетуют на печальные следствия.

308. При выздоравливании можно замечать, как иногда нечто препятствует процессу. Можно предположить, что сам больной задерживает устремление организма своим отрицательным отношением, но можно убедиться, что существуют и другие причины, лежащие вне человека. Пространственные токи будут сильными побудителями всяких реакций. В госпиталях, где возможны наблюдения над многими индивидуумами, следует умело наблюдать, почему прием того же лекарства действует различно. Среди пространственных условий найдутся многие разгадки. Не следует думать, что голубое ясное небо уже будет показателем полезных токов; может быть, что грозное облачное небо утвердит лучшие токи.

Мало наблюдают за пространственными токами, мало обращают внимания на различные человеческие настроения. Нельзя объяснять все мыслями, напитывающими пространство. Кроме того, существуют тончайшие химизмы отдаленных миров, такие токи приходят в соприкасание с низшими, надземными слоями. Можно представить себе, какие сочетания могут получиться! Человек и в этом случае мало заботится о своем ближнем.

309. Проследите развитие науки за последние полвека — можно изумиться прогрессу знания. Нужно в школах показать наглядно, чем была наука всего пятьдесят лет назад и что она достигла теперь. Такое поразительное сравнение может открыть глаза человечеству на возможности будущего. Нельзя быть настолько невежественным, чтобы запрещать развитие знания. Не человекоподобен, кто преследует науку! Повторим эту укоризну несчетное число раз, пока самое мохнатое мышление не устыдится.

Такое напоминание тем уместнее, что наука, даже при быстром росте своем, все-таки не выполнила и десятой доли сужденного ей за этот период. Причин много в косности человечества. Но все-таки прискорбно видеть, что лучшие двигатели науки не оцениваются. Люди хотят исследовать пространство: скромные стратосферные экскурсии, опыты телескопические, наблюдения над Светилами — все вращаются в заколдованном круге, ибо не признана психическая энергия. Без нее останется детским занятием самый смелый полет. Без психической энергии не разглядеть пространственных путей.

То же самое происходит во всех областях науки. Неразумно пренебрегать высшей энергией. Точно во времена религиозных войн и гонений, смелые и прозорливые познаватели должны прятаться, как алхимики от инквизиции. Такое позорное положение недопустимо.

310. Пусть не думают, что напоминание об инквизиции неуместно. К сожалению, оно применимо ко многому. Разные стороны жизни находятся под инквизиционным давлением. Именно темное начало обессиливает лучшие начинания. Тьма гнездится в хоромах так же, как и в хижинах.

Не будем успокаивать себя тем, что будто бы какие-то умы за всех что-то выдумывают. Человечество обязано мыслить, оно должно сообща устремляться к достижениям. Нельзя, чтобы хаос невежества в пышных одеждах вторгался и глумился над познанием.

311. Для исследования атмосферных условий учреждаются станции в разных странах. Именно имеют значение наблюдения условий в самых различных странах.

Так же точно должны быть координированы в разных странах наблюдения над проявлениями психической энергии. Можно наблюдать, как иногда в самых отдаленных странах вспыхивают одновременно подъемы духа, являясь показателем каких-то высших причин. Также можно видеть и подавленность, которая выражается среди самых различных людей. Такие массовые явления должны быть изучаемы. Но не существует учреждения, которое взяло бы на себя такое важное задание. Может быть, найдутся отдельные наблюдатели, которые отдают себе отчет в важности такого сопоставления, но усилия их будут разрозненными и потонут в океане смущений и сомнений. Казалось бы, имеются Общества, посвященные Высшей Мудрости, но при них нет отделов научных.

Нужно иметь сотрудничество всех народов, чтобы заботливо отмечать и сравнивать явления психической энергии. Такая всемирность покажет единство Высшей Энергии. Только такими наблюдениями можно естественно дойти до ясного представления о Мире Высшем.

На каком наречии, в каких словах найти доступ, чтобы люди поняли, в чем их преуспеяние.

312. Именно ужасное время, но большинство людей не чувствует причин происходящего. Можно всеми трубами прозвучать: «Армагеддон!» Но люди только спросят: «Сколько стоит фунт Армагеддона?» Никогда не было такого смешения ничтожного с великим. Можно бы надеяться, что люди, если не понимают, то, по крайней мере, не мешали бы в Битве, но они мешают, и самые прямые пути делаются извилистыми.

313. Много неблагодарности. Советую и вам на будущее запасаться терпением и против неблагодарности и невежества. Чужие часто заботливее, потому Мы прежде всего отмечаем людей по признаку признательности.

314. Каждый может наблюдать явления психической энергии в любом месте и в любое время. Нужно сосредоточить внимание и хотя бы кратко отмечать замеченные проявления. Наверное, среди таких заметок будут и ненужные, но этим не следует смущаться. Записи имеют огромное значение, ибо проявления психической энергии необычайно быстро забываются. Каждый день нечто необычайное происходит. Не нужно считать, что имеют значение лишь какие-то потрясающие явления, иногда уловление мысли или нахождение нужных страниц может дать очень показательный пример работы психической энергии. Кроме того, путь внимания выработает и терпение — качество, необходимое для исследователя.

315. Вы имеете обширную переписку с разными странами. Если ваши друзья начнут такие же записи о психической энергии, то легко может получиться значительное сопоставление не только самих фактов, но и индивидуального к ним отношения. Также и климатические условия, и местные события должны вносить характерную окраску. Все разнообразие условий жизни может быть замечено при таких записях. Мужество неуклонного внимания поможет углубить наблюдения.

316. Правильна мысль — записывать разные установления, полезные для человечества. Эволюция требует новых форм во всем. Нужно находить полезные выводы из сложившихся обстоятельств. Пределы знания расширяются. Между отраслями науки создаются новые взаимоотношения. Многое, недавно казавшееся разделенным, теперь оказывается растущим из одного корня. Появляется надобность в новых сочетаниях сотрудничества. Необходимо проследить прежние деления, чтобы заменить их более целесообразными. Такая нужда имеется во всех областях жизни — от философии и верования до самых практических наук.

Употребляя слово *практические*, Делаю так не по смыслу, но применяя лишь обычное, принятое выражение. Ведь действительность очень отдалена от так называемой практичности. Умение различать, насколько действенность опережает механическое представление жизни, научит понять, какое обновление нужно человечеству для эволюции.

Не следует огорчаться, что некоторые нужные учреждения не сразу найдут признание. Пусть мысль работает. Люди не поспевают за лётом мысли, и тем не менее мысль ведет Мир.

317. Могут спросить — что общего между АУМом и полезными Учреждениями? И то и другое есть выражение гармонии — таким образом, не могут высокие понятия быть разделенными. Только предрассудок может так ослепнуть, чтобы не видеть путей к Единству.

318. Иногда люди доходят до такой ограниченности, что умеют все сделать ничтожным. Самое Высочайшее Собеседование для них как крупа на мельницу! Устремление

ослаблено всевозможными суевериями. Такая зараза гнездится в самых противоположных людях.

Сказано о Пути Среднем или Золотом, лучше сказать, о Тропе,— так узок проход между чудовищами.

319. Много драконов стерегут, чтобы препятствовать каждому продвижению. Многоцветны эти чудовища! Среди самых отвратительных будет серый дракон повседневности. Он пытается даже из самого Высшего Собеседования сделать пустую, серую паутину. Но люди даже в обыдености умеют сохранить свежесть обновления. Люди ежедневно умываются и находят освежение перед следующим трудом. Так же и духовное умывание не должно стать пыльною ветошью. Немногие умеют одолеть дракона повседневности. Но такие герои удесятеряют свои силы и каждый день поднимают в Поднебесье свой новый взор.

Если Беспредельность существует, то и дух человека не имеет мгновения обыденности. Радость может зарождаться от необычности ощущений. Но Высокое Собеседование не может стать обычным. Скука не в Беспредельности, но в человеческой ограниченности.

Не дадим серому дракону ликовать — он совсем не силен, и отвратительность его лишь в безобразии обихода. Где удалены грязь и безобразие, там серый дракон существовать не может.

Так одоление повседневности есть почитание Высшего Мира.

320. Кто любит точные знания, тот должен уметь принять их. Многие могут говорить о своей преданности к точным знаниям, но на деле оденут каждый факт в пестрые лохмотья предрассудка. Они не ощущают недействительности своих же предпосылок. Они умеют жаловаться на недостаток материала для наблюдения и в то же время пренебрегают самыми неповторяемыми событиями. Они хотят обернуть Мироздание по состоянию сварения желудка. Они отвернутся от самого яркого явления, если оно не соответствует их настроению. Но разве таков путь точного знания? Где же терпение? Где же доброжелательство? Где же неутомимость? Где же наблюдательность? Где же внимательность, которая открывает врата?

Не устанем твердить, насколько все врата открываются, где нет жалоб, недовольства и отрицаний.

321. Песчаные бури являются очагами заразы. Нужно замечать, где проходят волны этих ужасных вредителей. Не полезно допустить такие разрушения. Народ может справедливо осудить тех, кто допустил разрушение жизни. Целые века люди способствуют, чтобы наполнить низшие слои атмосферы частицами разложения.

Не пора ли задуматься о соотношении психической энергии с окружающими атмосферными слоями? Нельзя отравлять психическую энергию целых поколений! Столько прекрасных душ погибают от отравления планеты!

322. Ритм труда есть украшение мира. Труд можно считать победою над повседневностью. Каждый труженик есть благодетель человечества. Представим себе Землю без тружеников и увидим возврат к хаосу. Несломимое упорство выковывается трудом, именно ежедневный труд есть накопление сокровища. Истинный труженик любит свою работу и понимает значение напряжения.

Уже Называл труд молитвой. Высшее единение и качество труда возникают от ритмичности. Лучшее качество труда растит ритм Прекрасного. Каждый труд содержит в себе понятие Прекрасного.

Труд, молитва, красота — все грани величия кристалла Бытия.

323. После труда работник и добрее, и терпимее. Много усовершенствования происходит в труде. В труде — эволюция!

324. Творение добра должно быть настолько естественным состоянием человека, что не нужно и говорить о таком назначении. Человек не может указывать на свои добрые дела, как на нечто особенное, иначе можно предположить, что обычное состояние человека во зле и только в виде исключения он иногда допускает и что-то доброе.

Много заблуждений накопилось в течение тысячелетий. Люди начали считать добро на золото. Люди понесли в храм золото и драгоценные камни, уверяя себя, что они представляют лучшие достижения в мире. Люди внушили себе ложные понятия о сокровищах: они помнили сказание о золоте как источнике зла, но поспешили сделать из сказания сказку. Можно найти в истории человечества повторные восстания против золота. Каждый великий Учитель являлся повстанцем против золота, и люди спешили убить каждого, кто осмеливался восстать против их любимого кумира. Конечно, Говорю не о самом куске золота, но обо всем ужасе, его окружающем.

325. Среди сокровенного особенно остается неизвестным, кому принесло наибольшую пользу посланное добро. Никто не знает, кому помогло его добро. Можно предположить, что мысль добра достигает определенное лицо, но это будет лишь предположением. Мысль, может быть, очень помогла кому-то, нам неизвестному. Такая мысль будет посланцем добра, и человек спасенный не будет знать своего спасителя, и признательность его обратится к Высшему Миру. Когда он хочет выразить свою восторженную признательность, он посмотрит вверх, в вечное Горнило Творящей Мысли.

326. Безымянные мысли получают и сокровенную признательность. Каждая мысль добра получит и лучшую благодарность. Не нам судить, где раздастся песнь признательности. Не надо опережать слова признательности — самая прекрасная песнь благодарности звучит в минуту радости. Но о такой радости кем-то была послана мысль.

Скажем благодарно — АУМ!

327. Если человек прочтет все книги добра и не научится терпению, вмещению и соизмеримости, то он не человек. От таких жестокосердных не зазвучит признательность. О качестве признательности часто Повторяю в разных символах. Необходимо понять качество признательности как адамант Бытия.

328. Тайною Мир держится. О Тайне, о Сокровенном говорят все Заветы. В то же время сказано: «Нет тайны, которая не стала бы явной». Любители искания противоречий могут торжествовать — им кажется, что найдено нечто несогласуемое. Но они будут мыслить от Земли, и, конечно, все надземное покажется им нелогичным. Но приложите те же слова к Миру Тонкому и Высшему, и земные противоречия найдут свое объяснение. Конечно, все тайное, совершенное на Земле, уже будет явным на Высшем Плане и Тайна, недоступная в плане Беспредельности, покажется логичной.

О земных противоречиях нужно уметь мыслить, они происходят лишь от ограниченного представления. Как только будут реально осознаны Миры Высшие, немедленно разрешатся земные недомыслия.

329. Жаль, что при окончании высшей школы забыто полезное испытание, применявшееся в древности. Ученики должны были изложить избранное ими задание перед самыми разными слушателями. При этом требовалось, чтобы были найдены выражения, понятные для всех,— задача трудная. Нужно было найти для одних слова простые и не утомить ими более образованных слушателей. Не всегда собрание было удовлетворено, но ученики все-таки прилагали лучшие усилия быть понятными и в то же время затронуть сложные и высокие понятия. Такие упражнения нужны всегда.

330. Особенно нужно остерегаться всякой несправедливости — из нее растет безобразие. Человек должен понять, где начинается несправедливость. Не словами она определяется, но сердцем.

331. В гневе и раздражении человек считает себя сильным — так по земному соображению. Но если посмотреть от Тонкого Мира, то человек раздраженный особенно бессилен. Он привлекает к себе множество мелких сущностей, питающихся эманациями гнева. Кроме того, он открывает затвор свой и позволяет читать мысли даже низшим сущностям. Потому состояние раздражения не только недопустимо как производство империла, но и как Врата для низших сущностей.

Каждый раздражающийся, наверно, легко согласится с этим разъяснением и немедленно допустит раздражение еще горшее, — такова природа обычного земного существа. Можно удивляться, как легко они соглашаются, чтобы тем легче отступить. При этом будут измышлены необычные оправдания. Может быть, самый Высший Мир окажется виноватым в беспорядочном сознании легкомысленного жителя Земли! Удивительно наблюдать, как обвиняют Высший Мир во всех своих проступках!

Так можно видеть, насколько самые простые истины нуждаются в повторении.

332. Нельзя обвинять те явления, причины которых неизвестны. Только познание явлений Тонкого Мира может расширить суждение. Можно припомнить притчу о слепом, который, получив удар хобота слона, уверял, что его поразила Рука Бога.

Со всем уважением отнесемся к Высшему Миру.

333. Каким образом установить границу между негодованием и раздражением или между потрясением и страхом? Никто не найдет слов, определяющих такие почти соприкасающиеся чувства. Но будет время, когда наука найдет способ исследовать вещество, выделяемое при каждой эмоции. Чисто химическое основание пояснит, где, когда начинается определенное чувство.

Маятник жизни своим движением показывает изменение психической энергии. Так же точно химизм чувств будет определен. Уявление колебаний психической энергии показывает, насколько постоянно живет вибрация, и отмечает даже малые уклоны энергии. Так и химизм чувств не может быть постоянен. На микрокосме человека можно наблюдать, как напряжены уявления вибраций космических. Не нужно думать, что все такие наблюдения не нужны, наоборот, разве познание природы человека не ведет к усовершенствованию человечества?

334. Поручаю Учение каждому, кто живет во всех Мирах. Не считайте такое определение неприложимым. Человек именно живет во всех Мирах. Каждый день он навещает Миры, но не может осознать этих мимолетных отсутствий. Лишь немногие понимают ощущение отсутствия. Не требуется долгого времени для безвременного духа. Такие ощущения очень характерны для развитых сознаний.

335. Маятник жизни иногда может очень бездействовать. Такие знаки будут около паралича от злобы. Неслучайно выражение «Захлебнулся от злобы». Так показано, что злоба ограничена. Поток злобы не беспределен. Только нужно наблюдать колебания вибраций энергии.

336. Всякое отрицание Истины невежественно и вредно не только самому отрицателю, но пространственно. Противоборство против Истины заражает пространство, но бывает и еще более отвратительное действие, когда люди, однажды познав Истину, потом от нее отступают. Безумно такое отступление во тьму!

Можно найти в истории человечества, когда уже постигались частицы Истины, но затем по причине крайнего невежества некоторые лжеучителя пытались снова скрыть от народа непреложное положение вещей; получались акты, которые когда-то будут рассматриваться как позорные страницы истории. При этом не давалось никаких доказательств, но узурпаторы приказывали отрицать очевидность. Как бы неверие в солнце предписывалось, потому что кто-то, по слабому зрению, не мог взглянуть на солнце! Также запрещалось познание законов Тонкого Мира. Кто-то не знал о нем и по самости запрещал и другим знать действительность.

Пусть люди припомнят, сколько отступлений во тьму происходило в разные века. Может быть, такие воспоминания подвинут человечество к справедливости и честности.

337. Среди школьных изучений истории и сравнения верований пусть не будут забыты различные противоречивые постановления собраний, соборов и законодательных решений. Не для смущения умов нужно знать Истину, но для

укрепления будущего пути. Совершенствование лежит в основе знания.

Никто не может приказать не знать Истину и не стремиться к ней.

338. Если когда-то произошли ошибки по невежеству или по злобе, то нельзя же воспитывать целые поколения на тех же заблуждениях. Много говорят о предрассудках, но готовы задушить молодое поколение требованиями, не имеющими смысла.

От обихода до Космогонии — везде найдете множество утверждений необоснованных, не подтвержденных опытом и наблюдением.

Суживание мышления есть грубое преступление.

339. Каждое выделение секреций, каждое выдыхание посылает эманации психической энергии. Щедро каждый человек насыщает пространство, тем самым он обязан заботиться о лучшем качестве психической энергии. Если бы люди поняли, что каждое дыхание уже имеет значение для пространства, они проявили бы заботу очистить дыхание. Простейшим аппаратом можно доказать эманации психической энергии. Можно видеть на колебаниях маятника жизни, как постоянно вибрирует энергия. Тот же способ докажет излучения, называемые аурой, значит, в пространство беспрестанно посылаются частицы ауры и психическая энергия ткет новое заграждение.

Кто говорит о неубедительности опыта с психической энергией, тот не подумал, вообще, о существовании ее. Тупое невежество способствует отравлению атмосферы. Дóлжно понять это в самом точном смысле. Чистое дыхание не достигается лекарствами.

Психическая энергия есть основа очищения дыхания.

340. Многие из лучших понятий извращены. Прекрасно звучит: *всепрощение*, но люди умудрились сделать из него уродливое обличие: «Высшие Силы все прощают»,— таким образом, все преступления допускаются. Но дело не в прощении, которое вполне возможно, но в изживании содеянного. Справедлив Закон Пространственного Заживления. Нанесенная рана требует врачевания. Самоисцеление требует времени, ибо порванная ткань должна починиться. Лучшее созвучие — АУМ — может способствовать залечиванию ткани. Но все созвучия цвета и аромата могут способствовать, если психическая энергия допустит такое сотрудничество.

341. Борьба с невежеством должна быть явлением мировым. Ни один народ не может хвалиться, что он достаточно просвещен. Никто не может найти достаточно сил, чтобы одолеть невежество в единоборстве. Знание должно быть всемирным и поддержано в полном сотрудничестве. Пути сообщения не знают преград, так же и пути знания должны процветать в обмене мнений.

Не нужно думать, что где-то достаточно сделано для образования. Знание настолько расширяется, что требуется постоянное обновление методов. Ужасно видеть окаменелые мозги, которые не допускают новых достижений! Каждый отрицатель не может уже называться ученым. Наука свободна, честна и бесстрашна. Наука может мгновенно изменить и просветить вопросы Мироздания. Наука прекрасна и потому беспредельна. Наука не выносит запретов, предрассудков и суеверий. Наука может найти великое даже в поисках малого. Спросите великих ученых: сколько раз самые изумительные открытия происходили в процессе обычных наблюдений? Глаз был открыт и мозг не запылен.

Путь умеющих смотреть свободно будет путем будущего. Именно борьба с невежеством неотложна, как с разложением и тлением. Нелегка борьба с темным невежеством — оно имеет много пособников. Оно ютится во многих странах и прикрывается различными одеяниями. Нужно запастись и мужеством, и терпением, ибо борьба с невежеством есть борьба с хаосом.

342. Опыты над психической энергией можно производить в разных помещениях и в разное время. Тусклый свет иногда даже способствует проявлению энергии. Но резкий солнечный свет может усложнять опыт своим сильным химизмом. Также разнообразны условия помещения. Лучше всего помещение, напитанное излучениями исследователя. Но каждый случайный предмет может вносить свое воздействие. Сами объекты наблюдения не следует держать вместе, особенно во время наблюдения. Также не нужно иметь около звучащие предметы и струнные инструменты, которые могут вибрировать на посторонние воздействия. Само настроение наблюдателя имеет большое значение. Раздражение и беспокойство не могут помочь полезному исследованию.

Когда почувствуете усталость, не следует насиловать энергию. Ту же силу следует беречь и во всех обстоятельствах. Не расточать, но беречь нужно силу, которая так чудесно расширяет область познания.

343. Предметы, окружающие опыты, не раз вызывали

удивление у начинающих изучать. Иногда самый обиходный предмет способствовал опыту, но другой, весьма обдуманно внесенный, лишь затруднял ток энергии. Из этого можно заключить, насколько закон тонких энергий трудноуловим. Так, не способствует опыту мех животных в силу своеобразного электрического воздействия.

344. Терпение есть сознательное, планомерное понимание происходящего. Терпение нужно воспитывать как пособника продвижения. Нелепо представить терпение как внутреннюю атрофию, наоборот, процесс терпения есть напряженность. Так энергия принимает участие в событиях, способствуя им и не предпосылая заблуждения.

Так следует приучать учащихся к терпению в его истинном значении.

345. Пытаются понимать путь терпения как претерпевание невзгод. Но такое понимание будет недостаточным, ибо унижает смысл энергии. Человек, знающий, что ему разумнее применить силу свою не сегодня, но завтра, лишь будет распознающим путь полезный. Не претерпевающий он, но понимающий пользу. Потому так важно очистить значение многих наименований.

Каждое слово уже слагает определенное настроение. Но если наименование неточно, то может случиться горевание вместо радования, и наоборот. Точность нужна во всем мире. Каждый опыт с психической энергией подтверждает, что главные условия — точность и краткость мысли — дадут лучшие следствия.

346. Наблюдения с маятником жизни показывают великое значение психической энергии. Самый простой способ может пробудить самые глубокие познания, лежащие в глубине сознания. При этом особенно важно отмечать пространственную вибрацию, которая действует, как беспроволочный телеграф. Каждый час может выявить качество пространственных токов, которые описывают состояние целых народов.

Разве не поразительно, что человеку дано знать такие синтезы мировых событий и он так пренебрегает самым ценным своим достоянием?

347. АУМ в своем созвучии напоминает о той же энергии, которая в сокровенности, в огне мысли претворяет самые великие возможности.

348. Нередко являются одинаковые достижения в разных странах одновременно. Исследователи, писатели, художники вдруг получают то же самое задание. Конечно,

оно может прийти извне, но может и сообщиться от дальнего сотрудника. Оно может мысленно перелететь пространство и осенить более близкого, потому полезно производить наблюдения повсеместно. Многое ускользает от наблюдения, ибо люди не могут припомнить, когда что-то вдохновило их, но по заданию их работы можно усмотреть связь между их сознаниями. Для опыта над психической энергией очень важно проследить такие подобные сознания.

Мысль особенно легко оплодотворяет сходные сознания. Излучения таких сознаний будут одного цвета, но обычно посылки от более густого тона получают доступ до более светлого. Не значит, что более светлый оттенок слабее или хуже, но интенсивность цвета более проникает в слои менее густые, наоборот, светлый оттенок скорее растворяется в густом и не может вызвать трепета излучения. Такой трепет ауры есть вход в сознание.

Не смешаем трепет ауры с ударом по ней. От первого рождается вдохновение, от второго — потрясение.

349. Опыты над психической энергией доставляют радость. Каждое наблюдение вызывает возможность следующего устремления. Несчетно число догадок и сравнений. Таким путем — от обихода до дальних миров можно испытывать энергию психическую.

350. Опыты над психической энергией всегда утомительны. Такое напряжение нельзя вызывать больше получаса, иначе здоровье может пострадать. Но краткое упражнение, сопровожденное отметками, полезно, ибо каждая дисциплина лишь укрепляет.

351. Упражнение энергии полезно. Каждое испытание ее пробуждает новое качество ее. Особенно нужно помнить это, ибо недавно Говорил об утомлении при нагнетении энергии. Но не следует вывести из возможности утомления нежелательность опытов. Можно, не впадая в утомление, упражнять энергию. Она, как и все Сущее, нуждается в упражнении. Через разумное упражнение уменьшится усталость.

Каждая энергия должна быть испытана в действии. Даже мускулы должны быть упражняемы — так люди могут постоянно пробуждать дремлющие в них силы. Нужно понять такое пробуждение как долг человека перед высшими мирами. Причин много, почему могут энергии оставаться в сонном состоянии. Можно перечислить, начиная с кармических следствий. Но весьма обычно людское сознание спит по лености. Такое свойство называется пуховиком зла.

Самые лучшие возможности не претворяются в жизни, когда завеса лени отяжелит взор. Не нужно искать оправданий, когда тело и дух падают от лени.

Некогда заповедано, что лень хуже ошибок.

352. К лени присасываются сомнение и саможаление. Никакая энергия не придет в действие при таком ядовитом грузе. Сомнение выедает все. Попытки и саможаление расслабляют даже сильных духом. Такое введение должно быть предпослано каждому, кто хочет привести в действие психическую энергию.

353. Психическая энергия может указывать и качество пищи, и вред отравы. Истинно, сам человек носит в себе пробный камень. Успешно можно прилагать ту же энергию и для определения болезней. Особенно можно следить за колебаниями условий.

354. Нередко врачи замечают, что самая опасная болезнь вдруг проходит почти без следа. Наверное, будут предпосланы догадки, что лечение или какие-либо внешние обстоятельства повлияли благотворно. Но главная причина будет всегда забыта, которая может произвести самые неожиданные следствия,— психическая энергия, только она одна может изменить течение болезни.

355. Все опыты с психической энергией помогают дисциплине. Необходимо признать дисциплину как спасительный ритм. Самые значительные опыты могут быть брошены без внимания. Нечто, уже начавшееся, может быть пресечено. Всякое насилие над психической энергией противно Природе. Напомним опыты со снимками. Если первый снимок не удался, то недисциплинированное сознание уже разочаровывается. Но в порядке разочарования никакие опыты невозможны. Много условий могут помешать первым попыткам. Малодушие подскажет, что не следует продолжать изыскания. Страх показаться смешным может нарушить самые полезные наблюдения.

356. Среди наблюдений над психической энергией маятник жизни может быть весьма замечательным опытом. Но для таких наблюдений нужно иметь дисциплинированную энергию. Не полезно применять маятник жизни, пока энергия еще не пришла в напряженное состояние. Даже сильный потенциал энергии не будет полезен, пока не произойдет естественное накопление энергии. Все такие опыты касаются тонких энергий и потому чрезвычайно чувствительны.

Сам наблюдатель может постепенно усвоить много индивидуальных подробностей. Не нужно думать, что многообразие таких подробностей будет нарушением закона, наоборот, кажущиеся исключения будут сочетанием новых частиц энергии. На одном инструменте два музыканта не извлекают одинаковых аккордов, но трудно сказать, который исполнитель лучше. Каждый может дать свой очень ценный характер.

При опытах над психической энергией естественно будет придержаться индивидуальности самой энергии. В богатстве мироздания каждое выражение энергии индивидуально. Тем значительнее будут изыскания.

357. Существуют мнимые больные, которые внушают себе все признаки болезни. Но имеются еще более опасные виды, когда человек имеет в себе зачатки болезни и вместо противоборства поддается ей и сам лишает себя возможности выздороветь. При первом случае можно легко действовать внушением, ибо самой болезни нет, но во втором — гораздо труднее. Человек сам ускоряет процесс болезни. Он становится слугою своего заболевания; он старается всеми силами усугубить симптомы болезни. Он постоянно следит за собою, но не в желании выздороветь. Он впадает в самое губительное саможаление и тем отгоняет всякую возможность внушения.

Человек даже обижается и сердится, когда ему говорят о возможности исцеления. Так можно дойти до опасной степени подавленности, которая уже не может быть претворена в подъем сил, и действует как бы обратная энергия, и человек лишается своего основного блага — стремления к самоусовершенствованию.

358. Неудивительно, что, наконец, и в больницах применяется внушение. Несколько веков потребовалось, чтобы признали реальность этой энергии. Но и признание весьма ограничено. Вместо широкого применения во всей жизни начинают пользоваться ею лишь при некоторых хирургических операциях. Но ведь у нас уявлена возможность прилагать ту же энергию и при ненормальностях пульса, и при нервных воспалениях, и при параличах, и накожных заболеваниях.

Словом, психическая энергия может помочь человечеству на всех путях.

359. Люди не желают видеть сущности происходящего. Но сущность происходящего не меняется от личного желания или отрицания. Никто не может сказать, что Армагеддон не ведет к победе сужденной страны. Удивительно видеть, как люди долго не понимают сужденного. Так бывает при пожаре дома, когда жильцы не хотят поверить, что нечто уже совершилось.

Сама очевидность не помогает там, где человек сам завязал глаза.

360. Замечайте, какие именно явления труднее всего воспринимаются людьми. Среди таких законных проявлений особенно нелегко принимается безвременная быстрота передачи мысли. Даже наблюдения над быстротою передачи радиоволн не убеждают людей. Они не могут представить себе, что мысль не требует времени. Никто не хочет понять, что мысленный вопрос может получить ответ немедленно.

Так наблюдайте и над многими другими явлениями, не вмещаемыми сознанием неподготовленного мышления. По таким отрицательным знакам можно составить понятие, чем особенно больно человечество.

361. Умение понять, что́ менее всего достигает собеседников, уже дает лучшие пути достичь их сознания. Но не дайте понять, что вы видите их состояние. Такую зоркость люди не прощают, они могут стать врагами.

Нужно понять терпение, чтобы вернуться к тому же предмету в ином выражении.

362. Значение некоторых нравственных понятий должно быть просмотрено со стороны не только духовной, но и научной. Беру на рассмотрение понятие доверия — даже у первобытных народов понятие доверия полагалось, как основа общения. Уже в древности понимали, что такое понятие имеет особое значение. Лишь впоследствии, при развитии притворства, люди начали допускать ложную личину, думая, что можно обмануть внутреннее сознание. Но при развитии научных методов можно проверить ценность истинного доверия.

Возьмем собеседование двух людей. При взаимном доверии излучения будут хороши и даже будут улучшаться от сочетания энергий. Теперь посмотрим: если один из собеседников лицемер или они взаимно не доверяют друг другу, аура будет отвратительна, с черными и серыми пятнами. Мало того, оба притворщика будут вредить обоюдно, и для зародыша их болезней не будет лучшего рассадника. Кроме того, пространство будет заражено от такого ложного употребления энергии.

Значит, мало понимать доверие как отвлеченное нравственное понятие. Следует оценить доверие и как спасительное средство.

363. Явление доверия необходимо при Высшем Собеседовании. Без доверия лучше и не касаться таких предметов. Сквернословие получится вместо вдохновения. Малое недоверие при самых действиях подобно чумной язве, она появляется не сразу на всем теле. Так будем осторожны с великими Понятиями.

364. При истинном доверии каждый поступок сотрудника уже понят благотворно. Если была надобность определенного действия, значит, оно было необходимо. Не может быть сомнения там, где горит огонь взаимности. Так же можно посмотреть и на прочие виды сотрудничества.

365. При грозе можно наблюдать две человеческие крайности — одни будут от ужаса зарываться в пуховики, другие от смелости будут бегать и могут получить опасные разряды. Совершенно то же самое относится и к Высшему Миру в представлении большинства людей — одни впадают в ханжество, другие — в кощунство. Но весьма редко человек воспринимает Высший Мир как естественное и сопутствующее условие.

Люди не воспитываются в понимании Основ Бытия. Сами достижения науки стоят особняком и не помогают преображению всей жизни. Необходимо твердить о Мире Высшем. Не нужно думать, что сказанное о нем достаточно запечатлено в сердцах людей. Можно находить новые подходы, чтобы величие Бытия соединилось в сознании в беспредельном понимании.

Нужно полюбить эти наблюдения, чтобы без утомления и опошления прилежать сердцем самоотверженно.

366. Много людей наблюдают затмения, но со стороны психической энергии не уделяют внимания. Между тем вы могли убедиться, что психическая энергия своеобразно реагировала на солнечное затмение.

Разве не поразительно, что люди не изучают свою основную энергию? Поистине, она должна вибрировать на все явления. Только внимательное отношение может открыть новые качества. Нужно не удовлетворяться теми наблюдениями, которые сделаны в прошлом. Каждое время дает свои изысканные наблюдения.

Можно радоваться, что люди обладают такой силой, которая может преображать всю жизнь. Но будем очень осторожны, ибо тонкие энергии требуют и утонченного обращения. Можно было убедиться, что даже присутствие одного предмета могло вносить особую вибрацию.

367. Могли вы заметить, насколько токи влияют на психическую энергию. Также могли заметить, насколько скоро меняются токи и утверждается совершенно другое напряжение психической энергии. Такие наблюдения следует очень запоминать. Люди не умеют сообразовать свои действия с токами пространственными. Люди полагают, что даже изучение токов пространства уже есть какое-то сверхъестественное колдовство. Правильно вы изумляетесь, что многие разумные люди, изучающие психические явления, все-таки остаются единицами, не влияющими на массы.

Трудно убедить людей в их собственной силе, но тем не менее будем всеми мерами твердить о замечательных возможностях.

368. Известно, что каждое злое действие должно быть изжито, но вас спросят: «Как происходит справедливость над одержимыми? Кто понесет следствие — одержимый или одержатель?» Кто может разделить, где воля одержателя и заложенная воля в самом одержимом?

Одержание происходит, лишь когда доступ открыт. Мало того, до одержания уже зло шепчет и подготовляет слабый дух. У нуждающихся во зле появляются и привлеченные ими сущности. Карма одержимых тяжка!

369. Для всего нужно движение энергии. Не будем смешивать движение физическое с психическим. Так, уже с древних времен понимали, что гимнастика может быть двоякая — и психическая, и физическая. Первая будет даже действительнее, нежели вторая, если она применена сознательно.

370. При опытах над психической энергией можно изумляться молниеносности силы при передаче на расстояние. Люди полагают, что всегда требуется продолжительное воздействие. Когда говорят, что кто-то впал в сомнение, обычно предполагают значительное время. Но правильнее будет сказать — мелькнуло сомнение. Именно одно такое мгновение оставит неизгладимый след.

Следует воспитывать себя в осознании качеств психической энергии. Если кто скажет, что он достаточно читал о свойствах психической энергии, пожалейте такого невежду. Ведь до сего времени негде было и знакомиться с изучением настоящей Основы Бытия. Наблюдения были одиночными и даже подвергались гонению. Многие ценные выводы не были напечатаны и погибли в разрозненных рукописях. Правильно поступаете, относясь доброжелательно к познаванию.

Преграды, воздвигаемые невежеством, нужно поставить на заслуженное место.

371. Каждое познавательное движение встретим дружелюбно. Найдем силы отрешиться от личных привычек и суеверий. Не будем думать, что легко побороть атавизм, ибо наслоения физические несут в себе предрассудки многих веков. Но если твердо осознаем тягость таких отложений, то уже один из самых трудных затворов будет открыт. За ним отопрется и следующий, когда поймем, зачем должны приложить в земном мире все действие. Только таким путем дойдем и до третьего входа, где поймем сокровище вверенной людям основной энергии. Кто научит признать ее, тот будет истинным наставником.

Не доходит человек до понимания своей мощи без Руководителя. Много всевозможных уловок таится на пути человека. Каждая приютившаяся, явленная ехидна надеется скрыть от человека самое драгоценное. Он, как путник заблудившийся, не знает, в какой стихии искать преуспеяния, но сокровище в нем самом.

Мудрость всех веков указывает: «Познай самого себя!» В таком совете обращено внимание на самое сокровенное, которому суждено стать явным. Огненная мощь, временно названная психической энергией, даст человеку путь к счастью будущего. Не будем надеяться, что люди легко признают свое достояние. Они изобретут все доводы, чтобы опорочить каждое нахождение энергии. Они обойдут молчанием сужденное качество своего продвижения, но тем не менее путь един!

372. Следует раскрыть истинное значение так называемых медиумов. По значению самого слова они посредники между мирами. Но не забудем, что всем людям дано это общение, все люди медиумы. Конечно, неповторимое разнообразие мироздания дает каждому воплощенному свой удел общения. Но дело в том, что большинство людей не замечает своих способностей. Наоборот, они под давлением невежества пытаются погасить каждое проявление своей особенности.

Так поймем, что посредничество между мирами дано каждому человеку в своей мере и в своей особенности. Как прекрасно изучать такое несравненное разнообразие!

373. Следует между разнообразием данных разумно различать источник общения. Именно могут быть весьма мрачные проявления. Нет противоречия в разнообразии посредников, ибо различие слоев будет привлекать и своих родственников по природе. Могут быть самые отрицательные проявления, но единственное исцеление будет в нас самих. Приобщенное к просвещению сознание во всей чистоте может удержать от грязного постоялого двора. Одно дело — открыть окно во мрак, другое — допустить сияние Света.

Знание, согретое сердцем, покажет людям прекрасное сокровище.

374. Всегда предостерегайте против низшего психизма, который может вести к одержанию. Нет противоречия, что энергия может быть направлена к добру и ко злу. Та же самая сила может служить к созиданию и к разрушению. Лишь высокое мышление и чистота сердца могут ручаться за доброе использование мощи. Каждый должен помнить, что ему доверено служить преуспеянию Мира. Это уже было сказано, но вы правильно заметили, что невежды могут усмотреть противоречие в том, что дурное будет умножать зло и доброе будет служить добру.

Когда люди желают возражать, они готовы не допустить простейшей истины. Куда можно направить энергию, если воля и мысль устремлены ко злу? Естественно, мощь потечет по мрачному каналу. Кто хочет низшее, тот его и получит. Неизменны слова об одержании, ибо оно представляет опасность для усовершенствования жизни. Также и посредники не должны быть низкого порядка. Невежество и злоба могут привлечь лишь соответственные ответы. Но каждый должен стремиться лишь к лучшему.

375. Энергия может применяться решительно во всех случаях. Она может показать степень намагничивания предметов или воды. Она, как самый чуткий аппарат, может мгновенно улавливать колебания токов на дальнем расстоянии. Она может следить за мыслями каждой строки рукописи. Она есть показатель качества излучения. Она в руках добрых есть орудие добра.

Конечно, многие, по счастью, не знают подступа к мощи. Только при улучшении сознания можно доверить психическую энергию для широкого пользования. Пусть это доброе время наступит скорей.

376. Каждому нечто дано. Можно радоваться, что никто не пересекает пути ближнего. Сознание расширенное указывает, как многообразны проявления психической энергии, потому каждый описывающий должен сказать, что испытано и наблюдено им. Не следует обобщать ощущения, ибо проявления энергии зависят от множества условий.

Но главным будет чистота мысли.

377. Изучение прогрессии коллективной энергии может доказать, что единение не только нравственное понятие, но и мощный психический двигатель. Когда твердим о единении, Мы хотим внушить сознание великой силы, находящейся в распоряжении каждого человека. Невозможно представить неопытному исследователю, насколько возрастает собирательная энергия. К такому проявлению надлежит подготовить сознание. Удача опыта зависит от устремления всех участников; если хотя бы один не пожелает участвовать всем сердцем, то лучше и не приступать к опыту.

Уже в древности знали мощь объединенной силы. Одинокие наблюдения иногда объединялись в общие исследования, получалась целая цепь, и наблюдатели полагали руку на плечо предыдущего. Можно было видеть необычные колебания энергии; при согласованном устремлении получалась напряженная сила. Таким образом, когда Говорю о единении, Имею в виду реальную силу.

Пусть запомнят все, кому нужно запоминать.

378. Психическая энергия в древности иногда называлась воздухом сердца. Этим хотели сказать, что сердце живет психической энергией. Действительно, как без воздуха человек не может прожить долго, так и сердце отходит от жизни без психической энергии.

Многие старинные определительные должны быть пересмотрены доброжелательно. Люди давно замечали явление, которое теперь остается в небрежении.

379. Намагничивание воды, поставленной около спящего человека, уже будет показателем выделения его излучений и отложением силы на предметах. Следует весьма внимательно отмечать такие отложения — они могут напомнить об обязанности человека наполнять окружающее прекрасными отложениями.

Каждый сон не только наука для тонкого тела, но и рассадник психических отложений.

380. Также показательны опыты над распространением силы отложений. Можно заметить, что энергия испаряется в разной степени. Некоторые сильные излучения могут действовать несравнимо дольше, но они будут посланы чистым мышлением. Итак, чистое мышление тоже не есть лишь нравственное понятие, но реальное умножение силы. Умение воспринять значение нравственных понятий относится к области науки.

Нельзя легкомысленно делить науку на материальную и духовную, граница будет несуществующей.

381. Наблюдения следует вести не только над согласованными привходящими, но также и над разъединяющими появлениями. Опыт ценен разносторонний. Невозможно предрешить при начале исследования, какие именно ингредиенты потребуются для усиления следствия.

Можно призвать сотрудничество самых неожиданных предметов, ибо свойства тончайших энергий не могут быть ограничены. Такая беспредельность возможностей нисколько не нарушает научности исследования. Можно применить индивидуальные методы и такие новые проявления мужественно принять.

Никто не может указать, где кончается мощь человека. При этом не сверхчеловек, но именно самый здоровый человек может окрылиться счастливым достижением. В каждом обиходе может быть изучаема психическая энергия. Не нужно особых дорогих лабораторий, чтобы воспитывать сознание.

Каждый век несет свою весть человечеству. Психическая энергия имеет назначение помочь человечеству среди не решимых для него проблем.

382. Умейте терпеливо наблюдать, какие условия наиболее благоприятствуют опыту. Могут быть условия космические, или на яркую световую окраску, или на минералы, или на явления животных. Когда Говорю о железе и азотных минералах, Имею в виду индивидуальное значение. Следует самим распознавать, где лучше селитра или ляпис. Много можно найти сочетаний, которые дадут лучшие последствия для усиления психической энергии.

383. Можно наблюдать, как присутствие человека в соседней комнате может воздействовать на ток энергии. Именно различны будут такие воздействия. Ведь человек не дает себе отчета, как он настроен в данное время.

Можно наблюдать, что человек будет утверждать наилучшее свое настроение, но аппарат покажет раздражение или другие нехорошие чувства. Не из лжи человек будет скрывать внутренние чувства, но чаще всего от неуменья распознать свои ощущения.

384. Кроме исследований психической энергии на цвет, испытывайте ее на звук и аромат. Можно получить показательные воздействия музыки, при этом замечайте и расстояние, и самые музыкальные гармонии. Много говорят о воздействии музыки на людей, но показательных опытов почти не производят. Можно заметить воздействие музыки на настроение человека, но это будет общим местом. Конечно, предполагается, что веселая музыка сообщает радость, а печальная — горе, но таких выводов недостаточно. Можно проверить, какая гармония наиболее близка психической энергии человека. Какая симфония может наиболее мощно влиять на успокоение или на вдохновение людей? Нужно испытывать различные музыкальные произведения. Само качество гармонизации даст лучшие указания о путях звука и жизни человека.

Также необходимо исследовать влияние ароматов. Нужно приближать как цветы пахучие, так и разные составы, которые должны возбуждать или понижать психическую энергию.

В конце концов, можно соединить цвет, звук и аромат и наблюдать сотрудничество всех трех двигателей.

385. Люди, наконец, поймут, какие мощные воздействия их окружают. Они познают, что весь обиход их жизни проявляет великое воздействие на их судьбу. Люди научатся внимательно относиться к каждому предмету. Они окружат себя истинными друзьями и уберегутся от разрушительных влияний.

Так спасительная энергия поможет в переустройстве жизни.

386. Обычно самому главному уделяют наименьшее внимание. Но Мы не устанем твердить о том, что́ неотложно нужно человечеству. Среди таких кажущихся повторений Мы утвердим желание познавания. Люди слишком привыкли, что за них кто-то думает и что мир обязан взять их на попечение. Но каждый должен внести свое сотрудничество. Умение приложить свою психическую энергию будет постепенным воспитанием сознания.

387. Не следует видеть противоречие в том, что опыты с психической энергией вызывают утомление. Невежды могут сказать — если эта энергия основная, то почему общение с ней должно причинять утомление? Такие возражатели не хотят понять, что при опытах энергия как бы конденсируется и, кроме того, окружающие условия являются главной причиной возможности утомления. Ненормальность окружающих условий повреждает многие уже возможные достижения. Потому Советую производить опыты вне города — уже такое условие немало поможет.

Также следует избегать насыщенных последствий ссор и всяких раздражений. Империл будет главным врагом развития психической энергии. Также не полезна атмосфера, напитанная пищевыми испарениями. Также не полезно пребывание животных — так каждый в своих возможностях устранит неполезное.

388. Психическая энергия есть тончайшая, потому и обращение с нею должно быть возвышенно-утонченно. Следует твердо запомнить, что сила психической энергии есть огненная мощь. Около огня, проявленного и непроявленного, нужно устремляться особенно осмотрительно. Нужно полюбить такую всенасыщающую энергию. Нельзя отнестись к опыту, сомневаясь или враждебно. Уже давно Говорил о добром отношении, постепенно Учил, как подойти к самому важному понятию.

Необходимо для усвоения приемов опыта с психической энергией уметь владеть своим мышлением. Не только, чтобы уметь устремлять его, но и знать, и удержать мысли от действия.

389. Редко люди представляют себе, как далеко может воздействовать психическая энергия. Но пора понять, что события великой важности совершаются на основе психической энергии. Можно найти замечательные примеры личностей, которые сознательно или несознательно являлись средоточием решений великих.

Ученые могут признать, что опыты с психической энергией дадут самые неожиданные заключения. Не будем чрезмерно облегчать условия нахождений: что легко, то не ценится.

390. Весьма осмотрительно даем указания об исследовании психической энергии. Во-первых, некоторые люди могут употреблять сведения во зло; во-вторых, некоторые могут злоупотреблять опытом в отношении своего здоровья; в-третьих, некоторые, не имея способности к этому опыту, могут клеветать о неосуществимости сказанного. Пусть лишь преданные знанию приобщатся к серьезному изучению. Всем приходилось встречать многих, которые из самого важного делали посмешище. Издевательство не есть только невежество, оно доказывает низость сознания.

Утверждаю, что психическая энергия должна быть изучаема со всем вниманием. При обсуждении психической энергии не должно быть препирательств. Каждый опыт может быть повторен в понимании индивидуальности отдельных случаев. Именно каждый опыт протекает в особых условиях. Это обстоятельство следует помнить, ибо найдутся люди, которые даже от тончайшей энергии потребуют механического повторения.

Вмещение индивидуальности и законности часто особенно трудно.

391. Также можно замечать перерывы токов. Как в авиации можно встречать мертвые пространства, так и в наблюдении токов можно отмечать внезапные замирания. В древности такие явления назывались молчанием Природы. Даже в машинах при перемене токов замечается вздрагивание. Конечно, психическая энергия особенно отмечает такие перемены.

392. Естественно, что психическая энергия покажет добрые знаки над веществами, которые людям полезны. Не следует изумляться совпадению добрых знаков с личными чувствованиями. Наши чувствования должны совпадать с правильными оценками. Если какое-то вещество неприятно человеку, то обычно оно оказывается неполезным. Причина будет не в самовнушении, но в непосредственном чувствознании.

Можно заметить, что мы гораздо больше знаем, нежели представляем себе. Процесс добывания непосредственных знаний из глубин сознания будет помощью психической энергии.

Так можно признать психическую энергию за путеводителя по всем областям знания.

393. Замечено, что некоторые народности легко проявляют психическую энергию. Нужно наблюдать такие страны. Причина может лежать или в особенностях самого народа, или может заключаться в природных воздействиях.

Могут быть некоторые металлы, которые отвечают строению местных жителей; могут быть магнетические токи в связи с подземными водами. Также и некоторые лесные породы могут усиливать или затруднять действие психической энергии. Дуб и хвоя хороши, но осина, ольха и малые вязы редко помогают энергии. Но такие условия будут лишь второстепенными.

Самое главное будет заключено в человеке. Можно видеть, как еще недавно пренебрегали важными железами. Также и посейчас люди не мыслят о психической энергии.

394. Физиология и философия на разных языках одинаково избегают говорить о самом главном. Можно созвать многочисленные собрания, но особенно прискорбно будет наблюдать, какие уловки будут изобретены, чтобы не произнести самого простого и не подойти к решению простейшему.

Умение помыслить просто и ясно будет следствием воспитания духа.

395. Следует отмечать посылки мысленные на течение психической энергии. Можно не воспринимать в словесном выражении посылку, но на ритме психической энергии она может отразиться. Это не будут перерывы, как при смене токов, но все-таки начертание психической энергии изменится. Может быть, вместо круга появится эллипс, или сам круг изменит диаметр, или могут обнаружиться дрожания,— так можно замечать касания мысли, если она была достаточно сильной. У древних наблюдателей имелось название вроде касания крыльев, ибо мысль всегда представлялась крылатой.

Много обдуманных символов осталось для нашего понимания. Изучение символов даст понятие о глубине древнего мышления. Если редко находимы остатки старинных приспособлений, иначе говоря, аппаратов, то в символах можно усмотреть нечто гораздо более глубокое, нежели принято допускать. Но раскопки могут иногда дать части каких-то непонятных предметов.

Нужно подумать о течении древнего мышления. Такое изыскание на основе вещественных находок может привести к замечательным выводам. Даже при наблюдении древних изображений люди часто вкладывают значение, самими придуманное. Нужно быть очень зоркими.

396. Так очень важен вопрос, долго ли сохраняются наслоенные мысли на предметах? Можно заметить, что иногда они сохранятся веками. Иногда для лучшего сохранения таких наслоений употреблялись сплавы металлов. Такая попытка заслуживает внимания, она показывает, насколько люди были ученее, нежели можно представить. Крайности быта были велики, но в лучшем случае восхождение мысли было блестяще.

397. При изучении эманаций розы вы заметили, что даже прохождение мимо цветка уже оказывает влияние на его эманации. Из одного такого наблюдения можно видеть, как чутки растения и как мощны воздействия человека. И другой опыт имеет большое значение. Если человек своей энергией может воздействовать на следующий этаж через балки и ковры, то какие выводы можно сделать для людских общежитий!

Можно понять, что человеческое общение возможно лишь при условии полного доброжелательства. Опять нравственное понятие становится реальным двигателем. Так психология делается самой действенной наукой. Очень показательно для эпохи, что даже так называемые отвлеченные понятия становятся двигателями жизни.

Могут спросить, начинается ли новая эпоха? Истинно, началась, ибо входит в жизнь осознание великих энергий — наука восходит на новые высоты.

398. Могут найтись такие невежды, которые станут отрицать пользу высших энергий. Они дойдут до такого кощунства, что станут утверждать, что познание энергии есть лукавое зло. Наверно, встретите нелепые суждения о недобром начале науки. Даже и теперь имеются темные невежды, которые восстанут против блага человечества. Но не обращайте внимания на эти голоса мрака — они будут всегда. Хула, насмешка и клевета — единственное оружие тьмы. Но вы уже наблюдаете прекрасную энергию, и никакие поношения не огорчат вас.

399. Знаки Новой Эпохи растут. Они не погибают от Битвы. Цветы на лугах не умирают от грозы, и ливень лишь омоет их свежесть. Так нужно понять значение столкновения полярностей.

400. Каждое физическое прикосновение содержит в себе акт большего напряжения. Каждый укротитель животных знает силу прикасания. Даже садовник понимает значение физического ухода за растениями, но люди между собою не желают признать осторожности в общении. Уже видели, как даже приближение человека совершенно нарушало ритм энергии. Если так не трудно достичь показательных результатов, то как же нужно использовать такое убедительное знание.

Люди не хотят принять закона общежития. Можно несчетное число раз твердить о благе единения, и все-таки мало кто задумывается о причинах такой настойчивости.

401. Немногие удостоверялись в значении пассов магнетических. Но такое проявление должно быть неотделимо от психической энергии, иначе складывается уродливое представление, что внушения, магнетизм, яснослышание, ясновидение и все прочие психические явления разделены и происходят из разных источников.

Между тем пора понять единство основной энергии. Каждый опыт показывает разнообразие, но при единстве основной энергии.

402. Ощущение землетрясения на расстоянии сходно с чуянием мысли на расстоянии. Также энергия схватывает и запечатлевает каждую вибрацию — от самых великих явлений до падения лепестка розы. Психическая энергия неусыпна и готова отмечать действия всего Сущего.

403. В древних сказаниях нередко упоминается, как герои должны были проходить мимо страшных чудовищ, чтобы найти сокровище. Они должны были не испытывать страха, иначе чудовища растерзали бы их. Особое качество зрения, чтобы смотреть не видя, уже упоминалось. Но теперь приближается явление психической энергии, и нужно особенно уметь владеть своими чувствами. Нужно воспитывать их, чтобы мочь вызывать их в действие или сознательно тушить до полного замирания.

Именно, как сказано, чтобы уметь смотреть не видя,— это будет лучшим примером владения чувствами? Ведь для опыта с психической энергией нужно уметь сокращать свои чувства, чтобы освободиться от предпосылок.

404. Также сказано, что иногда не легко заставить себя думать, но еще труднее приказать себе не думать.

Умение владеть мышлением зависит от постоянного упражнения; для опыта такое упражнение необходимо. Каждый день можно заставить себя не думать о чем-то определенном. Но не следует себя обманывать, что приказ не думать уже может в себе не содержать мысли.

Полный отказ от мысли и предпосылки уже является большой мыслительной дисциплиной.

405. Наблюдения над психической энергией зависят от внутренней честности исследователя. Он сам лишь может судить, когда он воздержался от предпосылки; он может судить, когда он избежал желания.

406. Более одного часа нельзя заниматься опытом, ибо можно выдать чрезмерно энергию, что скажется через некоторое время.

407. «Дай испить живой воды от твоего изголовья!» — так было сказано в одной древней рукописи.

Позднейшие толкователи изъясняли символическое значение изречения: живая вода означает океан мудрости, изголовье значит вершина познания. Между тем как надпись имела медицинское значение.

Ученик просил Учителя дать ему испить намагниченную воду, стоявшую около его изголовья. Можно находить много изречений о намагничивании воды. На древних изображениях можно видеть, как пьют из сосуда или священного источника.

Уже давно люди знали о двух способах намагничивать воду. Один, когда намагничивают пассами, а другой естественный, когда вода ставилась у изголовья. При этом первый способ предпочитали для некоторых недомоганий, но второй считался лучшим для общего поддержания сил. Такую воду или пили, или ею окропляли.

Рассказывают, что некая царица Пальмиры приказывала своим приближенным ночевать около бассейна, приготовленного для омовения. Также и библейское сказание о царе Давиде показывает, как ценились здоровые человеческие излучения. В общежитии следует очень внимательно согласовать эманации излучений. Психическая энергия поможет при подборе сотрудников.

408. Известно намагничивание ткани. Посылались платы или части одеяния. Намагничивание происходило теми же двумя способами: или пассами, или ношением такой одежды. Имелся старый обычай посылать одежду со своего плеча. Древние владыки полагали, что такие дары увеличат преданность их приближенных. Даже имеется сказание, что такой обычай был преподан одному царю мудрым отшельником.

409. Намагничивание естественным способом имеет преимущество, оно происходит без всякого напряжения и утомления, эманации наслаиваются щедро и свободно.

Вы уже знаете, насколько излучения далеко проникают. Старые дома с древней обстановкой необходимо обжить, чтобы излучения наслоенные не были вредны.

410. Можно наблюдать отложения энергии на снегах высот и на росе. Давно люди замечали врачебное качество росы. Об этом напоминали в сказаниях, когда, чтобы стать вещим, требовалось хождение по росе семьдесят дней. И недавно открыты были лечебницы, где указывалось хождение по росе босиком: нельзя было применить просто воду, но необходимо было особое качество росы.

Такие же целебные свойства содержит снег, полный метеорной пыли.

411. Если хотите подарить книгу, Советую послать ее, прочитав предварительно. И в давние времена очень ценили книгу, прочитанную дарителем. Уже понимали, что в процессе чтения наслаивалась особенная сила. Так замечайте все возможности обмена энергии.

412. Когда человек осознает силу, ему присущую, все

же нескоро вместит он целесообразное применение ее. Будут получаться многие неестественные положения, но следует к ним относиться весьма терпеливо.

Когда чужеземные гости неправильно владеют речью, хозяин не смеется и старается понять и помочь. Также и в познании тонких энергий следует отнестись со всем вниманием. Люди будут стыдиться или преувеличивать свои ощущения, но не следует оскорблять даже самую первую попытку.

Несомненно, сейчас происходит большой сдвиг сознания. Там, где можно было ожидать отрицания, именно там встают возможности. Будем радоваться каждому началу.

413. Отталкивание неуместно, где есть хотя бы малое тяготение. Учение должно одухотворять знание и приближать нравственные понятия к реальным высшим силам. Не следует отрешаться от всего, что может напомнить о забытой истине.

Не случайно Привожу примеры из сказок и народных преданий. Каждый намек на бывшее знание уже есть признак достоинства человека.

414. Одни ждут вестей сверху, другие прикладывают ухо к земле. Ничто в Мироздании не может быть пренебрегаемо.

Следует понять ближайшие дары эволюции: первый — психическая энергия, второй — движение женщин, третий — кооперация. Каждый из этих даров должен быть принят в полном размере, неотвлеченно. Мы уже много раз указывали на мощь психической энергии. Теперь следует также настойчиво указывать на качества двух следующих отличий века.

415. Матерь Мира! Казалось бы, в одном созвучии этих двух слов уже ясен смысл величия понятия, но жизнь показывает иное.

Поэты и певцы нередко славят женщину, но государства не могут признать простого равноправия. На позорной ступени истории будет записано, что и теперь равноправие не установлено. Женское воспитание и образование не уравнены с мужским, и само материнство не охранено.

Кто первый исполнит такое общечеловеческое действие, тот идет согласно с эволюцией.

416. Женщина и сама должна подать пример единения. Мы знаем, насколько редко такое согласие достигается. Но если сказано о едином реальном двигателе, то невозможно оставаться глухими по причине нелепых привычек. Конечно,

многие из них имеют исторические основания, но эти заторы должны быть уничтожены.

Своими руками женщина всех племен и верований поможет слагать ступени эволюции. Нельзя промедлить!

417. Встретите двух противниц равноправия — одна, почитательница гаремных основ, скажет, что не следует потрясать вековые обычаи; другая, негодуя на прошлое, будет требовать себе первенства во всем. Обе будут далеки от эволюции.

Нельзя в будущее вовлекать бывшие обиды. Невозможно охранять и косность отжившего быта. Нельзя ставить преград свободному познаванию. Утверждение истинного равноправия лучше назвать полноправием. Обязанности осознанного полноправия освободят быт от грубых привычек, от сквернословия, от лжи, от пыльного обихода. Но новая эволюция должна начаться от ранних лет, если мысли о ней не просияли самостоятельно.

Можно убеждаться, что в настоящее время имеется много женщин, вполне понимающих значение полноправия. Можно опираться на них по всему Миру.

418. Всемирность полноправия человечества должна быть знаком времени. Общее мнение должно повелительно требовать справедливости. Такое полноправие должно явиться естественным законом среди мировых сношений. Полноправие будет самым необходимым условием.

Люди гордятся уничтожением рабства, но везде ли оно действительно уничтожено? Могут ли спать спокойно обитатели Земли, когда где-то человеческое достоинство унижено до скотского состояния? Могут ли хвалиться просвещением люди, когда знают, что полноправия не существует?

Так нельзя считать вопрос полноправия справедливо уже разрешенным.

419. При установлении полноправия нужно избежать, чтобы этот акт не казался чем-то особенным. Естественное состояние и должно быть воспринято спокойно. Можно в душе пожалеть, что такое естественное состояние не наступило раньше. Но гордиться не следует, когда сделается то, что сама Природа предуказывает.

420. Полноправие влечет за собою и полную обязанность. Без такого понимания полноправие превратится в произвол. Среди женщин можно найти добросовестность, которая даст качество эволюции.

Без врожденного стремления к качеству нельзя овладеть чувством совершенствования.

421. Женщина может быть и судьей, и защитницей, ибо несправедливость уменьшится, когда в самих судилищах будет отвращение к недоброму началу. Такое отличие должно преобразить весь быт.

Когда Говорю: «Вы, женщины, можете понять сотрудничество»,— тем Хочу вызвать из глубины сердца дремлющие огни.

422. Кооперация есть признак эпохи. Много о ней написано, но жизнь требует утончения этого понятия. Все вычисления не помогут укрепить сотрудничество. Вы могли убедиться, как одна злая воля уже нарушила все строение. Не нужно думать, что можно прикрыть ужасное состояние какими-то внешними обязательствами. Если не будет доверия, то сотрудничество превратится в ядовитую банку скорпионов. Утверждаю, что осознание психической энергии утвердит твердое основание кооперации. Не отвлеченное понятие, но очевидность энергии даст новые мысли.

423. Каждая область жизни настолько усложнилась, что везде требуется сотрудничество. Нельзя назвать ни одной отрасли труда, где бы человек мог считать себя уединенным, потому кооперация делается как бы наукою жизни. Но, чтобы придать ей научное основание, необходимо признать ее во всей жизни. Нельзя призывать к ней, как к чему-то отвлеченному. Следует в каждом школьном предмете указать, в чем именно будет заключаться сотрудничество.

Каждое законодательство должно уделить большое место кооперативному началу. Пусть каждая отрасль будет защищена твердыми законами. Жизнь многообразна, и сотрудничество не может быть обусловлено одним выявлением. Тонкие энергии привходят в каждый труд и должны быть очень осторожно обережены законами. Проявление тонких энергий входит в разные человеческие сознания. Невозможно определить грубым словом тонкие сочетания.

Мысль должна быть так воспитана, чтобы поверх условности чуять наибольшее полезное применение. Кто-то не поймет, какое отношение к законам кооперации имеет воспитание мышления. Но сотрудничество есть гармония человечества.

424. Много противодействия будет оказано кооперации. Одни по самости не пожелают вообще принять ее; другие своекорыстно воспользуются ею, но существование ее будут отрицать; третьи соединят понятие кооперации с ниспровержением всего порядка.

Будет множество возражений, потому насаждение сотрудничества делается одним из самых трудных заданий. Подымается бездна атавизма; будут приведены самые нелепые примеры отживших веков; будут перечислены преступления, порожденные нечестным сотрудничеством. Слишком часто явлены преграды, и забыты новые условия жизни. Увлечение механизацией может быть разрешено разумно кооперацией. При этом кооперация не должна быть ограничена лишь некоторыми видами труда.

Сотрудничество должно быть принято как основание Бытия. Лишь при самой широкой кооперации можно найти истинное соотношение государства и народного труда. Иначе губительная задолженность государства будет возрастать. Разрешение такой проблемы посредством войны будет признаком варварства. Не об уничтожении народов думать, но об упорядочении планеты!

Когда психическая энергия займет подобающее положение, когда женщина войдет как охранительница культуры, когда кооперация сделается основанием созидания,— вся жизнь преобразится. Знание и творчество займут явленное положение. Говорю явленное в том смысле, что среди далеких веков можно найти примеры понимания значения науки и искусства.

Сотрудничество откроет легкие пути к совершенствованию.

425. Вопросы самоусовершенствования и народного здравия очень связаны. Призовем женщину к тому и другому. Оба задания нуждаются не столько в государственном приказе, сколько в семейном.

Нельзя приказать чистоту мысли, даже нельзя приказать чистоту слова. Нельзя приказать здоровую чистоту дома, лишь просвещение утвердит здравие духа и тела.

426. Какими земными словами выразить, что тончайшая энергия проявляется в каждом движении человека? Как утвердить, что та же энергия приводит в движение и миры? Как пояснить, что она же и в мысли, и в действии? Она же и побуждающая, и останавливающая причина. Она же не мерит малое и великое. Кто поймет, где Первопричина всего? Кто же может пронести знание о великой энергии по всему свету?

Может быть написана книга о малых причинах и о великих следствиях. Конечно, такое определение возможно лишь от земного измерения. Но поучительно проследить, какие причины порождали большие следствия,— можно изумляться малости видимых причин. Многие даже вообще не упомнят ничтожных побуждений. Посмотрим, как могло получиться такое несоответствие? Можно найти объяснение в кармических причинах. Кроме того, человек трудно различает малое от великого.

Явленная психическая энергия должна напомнить о присутствии великой энергии во всем. Так научимся осмотрительно относиться к малому. Умейте помыслить о великой энергии.

427. Бережное отношение ко всем явлениям — трудная ступень. Нужно твердить о соблюдении зоркости, чтобы не злоупотреблять сокровенной энергией. Много советов можно найти к такому пути. Любовь, добро, милосердие и многие другие качества бывают указаны, но их нужно утвердить осознанием великой энергии. Не легко упомнить об этом в волнах жизни!

428. Почему при опытах над психической энергией участие женщины так нужно? Почему женский уход за цветами так благотворен? Почему при болезнях прикосновения женщины так целительны?

Можно назвать множество явлений, когда именно женщина может дать особое напряжение психической энергии. Но не обращено должного внимания на такие особенности женщин. Среди врачей редко понято, почему участие женщины при операциях может быть особенно полезным. Вечно женственное начало не нашло еще справедливого толкования.

Ученые не допускают, что одно присутствие некоторых людей равняется сильнейшему аппарату. Не происходит опытов, которые могли бы графически отмечать различные людские воздействия. Несказанно полезен каждый опыт с психической энергией.

429. Никто не должен отрицать, что он не имеет в чем-то особого значения. Применение может быть не найдено, но это не значит, что возможность отсутствует.

430. Много подземного огня. Никто не обращает внимания на соответствие событий с явлениями Природы. Не столько от небрежности происходит это, сколько от неумения связывать события с космическими проявлениями. Между тем именно этот год может дать показательные явления.

431. Космические проявления отвечают не только войне физической, но и столкновению в духе. Устремление нагнетенной энергии может рождать водовороты на дальних расстояниях.

432. Могут спросить: откуда происходит утомление при опытах с психической энергией? Кроме напряжения внутреннего должно быть какое-то внешнее условие?

Предположение правильно. При выделении напряженной энергии получается своего рода магнит, который привлекает особое давление внешней пространственной энергии. Такое внешнее нагнетение способствует утомлению. Но, с другой стороны, такой магнит привлекает устремленное внимание и делает действие убедительным. Ораторы и певцы чуют утомление не только по причине напряжения нервов, но также от давления психической энергии, привлекаемой из пространства. Получается весьма сложный процесс: с одной стороны, вдохновение и с другой — нагнетение.

433. Можно сказать всем, насколько единение необходимо. Уже указано, что единение есть реальный двигатель. Сказано, что единение есть магнит. Оно есть целитель, здоровье, оно есть спешное достижение. Что же еще добавить?

Если сказанное не действует, то будет бесполезно сказать, что единение есть гармония с Иерархией. Если Указанное не вмещается, то тем более не вместится представление о Иерархии. Но это будет означать дом без основания. Каждый вихрь опрокинет такое зыбкое строение. Откуда возьмутся силы противостать первому вихрю?!

434. Многие исторические примеры доказывают, что даже сильнейшие люди бывали парализованы присутствием меньших по энергии. При этом можно рассмотреть, что препятствующие разделяются на два вида. Одни мешали лишь определенным лицам, другие же вообще прекращали токи психической энергии.

Первый вид понятен, ибо каждая дисгармония уже нарушает свободу устремления энергии, но второй вид представляет как бы космическое явление. Ничего хорошего нет в пресечении токов, нужно обладать большою отрицательною силою, чтобы пресекать даже сильнейшие воздействия. Такие люди называются космическими вампирами. При этом они по наружности не выдают себя и кажутся даже незначительными существами.

Не следует насиловать энергию, если почуете такое существо.

435. Можно пожалеть, что многие языки для одного понятия уделяют разные выражения, затемняя смысл. Например, ложь прикрывается притворством, неискренностью, предательством, предубеждением, вымыслом и многими другими выражениями, в корне которых лежит то же самое понятие лжи. Можно различать разные степени, но основа будет неизменна. То же самое можно сказать о многих понятиях, которые насильственно раздробились в людском представлении. Неполезно такое раздробление, когда нужно уметь мыслить о единстве.

Сколько имен для того же самого!

436. Взаимообмен энергий есть естественное явление, но выпивание чужой энергии без передачи своей уже недопустимо. Такое явление так же часто, как и заразные болезни. Но до известной степени можно бороться с такой ярой самостью. Если от младенчества люди будут внушать себе об обмене и сотрудничестве, то они будут и разумно обращаться с энергией.

Многие виды вампиризма не что иное, как невежественная распущенность.

437. Многое, невыразимое словами, может быть дополнено символами. Во всяком символе будет, таким образом, элемент невыразимого. Можно прозреть значение сокровенного, но слова будут недостаточны.

Следует очень внимательно относиться к символам. Они, как сокровенные иероглифы, хранят сущность великого Мироздания. Обычно люди не умеют обращать внимания на символы. Люди не любят указаний, ибо считают, что они подавляют их волю. Когда же люди остаются предоставленными себе, они полагают себя несчастными и покинутыми.

Символы, как знамена, к которым могут сойтись воины, чтобы узнать приказ. Потеря Знамени считалась поражением войска. Также пренебрежение к символам может лишить постижения, невыразимого словами. Кроме того, символ есть запоминание целого Учения. Сокровенность символа есть как бы напряжение энергии.

438. Отчаяние дурно, но есть иная мера крайнего напряжения, которая необходима для достижения. Можно внешне почти отождествить ее с пределом отчаяния, но, по существу они будут противоположны. Отчаяние разрушительно, но предел напряжения созидателен.

439. Безобразная мысль не породит прекрасного действия. Когда Говорю о Красоте, прежде всего Имею в виду красоту мысли. Мысль имеет форму, значит, красота мысли должна быть понимаема во всех отношениях. Человек не должен мыслить безобразно ради Космоса.

Вы знаете, что и в Тонком Мире происходят нагромождения безобразия. Битва в Тонком Мире являет и подвиг, и отвратительные действия. Ужасны условия Тонкого Мира, когда пространство отравляется черными снарядами. Если земные взрывы потрясают твердь, то насколько разрушительнее действия тонких энергий! О таком соотношении земного с Тонким Миром мало мыслят; если сказать земным языком,— последствия тончайших энергий во много тысяч раз превосходят земные воздействия. Они, конечно, отражаются на земных ощущениях, но многие объясняют их только дурной погодой. В лучшем случае их приписывают солнечным пятнам или затмению. Но дальше этого человечество не отваживается помыслить.

440. Знание превыше всего. Каждый, кто принес частицу знания, уже есть благодетель человечества. Каждый, собравший искры знания, будет подателем Света. Научимся оберегать каждый шаг научного познавания. Пренебрежение к науке есть погружение во тьму.

Каждый имеет право получить доступ к Учению. Прочтите труд, насыщенный стремлением к Истине. Невежды сеют предубеждения, сами не давая себе труда даже прочесть книгу. Самый утверждающий труд называют отрицанием. Признание Высших Принципов считается самым ужасным кощунством. Истинно, предрассудок — плохой советник! Но нельзя обойти все собранные познания.

Не забудем принести признательность тем, кто жизнью своею запечатлел знание.

441. Кооператив не есть закрытое общежитие. Сотрудничество, основанное на законе природы, содержит в себе элемент Беспредельности. Обмен труда и взаимопомощь не должны накладывать условных ограничений. Наоборот, кооператив открывает двери ко всем возможностям. При этом кооперативы связаны между собою, и, таким образом, трудовая сеть покроет весь мир.

Никто не может предопределить, какие виды сотрудничества могут развиться. Учреждения, основанные кооперативами, могут быть разнообразными и покроют задания просвещения, промышленности и сельского хозяйства. Невозможно представить ни одной отрасли, которая бы не могла быть усовершенствована кооперативом. Нельзя запретить, если люди сойдутся для сотрудничества в совершенно новом сочетании. Кооператив есть оплот государства и рассадник общественности. Откуда придет общественное мнение? Откуда составится желанное преуспеяние? Откуда одинокие труженики получат помощь? Конечно, сотрудничество научит и единению.

442. Многое возможно, только нужно исполнить предписанное. Особенно сейчас, когда человечество уже зубами хватается за каждую опору. Невозможно думать, что существование отдельных богачей есть признак благосостояния народа. Пора оставить заблуждение, что сотня дворцов уже есть государство. Пора понять и заглянуть в убежища бедноты — только там можно судить об истинном положении народа.

Уже пришло время осознать, где ценность и оплот развития сознания.

443. Кто же они, которые не ценят и не любят единения? Они никогда не испытали чувства непоколебимости, всегда соединенного с единением. Они не знают мужества, неразрывного с единением. Они отвергли продвижение, которое сильно единением. Они не приобщились к радости, существующей в единении. Они презрели твердыню единения. Что же им осталось? Или гнуться под вихрем, или сохнуть под солнцем, или гнить в плесени предрассудков.

Кто же они, презревшие единение?

444. Самый явный пример Майи и действительности можно найти в телах небесных. Может быть, тело разрушено тысячи лет тому назад, но на Земле еще видят свет его. Кто же возьмется определить, где существование и где призрак? Те же примеры найдем и среди земных явлений.

445. Победители земные, где ваше существо и где призрак? Кто определит — победа или отражение дальних событий? Где будет граница действительности? Пусть собирают все цифры, но не найдут знаков решений. Только тончайшая энергия может отличить, где жизнь и где мертвенность.

Но люди предпочитают жить среди призраков.

446. Много пробных камней. Можно испытать сознание людей на самых основных понятиях. Скажите им: «Эволюция и развитие, продвижение и подвиг»,— и без всякого аппарата почувствуете, как принят такой зов. Он должен быть принят радостно, и мужественно, и вдохновенно, но чаще всего заметите шатание, сомнение и саможаление.

Не будет рождаться радость от саможаления и мужество от сомнения. Между тем одно слово о подвиге должно вдохновлять. Одна мысль о продвижении должна удесятерять силы. Какое дело подвижнику до всех драконов! Он не замечает разъяренных зверей, ибо вдохновение есть щит верный.

Уже знаете, насколько вдохновение соединяет с самыми Мощными Энергиями. Уже каждый испытал, насколько усталость отгоняется устремлением. Каждый ребенок знает, чем можно преодолеть, но впоследствии бедный шатун спотыкается в неверии.

447. Сами знаете, насколько легче руководить людьми устремленными. Сами знаете, как в движении стрелы не достигают и вращение их обращает их на врага. Много раз сами чувствовали, как крылья росли и покрывали пространства.

Не утомление, не раздражение, не раздвоение мысли доведет до продвижения.

448. Однажды некий ученик заметил, что Учитель беседует с прохожим стрелком. Ученик после спросил в удивлении: «Какое значение могла иметь такая беседа?»

Учитель сказал: «Спрашивал его, как он делает прочный лук и как он попадает в цель. Всегда уместно рассуждать о крепости, о меткости, об умении».

449. Каждый человек испытывает явление вдохновения, но эти искры высокого подъема бывают отдельными проблесками и не преображают всю жизнь. Но все же такие состояния духа возможны даже среди тяжких условий. Представим себе, что такое возвышенное состояние станет постоянным и даст еще высшее вдохновение. Ведь все Бытие так же повысится, и сама Природа отзвучит на эту эволюцию.

Люди полагают, что эволюция происходит или, вернее, должна происходить в каких-то долгих периодах, но это продвижение может быть ускорено в зависимости от человеческого желания. Если люди захотят, они могут продвинуться скорейшим способом. Все остальные элементы будут готовы для такого развития, но люди должны захотеть. Они не должны убивать каждое вдохновение. Они должны полюбить это как Высшее Собеседование.

Не нужно магических вызываний для любви. Не нужно пресыщения там, где Беспредельность. Самым простым желанием можно стремиться к продвижению. Рост мышления уже будет неизмеримою радостью.

Лишь наряду с истинными нахождениями, можно достичь вдохновения несменного.

450. Помните совет, чтобы книга Учения лежала на перекрестках. Не мучайтесь вопросом: откуда придут путники? Откуда придут друзья, которые предчувствуют познавание? Не огорчайтесь мимопроходящими, они могут призвать кого-то, сами того не ведая. Они могут негодовать, и крики их привлекут многих. Не будем исчислять Пути Неисповедимые. Они не могут быть названы, но сердце знает их.

451. Необходимо подтвердить, что понятие вдохновения присуще всем людям. Обычно оно приписывается лишь ученым, поэтам, музыкантам, художникам, но каждый, позаботившийся о своем сознании, может получить этот высший дар.

У людей возвышенного образа мышления такое вдохновение должно быть не гостем редким, но основою их жизни. Только нужно замечать эти касания, обычно от них отмахиваются, как от докучливых мух, и кажется, что человек решил отказаться от высших энергий, которые щедро ему предоставлены.

Советую очень подумать, что́ есть вдохновение?

452. Нужно помогать везде и во всем. Если препятствия к помощи будут заключаться в разделении политическом, или национальном, или кружковщине, или в веровании, то такие препятствия недостойны человечества. Помощь во всех видах оказывается нуждающимся. Нельзя смотреть на цвет волос, где грозит опасность. Нельзя расспрашивать о веровании, когда нужно спасать от пожара.

Все Заветы указывают насущность безусловной помощи. Ту помощь можно считать вдохновением истинным. Уже Говорил об этом, но множество условностей заставляет еще раз утвердить свободу помощи.

453. Сердечная тревога неизбежна, если знаете, что в доме соседа неблагополучно. Но открытые центры могут указать много близких и дальних потрясений, от них трепещет сердце. Не часто люди обращают внимание на сердечные знаки, они склонны приписать их заболеванию. Но справедливо будет помнить, что сердце бьется соединенно со всем Сущим. События космические и народные потрясения будут, как удары молота.

Говорят о развитии сердечных болезней. Конечно, симптомы умножаются, но плоско будет думать лишь о нервности века. Где же причина потрясений? Сгущение токов зовет психическую энергию к новым выражениям. Но люди не дают ей первейшего значения, из этого происходит столько потрясений и всяких столкновений.

Некто сказал: «Не доведите энергии до бешенства». Такое предостережение недалеко до истины. Можно представить себе бешенство энергий, неправильно нагнетенных, надломленных и поруганных. В таком хаосе разве не затрепещет сердце?

454. Благодарность есть великий двигатель. Никто не напрашивается на благодарность, но велико качество этой мощи. Благодарность действует как очиститель, но все очищенное уже легче движимо. Таким образом, благодарность есть средство ускорения пути.

Кому-то кажется, что в порыве благодарности он унижается. Какое невежество! Благодарность лишь возвышает, очищая, она привлекает новые энергии. Даже машина без пыли лучше работает.

455. Не будем предвосхищать у молодых ученых очень важное исследование относительно исторических наименований психической энергии. Несомненно, среди различных народов наличность этой энергии давно была отмечена. Каждый век подмечал новые ее качества и по-своему символизировал. Некоторые соединяли психическую энергию со Светом, присоединяя к ней понятия озарения и свечения, другие подмечали магнитность или динамичность, явление молниеносности тоже было замечено.

Так в разные времена люди собирали много данных, каждый по своему характеру. Сложите подобные наблюдения и получите показания, очень значительные. При этом можно видеть, что народы прежде являли не малую наблюдательность, может быть, даже бо́льшую, чем теперь. Необходимо проследить, как собирались и отмечались свойства великой энергии.

Философы, физики, историки и любители наречий могут сойтись для полезного исследования.

456. Сотрудничество среди ученых делается необходимым. Нужно найти связь между различными предметами, ибо деление многих предметов условно.

457. Часто замечают, что яснослышание и ясновидение дают обычно отрывочные сведения. Но нужно припомнить многие основания, чтобы понять происходящее. Нередко отрывочность получается с земной точки понимания. Люди не улавливают тонкой связи увиденного. Может быть, связь очень логична, но логика земная разнится от Тонкого Мира.

Также не следует забыть, что Мир Высший охраняет Законы Кармы. Весьма мало уловима граница между позволенным и сокровенной Кармой. Невозможно земными словами сказать, как определить врата Кармы. Также трудно указать, как сам человек влияет на свое яснослышание. Он может заткнуть уши тысячью настроений. Необходимо прежде расширить сознание, чтобы все каналы были чисты.

458. Многие понятия нуждаются в очищении, среди них мистика должна быть определена. Если она означает точное знание, тогда понятие может быть сохранено. Но если устремление не к знанию, но к туманным построениям, тогда следует изъять слово из обращения.

Мы предлагаем знание, полезное прогрессу человечества.

459. Битва настолько велика, что нельзя уделить времени на обычные занятия. Мы на дозоре, но люди не понимают чрезвычайных обстоятельств. Даже слышавшие о битве все-таки думают, что ничего особенного не происходит.

460. Не легко представить, что в Высоких Сферах Тонкого Мира жители встречаются под новыми уклонами; точно спадает окись земная и находятся истинные понимания. Можно видеть, насколько земные наслоения отпадают, невместные с новым состоянием. Психическая энергия начинает действовать свободно, не стесненная наносными влияниями; сущность ее стремится к Истине. Мужество утверждает лучшие решения. Так и в земной жизни психическая энергия может быть до значительной степени освобождена. Так можно приблизиться к познанию Тонкого Мира.

Невозможно уничтожить психическую энергию, но можно загнать ее в такое недостойное положение, что она может покончить земную жизнь взрывом. Полная аналогия с целыми мирами. Потому, когда Говорю: «Блюдите сердце и психическую энергию»,— Даю самый насущный совет.

Также нужно врачам научиться преподавать больным сущность психической энергии. Мало, если сам врач отдает свою энергию, он должен вызвать к действию и энергию больного. Таким образом, сохранится экономия расходования ценной энергии.

461. Утопающий должен способствовать действиям своего спасителя. Нельзя человеку обратиться в тяжелый мешок. Можно на опыте убедиться, насколько сама мысль уже помогает сотруднику. Такие опыты могут быть производимы и над животными. Одно дело всадник, мысленно ободряющий коня, но другое,— если на коня уселся ужас и гнев. Можно постоянно убеждаться, насколько мысль действует, передаваясь в физическую энергию.

462. Замечайте, как перед действием психической энергии требуется дать ей свободное мгновение. Нужно как бы отпустить земные повода, чтобы дать ей приобщиться к Первоисточнику. Ошибочно сразу насиловать энергию земными посылками. Следует дать путь ей через упрочение связи с

Высшим Миром. Нельзя приказать такую связь. Нельзя почтовому голубю велеть лететь, можно лишь выпустить его на волю. Он знает, куда лететь. Так же точно нужно выпустить из клетки плоти психическую энергию; магнитная связь немедленно заключится.

Многие будут говорить о сосредоточенности, но такое состояние уже предполагает напряжение. Между тем требуется лишь освобождение энергии, и она начнет действовать. Не нужно много времени для такого освобождения, малейшая секунда достаточна для освобождения энергии. Так будем прежде всего освобождать нашего узника. В сказках довольно сказано о мощном невидимке.

463. Мы говорим о психической энергии как о мощном двигателе. Мы говорим не о колдовстве, но о физическом законе. Мы указываем на простейшие пути преуспеяния. Мы напоминаем о давно знакомом, и все-таки невежды будут считать наши беседы чем-то сверхъестественным. Они будут пользоваться тонкими энергиями, но не согласятся признать психическую энергию.

Так еще раз повторим, что мы говорим о физическом законе.

464. Утверждение о физическом законе не напоминает ли вам, как в свое время алхимики должны были изобретать ненужные названия, лишь бы найти мост к сознанию явленных соотечественников? Так сознание людей не много подвинулось с тех пор.

465. Эктоплазма есть хранилище психической энергии. Действительно, вещество эктоплазмы — середина между земным и тонким существом. Психическая энергия, которая присуща всем мирам, прежде всего имеет сочетание с веществом, близким Тонкому Миру. Из этого можно видеть, что эктоплазма должна храниться в чистоте, так же как и психическая энергия.

Следует помнить, что, давая эктоплазму для случайных приходящих, медиум подвергается большой опасности. Нельзя предоставлять такое ценное вещество для непрошеных посетителей. Тем ценнее Собеседования Высшие, они не истощают наших сил, иначе говоря, дают новый приток силы. Нужно понять, что психические исследования должны производиться целесообразно. Нельзя выпивать чью-то сущность.

466. Никто не может утверждать, что явление силы психической энергии не может быть заразительным. Так называемые внушения большею частью происходят несо-

знательно. Нужно очень воспитывать мышление, чтобы достичь чуткости.

Много говорят о вдохновении. Много раз Мы повторяли о чувствознании. Оно, конечно, покоится в психической энергии, но искра его проходит путем эктоплазмы. Нужно приберечь такое великое вещество. Уже древние рассказывали, что человек выделяет двойника, который может производить разумные действия.

467. Правильно сопоставить события прошлого, чтобы усмотреть логическую связь с настоящим. Такие сравнения могут быть великим доказательством разумности происходящего, но нужно брать факты в полноте их, ибо часто люди выделяют одну подробность по своему усмотрению. Нужен во всем научный метод. Только так можно приближать сферы разного напряжения.

468. Будем твердо помнить качества психической энергии. Нередко люди, приступая к наблюдениям над психической энергией, забывают ее основные свойства. Даже самые простые исследования люди усложняют своими привычками. Мгновенность будет основным качеством психической энергии, но люди привыкли полагать, что долгая дума будет самой сильной. Таким образом, они упускают из виду, что для мысли не нужно времени.

Также не принимается во внимание, что во время долгой думы происходит множество мысленных посылок разных степеней. Среди такого длительного мышления теряется средоточие посылки. Явление мгновенности должно научить, что краткий удар мысли будет соответствовать сущности психической энергии.

Но умение кратко мыслить нуждается в воспитании. Не только краткость, но и сила мысли должна быть обобщена с посылкою психической энергии.

469. Ничто не дается сразу. Давно Мы говорили, что во вздохе едином переносимся пространственно, но и вздохнуть нужно умеючи. Казалось бы, в одном вздохе выражается сущность психической энергии, но не сразу это сопоставление укладывается в сознание. Примитивное воображение чрезвычайно легко строит Майю всевозможных видений, но, когда сознание расширено, выводы становятся более осторожными.

Много призраков распадается перед познанием психической энергии.

470. Так же, как сердце, психическая энергия не знает отдыха. Не может быть долгого перерыва в деятельности

сердца, так же точно бессменно расходование психической энергии. Сердце не нужно в земном применении во время пребывания в Высшем Мире, но психическая энергия никогда не может прервать своего тока.

Постоянность будет также основным качеством энергии. Устремление энергии есть движение спиральных линий всего Мироздания. Можно видеть славную архитектонику во всей стройности неисчислимых токов энергии.

471. Вечно растущей называем психическую энергию. От Беспредельности она может черпать свое усиление. Только необходимо условие осознания ее и направление к добру. Без осознания энергия останется «узником».

Спросят — неужели такая ценная энергия может быть направлена ко злу? Всякое злоупотребление поведет к разрушению. Могут быть различные сроки и степени такого разрушения, но конечное разложение неминуемо.

472. Если энергия по своему естеству вечнорастущая, то как преступно извращать течение основного вещества!

473. Также называем психическую энергию оплотом самоотвержения, из этой мощи рождаются подвиги. Чувство экстаза неосуществимо без психической энергии.

Правильно отмечаете: почему так называемые медиумы не подвижники? Но уже достаточно сказано, что профессиональные медиумы только вредят и себе, и другим.

474. Магнитом также называют психическую энергию, и в таком определении много истины. Ведь закон притяжения и отталкивания особенно отзвучит на психическую энергию. Невозможно без содействия энергии отмечать положительные и отрицательные свойства. Потому напоминание о магните будет весьма целесообразным, когда хотят отметить притяжение психической энергии.

475. Также называем ту же энергию справедливостью. Если при воздействии энергии можно определять различные свойства людей, то, конечно, это будет путем справедливости. При опытах с психической энергией можно убеждаться, насколько внешнее впечатление не соответствует внутреннему состоянию.

Умение призвать на помощь психическую энергию будет истинным украшением судьи.

476. Также называем психическую энергию неутомимой. Правда, организм человеческий может утомляться от напряжения энергии, но сама энергия будет неисчерпаема. Такое качество энергии показывает на космический источник. Не может энергия исчерпаться ни возрастом, ни болезнью. Она может замолкнуть, если не будет призываема к действию.

Но какая вместимость должна быть в сознании человека, чтобы не утеснить размеры мощи, доверенной человеку?!

477. Называем энергию и трудом. В постоянном сознательном устремлении энергия получает дисциплину. Сознательность труда есть основа раскрытия сознания, иначе говоря, начало действия психической энергии. Ошибочно думать, что одно напряжение уже приведет в движение энергию.

Когда Говорю о сознательности труда, Имею в виду озарение, которое дается при сознательном труде.

478. Если вдохновение связано с психической энергией, то и Красота будет у того же источника. Потому Говорю, что психическая энергия есть Красота. Так можно перечислять все качества великой энергии, но так как она будет сочетаться со всеми проявлениями жизни, то правильно назвать ее всеначальной. Так и будем называть.

Прекрасно чувствовать, что каждому из людей дана такая неисчерпаемая сила. Мы можем такою силою передвигать физические предметы. Если сила неисчерпаема, то и объем предметов относителен. Сегодня можем двигать малыми предметами, завтра можем подвинуть нечто большое. В этой прогрессии лежит и счастье эволюции.

Недавно люди не допускали, что даже физические предметы могут быть движимы сокровенною мощью человека. Но теперь вы видели, что не внешняя сила движет предметами, но ваша энергия работает так же, как и сила космическая.

479. Правда, нужно понять единство энергии, иначе невежды могут отнести ее только к человеку. Опять может произойти умаление.

Нужно напрячь вмещение настолько, чтобы и внизу и вверху ощущать Дыхание Космическое.

480. Каждый, с людьми говоря, уподобляется рыбаку, закидывающему сеть. Нужно дальше закидывать, чтобы ближе поймать. Только что успеете ободрить, как уже нужно наблюдать, чтобы не возгордился. Природа требует методов среднего пути.

Но и вдохновение, и красота не лежат в середине, значит, и середина как равновесие не умаляет, но утверждает напряжение энергии. То же самое называем Нирваною. Эта средина не низшее трепетание, но равновесие высшего напряжения.

481. Напряжение психической энергии увеличивает жизнеспособность. Можно удостовериться, что в периоды психического напряжения люди живут дольше. Это не может быть объяснено ни пищею, ни санитарными условиями, ибо в периоды смятения условия жизни очень трудны, и единственная причина должна заключаться в повышенной деятельности психической энергии.

Не следует вполне разбираться, в чем состоит напряжение психической энергии. Если слабосильный человек перегрузит себя физической работой, то такое напряжение не приведет к лучшему результату. Напряжение энергии прежде всего понимается с психической стороны. Нужно не забывать, в чем лежит импульс каждого действия. Так можно увидеть, что усилие энергии будет рождать физический рефлекс, но каждый рефлекс есть только отражение истинной причины.

482. Когда врач запрещает человеку, потерявшему равновесие, умственную работу, он поступает не мудро. Известны примеры опытных врачей, которые, наоборот, напрягали деятельность психической энергии. Конечно, такие целители должны были обладать значительным запасом психической энергии, чтобы распознавать, к какой области познания направить больного.

Утомление не полезно, но напряжение жизнедательно. Но граница между этими состояниями очень сложна. Опытный врач, утончив свою психическую энергию, может указать, где мера полезного напряжения.

483. И козлы на дворе скачут, но такая мера напряжения не для человека. Пусть очень исследуют особенности каждого спорта. Многие виды таких напряжений не способствуют жизнеспособности.

Также пусть так называемые воспитатели тоньше разбираются в способностях учеников. Ту же истину нужно высказать всем, кто намерен распределять работу и вознаграждения по способностям. Решение правильное, но раньше нужно уметь определять способности.

Невозможно судить о качестве энергии, если сами судьи не будут знать о ней.

484. Не отгоните, если кто хочет изучать энергию с чисто научной целью. Только смотрите, чтобы цель не оказалась псевдонаучной. Научная задача основана на доброжелательном допущении, но псевдонаучная полна отрицания. Также не отяготите исследователя преднамеренными методами. Каждый исследователь имеет право на свой путь. Если даже его путь будет сложным, он, может быть, найдет нежданную, новую подробность. Нехорош обычай педагогов, которые осмеивают каждую попытку своеобразного решения задачи. Нужно приветствовать поиски новых приближений к истине. Если твердо убеждение, что истина одна, не может быть опасений, что найдется какая-то другая истина.

Следует проявить самое широкое допущение, только так можно строить сотрудничество.

485. Убеждение в неправильности собеседника должно быть проверено тщательно. Особенно должна быть проявлена наблюдательность за способом выражения. Часто люди говорят об одном и том же в совершенно разных выражениях. Также и, наоборот, люди умеют говорить в тех же самых словах, подразумевая различные значения.

Особенно при суждении о предметах Высших нужно проявить осторожность, чтобы избежать недоразумения.

486. Обо всем происходящем задайте себе вопрос. Почему случается именно в такой и не в иной форме? Почему сейчас, а не раньше? Много мыслей возникнет вокруг каждого события. Мышление направится ко многим причинам, и попутно многое осветится.

487. Туманные рассуждения о призраках, о предчувствиях и внушениях отдадим на суд истинной науки. Не убоимся предоставить ученым рассмотреть все явления в свете строго научного изучения. Но пусть будет такое изучение действительно строгим, иначе говоря, справедливым. Только это условие необходимо, когда касаемся Законов Космических.

Пусть сравнивают передачу мысли на расстояние с радио. Пусть приложат к видениям основы телевизии. Пусть припомнят новейшие открытия, они лишь помогут в вопросе психической энергии. Пусть не боятся сопоставлять видения с открытиями научными. Ведь не ради кощунства или самомнения можно черпать сопоставления из всех областей природы. Физика пусть подтвердит самые наивысшие психические проявления.

Если психическая энергия есть энергия, то она не будет противоречить законам физики.

488. Всеми мерами пытайтесь открыть доброе желание и вмещение. Не найти ни одного утверждения науки, которое вы не можете принять; таким образом, на вашей стороне будет преимущество. У вас не будет повода к раздражению, ибо вы допускаете любое научное соображение. Иногда вы будете сожалеть о способе выражения, но сущность найдет место в вашем сознании. Такое допущение создаст отличное преимущество.

489. В чем же Руководство? Конечно, в указаниях самого нужного и в обережении от самого опасного. Нужно подумать, что означает само слово. Обычно люди подставляют под него свое значение, в нем будет зарождение недоверия, то есть зарождение разложения. Не может ученый вести опыт, предпосылая недоверие. Можно наблюдать, что такой опыт потеряет три четверти вероятия.

О Руководстве подумаем.

490. Во всем происходит движение, так же вибрирует Руководство. Высшими качествами Руководства будут: отзывчивость, зоркость и вмещение. Плох будет Руководитель, окаменевший на одном приказе! Высшее Руководство и невидимо, и неслышимо. Особая наука, чтобы дать не меньше и не больше, принимая во внимание планетарные условия.

Не удивляйтесь, что руководимые нередко вообще не признают руководства. Истинно, Руководитель этим не огорчается. Учитель плавания поддерживает вновь плывущих и ободряет, шепча: «Вы сами плывете». Так бывает во всех областях. Не мудро было бы со стороны Руководителя перечислять все космические и кармические условия. Такие нагромождения могут лишь напугать и подавить энергию.

Сложно соприкасание мировых событий: карма рас и племен, карма личности, карма плотная и тонкая, карма давняя и настоящая — все они образуют сложные клубки. Изменить карму трудно, все же до известной степени ее можно регулировать, в этом отношении Руководство весьма необходимо.

Не нужно понимать Руководство как нечто заоблачное, в разной степени Руководство происходит и в плотном мире. Потому издревле заповеданное понятие Гуру весьма многозначительно, и уважение, и преданность, и любовь живут около этого понятия. Живой провод психической энергии работает в таких сочетаниях Учителя с учеником.

Руководство есть многострунная арфа!

491. Нередко слышите нелепые рассказы, как одновременно появляются воплощения одних и тех же лиц, — получается нечто невежественное и вредное. Отрицатели воплощения пользуются такими выдумками, чтобы опрокинуть возможность перевоплощений. При этом забывают причину, несколько ослабляющую преступность измышления. Некоторые люди припоминают подробности из определенной эпохи, когда они мечтали быть известной личностью, такое воспоминание мечты и складывает воображение воплощения; получается ошибка в лице, но не в эпохе. Ребенок воображает себя полководцем, и такое представление уже упадает в его «Чашу».

Многие помнят свои прошлые жизни, но по затемнению сознания вызывают их же прошлые воображения. Нужно осторожно и не слишком осуждать чужие заблуждения. Кроме самомнения и невежества, могут быть лишь частичные ошибки без позорных побуждений. Конечно, могут быть и разные одержания и нашептывания со злыми умыслами, но об одержании говорилось достаточно.

492. Учитель и ученик неразрывны. Каждый Учитель остается и учеником, ибо среди Иерархии он будет звеном в Цепи Вечности. Так же по нисходящей линии и каждый ученик будет Учителем.

Ошибочно думать, что какие-то посвящения возводят на ступени безусловного Учительства, — только постоянная дисциплина познавания будет живым источником совершенствования. Не будем искать предела в Беспредельности. Не будем понимать познавание как нечто законченное, в этом ограничении мы утеряем радость Бытия.

493. «Не Даю, но примите». Руководитель очень редко скажет, что Он дает. Только в случае необходимости подтвердит свидетельство Свое и даст явление Своего Я. Во всей жизни Руководитель скажет: «Примите». Он утверждает, что дар через Него идет от Иерархии. Следует запомнить эти формулы, ибо в них заключается радость Иерархии, которая работает для Блага.

Нельзя относиться непродуманно к словам, в них заключается как бы печать ограничения. Нет причины позабыть спасительную связь Иерархии! Потому: «Не Даю, но примите».

494. Жизнь символизируется рекою или стремительным потоком, никогда озером или колодцем. Движение предуказано жизнью. Движение всего и во всем — основа Сущего. Нужно полюбить движение не столько внешнее, сколько внутреннее.

Не замечают движения небесных тел, несмотря на всю их стремительность. Земля представляется глазу обывателя недвижимой. Так и внутреннее движение невидимо земному зрению, но сущность человека должна сознавать непрестанное движение, только им может трепетать сердце. Невозможно представить себя недвижимым, когда планета дает пример непрестанного круговращения, она существует этим движением. Так не может человек пребывать в недвижимости. Но сознание подскажет, что суета есть лишь мнимое движение. Опять приходим к пути ритма и гармонии. Суета есть диссонанс, и может он лишь раздражать и раздроблять накопления. Только расширенное сознание понимает, где страница между устремлением и суетливостью.

Многие, вообще, не понимают, к чему такие подразделения, но они, наверное, не слышали музыку сфер и не знают значения ритма.

495. Также не опытны те, кто полагают, что в Природе возможна тишина. Понятие тишины, вообще, отсутствует. Только начинающие поэты воспевают тишину и сами же тому противоречат. Но наука установила радиоволны, которые схватываются некоторыми людьми без аппарата. Психическая энергия открывает внутренний слух. Не может молчать пространство, оно наполнено звучанием всех трех миров. Оно полно, ибо нет пустоты.

Пусть люди помнят, что тишина может быть лишь для глухих, но даже так называемые глухие имеют внутреннее звучание, которое может быть даже изысканнее внешнего.

496. Слепорожденные, несомненно, видят внутренно, но не знают, как передать впечатление словами. Краски их многообразны и тоньше, ибо они прилежат в этом Тонкому Миру. Нужно наблюдать за выражением их лица, чтобы заметить внутренние эмоции.

Глухие и слепые часто бывают добрыми и менее раздражительными не только по причине их удаления от земной жизни, но и по близости к Тонкому Миру.

497. Представьте себе, как к сложной машине подходит невежда. Он не думает о смысле аппарата, но хватает за первый рычаг, не сознавая последствий. Совершенно то же самое происходит с человеком, который упомнил лишь одну подробность целого Учения и удивляется, что не видит общего следствия. Так же как неосторожное обращение с машиной грозит невежде гибелью, так же находится в опасности человек, пренебрегающий сущностью Учения.

Кто-то обратил внимание только на качество пищи, кто-то только постарался не сквернословить, другой — не раздражаться, третий — не бояться, но такие полезные подробности будут все-таки отдельными рычагами — не поднимет каждый всю тяжесть. Нужно постепенно вникать в синтез

Учения, только радуга синтеза может дать продвижение. Если кто заметит, что им овладела одна сторона, пусть прилежно повторяет и другие части данных указаний.

Даем много прикрытого и постепенно приближаем осознание. Пусть не боится человек подходить близко, пока он не усвоит ритма Мозаики.

Так приближение к синтезу научит пользоваться всеми подробностями.

498. Не хочу утруждать, но Подтверждаю, что негармоничность подробностей может нарушить все строительство. Нужно полюбить каждый цветок растущий. Не будем самомнительно поправлять Законы Бытия.

499. Около понятия синтеза много недоразумений. Некоторые хотя и допускают полезность его, но считают, что синтез — всего понемногу. Они оправдывают себя тем, что не может человек знать всего при современном развитии знания. Но разве синтез есть знание всего? Наука со всеми ее отраслями не может быть усвоена одним лицом, но смысл ее должен быть осознан. Он может быть вполне усвоен и утвержден в сознании.

Только невежда может притворяться, что ему непонятен смысл синтеза. Невежда легко принимает одну механическую отрасль и готов прикрыть свою узость предубеждением о невозможности совмещения.

500. Нужно примерами историческими доказать, насколько вмещение и совмещение бывали признаками широты и ясности ума. Скоро машина позволит людям освободить значительную часть дня. Нужно подумать, на что будет расходоваться это свободное время?

Нужно признать, что совмещение нескольких занятий будет неизбежным, иначе можно впасть в отупение. Только расширение сознания может помочь в разумном распределении дня. Но явление расширения сознания происходит от любви к познанию и от стремления к высшему качеству.

Синтез поможет полюбить качество всей жизни.

501. Говорят о каких-то особых синтетических характерах, но такое самооправдание неверно. Не существует природного синтеза без тщательного воспитания психической энергии. Также упорствуют, что физические науки препятствуют развитию обобщения, но каждый знает великих физиков, астрономов, химиков и механиков, которые были прежде всего отличными синтетическими умами. Не будем перечислять их, но можно сказать — великая наука воспитывает и великие умы.

Много зоркости, неутомимости, преданности было заложено в основание каждого синтеза. Понятно, что человек, развивающий наблюдательность, увидит вокруг себя много обобщений и поймет, насколько эти широкие пути привлекательнее. Именно синтез основан на убедительности и привлекательности. Синтез настолько широко охватывает сущность, что отрицание чуждо синтетическому уму. Не нужно приписывать каким-то счастливчикам особый дар синтеза. Нужно труженически развить в себе это ценное качество.

502. Следует отучаться от приписывания себе разных освобождающих свойств, иначе говоря, саможаление вредно. Мужество выедается каждым приступом саможаления. Немудро считать, что́ не могло состояться в прошлом. Такие высчитывания называются колодцем прошлого, гораздо лучше родник будущего. Каждый может испить живой воды.

Нужно полюбить, что дух живет в будущем.

503. АУМ есть сочетание лучших вибраций, значит, около таких сочетаний нужно уметь осознать лучшие качества. Нужно очистить мышление от всех мешающих мелочей. Нужно не растить сад обид и огорчений. Нужно каждый час понимать как вход в сужденную работу. Нрав свой нужно воспитать, чтобы ничто не могло мешать обновлению сознания.

504. До́лжно испытать все полезные качества. Недостаточно вообразить о мужестве, о терпимости, о преданности и обо всем, составляющем доспех подвига. Не годится в начальники тот, кто не испытал бесстрашия на деле. Каждый может вообразить себя храбрым, но в действии часто выходит обратное. Нужно противоставить себя большому ужасу, чтобы удостовериться: не заполз ли страх? Когда Говорю о росте благодаря препятствиям, Имею в виду такие же испытания на действиях.

Нужно привыкать, что каждое Указание есть ближайшее необходимое познание. Так Мы видели нередко воображаемых героев, которые начинали дрожать перед первою опасностью. Также видели желавших быть терпимыми и свирепо раздражавшихся при первом возражении. Также знали таких преданных людей, которые убегали при первом нападении. Можно перечислить многие случаи, когда воображаемые качества не существовали. Но также знаем многие подвиги, когда люди сознательно превозмогали физические невзгоды и делали из недостатков лучшие украшения. Такое воспитание воли есть уже подвиг.

505. Также часто люди воображают себя тружениками, но при первой необходимости постоянного труда падают духом. Давно сказано — будьте одинаковы в счастьи и несчастьи, в удаче и неудаче. Обычно не прилагают таких советов в жизни; думают, что сказавший это, может быть, сам не применяет своих советов. Но Мы знаем о применяющих в жизни эти качества. В земном бытии можно назвать примеры показательные.

Нужно уважать тех, кто способен к постоянному труду.

506. Червь сомнения есть символ очень показательный. Именно червь подобен бацилле, разлагающей психическую энергию, и влияет даже на состав крови. Когда-нибудь ученые покажут психическую и физическую особенность человека, впавшего в сомнение. Такие последствия болезни сомнения будут среди самых заразных.

От младенческого возраста нужно употреблять лучшую профилактику против сомнения. Здоровая, разумная пытливость не породит сомнения, но всякое невежество будет источником самых уродливых сомнений. Сомнение будет прежде всего уродством и, в конце концов, приведет к предательству. Эпидемия предательства есть уже планетарное бедствие.

Так из ничтожного червя образуется самый ужасный дракон.

507. Для опыта над психической энергией сомнение есть самое большое препятствие. Свободное, смелое допущение будет крыльями опыта. Вы замечали, как мысль может проситься на волю. Вы, может быть, хотите приковать мысль к определенному направлению, но сущность психической энергии шлет сознание в иные сферы. Допустите и такие полеты, ибо работа мысли многообразна. Понятие делимости духа подсказывает и делимость мысли. Но бывают обстоятельства, когда психическая энергия напряжена и мысль настолько устремлена по дальнему назначению, что такое состояние может показаться безмыслием. Но такое ощущение происходит от перемены направления энергии.

508. Знание приводит к простоте. Люди, хорошо друг друга знающие, не нуждаются в длинных и сложных рассуждениях. Они предпочитают обмениваться сущностью вещей. Прекрасно знание, ведущее к смыслу, лишь мнимая наука будет захлебываться в нагромождениях и тем затемнять свое назначение. Поучительно наблюдать большинство комментариев, которые усложнили самые простые места основ. Целое исследование можно составить, наблюдая за сложными путями комментариев. Психология комментаторов, усвоившая местные наслоения, часто совершенно утрачивала основную задачу. Такую же судьбу имеют все человеческие отношения, когда в суете люди утрачивают представление о своем назначении.

Тщетно стучится психическая энергия, но ледяная рука наркоза умеряет движение жизнедательницы. Явление простоты пусть поможет освободиться от шелухи.

509. Та же простота поможет рассмотреть, где Добро. Вы уже слышали, как слова о Добре назывались учением зла. Вы уже знаете, что злые ненавидят Добро; для них оно будет и жестоким, и несправедливым. Зло не признает Добра. Такое положение настолько очевидно, что не нуждается в пояснении. Между тем в каждом Учении найдем очень настойчивые указания о том же. Такие повторения доказывают, насколько постоянно требуется напоминание, что зло не признает Добра.

510. Каждый труженик имеет право на улучшение своей области работы. Пусть это будет не только правом, но и обязанностью. Каждый труд может быть улучшаем. Такое творчество улучшения будет радостью работника.

Можно представить, что государство должно ободрять и поощрять каждое улучшение производства. Всякая работа в своих приемах может быть беспредельно улучшаема. Не только великие изобретатели имеют удел обогащать человечество, но каждый участник работы своим опытом нащупывает новые возможности и приспособления. Только не нужно отвергать такие попытки. Они могут быть соединены в счастливые применения. Но самое главное благо будет в том, что каждый должен чувствовать себя истинным сотрудником.

511. Плодотворное сотрудничество поможет восприятию постоянства труда. Не может человек делать лишь одно и то же. Но углубление качества и нахождение новых приемов будет постоянным обновлением мысли.

Полюбить постоянство труда можно лишь преуспеванием качества.

512. Нужно чуять, насколько напряжение велико. Нужно признать, что не было такого времени. Не может быть обычных мыслей в необычное время. Усвоить это уже будет приближением к первому ряду Битвы. Явление напряжения уже велико и не меньше будущего. Также нужно хранить сознание Победы, как щит крепкий. Нужно наполнять пространство мыслями победными, ибо в них озон и прана.

513. Преступность возрастает; жестокость и свирепость увеличиваются. Необходимо заглянуть в корень таких позорных явлений. Не могло человечество без причин стать хуже. Но кроме причин космических и в самом человечестве имеется основание быть потрясенным. Нельзя бесконечно отрицать психическую энергию. В силу нагнетения космического и психическая энергия человечества усиливает давление. Она не только не признается, но даже попирается, вызывая болезни физические и психические.

Давно установлено, что преступность есть болезнь психическая. Также и садизм, и жестокость, и свирепость остаются следствиями той же психической эпидемии.

Нельзя избавить человечество от таких бичей, если не обратить внимания на состояние психической энергии. Она вырастает в давление. Она, наподобие гремучего газа, представляет опасность взрыва. Остается направить ее в мощное сужденное русло, иначе она окончит эволюцию. Но такие воздействия на всеначальную энергию не могут быть случайными. По всей планете должны возникнуть ученые, культурные очаги, которые в сотрудничестве будут заниматься воспитанием психической энергии. Такая сеть может внести основы научной дисциплины.

514. Не будем откладывать действий по образованию человека как носителя психической энергии. Много имеется отдельных попыток, но теперь нужен как бы кооператив по исследованию этих энергий. Не нужно ограничивать такую полезную работу условностями, ибо самые неожиданные разнообразные сотрудники могут принести свой жизненный опыт.

515. «Любите друг друга»,— эта заповедь дана мудро. Ничто не может лучше любви гармонизировать психическую энергию. Все Высокие Собеседования основаны на том же чувстве и также благотворны для психической энергии. И легкая пранаяма также укрепляет основание энергии. Так люди должны собирать и утверждать все полезное для психической энергии. Должен каждый следить за запасом психической энергии. Ведь даже вздох единый уже приносит обновление сил.

Очень показательно, что психическая энергия возобновляется прежде всего чувством, но не физическим отдыхом. Потому сказано: «Нагружайте Меня сильней, когда Иду в Сад Прекрасный». Именно нагружение и нагнетение — родина сильных чувств. Если же человек умеет судить о своих чувствах, он среди них изберет достойнейшее, и оно будет Любовью.

516. Также сказано давно: «Умеющий любить имеет сердце огненное». Для укрепления энергии нужен огненный порыв. Никакое рассуждение не дает того Огня, который возжигается искрою чувства любви.

Когда будут строить школы мысли, тогда испытывать будут и значение чувств. Сравнивая чувство злое с чувством добрым, опять познается, насколько добро выносливее зла.

517. Никто не должен считать, что развенчание чувств преподается, если они сопоставляются с энергией. Кто-то вообразит, что невместно упоминать Высшее Собеседование, наряду с энергией. Кому-то энергия есть нечто, заключенное в машине, но ничтожны будут такие земные представления. Нужно тоже полюбить доверенную, явленную энергию. Доверенная энергия есть капля из Высшей «Чаши».

Так без любви нет продвижения.

518. Опять запомним, почему большинство людей должны многократно перечитывать книги Живых Указаний. Одни скажут, что это давно им известно, но не примут к исполнению; затем они назовут Указания Заоблачными и не применимыми на Земле. В третьем чтении они найдут, что, может быть, где-то имеются люди, которым полезны эти советы, и в четвертом повторении вспомнят и о себе самих. Другие начнут с похуления всей книги, потом удалят книгу из дома, после как бы случайно вспомнят о ней и, в конце концов, начнут впоследствии твердить целые мысли из книг.

Разнообразны пути сознания, и потому нужно людям привыкать к восприятию услышанных мыслей. Жаль наблюдать ненужные зигзаги пути, происходящие от самости, от надменности, от презрения к чужому мнению. Так людям приходится перечитывать много раз то, что при сердечном восприятии могло бы подойти и ближе, и скорее.

519. Чертополох в саду нетерпим, так же нетерпимо зло в жизни. Но если зоркие глаза отличают тропинку добра, следует ее оберечь. Пусть она будет длинна и узка. Пусть она будет местами заросшей, но каждое зерно добра сохра-

ните. Пусть птицы добра не всегда поют понятно, но каждый звук добра уже драгоценен.

520. Между радиоволнами можно иногда различать какие-то вторгающиеся голоса. Конечно, это будут голоса некоторых людей, невольно воспринятые аппаратом. Так и среди голосов из Тонкого Мира все чаще слышатся и голоса живых. Этим обстоятельством хотят воспользоваться враждебные невежды, чтобы отрицать сообщения из Тонкого Мира. Но они забывают, что психическая энергия повсюду одна. Она не может быть мертва или жива, ибо она всеначальна. Мысль нерушима, и она вибрирует в пространстве.

Невежды отрицают Мир Тонкий и тем отвергают мысль. Все Сущее служит не отрицанию, наоборот, все подтверждает одну Истину.

521. Много раз возвещался конец Земли, но планета еще существует. Невежды опять найдут повод для своего торжества, но накануне гибели Атлантиды так же насмехались. Кроме того, планете не раз угрожали губительные столкновения. Чуткие аппараты могли это обстоятельство предвидеть. Еще недавно планета весьма тесно избегла столкновения.

Если находятся люди, которые предчувствуют землетрясения дальние, то вполне понятно, что и другие космические вибрации могут быть ощущаемы. Не будем судить, почему многие опасности избегаются, причин тому много. Некоторые острова находятся в очень опасном состоянии, но жители не покидают их. Но никто не смеется над учеными, исследующими подвижные очертания берегов.

Невежественная критика должна быть очень осторожна как в отношении физических изысканий, так и в области психических прозрений.

522. Правильно полагать, что от раскрытия одной тайны не умалится следующая. Сказано, что каждое открытие есть лишь врата к ближайшей тайне. Но также сказано, что каждая тайна обнесена тем высшею стеною, подступы к которой все труднее.

Пусть боящиеся сразу знают предстоящие трудности. Не следует заманивать легким достижением. Пусть отбор совершается, и сильные духом полюбят путь трудный, иначе на чем они испытают себя?

Заблуждение велико думать, что все изобретения должны лишь услаждать жизнь. Так каждое открытие даст лишь окошко в Беспредельность, и один взор решит природу человека. Не много любителей заглянуть в Беспредельность, большинство ощутит ужас от представления о бесконечном пути. Даже на Земле немного странников, которые поняли такое продвижение.

523. К тому же, люди должны пересмотреть словесные понятия. Сегодня уместно сказать о торжественности, но многие ошибочно поймут такое прекрасное понятие. Для многих торжественность есть праздничное безделье, есть безответственное хождение и произнесение отживших слов. На самом деле, торжественность есть возвышенное приношение всех лучших чувств, есть напряжение всех превосходных энергий, прикосновение к следующим Вратам.

524. Мало представляют себе люди воздействие пространственных токов. Даже просвещенные ученые не всегда отдают себе отчет в непрестанном изменении качества атмосферы, слишком велика очевидность в неподвижности окружающего. За этой условной очевидностью скрывается действительность.

Следует воспитывать сознание молодежи, что около них кружится постоянный вихрь, но не ужас несет он, уявляя мощь тонких энергий. Образованный человек достаточно должен знать о вечном движении и о неповторяемости явлений. Также он легко усвоит и переменность токов, наполняющих пространство. Свои настроения и ощущения человек будет сообразовать со многими причинами внешними.

525. Также должен научиться человек выслушивать опытные советы. При таком собирательном мнении рождаются многие огни. Не следует избегать обсуждений, около них усиливается круговорот токов и смена энергий.

Пусть сменяются токи, ведь после тяжких придут и хорошие.

526. Некий начальствующий пришел к пустыннику, прося сказать ему об Основах жизни. Пустынник начал рассказывать и во время беседы постепенно наливал воду в чашу. Начальствующий, наконец, заметил, что вода идет через край, и указал пустыннику. На что тот ответил: «Правда, потому следующий раз запасись чашей большей вместимости». Такими сказаниями пытались люди утвердить сознание, что свыше вместимости прольется мудрость напрасно. Но то же сказание предусматривает и ободрение. Каждый раз можно приносить бо́льшую чашу.

527. Почему так трудно воспринять закон, что каждая энергия есть уже и физическая мощь? Люди могут двигать

мускулами посредством воли, значит, эта энергия является физическим рычагом. То же самое можно видеть при сравнении физических упражнений атлетов и Хатхи Йогов, которые в значительной степени достигают приказом воли различных достижений мускульных.

Так нередко мыслящий человек не терял и физическую силу.

528. Уныние есть не что иное, как распущенность. Поставьте унылого человека в достаточную степень опасности, и он принужден будет ободриться, но степень потрясения должна быть велика, чтобы заставить человека переменить свое настроение. Даже некоторые болезни излечиваются потрясением. Ужас смерти превосходит, казалось бы, все человеческие слабости, но даже и такая степень может найти нечто превосходящее. Существует много рассказов, как смертельная болезнь получала помощь лишь благодаря опасности. Сколько раз параличные выбегали из горящего дома. Сколько раз внутренние поражения исцелялись, ибо центр устремлялся по иному направлению.

Спрашивается — если люди осознают окружающую опасность, может быть, они излечатся от одной из самых опасных болезней — от распущенности?

529. Правильно замечено, что основные свойства сознания почти не изменились в течение тысячелетий. Может быть, такое потрясающее событие, как гибель Атлантиды, и повлекло некоторое обновление сознания, но размеры потрясения должны быть чрезвычайны.

530. Боль есть признак пораженности органа, иначе говоря,— вестник болезни. Но может быть боль и другая, она может происходить от совершенства одного органа над другим. Особенно это заметно при сердечных болях. Сердце может быть здоровым, но настолько утонченным, что ему как бы тесно между прочими органами.

Обычно считают здоровым организм, который не чувствует болей, но такое определение примитивно. Самое здоровое сердце может болеть, ибо слишком многое на нем отражается.

Нужно, чтобы врачи ясно различали причины болей. Явление познания психической энергии им поможет.

531. Распознание качеств пространственных токов есть начало ручательства о высшем состоянии сердца. Нельзя приказывать сердцу чуять, если оно еще не в состоянии; тогда призванная психическая энергия даст импульс чуткости.

532. Особый ущерб расширению сознания нанес тот, кто противоставил дух материи. Конечно, можно часто слышать, что материя есть уплотнение духа. Такое определение легко заслушивается, но грубая очевидность, помимо сущности, крепко стоит на давнишнем подразделении.

Нелегко затемненному воображению представить все состояние духа! Можно вспомнить, как некий дикарь ушиб приятеля камнем и просил простить, ибо думал, что кусок духа не причинит боли.

Утверждение состояний духа должно усилять науку. И наука должна помочь прояснению человеческого воображения.

533. Каждое условное подразделение наносит вред основе Единства. Осознание силы всеначальной поможет освободиться от ненужных наслоений. Большинство условных названий произошли от самости, желавшей назвать предмет по-своему. Конечно, и смешение языков принесло необычные определения.

Следует заботиться об образовании ясных объединительных определений.

534. О чем заботиться — о тесном или обширном, о кратком или длительном? Самый простой, рассудительный человек скажет — пусть лучшее будет длительным.

Сравним земную жизнь с надземным пребыванием. За малыми исключениями, пребывание в Тонком Мире несравненно длительнее. Значит, мы должны готовиться не для кратких остановок и должны особенно ценить то, что понадобится в длительном пребывании. Всеначальная энергия, мысль, сознание, воображение и воодушевление являют невесомую собственность.

535. Можно понять, почему сравнительно мало сказано о перевоплощениях в древних Учениях. С одной стороны, о них было достаточно известно, с другой — было бы неполезным обращать внимание на бывшее. Только люди с особо расширенным сознанием могут погружаться в прошлое без вреда для продвижения. Для малого сознания взгляд назад может быть губителен. Люди должны быть в постоянном приготовлении к будущему. Только в таком сознании смогут они гармонизировать земную жизнь.

Даже переезжая в лучшее помещение, люди отбирают свое лучшее имущество, и никто не везет с собою грязную ветошь. Так же осмотрительно и достойно должен человек приготовить себе жилище в Тонком Мире.

536. Земные люди на жаркое время переезжают в горы.

Так же точно может человек подняться на высоты и сделать этот подъем чрезвычайно радостным. Утонченная психическая энергия поможет освоиться с новым окружением. Она привлечет и лучших Руководителей. Называют ее Магнитом, Мостом, Вратами и Сокровищем — всеми лучшими именами, чтобы человек запечатлел свое истинное сокровище.

537. Только ясное осознание Тонкого Мира поможет людям осознать земную собственность без лицемерных отречений. Человек поймет, какое достояние ему принадлежит, и земные вещи найдут должное место в долгом человеческом существовании.

Сущность не в отречении, но в осознании особо Прекрасного.

538. Человек, осознавший в себе присутствие психической энергии, может замечать ее и в других. Сказано, что познание самого себя есть Путь. Но первое качество будет состояние психической энергии.

Для многих рассуждения о психической энергии будут как бы бредовым состоянием, они вообще не могут понять, о чем идет речь. Они будут весьма гневаться, как всякий присутствующий при недоступной для него беседе. Нужно понять, что первый проблеск об энергии будет самым трудным. Только спокойнее нужно относиться к невежественному непониманию. Так многие, вообще, не могут представить себе состояния после прекращения земного существования. Такие люди могут быть и атеистами, и церковниками, но одинаково будут далеки от осознания всеначальной энергии.

Весьма поучительно, как самые противоположные убеждения могут одинаково заблуждаться.

539. Можно сравнивать спящих с отрицателями. Поистине, не имеет смысла говорить крепко спящему!

540. Теперь вы можете тем более понять, почему Хатха Йога не указана Нами. Она менее других устремляет человека к всеначальной энергии. Правда, она через совершенство мускульное и приказа воли медленно подвигает человека, но оставляет в небрежении самое основное, с чего нужно начать.

Зачем идти только снизу, когда лучшие дары Сверху. Разве не будет скорейшим продвижением познание самой основной энергии?

Не Хатха Йог сказал: «Мир есть мысль».

541. При мысленных передачах нужно запомнить некоторые качества энергии. Прежде всего нужно признать неизбежность неожиданности получения ответа. Такое свойство остается вследствие различия восприятия земного и тонкого; непременно тонкие энергии встречаются с земными условиями. Каждый земной заслон, как мертвенная пелена, закрывает доступ. Пусть это будет мгновенно, но все-таки уже создается возможность неожиданности. Люди привыкли мерить земными мерами и могут сами отвергнуть тонкую посылку.

Потому так важно изощрять свою тонкую энергию.

542. И другое условие необходимо помнить. Сердце неминуемо будет отмечать посылки. Это не сердечная болезнь, но трепетание тока. Невозможно определить словами ощущения сердца. Только люди, привычные к мысленной передаче, могут понять, в чем заключается это трепетание.

543. Даже могут быть ощущения боли в нервных центрах. Понять можно, что такие чуткие центры должны отзываться на внешние токи. Явление таких болей часто называют невралгией, но причины ее не понимаются. Обычно ищут причину в простуде или в переутомлении, но внешние психические причины не принимаются во внимание.

544. Быть Матерью Агни Йоги совсем не легко. Только со временем люди оценят всю самоотверженность, которая необходима при провозвестии огненной мощи.

545. Нужно усвоить внимательность ко всем явлениям, протекающим во время космических напряжений. Многое отмечается, но еще большее осталось в небрежении. Люди настолько удалились от осознания всеначальной энергии, что не умеют находить слов для очевидных явлений и событий. Ведь нельзя отделять события от психических явлений.

546. Даже самый опытный восприниматель мысли знает, насколько выбиваются отдельные слова посторонними вторжениями. Можно представить, сколько токов перекрещивается в пространстве! Множество поучительных опытов можно производить не только по прямой передаче мысли, но и по исследованию перекрестных воздействий.

Многие токи могут быть посылаемы и воспринимаемы прямо. Но, кроме них, могут вторгаться чужие волны, по силе и качеству равные,— такие сложные волны нужно изучать.

При таких наблюдениях выявится, что сильный ток представит как бы магнит для более слабого. Отсюда и слияние нескольких волн. Чуткий приемник будет ощущать дрожание сложных вибраций.

547. Также весьма показательно, что некоторые волны больно ударяют по ауре. Такие удары могут происходить от негармоничности посылок и от сложности волн.

Также уже замечаются звучания в ушах. Помимо работы некоторых гланд нужно понять, что такое напряжение может быть вызвано нагнетением атмосферы — своего рода отзвук наполненного звучания сфер.

548. Правильно судить, что и современные учения Йоги уделяют столько внимания настроениям человека. Казалось бы, такое замечание всем известно и понятно, но действительность показывает, что люди не понимают значения воодушевления или мрачного уныния.

Пусть ученые исследуют передачу мысли при самых различных состояниях. Помимо психических состояний можно наблюдать и температурные условия. Жар дает повышенные восприятия.

Конечно, Говорю о повышенной температуре организма. Не сама болезнь, но сочетание огненных волн ткет нить соединения и воздействия.

549. Которая же мысль доходчива? Старые люди говорят — та, которая от сердца. Такое простое определение правильно. Именно состояние психической энергии приближает или отдаляет принятие мысли. Но нужно представить себе, сколько непринятых мыслей остается в пространстве! Если мысль есть энергия и она не разлагается, то сколь ответственно человечество за каждую мысль!

Можно проверить общую сумму всех мыслей, одновременно полетевших по Миру. Поучительно узнать, о чем думает человечество в каждую минуту? Следствие будет крайне неожиданным. Можно будет разделить мысли на немногие категории, и очень малое количество окажется направленным на Общее Благо. Такие подсчеты могут дать самые ужасные выводы.

Не нужно мечтать, что люди уже осознали ценность мысли. Не уставайте твердить о значении мысли, и вы будете обвинены в недопустимом новшестве, будете обвинены в потрясении основ общественных.

Чем могут доказать, что забота о мысли опасна для государства? Между тем вы уже испытываете обвинения, что вносите нечто опасное. Но в какое звериное состояние должен впасть человек, чтобы считать упоминание о мысли чем-то, недопустимым в человеческом обиходе!

Нужно послушать все насмешки над философией, ибо она учит мыслить!

550. Почти не найти людей, преданных искусству мышления. Простую задачу Олимпийских игр люди способны венчать лучшим венцом. Но где же осознание и поощрение мысли?

Уши не могут вместить гром рукоплесканий за прыжок, но каждый прыжок мысли будет заподозрен и осмеян.

Пусть собираются явленные борцы мысли!

551. Опытным путем должна быть исследована вся область психической энергии. Невозможно допускать личных предположений. Нужно с величайшею осмотрительностью пользоваться источниками древней литературы. Следует иметь в виду, что многие определительные в свое время понимались иначе, нежели в современном толковании. Многое, так называемое метафизическое, в свое время было полною реальностью.

Многие древние философы оставили после себя лишь символические определения. Они или сознательно скрывали настоящие наименования, или в обиходе учения пользовались сокращенными знаками.

Углубление в разные эпохи познавания психической энергии докажет самые противоречивые суждения. Не заблуждайтесь в таких лабиринтах человеческих мышлений! Происходили эти явленные заблуждения лишь от недостаточно научных опытов. Не сказки о психической энергии нужны, но человечество будет продвигаться суровыми опытами, проверенными на разных концах мира. Для такой достоверной проверки нужно единение.

552. Мать положит первые основы исследования психической энергии; даже до рождения ребенка будет замечать весь обиход жизни и питания. Характер будущего человека уже обозначен в утробе матери. Уже можно наблюдать некоторые особенности, которые предопределяют характер, явленный в желаниях самой матери. Только и в этом случае нужно честно наблюдать. Но самую возможность наблюдения нужно воспитывать.

Так мы опять обращаем внимание не на теории и догмы, но на опыты и наблюдения.

553. Утомление усиливается внешними условиями. Такие наблюдения также нужны. Явления подавленности или утомления могут принимать эпидемический характер. Целые округи, даже страны могут оказываться в полосе нагнетения.

554. Даже у младенцев можно наблюдать явление психической энергии. Но нужно уметь различать эти знаки, в которых так много отзвуков Тонкого Мира. Уже явление прежних жизней сказывается среди детских игр и помыслов. Неразборчиво будет сказать, что все детские забавы одинаковы. Даже при общих играх каждый ребенок проявляет свою особенность. Наблюдая таких детей, можно обогатить свое знание о психической энергии.

Ошибочно думать, что лишь взрослые с разбитыми нервами могут служить объектами для наблюдений. Именно дети, при ненарушенной силе психической энергии, дадут лучшие опыты.

555. Много приходится говорить о медицинских советах, но, кроме врачей, никто не занимается вопросами основной энергии. Многие скажут, что не их дело углубляться в медицинские задания, но каждое такое замечание будет вредным невежеством. Жизнь для всего живого, и каждый должен принести свой камень на постройку.

556. От храма заглянем и в подвал. Сумеем удержать в себе не только парение, но и сострадание. У каждого человека есть открытая рана. Только психическая энергия может нащупать эту боль. Каждое изучение высшей энергии научит и открытию помощи. Так же и желание помочь должно быть воспитано.

557. Если у каждого человека имеется открытая рана, то также имеется карбункул сердца, называемый Святая Святых,— такой магнит должен быть храним. Называли его камнем драгим. Уже давно Говорил о камне драгом, но тогда кто-то мог понять как отвлеченность. Но теперь уже знаете, что это вдвойне не отвлеченное понятие. Узлы психической энергии легко можно назвать камнем, ибо магнитность у людей соединяется с представлением о камне. Магнитная гора понимается легко, но магнит человека не понят. Между тем, если в Макрокосме имеется множество магнитных явлений, то и в микрокосме человека такое же качество неотъемлемо.

558. Люди знают об электрическом угре, но такие же разряды в человеке кажутся им какими-то феноменами. До такой степени трудно входит в сознание, что человек заключает в себе решительно все. Такие качества в человеке должны возбуждать к нему особую бережность, но не признано такое всеобъемлемое наполнение человека. Слова *Макрокосм* и *микрокосм* повторяются неумно, без всякого внутреннего значения.

559. Также может ли быть осознано великое понятие Святая Святых? Иногда тонкое тело возвращается из своих полетов с этим возгласом, чтобы закрепить это в земной жизни. Много светлых истин может приносить с собою тонкое тело. Оно успевает побывать среди разных сфер, успеет снестись с живыми людьми в разных странах — все это в Беспредельности и Безвременности.

Разве все подобные качества в микрокосме не делают из него престол Высшей Мощи?

560. Некоторые люди стремятся получить только новое, не заботясь об усвоении прежнего. Много опасностей в таких прыжках на неизвестной почве. Не всегда можно доверять таким людям. Вряд ли они могут охранить порученное им.

Стремительность ценна, когда она будет следствием полного сознания.

561. АУМ, как высшая вибрация, может звучать для настроения психической энергии. Каждая арфа должна быть настроенной, тем более психическая энергия подвергается всем космическим вибрациям и должна быть приводима в спокойное состояние. При старинных рассуждениях о всеначальной энергии часто именно АУМ заключал стих советов.

Многообразна психическая энергия! Можно найти различные вибрации ее, имеющие особые наименования. Обратим внимание на один высокий вид энергии, именуемый защитностью. Не нужно думать, что это качество защищает самого носителя такой энергии, наоборот, он защищает многих, щедро уделяя свою энергию. Подобно делимости духа выделяется психическая энергия, где она может быть полезной. Такой врач не знает исцеляемых им страждущих. Трудная, но благодатная работа!

562. Вибрационный электрический массаж полезен, если согласованы вибрации. Неумно окружать больного чуждыми ему вибрациями. Следует прежде всего изучить его психическую энергию, ее качества и напряжение. Массаж основан на ритме, но ритм необычайно индивидуален. Можно втереть совершенно несоответственные раздражения.

Потому при медицинских школах ритм и вибрации должны быть изучаемы.

563. Агни-Пураны, Упанишады и другие старинные Заветы в своих основных частях совершенно точно передают Законы Бытия. Нужно не отвергать, но очень внимательно прислушиваться к искрам Истины. Не могут быть скованы два металла без огня, так же и ток высшей энергии может быть принят лишь огненным сердцем.

Не будем пренебрегать всякими источниками добра. Каждый, кто запятнает светлую одежду ближнего, сам себя осудил.

564. В разных религиях замечается особая гармонизация молитвенных напевов. Если сравнить древнейшие из них, можно отметить поразительное сходство тональных построений. Кроме того, можно найти замечательные общие ритмы, доказывающие, что составители этих песнопений глубоко понимали значение гармонизации. Невозможно приписать такое основное сходство простой преемственности. Можно понять, что на них воздействовал один Источник. Нельзя сомневаться, что единая всеначальная энергия Бытия будет давать однородные ритмы для одного вдохновения.

Поистине, зрячие могут широко находить подтверждение великого Единства.

565. Вы слышали, что лицо, страдавшее недостатком речи, вдруг могло произнести прекрасное и вдохновенное обращение. Не могла этого достичь лишь единоличная воля, требовалось участие и другой энергии. Кто-то послал Свою Защитную Силу. Может быть, такая Сила навсегда исцелит недостаток? Может быть, нервная судорога уйдет навсегда, если сохранится та степень энтузиазма, которая наполняла произнесшего прекрасную речь? Пусть он наблюдает за ритмом своего сердца. Пусть вспоминает, как гармонизировалась его удачная речь, которая так вдохновила слушателей. Удержать явленную гармонию уже будет достижением. Много можно привести примеров, когда ритм психической энергии возносил человека и помогал преодолевать все нервные спазмы. Много можно назвать случаев, когда люди под влиянием Высшей Энергии забывали навсегда о своих недостатках.

566. Всякое чрезмерное напряжение противоречило бы гармонии. Надо, чтобы удачная гармония оставалась в памяти без всякого насилия. Пустынники указывали на глубочайшее значение бессловесной молитвы — так судить могли лишь познавшие мощь гармонии.

567. Радиоскоп знакомит с одной стороной светоносности, но тот же аппарат может подтверждать воздействие психической энергии на степень света. Можно наблюдать, что различное нервное состояние наблюдателя будет изменять радиоактивность. Так можно сказать, что психическая энергия человека и минерала сотрудничают, будучи едины. Явление содействия или разрыва тока зависит от так называемого настроения человека. Еще недавно такое утверждение было бы названо безумием, но сейчас некоторые уже понимают такое сотрудничество энергии, а другие опасаются высмеивать — так движется познание. Особенно нужно признать, что доброе настроение уже есть половина успеха.

568. Пусть люди полюбят напряжение, ибо расслабление уже есть разложение. Никто не будет познавать предмет в расслаблении. Уже называли крепость духа доспехом, но нужно привыкнуть к каждому доспеху.

569. Случайна ли отрывочность заметок? Может быть, в этой мозаике заключается ритм и особый рисунок? Пусть иногда друзья подумают, почему избрана такая система? Не лежит ли в ней особое задание, чтобы воздействовать на разные центры? Усовершенствование способности восприятия является очень важным достижением.

570. Сроки самые многозначительные могут проходить неразгаданными. Шестнадцатое Сентября может быть почувствовано лишь немногими — так бывает, когда пожар уже свирепствует за стеною, но народ собирается на зрелище, не понимая, что занавес скрывает опустошение. Срок может быть предуказан космическими условиями, но люди не обращают внимания на запечатленные знаки. Совершенно так же опытный врач мудро исчисляет развитие болезни, но приходит указанный срок, и больной встречает день, насмехаясь над врачом, и сколько раз следовал ответ: «Вечер еще не настал».

Если спросить людей, как они представляют себе нечто весьма важное, они расскажут самые замысловатые предположения и ни одно не затронет сущности происходящего. Такие блуждания около сущности вещей лишь доказывают небрежение к всеначальной энергии, которая может направить воображение по правильному пути.

571. Человек отлично знает внутренно о присущей ему энергии. Ушибаясь, он разотрет пораженное место рукой. Желая обратить внимание, он топнет ногой, он знает, что именно конечности испускают энергию. В сказаниях человек повествует об искрах от удара руки и о земном огне от следов ног. Но трудно человеку в обиходе признать свою собственную мощь.

572. Усвоение ритма есть ступень к дальним мирам. Никто не может воспринять тонких вибраций, если он

не усвоил ритма и не понимает значения гармонии. Но кому-то она звук пустой, но имеется тот, кто уже гармонизировал всю жизнь свою. Не явленный ритм плохой музыки, но огненный ритм сердца Имею в виду. Некто, услышав о ритме, нанял барабанщика и велел стучать в уши, и только еще больше отупел такой глупец.

573. Суждение людей поражает своей относительностью. Образцом может служить определение состояния перешедшего в Тонкий Мир. О том же самом лице будет сказано — он погиб, он уничтожен, он терзается, он спит, он являет успокоение, он поучается, он восходит, он радуется, так каждый судит по своему представлению о Тонком Мире. Но так как никто не рассказал о Тонком Мире людям, то они начали судить по своему воображению. Но воображение воспитывается не часто. Таким образом, самая ближайшая сфера все еще остается в пределах призраков.

Когда при погребении кто-то плачет, может найтись некто, который пожалеет о неведении. Так же точно, если кто-то в таком же случае будет радоваться, люди возмутятся о безумце. Так люди не могут усвоить соотношения земного существования с надземным Бытием. Можно назвать много случаев, когда люди видели своих близких из Тонкого Мира, но и такие доказательства остаются лишь среди феноменов. Невозможно убедить людей в естественности смены Бытия. Им запрещается думать о перевоплощении, и они соглашаются пребывать перед неизвестною бездною. Но каждый год сближает миры, и можно умножить случаи свидетельства о памяти прежних жизней. Уже каждый может приводить много примеров, только требуется доброжелательное отношение.

574. Такое же доброжелательное отношение нужно и в опытах с психической энергией. Не следует вопрошать ее о будущем, но можно запечатлеть, как психическая энергия сама предчувствует ближайшие пути. Ее называли Глазом Души — так сравнивали с физическим зрением. Если глаз естественно видит находящийся впереди предмет, то и Глаз Души предвидит будущее.

575. Не только каждый центр есть динамо, но каждый атом уже вырабатывает энергию. Можно ли считать неестественным и ненаучным исследование психической энергии? Говорю для тех, кто имеет особые возможности познавания энергии и так часто противится своему достоянию. Народ должен учиться, учиться и учиться. Так наука во всем своем величии даст возможность достижений.

576. Психометрия считается уделом исключительных людей, но общее свойство дано решительно всем. Каждый человек при каждом прикасании к предметам ощущает различные сенсации. Разница лишь в том, что один обращает внимание на них, но другой проходит равнодушно. Следует отдавать себе отчет в каждом ощущении.

Какое богатство жизни откроется тем, кто вибрирует на все чувствования! Нетрудно усовещевать себя в разнообразии ощущений. Каждая книга, каждое письмо несет в себе целую ауру. Нечто несказуемое, но явное сердцу получится от прикасания. Нет причины полагать, что лишь некоторые счастливчики имеют дар, в котором другие обойдены.

Мысль о возможности уже есть открытый путь.

577. Испытатель психической энергии находится в совершенно других условиях, нежели иные исследователи. Они могут уделять своим изучениям определенное время, тогда как испытатель психической энергии посвящает все время наблюдению. Он никогда не знает, как образуется замечательное явление. Он не может оставить без внимания мысленные токи, которые могут возникать ежеминутно. Он должен уметь проснуться в полном сознании. Он должен обращать внимание на ауры людей и предметов. Он должен обладать терпением и доброжелательством. Он не может жаловаться и впадать в уныние. Так многие условия, как воображение и чувствознание, необходимы для наблюдателя.

578. Кто может сказать, что он лишен всех необходимых условий? Кто может утверждать, что не обнаружит завтра то, что не нашел сегодня?

579. Перед сроками космическими могут быть нагнетение и даже болезненные ощущения, потому Мы советуем развивать в себе чувство торжественности. Называем это чувство крыльями. Лучи подвига не блестят без торжественности. Утверждение тоже нуждается в торжественности. Такое преддверие к Храмине будет самым подобающим.

Торжественностью преисполним сердце.

580. Постоянная готовность есть качество, которое нужно вырабатывать. Готовность не есть нервный порыв, не есть временное напряжение. Готовность есть гармония центров, всегда открытых к восприятию и воздействию. Человек, полный гармонии, всегда получает и всегда дает. Сущность его всегда укрепляется в непрерывном токе.

Не бывает даяния без получения. Прервать такой ток есть смерть продвижения. Всезнающий будет и вседающим. Поймем эту истину широко, не ограничивая плотными условиями.

Существует закон, по которому получение не должно быть понято как собственность. Осознание такого понятия может происходить в сердце. Никакие лжеуверения не обманут сердца. Укрепление психической энергии дает твердость.

Постоянная готовность есть продукт здоровой психической энергии.

581. Древний Патриарх называл психическую энергию благословением. Современный врач называет ее здоровьем духа. Нужно с великим вниманием следить за древними определениями. Было бы самомнением и невежеством отвергать накопления многих тысячелетий. Испытатель прежде всего освободится от самомнения.

582. Ученик обратился к Учителю с длинным списком качеств, требуемых для преуспеяния. Грустно сказал он: «Учитель, не могу овладеть этими качествами». Учитель спросил: «Неужели всеми?»

Ученик продолжил: «Представляется мне, что ни одно качество не усвоено мною». Учитель ободрил: «Не велика беда, если чувствуешь, что все нужные качества не усвоены тобою. Хуже, если тебе покажется, что ты владеешь всеми».

583. Ученик приступил к Учителю с раздражением, спрашивая: «Много читал я Учение и все же не знаю, с чего начать применять его?» Учитель ответил: «Очевидно, тебе прежде всего нужно освободиться от раздражения. Этот туман мешает тебе видеть путь».

584. Ученик просил Учителя: «Укажи, как приложить к жизни Учение?» Учитель посоветовал: «Для начала стань немного добрее. Не считай добро как сверхъестественный дар. Пусть будет оно почвою твоего очага, на нем разведешь огонь, и на такой почве пламя будет нежгучим».

Так приступили ученики, и дивился Учитель, почему после всего Учения требовался вопрос: с чего начать?

Не сказка, но сама жизнь напомнит о таких несоизмеримостях. Ученик должен почуять в сердце, которое качество ему ближе.

«На всех Путях ко Мне встречу тебя».

585. Можно замечать, насколько космические токи усугубляют реакцию разных органов. Можно видеть как бы

колебания слуха, зрения, утруждение солнечного сплетения, напряжение связок и ярое горение центров. Микрокосм отвечает бурям Макрокосма. Сколько явленной стойкости нужно найти в себе! Чем может человек преодолеть напряжение пространства? АУМ, как звучание гармонии, будет целителем.

586. Еще раз ободрим всех, кто огорчается при первой неудаче с опытом над психической энергией. Пусть они запомнят, сколько условий может влиять и препятствовать опыту. Окружающие люди и предметы, пространственные токи, и состояние здоровья, наконец, мысли, получаемые издалека,— все может или повышать, или понижать следствия. Много попыток было прекращено в самом зачатке, ибо нелепое замечание или враждебная мысль парализовали психическую энергию.

Печально, если человек от первой неудачи впадает в отчаяние. Этим он лишь доказывает, что его психическая энергия находится в полной распущенности. Тогда испытатель должен здраво помыслить, как образовать психическую энергию. Ведь, помимо опытов, человек не вправе держать всеначальную энергию в безобразном состоянии. Пусть каждый начинающий исследователь испытает самого себя в разных обстоятельствах. Только всевозможные испытания могут доказать, какие именно свойства преобладают в данной психической энергии.

Также пусть исследователь не терзается особенностью своей энергии, сравнивая ее с опытом других. Некоторые склонны преувеличивать, но другие по скромности преуменьшают, при этом нередко упускают из виду самые ценные свойства. Пусть вооружатся терпением и преданностью к наблюдениям. Не следует предаваться шатанию и порывам, которые так часто приводят к раздражению.

Так постоянно заботливо поддержите начинающего наблюдателя.

587. Два вида людей — одни предпочитают пользоваться трудом других, а вторые любят сами достигать. Обращайте внимание на вторых, среди них найдете исследователей и сотрудников. Помогайте им, ибо такие люди особенно сокровенны и впечатлительны.

Новый метод наблюдения не должен быть порицаем. Много начатых изысканий было зверски нарушено невеждами. Оберегите тонких явленных искателей от пыток палачей. Каждый в своем кругозоре может сделать столько полезного и самоотверженного.

Будем самоотверженны.

588. Даже в самом первобытном шаманстве при молениях, заклинаниях и обращениях применялись сложенные у рта руки, трубы и разные отверстия, чтобы как бы усилить и уплотнить звук. Такие символы напряжения и сосредоточия можно наблюдать во всех веках, как в малом, так и в великом, даже до самых высших молений. Трубный звук как бы напрягает пространство, и ударные ритмы сосредоточивают. Конечно, такие примитивные усилия не нужны, где слагается Высшее Собеседование.

Считаю, что и сейчас нужно напомнить о сердечном устремлении. Так уже древние отшельники предлагали при мысленных обращениях представлять перед собою как бы прямую бесконечную дорогу, по которой должна была стремиться мысль. Много существует образов, помогающих сосредоточению. Но никто не предлагает представить мысль блуждающей по лабиринту.

Прямота и простота будут наиболее удачными мостами.

589. Не думайте, что люди умеют воображать. Такое творчество не часто. Странно, но обилие зрелищ вовсе не способствует развитию воображения, даже как бы наоборот: точно скользят представления по натертой плоскости!

Постоянно можно убеждаться, что без сердечной деятельности ничто внешнее не имеет значения.

590. Будем торжественны. Не приложим смятения к напряжению пространства. Не будем проявлять суетливости, когда можно предчувствовать действия. Не заслонимся облаком пыли, когда нужно иметь чистую даль. Скажем слово любви как щит крепкий.

591. Сходя в глубокую пещеру, каждый предпочтет иметь яркий и ровногорящий светильник, нежели дымный факел, иногда рассыпающий искры. Так же и с качеством психической энергии. Искры дымных вспышек не улучшат положения. Но как достигать ровного света? Только постоянным размышлением о начальной энергии. Подобно умному деланию без слов в ритме сердца укрепляется Свет неугасимый.

Пусть пустынники, с одной стороны, и ученые — с другой одинаково оценят свет сердца. Свечение соответствует известной степени напряжения. Посмотрим, как часто люди замечают это свечение, но они найдут много отговорок, и отрицаний, и стыдливых умолчаний, точно они хуже светящегося пня! Часто люди способны признать особенность за самым обычным предметом, но себя лишают таких же возможностей.

Если бы после прочтенных записей люди еще пристальнее понаблюдают за проявлениями своей психической энергии, то можно назвать это успехом.

592. Мужественно до́лжно наблюдать и положительные, и отрицательные явления психической энергии. Иногда она замолкает, и никакая воля не может вызвать ее. Неумный исследователь может смутиться, но опытный испытатель усмотрит в этом какое-то особое обстоятельство. Он промедлит немного и опять осторожно продолжит опыт. Каждое колебание энергии покажет и явление космическое.

593. Мыслите себя не земными жителями, но вселенскими. Таким путем возложите на себя тем бо́льшую ответственность. Также поймете, насколько напряжена Битва при каждом овладении областью Беспредельности. Не думайте, что, возлагая на себя великую ответственность, вы впадаете в гордость. Свойство гордости приличествует невежеству. Ответственность как долг перед собою, перед самым Высшим. Мысль о долге уже будет созидательным устремлением, но к такому пути нужно воспитывать себя ежечасно.

Не может называться человеком, кто не умеет мыслить о сочетании с высшими энергиями. Какое же будет его Высокое Собеседование, если он в сердце своем закрыт для вдохновения!

Умейте понимать слова в их совершенном значении, иначе такое высшее понятие, как вдохновение, превратится в пустой звук.

Как в путь, Собираю вас, Забочусь, чтобы в суете не забыли самого нужного. Нередко торопливые путники отягощаются ненужными вещами и забывают ключи от самого нужного ларца.

594. Спросят: «Какое количество психической энергии может быть выдано при целении?» Немалый вопрос, ибо лишение энергии подобно безоружному воину. Можно выдать половину запаса, даже две трети, но три четверти уже поставят врача в опасное положение. В таком обнажении врач примет на себя болезнь и может лишиться жизни. Потому так твердо сказано о Пути золотом: все в меру, все в гармонии — запомним.

595. АУМ негармоничный обернется в разрушительное орудие. Самое Высшее Собеседование обратится в сквернословие, если оно не очистится огнем сердца. Много, где понятие огня сердца будет обозвано суеверием, но призовем

ученых и увидим, что лучшие из них согласны будут об энергиях сияющих. Никто никаким запретом не прервет путь эволюции. Могут невежды создавать судороги в познавании, восстания и разрушения. Именно запретом невежды вызывают волны хаоса, но закон вселенский преодолевает все темные уловки.

Невежество должно быть рассеяно.

596. Та же самая энергия участвует в передаче мыслей как земных, так и из Тонкого Мира. Совпадения земных и тонких сообщений очень встревожили наблюдателей, им показалось, что такое соотношение невозможно. Среди недоумений было упущено самое главное — никто не обратил внимания, что оба сообщения получались при одинаковых условиях и тою же энергией. Такой опыт должен быть особенно отмечен, в нем стирается граница между мирами.

Разве не следует прислушаться внимательно ко всему, что может обобщить Миры? Нужно среди жизни находить все крошечные проблески, которые могут вести за пределы плотного мира. Не нужны туманные предположения там, где можно установить научные исследования. Не нужны смущенные сомнения, где зоркие глаза могут усмотреть непреложные законы.

Недавно вы рассматривали логичность некоторых событий. Правильно наблюдать и внешние, и внутренние причины. Многие не понимают, почему нечто происходит не раньше и не позже, для них самые важные события остаются непродуманными и случайными. Но опытный наблюдатель замечает, насколько нечто совершается не случайно.

Заметим каждое проявление закона. И энергия едина, и закон един.

597. Много говорят об испытаниях. Ужасаются, что даже миры на испытании. Много саможаления о трудных испытаниях. Даже подозревают, справедливо ли само понятие испытания? Можно бы помочь всем недоумевающим поставить вместо слова *испытание — проверка.* Каждый человек перед мостом непременно удостоверится в прочности его и в других своих действиях. Ради себя человек испытывает все окружающее. Человек не любит понятия испытания, ибо оно послано откуда-то, но проверка ради своего удобства не противна человеку. Пусть он осознает, что все испытания только для его пользы. Нужно затвердить, что понятие сближения миров есть великое испытание.

598. Неисчислимы индивидуальные выражения психической энергии. Сама энергия все та же, основной закон ее не-

зыблем, но в то же время нет двух живых существ с одинаковым выражением ее. Из такого разнообразия порождаются многие заблуждения. Педанты не выносят многообразия и потому вместо основного единства подставляют условные деления, называя их измышленными именами. В веках нарастают наивреднейшие смешения, и мало у кого достает решимости опять обратиться к Основам. Среди нагромождений малое мышление чувствует себя даже более защищенным, но такие нагромождения не что иное, как валы отбросов. Когда-то придется их расчистить; когда-то придется собрать разбросанные члены Озириса. Не Изида ли их соберет?

Человечество уже признает тонкую энергию. Еще не умеют ее изучать и применять в жизни, но самое понятие в разных отделах науки повелительно выявляется. Множество свидетельств отовсюду надвигается. Немало скептиков уже не решается возражать и насмехаться. Уже недалеко время, когда единство всеначальной энергии будет признано. Индивидуальность энергии не будет препятствием к ее изучению, но будет восхищать пытливые умы. Всякие эпидемии одержания будут пресекаться врачами. Из осколков наблюдений сложатся выводы, и жизнь получит много сознательных пособий.

Стучащемуся — открой; болящему — помоги; заблуждающемуся — укажи, но будь осторожен со скребущимся. Особенно, когда устремляешься к единству, оставь все смутительное, ибо оно непригодно для Высоких Собеседований.

Обереги сотрудников, плывущих в одной ладье, некоторые из них непривычны к дальнему плаванию. Ведь не все прошли те же сроки. Кому удалось лучше, тот знает и великодушие. Он уже опытен и в терпении, без чего не удается никакое изыскание.

Каждый, познавший значение психической энергии, будет навсегда исследователем. Всегда он будет совершенствоваться, значит, он избавится от старости.

Утверждаю, что психическая энергия не только даст себя исследовать, но приток ее усилится, как только мысль к ней устремится.

Мысль иногда изображается стрелою. Стремительность энергии есть крылья человечества.

599. Небрежение психической энергией является источником многих болезней. Можно сказать, что не только телесные и психические заболевания, но одержания всецело зависят от состояния психической энергии. Человек, утерявший иммунитет, будет утратившим и запас психической энергии. Человек, нарушивший равновесие нравственности, уже докажет распущенность своей психической энергии. Каждому известно, что легче не допустить распущенность, нежели после укрощать ее безумие. Каждый понимает, что расстройство психической энергии есть порождение многих бедствий как для себя, так и для других. Человек редко воздерживается для себя, но пусть для себя он научится признать значение психической энергии.

Пусть не боится человек, что в пути познавания он будет покинут без дальнейших источников знания. Магнит устремления привлечет к искателю лучшие возможности. Многие засвидетельствуют, как они нежданно находили пособия к дальнейшему продвижению. Пусть только сомнения не заслонят свет нахождений!

Так Путь открыт и путник приветствуется.

600. Символ сочетания высших энергий есть
АУМ.

На пути труда познается ритм и понятие энергии.

На пути, поистине, можно осознать движение и гармонию.

Среди трудов непомерных можно различать искры Вдохновения.

Трудящийся будет сотрудником.

БРАТСТВО

1937

Первое издание: Рига, 1937

Самое сокровенное окружает понятие Братства.

Самое радостное живет в сознании, что существует
Сотрудничество Знания.

Такая мысль подтверждает, что где-то живут
Верные Сотрудники.

Напомним себе Основы, которые приведут
к Братству.

1. Приступим к понятию весьма отягощенному. Среди обихода земного с трудом люди усваивают понимание сотрудничества, но много тяжелее и недоступнее им понятие Братства. Нагромождение телесное, как кровное родство, препятствует принять осознание Братства. Проще людям вообще отказаться от понимания Мирового Братства. Скорее они назовут его утопией, нежели подумают о возможности применения его в жизни.

Если люди даже в малом семейном укладе не находят в себе утверждения Братства, то в широком понимании оно кажется уже не жизненным. К тому же люди плохо читают Заветы древние, где сказано о множествах братьев и сестер.

Также затемнили в себе люди память о Тонком Мире. Только там можно встретить расширенное понятие Братства. Тело препятствует многим широким пониманиям. Только выходя за пределы телесного понятия, можно признать сотрудничество Братское. Соберем признаки такого расширенного состояния.

2. Кровью люди пытались запечатлеть союз Братства. Они давали самое им драгоценное вещество, только бы достичь состояния Братства. Услышать все песни о Братстве уже будет целая поэма мечты человечества. Если собрать все обычаи, накопленные около понятия Братства, то получится необычайное трогательное свидетельство о стремлении народов. Явление подвигов во имя Братства показывает, какая самоотверженность всегда сочеталась с такими явлениями чистого сердца. Но, тем не менее именно понятие Братства особенно осквернено и унижено.

3. Даже лучшие добавления к понятию Братства лишь унижали его и делали труднодостижимым. Оно сопрягалось со свободою и равенством, такая троичность мыслилась в земном представлении, иначе говоря, в том состоянии, в котором ни свободы, ни равенства не существует.

Самая высокая свобода может быть осознана в Мире Надземном, где законы понимаются как прекрасная непреложность. Там же и равенство зерна духа понимается, как единая мера щедрости и уравнения. Обычно земные статуи свободы снабжены крыльями или светочами, напоминая о Высших Сферах и состояниях.

Об изображениях равенства существует шутка: когда скульптору заказали исполнить тысячу статуй равенства, чтобы ими украсить почетный путь, он сделал одну статую и предложил отлить по ней все остальные.

4. Редко можно беседовать о Братстве. Именно в часы великого земного ожесточения необычно наблюдать, что люди, точно сговорились, унижать именно это понятие. Уже древние обычаи кровного союза Братства обратились в такие угрозы всему роду человеческому, что сама древняя месть представляется детской забавой.

Уже знаете, что Говорю о том, что особенно нуждается в укреплении.

5. Если войдете в сборище людей со словами *Друзья* и *Сотрудники*, то большинство посмотрит на вас подозрительно. Но если дерзнете назвать их *Братья* и *Сестры*, то наверно уже будете отвергнуты, как произнесшие непозволительные наименования.

Люди иногда основывают братства, но такие внешние, напыщенные учреждения не имеют ничего общего с великим понятием Братства. Так люди начинают общины, сотрудничества, различные артели и товарищества, но в основе их не будет даже простого доверия. Значит, эти начинания очень далеки от самого Братства, которое будет крепким союзом доверия.

Может быть, именно теперь некоторые лучшие сердца уже мечтают о создании таких учреждений, где доверие могло бы быть краеугольным камнем. Нельзя утверждать, что все худо, когда глаз человека видит лишь некоторые подробности нарождающейся Эпохи.

Пусть по осколкам древних символов наблюдают за жизненностью основных понятий. Именно, когда с земной точки зрения все нарушено, может быть, в то самое время уже зарождаются самые прекрасные понятия.

6. Когда же говорить о нужных понятиях? Когда они особенно нарушены. Именно тогда скажем о них, когда люди уже считают их безнадежными. Почему именно сейчас

напоминаем о Братстве? Но люди в своем отчаянии придут искать раскиданные зерна сужденного Собратства.

Не будем сомневаться в колебаниях маятника жизни. Отчаяние может быть вестником прозрения.

7. Правильно замечено, что некоторые лучи воспринимаются особенно трудно, так же и все сопряженное с этими лучами. Потому Мы и не настаиваем, чтобы не насиловать чужое сознание, если оно настроено на иной лад. Насилие не бывает атрибутом убеждения. Нельзя приказывать дружбу, и тем более Братство. Эти понятия требуют самоотверженности и понимания Основ.

Если широкое понятие Братства свелось к кровному родству, то, значит, сознание очень обеднело. Часто сознание настолько ограничено, что люди не поймут вообще, какое Братство может существовать вне кровного родства.

Названные степени родства — двоюродные, троюродные, оканчиваются на четвероюродных, и далее воображение не идет. Можно составить целые книги условностей, сложившихся около понятия Братства.

В разных веках многие народы подчеркивали значение Братства. Братоубийство считалось тяжким преступлением. За всем этим можно было усмотреть почтение к какому-то повышенному состоянию. Сильными мерами ограждали нечто, не уместившееся в обычном мышлении. Рассудок отрицал это нечто, но сердце в глубине огня своего утверждало. Сердце трепетало красотою значения Братства. Опять человечество обернется к сердцу и поймет сущность Братства.

Может быть, Братство существует? Может быть, оно, как якорь земной, содержит равновесие? Может быть, в мечтах человечества оно осталось как непреложная действительность? Вспомним о некоторых снах и видениях, так четко запечатлевшихся, о стенах и башнях Братства. Воображение есть лишь память о существующем.

Может быть, некто помнит и наяву о Башне Чун?

8. Во всем должна быть выражена искра Беспредельности. Каждое понятие должно предполагать собою развитие в Бесконечность. Можно заметить целые серии понятий, наследующих друг другу. Не может пресечься дружба или сотрудничество. Между ними и Тонким Миром должно быть еще нечто, которое одинаково может принадлежать двум Мирам. Такое нечто называется Братством.

Нельзя назвать большего понятия, которое бы венчало человеческие отношения и соответствовало сущности Тонкого и Огненного Мира. Потому Братство называется Трикратным. Оно простирается, как прочный мост между тремя Мирами. Почти невозможно представить соприкасания Земного и Огненного Мира, но в доспехе Братства и такое слияние делается возможным.

9. Никто не хочет оказаться на ограниченном поле без возможностей заглянуть поверх изгороди. Нужно найти хотя бы малую щелку, чтобы почуять возможность приближения к Беспредельности. Пусть даже в обиходе людском может найтись такое соединение, чтобы не только самое малое, но и великое могло быть обобщено.

Может быть, на каждой планете имеется место великих встреч.

10. Когда скалы выветриваются, их выламывают для безопасности пути, так же и с некоторыми человеческими определительными. В течение веков они утрачивают свое первоначальное значение и должны быть заменены словами, близкими текущему времени. Так случилось со словом *посвященный*. Наряду с *помазанием*, оно отошло в прошлое. Вместо него скажем — знающий и незнающий, ведающий и невежда. Но само посвящение лучше выразить словом *образование*. Таким образом, без умаления можно выражаться словами, близкими современности.

Ни к чему лучшее скрывать отжившими словами, когда то же можно сказать понятнее для широких масс. Ведь знание не для избранных, но для всех! Потому не отжившая мораль твердится, но называются лучшие условия для научного познавания. Лишь невежды не поймут, что для преуспеяния науки дóлжно установить лучшие условия жизни.

Наука не может выйти за пределы механического круга, пока эта стена не будет преодолена пониманием Тонкого Мира.

11. Где-то запрещаются гомеопатические средства, также кто-то желает лечить людей лишь своим способом. Ограничено мышление запрещающее. Невозможно установить один способ лечения. Следует помнить, что все лекарства являются лишь средствами вспомогательными. Без всеначальной энергии никакое лекарство не окажет должного действия.

Нельзя делить врачей на аллопатов и гомеопатов, каждый применяет лучший метод индивидуально. Также врач знает основную энергию, которая будет фактором скорейшего выздоровления.

12. Спросят: какое отношение имеют лечение или обвет-

шалые понятия с нашими беседами о Братстве? Но следует осветить отношение ко многому, что расширяет понимание Братства.

13. На путях к Братству запасемся доверием. Не говорим о какой-то слепой вере, но именно о качестве доверия. Нужно понять, что наши качества являются очагами витаминов. Свойство недоверия или сомнения будет убийственно для лучших витаминов. К чему напитываться механическими витаминами, когда мы сами оказываемся лучшими производителями их, но в самой сильной степени?

Когда витамины внешние попадают в естественные очаги, они могут дать полную меру воздействия. Но даже лучшие растительные витамины, если упадают в отравленные организмы, не могут выявить своих лучших качеств. Так, Мы ценим те организмы, где нашли свое применение основные качества человеческой природы.

Существо, полное сомнения, не пригодно для первобытного сотрудничества. Оно не может даже понять всю прекрасную дисциплину Братства. Именно дисциплину, ибо иначе нельзя назвать добровольную гармонию, лежащую в основании трудов Братства.

Для труда соединяются Братья, и без доверия не будет качества труда.

14. Тонкий Мир нередко описывается как нечто туманное, холодное, царство блуждающих теней. Не из суеверия ли происходят такие описания? Но, может быть, они проистекают из неумения пользоваться качествами этого превосходного состояния? Действительно, предубеждение и недоверие могут скрыть истинный лик Тонкого Мира. Даже в земном состоянии человек видит то, что он хочет, тем более в Мире, где все складывается мыслью. Там обитатели могут создавать и узреть по степени своего мышления.

Иметь чистое мышление полезно, именно оно знает смысл доверия.

15. Из одной искры познали мощную энергию. Также из вспышки нервной силы можно установить постоянный приток сил. Люди давно признавали, что натиск нервной энергии гораздо мощнее, нежели мускульная сила. При этом высказывалось, что нервное напряжение кратко и влечет за собою упадок сил. Но это положение неестественно. Лишь условия земной жизни препятствуют постоянному наполнению психической энергией. Можно создать такие условия жизни, когда психическая энергия будет так же равномерна, как и мускульная. Когда найден принцип, тогда

22 *

будет изыскано и распространение его. Так же и сотрудничество и за ним Братство не будут временными вспышками, но войдут в сознание. Нельзя доверить неиспытанному посланцу донести драгоценный сосуд. Также невозможно призвать к Братству неосознавших людей. Невозможно, чтобы воздушный шар без испытания мог выдержать разные давления. Не могут люди без твердого осознания принимать на себя тягость больших понятий — даже коня постепенно приучают к грузу. Но если искра осознания уже сияет, то и остальная нагрузка постепенно возможна.

16. Некоторые люди мало говорят о Братстве, но много для него делают. Но есть и такие, у которых Братство не сходит с языка, но предательство также близко.

17. На Братство нужно смотреть как на учреждение, где работают не поденно, но сдельно. Нужно любить труд, чтобы предпочесть сдельную работу. Нужно познать, что задания беспредельны и качество усовершенствования тоже бесконечно. Кто убоится, тот не может полюбить труд.

Вы слышали иногда прекрасное пение — поистине, труд может сопровождаться и радостью, и мыслью вдохновенною. Но ко всему до́лжно испытывать себя.

18. На путях к Братству нужно будет и самоотвержение. Наверно, многие найдут такое условие невыполнимым. Они не представляют себе, как часто люди даже в обычной жизни проявляют это качество. В каждом вдохновении, в каждом увлечении непременно будет заключаться и самоотвержение. Следует очень точно воспринимать значение слов.

Не существует в жизни таких качеств, которые принадлежали бы лишь исключительно героям. Так и герои не редки, но они не всегда вооружены мечами и копьями. Так нужно понимать и приближать к Бытию лучшие понятия.

Можно лишить себя мужества и твердости, когда начнем себе твердить о неисполнимости. Не имеет значения, как приложится мужество, нужно, чтобы оно нарастало неустанно. Когда говорят о сломленном мужестве, то лучше назвать это состояние просто робостью. Можно сломить кости и мускулы, но дух несломим! Не может служить Братству робкий и уклончивый человек.

Самоотвержение есть не что иное, как вдохновение; робость не будет вдохновением.

19. Не возьмем с собою упрямства. Нет более несносного груза, нежели упрямство. Даже коня упрямого не выберут; даже пса упрямого не возьмут в путь. Упрямство — паралич лучших центров. Опыты над психической энергией не дадут следствий, если испытатель упрям.

Разум и мудрость не имеют в себе ограниченного упрямства.

20. Обидчивость не годится для долгого пути. Не значит, что для Братства ищем лишь надземные совершенства, но лишь предупреждаем, какой груз не следует брать с собою. Нужно успеть запастись радостью и испытать ее в различных обстоятельствах и в разную погоду. Не следует мучить себя и истязать, но испытать, чтобы знать меру своего тела.

21. Всякая кровавая пища вредна для развития тонкой энергии. Если бы человечество могло воздержаться от пожирания трупов, то эволюция могла бы ускориться. Любители мяса пробовали удалять кровь, но не могли получить должных следствий. Мясо, даже при удалении крови, не может вполне освободиться от эманаций этого мощного вещества. Солнечные лучи до известной степени удаляют эти эманации, но распространение их в пространстве тоже несет немалый вред. Попытайтесь произвести опыт над психической энергией около скотобойни — и получите признаки острого безумия, не говоря уже о сущностях, присасывающихся к крови открытой. Не без основания кровь называли сокровенной.

Так можно наблюдать разные виды людей. Особенно можно убеждаться, насколько силен атавизм. Стремление к кровавой пище усиливается атавизмом, ибо многие поколения насыщались кровью. К сожалению, государства не обращают внимания на оздоровление населения. Государственная медицина и гигиена стоят на низкой ступени. Врачебный надзор не выше полицейского. Никакая новая мысль не проникает в эти ветхие учреждения. Они могут лишь преследовать, но не помогать.

Между тем на пути к Братству не должно быть скотобоен.

22. Но бывают люди, которые много говорят против кровопролития, но сами не прочь скушать мясо. Много противоречий заключено в человеке. Только усовершенствование психической энергии может помочь гармонизации жизни. Противоречие не что иное, как беспорядок. Разные слои имеют соответственное содержание. Но буря может смешать волны, и не скоро потом снова восстановится правильное течение.

23. Мы говорили о смешении слоев. В космических

бурях постоянно нарушается течение химизма и преломляются лучи. Не легко усвоить такие пертурбации, не забывая о незыблемости законов. Астрология, оставаясь наукою, все же может претерпевать много колебаний от земной неосведомленности. Кроме того, некоторые знаки были сокрыты. Говорим это не для разочарования, но, наоборот, чтобы напомнить наблюдателям о сложности условий.

24. Лицемерие, ханжество и суеверие — три мрачных свойства, и должны быть отринуты на пути к Братству. Пусть каждый помыслит, откуда зародились эти прислужники невежества. Можно написать целые книги о таких путях тьмы. Нужно вдуматься, как нарастали такие вредные разлагатели. Они нарастают неприметно. Но не было времени, когда их было больше, чем теперь. Несмотря на одухотворение науки, несмотря на условия разумного исследования явлений Мира Тонкого, все-таки несравнимо нарастание невежественных преступлений. Люди не могут понять, что мысль пространственная может освобождать их от оков.

Считайте, мрачные времена проходят,— знание устыдит невежд.

25. Путь в Братство есть путь горний. Как гора видна издалека, так и Братство. Учитель не может настаивать там, где глаза близоруки. Но среди всхода теряются очертания вершины. Около нее не различить высоту, так и на пути к Братству много оборотов тропы. Нужно привыкнуть к мысли о сложности достижения. Нужно полюбить все препятствия, ибо камни на пути — лишь ступени восхождения. Давно сказано, что по гладкому камню не взойти.

26. Обращение к Братству не остается без ответа, но много ответных путей. Люди настолько вращаются в кругу своих выражений, что они не воспринимают иных знаков. К тому же люди не умеют понимать намеков и предупреждений, которые иногда заключаются в одном слове и в одной искре. Не желают люди подумать о причинах такой краткости. Ученые, даже очень начитанные, не помнят о Законе Кармы. Но когда люди видят прохожего, подвергающегося опасности, они предупреждают его кратким возгласом и не читают ему поучений о причине его невзгод. Так и при кармических воздействиях обычно можно остерегать кратким возгласом, не удаляясь в глубь кармы.

Много раз каждый мог убедиться, что ответ Братства доходил в очень незначительных по внешности знаках. Можно смело утверждать, что самое большое количество указаний или скользит по сознанию, или перетолковывается неверно. Такие перетолкования особенно вредны, когда они в руках людей невдумчивых, прилагающих указания к своему случайному настроению.

Много примеров, когда вещественные знаки истолковывались невеждами как нечто противоположное. Люди и в земных обычаях часто толкуют письма по-своему, не считаясь с точным смыслом слов,— такие условные самости придется оставить на путях к Братству.

27. Действуя внимательно в земных отношениях, люди привыкнут и к внимательности в Служении Высшем. Не оставляйте неотвеченными вопросы людей. Лучше кратко, насколько можно ответить, нежели оставить зарождение яда. Можно легко представить, какие ядовитые брожения начинаются там, где нет связи.

28. Достаточно известно о существовании Братства Добра и братства зла. Также известно, что братство зла пытается подражать Братству Добра в способах и методах действия. Невежды спросят — можно ли человеку отличить приближение того или иного Брата? Если и видимость их, и слова будут одинаковы, то нетрудно впасть в ошибку и принять советы, ведущие ко злу. Так будет рассуждать человек, не знающий, что способ распознавания заключен в сердце. Уявление психической энергии поможет безошибочно распознавать внутреннюю сущность явлений. Не нужно никаких сложных приспособлений, когда человек сам в себе носит искру знания.

Исследователи психической энергии могут засвидетельствовать, что показания энергии безошибочны. Они могут быть относительны в земных сроках, но в качестве не будут ошибочными. Между тем именно качество нужно для распознавания сущности. Не может энергия всеначальная показать отрицательное положительным. Такое чисто научное показание оградит людей от злобного приближения. Такое распознавание не без основания называется оружием Света.

29. Могут спросить: почему такое нужное оружие не вручается всем? Но оно имеется у каждого, только часто оно заперто за семью замками. Сами люди виноваты, что наибольшую драгоценность они замыкают в подвал. Многие, даже слыша о такой энергии, не полюбопытствуют о способе открытия ее — так не развита любознательность!

30. Та же пробужденная энергия позволит людям запастись спокойствием при наблюдении событий. Не может испытатель раздражаться или волноваться при наблюде-

ниях. Явление спокойствия будет знаком Служения. Невозможно быть преданным Служению, если сущность будет волноваться, как волны под сторонним ветром.

31. Учение уже преобразило всю жизнь вашу. Оно перенесло вас через многие опасности. Учение поможет вам распознать, где вред и где польза. Нелегко бывает отличить правильную тропу, но вы знаете, как восходить по гладкой скале. Психическая энергия развивается от таких напряжений.

32. Не только психическая энергия должна быть изучаема, но ее нужно сознательно применять в жизни. Такое сознательное сотрудничество, как Братство, нуждается в психической энергии. Нельзя сгармонизировать труд без психической энергии. Нельзя находить взаимное понимание без психической энергии. Нельзя почерпать терпение и терпимость без психической энергии. Нельзя освободиться от раздражения без психической энергии — во всем нужно применение самой всеначальной энергии.

Уже могли заметить, что не только присутствие самого лица влияет на колебание энергии, но даже изображения людей уже воздействуют на тонкую энергию. Нужно не только признать чувствительность энергии, но и запомнить это феноменальное качество. Для людей, не видевших опытов над психической энергией, рассуждения о воздействиях даже изображений покажутся какими-то безумными сказками. Впрочем, для таких людей и сама энергия находится под сомнением. Они не прочь потолковать о духе и душе, но самая очевидная энергия для них будет колдовством.

33. Надо научиться не раздражать людей, которым некоторые знания недоступны. Опытное наблюдение подскажет, когда обсуждение будет всуе.

34. Спор может выявить истину, но чаще всего он засорит пространство. Учитель должен знать, насколько ученик может участвовать в споре, не внося раздражения.

Нужно знать эти меры, ибо Братство прежде всего нуждается в равновесии.

35. Не удивляйтесь, что, говоря о Братстве, Упоминаю всеначальную энергию — тому две причины. Первая заключается в том, что приближение к Братству требует развития всеначальной энергии, без этого, при спящих центрах, невозможно осознание тонких восприятий. На таких тончайших вибрациях построено Братское сотрудничество. Также следует помнить и о второй причине — не все прочтут пре-

дыдущие записи, где говорится о психической энергии. Каждая книга должна заключать главные условия преуспеяния. Было бы жестоким не дать хотя бы кратких намеков о предыдущем, где названо нечто неоценимое.

Будем внимательны к каждому малому обстоятельству — в земном бытии трудно различить, где малое и где великое, где ненужное и где полезное. Много жемчужин было выброшено вместе с сором. Если замечаете, что собеседник лишь частично усваивает нужные начала, помогите ему. В такой терпеливой помощи выразится очень важное качество для Братства.

36. Называют психическую энергию органом четвертого измерения. Конечно, само это измерение условно, оно лишь выражает утончение всех чувств. Яркое утончение дает возможность понимать условия надземные. Но если номенклатура установила четвертое измерение, то пусть будет так, лишь бы не обратиться к двухмерному измерению. Также не будем возражать, если психическая энергия будет названа органом. Она существует, она производит сильные воздействия. Она принимает космические токи, она связана с жизнью. Пусть ее называют хотя бы органом, в таком названии уже есть признание.

37. Нужно не забывать, что многие вообще не поймут ни единого слова о психической энергии. Они не признают ее, как не признает молнии никогда ее не видевший человек. Так находятся люди, которые вообще не понимают, что́ есть мысль. Признак таких людей будет не в безграмотности, но в закоснелом сердце — немало таких мертвецов!

Пусть привыкают исследователи психической энергии к таким окаменелостям. Много придется в дневниках отметить явно невмещающих.

38. Люди ждут Вестников и очень пугаются от одной мысли об их приходе. Если спросить людей — каким они хотели бы видеть Вестника, то получится очень странное нагромождение, даже граничащее с безобразием: птичьи перья будут не последним атрибутом Вестника. Если же узнают, что Вестник окружен Светом, то прежде всего озаботятся, чтобы не ослепнуть.

Но, конечно, даже при самых обычных появлениях бывают потрясения. Такое трепетание будет не только от неожиданности, оно происходит от неравенства аур. Такое напряжение может быть даже гибельным, потому и появление Вестников бывает не часто. Они ведь приходят не для убийства, следовательно, нужно постепенно приучать себя к восприятию различных напряжений. Исследователи психической энергии понимают, о каком упражнении мы говорим.

Нужно кроме опытов над психической энергией также привыкать к общению с Тонким Миром и не прибегать к магии, ибо все естественное постигается и путем естественным. Только путем опыта привыкают к напряжению разных степеней. Можно понять, что само ожидание будет естественною готовностью или, как принято называть, дисциплиной.

Человек в готовности готов принять и Вестника.

39. Люди боятся испытаний. Люди боятся опытов, но много способов познавания они и представить себе не могут. Опять страх телесный, опять ужас плоти сковывает разумные действия.

Потому среди дисциплин прежде всего побеждался ужас.

40. На крепких столбах держится понятие Братства. Не может быть в нем ограничений возраста, расы или случайных настроений. Поверх всего, конечно, существует всеначальная энергия. Если она выявлена и ею можно гармонизировать соприкасания, то будет утверждена связь прочная.

41. Что есть путь естественный? Самое неограниченное познавание в терпимости и терпении, без всякого сектантства. Неограниченное познавание нелегко усваивается. Все около трудов человеческих ограничено. Каждое занятие как бы пресекает многие пути сообщения. Даже хорошие умы бывали загнаны в тесное русло. Болезнь самоограничения не похожа на самоотвержение. Для удобства ограничивает себя человек! Ведь исключением будут смелые действия для неограниченного познавания. Злоба и ненависть совершают свои действия в ограниченности. Для неограниченного действия нужно преисполниться доброжелательством и находить причины и следствия глазом добрым. Суровость труда не имеет ничего общего с осудительством. Осуждают люди ограниченные. Из осуждения не родится усовершенствование.

Но можно ли в смятении мечтать о неограниченном познавании? Учиться везде и всегда можно. Сами возможности притекают к неудержимому стремлению. Лишь в движении заключается путь естественный!

42. Поистине, нужно искать. Нужно помнить, что малая искра производит великий взрыв. Одна мысль привлечет

и отгонит. Властители умов человеческих нередко сами водимы. И какие пустые звуки могут пресекать волю человека и навсегда помешать уже слагавшемуся пути!

Добро не мешает, но зло препятствует. Так запомним, что малая искра решает великие взрывы.

43. Неужели к Братству нужны такие приготовления? Именно не только приготовление, но и озарение. Решающий посвятить себя великому Служению не пожалеет ли? В малодушии восстанут все примеры благополучия и удобства; даже могут быть улыбки сожаления. Как же преодолеть такие натиски без озарения?

44. Условимся о значении понятия покоя. Около него наслоилось множество неверных и вредных толкований. Люди привыкли считать покой бездействием, таким путем он превращается в психическое расслабление. Самое разлагающее для психической энергии будет бездействие. Всякая духовная неподвижность будет утомлять, но не возрождать.

Врачи предписывают отдых, успокоение, явление бездействия и полагают, что в мертвенном состоянии можно восстановить силы. Но те же врачи понимают, что упадок сил происходит от нарушения равновесия. Так покой есть не что иное, как равновесие. Но равновесие есть равномерное напряжение энергии. Только таким путем можно возродить и укрепить силы.

Не в том дело, что равновесие будет приобретено в пустыне или в городе, главное заключается в постоянном напряжении. Путь напряжения есть путь стремления, иначе говоря, путь жизни.

Несовершенство врачей предостерегает об израсходовании сил, но они расходуются при неуравновесии. Наоборот, равновесие будет одной и лучшей панацеей. Одно можно иметь в виду как средство помогающее — именно разумное пользование воздухом, но и это условие не требует долгого времени.

Пусть понятие покоя будет правильно осознано для явления Братства. Беспокойство родит суету.

45. Среди вселенских явлений имеют особое значение непрестанные взрывы. Так же и в человеке нагнетаются взрывы энергии. Но почему вселенские взрывы благотворны, тогда как человеческие могут разрушать организмы? Разница в том, что вселенские взрывы уравновешены в великом ритме, но человеческие часто именно лишены ритма.

46. Все относительно, но нельзя сравнивать гармонию

Вселенной с человеческой свободною волею. Именно этот щедрый дар, не употребленный правильно, наносит тяжкие последствия. Много сказано о значении человека в Космосе, но такую истину твердить нужно непрестанно. Можно на всем убеждаться, насколько люди не мыслят о своем назначении.

47. Была старинная игра, в которой старались рассердить друг друга. Кто раньше рассердился, тот и проиграл.

48. Часто указывается постоянная настороженность, но как редко она понимается! Обычно люди будут требовать ее от окружающих, но не станут искать ее в себе. Между тем прежде всего нужно настроить свой инструмент. Только тогда получится восприимчивость. Можно ли надеяться на сотрудничество и на Братство без восприимчивости? Самые уявленные советы преломятся о броню отрицания.

Будет время, когда врачи найдут, какие условия наиболее благотворны для воздействия психической энергии. Нельзя воображать, что психическая энергия может одинаково действовать при всех условиях. Если существуют люди, на которых не действуют самые сильные яды, то и психическая энергия будет восприниматься различно. Если не будет развита восприимчивость, то человек теряет самый ценный аппарат. Но для восприятия нужно в себе установить постоянную настороженность. Для такого качества не требуется ничего сверхъестественного, нужно лишь быть внимательным.

49. Среди человеческих воплощений непременно найдете воплощение, посвященное ритмическому труду. Будет ли это какое-то мастерство, или музыка, или пение, или работа сельская, непременно человек будет воспитываться в ритме, который наполняет всю жизнь. Узнавая некоторые воплощения, люди нередко удивляются: почему они были как бы малозначащими? Но в них вырабатывался ритм труда. Это величайшее качество должно быть приобретено с борьбою и с терпением.

50. Полюбить труд можно, лишь познав его. Так и ритм может быть осознан, лишь когда он впитался в природу человека. Иначе невежество будет возмущаться против закономерности и постоянной дисциплины. Таким невеждам само понятие Братства представится как несносная утопия.

51. Братство является высоким выражением человеческих взаимоотношений. В состоянии Братства можно постичь свободное осознание Иерархии. Именно Иерархия

не может быть насильственно приказана. Она живет лишь в осознании добровольном. Она не может быть признана из лукавых соображений, такое ложное состояние кончается ужасным разложением. Иерархия может быть сопровождена радостью, но всякое насилие и ложь сопровождаются горем.

Недавно можно было считать такие рассуждения моральными отвлеченностями, но когда оценена психическая энергия, то качества человеческие уже будут научными величинами. Разве не увлекательно, если можно опытным порядком устанавливать шкалу качеств?

52. Неверно сказать, что каждое растущее растение имеет вращательное движение. Вернее будет сказать о движении спиральном. Вращательное движение понимается как нечто завершенное, но каждое движение не может быть завершенным — оно будет устремленным.

Такие опыты можно производить не только с растениями, но и с каждым снарядом в пространстве, и впоследствии, наблюдая полеты мысли, можно будет убедиться, что каждое движение спирально. При изучении психической энергии такое соображение полезно.

53. Могут ли Сообщения, научно обоснованные, изменяться и противоречить себе? Конечно, основы непоколебимы, но колебания могут быть в приемниках. Такие явления несоответствия не следует относить к основам. Не лучше ли поискать причину в своем непонимании? Только расширенное сознание поможет установить ясное понимание, иначе самое ясное письмо может быть перетолковано превратно.

Каждая превратность недопустима.

54. Сравните начертание доброжелательства и явления признательности с глифом зла и зависти. В первом получите прекрасный круг, а второй даст ужасные каракули. Несмотря на сильное напряжение, злоба дает беспорядочные черты. Такое негармоничное построение уявляет унижение всех творческих оснований. Злом нельзя творить, оно дает временные судороги, но затем впадает в безумие и пожирает себя.

Но прекрасен круг доброжелательства, он, как Щит светлый! Он может расширяться и углубляться в гармонии движения. Поучительно убеждаться на исследовании всеначальной энергии, насколько дано человеку различать положительные и отрицательные свойства. Уже много твердили людям об относительности добра и зла. Но имеется основной импульс, который не введет в заблуждение,— начертания психической энергии нельзя подделать, они покажут сущность вещей.

55. Нельзя сомневаться в начертаниях психической энергии. Она как всеначальная познавательная сила не может ошибаться, принимая случайное настроение за сущность. Уявление мысли о значении психической энергии уже будет как бы накачиванием ее из пространства.

Магнит мысли принесет самые ценные части психической энергии. Нужно полюбить ее. Нужно признать ее постоянное присутствие. Такое мышление вовсе не легко. Нужно найти много терпения, чтобы сохранить его под натиском всех необузданных течений пространственных.

56. Терпение, терпение, терпение — пусть оно будет не пустым звуком, пусть оно защитит на всех путях. Когда кажется, что силы уже иссякли,— такая иллюзия самая опасная. Силы неистощимы, но сами люди пытаются прервать поток их.

И путь к Братству требует много терпения. Ту же мощь мысли нужно приложить, чтобы приобщиться к сознанию трех Миров.

57. Истинная семья есть прообраз общинножительства. Она может олицетворять сотрудничество, и Иерархию, и все условия Братства. Но весьма редки такие семьи, и потому невозможно сказать всем, что семья есть символ Братства. Могут ответить, что семья не есть ли символ вражды? Настолько люди привыкли не уважать дом. Потому среди вопросов воспитания обратим особое внимание на домашний быт. Без строения дома нельзя мыслить и о строении государства.

Какое же представление о Братстве может быть у людей, не понимающих достоинство государства и дома? Никакие отдельные приказы не могут вернуть чувство достоинства, если оно стерто. Необходимо начать посев его образованием, признанием широкого познавания и точных научных изучений. Только так люди могут опять вспомнить о человечности.

Через ступень человечности восстановится понимание Братства.

58. И сама суровость труда может получить прекрасный смысл, не огрубляя, но внося понятие сотрудничества. Помнить нужно, что грубость противна всем законам Природы. Каждый грубый поступок создает такой безобраз-

ный вихрь, что, если бы люди могли видеть его, они, наверно, стали бы осторожнее в поступках. Карма грубости весьма тяжкая.

Люди с расширенным сознанием особенно чувствительны на каждую грубость — так можно убеждаться, насколько грубость недопустима.

59. Многие собеседники, наверно, хотели бы скорее услышать о Самом Братстве, но пусть раньше покинут любопытство и мешающие привычки. Входить можно с достоинством, потому прежде нужно проверить, как понимаются различные чувства. Не следует отдавать на хранение ценные вещи, если можно предположить, что их перепродадут вместо бережливого сохранения.

Желающий узнать не наскучит путем познавания.

60. Укрепляем наших собеседников всеми качествами, необходимыми на пути к Братству. Мало того, чтобы владеть лишь некоторыми качествами, нужно познать их полное сочетание. Симфония качеств подобна симфонии сфер! Если одно качество разовьется прекрасно, а другие будут отставать, то получится диссонанс разрушительный. Диссонанс может быть расслабляющим, или раздражающим, или даже разрушающим. Равновесие качеств дается большим напряжением сознания. Пастырь должен заботиться, чтобы собрать стадо, также человек должен вылечить занемогшее качество. Сам человек отлично знает, которое его качество страдает. Жизнь дает ему возможность испытывать любое качество. В каждом обиходе можно найти приложение любого качества. Если человек начнет уверять, что он лишен возможности приложить свои лучшие качества, он докажет свое отупение. Наоборот, если человек радуется случаю приложить свои качества, он покажет расширение сознания. Затем придет и следующая ступень радости, а именно о красоте симфонии качеств.

61. Опыты над психической энергией покажут, насколько такая симфония расширяет благодетельный круг. Опытные наблюдатели легко поймут соотношение качеств с психической энергией, но для невежд такое сопоставление будет непонятно.

Для долгого пути соберем возможно больше качеств. Пусть каждое из них будет лучшей степени!

62. Нужно не забыть, что на каждое открытие воспоследует антиоткрытие. Вы слышали, как на большом пространстве прекратилась радиопередача, значит, такое великое открытие небезусловно. Лучи делают предметы невидимыми, но другие лучи проникают через плотные тела. Лишь мысль и психическая энергия будут безусловны.

Человечество должно избирать наиболее прочные пути. Все механические открытия лишь доказывают необходимость мощи в самом человеке. Будем бережны ко всем, кто может принести человечеству свою лучшую силу. И поблагодарим Собратьев, которые неутомимо несут познание психической энергии. На этом пути нужно много самоотвержения. Невежды не терпят всех искателей непреложных сокровищ. На лучшем пути можно ждать ограбления. По счастью, Носители незримых сокровищ неуязвимы.

63. Сказано — добродетель имеет радужную ауру. Радуга есть символ синтеза. Разве добродетель не является синтезом качеств? Можно в каждом древнем символе найти непререкаемую истину. Люди понимали, что добродетель не есть просто доброе деяние. Они отлично знали, что лишь созвучия напряжений лучших качеств дают синтез восхождения. Они знали, что лишь побуждение будет утверждением добродетели. Никакие внешние деяния не могут свидетельствовать о побуждениях. Опыт над психической энергией покажет, насколько может отличаться деяние от побуждения. Никакие блестящие слова и действия не скроют побуждения. Можно назвать много исторических примеров, когда даже полезные деяния не могли быть оправданы вследствие недостойного побуждения. И наоборот, многое, оставшееся неразгаданным и заподозренным, сияло прекрасным побуждением. Такие свидетельства о сущности жизни будут подтверждаться всеначальной энергией.

64. Нужно понять, что приближение к такому высокому понятию, как Братство, накладывает не легкую обязанность. Каждое освобождение от малой привычки уже требует напряжения воли. При этом может случиться, что как бы оставленная привычка приблизится опять, и в сильнейшей степени, значит, в глубине сознания этот порок продолжал существовать.

Могут спросить — остаются ли привычки на несколько воплощений? Могут остаться, и даже возрасти, если пребывание в Тонком Мире протекло не в Высоких Сферах. Побуждение везде имеет решающее значение. Так при переходе в Тонкий Мир побуждение будет проводником. Не уявленное, но прочувствованное побуждение будет прекраснее самых прославленных деяний. Только сам человек знает, как зародилось в нем то или иное чувство. Он может внутренне проследить процесс нарастания. Так лучший судья в самом себе. Но пусть человек помнит, что даже в земном бытии дан беспристрастный свидетель — всеначальная энергия.

65. Суровость и жестокость — совершенно различные понятия. Но люди не умеют отличать гармонию суровости от судорог жестокости. Суровость есть атрибут справедливости, но жестокость есть человеконенавистничество, от нее нет пути к Братству. Суровость выражается кру́гом, но жестокость будет в знаке безумия. Не следует понимать жестокость как болезнь, она, так же как и сквернословие, будет лишь выражением низшей природы.

В государстве оба эти мрачные исчадия должны быть изъяты законом. В начальных школах уже должны быть заложены принципы, поясняющие недопустимость двух низших пороков.

66. Сотрудники и вестники бывают сознательные и несознательные. Уявление поручений считается почетным, но несознательные сотрудники обычно даже не знают, когда они вдохновлены поручением. Они идут по неведомому им приказу, нечто передают или предупреждают, но сами не знают, где начало и конец их поручения. Много таких вестников, они различны по своему состоянию, но тем не менее они не промедлят.

Особо стоят молчаливые поручения, когда нужно воздействовать не словом, но молчанием.

67. Иногда пристальный молчаливый взор останавливает великие опасности. Мысль не нуждается в слове. Явление внушения не нуждается в словах. Только неискусные гипнотизеры стараются криком воздействовать и руками содействовать, но ни то, ни другое не нужно в передаче мысли. Скорее может быть полезно ритмическое дыхание, но и оно заменяется сердечным ритмом.

Мысль посылается через сердце и получается тоже через сердце.

68. Люди, ждущие вести, также разделяются на два отдела. Меньшинство умеет ждать, но большинство не только не понимает происходящего, но даже доходит до вредоносности. Они оставляют труд свой. Они наполняют пространство жалобами. Они мешают окружающим. Они, сами того не замечая, считают себя избранными и начинают высокомерно отзываться о других. Много вреда происходит от малого знания и еще больше — от омертвелого сознания. Каждый такой человек становится рассадником смущения и сомнения. Сам он утеривает ритм труда, являя растерянность.

Такие люди очень губительны для идей знания. Они желают получить для личной угоды самую новую весть, но мало пользы происходит от таких узурпаторов. Нельзя принимать к соображению таких нетвердых людей — они как гнезда предательства: ничто не удержит их происков. Уничтожения не может быть во имя доброй вести. Мало кто умеет ждать вести при полном доброжелательстве, при труде и среди трудностей — такие сотрудники уже становятся собратьями.

69. Невозможно признать все написанное о Братстве за подлинное. Много смешано с представлениями о Тонком Мире, много личных грез переплетается с действительностью. Много преданий уявлено о разных расах и несуществующих материках. Люди сносят к занимающему их понятию разные подробности, не считаясь с их разнородностью и разновременностью. Плохое воображение нередко умаляет то, что хочет возвеличить.

70. Правилен путь от малого к большому. Каждое зерно подтверждает это. Но часто люди принимают малое за большое и думают, что малая монета может прикрыть солнце.

71. Знахарь заговаривает болезнь, но только теперь начинают понимать, что такие заклинания есть просто внушение. Можно заметить, что знахари произносят какие-то непонятные и бессмысленные слова, но мало кто вдумывается, что смысл не в таких выражениях, но в ритме и, главное, в мыслях посылаемых.

Можно внушением не только предотвратить боль, но и дать иное направление всему заболеванию. Редко допускается последнее, ибо до сих пор не верят в воздействие мысли. Из того же источника неверия происходит застой сознания. Люди отравляют себя неверием. Мудрость веков донесла много примеров великого доверия и разрушения недоверием. Когда говорим о сотрудничестве и даже о Братстве, Мы должны твердить о доверии — без него не создать ритма, без него не вызвать успеха, без него не может быть продвижения. Не думайте, что Повторяю слишком общеизвестное, наоборот, как в час опасности, Твержу о спасительном средстве. Нет иного средства, чтобы возбудить психическую энергию. Нет иного пути, чтобы сердце засияло победою. Трудно не устать, если в сердце тьма.

72. Получить можно лучшие советы, и все-таки они могут остаться, как листья осенние. Только осознание в жизни важного употребления энергии может применить Руководство на деле. Не ведут к Братству слова опустошенные.

73. В час смятения молчание — лучший друг. Но пусть тишина не будет затишьем злобы. Пусть хотя бы на мгновение успокоится ритм сердца. Пусть опять найдется покой психической энергии, так усилится работа центров в свете, но без воспламенения.

74. Город был вполне укреплен: стены и башни прочны; при каждых вратах стояла стража — неприятель не мог проникнуть в твердыню. «Но, стражи, будьте осмотрительны, не смущайтесь стрелами врага. Придуманы стрелы с особыми надписями, чтобы привлечь внимание дозора. Увлекут надписи стражников, смутится ум, и останутся врата без защиты». Так в некой Мистерии описывалось положение психической энергии при смятении духа.

Сказать ли в поэтических образах, или в символах, иероглифах, или в медицинских выражениях, или в суровом указе — все формы будут одинаково указывать на значение основной энергии. В мистериях часто употреблялись предостерегающие символы от вредного смятения. Можно сильно укрепить психическую энергию, но малое смущение может открыть врата самому опасному врагу. Нужно уметь в час смятения призвать хотя бы мгновенное спокойствие. Такое спокойствие и хотя бы один вздох праны уже явят крепкий щит.

Врач должен внимательно прислушиваться к древним символам. Когда библейские повествования скажут о посылаемых болезнях и поветриях, можно понять, что поникший дух допустил самые ужасные заразы.

75. Также нужно понять, что когда говорится о добре, то предполагается правильное действие. Найдется правильное действие — происходит добро. Но если, при самом ярком говорении о добре, будет произведено плохое действие, то лишь вред создастся.

Много говорится о добре, и много зла делается.

76. Полагают, что грош, поданный нищему, покроет учиненное убийство! Пока не будет осознана соизмеримость, не может произойти равновесия. Также не понято убийство тела или духа. Где явление Братства, если убийство духа возможно? Оно даже не считается преступлением!

77. Мужество усиляется правильным развитием психической энергии. Правильное развитие нужно понимать как естественный рост. Пусть каждый увеличивает запас мужества — оно как открытое окно.

78. Разрушительно чувство удовлетворения — оно ведет к пресыщению, к параличу энергии. В Тонком Мире можно наблюдать самую жалкую судьбу таких паралитиков. Даже то малое, что они успели накопить при земной жизни, пресекается параличом энергии. Бродящие тени, они не могут преуспевать, ибо без энергии невозможно продвигаться. Вас могут спросить: чья доля мрачнее — таких паралитиков или злобных ненавистников? Ответ труден. Ненавистники могут страдать и тем очищаться, но паралитики, по бездействию энергии, теряют возможность продвижения. Не лучше ли сильно страдать, но при возможности движения? Мучения очищающие лучше, нежели беспросветное разложение. Ненависть может преобразиться в любовь, но паралич есть ужас ночи. Такие беспомощные разрушения не могут вести к Братству. Паралич отдельных членов можно одолеть волею, но если сама основа энергии бездействует, то как проявить приказ? Много ходит таких живых мертвецов!

79. Полезно наблюдать, как люди действуют под внушением, но в то же время они яро отрицают возможность такого влияния. Иногда по злобе человек уверяет, что он поступает по своему намерению, между тем он действует по прямому внушению. Человек передает мысли, которые несвойственны ему, и употребляет выражения, которые ему чужды, но по злобе пытается приписывать себе. Если вы знаете, откуда идут внушения, то можете судить о намеренных извращениях.

Мрачно и непрочно все, творимое по злобе.

80. Обычно, когда люди возвращаются на прежнее место, они чувствуют некоторую грусть. Они ощущают, что нечто не было сделано. Так оно и есть. В Беспредельности всегда должно ощущаться нечто предсужденное.

81. Разделим книгу «Братство» на две части. Первую, об основах Братства, дадим теперь, вторую, о Внутренней Жизни Братства, пошлем тем, кто примет основы.

82. Составные сны и воспоминания представляют собою целую науку. Иногда они сплетаются в небылицы, но при расчленении они уявят целый ряд отдельных эпизодов, вполне реальных. Потому, когда говорят о чем-то невозможном, следует подумать, что, может быть, сочетание частей неестественно, но каждая из них вполне возможна. Поучительно наблюдать, какие именно части из воспоминаний легче выпадают,— так можно выяснить характер самого лица.

Уявление самых дальних воспоминаний может создать сложные узоры из разных веков. Можно видеть самые разнородные встречи, так, нередко могли встречаться Братья, но даже самые высокие встречи могли заслониться подробностями из разных веков. Не случайно сказано, что каждый человек представляет собою сложное хранилище. Много огня нужно, чтобы осветить все темные склады.

83. Люди много говорят о мыслеобразах, но далеко не все мысли могут облекаться в форму. Может быть мысленная пыль, которая не только лишена оформления, но смешивается с другими такими же пыльными клубнями. Можно начать чихать от такого сора.

84. Говорящие о мыслеобразах редко заботятся, как утончить и усилить эти образования. Между тем даже самовнушение уже может быть полезным. Давно сказано, что мысли несутся в пространстве, тем уже предпосылается, что они должны быть оформлены. Клубни мусора не годятся для посылок.

85. Блаженство мыслителя или муки мыслителя? Обычно принято изображать мыслителя в муках, но, если спросите его — хочет ли он освободиться от таких мук, каждый мыслитель ответит отрицательно. В глубине сознания он ощущает великое блаженство, ибо процесс мышления уже есть высшее наслаждение. Лишь два наслаждения имеют люди — мышление и экстаз красоты. Путь к Миру Огненному утвержден этими двумя уявлениями. Только при них человек может продвинуться к Высоким Сферам. Каждое Высшее Собеседование уже будет содержать эти обе основы. Потому нелепо говорить о муках мыслителя или творца. Они не мучаются, но радуются. Впрочем, люди так своеобразно понимают радость! Для некоторых радость будет безмыслие и неделание.

Путь к Братству в мышлении и труде.

86. Пощада не легкое понятие, лишь очень дальнозоркие могут присмотреться к следствиям пощады. Когда великодушие произносит: «Пусть живет»,— не будет этот приговор трудным. Может быть, именно в этот час могло наступить разрушение, но дальновидец понял, что положительное больше отрицательного. Для близоруких такая пощада неуместна, но для дальнозорких она как стрела в цель.

87. Много знаков на пути к Братству. Путь не краток, и каждый запас будет полезен. Кто дерзнет утверждать, что то или иное качество ему не пригодится? Именно случается, что самое пренебреженное будет спешно нужно.

88. Ноша Мира сего. Два ученика обсуждали наиболее выразительный символ этого понятия. Один предложил золото, но другой полагал, что белый мрамор лучше. Оба сходились на том, что ноша как тяжесть лучше всего будет

выражена камнем. Но Учитель заметил: «Зерно малейшее будет соответствовать понятию Ноши Мира».

89. Не рассказывайте много о дальних мирах людям, которые и в земном бытии не понимают своего назначения. Они потеряют свое малейшее и не приобретут ничего полезного из высших знаний. Очень внимательно наблюдите, что человек может вместить. Обед не начинают со сладкого. Особенно вредно кормить людей пищей, не перевариваемой ими. Тем более нужно развивать в себе внимательность. Слушатели не должны скучать, ибо скука есть омертвение.

90. Люди охотно устремляются к Братству с готовым содержанием. Но если предупредить их, что ссоры не дозволены, то значительная часть потеряет свое увлечение.

Спросите людей, как представляют они себе Братство? И найдете многие малые условия, которые будут казаться людям особенно важными. Один вопрошатель, наконец, изумился и воскликнул: «Неужели беспорядок так почитаем людьми?!»

Поистине, они не знают о непреложных законах Природы.

91. В самые трудные часы люди все-таки могут заниматься обычными делами. Можно изумляться, насколько часто обнаруживается непонимание событий. Не действует повторение о важности часа. Не стучит в сердце осознание. Не будем ждать предвидения, но предчувствие вполне естественно. Но люди гонят эти предчувствия, ибо никто не сказал им о всеначальной энергии. Так люди преуспевают в одном, но отступают в другом, не менее ценном.

92. Труд ненавидимый является бедствием не только для неудачного работника, но он отравляет всю окружающую атмосферу. Недовольство работника не позволяет находить радость и совершенствовать качество. Кроме того, империл, порождаемый раздражением, усугубляет мрачные мысли, умертвляя творчество. Но может возникнуть определенный вопрос — как поступить, если не каждый может найти труд соответственно призванию? Несомненно, много людей не могут приложить себя, как хотели бы. Существует лекарство, чтобы возвысить такое увядание. Научные достижения показывают, что поверх каждодневности существует прекрасная область, доступная всем,— познание психической энергии. Среди опытов с нею можно убедиться, что хлебопашцы часто обладают хорошим запасом энергии. Также и многие другие области труда способствуют сохранению силы. По-

тому среди самой различной работы можно найти мощь возвышающую.

93. Все возможно, только уныние может шептать о невозможности. Каждый шаг науки не ограничивает, но дает новую возможность. Если что-то окажется невозможным, с земной точки зрения, то это самое вполне осуществимо приложением тонких энергий. Лицо человека изменяется от источника света. Освещение может до неузнаваемости изменить черты и уявить небывалое выражение. Но сколько лучей и токов всевозможных воздействий существуют и могут преобразить Сущее!

Разве не ободрительно понимать, что все возможно?

94. Печально, если кто-нибудь не подвергается нападениям. Значит, его энергия в очень слабом состоянии и не вызывает противодействия. Только несведущие могут считать нападения несчастьем. Тучность заплывает жиром бездействия. На какое удобрение пригодится такой жир? Испарения жира привлекают неприятных сущностей. Полезнее настороженное устремление, оно сохраняет достаточное прикрытие для нервов. Тоже и худоба не должна превышать равновесия.

95. Каждое явление многообразно. Особенно ошибочно представлять один источник и одно следствие явлений. Можно около каждого действия различать много различных областей, которые влияют и на которые распространяется влияние. Нужно усвоить, что сфера каждого действия гораздо обширнее, нежели можно представить по земному суждению. Таким образом, люди каждым действием и мыслью затрагивают несколько сфер. Не следует забывать, что мысли неизбежно затрагивают Мир Тонкий. Не всегда они дойдут в четком состоянии, но, во всяком случае, произведут некоторое смущение энергии. Столько преломляется токов в пространстве, что нельзя называть человеческое действие лишь мускульным рефлексом. Так нужно приучить себя к сложности следствий.

96. Однажды художник хотел выразить мысль, но не знал, какой символ лучше выразит ее. Философ предложил понять как облачное образование, ибо мысль пребывает в пространстве. Другой мыслитель думал, что звездное небо будет лучше. Третий полагал, что молния сурово даст изображение мысли. Четвертый предложил оставить полотно белым, ибо земные глаза не улавливают мысли и каждый образ будет слишком груб для Света энергии.

97. Звездное небо может больше всего уводить от зем-

ных условий. Явление Беспредельности может заслонить земные нагромождения. Ужас земной только устраняется сиянием миров.

98. Не спешите с выводами. Обычно люди поспешают преждевременно и тем смешивают нити следствий.

99. Братство или содружество — невозможно определить резкую грань. Между тем люди желают, чтобы понятия делились совершенно резко. Но многое вливается из других понятий. Так содружество будет как бы преддверием Братства, потому нужно беречь подступы к Твердыне Духа.

100. Разруха дома и семьи будет не в словах и действиях, но в мыслях. Безмолвно подтачиваются основы. Люди, сами не замечая, замышляют разложение. Не много очагов, где в полном понимании творится труд взаимный,— так каждый очаг есть ступень к Братству.

101. Конюший предложил хозяину свое желание завести совершенно особую породу коней. Хозяин сказал: «Прекрасное намерение, но прежде приведи в порядок конюшню». Писатель очень ценит, когда его мысли служат на пользу, но не читаются мимолетно. Можно приводить много примеров из разных областей, чтобы напомнить о служении, по существу, планомерном. Ту самую планомерность нужно применять, когда слагается мысль о Братстве.

102. Нужно считать каждый час, когда удалось прожить на пользу дела. Служение не в обычном благополучии, но в принесении благ на пользу человечества. Может быть, трудно принять отдельных личностей, но лик всего человечества уже будет приемлем.

103. Как согласить существование свободной воли с воздействиями, о которых много говорилось? Свободная воля существует, и никто не будет отрицать ее, но постоянно можно замечать какие-то несоответствия с действиями и мышлением Сил Надземных. Дело в том, что воля может быть гармоничной с Силами Высшими или хаотичной, нарушая созидание. Плачевно наблюдать, что воля хаотичная преобладает среди людей. Она не улучшается от формального образования. Свобода воли есть прерогатива человека. Но без гармонии с Силами Высшими она становится бедствием.

104. Хотя много раз сказано о вреде низшего психизма, но невежды не могут отличить это состояние от естественного роста всеначальной энергии. Если будем слышать о смешении низшего психизма с психической энергией, то будем знать, что разубеждать в таком невежестве будет бесполезно. Нужно чуять, где находится Источник, насыщающий наш запас энергии. Нужно уважать это Сокровище.

105. В древних трактатах можно найти выражение: *поврежденные души.* При этом поясняется, что повреждение может быть нанесено лишь самим собою. Как только человек вообразит себе, что ему не остается никакого дальнейшего пути, он заковывает свою всеначальную энергию. При таких кандалах не может быть никакого продвижения. Пресекая путь, человек принимает на себя тяжкую ответственность. Нельзя оправдываться отчаянием, ведь этот мрачный призрак зарождается от собственного слабоволия. Вселившийся призрак в духе, действительно, повреждает его здоровье. Призрак не имеет общего с действительностью. Если люди проследят истинные причины отчаяния, то можно поразиться ничтожности таких причин. Если бы понятие Братства было близко людям, то сколько таких неосновательных отчаяний могло быть рассеяно! Но люди предпочитают пресекать свои продвижения, лишь бы не помыслить о целительных основах. Писатели древних трактатов о поврежденных душах часто имели много оснований для такого выражения.

106. При каждом мастерстве можно убеждаться, насколько трудно руководить при наличии враждебной воли. Не только враждебная, но бездеятельная воля будет уже вредоносной. Много уже сложенных возможностей будет отринуто недоброю волею. Не только в великих событиях, но во всем укладе жизни можно наблюдать такое положение.

107. Нередко отрицатель будет утверждать, что он не производит воздействия. И в таком случае Братство может быть необычайно полезно. Необычайно можно подойти к человеческому существу с призывом Братства. Подобно врачу Братство может воздействовать на враждебную волю. Но для этого понятие Братства должно быть усвоено. Часто ли видим это?

108. Можно ли назвать человека, который был бы доволен, получив вместо ожидаемого цельного одеяния лишь половину? Также и в сотрудничестве. Если вместо полного братского сотрудничества предлагают половину подозрения и сомнения, то какая удача может получиться? Нужно испытывать способность к сотрудничеству, начиная с самых обиходных работ. Ошибочно полагать, что сотрудничество состоится при великих делах, если оно не состоялось даже на обиходных. Следует очень заглянуть в глубину сознания, чтобы спросить себя — готов ли дух к сотрудничеству?

Невозможно даже мыслить о Братстве, если человек не рад принять участие в общем труде. Каждый общий труд содержит много сторон, которые отвечают различным способностям. Разве тесно поле труда? Разве не весело чувствовать около себя истинных сотрудников? У Нас не мала радость каждому сотруднику. Осторожно нужно ободрить каждого приближающегося. Не нужно печалиться об отпадающих, если дух их не может понять истинную радость.

109. В Беспредельности много ощущений, которые невыразимы земными словами. Некоторые из них наполняют сердце трепетом, но такое напряжение не будет ни ужасом, ни восхищением. Трудно сравнить чувство человека, оказавшегося перед Неизмеримою Бездною. Он не испуган, но и не может дерзать. Он не видит поддержки, не знает, что сделать в таком положении. Но счастье его, если за ним стоит Братство во всем осознании. Не следует понимать Братство как нечто отвлеченное. Оно здесь, на счастье человечества.

110. Если чувство превыше Братства уже трудно в земном состоянии, то Братство все же вполне доступно каждому устремленному уму. Не нужно судить сложно, если знаете не желать ближнему того, что себе не желаете. Так от каждого дня, от каждого труда, от каждого помысла можно утвердиться в осознании Братства.

111. Добрые дела подобны различным цветам на лугу. Среди целебных могут быть очень пышные, но ядовитые. Среди явлений прекрасных могут находиться весьма убийственные, но лишь на опыте можно произвести отбор справедливый. Неискренность содержит яд разрушительный. Можно видеть, что построение на лжи вырождается в безобразие. Много говорят о делах добрых, но они должны быть, действительно, добрыми. Пусть поищут люди в глубине сердца, когда они были добрыми? Никакие маски не прикроют безобразия остова лжи. Не будем осуждать, ибо каждый уже присудил себя.

112. Никогда не срасталось дерево, сломленное молнией. Невозможно проникать в глубину сердца, если оно потемнело от молнии. Не следует ждать, чтобы сгоревшее дерево сделалось мощным и тенистым. Так и среди зовов к Братству не следует надеяться на сердце, забывшее о добре.

113. Всякое научное познание прекрасно тем, что не содержит конечного тупика. Безысходность не знакома по-

знавателю. Он может черпать постоянно, разрабатывая новые отрасли познавания. Для явлений подготовки к Братству такая беспредельность познания есть лучшая ступень. Не очень легко познается такая беспредельность, но для знающего продвижение эволюции она будет естественным и единственным путем. Только не дайте зачерстветь сердцу в таких предпосылках. Пусть сохранится восторг при каждом приближении к новому сознанию. Очерствелое сердце не взойдет на Башню. Оно не даст мощи тонкому телу. Такое каменное сердце останется в пределах Земли. Очень важно понять жизнь сердца. Не следует допускать, чтобы оно превратилось в первобытный камень. Нужно следить за явлениями сердца. Без него не может строиться Братство.

114. Не забудем и другое качество, необходимое в пути, — непривязанность к собственности. Скупость вообще никуда не пригодна, такое свойство удерживает на низших сферах. Привязанность скупца есть препятствие неодолимое. Если не легко познать отказ от собственности, то скупость будет самым тяжким условием погружения в бездну.

115. Можно ошибиться, полагая, что люди в большинстве умеют читать книги. Такое умение нужно воспитывать. Люди, если и принимают книгу, то это не значит, что они умеют прочесть ее. Можно видеть, как относительно толкуют прочитанное и как далеко понимание от мысли писателя. Утверждаю, что книги мало воспринимаются, но явление всеначальной энергии может быть отличным путеводителем. Она нередко помогает найти нужную книгу и выбрать из нее желаемое. Но только нужно быть внимательным. Но и к этому качеству нужно воспитывать себя.

116. Часто можно слышать рассказы о возникновении или уничтожении Братств. Разные страны указываются, многие эпохи называются, но никто не может сказать достоверно, когда утверждались Общины. Люди считают за прекрасную сказку крохи указаний о Братстве. Много споров, много недоумений вызывают подробности о строении земного Братства. Чаще всего оно вообще признается несуществующим. Можно замечать, что люди приходят в особое раздражение, судя о построении Братства. Особенно подозрительны люди, не допускающие ничего выше их воображения. Они забывают, что воображение есть накопление действительности. Таким же образом они не могут допустить чего-либо выше своего представления о жизни.

Мало путешественников, которые обращают внимание на необычные явления. Наоборот, нередко самые исключительные показания поясняются самым пошлым способом. Люди, как слепые, не желают замечать очевидности, они спешат от нее, чтобы затвориться в своих условных иллюзиях. Спрашивается — кто же более предан истине: тот ли, кто погряз в наркозе иллюзий, или тот, кто готов зорко и мужественно встретить действительность?

Мы ценим служителей действительности.

117. Не будем считать служителями действительности скептиков, они проводят жизнь, завернутые в серое покрывало. Они думают, что восстают против иллюзии, но сами непрестанно покрываются паутиною. Нужно отбирать людей, которые от малых лет любят правду.

118. В сказаниях об Армагеддоне указываются люди с закрытыми лицами — разве нечто подобное не происходит? Можно видеть, как постепенно весь мир надевает покрывало и поднимает руку на брата. Именно закрытые лица отмечают время.

119. Можно замечать, что у некоторых людей чрезвычайно развита терпеливость, тогда как другие совершенно лишены этого качества. В чем же причина? Не может быть случайности в таком основном качестве. Знайте — обладатель терпения укрепил его во многих жизнях. Человек терпеливый есть многоопытный труженик. Лишь в великих трудах человек познает неценность раздражения. Он перед Ликом Великим понимает всю незначительность преходящих явлений. Невозможно без многих испытаний оценить и отличить свойства проявлений в жизни. Не следует полагать, что терпение есть беспричинное отличие, напротив, оно принадлежит к качествам, особенно трудно заработанным как в земном, так и в тонком пребывании. Таким образом, терпеливый человек есть многоопытный, но нетерпеливый есть новичок в жизни. Так запомним для пути.

120. Самодеятельность — необходимое качество. Оно приобретается также нелегко. Оно может впасть в произвол или ослабеть до разложения. Каждый Учитель прилагает старания внушить ученику действительную самодеятельность, но как же примирить ее с Иерархией? Много злотолкований вокруг такого вмещения. Целые трактаты могут быть написаны о противоречиях между самодеятельностью и Иерархией. Найдутся очень лукавые шептуны, доказывающие, что таким образом потрясается незыблемость Иерархии. Шептуны постараются скрыть, что самодеятельность должна сопровождаться согласованностью или, как говорят, гармонией со всеми стадиями сознания.

121. Следует уметь преодолевать кажущиеся противоречия. С одной стороны, нужно воспитывать добросердечие, с другой — нужно постичь суровость. Для многих такая задача совершенно неразрешима, только сердце может подсказать, когда оба качества не будут противоречить друг другу. Сердце укажет, когда нужно броситься на помощь ближнему. Оно же прикажет, когда пресечь безумие ярого животного. Нельзя выразить в слове закона, когда является необходимость того или иного действия. Неписаны законы сердца, но лишь в нем живет справедливость, ибо сердце есть мост миров.

Где весы самоотвержения? Где судья подвига? Где мера долга? Меч умения может блеснуть по велению сердца. Для сердца не будет противоречия.

122. Проникновение в сферы Тонкого Мира не будет противоречить жизни земной. Жизнь Тонкого Мира не есть некромантия, к такому воззрению нужно привыкать. Если земные глаза еще не увидят и уши не услышат, то сердце признает действительность. Для продвижения нужно признать Надземный Мир. Такое расширенное сознание преобразит и все отношение к жизни. Настало время, когда нужно приготовить сознание к широким восприятиям. Лишь в широком понимании можно будет усмотреть происходящий процесс.

123. Вы видите, что Мир находится в состоянии войны. Различны облики ее! Где сокрытые и где явные, но смысл их един. Также и революция принимает своеобразный смысл, она может происходить и без этого названия. Кто-то думает, что процесс слишком медлен, но в сущности он даже поспешен.

124. Много раз планете угрожала опасность от комет. Но даже при напряженности атмосферы люди не чуяли нечто необычное. Были отдельные лица, которые понимали, насколько напряжена атмосфера, но огромное большинство совершенно не замечало ничего. Можно произвести любопытный опыт, наблюдая, насколько человечество звучит на определенные события. Следует замечать, что даже очевидные мировые события не доходят до сознания. Причина в том, что люди хотят видеть по-своему и не позволяют своему сознанию выразиться по справедливости. Не пригодны такие люди для сотрудничества.

125. Так же мало пригодны работающие наполовину. Они легко разочаровываются и не получают следствий. Труд должен быть построен на полной преданности. Часто не дано видеть плодов своей работы, но мы должны знать, что каждая капля труда уже есть неоспоримое приобретение. Такое знание уже даст продолжение труда и в Тонком Мире. Не все ли равно, если труд будет выполнен мысленно и запечатлевается в мыслеобразах? Только бы труд принес пользу. Не наше дело судить, где наиболее пригодится работа, она имеет свою спираль.

126. Никогда еще мы не беседовали при таком напряжении. Никогда Земля не была настолько окутана коричневым газом. Никогда планета не была настолько залита ненавистью. Нельзя не чуять судорог народов, потому, когда Говорю о бережности к здоровью, Имею в виду исключительное положение во всем мире. Можно пожалеть, что народы не думают о мировом положении. Много энергии уходит. Не думайте, что особое напряжение зависит от частных обстоятельств, оно вибрирует на обстоятельства Мира. Психическая энергия напряжена, она готова и к восприятию, и к отражению. Дух чует помыслы, явленные в Тонком Мире.

127. Взрывы звезд имеют значение для Земли не в момент взрыва, но когда фотохимизм производит свои воздействия. Пример весьма поучительный и для человеческих отношений. Невозможно проследить, где начинается и кончается граница явленных соотношений. Если в Мире тела, удаленные друг от друга, сильно воздействуют взаимно, то и человеческие флюиды могут действовать на дальних расстояниях. И между плотным и Тонким Мирами так можно усмотреть самую сложную паутину взаимодействующую. Не Говорю о передаче мысли, но сейчас имеется в виду эманация флюидов, которая как постоянное истечение всеначальной энергии устремляется по магнитному принципу. Такое основание следует помнить при каждом сотрудничестве.

128. Обычно изображают проявленное в виде круга, предполагая за ним нечто Непроявленное,— такой символ условен, ибо граница Непроявленного весьма извилиста. Она проникает всюду, где сопротивление слабеет.

129. Напрасно думать, что хаос где-то далеко, он допускается человечеством при каждом беспорядочном мышлении. Лишь твердое сознание может быть защитою от хаоса. Иногда самые малые внешние проявления будут следствием самых глубоких допущений. Воздействие может быть не только по злобе, но и при разлагающей хаотичности — при сотрудничестве весьма опасное качество.

130. «Невозможно Братство на Земле!» — восклицают наполненные самостью. «Невозможно Братство на Земле»,— скажут темные разрушители. «Невозможно Братство на Земле»,— шепчут слабовольные. Так много голосов пытаются отрицать Основы Бытия. Но сколько истинных Братств жило в разные эпохи, и ничто не могло пресечь их существование. Если люди чего-то не видят, то оно для них не существует. Такое невежество можно проследить от древних времен и до сего времени. Ничто не может заставить видеть человека, который не хочет видеть. Пора понять, что не только видимое существует, но Мир полон невидимых реальностей.

131. Чем же могут соприкасаться Братья? Если земным телом, то такая связь будет мимолетна. Если в тонком теле, то и такое единение может быть хрупким. Только тела Света могут взаимоутверждаться. Только под единым лучом средоточия можно находить взаимопонимание — так не отнесемся к понятию Братства поверхностно, иначе оно останется в земных пределах и будет бесполезно. Магнит ведущий заключен не в земном теле, не в тонком, но в зерне духа, в Свете, данном превыше воображения. Кто не понимает высшую тайну Братства, тому лучше не умалять это понятие. Пусть еще раз погрузится в Мир Тонкий и узнает сияние Мира Высшего. Может быть, путник донесет искру Света в своем новом восхождении?

Так найдем бережность к восприятию Братства.

132. Отражение четко в спокойной поверхности. Каждое волнение исказит четкость. Также и всеначальная энергия требует спокойствия, чтобы отражать Истину. Не следует полагать, что спокойствие есть упадок и ослабление. Только беспорядочное волнение может исказить зеркало энергии.

Много говорят о спокойствии мудрецов, но оно есть великое напряжение, настолько великое, что поверхность энергии становится зеркальной. Так не нужно принимать спокойствие за бездействие.

133. Поругание темными есть похвала. Можно проследить, как старались джинны строить храмы. Они не подозревали, насколько труды их пригодятся на пользу. Можно написать книгу «Труды джиннов».

134. Люди, носящие в себе братское сотрудничество, могут быть наблюдаемы от раннего детства. Обычно они резко отличаются от всего окружающего. Наблюдательность их высока, и впечатлительность сильна. Они не удовлетворяются посредственностью и являются одинокими среди общепринятых удовольствий. Можно заметить, что они в себе как бы несут какую-то внутреннюю задачу. Они могут многое видеть и замечать в сознании своем. Они обычно милосердны, как бы помня ценность этого качества. Они негодуют при грубости обращения, как бы понимая всю низость такого свойства. Они сосредоточены в любимых предметах, но окружаются завистью и недоброжелательством, как непонятые и чуждые среде люди. Нелегко жить при повышенном сознании, но не может оно удовлетвориться среди отрицания всего, ведущего к Свету.

Не всегда встречаются такие избранные. Они не часто узнаются. У них есть издалека принесенная мечта, которая для других людей будет иногда граничить с безумием. Из древности дошло название о священном безумии. Мудрость нередко величалась как безумие. Так же люди называют и каждое повышенное сознание. Не будем считать эти аксиомы общеизвестными, ибо именно они остаются в небрежении целые века.

Так трудно входит в сознание понятие Братства.

135. Потемки духа порождаются самими людьми. Наследство Тонкого Мира остается не действительнее сновидения. Оно даже встречает враждебность рассудка. Не принимает рассудок явлений Высшего Мира. Особенно тяжко для него огненное сияние.

136. Умение обращаться с людьми по их сознанию является высоким качеством. Не следует забывать, что большинство бедствий происходят от такого несоответствия. Невозможно предлагать поверх сознания даже очень хорошие вещи. Неподготовленному человеку невозможно говорить о гармонии или вибрационных сочетаниях. Кто может предположить, что такой человек представляет себе под гармонией или вибрационным сочетанием? Но если сказать ему о бережности к окружающим, он может понять. Простейшее понятие о бережности уже будет прочною основою каждого сотрудничества Братства. Можно пожелать, чтобы каждое сотрудничество было рассадником бережности. В этом скажется и внимательность, и заботливость, и милосердие, и сама любовь. Сколько сил будет сохранено от одной бережливости! Сколько космических воздействий духа будет урегулировано от самой простой общей заботливости. Нельзя представить, насколько укрепится аура дома, где соблюдается отлично бережность. У многих совершенно затемнено понимание Иерархии, но бережность и в таком случае поможет выправить положение — только быть бережным друг к другу! Не велика обязанность, но она подобна краеугольному камню.

137. Много говорят о Культуре, но и это основание не должно быть усложнено. Проще нужно понимать улучшение жизни и возвышение нравственности. Каждый, познающий лучшую жизнь, уже отнесется бережно ко всему прекрасному. Нужно быть добрее.

138. Внимательность поможет заметить много внешних влияний, но и такая устремленность накопляется долгим опытом.

139. Сравним количество мысленных подвигов с подвигами в земном действии. Удивительно сопоставить число мысленных решений с малым количеством проявленных действий. Конечно, каждая мысль, направленная на благо, уже представляет несомненную ценность. Но поучительно следить, насколько затруднена передача мысли в земном действии. Можно действительно изумляться, почему мысли так отдалены от действия?

Сильные мысли не нуждаются в действенном поступлении, но кроме таких одиноких мыслителей существует множество хороших мыслей, но они недостаточно сильны, чтобы воздействовать мысленно, и не доходят до действия земного. Как всегда инертна такая середина! Она может препятствовать здоровому продвижению человека.

Так будем очень заботливо помогать, чтобы каждый зародыш мысли добра претворялся в действие.

140. Каждое восхождение символизируется действием, но судить не легко, которое действие будет соответствовать мысли. Много побочных обстоятельств будет препятствовать и по-своему окрашивать попытки действий. Нужно огромное терпение и наблюдательность, чтобы разобраться в зарослях противоречий хаоса. Нужно любить и свой труд, чтобы найти в нем отдых и оправдание.

141. Могут спросить — будет ли уменьшаться число врачей при умножении готовых лекарств? Это было бы бедствием. Явление врачей нужно повсеместно, если понимать врача как высокообразованного друга человечества. Именно условно заготовленные лекарства вызовут заболевания, которые врач должен индивидуально лечить. Потребуется очень тонкое сочетание внушения с медикаментами. Не говорим о хирургии, ибо эта область не вызывает рассуждений, если она не превышает своего назначения. Хирург, производящий ненужную операцию, нередко подобен убий-

23 Заказ № 251

це. Потому и в этой области требуется истинное чувство-знание.

Но еще сложнее положение врача при сочетании нескольких болезней — такие случаи умножаются. Можно лечить одну болезнь и тем самым ухудшать другую. Многие местности до сих пор лишены разумной врачебной помощи. Из такого положения рождается явление понижения жизненности. Вырождение не есть измышление. Можно наблюдать повсюду признаки такого бедствия. Не только такое несчастье поражает современное поколение, но оно извращает будущее человечество. Нам закричат, что такой совет стар. Но почему же он не принимается до сих пор?

Явление Братства может процветать при истинном здоровье.

142. Не уводите шатающихся людей на дальние планеты. От невежества они споткнутся. Пусть сперва укрепят сознание на примере земном. Пусть поймут о сотрудничестве, о доверии, о дисциплине. Можно дать полезное задание народу об улучшении жизни. Не будем пресекать народные задания, чтобы не привести его к новому смущению. Нужно принимать в соображение не исключения, но множества, и потому дадим сперва самое неотложное. Без основ какое же Братство?

143. Лохмотья усложняют Основы Бытия. Нужно находить связь с миром земным и Тонким. Нужно не на бумаге, но в сердце знать, что нужно народу. Терзания и мучения означают многие ошибки. Они происходят оттого, что кто-то имел в виду лишь одну группу, но не народ. Для народа нужны спасительные советы.

144. Земледелец приготовит и улучшит поле, засеет вовремя и терпеливо ждет всходов и урожая. Он оградит поле от животных, чтобы они не потоптали всходы. Каждый земледелец знает причины и следствия. Но не так в человеческих взаимоотношениях — люди не желают знать ни причин, ни следствий. Они не заботятся о всходах и хотят, чтобы все совершалось по их произволу. Люди, не взирая на все примеры, усомнятся в Космическом Законе. Они весьма охотно посеют причины, но не подумают, что сорные травы будут единственным урожаем.

Следует в школах ввести беседы о причинах и следствиях. Пусть руководитель задаст причину, а ученики придумают следствия. При таких беседах выявятся и качества учеников. Можно вообразить много следствий от одной причины. Лишь расширенное сознание почует, какие следствия будут соответствовать всем привходящим обстоятельствам. Не следует утешаться тем, что даже простой земледелец может учитывать урожай. Явление космических токов и мысленных битв гораздо сложнее. Пусть от детского возраста молодежь привыкает к следствиям сложным и к зависимости от пространственных мыслей. Не следует полагать, что дети должны быть ограждены от мышления.

145. Люди знают больше, чем им кажется. Они слышат о жизни на дальних мирах. Они знают об энергиях и токах. Они соприкасаются со многими явлениями природы. Вопрос лишь в том, как они воспринимают все эти сведения? При поспешности накопления открытий нужно особенно очистить сознание. Нравственные основы делаются принадлежностью знания, лучше сказать, должны делаться, иначе пропасть между знанием и нравственностью делается губительной.

146. Много посевов взойдет через год. Сущность Армагеддона не только в исчерпывании старых причин, но и в заложении новых. Правильно вспомнить показанное десять лет тому назад. Причины начали образовывать следствия. Может быть, кто-то сказал необдуманно решающее слово, но через десять лет оно дало пламя или воды — так работает мысль.

147. Из радуги нельзя изъять ни одного оттенка. Также из Учения Жизни нельзя отнять ни одного звена. Уявление радуги дает полную призму, но полное Учение Жизни также напутствует на всех путях. Путник одинаково заботится о плаще, и о головном уборе, и об обуви. Никто не скажет, что он предпочитает головной убор обуви, или наоборот. Потому, когда кто-то предпочитает одну часть Учения, он поступает подобно путнику, забывшему обувь.

Пусть некоторые принадлежности не представляются нужными в данный час, но завтра именно они могут облегчить путь. Можно находить людей, которым самое простое слово окажется лучшим ключом. Невозможно представить разнообразие людских сознаний. Пусть лучше знающие поскучают, нежели навсегда будет кто-то оттолкнут. Новые подступы к совершенствованию нежданны, и новые сотрудники не узнаются легко.

148. Напрасно люди ищут новых целебных средств, не использовав старых. Даже молоко и мед не применяются достаточно. Между тем, что может быть полезнее, нежели продукты растительные, переработанные через следующую эволюцию. Молоко и мед разнообразны до бесконечности,

потому они составляют лучшую профилактику, когда они употребляются разумно и научно. Не в том дело, чтобы пить молоко или есть мед, но прежде всего, какое молоко и какой мед? Правильно полагать, что самый лучший мед будет из мест, насыщенных целебными растениями. Можно понять, что пчелы могут слагать не случайные сочетания своей добычи. Легенда о пчелах имеет значение, чтобы обратить внимание на особое качество меда.

Кроме того, много растительных продуктов требуют исследования. Люди относятся настолько первобытно, что удовлетворяются определениями: хороший и дурной, свежий и гнилой, притом восхищаются размерами продуктов, забывая, что искусственная величина разрушает ценность качества. Даже такие примитивные соображения упускаются из виду. Развитие свойства жизнеспособности должно быть почерпаемо из всех царств природы.

149. Непрерывность есть одно из основных качеств тончайших энергий. Люди могут брать пример с Высших Миров и для земного бытия. Если трудно выдержать непрерывность в труде, то она может быть вполне осуществлена в духовных устремлениях. Мы, путники Земли, можем связаться с Высшими Мирами в духе — такая связь позволит нам пребывать в тесном единении с Мирами Невидимыми. Такое единение научит и земному единению. Начав с Высшего, утвердимся и в низшем. Нелегко выдержать земное единение. Много мелких обстоятельств вторгаются и затемняют добрые намерения. Только испытание сил в высшем приложении может создать непрерывность обращения к Высшему Миру. Даже в снах можно держать связь с источником познавания. Таким образом, мы даже в земном облике можем ответить качеству Высшего Мира — непрерывности.

Невозможно решить построение пространственных сил; множества пересечений токов наполняют Беспредельность, но ни один из них не выпадает из ткани Матери Мира. Пробуждение стремления к Высшим Мирам преображает всю жизнь. Не все могут понять, как совершается преображение всей жизни. Можно твердить себе о непрерывности и ткать пряжу каждого дня.

150. Люди не умеют найти самое прекрасное. Они забывают лучшие минуты просветления. Но такие часы даны всем, несмотря на разные состояния. Как алмаз, вспыхивает такое мгновение просветления. Оно весьма кратко, но в такой краткости заключается касание Надземного Мира.

Незабываемы такие касания! Они как Светочи на Земле и превышают рассудок. Особенно нужно беречь искры надземные.

151. Насилие над мыслью есть тяжкое преступление. Оно не может быть оправдано. Оно послужит лишь новому насилию, и где же будет конец бесчинству? Невозможно предположить, чтобы нечто, созданное во имя ненависти, могло быть прочным. Лишь созидание, но не ниспровержение может почерпать силу для свободной мысли.

Нужно беречь мысль. Нужно любить самый процесс мышления.

152. *Спящая мудрость* называется наслоение наблюдений за многие жизни, сложенные в глубине сознания. Можно было бы произвести замечательные опыты, узнавая, когда человек почерпает из своего хранилища познания. Можно произвести сравнение с атавизмом, проявляющимся через несколько поколений. Так проявляются родовые наследственности. Но среди духовных странствований человек накопляет свой груз, который хранит среди своего сознания. Поучительно, как в детском возрасте уже проявляются сведения и наклонности, которые нельзя объяснить никакими другими причинами, кроме прежних накоплений. Тем более нужно следить за такими самостоятельными склонностями, они могут показать дарования, которые потом могут исказиться в безобразном воспитании. Спящая мудрость отмечалась уже в глубокой древности, когда вопросы духовного воплощения разумно понимались. Движение интеллекта все утрачивало и затрудняло развитие скрытых сил человека.

153. *Ходячие мертвецы* — так назывались люди, в которых всеначальная энергия прекращала свое движение. Можно припомнить немало людей, которые продолжали проявлять физические отправления, но их энергия уже отмирала. О таких людях можно иметь показание как о мертвецах, в сущности, они и есть мертвецы. Они уже не могут принадлежать Земле. Они еще двигаются, и спят, и произносят звуки, но ведь астральное тело — шелуха, тоже двигается и бывает видимо. Очень развитые люди могут чуять таких забытых на Земле мертвецов. Уявление такого наблюдения обычно принадлежит тем, кто много раз уже побывал в различных мирах.

154. Спешит Мир — где под знаком войны, где под гримасой легкомыслия, где под явлением ненависти, где по слову главы государства. Каждый посылает свое ускорение, забывая судьбу загнанного коня! Не полагайте, что можно бесконечно наслаивать энергию, когда она напряжена.

155. Самопожертвование есть один из верных путей к Братству. Но почему указывается — беречь силы? Нет противоречия в этом. Путь Золотой, путь совмещения, утверждает оба качества — и подвиг, и бережность, иначе все сделались бы самоубийцами. Подвиг творится в полной сознательности и ответственности. Опять кто-то заподозрит противоречие, но преданность высшая, любовь-победительница может научить совмещению высших качеств. Безумие не создает подвига. Малодушие не отвечает истинной бережности. Сознание долга подскажет пользование энергией. Пусть подумают о согласованности качеств.

Безумие и малодушие непригодны для Пути.

156. Много говорят о населенности планет, но редко кто ощущает такие далекие обстоятельства. Земная сущность их не воспринимает. Даже тонкое существование не вмещает отдаленных сожителей. Только огненное сознание, общее всем Мирам, может познать и свидетельствовать о дальних жизнях. Значит, можно прикасаться к таким предметам лишь огненною сущностью.

Люди земные, которые обладают не только развитым тонким телом, но и высоким огненным сознанием, могут иметь намеки о дальних мирах.

157. Даже под гипнозом люди обычно редко говорят о Тонком Мире. Воля земная не может понудить сказать что-то о Тонком Мире. Какая же к тому причина? Она заключается в Иерархии, которая оберегает от распространения сведений по неполезному кругу. Обычно существует предположение, что в Тонком Мире преобладает индивидуальное начало. Между тем чем выше сфера, тем больше проявлено начало Иерархии. Управление мыслью становится осуществимо, когда тесные, плотные преграды сбрасываются. Таким образом, когда Говорю о Иерархии, лишь Приготовляю к сознательному принятию грядущих продвижений.

Есть два вида человечества — один может осознать все строительное начало Иерархии, но другой самым необузданным образом борется против всяких приближений Иерархии. Можно заметить, насколько не принимаются Советы Иерархии таким видом человечества. Подобная степень развития, или, вернее, невежества, может смениться лишь в испытании Тонкого Мира. Лишь там может быть ощутима пространственная мысль и прочувствована непреложность Иерархической Беспредельности.

Не следует настаивать о Иерархии там, где она не может быть принята. Человек, достаточно опытный, немедленно отзовется на слово о Иерархии, но недоросль не вместит, о чем ему говорят.

158. Но все же сведения о Тонком Мире проникают на Землю. Они допускаются, насколько можно, чтобы не смутить темное сознание. Пусть люди обращают внимание на детей, помнящих не только прежние воплощения, но и некоторые подробности Мира Тонкого. Пусть такие сведения будут отрывочными — они для наблюдательного ученого могут собираться в целое ожерелье. Главное, не отрицать, что́ в данное время кажется необычным.

159. Истинно, путь насилия подобен пути наркоза. Принявший яд наркоза должен увеличивать размер отравы. Так же и насилие должно быть постоянно усиливаемо, доводя до безумия. Прерыв насилия угрожает властью сил темных. Потому насилие негодно при эволюции. Сознательность противоречит насилию. Но несознательность есть гибель всего построения.

160. Не удивляйтесь, что простейшие примеры часто оказываются самыми выразительными. Отправляясь в дальнее путешествие, люди надеются увидеть нечто привлекательное, иначе путешествие покажется им очень отвратительным. Также следует полюбить идею Тонкого Мира и Миров дальних. Можно себя настолько запугать дальними мирами, что само продвижение к ним покажется недопустимым. Люди обычно настроены настолько мрачно ко всему потустороннему, что они уподобляются печальному путнику, растерявшему весь свой груз. Пусть люди озаботятся внушать себе лучшие возможности для успеха дальнего пути. Они вступят в страну мысли. Не может пострадать там прекрасно мыслящий! Он войдет в Отчий Дом, предчувствуя все благословенные сокровища.

Также должен быть осмыслен и путь к Братству.

161. Люди любят доказательства примерами самыми жизненными. Пусть даже внутренний смысл не всегда совпадает, но очевидность всегда ценится. Поток речной мало подобен потоку жизни, но такое сравнение давно применялось. Также стрела не вполне отвечает мысли, но принята в жизни. Не следует слишком отягощать сознание неофитов, пусть груз пути будет удобопереносимым.

162. Философия древняя советовала мыслить о дальних мирах, как бы принимая в них участие. В разных формах давались эти указания. В чем же их сущность? Они не могут

быть отвлеченностью. Настойчивость в указаниях о принятии участия показывает, что мысль о дальних мирах имеет большое значение. Сильны лучи планет, они выявляют воздействие на человечество, но мысль ассимилирует мощные токи. В мыслительном процессе человечество может с пользою воспринять дальние миры. Конечно, для такого восприятия нужно мыслить, как о чем-то близком. Мысль создает вокруг себя особую атмосферу, в ней планетные токи могут претворяться и действовать благотворно. Между тем они же, встреченные мыслью отрицания, дадут тяжкие следствия. Не нужно думать, что следует мыслить непрестанно о дальних мирах, важно направить к ним основную мысль, и она естественно потечет в определенном направлении. Мысль разделяется на внешнюю и на внутреннюю. Явление внешней мысли можно отмечать на аппарате, но внутренняя почти не различима, хотя и дает окраску и химизм.

Мысль о дальних мирах пусть будет проста и без сомнения; сомнение подобно коричневому газу. Так видим, что древняя философия заключает в себе весьма полезные указания.

163. *Идиосинкразии* — необъяснимые влечения или отвращения — являются верными доказательствами перевоплощения. Никто не может пояснить такие непреоборимые чувства. Невозможно пытаться показать их как следствия атавизма, ибо можно проследить их независимость от родовых привычек. Сама особенная сила таких влечений показывает, что они глубоко заложены в данной особи. Они должны быть накрепко совмещены в сознании, настолько, что даже гипноз не может преодолеть их. Но если в отдельных случаях рассмотреть смену жизней, тогда влечение или отвращение будет естественным следствием бывшего. Так особо показательно наблюдать такие врожденные симптомы. Они показывают и способности человека, и окружающую его обстановку, наиболее ему благоприятную. Не забудем, что каждому растению нужна своя почва, так же и в жизни человека необходимы свойственные ему обстоятельства.

Пусть правители поймут устройство сада человеческого.

164. Также нужно преобороть ощущение пустоты. За такой иллюзией копошится много вредного — появляется безответственность, получается Майя погружения в пустоту и растворение в ней. Но как же быть с нерастворимыми зернами? От сознания их будет строиться представление о всенаполненности пространства. Такое состояние уже будет основою ответственности. Так начнем от зерна духа и расширим мысль до пространства.

165. Не следует удивляться, если некоторые имена не произносятся. Так можно понять различие между мыслью и словом в низших сферах. Мысль не воспринимается, и только звук слова может выдать что-то сокровенное, потому следует с разбором произносить имена и записывать их, ибо начертания могут быть видимы.

166. Еще раз утвердим различие между сотрудничеством и Братством. Слышу недоумение — будто оба понятия тождественны. Но ступени их различны. Сотрудничество непременно выражается во внешнем действии, но Братство зарождается в глубине сознания. Сотрудники могут различаться в степени сознания, но братья будут чуять друг друга именно по сознанию. Братья могут не иметь общей внешней работы, но мышление их будет крепко спаяно. Они будут свободно объединены, их единение не будет ярмом или неволею. Но именно братья поймут единение как мощный двигатель во благо Мира. Нельзя ограничить такое единение, ибо в основе его будет любовь. Так сотрудничество будет подготовлением к восприятию Братства.

Люди часто не могут различить, где границы внешних действий и зарождение незыблемых основ. Не думайте, что излишне утверждать Основы Братства. Невозможно представить, какие ложные воображения встают при рассуждениях о Братстве. Неподготовленные люди думают, что Братство — легенда, и всякий может по-своему строить призрачные башни. Они считают, что неявные свидетельства о Братстве не могут убедить рассудок, но никто и не собирается убеждать. Также никто не насилует сотрудничества. Люди сами доходят до необходимости кооперации. Также они дойдут и до реальности Братства.

167. Редко можно найти готовое сознание, которое не будет самоограничиваться страхом, сомнением, злобою и лицемерием. Можно видеть, что вред ограничения вовсе не приходит только извне, но прежде всего шевелится в углах сознания.

168. Редко люди пройдут без сердечного трепета мимо крика о помощи. Может быть, озверелое сердце не подаст помощи, но и оно явит потрясение. Крик о помощи может быть выражен в словах или в одном звуке, но раздирающий смысл будет один. Так же и крики пространства могут быть отрывочны и по значению слов малозначащи, но внутренний смысл их будет значителен. Не нужно думать, что отзвук дальних мыслей лишен значения, даже односложные зовы имеют причину. Иногда проносится вереница лиц, они не знакомы, но все-таки чувствуется их настроение. Из таких эпизодов слагается ощущение целых стран. Можно понять, где люди обсуждают, где горюют, где радуются,— такие сигналы научают внимательности. Не только сложные отображения событий, иногда и одиночный возглас уже дает ощущение общих настроений. Как на струнах ключ всей пьесы задается одним аккордом, так же и в пространстве каждая струна имеет значение. На поле битвы звук трубы решает судьбу целого войска. Никто не скажет — не следует прислушиваться к далеким сигналам. На Земле много труб звучит.

169. Можно ли понять, насколько перехватываются мысленные посылки? Трудно вообразить, по каким боковым каналам может устремляться энергия. Могут быть случайные приемники, но также могут приближаться и дурные сущности. Такие перехватчики могут воспринимать частичные мысли, и можно представить ужас сумбурных сплетений. Приходится быть вооруженным на многие случаи.

170. Опытный проводник показывает жаждущему путнику источник не слишком рано и не слишком поздно. Проводник умеет размерить отдых по силам путника.

171. Следует принять гостя достойно, но нельзя насильно зазывать гостей — так знает каждый домохозяин. Совершенно так же и в применении психической энергии нельзя насиловать ее, но следует принять ее проявления достойно. Пусть невежды толкуют о нежелательности применения психической энергии. Когда уже энергия работает, тогда невозможно отрицать ее, и остается найти ей естественное приложение. Пусть ученые скажут, что произойдет, если пространственное электричество будет напряжено до бесконечности. Пусть расскажут, чем кончится непомерное напряжение. Невозможно отрицать, что теперь особенно напряжены пространственные токи. Не время их отрицать, нужно поспешить с их применением.

Уже много раз указывалось на опасность низшего психизма. Значит, нужно помыслить о высшей энергии, которая понимается как духовность.

172. Неопытные врачи пытаются загнать болезнь внутрь, чтобы, хотя временно, избежать опасных признаков,— так устраиваются рассадники болезней. Но опытный врач постарается вызвать зачаток болезни наружу, чтобы искоренить ее своевременно. Тот же метод должен быть применяем

и в житейских болезнях. Пусть лучше будет пережит кризис, нежели опасное разрушение овладеет всем организмом. Перелом можно пережить, и такое потрясение может вызвать к жизни новые силы. Но разложение и тление только заразят все окружающее. Так поймем на сорок случаев.

173. Кто поносит самое возвышенное, тот свидетельствует свое разложение. Смердит тлением ужасный отрицатель. Не думает он о своем неминуемом распадении. Люди не хотят замечать, что они готовят себе. Каждый убийца мечтает о безнаказанности. Где найдет он ее?

174. Даже в самые напряженные дни мыслите о созидании. Ошибочно устремляться по напряженной направленной цели, пусть созидание будет идти из устремлений к самому Высшему. Тень долины не закроет вершин. Не следует замыкаться в искусственный круг. На что же существует Беспредельность!

175. Великое Служение повсюду вызывает много недоумения. Обычно люди представляют его в виде чего-то недосягаемого. Они надеются, что ответственность за такое Служение их минует. Но оглянемся на некоторых великих Служителей. Посмотрим, были ли Они недоступными сверхлюдьми? Пифагор, и Платон, и Бёмэ, и Парацельс, и Томас Воган были людьми, несшими свои светильники среди собратьев, среди жизни под градом непонимания и поношения. Каждый мог приблизиться к ним, но лишь немногие умели под ликом земным усмотреть надземное сияние. Можно назвать великих Служителей Востока и Запада, и Севера и Юга. Можно прочесть их жизнеописания, но везде мы почуем, что надземное сияние проявляется лишь в веках. Нужно из действительности поучаться.

Не сопричислим себя к хулителям Платона и к гонителям Конфуция. Они были гонимы теми гражданами, которые считались украшением страны. Так Мир поднимал руку против Служителей Великих. Поверьте, что Братство, образованное Пифагором, являлось опасным в глазах городской стражи. Парацельс был мишенью для насмешек и недоброжелательства. Томас Воган оказался отверженным, и мало кто желал встречаться с ним — так проявлялись законы тьмы. Ведь и там свои законы. Очень наблюдают за опасным великим Служением. Приложим бывшие примеры ко всем дням.

176. Нужно понять, насколько силы тьмы постоянно борются против Братства. Каждое, даже малое, о Братстве напоминание будет преследоваться яро. Даже все, что может вести к Братству, будет осуждаться и поноситься — так будем на дозоре.

177. На самых простых примерах можно видеть указания на забытые основы. Непонятные прихоти беременных женщин напомнят о перевоплощении, особенно если проследить характер дитяти. Так же точно, как медицина последнего времени дает представление о всеначальной энергии и указывает на нервное происхождение многих болезней. Иммунитет ставится в связь с состоянием всей нервной системы; тем самым выдвигается значение всеначальной энергии. Как же не признать ее, если наука обращает на нее особое внимание? Неужели отрицать основу иммунитета? Люди необычно заботятся о своем здоровье и в то же время упускают из виду самое драгоценное обстоятельство. Как же создадутся мысли о Братстве, если основа жизни оставлена в небрежении?

178. Правильно — чудовищно количество безумцев. Не только надо лечить их, но следует найти причину их размножения. И слабоумие также нуждается в надзоре. Безумие заразительно. Детское слабоумие указывает на ненормальность всей жизни. Люди согласны с тем, что условия жизни нездоровы, и все-таки каждый совет об оздоровлении будет принят враждебно. В этом заключается ужас потрясения основ. Ужасно, когда самые ценные предметы подвергаются опасности! Бережность должна выражаться во всей жизни. Когда Предупреждаю об единении, то Предупреждаю о возможности взрывов. Среди огненных взрывов нужно идти, как по струне.

179. Даже земному уху надо прислушаться, чтобы уловить звуки. Тем более для внутреннего слуха нужно сосредоточение, чтобы услышать волны пространства. Пусть не думают, что мысленные посылки могут доходить без принятия их. Тонкое чувство требует и глубоких восприятий. Скажем тем, кто самонадеянно полагает, что все чудные птицы прилетят к ним, не ожидая зерна; пусть каждый сеет, чтобы пожать.

180. С сожалением относимся к общепринятому благополучию — в нем заключаются отупение и безмыслие. Мы научаемся приветствовать все зачатки мысли, но нагнетение всегда почитаем как стремление вперед. Можно привести множество примеров из физики и механики, где нагнетение есть двигатель. Не легко многим согласиться, что нагнетение есть уж врата к продвижению. Но если человечество

признает эту истину, тем самым оно уже поймет и значение прогресса. От такого познания недалеко до Братства.

181. Путник не может предугадать всех встреч, но он может найти время, чтобы уследить за идущими на перепутье. Не следует огорчаться, если путник постепенно будет оставаться в одиночестве; есть тропы, где трудно пройти многим. Уявление внимания к цели приведет к новым сопутникам. Необходимо крепко держать цель пути.

182. Меч закаляется огнем и холодной водою, также дух крепнет от огня восхищения и под холодом поношений и неблагодарности. Не следует удивляться, что поношение как обычай сопутствует каждому подвигу. Служение сопровождается неблагодарностью. Такая закалка наблюдается издревле, но мало понимается противоположение огня и воды.

183. Одному художнику заказали символическое изображение веры. Мастер изобразил непреклонную человеческую фигуру. Лик был обращен к Небу, в нем было выражение несломимого устремления, самый взор наполнен огненным сиянием. Явление было величественно, но из-под складок одежды вилась как бы черная змейка.

Когда художник был спрошен, какой смысл заключен в этом темном придатке, который не соответствует сиянию картины, он сказал: «Хвостик неверия».

Смысл тот, что даже в сильной степени веры часто закрадывается и черный хвостик неверия. Пусть он напоминает ядовитую змейку. Много отравы разносится такими змейками. Сама блистающая вера делается недейственной при сочащемся яде. Сказано о великой мощи веры, но полной веры, не отравленной.

184. Неверие есть кристалл сомнения. Потому следует их различать. Сомнение как нечто шаткое может быть излечено психической энергией, но неверие почти не излечимо. В какую мрачную бездну погружается невер, чтобы там содрогнуться и получить удар очистительный.

Не нужно помыслить, что путь к Братству возможен при неверии.

185. Вы видите, как поносят Наше Слово даже те, кто могли бы различать Истину. Потому Мы указываем на новых не зараженных неверием. Поистине, многообразно неверие! Оно прикрыто разными личинами. Нужно отличать, где скрыты убийственные змейки.

186. Люди нередко слышат как бы зовущие их голоса, и иногда такие зовы настолько сильны, что заставляют вздрагивать и оглядываться; конечно, присутствующие их не слышат. Можно ли сомневаться, что такие пространственные посылки существуют?

Труднее понять, почему мало воспринимается посланная мысль, которую по соглашению должны принять в назначенное время. Прежде всего люди не умеют погружаться в определенное настроение. Нередко вместо принятия мысли они отталкивают ее. Таким образом, чаще прилетают мысли не условленные, но удачно попавшие в ритм настроения. Но еще чаще мысль Тонкого Мира доносится, ибо она легче гармонирует с энергией людей. Но мало внимания оказывают мыслям Тонкого Мира. Одна из причин в том, что трансмутация языка удается лишь сильным, высоким духам. На Земле люди часто не умеют понять смысл сказанного, тем труднее приспособиться к пространственным посылкам. Но не нужно разочаровываться, ибо каждое внимание к мысли утончает сознание.

187. Всеначальная энергия, так же как и кровь, иногда нуждается в исходе. Особенно она нагнетается при огненных напряжениях. Так же она тянется к людям, нуждающимся в ней. При этом нужно различать действительно нуждающихся от вампиров, ее пожирающих.

188. Сокровенное Учение не может застывать на одном уровне. Истина одна, но каждый век и даже каждое десятилетие своеобразно прикасается к ней. Вскрываются новые свитки, сознание человеческое по-новому следит за явлениями Мироздания. Наука даже в блужданиях находит новые сочетания. От таких нахождений утверждаются основы, прежде обнародованные. Каждая премудрость неопровержима, но она будет иметь своих продолжателей. Почитая Иерархию, чтут и вестников Ее. Мир живет движением, и выдача Сокровенного Учения утверждается продвижением. Скудоумы назовут такое продвижение нарушением основ, но мыслители знают, что жизнь в движении.

Даже познание языков умножит восприятия новых нахождений. Сколь же больше принесет освобожденная мысль! Каждое десятилетие открывает новый подход к Сокровенному Учению. Читавшие его полвека назад читали его совершенно иначе. Они подчеркнули совершенно иные мысли, нежели читающие сейчас. Нельзя говорить о Новых Учениях, если Истина едина! Новые данные и новое восприятие их будут лишь продолжением познавания. Каждый, мешающий такому познаванию, совершает преступление против человечества. Последователи Сокровенного Учения не могут затруднять путь познания. Сектантство и изуверство неуместны на путях знания. Кто может нарушить познавание, тот не есть последователь Истины. Век сдвигов народов должен особенно оберегать каждую стезю науки. Век приближения великих энергий должен открыто встретить эти светлые пути. Век устремления в Высшие Миры должен быть достоин такого задания. Свара и ссора есть удел сорников.

189. Можно понять, насколько недопустимо злословие около Сокровенного Учения. Разъединение и разложение есть удел зла. Уместно ли злоречие у ступени Братства?

190. Скудоумы способны утверждать, что Наши Братья сеют смуту и восстание. Но именно Они прилагают все усилия, чтобы умиротворить народы. Они готовы нести тяжкое Служение, вовремя предупреждая лиц, от которых зависит народная судьба. Они не щадят сил своих, чтобы поспеть принести весть. Они ценою неугодных приемов несут Свет, который силы тьмы пытаются потушить. Но посев семян добра не сохнет, и во дни сужденные зерна процветут. Но как назвать людей, которые вредят добру? Они умеют не только помешать Свету, но истолкуют как неудачу самые естественные последствия. Какою мерою ценят скудоумы следствия? Почему берутся они судить, когда явилась удача или неудача? Как и что могло случиться без помощи Братства? Невозможно представить себе злотолкование, которым сопровождается каждое великое Служение!

191. Напрасно врачи объясняют многие заболевания чисто физическими явлениями. Простуда, туберкулез, насморк, явление горла и многие другие болезни прежде всего нервного происхождения. Человек может почуять нервное восхищение и получить иммунитет, или человек через нервное потрясение остается беззащитным. Такая простая истина не принимается во внимание. Между тем недалеко будущее, когда явления самых разнообразных заболеваний будут излечиваться нервными воздействиями. Лечиться нужно тем же путем, который дает сознание. Найдут, что самые неизлечимые болезни могут быть приостановлены нервными воздействиями, и наоборот, без забот о нервных силах можно довести самое малое заболевание до опасного размера.

192. Враги человечества изобрели не только всепробивающие пули, но имеют в запасе новые яды. Невозможно остановить поток злой воли. Только самоотверженное и постоянное напоминание о добре может прекратить волну погибели. Не думайте, что раньше среди людей было меньше жестокости, но теперь она оправдана самым бесстыдным лицемерием.

193. Гармония не всегда удается, если даже словесно и произносится. Обычно заблуждение, что гармония может быть установлена рассудком. Никто не сознает, что лишь сердце является обителью гармонии. Люди повторяют о единении, но сердце их полно колючих стрел. Люди твердят много изречений разных веков о мощи единения, но не пытаются приложить эту истину к жизни. Люди укоряют весь мир за раздоры, и в то же время сами сеют разъединение. Поистине, нельзя жить без сердца. Не найти обители гармоничной при бессердечии. Не только себе вредят сеятели разъединения, они заражают пространство, и кто может предугадать, как далеко просочится такой яд?

Не думайте, что достаточно сказано о единении, о творящей гармонии. На каждой странице нужно твердить о том же, в каждом письме нужно помянуть единение и гармонию. Нужно помнить, что каждое слово о единении уже будет противоядием, уничтожая пространственный яд. Так подумаем о благе единения.

194. Посмотрим, насколько передвигались Братства. По этим путям можно судить о движении эволюции. Не следует думать, что Братства поспешно удалялись в Неприступные Недра. Они только концентрировали силы в месте, крепком как геологически, так и духовно. Можно припомнить, что в нескольких странах были очаги Братства, но при наступлении сроков такие очаги собирались к одной Твердыне.

195. Полезно советовать друзьям, чтобы они в определенный час обоюдно посылали добрые мысли. В таком действии будет не только укрепление доброжелательства, но и дезинфекция пространства, последнее весьма необходимо. Ядовитые эманации не только заражают человека, но и осаждаются на окружающих предметах. При этом такие осадки весьма трудно изгоняемы. Они могут сопровождать предметы и на дальние расстояния. Со временем будут различать ауру таких зараженных предметов. Пока же чуткие люди могут ощущать на себе воздействие таких наслоений. Добрые мысли будут лучшим очистителем окружающего. Утверждение посылок добра будет еще сильнее, нежели очистительные ароматы. Но следует приучаться к таким посылкам. Они могут не содержать определенных слов, только направляя доброе чувство. Так среди обычной

жизни можно творить много добра. Каждая такая посылка, как молния очищающая.

196. Будьте осторожны с центром гортани: он, как синтетическое средоточие, может очень принимать пространственные воздействия. Если радиостанции могут влиять на слизистые оболочки, то много других воздействий может также отягощать центры.

197. Истинно, Учение Жизни является пробным камнем. Никто не пройдет мимо, не показав свою сущность. Кто возрадуется, кто ужаснется, кто вознегодует. Так каждый должен показать, что́ таится в глубине его сознания. Не удивляйтесь, что реакция Учения так различна и ярка. Нарада высекал такие же различные искры из сознаний человеческих. Если кто-то не может вместить устоев справедливости и нравственности, пусть он проявит свою негодность. В явной формуле пусть возможно менее останется масок лицемерия. Пусть проявится дикость, ибо она не может долго пробыть под одеждою притворства. Так же пусть возликует молодое сердце, оно может явить себя в радостном восхождении. Так пусть мера Учения будет и показанием деления человечества. Зло и добро должны различаться, но такое распознавание дается нелегко.

198. Среди внешних признаков пригодности обращайте внимание на странников — нечто двигает ими и не дает покоя. Они легче других судят о хрупкости собственности. Они не страшатся расстояния, они научаются многому. Между ними могут быть вестники.

199. Человек спасенный мнит себя погибшим. Уже погибший думает, что он победил. По всему миру ползают недомыслия. Наяву люди окружены призраками. Можно усмотреть безумие целых народов. Учение может открыть многие глаза и напомнить о нерушимости основ.

200. Зовущий к лучшему качеству — уже на пути.

201. Лучшие целебные продукты часто оставляются в небрежении. Молоко и мед считаются питательными продуктами, но совершенно забыты как регуляторы нервной системы. При явлениях в чистом виде они содержат драгоценную всеначальную энергию. Именно это качество должно быть в них охранено. Между тем стерилизация молока и специальное очищение меда лишают их самого ценного качества. За ними остается питательное значение, но основная ценность их исчезает.

Конечно, необходимо, чтобы продукты употреблялись в чистом состоянии. Так животные и пчелы должны содержаться в здоровых условиях, но все искусственные очищения уничтожают их прямое назначение.

Древнее знание охраняло коров как священных животных и соткало вокруг пчел увлекательную легенду. Но со временем люди утратили сознательное отношение к перводанным лекарствам. В старых лечебниках каждое лекарство рассматривалось со стороны пользы и вреда. Но такие ценные средства, как молоко, мед или мускус, не наносят вреда, когда они чисты. Можно много указывать полезных лекарств и в растительном мире, но большинство их лучше всего тоже в чистом виде, когда не утрачена основная энергия, которая присуща им поверх так называемых витаминов. Сок моркови, или редьки, или земляники лучше всего в сыром чистом виде. Так можно понять, почему древние Риши питались такими целебными продуктами.

202. Находчивость и быстрота мысли могут быть развиваемы постоянным упражнением. Первое условие будет — думать об этих качествах, потом полезно держать мысль внутри, чтобы жила и во время всех других занятий.

203. Сейсмограф показывает непрерывное трепетание почвы, но далеко не все эти землетрясения отмечаются чуткими организмами. Причина тому та, что огонь бывает самого разнообразного качества. Кроме того, организм часто показывает малые знаки, которые смешиваются с пространственными воздействиями. Человеческий организм показывает гораздо больше различных знаков, нежели обычно принято думать. Особенно все, касающееся огня, отмечается человеком. Объяснения такому преимуществу очень скудны. Скажут об утомлении, или недомогании, или каком-то настроении, но воздействие Огненной стихии будет забыто. Именно люди не представляют себе, что они окружены Огнем, который действует на всеначальную энергию. Казалось бы, надо ценить все, что может укрепить начальную энергию. Давно сказано, что самость погашается Огнем. Люди будут мыслить только от себя, пока не осознают Огненного Крещения. И само понятие о Братстве будет сухим островом, пока не будет понята самая мощная стихия.

204. Постепенно придет знание, что легенда есть правдивая история, документы найдутся. Каждое открытие подтверждает, что правда живет и должна быть воспринята. Если мифы живут, то и история о Братстве получит достоверность. Можно замечать, что сведения о Братстве особенно заподозреваются. Много обстоятельств принимается очень легко, но существование Братства особо пора-

жает. Люди готовы встретить неизвестного отшельника, но представить себе сообщество таких отшельников почему-то трудно. Существует ряд истин, которые встречают особое сопротивление. Не трудно представить, кому противно понятие Братства. Эти сущности отлично знают о существовании Братства и трепещут, чтобы это знание не проникло к людям. Но все совершается в срок. Если и не знают они, все-таки начинают предчувствовать.

205. Одни вестники идут с поручением, уже зная, откуда, куда и зачем и как вернутся они. Другие лишь внутренне знают Указание и совершают земной путь как обычные жители. Не будем взвешивать, которые совершают подвиг самоотверженнее. Пусть люди признают, что существует множество степеней подвижников. Главное, надлежит понять следствие и побуждение. Не будем судить, которое доброе деяние выше. Каждое деяние окружено многими причинами, которые глаз человеческий не может усмотреть.

Но будем ценить приносимое добро и сопроводим вестника дружелюбием. Именно в этом дружелюбии находится ключ преуспеяния.

206. Также научимся различать малейшие знаки. Их очень много, они вспыхивают, как искры, но не впадают в ханжество и подозрительность. Подозрительность отличается от зоркости. Сказано — зоркость пряма, но подозрительность крива. Притом подозревающий уже не чист и не свободен. Знание не должно быть отемнено насилием ни внешним, ни внутренним. Люди часто жалуются на жестокость, но сами к себе бывают жестокими. Такая жестокость хуже всего. Поймите справедливо середину между кажущимися противоречиями.

207. Замечайте, какими необычными путями складываются события. Именно в этом заключается воздействие новых сочетаний энергий. Не следует в такие дни предугадывать по старым мерам. Также и недомогания могут быть неожиданными. Утверждаю, что не отменить обычными средствами течение событий. Потому будем внимательны.

208. Чуткость организма люди не считают преимуществом. Даже очень **просвещенные** люди часто опасаются таких утончений. Действительно, требуется расширенное сознание, чтобы понять, насколько необходимо приобретение чуткости для дальнейшего продвижения. При существующих условиях земной жизни можно ожидать различных болей, но ведь эти страдания происходят не как следствие чуткости, но по причине ненормальности жизни. Если представить себе незараженную атмосферу, то чуткость явится истинным благом, но люди предпочитают загрязнить планету, лишь бы пребывать в диком состоянии. Не думайте, что слова о дикости будут преувеличением. Можно носить дорогие одежды и оставаться дикарем. Тем более тяжко преступление тех, кто уже слышал о состоянии планеты и все-таки не прилагает сил к улучшению Общего Блага.

209. Предостерегайте, чтобы не злословили на Высшие Силы. Безумцы не понимают, что мысли их преломляются о мощные лучи и поражают самих безумцев. Если они не падают немедленно мертвыми, это еще не значит, что организм их не начал разрушаться. Своя же стрела найдет зачаток язвы и вызовет ее наружу.

210. Разложение организма распространяется не на одну земную жизнь. Не нужно винить лишь родителей, можно усмотреть и свой атавизм. От совершенно здоровых родителей часто рождаются очень больные дети. Земной ум будет пытаться найти причину в далеких дедах, но знающий череду жизней подумает о причине, заложенной в самом себе. Мир Тонкий в низших и средних сферах сохраняет много телесных условий.

Полезно стремиться ввысь.

211. Переход в Тонкий Мир должен быть по природе своей безболезненным. Люди, совершив земной путь, должны принять следующее прохождение естественно. Но они сами усложняют торжественную смену Бытия. Они сами расплодили болезни и насылают их на близких. Они пытаются заразить пространство, но лишь сами могут вступить на путь очищения. Насильственная профилактика не может помочь основательно, необходимо общее сознательное сотрудничество. Принуждение может из сотен тысяч больных спасти лишь малую часть. Оздоровление планеты находится в руках всего человечества. Прежде всего нужно понять, что человек оздоровляет не только себя, но и всех окружающих. В таком сознании будет заключаться истинное человеколюбие. Такое чувство не может быть приказано. Оно должно прийти из глубины сердца самостоятельно.

Пусть безумцы не удивляются, что Мы уделяем столько внимания оздоровлению. Нельзя быть эгоистом и думать лишь о себе. Мы должны и в мыслях, и в действиях распространять заботу о лучших земных условиях. Не будем закрываться складками хитона, когда необходимо напрячь всю зоркость и доброжелательность к человечеству.

212. Много говорят о самопожертвовании, в небеса устремляясь, но примеры высоких самопожертвований здесь, на Земле. Возьмите каждую мать: она в различных условиях по-своему выражает самопожертвование. Но будем внимательны — сумеем усмотреть самые прикрытые знаки великого чувства, именно оно настолько углублено, что стыдится выражения. Среди этих прекрасных цветов найдется и средство оздоровления. Призовем лучшие слова, чтобы человек не оступился. Так войдет в жизнь и понимание Братства.

213. Откуда бы ни пришло добро, пусть не отринут его. Ступень эволюции должна запечатлеть вмещение. Добро уже не должно быть добром самости. Такая низшая степень добра должна быть заменена высшей. Сколько радости в чувстве, если можно восхищаться добром ближнего. Но сколько тьмы в личном присвоении Общего Блага. Пусть жестокосердие задумается о сказанном.

214. Утверждают, что явлений много, но люди так слепы и не видят хлеб приготовленный. Люди не хотят признать то, что всеми силами уже приближается. Пусть на перепутьях странники поют о сужденном Братстве.

215. Знание бывает обобщающее и расчленяющее. Одни ученые начинают с первых шагов познавания прилежать к первому виду, но другие не могут выйти за пределы расчленения. Рано или поздно и они должны будут обратиться к методу обобщения. Нужно полюбить такой порядок мысли. В нем заключается творчество. Расчленение будет подготовительным путем к тому же завершению. Полезно уметь понять различие этих двух путей. Именно теперь много прилежных ученых, которые довольствуются вторым методом. Но мало поможет он, когда каждое познание является синтезом многих отраслей науки. Требуется большая подвижность ума, чтобы мочь найти сравнение и подтверждение из самой непредвиденной области науки. Умение сочетать необходимые показания уже доказывает высокую степень сознания. Уже много было потеряно из-за ненужных подразделений. Даже замечалась какая-то враждебность отдельных областей науки между собою. Но разве гуманитарные и прикладные науки не являются ветвями того же древа Истины?

216. Не будем осуждать самое кропотливое исследование, когда оно не таит в себе предумышленной враждебности к соседней области. Пусть ученые найдут в себе решимость не отрешаться от того, что им в данное время не известно.

217. Скажут — невозможен покой в дни великого смущения. Ответьте — не будем толковать о словах. Покой, так же как Нирвана, есть кипение не выкипающее. Но если кому-то не по силам такое понятие, то пусть он озаботится о ясности мысли. Пусть он признает, что даже в час Армагеддона нужно иметь ясное сознание. Если в земных битвах мы будем терять ясность мысли, то как же удержим ее при переходе в Мир Тонкий? Каждое земное столкновение есть лишь пробный камень нашего Сознания. Даже при негодовании следует не допускать отемнения мышления. Люди опытные знают, что пространственные токи сильнее любых людских сражений, но и при таких мощных натисках следует ясно хранить цель существования.

Пусть не жалуются маловеры, что покой их потревожен. Они подменят значение лучших слов и падут в безмыслие. Что же может быть хуже!

218. При грозе советуют не бежать и не делать резких движений. Также гармоничное состояние указывается при земных грозах. Не будем ухватываться за подушку, чтобы скрыть от себя гром. Не будем устремляться к самому малому, когда стучится великое. Нужно испытывать себя в самых различных обстоятельствах — в этом заключается и тайна самых разнообразных воплощений. Но люди не могут принять, каким образом король превращается в сапожника.

219. Стремящемуся к практическому оккультизму скажем — пусть помыслит о воплощениях относительно тайны рождения и смены бытия. Невозможно пройти мимо великих значений. Такие уявления на глазах всех могут дать мысль о сущности Бытия. Нельзя проходить мимо некоторых замечательных явлений, как передача и восприятие мыслей. Не для насмешки даются явления малых детей, помнящих прежние жизни и воспринимающих мысли.

220. Каждая фаза Учения отвечает на особую нужду человечества. Настоящее время отличается потрясением нравственности. Помощь Учения должна быть направлена к утверждению нравственных устоев. Нахождения науки разошлись с бытом, получается особый вид дикарства, овладевшего научными инструментами. Меньшинство высокопросвещенных тружеников высится редкими островами среди океана невежества. Грамотность еще не есть просвещение, потому дается совет укрепить сердце как средоточие просвещения. Даются научные и врачебные указания, должны они помочь телесному и духовному оздоровлению). Чем непосредственнее принимаются эти советы, тем и действие их сильнее. Зародыш энтузиазма вырастает в прекрасное вдохновение. Капля доброты превращается в действенное благо. Кроха любви процветает чудесным садом. Кто же осудит желание помочь ближнему?

221. Каждая книга Учения содержит внутреннее задание. Если жестокость может издеваться над Братством, то это будет худшим видом дикарства. Пусть люди найдут в себе силу воздержаться от издевательства. Издевательство не есть острота ума. Юмор заключается в мудром отношении к происходящим явлениям, но разинутая пасть плоскоумия служит позором человечества. Игра ли, когда человечество становится игралищем безумия? Преуспевают те, кто чистыми руками возносят «Чашу».

222. Единение нужно и там, где Учение читается. Одно чтение не есть щит. Должна быть особая радость претворения прочитанного. Каждый человек в течение дня может претворить что-либо из Учения — тогда придет радость единения.

223. Всеначальная энергия стучится во все нервы человечества. Она есть, она существует. Она напряжена космическими условиями. Невозможно говорить — следует ли развивать ее? Нельзя развивать всеначальную энергию, можно лишь охранить ее от волн хаоса. Следует проявить великую бережность к сокровищу эволюции. Много было сказано в древности о времени, когда всеначальная энергия начнет проявляться усиленно. Не должны люди отрицать то, что повелительно заявляет о своем назначении. Кто наполнится таким высокомерием, чтобы впасть в отрицание вести эпохи? Лишь невежды и своемудрые начнут ратоборствовать против очевидности. Но не примем к сердцу попытки невежд. Они лишь сплетают венки каждому совету о помощи человечеству.

224. Нельзя определять, кто насильственно будет угнетать пытливые наблюдения. Нельзя закрывать Свет, когда он сияет из глубин познания. Пусть Свет найдет сужденные пути. При падении нравственности неизбежны нападения на все Светлое.

225. Область тончайших энергий неисчерпаема. Можно говорить о познавании ее, но не о знании ее. Говорю не для разочарования, но для ободрения. Если возьмем картограмму человеческих проникновений в пределы дальних энергий, получим очень беспорядочную линию. Люди бросались в пространство, не поддержанные ни своими близкими, ни Высшими Силами; получалась картина водолаза, который опустился на одну точку дна океана и должен дать объяснение всей подводной жизни. Нужно, чтобы наблюдались всевозможные явления и сносились бы в лаборатории исследований. Сколько раз сказано, что одинокий исследователь не может успеть наблюсти все нити энергий. Очень часто непосредственное чувство ребенка могло подсказать нужные наблюдения. Не случайно Говорю о врачах и школьных учителях — и те и другие имеют вокруг себя широкое поле для наблюдений. Они могут приближать внимание окружающих к самым высоким предметам. Много пользы могут они принести науке, подобно станциям метеорологическим. Самые обычные люди могут слышать о разных малых проявлениях, но кто скажет, где малое и где большое. Часто не хватает только одного звена, чтобы заключить очень важное наблюдение.

226. Нелегко привыкнуть к мысли, что наши чувствования часто зависят от пространственных токов.

227. Нелегко привыкнуть, что каждую минуту мысли могут принести перемену настроений.

228. Нелегко признать, что одиночества не существует.

229. Нелегко чуять себя принадлежащим к двум Мирам.

230. Нелегко признать, что земная жизнь есть мгновенное видение. Нелегко понять все это, хотя люди должны предчувствовать уже от рождения.

231. По бедности языков произошло во всех веках много ошибочных толкований. Люди пытались обращаться к цифрам, к символам и к образам, к начертаниям и всяким иероглифам, но такие пособия были лишь временными. Только современники могли понимать значение таких условных придатков. В веках опять стирались и образовывались новые заблуждения. Человечество с трудом удерживает сведения за одно тысячелетие. Что же сказать о десятках тысячелетий, когда сами языки много раз совершенно изменялись?! Отдельные предметы, дожившие до нашего времени, не могут вполне характеризовать эпох, их создавших. Так нужно приложить особую осмотрительность к древним эпохам, которые для нас лишь смутные видения.

Будет время, когда ясновидение, научно поставленное, поможет соединить осколки разбитых сосудов древнего знания. Умение терпеливо разбирать стертые знаки пусть будет отличием истинного ученого. Он поймет и значение вмещения.

232. Телепатия была признана ранее, нежели передача мысли. Посылки чувства были доступнее человеку, нежели посылка мысли. Можно заметить, что само слово *телепатия* произносится гораздо благодушнее, нежели страшная для множеств посылка мысли. Даже в психиатрических лечебницах врач легко согласится о телепатическом явлении, но за признание возможности передачи мысли определит опасное состояние. Так месмеризм осужден, но гипнотизм признан. Много несправедливости, но справедливость должна быть восстановлена.

233. При изучении психологии пророков можно видеть два фактора проявления. С одной стороны, как бы требуется одиночество, но, с другой — пророк иногда прозревает и в окружении толп. Оба условия не так противоречивы, как кажутся. Можно получить импульс энергии и от толпы. Нет таких условий, которые не могли бы оказаться проводниками тончайших энергий.

234. Постоянно Говорю об осторожности, но Не Хочу внушить вам боязливость. Туча заставляет садовника принимать меры охраны, но он не боится каждого вихря.

235. Человеконенавистничество доходит до коренных способов уничтожения — газами и отравлением. Пусть ученые разъяснят, что газы не улетучиваются, но осаждаются на долгое время. Пусть изобретатели газов поселятся в доме, стены которого натерты мышьяком, или сулемой, или другими эманирующими ядами. Пусть на себе, на своих глазах, на коже, на легких убедятся, как долго действуют эманирующие яды. Кроме того, изготовление в большом количестве ядов уже наносит вред на большие расстояния. Лишь преступное неразумие думает, что вред будет нанесен только врагу.

Также ядовиты газы, раздражающие слизистые оболочки. Недозволительно травить народ, обрекая его на заболевания, которые обнаружатся лишь в будущем. Так называемые просвещенные правители заражают целые пространства и успокаивают себя, что отрава безвредна! Пусть они поживут в отравленном доме.

Среди всех научных нахождений позорным пятном останутся газы и яды.

236. Нужно найти какие-то способы, чтобы люди поняли смысл единения, иначе людские сборища походят на связку шаров, рвущихся во все стороны. Люди полагают, что внешняя улыбка черепа уже должна выражать единение. Но смысл мощи соединенной остается чужд.

237. Называют путником не только уже находящегося в пути, но и уже собравшегося в путь. Так же и в мировом

событии — оно уже сформировалось, уже существует, хотя корабль еще не отчалил. Нужно различать внешнее движение от внутренней готовности. Некоторые люди не придают значения внутренней готовности. Если нечто не двигается у всех на глазах, то значит, это и не существует. Обратимся опять к врачебным примерам. Много болезней протекает внутри, не подавая внешних признаков. Только в последней степени они проявляются, когда лечение уже бесполезно. Не будем же считать процесс лишь по его смертельной степени. Так и в человеческих отношениях.

238. Многие учения предписывают воздержание от всякого убийства. Конечно, осталось недосказанным, как быть с убийством малейших существ невидимых? Конечно, имелось в виду преднамеренное убийство по злой воле, иначе в каждом дыхании человек становился бы убийцей. Сознание может подсказать, где граница. Сердце может учуять и уберечь человека от убийства.

Даже ветку, неразумно сломленную, отнесем ко храму, иначе говоря, пожалеем. То же чувство подскажет уберечься от убийства.

239. Огня много. Горят дальние Светила, и можно их видеть в огне сердца. Именно много напряжения.

240. Можно заметить, что особо большие потрясения иногда гораздо меньше разрушают организм, нежели малые. Причина в том, что при больших потрясениях начинает особенно действовать психическая энергия, являя мощную защиту. При малых потрясениях и защита не будет сильна. Когда Говорю: «Нагружайте Меня сильней, когда иду в Сад Прекрасный»,— то это не будет только поэтическим образом, но практическим указанием. Давно сказано, что при больших потрясениях дух крепнет и сознание очищается. Но в таких процессах главным фактором будет всеначальная энергия. Потому не будем огорчаться, если она чем-то приводится в действие. Гораздо хуже, когда нечто маленькое подтачивает организм и спасительная сила бездействует. Такое положение надо осознать, иначе люди начнут стремиться к малому и удовольствуются ничтожным. Запас психической энергии должен быть пополняем. Без нагнетения она не получит Высшую Помощь. Даже такая энигматическая пословица: «Чем хуже, тем лучше» имеет некоторое основание.

Поразительно наблюдать, как утеснения и гонения умножают силы. Можно удивляться, откуда люди черпают силы сносить и противостать поношениям. Та же спасительная энергия, которая очищает сознание, она же создает и оборону. Полюбим же ее и не отгоним легкомысленно. Люди молятся о защите, и сами разрушают лучший дар.

241. В Братствах предлагается избегать всяких взаимных издевательств и поношений. Даже в сложных обстоятельствах можно находить положительные черты, но таким камням безопаснее проходить поток. Брань, как чертополох, растет быстро, и с нею не пройти. Нередко употребляются такие слова, которые вызывают недобрые эманации. Ведь каждое слово наносит глиф на ауре. Человек должен брать ответственность за свои порождения. Всякая грязь неуместна в Братствах.

242. Не следует выводить своевольно заключения о причинах ускорения или замедления событий. Нужно уметь принять во внимание многие условия, из которых самые важные обычно остаются в небрежении. Учу напрягать внимание, чтобы не увеличить сложность положения. Вольно или невольно люди не любят осознавать, как часто крупица раздора истребляет лучшие сочетания. Человек подобен магниту, но даже магнит может размагнититься, если он находится в неполезном соседстве. Так нужно приучиться к наблюдению и за малыми крупицами. Не может процветать единение, если в каждом колесе насыпаны скрипящие песчинки.

243. Сотрудничество дается нелегко. Для усвоения его иногда требуется целый ряд жизней. Люди трудно понимают совмещение индивидуальности с общинным трудом. Как корабль в бурю, качается человеческое сознание, забывая о синтезе.

244. «Дружба — в молчании»,— так говорил один древний китаец. Можно сказать и обратное. При таком высшем состоянии мысль заменяет многие слова. Можно понимать друг друга на разных языках, выраженных мысленно. Тайна передачи мысли на разных языках остается великим проявлением всеначальной энергии.

245. Если бы люди относились друг к другу доверчивее, они могли бы наблюдать гораздо больше проявлений космического характера. Например, если бы они не стеснялись поверять о своих чувствованиях, можно было бы улавливать целые волны преходящих токов. Можно замечать особые горловые ощущения, или сердечные боли, или напряжение колен и локтей. По всем центрам могут проходить токи. Это не будет болезнью, но своеобразным недоможанием. По этим симпотомам можно увидеть, где проходит напряже-

ние токов. Но нужно проявить хотя бы малое доверие без опасения быть осмеянным.

246. То же опасение мешает признанию Иерархии. По справедливости скажем, что Иерархия далека от всего насильственного. Она готова помочь и послать совет, но человечество готово заподозрить каждое доброе намерение. Без доверия нет и сотрудничества. Не будем забывать, что недоверие есть признак несовершенства. Человек, наполненный сомнением, прежде всего будет не верить ближнему. Не будем называть эти напоминания нравственными советами. Пусть люди назовут их физическими и механическими законами. Совершенно безразлично, как назвать Основы Бытия, лишь бы они соблюдались!

247. Мы никогда не советуем притворство улыбки. Как противно каждое несправедливое суждение, так же и лицемерная личина будет показателем притворства и болезни ауры. Но просим быть добрее в сердце — это самый лучший бальзам.

248. Люди удивляются количеству преступлений, но забывают о еще несравнимо большем числе никогда не обнаруженных злодеяний. Можно ужасаться несчетным мысленным преступлениям, которые не сформулированы законами, но они уничтожают жизни людей и всей планеты. Нужно иногда подумать, насколько плодоносность планеты уменьшается, несмотря на все искусственные меры, иногда принимаемые правительствами. Можно посадить рощу деревьев и в то же время отравить и уничтожить целые леса. Люди удивляются остаткам девственных великанов лесных, но не задумаются, много ли таких же великанов подрастает теперь? Люди сдирают девственный покров планеты и поражаются росту песков. Можно пересчитать все виды, населяющие планету, и удивиться, что породы мало совершенствуются. Не будем считать некоторые странные скрещивания, которые могут, как в водянке, раздувать явления некоторых овощей. Такие опыты не влияют на общее состояние планеты.

249. Сердце устраняет многие заболевания. Неправильно не помогать сердцу прежде всего. Может быть, сердце внешне может быть спокойно, но ему нужно дать импульс, чтобы оно могло усиленно повлиять на иные центры.

250. Может ли быть потоп, смывающий целые области? Может ли быть землетрясение, разрушающее целые страны? Может ли быть вихрь, сметающий города? Может ли быть падение громадных метеоров? Все может быть, и качание маятника может увеличиться. Не имеет ли значения качество человеческой мысли? Так пусть подумают о сущности вещей. Она очень близка мысли, и много мыслей устремлено из разных миров. Не будем винить одни солнечные пятна.

Одна мысль о Братстве уже целебна.

251. Угроза и насилие не Наша Область. Сострадание и предостережение будут областью Братства. Нужно быть жестоким по природе, чтобы принять предупреждение за угрозу. Люди судят по себе, они пытаются вложить свое значение в каждое услышанное слово. Поучительно дать самым разным людям один простой текст для толкования. Можно поразиться, насколько различно будет разъяснено содержание. Не только основные свойства характера, но и случайные настроения отразятся и извратят содержание. Так можно подтвердить, что злой видит злое, а добрый видит доброе. По всем отраслям знания проходит та же истина. Только очень зоркие глаза отличат, где действительность и где мираж настроения.

Когда человек мечтает о Братстве, пусть прежде всего очистит глаза от наносного сора.

252. Немало людей, думающих, что Братство вообще не существует. Может быть, в тишине ночной иногда перед ним мелькают отрывки воспоминаний, но тупость рассудка заслоняет эти мечтания. Правда, в малых воспоминаниях они обжигают сознание. Может быть, они не могут уже встать в определенном образе, но смысл их сверкает, как стрела пролетающая. Определенный образ не встает, потому что человек не учился мыслить образами.

253. Также человек не приучается различать совпадения от законных явлений, не учится проследить процесс мышления со всеми привходящими обстоятельствами. Столько дисциплин доступно человеку в любом состоянии! У Нас ценят такое естественное накопление.

254. Никто не требует, чтобы телефон или телеграмма повторялись два раза, прежде чем им поверить. Но иначе обстоит дело с оповещением из Тонкого Мира. Люди почему-то непременно настаивают на повторении проявлений, как будто они бывают убеждены лишь при повторении, таким образом теряется много энергии. Условия уже успели измениться, но человек хочет вернуться к прежнему. Многое затрудняется от подобного ретроградства.

255. Люди также не хотят наблюдать процесс мышления в зависимости от изменения окружающего. Такие наблюдения могут выявлять много физических воздействий, но вместе с тем покажут, насколько среди видимых воздействий постоянно ощущаются и незримые, но весьма сильные.

Кто готовится к братскому труду, должен уметь следить за собою.

256. Можно замечать, что люди, помнящие о своих прежних жизнях, принадлежат к самым различным положениям. Это лишь доказывает, что закон потусторонний гораздо сложнее, нежели полагают на Земле. Тем более он должен быть почитаем и изучаем. Такие исследования неминуемо должны быть отрывочными, но и подобные отрывочные сведения должны составить убедительную цепь фактов. Чем скорее можно начать такую земную хронику, тем скорее встанет правда. Нужно понять, что не в Наших обычаях требовать слепую веру. К чему было бы такое требование там, где наблюдательность и внимательность дают большие следствия?

Сказано, что ткань Превышняя состоит из искр, значит, если усмотреть хотя бы одну искру, будет уже большим достижением. Но в этих опытах можно достигать удачи лишь при взаимном доверии. Ценные сведения могут принести и дети, и поселяне, и разные труженики, в которых запечатлелась хотя бы одна искра, их коснувшаяся. Очень часто именно народ хранит явления воспоминания, но стыдится произносить их. Бережно нужно подходить к таким тайникам. Они не откроются высокомерному допросу или спешащему прохожему. Кроме того, закон земной запрещает касаться сокровенного. Врачи нередко назовут такое признание безумием.

Мы уже говорили, что все вопросы внутреннего сознания должны быть испытаны сурово, но если из ста неверных и смутных сообщений окажется одно достоверным, то это будет уже успехом. Так будем искать правду.

257. Пусть поиски правды не будут желчными. Человек, утерявший в своем доме какой-то предмет, уже раздражается. Что же будет при поисках во всем мире?

Поистине, доброе сотрудничество необходимо.

258. Зерна могут быть развеяны вихрем; могут быть поклеваны птицами; могут быть смыты ливнем — много причин следствий. Особенно трудно человеку, что он не может предрешить судьбу посева. Но он и не должен по-своему распределять следствия труда. Человек должен ясно представить назначение труда своего, но пути движения и новых заграждений не должны огорчать деятеля.

По земной природе не легко примириться с мыслью, что зерна могут вырастать в нежданном месте. Но пусть человек не забудет, что жизнеспособность зерна велика. Так будем сеять, не думая, где разрастется Сад Прекрасный. Человек отведет для Сада пышное место по своему разумению, но рядом может оказаться более плодоносная почва, и даже занесенное ветром зерно процветет — так будем сеять, не сомневаясь в жизнеспособности зерен.

Основа Братства в доверии к труду.

259. Иногда может показаться, что наставление дано не достаточно ясно, но так ли это? Не будет ли наше преходящее настроение ложным толкователем? Со временем пронесутся настроения, появятся облики истинные. Можно будет признать тогда, что наставления были непреложными. Так куется приближение к Братству.

260. Не будем удивляться, что после указанного срока напряжение как бы усиливается. Не забудем, что это следствие уже бывшего. Но посев причин может уже уменьшиться.

261. Облекаясь в земную оболочку, человек имеет творить добро, в том совершенствуясь,— так говорит незапамятная Мудрость. И над Вратами Братства постоянно сияет этот Завет. Он не будет противоречить и тем, кто понимает неявленное, бесконечное зло несовершенства. Пусть несовершенство неизбежно, но все-таки существуют отрасли труда, воплощающие добро в полном его значении. Разве труд земледельца не добро? Разве творчество прекрасное не добро? Разве мастерство высокого качества не добро? Разве знание не добро? Разве служение человечеству не добро? Можно утверждать, что существо жизни — добро, только человек в нежелании совершенствования предпочитает оставаться в невежестве, иначе говоря, во зле.

262. Огонь требуется для закалки лучших клинков. Без огня не могут утончаться и центры организма. Неизбежно воспламенение центров, но лишь нужно быть очень осторожным в такие часы. Клинок раскаленный легко сломать, так же и горячую струну нерва легко оборвать. Потому будем очень осторожны. Такая осторожность есть лишь знание положения.

263. Представьте себе дом, наполненный людьми, знающими о каком-то важном событии, и между ними один не будет знать, о чем все думают. Будет велика разница между знающими и незнающим. Даже по внешности можно будет судить о разнице очевидной. Незнающий начнет ощущать беспокойство, начнет оглядываться и прислушиваться, будет подозревать и озираться неприязненно. Чем больше будет в нем раздражения, тем дальше окажется он от разрешения загадки. На таких простых примерах можно наблюдать воздействия мысли и причины, препятствующие их восприятию. Для принятия мысли прежде всего неполезно раздражение. Может быть возбуждение или спокойствие, но никак не гнев или раздражение.

Пусть помнят те, кто предполагает наблюдать передачу мысли, что могут быть препятствия непреоборимые, но легко устранимые самим человеком. Успокоение раздражения лишь кажется трудным. Не забудем взглянуть на колонну, представляющую пространство, и представим себе, где на ней может быть отмечено раздражение,— и места ему не найдется, так же и для самости перед Беспредельностью.

264. Сравнение малейшего с величайшим позволяет находить равновесие. На каждом трудном пути даже гладкая скала уже будет опорой. Но гладкая поверхность происходит от множества потоков. Так путник пусть не думает, что лишь ему трудно.

265. Древняя пословица говорит: «Думающий о смерти ее призывает». Так же и врачи иногда замечали, что мысль о кончине ее приближает. Каждая мудрость народная содержит в себе частицу истины. Но нужно прежде всего подумать: можно ли занимать мысли о том, что не существует? Пора людям признать, что жизнь не прекращается. Так совершенно изменится отношение к земному существованию. Для правильной эволюции необходимо скорее утвердить правильную точку зрения на непрекращающуюся жизнь. Наука должна прийти на помощь, чтобы рассеять мрачные заблуждения. Не о могиле думать человеку, но о крыльях и красоте сужденной. Чем ярче человек внедрит в сознание красоту миров, тем легче он воспримет новые условия.

266. Учение жизни должно прежде всего утвердить понятие жизни и за пределами земной оболочки. Иначе к чему будет понятие Братства, если самое ценное должно развиваться для немногих десятков лет? Нужно накопить сознание вовсе не на завтра, но на Вечные пути в Беспредельности. Полезно повторять эту истину при свете дня и ночью.

267. Сотрудничество может начинаться и кончаться, но Братство, однажды установленное, нерушимо. Потому не будем легкомысленны к понятию, заложенному в Основу.

При всех существованиях Братья будут встречаться и утверждать общую работу. Нужно радоваться такой возможности, которая не иссякает во всех веках.

268. Когда люди научатся различать причины от следствий, много познается, но до сих пор люди признают лишь следствия, и даже в самой грубой степени. Никто не желает понять, что между причиной и следствием должно пройти известное время. Когда тонкое сознание познает причины, обычно оно подвергается насмешкам. Грубый глаз еще не видит уже происшедшее, и невежды разглашают, что ничто не произошло. Потому пора направить мысли на корень вещей. Но это нелегко, ибо доверие заглушено и тем самым познавательная энергия приведена в бездействие. Можно назвать много случаев, когда познание может предвидеть причины как начало следствий, но малое недоверие смывает все возможности.

269. Хаос ревнив и яр. Он захлестывает, где находит малейшее колебание. Хаос не упустит ничего, чтобы прорвать слабую плотину. Можно заметить, что предательства происходят накануне особо полезных действий. Не было случая, чтобы предательства происходили без особых сроков, когда уже были сложены пути продвижения. Именно тьма и хаос не выносят всего созидательного. Они стерегут пути и ищут, кто способен им помочь. Можно назвать много примеров, но также много показательных действий, когда сердечное единение превозмогло тьму. Потому так нужно беречь понятие Братства.

270. Священные боли не принадлежат ни к какому виду болезней. Такое необычное состояние может превышать все известные заболевания. Все становится так напряжено, что малейший удар может порвать эти натянутые струны. Как уже сказано, такое состояние еще усугубляется неестественным положением планеты. Болезнь планеты угрожает нагнетением сердцу. По глубокой причине издревле охраняли чуткие организмы. Название священных болей должно было обратить внимание на сердце, прикоснувшееся к тончайшим энергиям. Такие сердца нужно беречь, они как провод высшего напряжения. Их нужно беречь и в домашнем быту, и во всей жизни. Если бы врачи были менее самомнительны, они стремились бы наблюдать такие редкие явления. Но, к сожалению, все особенные симптомы скорее отталкивают ленивых наблюдателей. Между тем, наряду с механизацией жизни, должно происходить изучение высших энергий.

271. Иногда получаются и обратные следствия, когда к высшим энергиям прикасаются грубыми средствами. Для примера возьмем очки, придуманные для наблюдения над аурами. Принцип неплох, но средство грубо и поражает зрение. Между тем утончение чувств не должно вредить естественному состоянию организма. Так и употребление так называемого радия оказывалось разрушительным, тогда как радиоактивность есть начало целительное. Так же и алкоголь вместо медицинского средства сделался наркотиком разрушительным. Примеров много. Главная причина в нежелании осознать связь организма с тонкими энергиями.

Братство и сотрудничество должны помогать утончению мышления. Утончение мысли дает и подход к утончению жизни. Утончение и есть возвышение и продвижение.

272. Нет ничего удивительного, что даже совершенно простой человек может видеть излучения,— причин этому много. Он может быть необычным человеком по своим бывшим жизням, или в нем могло выразиться это особое качество среди маловыраженных других. Такие одиночные случаи не редки. Можно видеть, что даже безграмотные люди обладают необычными восприятиями. Они не знают, почему такое знание приходит к ним, когда они говорят без лукавства. Такие свойства, хотя явно выраженные, не имеют общего с накоплениями прошлых жизней. Сколько химических воздействий могут пробудить отдельные свойства, которые возникают и могут временно исчезать. Только осознание переменных пространственных токов может объяснить происходящие изменения в организме. Вы знаете, что зрение, и слух, и все чувствования изменяются под воздействием токов. Можно убедиться, что такие колебания происходят не только в явленные сроки, но вне человеческих рассуждений. Именно лишь внешние условия могут создавать такие необъяснимые явления.

273. Мудрый философ, проданный в рабство, воскликнул: «Благодарение, очевидно, могу заплатить древние долги!» Император, прозванный Золотым, ужасался. «Роскошь преследует меня, когда уже смогу заплатить долги мои?» Так мудрые люди мыслили о скорейшей уплате своих долгов. Они понимали, что бывшие жизни, наверно, не обошлись без задолженности. Сколько платы должен человек иметь, чтобы спешить с расплатою.

274. Если кто уверяет, что он в чем-то ни за, ни против, считайте, что он против. Среди этих безгласных гораздо больше противников, нежели среди кричащих. Люди надеются скрыть свои противомыслия под личиною лицемерия. Потому особенно ценно, когда человек имеет мужество сказать свое мнение. Но для правильности оценки нужно осознать Братство как рычаг Мира. Не следует признать только свою личность, ибо одиночество не существует, но отрывающийся попадает к низшим слоям и вредит себе.

275. Правильно, что люди должны одинаково владеть парными органами, но такое обладание может начаться лишь с малых лет. Ребенок владеет руками одинаково, но на окружающих примерах он видит предпочтение правой руки. В школах уже поздно восстанавливать равенство. Только среди первых проблесков сознания ребенок может избежать предрассудка взрослых. Мало обращают внимания на любознательность детей. Можно у них поучиться, как быстро они подмечают окружающее.

276. Учение может усваиваться детьми необычайно быстро, лишь бы наблюсти особенности ребенка. Он в большой степени вспоминает уже познанное ранее. Но особенно полезно, если вместо новых знаний ребенку помогут вспомнить уже заложенное в нем. Тем легче после усвоить и новые предметы, но следует наблюдать.

277. Каждый истинный труженик иногда испытывает как бы в бездну упадение всего его дела, притом не заполнима бездна. Так дух деятеля испытывает самое опасное предрешение. Слабый почует бездну и впадет в уныние, но мощный познает касание Беспредельности. Много наблюдений и опытов предстоит человеку, прежде чем он сможет радостно встретить лик Беспредельности. Утеряно будет сожаление о растворенных творениях человеческих. Они, даже самые величественные, рассеятся в Беспредельности. Ум земной не осознает, где могут проявиться его накопленные сокровища. Человек хотел принести пользу человечеству, но вместо плодов труда перед ним бездна неизмеримая. Может содрогнуться и немалый ум, но закаленный, явленный воин труда видит перед собою не бездну, но сияние Беспредельности.

Нужно Братство во всей его взаимной помощи. Кто же, как не брат, покажет Свет неразрушимого труда? В пространстве растет каждая трудовая былинка. Сотворенное не разлагается, но сеет вокруг себя делимые, бесчисленные образы. Истинное благословение в наличности Беспредельности. Можно населять ее прекрасными образами.

278. Сказано в древности: «Все люди — ангелы». Истинно, люди суть вестники дальних миров. За то и велика их

ответственность. Они мало когда доносят порученное и даже не огорчаются утерею сокровища. Только редкие могут скорбеть, что забыли нечто, ими услышанное. Пусть люди не забывают, что они — вестники и связь с мирами дальними. Одно такое сознание уже украсит любой обиход.

279. Уже известно, что человеческая слюна бывает и целебна, и ядовита. Но при этом обстоятельстве забыто очень важное условие: оказывается, что ядовитость слюны не зависит от болезни. Также и целебность остается при некоторых заболеваниях. Значит, такие свойства не будут лишь физическими, но проявляют тонкие вещества, связанные с психическими силами. Трансмутация психической энергии в вещество уже материальное будет сама по себе уже утверждением тонких энергий. Следует наблюдать такие же проявления в животных и даже в растениях.

Уже приходят сроки, когда сотрудничество материальных и психических сил должно быть сформулировано, иначе человечество начнет отравлять себя неопознанными энергиями. Не так опасно умножение человечества, как отравленное его состояние.

280. Ученики заметили, что Учитель часто удаляется на берег ручья и пристально смотрит на бегущие волны. Они спросили: «Точно волны помогают пранаяме?» Учитель сказал: «Вы угадали, ибо ритм волн есть удивительное чередование, которое бывает лишь в Природе. В многообразии поражающее единство». Так обращайте внимание на все природные естественные движения.

281. Люди, нередко лукавя, говорят, что много условий мешает им творить добро. Между тем в каждом состоянии человек может творить добро. Это преимущество человеческого состояния.

282. В Основе Братства каждый работает, сколько может. Каждый помогает по мере сил; каждый не осуждает в сердце своем; каждый утверждает знание по опыту; каждый не упускает времени, ибо оно невозвратимо. Каждый готов уделить силы Брату. Каждый проявляет лучшее качество. Каждый радуется удаче Брата. Разве эти Основы слишком трудны? Разве они сверхъестественны? Разве они вне сил человеческих? Разве они требуют сверхзнания? Неужели только герои могут понять единение? Именно для вразумления давался пример лучших людей — врача, сапожника, ткача, мясника, чтобы в разных трудах запечатлеть лучшее мышление.

Поверх труда мужского стоит явление женщины. Она ведет, она вдохновляет, она руководит на всех путях, являет пример синтеза. Можно удивляться, насколько быстро она входит в любую область. От земли и до дальних миров она успеет соткать крылья Света. Умеет сохранить «Чашу» в разных атмосферах. Когда говорим о сотрудничестве, Мы всегда указываем на подвиг женщины. Область Братства есть область сотрудничества.

283. Кто скажет и присвоит Учение Жизни, тот впадет в ложь. Истоки Учения вне пределов человеческих. Истина написана в Беспредельности, но каждый день она откроет новый иероглиф своей вечности. Безумен тот, кто на Земле присвоит себе Учение Жизни. Высший мудрец считает себя вестником. Не новое оповещается, но к часу нужное. Домоправитель зовет к трапезе — это не ново, но для голодных весьма насущно. Тем хуже, если кто будет препятствовать зову к трапезе. Препятствующий кует себе оковы.

284. Если кто отгоняет голодного, он уже почти убийца. Редко, чтобы в доме не было куска хлеба. Черствость, скупость, жестокость не у порога Братства.

285. Бесстрастие не есть бессердечие и безразличие. Когда люди читают исторические хроники, они не раздражаются, ибо эти записи принадлежат далекому прошлому, но опыт жизни научает, что почти все получаемые сообщения тоже относятся уже к прошлому. Также опыт подсказывает, что будущее может устремлять мысли вне раздражения и потрясения. Так лишь будущее освобождается от страстей. Из него рождается деятельное бесстрастие. Обычно люди упрекают за это понятие, смешивая его с самостью. Но скорее можно отнести его к справедливости, и только будущее, не засоренное смутою недавнего прошлого, может позволить умыслить разумно. Так будем очень разбирать значение многих понятий, незаслуженно униженных или вознесенных.

286. Истинно, речь человеческую следует беречь от различных уродств, некрасивых и невыразительных. Также нужно очистить язык от некоторых архаизмов, основанных на давно изжитых обычаях. Люди часто произносят слова, не отдавая себе отчета в их значении. Так они наполняют речь бессмысленными именами и понятиями. Сами же они стали бы смеяться, если подумали бы о смысле сказанного. Так и во всем следует отставлять изжитое, лишенное первоначального смысла.

287. Будем вместе, будем крепко стоять для будущего.

Только в таком преданном стоянии будем, как в доспехе непроницаемом.

288. В разных производствах работники вдыхают и прикасаются к многим химическим веществам. На первый взгляд может казаться, что такие прикасания проходят без вреда, но это будет лишь поверхностным суждением. Можно убедиться, что разные отрасли труда вызывают со временем одинаковые заболевания. Первый прием опасного вещества не заметен по своему влиянию, но постоянная повторность овладевает всем организмом и бывает уже неизлечима. Говорю это для другого воздействия, о котором люди все-таки мало думают. Уже замечали воздействие Луны. Уже врачи обращали внимание на влияние Луны на многие состояния людей. Но ведь такие влияния происходят повторно. Можно не замечать человеческим глазом уявление последствий, но лучи Светила овладевают не только физическою стороною, но и всеми чувствами. При этом замечается, что люди с сильной психической энергией менее подвергаются влиянию лучей на их психику. Таким образом, естественное развитие психической энергии будет хорошей профилактикой. То же будет и в отношении многих иных токов, потому небрежение к психической энергии есть невежество.

289. Если вестник выйдет в путь с определенным поручением и забудет его, что должен он сделать? Надеяться на то, что в пути прояснится память, или поспешить спросить пославшего? Умение спросить уже будет достижением.

290. Если даже одиночная психическая энергия является профилактикой физического здоровья, то на сколько же мощнее будет влияние объединенной энергии? Смысл Братства заключается в объединении всеначальной энергии. Только расширение сознания поможет познать значение гармонии энергии. На всех планах жизни она проявляет свою благую силу. Наверно, вас не раз спросят, как развивать психическую энергию и как познать полезность ее? Но достаточно сказано, что сердце, устремленное к высшему качеству всей жизни, будет проводником психической энергии. Никакая насильственная условная подвижность к проявлению сердечной деятельности не полезна. Сердце — самый независимый орган, можно дать ему свободу к добру, и оно поспешит наполниться энергией. Также лишь в дружном общении можно получать плоды объединенной энергии. Но для этого необходимо понять, что́ есть согласие.

291. Особенно трудно воспринимается мгновенность

действия тонкого тела. Люди настолько связали себя условным понятием времени в земном выражении, что им невозможно отрешиться от протяженности времени. Только те, кто уже привыкли выходить в Тонкий Мир, знают, как много можно восчувствовать мгновенно. Много можно восчувствовать в духе, и нужно беречь каждое восприятие.

292. Лечение музыкой уже применяется, но следствия не всегда ощутимы. Причина в том, что не принято развивать восприятие музыки. Следует от малых лет приучать усваивать красоту звука. Музыкальность нуждается в образовании. Правильно, что в каждом человеке склонность к звуку заложена, но без воспитания она спит. Человек должен слушать прекрасную музыку и пение. Иногда одна гармония уже навсегда пробудит чувство прекрасного. Но велико невежество, когда в семье забыты лучшие панацеи. Особенно когда мир содрогается от ненависти, необходимо спешить открыть ухо молодого поколения. Без осознания значения музыки невозможно понять и звучание Природы. И, конечно, нельзя мыслить о музыке сфер — только шум будет доступен духу невежды. Песня водопада, или реки, или океана будет лишь ревом. Ветер не принесет мелодии и не зазвенит в лесах торжественным гимном. Лучшие гармонии пропадают для уха неоткрытого. Может ли народ совершать свое восхождение без песни? Может ли без песни стоять Братство?

293. Также и для лечения цветом нужно открыть глаза. Часто достаточно одного касания, чтобы глаз навсегда усмотрел красоту цвета, но все же касание просвещенное нужно. Если даже от прежних накоплений глаза уже открыты, то все-таки нужно, чтобы прозвучало призывное: «Смотри!»

И в Братстве прежде всего ободряют друг друга утверждением Красоты.

294. Разумно следует пользоваться внешними энергиями. Преступно подвергать человеческие организмы воздействию малоисследованных энергий. Так можно легко обречь множества на вырождение. Такое вырождение происходит незаметно, но следствия его ужасны. Человек теряет свои лучшие накопления, получается как бы паралич мозга, подобно отравлению опиумом. Явление курильщиков опиума иногда походит на отравление угаром или бензином. Можно просить человечество принять меры, чтобы города не были отравлены бензином и нефтью. Опасность одурения возрастает.

295. Торжественность должна быть подкреплена понятием Братства. Не должна она оставаться как пустой звук. Утверждать торжественность значит петь гимны восходящему Солнцу. Нужно осознать, и какое очищение снисходит при преисполнении целительной торжественностью. Все предлагаемые понятия имеют значение и возвышающее, и целебное. Мы предлагаем все, что может укрепить и тело. Не будем думать, что возвышенные понятия являются лишь возвышением; они составляют и целебное средство, укрепляющее организм. Следует познать силу благих понятий.

296. Торжественность должна произноситься при осознании Беспредельности. Некто удивляется, почему книга «Беспредельность» дана раньше последующих частей? Но как же можно понимать «Сердце», «Иерархию», «Мир Огненный» и «АУМ», если не предпослано понятие Беспредельности? Все названные понятия не могут быть в конечности. Человек не вместит каждое из них, если не вдохнет зова Беспредельности. Может ли сердце человеческое рассматриваться как низший материальный орган? Ужель «Иерархия» может быть помещена в ограниченном пространстве? Мир Огненный только тогда засияет, когда пламена его сверкают в Беспредельности. Если АУМ есть символ высших энергий, то разве они могут быть ограничены? Так произнесем *Беспредельность* торжественно.

297. Возможно ли, чтобы после величия Беспредельности следовало говорить о простом земном единении? Если даже не спросят, то многие так подумают. Но кто же сказал, что земное единение нечто простое? Для понимания его прежде всего нужно познание синтеза. Но такое обобщение может быть лишь при осознании Беспредельности. Непросто земное единение!

Часто произносится это слово, но редко оно прилагается к действию. Много ли людей могут сойтись в объединении? Только начало труда приблизится, как найдутся многие поводы к разногласию. Невозможно разъяснить, что́ есть единение, если нет в сердце понятия Великого Служения.

298. Только призыв к Братству может иногда блеснуть, как молния. Пусть люди подумают, что Братство несвоевременно, что оно недостижимо, но все-таки даже в одичалом сердце забьется некоторый трепет. Такое напоминание о чем-то забытом не оставит даже ожесточенное сердце. Нужно находить слова простейшие, ибо народ ждет самого простого. Народ может получить слово доброе, если он убедится, что оно улучшает его быт.

299. Вы убеждаетесь, что народ открыт к познанию. Такая ступень эволюции не случайна. Много потрясений и трепета заставили сердца содрогнуться и зазвучать. Истинно, тяжка должна быть Ноша, чтобы дойти в Сад Прекрасный.

300. Если бы планета начала произвольно замедлять или ускорять свои движения, то легко можно представить все губительные последствия. Потому так важно усвоить значение ритма. Говоря о человеческом труде, следует постоянно настаивать на ритме. Труд, постоянный и ритмичный, дает лучшие следствия. Труд Братства тому служит примером. Необходим ритм, ибо он утверждает и качество труда. Любит труд познавший ритм. Но магнит любви не легко напрягается. Без него возникают осуждения и отвращения. Без него происходят утеря качества и трата времени и материалов. Нужно чаще повторять о ритме труда, иначе даже даровитые работники утеряют устремление.

Производство негодных предметов есть преступление против народа. При устремлении в Беспредельность нужно думать и о качестве всего труда. Каждое Учение прежде всего заботится о качестве, тем самым каждый труд должен стать высоким.

301. При разрастании областей труда качество сделалось особенно насущным. Сотрудничество разных областей потребует и одинакового высокого качества — это относится как к умственному труду, так и к физическому. В области умственного труда заметно расхождение устремлений. Мнения могут быть различны, но качество их не должно быть уродливо. Может быть большое знание и малое знание, но оба могут братски следовать в познавательном устремлении. Не будет убийства знания. Ведь такое убийство равняется отнятию жизни. Сколько зародышей достижений могли быть удушены убийцами знания!

Ценно не только знание, но также ценен процесс добывания знания. Когда-то философы приравнивали к высшему наслаждению такой процесс. Чем глубже он может быть восчувствован, тем больше радости. Но если в накопление знания вмешается рабство самости, то не радость, но желчь вскипит. Борьба неразрывна с накоплением знания, но и она будет сокровищем добычи. Все пути знания не будут человеконенавистными.

302. Еще углубляется понятие настроения. При передаче на расстояние нередко замечается какое-то препятствующее обстоятельство, что-то окрашивает мысли и дает им иное значение. Человеческое настроение окрашивает целую жизнь в нежданные краски. Наши настроения зовутся молчаливыми мыслями. Они не претворяются в слова, но влияют на мысленную энергию. Можно легко представить, что и отправитель, и получатель находятся в противоположных настроениях, значит, передача мыслей не будет точной. Из этого не нужно заключать, что передача мысли не может быть совершенной, она может быть истинно точной, когда предусмотрены привходящие условия. Из таких условий настроение будет наиболее уявленным, но урегулирование его вполне возможно. Организмы, братски настроенные, будут звучать без наносных наслоений.

303. Некоторые ученики низших степеней опасаются повыситься по лестнице восхождения, чтобы избежать ответственности, которая возрастает с каждою ступенью. Такие легкомысленные ученики даже полагают, что на низших ступенях их пребывание занимательнее. Они удовлетворяются физическими явлениями материализации и тому подобными безответственными занятиями. Но они знают, что затем каждый ученик должен явить себя в каждодневном труде и выносить натиск хаоса. Не так приятно это для легкомысленных. Таким путем и само Братство покажется им трудным.

304. Люди надеются — вот пройдет оно, самое трудное, но за ним начнется сладкая Амрита. Что же подумают люди, если сказать им, что за трудным придет труднейшее? Может быть, люди попытаются соскочить с пути человеческого? Но куда же им уйти? Только тот восчувствует сладость Амриты, кто не устрашится труднейшего.

305. Будем наблюдать апостатов, появляющихся во все века. Можно заметить многие общие черты их предательства. Также можно заметить, как они по кармическим путям находили подход к лицам, явление которых было ненавистно тьме. Можно усмотреть те же приемы лжи, которые они употребляли на разных языках. Но также можно утверждать, что ни одно предательство не омрачило имени гонимого,— так говорит истина всех веков.

Можно находить необычные записи о небывалых попытках тьмы ниспровергнуть зачатки знания.

306. Различны виды ожидания: есть ожидание открывающее, но есть и ожидание пресекающее. При первом — ждет сердце, но при втором — ждет «я», самость. Мысль, даже самая высокая, с трудом долетит через забор самости. Она поникнет на острых кольях самости. Зазубрена самость, изломана завистью и звериною злобою. Такая встреча не может допустить мысли прекрасной. Много заметного происходит в процессе принятия мысли. Бывает миг затишья перед прилетом Высшего Вестника. Но надутая самость разве почует этот миг сладчайший? Сердце, только оно, умеет преисполниться ожидания. Только сердце не завопит: «Я жду!» — премногая самость звучит в таком «Я». Но ожидать сердцем — это уже предчувствовать. Много радости в таком чувстве. Древние называли его проводником. Утверждаю, что предчувствие есть уже открытие врат. Сердце — радушная хозяйка, оно предусматривает, как встретить гостя далекого. Нужно напрячь лучшие чувства, являя встречу мысли.

307. Говорят, что мысль нужно встречать в молчании,— такое условие полезно, но еще не вполне выражает всю тонкость ощущения. Именно торжественность будет лучшим определением. Но для торжественности нужна чистота сердца.

308. Врач может чувствовать торжественность, даже вид болезней не затемнит сердца, горящего помощью ближнему. Удивительно наблюдать, как добро становится целебным. Сострадание имеет корни лишь в сердце. Так накопляются качества братские.

309. Под влиянием мысли можно не слышать даже близкую музыку — так доказывается сила мысли над физическим организмом. Так же точно среди волн жизни можно не замечать касания руки Брата, но она может все-таки принести равновесие. Ведь и музыка, хотя и не услышанная, помогает возвышению мысли. У Нас называют неощущенное касание Брата словом тайным. Оно не выражается словесными знаками, но оно отражается на сердце, поэтому сердце зовется отражением Братства.

310. Не считайте нелепостью показание трех авиаторов, увидевших на большой высоте коней. Такое видение возможно по нескольким причинам. Само движение может вызывать образы, связанные с самим движением, затем и быстрота может содействовать явлениям из Тонкого Мира. По-прежнему нужно советовать замечать подобные знаки. Не нужно непременно считать их какими-то предзнаменованиями, но следует принимать их как факты из сфер Тонкого Мира. Немало подобных проявлений, но крайности отношения непозволительны. Или к ним относятся презрительно, или с нелепым преувеличением. Разумное наблюдение редко встречается.

311. Особая наука — уметь найти разумное отношение к разным предметам. Такое отношение рождает истинное понимание Братства. Сохранение сокровенных понятий покажет развитие сознания.

312. Быстрота движения до известной степени способствует сношению с Тонким Миром. Вихрь движения как бы сметает пыльную оболочку низших слоев. Вертящиеся дервиши, или американские трясуны, или сибирские прыгуны основываются на таких движениях. Но тем самым они подтверждают, насколько недопустимы такие насильственные нагнетения энергии. Низшие слои не должны быть насильственно физически преодолеваемы. Правильный путь через естественное духовное восхождение. Явление Братства именно помогает такому ясно прекрасному восхождению.

313. Могли замечать необычные пространственные токи такого напряжения, что они пересиливали мысленные посылки. Явление редкое, и тем более следует его отметить. Неистовые пространственные токи не продолжаются долго, потому очень замечательно их наблюдать. Они не могут быть продолжительными, иначе они произвели бы катастрофу. Само равновесие не может не противиться им, но каждый такой момент опасен. Называем это бездною вихрей.

314. Внимательное наблюдение тем нужнее, что невозможно представить себе, как иногда может произойти важное явление. Только очень утонченный организм может почуять как бы зов. Ему захочется внезапно понаблюдать. Нужно быть готовым прийти на такой зов.

315. Нелегко собрать братство в полном созвучии. Пусть будет малочисленная группа, но без противоречий: и сойтись, и разойтись легче малому сборищу. Всякая насильственная связь противна понятию Братства. Даже пусть будут лишь трое, но их согласие будет сильнее колебания сотни. Колебание и смущение будут вредны не только людям, но и космически.

В давние времена назначались длительные испытания, чтобы собрать ядро духовно-согласное. Но одна длительность не решает задачи подбора. Годы и годы может таиться семя злое. Чувство сердца может лучше подсказать. Слишком легко люди употребляют понятие высшее, но лишь немногие умеют хранить с полною любовью. Такое хранение не в жестах и поклонах, но в сердечной неразрывной привязанности. Для одних связь будет оковами и узами, но для других она есть лестница восхождения.

Невежды, с омраченными сердцами скажут, что туманна такая лестница, ибо им по ней не взойти. О Братстве тем более нужно уяснить, что уже скоро люди будут искать сотрудничества. Всякое ободрение такому сотрудничеству будет нужным. Так во всем мире будет проявляться уважение к труду. Труд будет противоядием против золота. Но много раз придется говорить о красоте труда.

316. Говорится — без глупости Земля была бы раем. Ошибочно утешаться, что теперь глупости меньше, чем в древности, даже злее она теперь стала. Каждая усовершенствованная глупость особенно опасна в игре со взрывчатыми веществами. Не думает глупость о будущем. Мысль не беспокоит ее об эпидемиях. Много видов новых болезней, но будет еще больше. Появление братств будет озоном среди отравленных развалин.

317. Электрический аппарат дает разряды, когда в нем накопляется энергия. Он не хочет поразить некоторых людей, но достигает оказавшихся вблизи. Также и возвратный удар психической энергии поражает прикоснувшихся со злою целью. Носитель не желает никого поразить, но все же начальная энергия посылает разряды, когда ей противостоит враждебная сила. Так обратный удар не посылается, но вызывается враждебною силою. Конечно, где всеначальная энергия мощнее, там и удар ее будет сокрушительнее. Было бы непростительной ошибкой обвинять носителя мощной энергии, что он сокрушает кого-то. Не он, но нападающий сокрушает себя.

318. Работоспособность должна быть воспитана, иначе она может пробыть в дремотном состоянии. Также и работоспособность в Тонком Мире должна быть развиваема. Но путь к этому должен соответствовать условиям Тонкого Мира. Много земных способов для приближения и осознания Тонкого Мира, но никакая насильственная условность не может создать лучших сочетаний с Тонким Миром. Как во всем Бытии нужно естественное осознание сотрудничества. Оно может быть осознано или менее осознано, но оно должно наполнить чувствознание. Человек должен постоянно чувствовать себя в двух Мирах. Не Говорю об ожидании смерти, ибо она не существует, но Говорю о труде как земном, так и тонком. Такое прилежание к труду тонкому вовсе не должно отрывать от труда земного, наоборот, оно лишь улучшит его качество. Напрасно люди не думают

о Тонком Мире — и во снах, и наяву они могут мысленно принимать участие в самых возвышенных заданиях.

319. Наполняясь возвышенными заданиями, человек готовит себя к таким же областям. Постепенно он настолько сживается с таким образом мышления, что он начинает всецело принадлежать к столь же прекрасной жизни в Тонком Мире. Земная жизнь есть миг, который не имеет соизмерения с Высшим Миром, потому разумно и в кратком мгновении почерпнуть пользу для длительного.

Братское сотрудничество приближает к возвышенным заданиям.

320. Опытный пловец с высоты бросается в глубь вод. Он ощущает смелость и радость, возвращаясь на поверхность. Так и сознательный дух погружается в материю плоти, чтобы вознестись опять в горние сферы. Опыт делает такое испытание радостным. Нужно среди земных проявлений находить сравнения с Высшими Мирами. Путник является также полезным примером. Сравните ощущение путника с хождением по Тонкому Миру, и получите лучшую аналогию. Также припомните разные виды путников, и получите точную картину жителей Тонкого Мира. Кто-то вообще боится даже подумать о пути. Кто-то мечтает о выгоде; кто-то поспешает на помощь ближнему. Кто-то горит злобою; кто-то ищет знания. Можно представить себе все особенности путников и решить, кому из них путь будет легче.

321. Устрашающиеся путники для пути вообще не пригодны. Можно ли представить себе пловца, боящегося воды? Также вреден страх перед продвижением в Тонкий Мир. Лишь твердость и стремление к Высшему могут способствовать восхождению. Устремленный к любимому не считает ступеней лестницы. Так нужно полюбить, чтобы достигать.

Братство учит такому способу восхождения.

322. Стояние на дозоре есть признак расширенного сознания. Многие вообще не понимают, что́ есть охрана самого драгоценного. Нельзя надеяться на тех, кто не знает о ценности. Но можно радоваться каждому неусыпному стражу.

Братство учит такому дозору.

323. Крияшакти во всей неисчерпаемости была ведома людям с незапамятных времен. Употребляю индусское название, чтобы указать, как давно люди уже вполне точно определили эту энергию. Неужели мыслители нынешние отстанут от своих праотцов? Настолько сейчас мыслительное творчество находится под сомнением, что оно включается в гуманитарные предметы. По современной терминологии, мыслительная энергия скорее должна входить в физические науки. Так пусть нападающие на ·энергию мыслительную найдут себя в стане невежд. Не думайте, что Говорю нечто новое, к сожалению, мало достойных познающих и, таким образом, самые естественные предметы остаются в соседстве с каким-то чародейством. Потому необходимо рассеивать суеверие и невежество.

324. Особенно трудно помочь людям, вовлеченным в карму. Можно заметить, что каждое доброе действие встречает какое-то противодействие от самого, кому помощь посылается. Тем подтверждается наличность особой энергии, называемой охранительницей кармы. Утруждающие карму как бы встречают отпор. Каждый может припомнить, что его полезные советы вызывали отпор, самый необъяснимый. Люди, считавшиеся разумными, иногда начинали говорить вопреки своей пользе. Следует тогда искать причину в кармических причинах. Хранительница кармы очень сильна.

325. Молния мысли иногда может быть видима. Редкое явление, но нужно ценить, когда проявление энергии мысли достигает такого напряжения. Пусть люди пока считают такое проявление сказкою, но будет время, когда токи мысли будут исследоваться и измеряться.

326. Люди всегда удивляются нежданным явлениям, но они забывают, сколько незримых условий нужно для каждого проявления в земных слоях.

327. Гималайские сияния наблюдались многими учеными, но все же для невежд они остаются под сомнением. Так же и нежгучее пламя Гималаев, хотя его наблюдали и прикасались к нему, по-прежнему остается в сказочных пределах. Каждое световое явление имеет в основании энергию, но такая сила отрицается. Даже световые звезды или вспышки, видимые многими, относятся к глазным ненормальностям. Конечно, этому убогому пониманию противоречит, что такие явления видимы одновременно несколькими людьми. Но обычно люди не осведомляют друг друга об ощущениях и видениях. Таким образом, многое остается незамеченным. Потому и молнии мысли для большинства будут лишь фантомами. Между тем многие животные называются электрическими, ибо сохраняют в себе значительный запас энергии. Так же и некоторые люди могут быть названы электрическими. Неужели трудно представить, что их мыслительная энергия может быть видима, как сияние вспышки, особенно когда может произойти скрещивание токов? Нужно уметь держать глаза открытыми. Нужно потрудиться наблюдать, иначе много замечательных явлений пройдут незамеченными. Гималайские сияния могут быть достаточным примером.

328. Те же напряжения энергии имеют и целебные качества. Так, например, молния мысли очень полезна для зрения. Но нужно не только видеть ее, но и осознать значение этого явления. В древности называли эти молнии прозрением. Также и другие световые явления могут иметь целебное значение.

329. Вот мы говорили о работоспособности как в земном, так и в Тонком Мире. Но одна работоспособность есть лишь возможность к преуспеянию. Требуется и полюбить всем сердцем стремление к тонкой работе. Она может проявиться каждое мгновение, и для нее до́лжно отставить все другие помыслы.

330. Нередко происходят заблуждения о названиях энергий. Люди не могут понять, почему всеначальная энергия называется разными именами. Но могут быть названия, данные разными народами. Кроме того, уявление различных видов ее наделено многими определительными. Нельзя установить одно наименование для проявлений столь разнообразных. Можно в истории человечества видеть, как внимательно люди улавливали тончайшие оттенки той же энергии. Казалось бы, теперь тем более наблюдения должны быть углубляемы, но на деле оказывается почти обратное. Люди пытаются оправдаться сложностью жизни. Но вернее объяснить это рассеянностью мышления. Тем более следует твердить об искусстве мышления. Если оно не достаточно развивается в школах, то семья должна прийти на помощь. Нельзя допустить, чтобы человек сделался рассеянным, иначе говоря, невменяемым.

331. Действительно, потрясения могут вернуть человечество к суровому мышлению. Вы не раз замечали, что великие потрясения преображали народ. Утверждение здоровых начал приходило в грозе и молнии. Народ бедствует для восхождения. Невежды не могут понять огненного очищения. Но что может быть прекраснее этой стихии, когда нет боязни! Так Мы часто устремляем вас к Миру Тонкому, как преддверию к Огненному.

332. Неясность виденных тонких обликов имеет свои причины. Облики средних сфер могут быть надоедливы,

и сам человек как бы ограждается сетью защитною, чтобы эти гости не утомляли без пользы. Среди Тонкого Мира замечается такое же разграничение по сферам, иначе получился бы беспорядок, который отразился бы на многом.

333. Утверждение несомненно, что полезно для Тонкого Мира запасаться четким мышлением. Только тогда можно перешагнуть Великий Порог в полном сознании.

334. Над излучениями можно производить многие наблюдения. Можно убедиться, что поверх излучений, доступных даже фотографии, существуют еще тончайшие световые волны, которые могут быть уловлены более изысканным аппаратом. Воздействие волн распространяется на большие расстояния. Этим же объясняется и возможность отрыва частей основной ауры в пределах тонких волн. Хотя и редко, но сильные люди могут видеть части своей ауры. Такие явления очень редки, ибо обычно человек не видит своего излучения. Можно указать, что такие посылки излучения соединяются с мыслительными посылками. Мысль, прободая ауру, несет с собою и части ее. На межсоединительной нити могут остаться части ауры. Кто посылает много мыслей, тот и отрывает множество частиц ауры. Потому такая мыслительная работа есть, поистине, подвиг. Самоотверженность заключается и в том, что прободенные части ауры легко подвергаются воздействию противных токов. Но восстановление ткани требует и времени, и затрат энергии.

Пусть не подумает кто-то, что предлагается вообще не мыслить, но помнить нужно, что каждый самоотверженный расход ауры вызывает усиление всеначальной энергии. Значит, в отдавании мы получаем.

335. Около вопроса об излучениях соединяется множество соображений. Тщательно должны изучаться излучения врачей и всех служебных деятелей. Врач может заносить заразу не только на теле и одежде, но и на излучении. Если до сих пор это не было отмечено, то это не значит, что оно не существует. Так же и настроения, распространяемые некоторыми людьми, зависят от качества излучения. Вообще, нужно привыкнуть, что мысль властвует над судьбою человека.

336. Иногда можно ощущать как бы вибрационные накожные касания в разных частях тела, но больше всего в области позвоночника; следует понять, что и это явление связано с передачею мысли. Особенно когда идет мысль большего напряжения. Обычно такие ощущения не обращали на себя внимания, но теперь, когда вопрос об энергии

мысли на очереди, физические ощущения, связанные с нею, должны особенно наблюдаться. Мысль посланная не всегда претворяется в словесные образы у получающих, но она тем не менее внедряется в мыслительный аппарат и воздействует на образ мышления. Такое понимание восприятия мысли должно быть отмечено. До сих пор принимались во внимание лишь мысль, претворенная словами, но самое глубокое воздействие вне слов оставалось без внимания.

337. Древность в этом отношении дает показательные примеры. Давно уже люди понимали, что мысль не нуждается в словах определенного языка. Энергия мыслительная ударяет по мозговому аппарату и вызывает звучание, понятное сознанию. Будет ли сложено такое звучание в словах или в более глубоком сознании — это лишь подробность. Главное понимание отлагается в методе мышления.

338. В понятии Братства наука о мысли имеет огромное значение. Когда согласие основано не на условном договоре, но на сердечном сотрудничестве, тогда явление мысли особенно понятно и повелительно. Не нужно удивляться, что понятие Братства требует столько созвучий. Эти звучания радостны.

339. Мертвый жемчуг оживляется ношением его некоторыми людьми. Только присутствие всеначальной энергии может объяснить этот естественный процесс. Нужно наблюдать подобные явления во всех областях жизни. Можно видеть, как долго живут разные предметы в употреблении некоторых людей. Можно наблюдать, как живительно действует всеначальная энергия самосильно, когда она согрета огнем сердца. Можно видеть, как целительны некоторые люди, не подозревающие о ярком присутствии в них всеначальной энергии. Но если бы им добавить сознание их силы, то широко умножилась бы их добрая деятельность.

Не следует отсекать даже малейшее присутствие полезной энергии. Никто не имеет права не применить самую малую частицу пользы для человечества. Будет лукавством оправдывать свое бездействие тем, что будто бы кто-то сильнее. Очень вредно каждое уклонение от самоотверженности. Можно оживлять жемчуг, не чувствуя утомления. Также можно отеплять сердца, чувствуя радость.

340. «Преследователи ярые, куда гоните? Сами не зная, приближаете к светлому Прибежищу»,— эта древняя песнь может быть повторена во всех веках. Можно на всех наречиях подтвердить такую истину, потому лучше быть гонимым, нежели гонителем.

341. Мысль есть закон Мира. Нужно понять этот закон во всей полноте. Мысль не есть только словесное выражение. Область мысли есть и область мыслительной энергии. Именно это обстоятельство упускается из виду, и мысли уделяют лишь малую распространенность. Такое ограничение мешает представить мысль за пределами планеты, иначе говоря, лишает ее величественного смысла. Мысль, так же как и мыслительная энергия, именно получает должное значение, когда понимается за пределами Земли. Нельзя ограничивать мысль сферою Земною, иначе волны радио смогут состязаться с величайшей энергией. Ущемление величайшей энергии служит умалению и человеческого мышления. Действительно, чем больше человек стеснит свои возможности, тем больше он отрежет себя от великого сотрудничества.

Мысль должна изучаться в лучших научных учреждениях. Мысль должна быть поставлена во главу физических условий жизни.

342. Предубеждение есть вход несправедливости и невежества. Но люди должны осознать границу предубеждения. Этот червь живет в одном доме с сомнением, как младший родственник. Нужно иметь очень зоркий глаз, чтобы рассмотреть такого опасного малыша. Каждое явление, каждый предмет люди встречают обычно с различною степенью предубеждения. Люди постараются оправдаться, что они познают предметы и должны предварительно сохранить свое непредубежденное суждение. Но на деле они вместо беспристрастия обнаруживают самое жестокое предубеждение. Следует эту слабость людскую запомнить, чтобы знать, от чего освобождаться.

343. Предубеждение не годится для Братства.

344. Каждое умаление мысли не годится для Братства.

345. Каждое небрежение к явлению Высших Сфер не годится для Братства.

346. Единение есть легкокрылая мечта человечества, когда же мечта приближается к намерениям, уже немного остается последователей. Претворение намерения в действие уводит большинство. Так утверждение единения есть стремление к Высшему Закону, который с трудом вмещается человечеством в его современном состоянии. Но каждый, кто хочет служить Братству, не боится даже самых не принятых большинством понятий. Пусть стремление к единению найдется лишь в исключительных сознаниях. Каждое здоровое место должно быть охранено. Так начнет народ-

25 *

даться здоровая оболочка планеты. Сейчас она весьма отравлена.

347. О двуногие! зачем так легко впадаете в зверское состояние?!

348. Самый обычный глаз может усмотреть признаки Тонкого Мира. Нередко можно видеть как бы какие-то цветные образования. Можно удивляться, что около одних людей точно вьется нечто мутное, но в то же время другие видят очень прозрачно. Каждый может припомнить случаи, когда он протирал глаза от неожиданности, и, конечно, это ощущение относилось к болезни глаз. Никогда не приходит в голову, что видимое проявление находится вне глаз и может быть видимо многими.

349. В больших хранилищах можно найти много замечательных предметов, но знатоки и исследователи иногда предпочитают искать среди малых неизвестных сокровищниц, и такие поиски дают незаменимые нахождения. Так и во всем следует широко осматриваться, чтобы не упустить новое ценное сотрудничество. Уже указывалось, что кто-то стотысячный принесет полезные камни для строения, но несущего тяжесть нельзя толкнуть на трудном пути его. Не следует заподозрить и укорить его. Цемент постройки не должен застыть раньше срока. Так же и путники не могут поспеть быстрее сил человеческих. Особая радость видеть, как совершается строение. Многие не верили, что местные камни достаточно прочны,— они самостью судили. Но рассвет покажет, где было суждение правильное.

Так не только в хранилищах великих, но и в сокровищницах малых находимы драгоценности.

350. Никто не может мгновенно преобразить сознание свое. Требуется много сторонних условий. Только в прочном строении лягут камни, не тревожимые землетрясениями. Каждый день мы закладываем новое построение.

Кто может радоваться каждодневному труду, тот идет к Братству.

351. Даже в самом чистом воздухе солнечный луч проявляет пыль. Невооруженный глаз видит это наполнение. Насколько же больше можно наблюдать посредством тонкого зрения! Можно наглядно приучать себя к осознанию наполнения пространства. Убогое сознание мирится с призрачною пустотою, но от такой пустоты родится и пустота сознания. Живя в пустоте, люди становятся безответственными, но каждая безответственность есть ложь. Жизнь во лжи есть пресмыкание перед тьмою.

Пусть самый примитивный микроскоп поможет осознать наполнение пространства. Оно наполнено достаточно. Поучительно наблюдать, как малейшие микроорганизмы соприкасаются с Тонким Миром. Напряженнейшая борьба происходит за очищение пространства. Эти почти неуловимые столкновения приводят к тяжким потрясениям. Микрокосм состязается с Макрокосмом. Такое сопоставление звучит неправдоподобно, но также таинственна грань между проявленным и хаосом.

352. Можно слышать от изучающих химизм Светил о счастливых и несчастливых знаках. Конечно, для всего мира не может быть счастья или несчастья. Так напрасно думать, что несчастливый день должен погрузить весь мир в бездействие. Но все же если химизм напряжен и тяжек, то следует проявить осторожность. Наблюдательность и осторожность могут дать лучшие следствия. Лучше пребывать в осмотрительности в несчастливый день, нежели утратить зоркость в счастливый. Неправильное понимание астрологии вело ко многим бедствиям. Не забудем, что химизм Светил не может оказывать равномерного влияния на всех и на все. На высотах, в океанах и под землею не могут быть одинаковые воздействия от химизма. Наука о воздействии Светил будет великой наукой, когда будет воспринята без предрассудков.

353. Следует запомнить, что даже самые целебные средства могут обращаться во вредные в зависимости от состояния организма. Например, указанный строфант при раздражении может выказывать ядовитые свойства. Строфант — регулятор деятельности сердца и хорош при напряжении или утомлении, но не при гневе или раздражении. Также и другие средства хороши, когда они отвечают состоянию организма.

354. Лунные воздействия и влияния солнечных пятен уже давно обращали на себя внимание лучших ученых. Но почему другие, не менее знаменательные явления остаются в небрежении? Лунные проявления, вроде сомнамбулизма, остаются весьма грубыми сравнительно с действием многих лучей и токов. Даже утонченные организмы лишь с трудом усваивают, что их самочувствие прежде всего зависит от пространственных токов.

Среди научных нахождений странно звучит утверждение, что солнечные пятна способствуют войнам. Со стороны научного анализа, не лучше ли сказать, что солнечные пятна порождают человеческое безумие, — такое определение гораздо ближе к истине, ибо химизм этот, действительно, отзывается на нервной системе. При этом не забудем, что такое химическое воздействие весьма длительно. Было бы неосмотрительно считать, что уменьшение солнечных пятен немедленно устранит химизм в пространстве.

Также и последствия ядовитых газов действуют надолго. Неразумно думать, что можно открыть окна и яды испарятся. Они всасываются в почву, в ткани и действуют на внутренние органы, бесспорно. При этом такие воздействия настолько малоощутимы, что только дальнейшие следствия обратят внимание. Много отравления!

355. Каждый, готовящий брату отравление, творит себе ужасную судьбу.

356. Люди понемногу начинают понимать, что их страдания не случайны. Люди начинают размышлять о судьбах целых народов. Не легко им понять, какие действия являлись решающими. Нередко самые разные по последствиям деяния не скоро опознаются. Но в мире остается немало неоткрытых преступлений, тем не менее мир наполнен и такой кармою.

357. Мир ужасен, ибо люди не хотят знать о Мирах надземных. Люди отреклись от Братства, забыв о сотрудничестве и единении.

358. Вы уже слышали о людях, для которых все воды одинаковы, весь воздух одинаков, все деревья одной породы одинаковы, даже лики народа одинаковы,— такая невнимательность поразительна. Не могут эти люди и заметить тонкие изменения Природы, тем более они не способны судить о незримом для их глаза. Нужно усиленно повторять о таких низших сознаниях, ибо они имеют голос зычный.

359. Также следует обратить внимание на иррегулярность многих явлений. Многие изумятся, что даже движение планет допускает перебои, но наука и это устанавливает. Постепенно откроются и причины таких необъяснимых явлений, и причины эти будут весьма неожиданны.

360. Переход из тонкого состояния в ментальное напоминает и смену земного тела на тонкое. Не часто можно наблюдать смену тонкого тела на ментальное. Особенно характерно, что освободившийся удивляется, что делать с тонким телом. Оно не скоро рассеивается, и потому понятно удивление, как и что ожидает его. Могут быть явления этой оболочки, могут быть завладения ею, только присутствие сильного духа может помочь, чтобы оболочка рассеялась без блужданий. Такие блуждающие оболочки вовсе не нужны. Колебания сознания и привязанность к плотному состоянию создают такие притяжения к Земной сфере. Но если сильный дух может напутствовать освободившегося и успокоить остающуюся оболочку, то переход может быть естественным. Так и было в показанном случае.

361. Братство для некоторых народов является чем-то настолько далеким, что они даже избегают думать о нем. Они насмехаются над теми народами Азии, где понятие Братства еще считается ненарушимым. Можно радоваться, когда поверх законов человеческих живут понятия, прекрасные в своей возвышенности. Когда люди смогут заключить прочный союз с понятием Братства, тогда можно надеяться на строение крепких Основ. Пусть высоты Кавказа, Алтая и Гималаев будут обителями Прекрасного Братства.

362. Среди напряженной борьбы будем утверждать понятие Братства.

363. Так же, как существуют разные состояния тела, так же имеются разные слои мышления и памяти. Если посылка затронула слой тонкой памяти, то весьма нелегко перевести ее в слои земные. Можно даже произнести эти слова, но они все-таки немедленно улетучатся. Они останутся в складке памяти тонкой, но проявятся лишь в особых сочетаниях токов.

364. Невозможно продвигаться без осознания трех Миров. При этом нужно принять их так же естественно, как свет Солнца. Многие твердят заученные слова о Мирах, но не допускают их в сознание. Можно представить, какая драма происходит, когда заложенные частицы Миров не допускают до сотрудничества с соответственными сферами! Правильно сказано, что человек — тюремщик себе.

365. При восприятии и при посылках мысли можно заметить ряд явлений, подтверждающих, что мысль есть энергия. Можно иногда почуять спертое дыхание. Некоторые поясняют, что причина в напряженном внимании. Но для наблюдателя особенно важно отметить, что процесс мысли сопровождается физическими ощущениями. Также иногда из полученного слова выпадает часть — такое явление будет следствием пространственных токов, иначе говоря, следствием энергии. Также можно наблюдать усиление сердцебиения и неправильную пульсацию, что будет также следствием воздействия энергии. Также можно замечать и резкие смены настроений и жара, что свидетельствует

о токах. Так можно проследить, насколько все мыслительные процессы связаны с физическими проявлениями. Аналогия может быть найдена при наблюдении радиоволн.

Уже долгое время человечество приучается к познанию мысли, но как мало проникает осознание такое первейшего закона в широкие массы. Мудро сказано, что идеи управляют Миром. Но до сих пор люди твердят это, не прилагая к жизни.

366. Замечайте, насколько быстро проносятся некоторые слова. Не нужно думать, что это зависит лишь от посылающего, ищите причину в химических вихрях, которые вы уже наблюдали. Только можно с великим терпением преодолевать такие пространственные условия. Но можно быть уверенным, что и такие быстрые мысли остаются в тонкой памяти.

367. Мысль — молния. Нередко получаемая мысль высекает в нас световые явления, она же усиливает сияние чакр. Также можно понять, что вибрации позвоночника тесно связаны с принятием мысли. Напоминаю о таком явлении, ибо на путях к Братству неизбежно нужно осознание проявления мысли.

368. Именно можно ощущать как бы расширение органа и движение в Колоколе и в солнечном сплетении. Робкие скажут — лучше отогнать все мысли, лишь бы не допустить таких явлений, граничащих с болью. Ответим — попробуйте убить мысль!

369. При высоких напряжениях токов следует очень беречь здоровье. Не нужно думать, что это будет противоречием самоотвержению. Сущность будет в разумном использовании сил.

370. Если бы между людьми могли быть более доверчивые отношения, то много научных наблюдений было бы подтверждено. Вернемся к вопросу об одинаковых мыслях, вспыхивающих в разных концах мира одновременно. Сколько обвинений в плагиате могло бы быть опровержено! Но сейчас мы вспоминаем это в связи с распространением мысли. Возникновение одинаковых мыслей, тем и образов может убедить в мысленной энергии. Такое сопоставление может указать на атавизм у разных народов.

Нередко говорят о явлениях эпидемии образов, и сейчас вы можете усмотреть, как народы имеют одинаковые навязчивые идеи. Чем больше однородных мыслей в пространстве, тем сильнее могут образовываться смерчи энергии. Не думайте, что в них заключается целительное единение, которое Мы неоднократно предписывали.

371. Ужас перед необычным связывает людей как в малом, так и в великом. Один боится сдвинуться с места, другой страшится явлений Тонкого Мира. Потрясение от прикасания к Тонкому Миру понятно — вследствие разницы вибраций. Но трудно понять, почему большинство людей боится всего необычного. Каждый новый ритм уже ожесточает людей. Когда люди что-либо отвергают, ищите в страхе или в предчувствии большего ритма. Негоже для Братства такие страхи перед необычным!

372. Спрашивают люди — могут ли быть видимы оболочки, оставленные ментальным телом? Не только могут, но бывают особенно привлекаемы к Земной сфере. Тонкое тело привлекается к Земной сфере, если ментальное тело не увлекает его в Сферу Высшую. Вполне понятно, что тело, покинутое менталом, будет притягиваться к сфере Земной. Такие призраки могут особенно устрашать некоторых людей, ибо в них будет отсутствовать разумное начало. И для самих оболочек такие блуждания не полезны, приближение к плотному слою укрепляет их и препятствует естественному разложению. Но все такие явления отвечают лишь низшим и средним слоям Тонкого Мира. Высокое состояние помогает скорейшему разложению оставленных оболочек. Также бывает, что высокие сознания помогают и самому переходящему, тогда оболочка немедленно сгорает. Совершенно так, как бывает при кремации. Уявление полной аналогии не должно удивлять.

373. Сильны лучи Юпитера, они содействуют скорейшему распространению сил Урана. Со временем найдут способ лечить лучами Светил. Если цветные земные лучи целебны, то насколько же мощнее лучи Светил!

374. Показанная оболочка быстро разложилась, ибо ей была оказана помощь. Такая помощь может быть оказана и тонким телом еще при жизни земной. Но для этого прежде всего нужно отсутствие страха, чтобы в любой сфере чуять полное самообладание. Невозможно научить себя такому самообладанию, оно должно зародиться внутри сознания. Конечно, опыт жизненный учит мужеству. Сказано: «Каждый трус будет дрожать, пока не найдет алмаз мужества».

375. Все-таки будут недоумевать: почему иногда очень важная мысль доносится мимолетно, тогда как обиходные сообщения прилетают четко? Нужно очень осмотрительно решать, где нечто важное, кажущееся обиходным. Иногда самое обиходное содержит в себе разрешение чего-то важного. Часто одно слово уже предупреждает нечто существенное. Часто человек бывает предупрежден об опасности одним возгласом. Хорошо, если он и в этом спешном слове услышит предупреждение. Много примеров, когда люди оставались глухими к самым насущным Указаниям. В момент совершившегося несчастья они молниеносно вспоминают, как им оказана была помощь, но уже бывает поздно. Люди обычно думают, что одинаковая помощь может быть оказана во всех стадиях обстоятельств. Но можно ли ожидать исцеления, когда организм уже распадается? Нельзя вырастить несуществующую руку, нельзя оживить мозг, уже отмирающий. Можно привести много случаев, когда люди просили об оживлении умерших. Такое отношение лишь показывает полное непонимание обращения с энергией.

Между тем люди упускают из виду борьбу со стихиями. Если они не видят этой борьбы, она для них и не существует. В самые напряженные часы люди готовы заняться обиходными столкновениями; им нет дела, что, может быть, ужасный вихрь сметет их. Они предпочитают заниматься обиходными обидами, предоставляя кому-то устройство всех дел.

376. Наверное, будут спрашивать, как далеко может воздействовать мысль. Мгновенно, но она должна быть воспринята как жданная. Нужно уметь сохранить эту жданность даже среди усиленного труда. Невозможно забыть такую возможность, даже когда существо устремляется в любимую область. Готовность есть истинное мужество.

377. Каждая машина создает особую психологию работника. Ритм машины является крупным признаком в строении мышления. Потому следует изучать ритм разных машин. Можно сказать, что машина есть признак существующего условия. Работник машинного дела должен получать особое интеллектуальное воспитание, чтобы не подпасть под влияние ритма машины. Множества не поймут сказанного и подумают, что такое отвлеченное рассуждение не имеет смысла. Пора распознавать, где отвлеченность и где действительность.

378. Мысль не умирает в пространстве. Горизонтально и вертикально мысль проходит пространство. Нет предела распространения ее. Но ничто не может пребывать в одинаковом состоянии. Знаем о нерушимости мысли, но, значит, с нею происходит трансмутация и нужно знать, во что

претворится мысль. Она вольется в чистый Огонь. Получается прекрасный круг. Из Огня возникает энергия — созидательная мысль и через горнило земное опять приобщается к Огню. Круг замыкается, и энергия обновленная восходит зарождением к новому труду. Круги завершенные можно наблюдать и во всем мироздании. Но эволюция мысли будет особенно величественна. Разве такое осознание ценности мысли не понуждает человека напрячь свою мысленную энергию? Пусть каждый поймет, какая мысль будет особенно творческой. Пусть в сердце человек взвесит, которая мысль ему пристойна. Так происходит отбор ценностей.

379. Братство в своей сущности есть школа мышления. Каждое действо Братства уже есть выражение мысли, полезной человечеству. Каждое новое сознание будет приветствоваться Братством и найдет в нем опору.

Правильно, что одновременно в разных странах приветствуются сотрудничества — такая ткань будет достойна Матери Мира.

380. Еще, еще дерзайте, умейте распознать срок!

381. При изучении передачи мысли обычно допускают ошибку, ведущую к разочарованию. Немедленно пытаются передать мысль определенному лицу в определенный час. Между тем предварительно нужно испытать свою восприимчивость, независимо от определенного лица. Следует научиться распознаванию, которая мысль является извне и которая зародилась внутри. Такое распознавание знакомо каждому, кто прислушивался к процессу мышления. Такие упражнения над самим собою утончают внимательность.

382. Отшельника, поселившегося у горного потока, спросили: не мешает ли ему шум водопада? Он сказал: «Наоборот, он помогает слуху моему. Кроме того, поток напоминает мне два понятия: созвучие и постоянство. Припоминаю, как люди нарушают свои пути. Такую перемену в мыслях дал мне поток».

383. Не странно ли, что самые Высшие Истины не вызывают внимания, но самые ничтожные захватывают все устремление? Разве не мерят люди такими мерами свое сознание? Кто и когда установил законы пошлости?

384. Иногда можно заметить, что прием мысли как бы прекращается. Не следует предполагать упадок энергии. Наоборот, происходит выдача, и такая сильная, что энергия работает изнутри. Такие обстоятельства должны быть приняты во внимание. Ведь выдача энергии происходит не

только сознательно, она протекает и самостоятельно, неся помощь или воздвигая защиту. Много условий привходят при мыслительных посылках и процессах. Нужно иметь очень открытый глаз, чтобы усмотреть какую-то пронесенную вихревую тучу. Также не забудем, что сознание наше стремится оказать помощь настолько внутренне, что плоть даже и не знает, какое даяние происходит!

385. Рассудок есть водитель недоразумения. Рассудочное мышление осуждается, но и безрассудочные действия осуждены. Значит, есть какая-то сила, которая должна дополнить деятельность рассудка. Сердце должно быть верховным судьей. Оно, как совесть народов, будет вносить равновесие. Рассудок не есть равновесие.

386. Современное знание свойств внутреннего человека должно расширить свои области, но до этого еще далеко. Человечество должно сперва очиститься огнем испытания.

387. Ощущение охраняющей Руки может быть весьма реальным. Не символ, но явление драгоценной энергии.

388. Кооперативная работа укажет пути нового строения, но следует явить чуткость к явлениям жизни. Явление нарастания широко звучит. Наша Община не есть насилие, она есть добровольное сотрудничество. Явление понимания готовит светлых вестников.

389. Удивляются люди существованию Высшего Мира. Не хотят допустить явления его влияния на события земной жизни. Ускоряются события. Вихри событий не дают человечеству опомниться. Человек мнит себя создателем Нового Мира. Современные вожди считают, что строят Новый Мир, но никому не приходит на ум, что их Новый Мир есть оскал старого. Новый Мир идет новыми путями.

390. Стремление к Свету не затушить, если человек искренне ищет. Мы знаем тайники духа, и пена жизни Нас не остановит. Временное затемнение не значит, что человек отошел. Нужно уметь различать характер этих явлений, их преходящую природу — так можно найти и сохранить полезных людей. Потому Наш выбор часто удивляет. Главное, уметь различать настоящее от наносного.

391. Найдем мужество встретить сроки, уясним себе цепь событий и в грозный час улыбнемся вести о подвиге. Сумерки на западе. Безумцы не ведают, на что посягают, и невежды утверждают свое превосходство. Лучше не видеть эманаций человечества. Явление мрака настигает потерявших путь к Свету.

392. Человек, чувствующий себя несчастным, назывался

омрачителем неба. Он собирал вокруг себя мрак и заражал дальнее пространство. Он вредил себе, но еще больше всему Сущему. Он оказывался себялюбцем, забывшем об окружающем. Лишив себя счастья, он становился рассадником бедствий. Как самодовольный теряет нить преуспеяния, так и саможалеющий отсекает свою удачу. Непристойно человеку обрекать себя на бедствия. Давно посеянные стоны и вопли обращаются в губительный вихрь. Чесотка зависти превращается в проказу. От злобы немеет язык. Целый рассадник бедствий строит человек, предавшийся иллюзии несчастья. Такие отравители несносные в Братстве. Между тем многие мечтают о Братстве, не думая, какой груз они несут! Но как силен человек, познавший счастье человечности!

393. При посылках мысли следует выбирать слова звучные и необычные. Не повторяйте их и не осложняйте посылки. Можно повторить для вразумления, но нельзя повторить то же слово в разных смыслах. Главное, чтобы не возникали мелкие думы, прорезающие основу мышления. Такие малые мухи трудно истребляемы, но они и дают серую окраску излучению. Человек полагает, что никто и ничто не мешает его мыслям, но в то же время его сознание полно крошечными головастиками, и мышление обращается в болото.

394. Звучание слов должно быть прекрасно, такая гармония рождает и мышление возвышенное. Нельзя пренебрегать каждым средством для возвышения сознания. Сквернословие, как зараза пространства, несет понижение всего интеллекта. Безобразие во всех видах есть опасная болезнь. По человечеству нужно понять, где целение и где разложение. Пора познать очищение земного бытия. Непозволительно утруждать пространство проклятиями, которые поражают нежданно существа неповинные. Стрела, пущенная в движущуюся толпу, может поразить неповинного. Также и при мышлении можно поразить, где карма уготовила слабое место. Может быть, без такого удара карма могла бы как-то измениться, но неблагополучие удара может поразить незаслуженно. Потому люди должны понимать свою ответственность за каждое пущенное слово.

395. Многие подумают, что не стоит заботиться о словах и помыслах, ибо Мир существует и при проклятиях. Но слепы такие глупцы, точно они не видят всех бедствий и несчастий, привлеченных человечеством. Не угрожаем, но советуем очистить атмосферу. Опять большие площади

охвачены потрясениями. Можно ждать потрясений. Ненадолго могут люди отложить свои посевы.

396. Йогам знакомы приступы как бы внезапной сонливости и усталости, называемые облаком ведения. Конечно, йог знает, что в это время его энергия истекает, привлеченная мощным потоком пространственного течения. Йог знает, что он принял участие в Великом Служении на пользу человечеству. Можно различать многие виды таких служений. Иногда только забытье ощущается, но иногда тонкое тело устремляется, чтобы принять участие в неотложном действии. Тогда лица могут видеть такое тонкое тело как видение или ощущать невидимое присутствие. Явления таких действий на расстоянии бывают мгновенными. Не требуется земного времени для длительных бесед и воздействий. Когда же йог чувствует наступление момента забытья, он отдается такому повелительному призыву, иначе он может упустить возможность сотрудничества в чем-то великом. Особенно показательно, что такие общения происходят и на дальних расстояниях и с лицами, совершенно незнакомыми. Тем замечательнее магнит притяжения на основании мыслительной энергии. Много можно замечать явлений, которые обычно пренебрегаются.

397. Йог ценит гонения земные, выпадающие на его пути. Каждое такое претерпевание называется путь ускоренный. Не могут произойти обострения чувств без преодолевания препятствий. Потому не будем презирать все пути ускоряющие.

398. Мудрые после разлуки любят посидеть в молчании. В таком предисловии сказывается большая опытность. Пусть излучения установятся и мыслительная энергия уравновесится. Каждое употребление энергии должно быть разумно.

399. Обратите внимание, насколько отдаляются люди, подпавшие случайным слухам. Мозг их перестает работать и уподобляется губке, опущенной в грязную воду.

400. Даже самы малые знаки ведут к большим явлениям, но люди не признают, что тропа, заросшая терновником, может вести к достижению славному. Обычна ошибка, когда требуют больших земных знаков для продвижения. Нужно понять всю тончайшую ткань, которая приличествует Величайшему Облику. Невозможно позволить, чтобы люди опозорили прекрасное существование. Нужно принести на Землю те Обличия, которые не причиняют вредного смущения. И без того Великое Древо разрублено, засохли

отдельные ветви. Не видно, кто пожалел о рассеянии Ценности Единой. Неразумные полагают, что беседа об отсеченных ветвях есть ненужный символ, ибо они даже не умеют помыслить о Едином Целом. Такие невежды не могут понять собирательного понятия Братства. Что им купол, когда и ступени ими не заложены.

401. Пора понять, насколько путь человеческий направлен к сотрудничеству. Не будет прочно государство без утверждения сотрудничества. Не заоблачные мечтания, но требование срока эволюции. Так не будем считать отвлеченностью, когда нам предлагают меру спасительную.

402. Кто же может взяться судить о том, чего не знает? Кто дерзнет утверждать присутствие или отсутствие чего-то Неведомого? Разумнее допустить, что многое существует, что людям неизвестно. Иногда пусть читают повторно эту простую истину.

403. Одни являются вестниками сознательными, принявшими ответственность самоотверженно; другие несут весть, не зная ее; третьи частично утверждают слово полезное; четвертые своею жизнью показывают полезное действие. Много видов приношений и утверждений. Не будем определять, который из видов может быть особенно полезным. Каждый в своем кругозоре может устремить людей к добру. Будем приветствовать каждое доброе приношение. Мужество позволит облечься в доспех непробиваемый.

404. Почему не звучит слово о помощи, когда она неотложна? Помощь есть сила Братства. Нельзя принудить людей, если у них нет сознания неотложности. Кто не желает продолжить путь, удобный и для Братства, тому излишни все советы о силе Единения, пока он не почует все свое заблуждение.

405. Уявление Мудрых Заветов позволяет не упустить цели. Опытный стрелок твердо посылает стрелу, но рука малодушного дрожит. Не может быть достигнута цель при блуждании и шатании. Каждое умаление величия наполняет дух шатанием. Прекрасное Величие есть Щит от всех блужданий. Прямо идет человек к Прекрасному. Не обратит он спину к Прекрасному, не произнесет хулу на Прекрасное.

406. Неверие не есть только принадлежность духовных обсуждений. Оно принадлежит ко всем областям знания. Особая порода людей подвержена неверию. Они лишают себя всякого творчества. Они не могут быть изобретателями. Они не знают вдохновения. Такие неверы могут затруднять

движение эволюции. Их много, и они умеют осуждать все, что не вмещается в их сознании. Не будем брать пример с ходячих мертвецов.

407. Однако как же поступать с неверами, которые пытаются всюду нанести трещины? Их очень много, по невежеству они очень шумны и назойливы. Следует иметь против них несколько научных доводов. Они не терпят, когда будет указана чрезвычайная относительность их суждений. По счастью, наука в разных областях помогает осветить пути эволюции. Конечно, невежды будут настаивать на давно изжитых понятиях. Они не любят, когда у них спросят доказательства. Старания их прикрыться научными терминами лишь доказывают узость представления. Иногда полезно прикоснуться к косности, чтобы почувствовать всю глубину препятствия к свободе эволюции. Не нужно огорчаться существованием таких заклейменных сознаний. Каждое слово, служащее вызовом им, будет полезным посевом. Пусть даже надругаются, но все-таки произойдет возмущение вещества.

408. Братство научает распознаванию границ, где возможно достичь полезных следствий. Многие находятся уже в таком тлении, что вместо возмущения вещества может произойти лишь заражение пространства. Каждый ученик Братства понимает, где уже невозможно прикосновение.

409. Терпимость есть одно из условий наблюдательности. Истинная наблюдательность есть основа познания. Человек нетерпимый не может составить справедливого представления о вещах. Он лишает себя наблюдательности и теряет прозорливость. Какое же познавание может родиться из самости, отвергающей действительность? Много примеров, когда великие Истины подвергались искажению вследствие нетерпимости. Можно сказать, что нетерпимость есть невежество, но такое определение будет слишком мягко. Нетерпимость есть зло. Не может быть доброй нетерпимости. Она непременно содержит в себе и ложь, ибо скрывает правду. Только весьма неумные могут легкомысленно не считать нетерпимость чем-то недостойным.

410. Уже Говорил, что наука о передаче мысли на расстояние является сужденным достижением человечества. Но она должна быть подлинной наукой и вызывать достойное ее уважение. Недопустимо, чтобы люди более почитали первобытный аппарат, нежели великую энергию, заключающуюся в них самих. Не думайте, что достаточно укреплено понимание скрытых сил в человеке. Особенно мало уважения к таким силам среди малограмотных людей. Они готовы броситься в темную бездну так называемого спиритизма, но не желают помыслить о силах, заключающихся в мыслях. Не может развиваться наука о мысли, если люди не обращают на нее внимания.

411. Будьте очень осторожны, ибо токи неестественны. Не могут быть обычными резкие смены не только температуры, но и самого химизма. По всему миру такие смятения, и тем более нужно оберечься, иначе может быть расстройство центров. Химизм может действовать как отрава. Явление расстройства межпланетных токов мало изучается. Воздух считается обычным, так же как вода и огонь. Но разве эти проявления не будут различны каждое мгновение?

412. Каждый свод имеет свою высшую точку. Нарушение ее несет разрушение всего свода. Так же и в жизни имеется Наивысшее Касание, без которого жизнь обращается в хаос. Легко ли восчувствовать эту точку Беспредельности? Не многие ощущали ее, но зато явление Беспредельности навсегда озарило их сознание. Велико понятие тончайших энергий, возносящих сознание. Невозможно назвать их иначе, нежели тончайшими. Не воспринимают их земные аппараты. Никто не видел их, но убеждался в их присутствии чувством несказуемым. Казалось бы, что земные силы навсегда отделены от области тончайшей, но все же и нашей планете предстоит осознание энергий высших, если человечество пожелает. В этом условии заключается главное утверждение возможности, ибо каждая возможность может быть отринута безумием воли. Но недопустимо, чтобы высшая точка прекрасного свода нарушилась бы безумием. Пусть каждый припомнит лучшие мгновения своей жизни. Неужели даже жестокое сердце не смягчится? Пусть на своей жизни каждый ощутит касание высшей точки прекрасных энергий.

413. Представим себе, как касается нас тончайшая энергия. Такая стрела должна пронизать все пространство. Пусть не найдется слов для выражения неповторяемого чувствования, но оно остается как самое непреложное из всего существования.

414. Человек, задержавший в себе хотя бы одно тончайшее чувствование, уже навсегда становится необычным существом.

415. Не только исключения, но большинство может

достичь ощущения тончайших энергий. Нужно лишь мыслить о них.

416. Да, да, да, обычная ошибка в том, что люди, даже допускающие тонкие энергии, неправильно представляют себе их действия. Появление тончайших энергий представляется чем-то громоподобным и физически поражающим. Невозможно представить людям, что их земная природа делает высшие энергии почти немыми и неощутимыми. Конечно, внутреннее воздействие будет громадно, но мало сознаний, настолько подготовленных, чтобы воспринять эти Высшие Касания. Не нужно думать, что можно неподготовленно принимать посылки дальних миров. Не следует огорчаться, если двойная природа — и земная, и тонкая не легко проявляются совместно. Придется опять вспомнить о земном сотрудничестве, которое усваивается с трудом. Оно часто возбуждает самые низкие страсти вместо проявления разумного труда. Если даже сотрудничество редко уживается в малых кругах, то насколько труднее воспринимается синтез тончайших энергий! Говорим не для огорчения, но для привития терпения и устремления.

417. Особенно недопустимо стремиться прилагать тончайшие энергии для личных целей. Пусть Высшая Сила сообщает нам внутреннюю мощь, но нельзя применять насильственно прекрасную энергию для выгоды и корысти. Дайте лишь вход Силе Прекрасной, и многое приложится.

418. Неповторимость опытов с тончайшими энергиями часто отвращает внимание ученых. Но они забывают, что не энергия неповторима, но они сами. К тому же не умеют они создать повторимые условия, окружающие опыты. Много раз приходилось вам замечать, насколько различны привходящие обстоятельства. Но даже весьма умудренный ученый не придает значения очень разнообразным условиям. Прежде всего он не обращает внимания на свое настроение, но состояние нервных центров будет решающим для многих опытов. Также забывается и качество сотрудников, принимающих участие в опытах. Но даже в древности, а затем алхимики очень понимали ценность сотрудничества. Они знали и значение пола. Они не отрицали лунное воздействие и силу явленных планет. Но сейчас такие первобытные условия считаются почти колдовством. Невозможно уговорить людей, что они носители разгадки многого.

419. Среди забвений находим также небрежение к качеству мышления. Недостаточно сказано об этой мощи. Например, человек не обращает внимания на то, что при

усилении мышления он непроизвольно распространяет свою мысль. Истинно, сильные мыслители должны быть весьма осмотрительны. Их мысль может быть легче уловлена в пространстве. Вы уже знаете о токах, которые, подобно трубе, охраняют посланную мысль, но даже такая особая мера может быть не всегда действительной.

420. Можно перехватывать телеграммы, также можно и перенять мысль. Так молчание не есть сокрытие тайны.

421. Каждый имеет множество сношений с совершенно незнакомыми людьми. Также и его имя где-то произносится. Не забудем, что такие дальние касания нередко имеют больше значения, нежели прикасание с ближайшими. Можно заметить, насколько дальние оповещения могут отражаться на всех внутренних центрах. Но такое несомненное обстоятельство почти не принимается в соображение. Люди полагают, что телесное касание особенно значительно. Не будем отрицать, что телесное рукопожатие тоже имеет значение. Но мысль, далекая, несгармонизированная, может приложить очень сильное воздействие. Никто не сможет усмотреть эти дальние нити, но утонченное сознание чует.

422. Разве не замечательно, что сознание во сне могло начертить наступающий приступ сердечного сокращения? Также замечательно, какими вибрациями можно отвратить сильный припадок боли. Многое можно замечать.

423. Многие будут читать о Братстве. Многие будут беседовать по этому предмету. Но многие ли приложат к жизни основы Братства? Не читание, не разговоры нужны, но проблески братских отношений. Нужны также опыты над энергией мысли, пусть они не дадут блестящих следствий, но все-таки они наполнят пространство и помогут кому-то неведомому. Пусть будут отставлены пустые доводы, что нечто не удалось. Сегодня не удалось, чтобы завтра расцвело прекраснее.

424. Также нужно понять значение взаимоуважения, которое лежит в основании Братства. Нужно признать глубокий смысл взаимности, когда удесятеряются силы. Не будет Брат осуждать Брата, ибо знает, что осуждение есть разложение. Мудро поможет Брат на каждом повороте пути. Итак, сотрудничество есть прежде всего научное действие.

425. Когда сопоставляем фазы нарастания сознания с научными методами, мы вовсе не желаем иссушить прекрасные источники, наоборот, мы хотим создать прочные истоки энергии. Наука должна укрепить пути к Высшему познаванию. Наступило время, когда древние символы знания должны претвориться в научные формулы. Не будем унижать такой процесс очищения мышления. Научимся находить союзников в самых неожиданных областях. Не враги, но сотрудники будут познаватели всех сил Природы.

Очевидность напомнит о глубинах действительности. Так вместо рассечения живого организма будем слагать объединение сознания. Пусть не называют Нас мечтателями, ибо любим точное знание, поскольку оно может быть точным.

426. В школах должен быть введен предмет — синтез науки. Из него учащиеся усмотрят, как тесно связаны многие отрасли познания. Они увидят, как велик круг науки! Они поймут, что каждый ученый соприкасается с целым рядом научных областей. Если он не может вполне познать их, то, по крайней мере, должен понимать их задачи. При ознакомлении с синтезом учащиеся могут сознательнее выбрать свою ученую деятельность. Не забудем, что до сих пор такой выбор был весьма случайным, покоясь часто на смутных традициях семьи. Также беспомощно проходил учащийся разрозненные школьные предметы, не понимая, почему именно эти предметы необходимы. При изучении языков обычно не указывалось, какие преимущества дает каждый из них. Потому так часто замечалось вялое отношение к познанию. Это было не леностью, но просто незнанием смысла и цели предмета. Если каждый научный предмет должен иметь увлекательное введение, то синтез науки просветит к труду самое малое сознание. Не следует думать, что такой синтез может быть воспринят лишь в старшем возрасте. Именно в начальных занятиях дети особенно легко усваивают широкие взгляды. Конечно, изложение такого синтеза должно быть увлекательно.

427. Именно на всю жизнь останется красота синтеза. Каждый исследователь, посвящающий себя хотя бы малейшей подробности Мироздания, придет к ней от ширины, но не от узости. Так познание будет всеобще. Истинно там, где горит огонь знания, там суждено Светлое будущее.

428. Знание есть врата к Братству. Не будем удивляться, если заложение Братства начнется от синтеза наук. Пусть каждый владеет одним предметом, но он сумеет отнестись с уважением к бесчисленным ветвям познания. В таком уважении родится понимание Братства.

429. Даже в течение краткой человеческой жизни

можно заметить исчезновение и появление островов, перемещение озер и рек, отмирание и нарождение вулканов. Можно видеть постоянное нарастание одних берегов и оседание других. Никто не скажет, что в течение нескольких десятков лет не происходит заметного изменения планетной коры. Теперь, если взять за полвека отступление известных вам берегов и продолжить это в глубь сотен миллионов лет существования планеты, можно видеть, какие огромные перемещения могли иметь место. Пусть отмечают эти известные всем цифры и удивятся перемене условий планеты. Такие очевидности очень полезны для неразумных людей. Ведь до сих пор древнейшие периоды подлежат сомнению, ибо люди не мыслят о сотнях миллионах лет, — такие вычисления запрещаются людям со стороны извратителей древних символов. Но следует поставить молодое поколение перед лицом великих проблем. Движение будет отправным основанием. Пусть наша планета в великом движении превратится в маленький шарик. Пусть не побоимся оказаться в вихре Беспредельности. Тогда и понятие Братства окажется прочным Якорем.

430. Один говорит: «Знаю все это», — но он не прав. Не ведает он о смысле Братства. Не измерял он значения планеты в исчислении веков. Не мыслил он о течении Небосклона. Так пусть добросовестно признает, насколько самые основные понятия не входили в жизнь и мышление. Такое признание будет первою тропою к Братству.

431. Пусть спросят Великого Путника: откуда держит путь? Не даст он ответа, ибо несет сокровенное знание. Он понял, когда и кому передать Ношу препорученную.

432. Некий поселянин построил дом у подножия вулкана. Когда же его спросили, зачем он подвергает себя такой опасности, он ответил: «Разница лишь в том, что я знаю об опасности, а вы не знаете, чем окружены». Большое равновесие должно быть найдено между спокойствием и осознанием опасности. Нельзя окружать себя ужасами, но и беззаботность не есть решение.

433. Почему-то птицы считаются беззаботными, но они не только чуют непогоду и лучше людей заботятся о сроках гнезд и перелета. Целесообразность превосходно развита во всех царствах Природы — такое качество не всегда оценивается людьми. Они мало знают прошлое и не хотят думать о будущем. Исследования прошлого по большей части случайны, и потому находки разнородны. Люди обычно ограничиваются розысками известных мест, они

забывают, что жизнь проходила по самым неожиданным путям и следы ее могут найтись не явно и неожиданно. Особенно нужно хранить записи современников, которые помогают в веках усмотреть места, уже сгладившиеся.

434. Существует древнее хранилище, о котором вы слышали. Братство сохранило неоценимые памятники времен древнейших. Есть люди, которые видели эти многоэтажные хранилища. Подражая основным трудам Братства, люди могут объединиться в полезных сотрудничествах. Братство не миф, и подражание ему будет также решительным построением. Не запрещается подражать чему-то высокому. Во всех Учениях предлагается испытывать себя, сопоставляя с самыми лучшими и трудными достижениями. Поставив перед собою высокое задание, можно достичь не малых следствий. Все опасности представятся, как смешные призраки.

435. Жизнь земная иногда называлась безвременною. Истинно, жизнь земная между иными состояниями не имеет протяженности. Братство направляет мысли к дальним Мирам.

436. Братское сослужение может начинаться, где отставлено взаимное осуждение. Обсуждение не есть осуждение. Могут быть братские действия, не понятные немедленно. Можно осведомиться о причинах, но нельзя по неведению произносить осуждение, которое подобно ножу острому. Братья настолько уважают друг друга, что не заподозрят недостойное действие со стороны Брата. Они поймут любое положение и помыслят, как подать помощь. В таком сотрудничестве не будет ни малейшего принуждения. Но взаимное понимание рождается не мгновенно — требуется известный срок, чтобы сгармонизировать центры. Потому в древности полагали известное время как испытание для вновь приходящих. Они могли в течение этого срока покинуть Братство без тяжких последствий. Срок мог быть от трех до семи лет, но потом предательство уже повлекло бы самые тяжкие последствия. Не нужно рассматривать их как жестокость, ибо убежавший во время грозы может быть убит молнией. Сама быстрота его бегства лишь усилит опасность.

437. Но не опасностью и не страхом, но радостью держится Братство. В гармонии растут надземные чувствования. Кто однажды испытал эти возносящие чувствования, тот уже знает Магнит Братства.

438. Во всех опытах не следует предаваться излише-

ству. Вообще излишества недопустимы, они противны равновесию. Человек как совершенный микрокосм не должен нарушать равновесия, которое дается с таким трудом.

439. Психическая природа индивидуальна как в людях, так и в животных. Ошибочно приписывать ее одной расе или породе. Можно замечать в некоторых народах склонность к психическим проявлениям, но это качество еще не объяснит сильных явлений у отдельных личностей; так же бывает и в животном мире. Скажут — может быть, это свидетельствует о беспорядочности каких-то законов? Вовсе нет, наоборот, только показывает существование законов поверх земного разумения. Много вопросов, которые вводят в заблуждение тех, кто не может мыслить поверх земного суждения. Люди привыкли мыслить о случайных границах народов, принимая их за нечто непреложное. Целый народ должен и мыслить единообразно; порода животных должна иметь одни обычаи, но сама жизнь научает усмотреть великое разнообразие. Человек будет счастливее, когда найдет нить законов психической природы.

440. Если Земле угрожает катастрофа, то, может быть, нелепо что-то записывать, изучать и сохранять? Только от земной точки зрения может явиться такое предположение. Если не существует Мира Тонкого, то о земном не стоит и заботиться. Но Мы говорим о жизни, не о горсти земли.

441. Мы обо всем уже знаем — говорят не исполняющие основ жизни. Каждый может встретить эту похвальбу о всезнайстве, и каждый может поражаться невежеству таких крикунов. Невозможно не скорбеть о наглых заявлениях. Пусть эти личности испытают на себе свое явленное невежество. Они подтвердят на себе, откуда столько несчастных в мире. Не утрудимся твердить о причинах несчастья.

442. Без всяких поучений люди умеют оберегать предмет, ими любимый. Они найдут находчиво, как спрятать его. Они приложат старания не разбить и не искалечить любимую вещь. Кто-то сказал — люди лучше всего умеют хранить камни и металлы, менее — растения, еще менее — животных и всего меньше — человека. Судите сами, насколько справедливы такие понимания. Человек будет самым тонким организмом, и самое жестокое обращение выпадает на его долю. Не закроем глаза, что так называемая отмена телесного наказания есть лишь прикрытие жестокости еще большей. Когда же наступит отмена духовных преследований?! Когда же люди признают, что высшая степень

мучительства есть терзания духа?! Пока не осознают Мира Тонкого, не будет понято человеколюбие. Не будем удивляться, что некоторые требуют разделения Высших Миров на многие степени. Раньше пусть люди и сами требующие поймут хотя бы один Мир Тонкий, чтобы уметь вступить в него достойно. Разделение поймется после, когда хотя бы первая степень Беспредельности будет понята.

443. Братство, как Магнит, привлекает уже подготовленные души. Пути различны, но есть та внутренняя струна, которая звучит и зовет к единению. Можно чуять самые целебные вибрации, но только немногие понимают значение таких целебных явлений. Нельзя только словами объяснить, как происходит это соединение. Нужно иметь расширенное сознание, чтобы понять и признательно принимать посланную Помощь. Так человек начинает распознавать, как приближается высшая энергия.

444. Кто может сказать, что напряжение мира уменьшается? Напротив, оно кипит, и люди даже не умеют найти названия происходящему.

445. Около понятия прощения много непонимания. Простивший полагает, что он совершил нечто особенное, между тем он лишь охранил свою карму от осложнений. Прощенный думает, что все кончилось, но ведь карма остается за ним. Правда, простивший не вмешался в карму прощенного и тем не утяжелил ее, но сам Закон Кармы остается поверх обоих участников. Повелители Кармы могут до известной степени изменить ее, если огонь очистительный вспыхнет ярко, но такое пламя не легко разгорается.

Великие жертвы приносились для возжения огня. Можно почитать память таких самопожертвований. Красота живет в таких зовах. Ни века, ни людские смятения не могут заглушить зовы к самоотверженности. О том же повествуют и Скрижали Братства. Прекрасно, что и сейчас не забывают о понятии, которое существует через века.

Не будем отвергать даже малое непонимание о пути надземном.

446. Некоторые записывают перемены в их отношении к окружающему. Такие записи полезны, ибо заставляют помыслить о совершающихся эволюционных движениях. Не будем бояться ошибиться в таких наблюдениях. Может быть, случайное настроение своевольно окрасило наблюдение, но и сквозь наносные цвета все-таки можно почуять движение. Именно такое движение как символ жизни будет руководить человеком.

447. Среди обычаев нужно оставлять все, которые содействуют возвышению духа. Не будем нарушать чувств, которые могут дать самые ценные ветви. Не будем отсекать здоровые побеги, ибо нельзя мгновенно создать нечто новое и более прекрасное.

448. Обычные человеческие ощущения часто называются чем-то сверхъестественным. Предчувствие очень натурально, но вследствие суеверия оно относится в разряд необычных накоплений. Чувство не обманет, но ощутить его будет известным достижением. Особенно теряются люди, когда нахлынут волны разных ощущений одновременно. Даже испытанные наблюдатели не могут разобраться в противоположных чувствах. Одно может возникнуть от соседа близкого, но другое долетит из-за дальних гор. Нередко близкое обстоятельство может перебить очень важные дальние токи. Не будем огорчаться малым, когда могут спешить великие зовы. Надо приноровить свое чувство к большему, зная, что такое большое может возникнуть. Особенно когда пространство напряжено, нужно держать внимание по большим заданиям.

449. Предчувствие иногда называют носовой фигурой корабля. Оно бежит впереди и не дает догнать себя. Новое сознание понимает, что корабль имеет нос и корму, но суеверие прибавляет к носу корабля самые фантастические изображения. Так и мышление человеческое украшает самые простые ощущения небывалыми образами.

450. В чем же преуспеяние? Некоторые полагают, что в непрестанном познавании нового. Не будет ли такое устремление однобоко, и не нужно ли добавить к нему упорядочение старого? Не раз можно было убедиться, что люди отвлеченно стремились к чему-то новому и продолжали пребывать в старом свинарнике. Некто читает лекции о чистоте, а сам весьма грязен. Будет ли такое преподавание убедительным? Или ленивец призывает к труду, но кто же ему поверит? Не убоимся повторить такие примитивные примеры, ибо ими полна жизнь.

Кто мыслит о гармонии, тот знает, что дом не нов, где приютился старый сор. Между тем можно видеть, как прекрасные достижения вянут, ибо не могут расти в соре. Не только прискорбно видеть такую судьбу полезных достижений, но печально, что их разложение надолго засоряет уже найденные пути. Вот почему Говорю о равновесии.

451. Не позволяйте оскорблять каждое искание, если оно искренно и имеет добрую основу. Нужна забота и бережность. Как садовник растит новые плоды и удобряет почву, так будем готовы помочь новому и упорядочить старое. Кто хочет помочь, тот должен быть готов к помощи всяческой. Только при такой готовности можно найти и путь применения.

452. Наблюдайте и, если можно, записывайте числа событий. Можно будет потом сложить замечательную мозаику.

453. Как Говорил о соотношении нового к старому, так же Скажу о внутреннем к внешнему. Некогда люди обучались лжи и притворству и получали похвалу за неискренность, теперь же такие предметы упразднены, ибо эти свойства стали врожденными. Действительно, нужно обращать внимание на трагический разлад внутреннего с внешним. Можно ли ожидать особых овладений высокою энергией при такой гибельной дисгармонии?! Люди доходят до такой степени отупения, что даже не могут представить себе, что человек может нести в себе и врага, и друга в постоянной борьбе. Нельзя владеть мощью, когда на лице маска и в сердце кинжал. Невозможно преуспеяние, если целостный организм находится в беспрерывном разъединении. Мы говорили о единении, чтобы каждый понял это не только в отношении своих близких, но и о самом себе. Такое внутреннее разъединение есть уже разложение и самопожирание.

При беседах о Братстве не без причины столько напоминается о единении. Нужно глубоко понять смысл такого качества.

454. Каждый замечал и удивлялся, что в самых лучших Учениях происходит раскол. Некоторые руководители даже считали такие происшествия полезными для возбуждения рассуждений. Но уже нужно подумать, что около Истины не может быть противоречий. Только слепые не видят перед ними стоящего. Не будет ли причиной такой слепоты собственное разъединение?

455. История разных бессмысленных ссор может послужить назиданием. По всему миру происходят эти безумия. Разве не время напомнить о Братстве?

456. Не только несоответствие старого и нового, внутреннего и внешнего, но и различное понимание самых простых слов препятствуют укреплению продвижения. Не считайте странным, когда простейшие понятия перетолковываются превратно,— не существует соединения сознаний. Люди, несмотря на единичные прекрасные взлеты, по боль-

шинству, топчутся на одном болоте. Нельзя преподать им высшие энергии, когда сам обиход нуждается в упорядочении. Вы слышали о гибельном конце опыта с токами высокого напряжения и правильно поняли, что причина лежала в небрежности. Первая удача не только не расположила к бережности, но, наоборот, допустила небрежение. Таких примеров много. Часто нельзя дать удачу, ибо она окажется опасной игрушкой в руках неразумных.

Много невежества пресекает пути продвижения.

457. Также и поручение несет в себе опасность. Поручение нужно держать крепко, ибо руки тянутся отовсюду. Потому неудивительно, что на путях к Братству так много наставлений. Неразумен, кто считает эти напутствия излишними. Кто похвалится, что у него дорожная сума в порядке?

458. О приготовлении к Братству нужно понять простую истину — чем больше, тем лучше. Не будем помышлять, что достаточно всего. Нужно принять как нечто нужное пересмотр всех взятых с собою вещей. Много взять нельзя, но и забыть нужное невозможно. Самый выбор уже будет испытанием достаточным.

459. Жажда утоляется влагою. Жажда познания утоляется путем приближения к Высшему Миру. Многие ученые всю жизнь томились несказуемой тоскою, ибо они отрешили себя от познавания Высшего Мира. Тоска неправильного пути есть самая жестокая, поедающая! Человек, наконец, окончательно отсекает продвижение свое и мучается, не понимая своего заблуждения. Много злобы рождается у таких сущностей. Они готовы преследовать даже малейшее проявление Света.

460. Много масок человеческих, но одна из самых отвратительных будет личина единения. Нужно потонуть в грязи, чтобы посметь на такую ложь, чтобы показать улыбку единения, а в глубине сердца таить гримасу злобы. Нужно представить себе весь надлом духа, чтобы понять, насколько такой человек нарушает человеческое достоинство.

Итак, часто происходит такое безобразное явление, и как оно далеко от Братства!

461. Братство не убежище, но Маяк Света, как Сторожевая Башня. Так нужно понять появление Братства. Иначе нередко люди полагают, что Братья спасаются от какихто гонителей. Нет, уединение Братства вызвано совершенно иными причинами. Оно, как Маяк на высокой скале, полагает свои знания во спасение человечества.

462. Некоторые Учителя советовали не затрагивать неразрешимых вопросов. Конечно, Они имели в виду, чтобы не возмущать неподготовленные умы, но там, где обсуждение возможно, следует посоветовать самые отдаленные умственные прогулки. Красота сверкает в прогнозах, которые могут рождаться в Братском Единении.

463. Будут указывать, что многие Общины и Братства распадались, но они были не те, о которых Мы говорим. Кроме того, они могли перемещаться, но постороннему глазу могло показаться, что они распались. Много ли люди знают о жизни в соседнем доме и тем более о том, чего они не должны знать? Можно напомнить из жизни каждого самые значительные события, о которых никто не знал. Особенно при передаче мысли на расстояние кто может узнать их? Правда, мысль может быть перехвачена, но для этого нужны особые условия. Если мысль особенно четко направлена к определенному лицу, она непременно заденет его ауру. Потому общины могут держаться на силе мысли. Но некоторые настолько боятся мысли, что будут отклонять все, до этой области касающееся. Не следует привлекать таких людей: они окончат свое приближение предательством. Не раз общины перемещались, чтобы освободиться от нежелательных людей. Легче объявить о расхождении Общины, нежели уявить тех, кто может вредить. Из такого положения можно еще легче уяснить себе, почему Братство находится в недосягаемости. Потому же и каждый, знающий о Братстве, будет осторожен в выдаче своих осведомлений. Люди не переносят, когда они не могут понять чего-либо. Такие понимания наслаиваются медленно. «Чаша» очень редко бывает переполнена. «Чаша» как синтетический центр хранит самые главные, несказуемые накопления.

464. «Чаша», как и сердце, особенно близка понятию Братства. «Чаша» бывает хранилищем всего любимого и драгоценного. Иногда многое, собранное в «Чаше», на целые жизни остается закрытым, но если в «Чаше» запечатлелось понятие о Братстве, то оно будет звучать и радостью, и тоскою во всех жизнях. У людей, познавших даже в час трудностей и столкновений, понятие о Братстве будет спасительным.

465. Преднамеренные наблюдатели из действия и из реакции усмотрят лишь свое предвзятое намерение. Если припомнить все извращенные факты, то можно ужаснуться, сколько уже найденных достижений было разрушено. Невозможно представить продвижения, если бы не было оно запятнано преднамеренными уловками! Много причин к преднамеренности — первая будет невежество, затем будет злоба, зависть, нежелание удачи, нелюбовь к новому, — так многие позорные свойства искривят факты. При таком положении легко ли приступить к познанию великой энергии?

На каждом шагу встречаются непонимания и зложелания. Нужно иметь особое воспитание воли, чтобы принять такие препоны как нечто неизбежное. Но если человек найдет в себе достаточно твердости превозмочь такие трудности, то все же сколько удачнейших стечений энергий будет упущено.

466. Невозможно понять, почему даже самые простые наблюдения упускаются? Например, в изучении ароматов недостаточно обращают внимание на полезность или вредность различных очень приятных запахов. Все цветы имеют особое назначение, но так называемые духи носят условные цветочные названия. Никто не заботится о полезности духов, но эссенции, входящие в них, иногда почти ядовиты. Можно пожалеть, во что обратилось учение о цвете и аромате, если предлагают мышьяковую окраску или смертельный аромат!

467. Полезность широкая будет украшением кооператива. Пусть вредоносность не будет допущена ни под каким покровом. Так будем приближаться к понятию Братства.

Будем помнить, что самый трудный час может быть преддверием нового достижения.

468. Всегда помните о молодых сотрудниках. Помните, что всегда можно найти их. Помните, что они ждут вас даже под разными одеждами. Под устремлением неясным они все-таки готовы принять слово о новом достижении. Пусть через все области науки прозвучит призыв к правде просторной. Пусть каждый хотя бы через физическую культуру начнет мыслить о культуре духа. Пусть биология напомнит о нескончаемой жизни. Если кто любит иноземные слова, не препятствуйте, ибо пути беспредельны. Когда кто-то смущается, ободрите, ибо смущение нередко есть знак мысли затаенной. Когда кто-то смотрит мрачно, не есть ли это признак обманутой надежды? Одно слово о Беспредельности может дыть крылья. Когда кто-то молчит, может быть, он ищет наиболее выразительное слово, — ободрите взглядом. Можно перечислить много мостов, по которым перейдут поток молодые друзья. Но главное остается, что велика наличность молодых сил. Нужно запомнить это всем, кто качает головой в неверии.

469. О молодежи необходимо условиться каждому, кто

избрал братский путь. Нужно, чтобы этот неиссякаемый источник постоянно укреплял силы в обоюдности. Не будем думать, что только от известного возраста молодежь становится восприимчивой. Нередко память просыпается весьма рано, и удивляет, насколько ярко работает мысль в самом раннем возрасте.

470. Сознание взрослых иногда отмирает на некоторое время, когда дети остро воспринимают ценные качества. Взрослые нередко не звучат на понятие героизма, но дети любят народных героев. Они восхищаются подвигами и мечтают видеть самих себя на месте борцов за правду. Невозможно лишать детей этого живого источника вдохновения, на всю жизнь останется такое светлое горение. Не чувственность это устремление, но рост сознания, соприкоснувшегося с образом прекрасным. Нужно всеми мерами охранить такие соприкасания, из них зарождается и понятие Братства.

Не следует думать, что признание Братства появляется от каких-то догматических нравоучений. Прекрасный подвиг может озарить молодое сердце навсегда.

471. Счастье Учителя в том, чтобы ободрить учеников к дерзанию о Прекрасном. Не помогут этому достижению перечни скучных мертвенных событий. Учитель должен сам гореть, чтобы одно приближение его уже передавалось огненно. Трудна такая повседневная задача, но люди испытываются именно на повседневности, которая будет сестрою Беспредельности.

472. Отход психической энергии врачуется вовсе не переливанием крови, но валерианой, мускусом и молоком с содою. Эти основные средства добавляются и психической энергией врача — последнее весьма существенно. Наш молодой друг имеет в себе отличное качество, он может дать большое количество энергии, не нанося себе вреда, ибо в нем нет той злобы, которая обычно обессиливает. Злоба может дать сильную судорогу, но основа злобы непригодна.

473. Анемия обычно считается малокровием, но это качество не есть основное. Оно будет лишь следствием отлива психической энергии. Невдумчивые врачи полагают, что можно восполнять силы питьем крови, но они забывают, что прилив сил будет кажущимся. Все равно что освещать большой дом одной спичкой. Много вреда приносят приемы крови, такая субстанция требует изучения и приспособления. Потому Мы вообще не советуем такое кровосмешение. По существу, оно и не нужно. Повышение психической энергии

достигается простыми средствами, о которых мы уже говорили. Но при этом не забудем, чтобы по близости не находился кто-то, поглощающий энергию. Ведь ее можно поглощать сознательно и бессознательно. Каждое раздражение, каждое уныние уже будет поглощать ценную энергию. Когда преподаются Основы Братства, то прежде всего изгоняются все причины, нарушающие психическую энергию.

474. Можно советовать наблюдать методы вторжения хаоса. Многие полагают, что само понятие хаоса уже исключает всякую систему. Представление о полной бесформенности хаоса будет неверно. Можно даже на каждой жизни наблюдать, как изысканно подкрадывается хаос. Он вторгается как настоящая разлагающая сила. «Вторжение Хаоса» может называться весьма поучительная книга наблюдений.

475. Пространственные голоса бывали упомянуты в Писаниях всех народов под разными наименованиями. Не будем углубляться, почему такие голоса приписывались самым различным источникам. Сейчас нужно лишь помнить, что знание о таких голосах было весьма древне. Невозможно полагать, что люди самых различных культур стали бы ошибаться или лгать намеренно. Уже наука овладела беспроводной передачей, изощряясь постоянно. К тому же и мысли наблюдаются, и уже получаются замечательные наблюдения, но все-таки невежество так развито, что нужно и самые простые истины повторять.

476. Не только не допускаются суждения и мысли, но даже считают вредным для здоровья думать о всеначальной энергии. Даже такие нелепые рассуждения существуют. Такие возражатели не допускают, что мысли не могут быть вредными для здоровья, значит, и все около мысли не может быть вредным. Утверждаю, что мысль есть естественное начало жизни. Ничто около этого начала не может быть вредным; страшнее безмыслие.

477. Каждый замечал некоторых людей, задающих очень сложные вопросы и не применяющих в жизни своей даже простейших основ. Такое несоответствие есть плохой знак. Не лучше ли им и в жизни применить изысканные формулы? Такие несоответствия прежде всего отбрасываются на пути к Братству.

478. Пространственные зовы долетают до Земли в самых неожиданных получениях. Повелительный зов о дружелюбии и взаимопонимании достигает некоторых людей. Но обратите внимание на неожиданность таких достижений.

Если на карту Мира нанести места, где понят Наш Зов, то получится весьма неожиданный узор. Кроме того, найдутся люди, твердящие о том же без всякого понимания. Иногда сеятели раздора не прочь поговорить о дружелюбии. Самый смысл слова бывает упразднен, вместо взаимопонимания вырастает лютая ненависть. Но поверх всех преград Зов остается о дружелюбии и взаимопонимании. Не понятое сегодня, дойдет завтра.

479. Невозможно людям понять, по каким признакам оценивать действия. Вот мнение, блестяще выраженное, но в Высшей оценке оно не признано превосходным. С другой стороны, мнение, сказанное с запинками, полное застенчивости, заслужит радостную похвалу. Поверхностному наблюдателю непонятна такая оценка. Блеск бывает на поддельных камнях. Вдумчивость может выражаться и в очень своеобразных словах. Где больше внутреннего горения, там должно быть и ободрение. Когда Говорю о простоте, Имею в виду непосредственную убедительность. Когда идет речь о поднятии народного уровня, именно требуется простота по всей убедительности. Такое качество нужно не только принять умом, но и полюбить сердцем, из него произойдут и сотрудничество, и братство.

480. Диссонанс слышнее консонанса. Когда прислушаться к низшей надземной сфере, можно поразиться мучительными стонами, воплями и криками ужаса. После стенаний следующие сферы кажутся молчаливыми, но это впечатление относительно. Музыка сфер величественна, но она не раздирает нервных центров. Так и во всем Сущем: люди привлекаются диссонансом, но лишь немногие умеют сознавать созвучие. При путях к Братству нужно познать мощь созвучия.

481. Оскорбители Сущего надеются, что их зло безнаказанно, они пытаются продвинуться на пути зла и хвастливо замечают, что никакая стрела справедливости их не настигнет. Можно ли полагаться на то, что сейчас не проявлено? Мысль порывается удержать, но рассудок находит примеры безнаказанности. Пусть помнят, насколько рассудок недалек.

482. Посмотрите, насколько даже хорошие люди могут быть ослеплены! Правильно, что даже предупреждения они не могут воспринять. Нужно весьма осторожно предупредить их. Нужно разделить такое предупреждение на части, не надеясь, что первое уже откроет глаза.

483. В древних общинах приветствовали каждого, под-

вергавшегося испытанию. К нему относились заботливо, зная, что невозможно насильно пресечь процесс его переживания. Считали, что каждое испытание уже есть порог к продвижению. Никто не мог искривлять путь следствий, но братское ободрение позволяло не замедлить шаг даже перед самыми ужасными ликами. Ведь хаос в страшном безобразии неминуемо пытается преградить путь каждого из испытываемых. Но пусть будут страшны такие лики. Явление самого ужасного уже будет предвестником конца испытания.

484. Ученик, когда изберешь самую ограниченную сферу, то все же оставь час для всеобъемлемости. Невозможно дышать в сфере узкой, но даже малый луч Беспредельности уже даст достаточно праны. Всеобъемлемость живет в Беспредельности. Когда эта истина осознается, тогда уже не существует сферы узкой и душной. При искании Братства нужно запомнить эти вехи Пути освобождающего.

485. Когда приближается Великий Свет к чьим-то глазам, но этот некто кричит: «Мало света»! Не нужно ли искать причину в слепоте? Можно привести множество примеров, когда плохое зрение не видело света. Невосприимчивость к свету не зависит от самого света, но лежит в дурном зрении. Можно часто напомнить тем, у кого глаза засорены. Может ли такой человек годиться для пути в Братство?

486. Для наглядности понятий представим их начертательно. Вообразим единение в виде купола прекрасного и прочного. Пусть нити возвышения протянутся и соединятся как грани купола. Никто не заподозрит, что единение может нарушать индивидуальность. У древних строителей каждая колонна, каждая ступень была особенной и тем не менее входила в общую гармонию сооружения. Свод держался не орнаментами, но внутренним правильным сцеплением — так можно ожидать единения там, где понято внутреннее сцепление, восходящее к Вершине. Не устанем собирать лучшие образы вокруг понятия Единения. Настолько оно нужно и настолько часто повреждается даже между теми, кто уже знает о Братстве.

487. Отставьте все жаления о прошлом, не будем затруднять себе путь к будущему. Сами ошибки прошлого не должны привязывать к себе внимание. Устремление к будущему должно быть так сильно, чтобы не в устремленных назад глазах не померк свет. Оставим прошлое ради будущего. Можно настолько устремиться в будущее, что во всех состояниях навсегда останется такая благословенная устрем-

ленность. Каждое стремление к будущему есть стремление к Братству.

488. Нужно понять, сколько внешних условий составляют настроение человека, такую стаю называют саранчой.

489. Многие слышали о Кумарах, но немногие правильно поняли их. Явление какое-то надземное — так скажут, но забудут, каким трудом складывается достижение. Ученые уже начинают понимать, как входит человеческая личность в пантеон героев. Таким же путем наслаиваются и качества водителей человечества. Если они не пройдут страдания земные, они не могут отзвучать на страдания людские. Если они не познают пота труда, они не смогут руководить людьми в их работе. Самоотвержение, милосердие, сострадание, мужество куются в жизни. Ничто отвлеченное не может слагать силу духа. Так пусть понимают Кумар как истинных Водителей.

490. Ритм Битвы не есть желание убийства. Утверждаю, что силы проявленные не сражаются, но обороняются от хаоса. Так не легко многим понять, что Битва постоянна, но лишь меняется ритм ее. Робкие трепещут при одном упоминании о Битве и спрашивают: когда же она кончится? Но они совершенно поникнут, если сказать, что кончится Битва с концом хаоса. Не страшно ли это для кого? Но страх непригоден на пути к Братству.

491. Учитель наклонился над водоемом и спросил ученика: «Что видишь?» Тот ответил: «Вижу твое ясное отражение». Затем Учитель указал: «Возмути поверхность мизинцем, что видишь?» — «Вижу искаженные черты твои».— «Подумай, если прикосновение малого пальца уже изменило черты, то какие искажения происходят среди тонких энергий при грубом касании?» На самых малых примерах можно видеть происходящее и в Тонком Мире.

492. Множество клеточек организма находится в спящем состоянии. Указано, что пробуждение их сделало бы человека светящимся и летающим. Можно ли представить, что люди в их настоящем состоянии могли бы получить такое пробуждение заключенного в них света? Подумайте, что люди вполне приспособлены к дальнейшей эволюции, но сокровище должно оставаться спящим. Состояние сознания не допускает скорого продвижения. Только в редких случаях озаряется организм и при помощи из Тонкого Мира временно получает сужденные возможности.

493. На пути к Братству нужно отучиться от всяких умалений. К чему касаться таких явлений, которых сознание еще не вместило? Пусть не произойдет вреда, хотя бы по неведению.

494. Не думайте, что свои мысли преимущественно могут влиять на сны. Такие воздействия могут произвести и дальние пространственные мысли. Во время сна очень легко восприятие дальних мыслей. Явление снов должно еще больше изучаться.

495. Учитель не однажды говорил: «Радость!» Но ученики недоуменно озирались: «Где же она, радость? Небо тучно, и повсюду грусть». Но поверх настроения Учитель предвидел радость.

496. Учитель не однажды предупреждал об опасности, но ученики удивлялись: откуда среди мирной тишины возникает опасность? Учитель уже чуял, где может быть зарождение опасности. Не будем пугаться опасности, но встретим ее на дозоре. Так же и о радости — не бросим работу, не отложим труд, но упрочим его качество радостью.

497. Ищущие Братство принадлежат огненности. Из Огня рождается восторг и вдохновение. Можно уявлять Светлую стихию в каждом вздохе о Братстве.

498. Даже ужасные преступники получали наименование великолепных только за признание ими Красоты. Следует по всей истории человечества убедиться, каким Щитом была Красота. Ущемление творчества является признаком падения человечества, но каждая эпоха расцвета творчества осталась как ступень достижения. Если все это знают, почему же не приложат искусство к жизни? Можно помнить, что прекрасные памятники творчества появлялись, как вехи целебные,— к ним спешили в устремлении, они несли мир.

Без Красоты нельзя мыслить о Братстве.

499. Побеседуем о движении. Около этого понятия продолжают нагромождаться непонимания. Люди, слыша о движении и подвижности, делаются суетливыми бегунами. Но разве суета может быть прилична для высших проявлений? Люди также не различают движение внешнее от движения внутреннего, но такое различие весьма существенно, оно спасет от суетливости, которая неминуемо доведет до лжи.

Также понимание движения внутреннего даст и достоинство движений. Жесты и само движение нелегко усваиваются людьми. Часто они не знают, как поступить с собственными руками, ногами и даже головой. Голова трясется, руки махают, ноги заплетаются, неужели придется учить и ходить? Но все эти промахи зависят от непорядка сознания. Суетливость есть выражение неприспособленности к жизни. Не годится паяц на пути к Братству. Так научимся различать движение внутреннее от внешнего.

500. Также не устанем твердить о Единении, в понятии этом постоянно смешано внутреннее с внешним. Скажут — мы находимся в единении, только малые трещины существуют, но забывают, что трещины есть жилища гниения. Так не придают значения внутреннему единению. Но какие Указы могут внедрить признаки гармонии? Только останется взывать к стыду человеческому. Но без понимания гармонии не может быть Братства.

501. О мире тоже следует твердить. Само слово пусть следует за людьми на всех путях.

502. Разве может быть суждение о мире между теми, кто полон грубости и жестокости? Следует рассмотреть таких миротворцев в их домашнем обиходе. Следует послушать, как они рассуждают о своих и о чужих делах. Следует узнать их шутки и клевету, чтобы понять всю их непригодность в деле мира. Но никто не озабочен нравственным уровнем сидящих за решением судеб целых стран. Никто не помыслит, что из грязного не выйдет чистое.

503. Бешенство называется ужасное состояние, в которое впадают самостью объятые, ради корысти прикоснувшиеся к Высшим Учениям. Невозможно назвать их состояние иначе, нежели бешенством. Пусть врачи исследуют их слюну, чтобы убедиться в патологическом состоянии их организма. Кто-то спросит: не кусаются ли они? Он будет прав, ибо их прикосновение ядовито. Можно назвать много примеров такого безумия. Можно изумляться, с какими мрачными намерениями эти люди приближаются к Светлым Источникам. Можно поражаться, что человек устремляется в отвратительную бездну, но он дальше сегодня не мыслит.

504. Где же в земном бытии искать проблески Братства? Можно найти признаки его среди очень простых тружеников, которые полюбили свои работы.

Труд, любовь и братство живут вместе.

505. Объединение, называемое товариществом на вере, требует очень краткий устав, но Братство не может иметь писаного уложения. Не может Братство держаться условным принуждением. Само слово *ограничение* невместно при безбрежности понятия Братства.

Кто понимает Братство как ярмо, пусть скорее отойдет. Кто уныло склоняется перед Вратами Братства, пусть скорее вернется обратно. Уметь возрадоваться Братству уже будет радостью мудрою.

506. Мудрая радость проявится и при встречах сужденных. Не часто люди ощущают, когда их встречи имеют глубокие корни. Яркие воспоминания сверкают, как мгновенные проблески. Иногда они порождают неприятное смущение, как нечто, не входящее в меры обихода. Потому нужно так осторожно разбираться во впечатлениях. Кроме верности первого впечатления могут быть разные воспоминания. Иногда даже хорошие люди могут представляться в не высшем их аспекте. Говорю к тому, чтобы избежать поспешности суждения. Вы уже убеждались, как часто друзья могли принимать случайные аспекты за основу.

507. В сновидениях иногда появляются четкие облики совершенно незнакомых людей, впоследствии их встречают в жизни. Много объяснений такому предвидению, но прежде всего становится ясным, что каким-то зрением человек уже усмотрел то, что в плотном виде усмотрит позднее. Конечно, такие встречи свидетельствуют о Тонком Мире и о деятельности в нем в течение сна. Но такие выводы не приходят в голову тем, кто исследует область сновидений. При этом особенно замечательно, что такие предвиденные встречи в плотном теле нередко оказываются незначительными. Такое обстоятельство показывает, что в Тонком Мире действуют иначе, нежели в плотном. Можно радоваться, что даже на наглядных примерах можно видеть, насколько разновидна жизнь человека.

508. Пространственные токи тоже не есть нечто отвлеченное. Они не только влияют на состояние человека, но даже на радиоволны. Даже при воздухоплавании могут быть замечены некоторые странные явления, которые могут быть поеснены только токами пространства. Так будем отмечать каждое свидетельство о тонких энергиях.

При пути к Братству требуется иметь глаз открытый и свободный. Когда почему-то не приходит дальний ответ, всегда нужно подумать о многих причинах. Помимо причин, лежащих в самих собеседниках, могут быть великие пространственные причины. Токи могут быть так напряжены, что необходимо подождать до перемены, чтобы передача могла совершиться.

509. На Востоке мыслили о Северной Шамбале, которая проявляется северным сиянием. Также было предание, что знамя будет водружено на точке северного полюса, — так исполняются предания, и можно заглянуть в дальнее будущее, когда при перемещении оси откроются новые земли, теперь закрытые. Уже Говорил об открытии тундр. Хвалю смотрящих в будущее.

510. Смысл жизни среди древних эпох понимался глубже, нежели теперь. Все замечательные открытия современности не только не сосредоточили внимания на основном значении жизни, но часто даже уводили мысль в область механической обстановки. Нужно делать усилия, чтобы направить мысль на самую основу существования. Нужно сравнить уровень мышления древних философов с направлением рассуждений современных ученых. Помимо знания многих научных достижений философы древности умели нередко дать очень углубленные формулы жизни. Необходимо, чтобы искусство мышления снова превозмогло внешние придаточные условия Бытия.

511. Знает ли человек о размерах своей деятельности? Может ли человек определить рождение добра или зла от своих поступков, пока человеческое мышление пребывает в оковах земных? Поистине, человек не знает размеров им творимого. Только мысль о надземном беспредельном Бытии уведет сознание из темницы, но трудно сочетать надземное с земным в человеческом представлении.

Кто умеет не опечалиться призрачными противоречиями? Кто усвоит, что «чем выше, тем труднее»? Кто не вздохнет, что приближение к Прекрасному не легко? Правда, озарение может быть мгновенно, но это не значит, что дальнейший путь будет легок. В обычном земном понимании человек приближением к познанию облегчает уже свой путь, об этом нужно весьма договориться. Познание открывает пути, но было бы малодушием предполагать облегчение пути. Каждая радость создает новую заботу, возрастает сложность восприятий.

Говоря о Тонком Мире, люди радуются, что там мысль будет единственным двигателем. Правильно, и сказать это вовсе не трудно, но легко ли действовать мыслью? Для таких действий нужно уметь мыслить. Нужно любить процесс мышления. Среди каждой деятельности нужно найти час для нарастания мысли. К тому же нужно различать мысль, порожденную самостью, от мысли Общего Блага.

512. Сознательная передача мысли на расстояние находится еще в зачаточном состоянии. Каждое начинание в этом направлении должно быть приветствовано, но для широких масс это будет малоубедительно. Потому, наряду с опытами, должны быть широко поставлены лекции о мыслительной энергии.

Братство есть прежде всего Школа Мысли.

513. Сознание человека есть место встречи всех Миров. В волнах созвучий, в видениях, в чувствованиях приближаются все Миры. Сокровищница доверена человеку, сохранена ли она? Космический стук может раздаваться, и горе тем, кто не примет гостя.

Люди подумают, что стук дальнего гостя есть нечто отвлеченное. Но разве врач не знает о расстройстве организма, происходящем от неуловимых причин? Просторечие предполагает болезнь души. Много таких болезней!

514. Существовал метод лечения естественными эманациями. Больных окружали соответствующими минералами или растениями вместо принятия внутрь. Конечно, такой метод предполагал утончение восприятий. Но если люди носят магнитные кольца и прикладывают листья растений, то и окружающее вещество будет также полезно. Не нужно полагать, что прикасание металлов и приближение известных растений не действуют на человека. Люди считают такие ощущения идиосинкразиями, но, тем не менее, свойства минералов и растений не могут быть оспариваемы. Люди пьянеют от одного запаха спирта. Они получают лихорадку от приближения к некоторым растениям. Можно повсюду замечать воздействие эманаций. Пусть эта область человеческих взаимоотношений будет исследована.

515. Левитация не только была известна в глубокой древности, но и понималась разумно. Среди невежества средних веков даже мысль о летательных аппаратах считалась чем-то колдовским. Только теперь люди с сожалением оглядываются на невежд средневековья и принимают воздухоплавание как нечто естественное. Но так ли мыслили деды нынешнего поколения?

Напоминаю об этом, ибо много достижений находится в положении средневековья. Так, скоро будут снимать ауры, будут измерять мысли, будут аппараты, определяющие эманации, но сейчас лишь некоторые допускают такие возможности. Еще недавно телевизия была сказкою, люди считали ее недоступною, но приняли скоро как условие их комфорта. Нужно представить, что измерения мысли и определение эманаций не будут улыбаться многим, которые привыкли даже скрывать свой возраст.

Так подумаем о счастливых возможностях, которые будут расти вместе с понятием Братства.

516. Старинные врачи определяли качество эманации посредством прикладывания растений и металлов. Также употребляли известные породы собак, которые весьма чутки к эманациям человека. Но теперь самые простые аппараты, вроде электрической машины, отметят на экране ритм и качество эманаций.

517. Немыслимо не чувствовать напряжения космических токов, которые поглощают психическую энергию. Может быть некоторая сонливость, может быть как бы рассеянность, может быть невольное раздражение — поучительно наблюдать такие признаки, которые сопровождают поглощение энергии. Люди склонны приписывать их своему недомоганию, но не забудем внешние причины.

518. Хотящий повредить струнный инструмент злобно ударит по струнам, чтобы порвать их и привести в полное расстройство. Не то же ли самое происходит, когда вражеская сила вторгается, чтобы нарушить ритм труда? Только истинные труженики понимают значение ритма: они знают, как трудно достигается такой ритм. Нарушение его иногда равняется убийству или отравлению. Рука врага именно тянется, чтобы разрушить такое одно из самых утонченных достижений человека.

Невежды скажут, что струны легко заменяются. Но даже явные струны очень разборчиво избираются музыкантом. Много тоньше строение ритма труда. Нельзя залечить такие разрушения. Братство особенно заботливо охраняет труд в его лучшем ритме. Пусть и во всех содружествах также научатся обоюдно охранять труд, в этом будет высокая мера взаимоуважения.

519. Не думайте, что многие понимают прекрасное созвучие труда. Также немногие понимают различие между общей работой и индивидуальной — для них это просто противоречие, между тем это лишь эволюция. Люди не должны терять индивидуальности, но в хоре каждый голос служит общему успеху, и в таком понимании нужно вспомнить об Основах Братства.

520. По всему миру, во всем, ищите Братство. Напрасно думать, что Высшие понятия осеняют лишь в исключительных условиях.

521. Замечательно, что физическое усилие иногда создает особую четкость мысли. То же самое бывает при реакции холода или жара. Не значит ли это, что мысль есть энергия? Утверждение мысли, как и измерение энергии, дадут много новых открытий. Много особых явлений сопряжено с объединением мысли. Вы читали о явлениях, которые умножались от количества присутствующих. Вряд ли можно представить, чтобы все присутствующие мыслили объединенно. Значит, действовала энергия мысли как таковая. Поток энергии помог общению сил Тонкого Мира. При каждом сборище людей можно замечать особое сгущение пособников из Тонкого Мира. Будем надеяться, что мысль людей будет привлекать добрых пособников. Братство в своем объединенном мышлении создает сильный поток Блага.

522. Некто нашел источник целебной воды, нес ее в сосуде и в радости опрокинул драгоценную влагу. Не каждое усилие помогает мышлению, иначе все борцы были бы мыслителями. Полезно повсюду приложить соизмеримость.

523. Мысль о помощи особенно полезна. Сам нуждающийся и стесненный мыслит о помощи другим — такое самоотвержение есть великий пробный камень.

524. В разных эпохах появлялись особые темы и символы, которые не могли рассматриваться как единичное творчество. Они оставались как знаки всей эпохи. Ныне особенно прозвучала тема Атлантиды. Совершенно независимо в разных частях Света люди вспомнили о забытых катаклизмах. Не будем считать эти воспоминания угрозами. Мы далеки от угроз. Мы можем напомнить и остеречь, но никто из Нас не употребит мрачную силу внушения ужаса. Свободная воля остается отличием человека. Можно сожалеть, если эта превосходная энергия устремляет безумцев в пропасть. Можно озаботиться предупреждением, но нельзя сломить закон свободной воли. Среди судеб Атлантиды можно видеть, что предупреждения изливались щедро, но безумцы не слышали. Также и среди других эпох можно усмотреть напоминания.

525. Атланты овладели воздухоплаванием, они умели скрещивать растения, они употребляли мощные энергии. Они знали тайны металлов. Они изощрялись в убийственных орудиях. Не напоминают ли эти достижения некоторые из иных веков?

526. Сближение миров будет проходить под знаком науки. Следует усвоить, что многие подробности великого процесса проявляются как бы разрозненные и неожиданные. Конечно, такая кажущаяся разрозненность представляется лишь глазу человека. На самом деле система явлений очень обстоятельна. Пусть самые различные ученые ведут свои наблюдения. Ясно, что никогда до сего времени не замечалось так много феноменов учеными. Пусть они пока

воспринимаются хотя бы утилитарно, главное, чтобы на научных страницах остались наблюдения. Со временем такие обрывки будут соединены в одну систему. Так можно и на отдельных фактах установить широкие области, подлежащие научному определению.

527. Течение мысли иногда подвержено самым неожиданным воздействиям и вторжениям. Очень честный мыслитель не скроет, что дисциплина мысли бывает нарушена посторонними влияниями. Притом сила воздействия бывает настолько мощна, что сама первоначальная мысль совершенно меняет направление. Не будем судить, почему происходит такое воздействие. Может быть, сила мысли привлекает иные подобные дополнения? Может быть, происходит скрещение пространственных токов? Самое главное в том, что, очевидно, влияет посторонняя энергия. Такие наблюдения часто происходят в Братстве.

528. Нужно всеми силами привлекать сотрудничество науки.

529. «Привычка — вторая природа» — мудрая пословица, показывающая насколько привычка одолевает человека. Именно привычки делают человека неподвижным и невосприимчивым. Можно подавлять привычки, но искоренить их не легко. Постоянно можно встретить людей, похваляющихся победою над привычками. Но понаблюдайте обиход таких победителей, и найдете их рабами привычек. Они настолько пропитаны привычками, что даже не чувствуют гнета такого ига. Убеждение в свободе, когда человек закован в оковы своих привычек, особенно трагично. Труднее всего лечить больного, который отрицает свою болезнь. Каждый может назвать среди известных ему людей подобных неизлечимых. Между тем для усвоения понятия Братства необходимо овладение явленными привычками. Под привычками Мы разумеем не служение добру, но малые привычки самости.

У Нас принято испытывать приближающихся к Братству на освобождении от привычек. Такие испытания должны быть неожиданными. При этом лучше начинать с малых привычек. Чаще от них человек защищается больше всего. Они, как родимые пятна, их относят к природным свойствам. Но у новорожденных привычек нет. Атавизм, и семья, и школа дают наросты привычек. Во всяком случае, привычка обихода есть враг эволюции.

530. При познании истинных ценностей привычки обихода будут ничтожны. Лучшее освобождение приходит при

сопоставлении ничтожного с величием. Не надо думать, что не следует говорить о малом на пути к Братству. Справедливо пожалеть, что основы Содружества и Общины непоняты человечеством. Главные враги сотрудничества будут малые привычки самости.

Но можно ли мыслить о Братстве, если даже сотрудничество не осознано?

531. Если Миры на испытании, то и каждая частица их испытывается. Можно предвидеть, что кто-то ужаснется от такого положения. Но лишь недомыслие может препятствовать приветствовать закон эволюции. При расширении сознания можно полюбить такое непрестанное движение. Неужели лучше пребывать в несменной темнице ошибок и заблуждений? Напротив, много радостнее чуять постоянное испытание, которое порождает чувство ответственности.

При каждом сотрудничестве на пути к Братству ответственность будет основою продвижения.

532. Эволюция так прекрасный закон движения должна пониматься и в отношении центров человеческого организма. Как симфония требует смены ключей, так и организм опирается на различные центры. Такая смена не будет означать отмирание одного из центров, но она будет знаком развития следующей возможности.

Обратим внимание на формулу мысль — сердце. Пусть она не сразу будет понята; не будем насиловать мышление, но все же некоторые устремят внимание по этому направлению — оно ведет к Братству.

533. Уменье не насиловать чужую волю будет одним из труднейших испытаний. Насилие не дает доброго урожая, но нужно все-таки вести и уберечь на опасных тропах. Много опытного и заботливого руководства нужно приложить.

534. Неосознание Беспредельности ведет ко многим заблуждениям. Так люди начинают воображать, что Земля есть центр Вселенной, или пытаются измерять и определять размеры проявленного Мироздания. При этом забывают, что проявленное постоянно эволюционирует. Не может быть даже момента статики. Но настолько люди проникнуты мерами земными, что они стараются подвести под них даже немеримое. Не будем пресекать все поиски. Мы радовались даже малым полетам стратосферным, но следует остеречь от негодных заключений, среди которых Земля может оказаться центром Вселенной. Такое самомнение не прилично просвещенному ученому. Может быть, он считает каждую точку Беспредельности условным центром, но проще, что он не сознает Беспредельности.

535. Многие, наверное, будут осуждать указание на постоянную эволюционность всего Сущего. Но даже с точки зрения всех ученых такой процесс усовершенствования неотрицаем. Только невежды могут стараться задержать все в бездвижении. Они будут так поступать из незнания прошлого и от неумения мыслить о будущем. Тысячи предположений могут быть предъявлены, но пусть они будут в движении, о движении и вследствие движения.

Братство прежде всего испытывает приближающихся на осознании движения и Беспредельности.

536. Нельзя подражать темным инквизиторам, которые пытались заключить Вселенную в темницу неподвижности.

537. Среди изречений классического мира можно находить указания на глубокие основы Бытия. Правильно сказано, что сон подобен смерти. Уяснено в трех словах, что оба состояния относятся к Тонкому Миру. Но такое значение забыто, и представление о неподвижности тела поставлено во главу смысла. Между тем уже в младших школах учат изречения древних. Можно при этом указать на значение слов и тем уже заложить многие верные понятия. Утвердить истину в простых словах равно явлению нестираемой Скрижали.

Также зачем ограничиваться так называемым классическим миром? Можно иметь из глубин древности самые меткие изобретательные выражения, только бы знать многие значения старых наречий.

538. Правильно похвалить Аюрведическую медицину. Нужно понять, как многие тысячи лет оставили наслоения опыта и мудрости, Но не будем по примеру невежд мертвенно разделять гомеопатию от аллопатии. Не будем забывать накоплений Китая и Тибета. Каждый народ имел особые угрожающие опасности и особенно озаботился противостать им. Так будет врачом-победителем тот, кто соберет лучшие цветы.

539. Братство иногда называлось Целительною Общиною. Такое наименование имеет двоякое значение. Действительно, Братство прежде всего заботится о целительных началах и между своими сочленами устанавливает их. Каждое Братство как истинное единение уже будет носителем здоровья. Следует обращать внимание, насколько совместное житье обоюдно укрепляет состояние организма, если осознана гармония. Пусть такое начало взаимного укрепле-

ния исследуется наукою. Особенно поучительно наблюдать, как даже в телесном отношении взаимопомощь имеет великий смысл. Если могут быть ненасытные вампиры, то также могут быть и неистощимые благодетели.

Братство Благодетелей есть Твердыня непобедимая.

540. Может ли вера и доверие заменить силу мускулов и нервов? Конечно, сама жизнь подтверждает эту истину, но какая вера и какое доверие! Не может человек утверждать, что его вера предельна. Любовь не имеет границ, так же и вера. Никто не дерзнет сказать, что больше она не может проявиться. Многие будут негодовать, что их вера недостаточна. Но когда-нибудь они поймут, насколько они могли усилить свою энергию.

Школа доверия есть Братство.

541. Некоторые назовут Братство возвышенным кооперативом. Не будем препятствовать и такому определению. Необходимо, чтобы понятие Братства входило в жизнь. Но кооперация уже близка пониманию широких масс. Каждое возвышение кооперации уже будет приближением к Братству. Пусть люди обдумают тщательно, какие черты их характера помогают упрочению кооперации. Именно эти качества понадобятся им на пути к Братству. Не будем отказываться от черты общежития, если в нем охранена индивидуальность. Каждый кооператив должен оберечь и индивидуальность, лишь при таком условии кооперация может быть разнообразной и плодовитой.

Так от земли можно возвыситься к пониманию прекрасного понятия Братства.

542. Зовем к спокойствию и в то же время постоянно говорим о Битве. Следует понять эту борьбу как трудовое накопление сил. Невозможно напрягать энергию без труда, но каждый труд есть борьба с хаосом. Так знание смысла борьбы даст и спокойствие.

Нет противоречия, которое не подлежит осознанию.

543. Также поймем, насколько необходимо отсутствие несправедливости. Нужно укрепиться в твердом решении, что несправедливость не будет допущена. Если такое решение будет твердо, то получится новое накопление сил. Не легко оградить себя от несправедливости, она может быть оказана в любой подробности обихода. Не может быть малой несправедливости, каждая из них уже нарушает основу эволюции.

Так на пути к Братству обережем справедливость.

544. Разъедающий червь недовольства должен быть

изгнан из каждого кооператива. Некоторые будут прикрываться стремлением к совершенствованию, другие назовут это сомнением. Много можно назвать уловок, но все будут лишь прикрывать несносное чувство недовольства. Люди не отдают себе отчета, откуда рождается этот червь. Ужасно подумать, сколько образований нарушается от недовольства. Следует присмотреться, откуда оно происходит.

545. К Братству тянутся и чувствами, и телесно, но прежде всего духом. Но только в духе, в сердце лежит путь истинный.

546. При передаче мысли на расстояние употребляются некоторые приемы, не лишенные основания. В обоих помещениях, окрашенных в один цвет, преимущественно зеленый, звучит одна нота, и помещение наполняется одним ароматом. Такие приемы, несомненно, имеют значение лишь вспомогательное. Сила мысли зависит от спокойствия и устремления сердца. Это нужно навсегда запомнить, ибо слишком часто волю помещают в мозг. Такая мозговая посылка может быть прерываема в пространстве током более сильным. Вообще около воли и посылок мысли необходимо тончайшее восприятие.

Обособить четкую мысль без случайных шатаний будет уже высокой дисциплиной. В Братстве обращают внимание на такое очищение мысли. Говоря о Братстве, неизбежно коснуться посылки мысли. От малых до великих заданий будет работа мысли, и для успеха потребуется дисциплина сердца. Каждое сердце окружено беспокойством, волнениями и трепетом. Можно превозмочь эти трепеты полным обращением к Иерархии, не половинчатым, но полным, и такое обращение вовсе не часто. А ведь для простейших опытов требуется непоколебимое устремление. Обычно туча маленьких злых насекомых пытается нарушить чистоту мысли. Всех таких маленьких нужно преобороть в братском единении.

547. Ясно убеждаетесь, насколько предвзято судят люди, предполагающие себя учеными. Прискорбно, когда уже дисциплинированное мышление направляется по пути предрассудков. Нечестно читать книгу с предумышленным осуждением. Если такой читатель не испытал на себе многих показательных явлений, то тем осмотрительнее он должен быть в своих суждениях.

Мы прежде всего ценим действительность, факты, неоспоримые проявления.

548. Благословенно истинное сотрудничество, в нем

есть пространственность. Как в каждой искре разряда электричества непрестанно сверкает Беспредельность, так и совместный труд рождает внепредельные следствия. Потому не назовем труд малым и ничтожным. Каждая пространственная искра не может быть осуждаема человеком. Качество пространственности должно быть почитаемо как нечто надземное. Так и труд есть горнило искр надземных.

Сотрудничество прекрасно, но тем прекраснее будет Братство.

549. Утверждаю понятие Братства, оно напомнит нам о том Братстве, которое всегда будет мечтою человечества. Сколько дел превосходных утверждается напоминанием о Великом Братстве! Одна мысль о существовании такого Братства уже наполняет человека мужеством. Нужно собрать все мужество, чтобы противостать натиску тьмы. Но что же укрепляет такое сверхчеловеческое мужество? Именно Братство может дать силы несломимые.

550. Хочешь ли прославлять труд? Покажи свою способность к нему. Не осуждай того, кто может трудиться каждый день. Не обессиливай себя неравномерным трудом. Судорога мускулов не есть сила. Так покажи, насколько труд сделался потребностью жизни. Только тогда твое славословие труда будет достойным Братства.

551. Хочешь ли утвердить единение? Докажи, насколько сам ему предан. Укажи на собственном примере, что можешь идти в едином служении. Так в древности посылали учеников в дальние края, чтобы убедиться, насколько они не растратят своих накоплений в разных условиях пути. Можно увидеть, насколько шатко непрочное сознание от каждого случайного блистания. Разве возможно утвердить единение и преданность, если каждый поворот пути может пресечь основы Бытия?

Не следует изумляться, что вокруг Братства такое множество испытаний.

552. Хочешь ли быть мужественным? Покажи свое мужество в битве за Братство. Никакие уверения не создадут мужества, никакие похвалы не утвердят подвига. Никакие приготовления не могут быть ручательством за успех. Мужество испытывается на нежданных препятствиях. Уже Говорил о мужестве. Если Повторяю, значит, это качество особенно нужно на пути к Братству.

553. Хочешь ли проявить себя целителем? Прежде всего, спроси себя, достанет ли в тебе силы выдачи на помощь ближнему? Именно себя спроси — можешь ли давать, не

сожалея о себе? Прежде всех лекарств докажи, что твоя сила может нести исцеление. Не имеем в виду усилий воли и внушения, ибо всеначальная энергия самодеятельна. О ней нужно спросить себя на пути к Братству.

554. Хочешь ли доказать свое лучшее качество? Спроси о нем самого себя. Не ожидай случая, ибо каждое мгновение дает много возможностей проявить любое качество, только нужно захотеть проявить их. Такая готовность будет лучшим одеянием на пути к Братству.

555. Не будем сомневаться, что делать нам в мгновения между трудами. Не забудем, что каждая частица времени может быть использована для Высшего Собеседования. Радость в том, что постоянно нить сердца может быть в общении с самым Любимым. Утверждаю, что голос любви не требует долгого времени. Как поле трав наполнено разными цветами, так и среди трудов сияют зовы сердца — приближение к Братству означают они.

556. Собеседование, как благоухание, распространяется далеко. Если оно прекрасно, то качество широкого распространения благословенно. Пусть пространство насыщается лучшими мыслями, из них многие присоединятся к гармоническим излучениям. Пусть не все могут воспринять полное выражение мысли, но благое вещество, ими образованное, будет целебным. Можно принести признательность неведомым Пославшим, напитавшим пространство полезным веществом. Мысли, явленные среди высокого Собеседования, как источник среди пустыни. По направлению таких источников находят Братство.

557. Приобщившийся к Братству отлично знает, где начинается Несказуемое. Не пытайтесь сломить его молчание, когда он достиг предела возможностей. Не следует отягощать вопросами, на которые нельзя ответить без вреда. Лишь незнание может полагать, что оно вместит каждый ответ. Но могут быть ответы настолько невместимые, как бы на незнакомом языке, но созвучие чуждых слов может показаться в превратном значении. Такая осторожность нужна при соприкасании с Высшими Понятиями — Братство среди них.

558. Поистине, не следует изумляться, когда психическая энергия непроизвольно направляется на далекие расстояния по неотложной надобности. Следует признать такое состояние неизбежным и помочь своей энергии устремиться по магнитному ее притяжению, пусть трудится на пользу.

559. По всей истории мира можно видеть, как проходят волны внимания к внутренним силам человека. Такие волны связаны с периодами эволюции. Во всяком случае, рост внимания к сущности человека всегда будет показателем особо значительного периода. Если теперь замечаются особые устремления к познанию сущности сил человека, то такое стремление соответствует космическим условиям.

560. На каждом рукоделье наслаиваются частицы человеческой сущности. Не только состояние здоровья творителя остается на вещах, но и духовное устремление навеки неразрывно остается на предмете. Можно обезвредить следствия ядов или следы заразы, но наслоения излучений не могут быть изъяты. Потому так важно, чтобы вещи создавались в добром желании. Для многих такое утверждение покажется сказкою, но нередко люди называют предметы добрыми или злыми, совершенно так же, как и людей.

Жизнь во всем — так Братство учит.

561. Спросят — долго ли могут блуждать по земле так называемые живые мертвецы? Могут довольно долго, в зависимости от их животной притяженности к плотному миру. Психическая энергия покинет их, излучения сделаются ничтожными, и маленький аппарат будет показывать знак смерти. Такие ходячие мертвецы будут легко подпадать под влияние посторонних лиц. Они будут твердить пустые слова своих бывших дней, никого не убеждая. Врачи будут тщетно исследовать их аорту, указывая на болезнь сердечного клапана. Уявление таких мертвецов иногда чуется некоторыми животными. Нередко такие мертвецы остаются во главе больших дел, но мертвая шелуха проникает повсюду. Ходячие мертвецы очень привязаны к жизни, ибо не понимают смены состояния. Они боятся смерти.

562. Спросят: как отличить приобщившегося к великому знанию? Чем больше знания, тем труднее распознать носителя его. Умеет он охранить Несказуемое. Не будет он прельщаться земными настроениями. Ему можно поручить путь в Братство.

563. Зрячие много узрят. Чуткие много дослышат и сумеют повстречать неожиданных вестников. Непременно неожиданных, хотя и жданных.

564. Братство не знает отдыха. Пусть понятие отдыха останется милым лишь на плотных путях.

565. «Серебряная слеза» — так называем высокую степень готовности к испытаниям. Первое слово напоминает о нити серебряной, второе — о чаше терпения. Следует постоянно напоминать себе, насколько понятие надземности живет наряду с земным. Такое сознание очень трудно удержать, ибо даже хорошие сознания могут однобоко мыслить в час испытаний. Не будем утешаться, что нить серебряная прочна, лучше будем беречь ее, как нечто хрупкое. Также не забудем, что чаша терпения легко переполняется даже в обиходе. Не трудно судить о чужих обстоятельствах. Испытания равновесия могут производиться над самим собою. Каждая такая победа будет уже настоящим преуспеянием. Жизнь дает много возможностей таких побед. Удержите в памяти каждую такую борьбу, при ней происходят поучительные процессы мышления. Символ слезы для чаши терпения будет не случайным. Трудно удержать свое негодование, когда видишь разрушение бессмысленное. Часто по серебряной нити побежит жалоба о жестокостях людей. Учитель нередко пошлет луч света, чтобы можно было заглянуть вдаль. Только телескоп духа может покрыть суждение.

Посев Армагеддона всходит, в этом будет найдена причина причин.

566. Много причин безумия. Не будем оправдываться лишь одержимостью, но подумаем о всех безобразиях эксцессов. Тоже не забудем, что из желания избежать кармы могут быть сломы сознания. Человек чует неизбежность чего-то и настолько напрягает волю, что происходит омрачение сознания. Кроме того, могут быть и мозговые заболевания. От врачей зависит понижение сумасшествия. Кроме того, идея кооперации составит спасительную помощь.

Правильная эволюция избавит человечество от безумия.

567. Люди знают монастыри, существующие целые тысячелетия. Люди знают торговые дома, веками существующие. Так люди согласны признать нахождения самых различных учреждений, но единственно о Братстве они высказывают различные сомнения. У людей особенно отрицается всякая возможность Братства. Много причин, почему люди настолько опасаются понятия самого Прекрасного. Не боится ли кто-то, что явление Братства раскроет его замыслы? Или что он будет принужден подумать о благе ближнего? Целый арсенал орудий самости выдвинут против миролюбивого Братства. Проще всего отрицать самую возможность существования Братства. Примеры исторические, данные жизнеописаниями, казалось бы, указывают на существование Братства в разных веках.

Но особенно глухи, кто не желает слышать.

568. Сказано, что каждый человек несет особое поручение. Именно каждый, принявший земную плоть, уже является вестником. Разве это не чудесно? Нужды нет, что множайшие не имеют представления о своем назначении. Забывчивость эта есть неосознание трех Миров. Можно представить преображение человека, признавшего пользу своего земного пути. Братство помогает такому осознанию.

569. Если каждый человек несет свое поручение, то каждый может быть не покинут помощью — так оно и есть. Но можно представить себе огорчение и печаль Руководителя, когда он видит, насколько его советы отвергаются! На каждом перекрестке можно усмотреть борьбу между мудростью Руководителя и легкомыслием путника. Именно в самых малых делах будет проявлена свободная воля, и Руководитель должен печально преклониться перед этим непреложным законом. Но в Братстве не может быть такой губительной борьбы, ибо все основано на взаимном уважении.

Свобода есть украшение мудрости, но распущенность есть рога невежества.

570. Свободная воля есть торжественное напутствие путнику. Невозможно не дать перед дальними путями ценного дара свободной воли. Каждый может действовать по способности, не будет он стеснен. Но мудрый осознает, какова ответственность за пользование сокровищем свободной воли. Как бы дан кошель, полный золота. Можно его расходовать по усмотрению, но придется дать отчет, и Братство научит, чтобы порученное сокровище не было потрачено без пользы.

571. Не причиняй страдания — такой Завет дан Братством путнику. Пусть поймет, насколько легче не причинять страданий, нежели потом исцелять их. Пусть человечество откажется от причинения страданий, и немедленно жизнь преобразится. Не трудно не мучить друга. Не трудно подумать, как избежать нанесения страданий. Не трудно вообразить, зачем потом лечить, если легко не допустить болезнь.

Не причиняй страдания — Завет Братства.

572. Неужели кто-то не представляет себе, как многообразно оказывается помощь? Не надо думать, что способы помощи ограничиваются лишь уставами благотворительных учреждений. Лучшая помощь оказывается нежданно, но нужно принять ее. Много явленных встреч. Много неведомых писем. Много неожиданных, как бы случайных, книг посылается. Через много лет пытливый ум сопоставит эти странные случайности и, если он не лишен чувства благодарности, то пошлет свою признательность неведомым Хранителям. Но очерствелое сердце не только забудет о принятой помощи, но и надсмеется над непрошеными Пособниками. Братство прежде всего научит прекрасному чувству признательности.

Отрекшийся от сотрудничества неминуемо впадет в рабство. Пусть осознают различные виды рабства, иначе заклейменный раб будет воображать себя свободным и даже так привыкнет к своим оковам, что будет считать их почетной цепью. Нужно понять, что при общественной жизни может быть или свободное сотрудничество, или рабство во всех его видах.

Братство есть явление высшего сотрудничества.

573. Не стыдитесь упорно твердить, если видите, что спасительный совет попирается невеждами. Правильно сказано о неметании жемчуга перед свиньями, но также сказано о сложении целой горы горстями песку каждодневно.

Только понимание противоположений приводит к Братству.

574. Для одних Наши Советы — посох надежный, для других — несносный груз. Одни примут Совет как нечто долгожданное, но другие в каждом Совете найдут повод к недовольству. Не может человек понять, насколько Совет должен сгармонизироваться с его сознанием. Нельзя применить многие полезные действия лишь по причине отвергания их. Добро не живет с отверганием. Добро имеет дверь открытую, ему не нужны замки.

Только в Братстве можно научиться открытости и сокровенности.

575. Среди тысячелетий как найти основоположника Братства? Народы назовут и Раму, и Озириса, и Орфея, и многих лучших, кого сохранила народная память. Не будем соревновать, кому из них отдать первенство. Все были умучены и растерзаны. Соплеменники не прощают забот о Благе Общем. Пусть в веках трансмутируется Учение, и тем соберутся разбросанные части одного тела. Кто же соберет их? Народная память утвердила и Ту, которая положит силы на срастание живых частей. Помните, сколь многие потрудились о Братстве.

576. Жизнь вечная будет самым затемненным понятием от земного мышления. Даже разные люди иногда умаляют это понятие до продолжения жизни здесь, на Земле. Какое заблуждение! Миры будут обновляться, а жители Земли должны замереть в одном одеянии! Неужели Учитель может

мыслить о продолжении земной жизни? Учитель мыслит о жизни вечной во всех мирах. Но почему же сердце человеческое молится о жизни вечной? Сердце молится о вечной жизни сознания. Оно знает, что велико благо, если сознание будет непрерывно и пройдет восхождение неутомимо,— об этом учит Братство.

577. О Братстве не следует говорить и даже мыслить, если ощущаются раздор, смута и неверие. Как нежные цветы поникают в дымной атмосфере, так отлетают Образы Братства среди раздражения и лжи. То, что еще вчера было убедительно, то самое может исказиться под смущением сердца. Так, самое четкое отражение Башни Чун может разбиться от грубого прикасания.

Можно ли самые высокие понятия поносить ругательством? Такое кощунство нестираемо оседает на ауре. Оно прилепляется к карме, как грязь из-под колеса. Нелегко отмыть ее. Не угрожаем, но приводим сравнение.

578. Чем же можно преградить путь зла? Только трудом на Земле. Мысль и труд, направленные ко Благу Общему, будут крепким оружием против зла. Нередко начинают словесно поносить зло, но хула уже безобразна, и невозможно бороться посредством безобразия. Такое оружие негодно. Труд и мысль прекрасная будут оружием победным — таков путь Братства.

579. Великая Красота заключена в принятии полной ответственности. Ручательство сердца будет пафосом, который поднимет энергию всеначальную. Часто спросят: как усилить эту мощь? Ручательством сердца. Сознательная ответственность будет прекрасным побудителем энергии. Так учит Братство.

580. «Чем сильнее Свет, тем мрачнее тьма» — и это речение не понято. Между тем его нужно принять просто. Не следует думать, что тьма возрастает от света. Свет обнаруживает тьму и затем рассеивает ее. Носитель Света увидит и мрачные тени, которые исчезают при приближении Света. Робкие полагают, что тьма обрушится на них,— так мыслит робость, и дрожит светильник в руках ее, и от трепета страха оживают и кривляются тени. Страх — во всем плохой советчик.

Неофиты Братства испытываются на страхе. Им покажут самое безвыходное положение и ждут, какое решение изберет испытываемый. Мало кто подумает — чего ужасаться, когда за нами Братство? Именно такая предпосылка освобождает от страха и озарит свободное, полезное решение. Но чаще всего, прежде чем подумать о Братстве, человек успеет и огорчиться, и раздражиться, и наполниться империлом. Не будет полезно обращение от наполненного ядом.

Свет Истины, свет мужества, свет преданности — этими словами начинается Устав Братства.

581. В обширной горной стране не легко отыскать Обитель Братства. Нельзя представить себе всю сложность горных нагромождений. Вы уже знаете и об особых мерах предохранения. Если и существуют знаки, обозначающие границы, то кто же поймет эти приметы? Если и существует описание пути, то в сложных символах кто найдет указания? Но даже неразумный поймет причины такой бережности. В жизни люди умеют охранять любимого человека. Где сердце и чувство, там найдутся и средства.

Обережем Братство!

582. Некоторые скажут вам — мы готовы понять Основы Братства. Мы готовы построить сотрудничество, но мы окружены такими несносными условиями, что нельзя проявить лучшую готовность. Истинно, могут быть такие условия, которые не позволяют применить то, к чему уже готово сердце. Не будем подвергать опасности неповинных тружеников. Они могут приложить свое уменье в иных условиях. Пока же пусть мысленно строят Братство. Они могут таким построением очищать окружающее пространство, и такая мысль будет уже целебна. Но пусть они не впадают в самомнение, что уже достаточно строить мысленно. Нет, путник утвердит явление достижения ногами и руками человеческими.

Также хотя и побережем отягощенных, но предупредим, чтобы они не поддались неоправданному страху. Не может быть размышления о Братстве, когда ум скорчится от страха. Самый лучший доступ к Братству затемняется боязнью. Не забудем, что люди привыкли бояться всего и всегда.

583. Явление понимания Братства может приходить нежданно. Люди сами обращают возможности в препятствия. Один называет Землю кладбищем, ибо на каждом месте была смерть, но другой считает ту же Землю рождением, ибо каждое место было зарождением жизни. Оба правы, но первый заточил себя, но второй освободился для продвижения.

Так ищите сотрудников там, где они мыслят о новой жизни.

584. Новая жизнь есть сотрудничество и радость о Братстве. Не считайте, что мысли о Братстве уже стары. Они появляются вечно, как цветы ожидаемые.

Устанет когда-то человечество, так устанет, что возопит о спасении, и будет такое спасение в Братстве.

585. В каждое мгновение кто-то где-то претерпевает ужасное бедствие. Не забудем об этих гибнущих, пошлем им мысли спасительные. Может быть, люди не сознают, что всегда, беспрерывно происходят бедствия. В Братстве знают о них и посылают стрелы благие. Но если вы и не можете определить точно место назначения, то все-таки пошлите в пространство вашу мысль спасительную. Она найдет путь верный и магнитно присоединится к Нашей Помощи. Красота в том, когда из разных краев летят мысли спасения,— в этом каждый будет подражать Братству.

586. Первооснова Братства была заложена не как убежище, но как средоточие мысли. Если объединение мысли дает увеличение энергии в поразительной прогрессии, то, естественно, нужно собрать воедино мысли сильные. Такая основа будет распространением мысли спасения. Но люди не умеют хотя бы на мгновение соединиться мысленно. Они разобьют порывы свои множеством маленьких мыслей. Пробовали завязывать глаза и затыкать уши и нос, чтобы внешние ощущения не развлекали. Но разве рассеяние внешне? Оно лежит в необузданном сознании.

Только Братство может воспитывать волю.

587. Явно можно преклоняться перед Братством, но внутренне можно с опасением обходить его. Много примеров, когда лукавые отворачивались от понятия Братства, но для показа склонялись в смирении. Уявленные глупцы лучше таких притворщиков! Кого собираются они обмануть? Неужели Братство?

588. Будем светло смотреть в будущее; привлечем любовью — таков Завет Братства.

589. Человек сотрудничает чаще, нежели сам предполагает. Он постоянно одалживает психическую энергию. При каждой материализации выделяется эктоплазма, но кроме такой вещественной выдачи люди при каждом соприкасании выделяют энергию и как бы объединяются ею. Таким образом, даже скупец окажется дающим сотрудником. Но забывают люди о постоянном обмене энергией. Они не понимают это важное действо, ибо никто не сказал им об излучениях энергии. Только из Источника Братства начали проникать широко предупреждения о великом значении всеначальной энергии.

590. Необходимо приучать себя к тонким восприятиям. Именно нужно прилежно обострять свои чувства. Иногда люди пытаются приучить слух к известным музыкальным аккордам на разных расстояниях. Даже такой простой опыт дает нежданные наблюдения. Те же аккорды на разном расстоянии воспринимаются иначе, значит, существует нечто, вторгающееся и изменяющее качество звука. Если даже в таком обычном восприятии могут быть изменения, то как много воздействий происходит при восприятиях тонких. Люди о них даже не помышляют.

591. Гармония труда настолько нужна, что в Братстве на это обращают особое внимание. Советуем иметь несколько работ начатых, чтобы тем легче согласовать их с внутренним состоянием сознания. Лучшее качество будет достигнуто таким методом. Хуже, если человек начнет ненавидеть свою работу по причине преходящих токов.

Утверждаю, что мудрая смена занятий повысит качество труда. Братство учит заботливому отношению к труду.

592. При неисчерпаемости богатства Природы трудно выделить одну часть вне связи с целым. Поистине, все настолько напитано всеобъемлющим началом, что даже с грубоматериальной стороны не может быть отделено одно от другого. Возьмите самое малое насекомое — можно ли изучать его без окружающего, без всех причин воздействий и следствий? Тем труднее изучать человека отдельно от Природы. Все отрасли познания человека лишь свидетельствуют об искусственном их подразделении. Биология, физиология, психология, парапсихология и множество подобных отделов лишь заставляют спросить: где же человек? Невозможно изучать великий микрокосм без опознания всеначальной энергии. Лишь такое объединяющее понятие может подвинуть наблюдения в размеры величия природы человека. При этом будут вспоминаться и великие понятия, возвышающие дух,— среди первых будет Братство.

593. Народы Азии сохранили память о Братстве. Каждый по-своему, на своем наречии, своими возможностями, народы в глубине сердца хранят мечту о Прибежище верном. Не выдаст сердце свою думу о спасительной Общине, но среди горестей вспомнит, что где-то за вершинами живут Предстатели о народах. Одна дума о них уже очищает мышление и наполняет бодростью. Так будем уважать тех, кто не выдаст свое лучшее сокровище.

594. Братство имеет во всех веках особые Ашрамы. Они могли перемещаться, но Средоточие прочно в скалистых башнях. Нужно признать, что постоянно проникают в мир токи Братства. Не нужно судить, где они успешны или неуспешны, — такие преждевременные выводы лишь покажут ограниченность мышления о Братстве.

595. Правильна мысль о познавании явлений снизу или сверху. Обычно познавание накопляется вместе с ростом сознания. Человек, как к вершине горы, тяжко подымается. Явление наблюдаемое висит над сознанием и подавляет его. Кажутся трудными многие понятия, и человек начинает избегать их. Но может быть другой способ познавания — человек героически возвышает свое сознание и уже сверху наблюдает явление. Таким образом, самое сложное явление окажется ниже сознания и будет восприниматься легко. Второй способ восприятия есть путь Братства. Оно мерами суровыми и вдохновенными пробуждает сознание, ведет его выше, чтобы тем легче воспринять самые сложные явления. Особенно в период нагнетения и нагромождений нужен такой способ повышения сознания. Он может применяться в каждой разумной школе, но пусть он именуется путем Братства.

596. Город науки всегда будет мечтою просвещенных людей. Никто не дерзнет возразить против обители ученых, где в тишине и в мудром общении будут познаваться истины. Каждый ученый работник будет иметь в своем распоряжении лучшие аппараты. Можно представить себе, какие открытия воспоследуют при общей согласованности и при сотрудничесте всех отраслей науки! Каждый не будет считать идею такого города утопической. Лишь бы нашлись средства и доброе желание. Но если сказать, что некая Обитель Знания существует, то множество сомнений и отрицаний обрушится. Если же к слову *наука* добавить слово *Братство*, то непременно будет сказано, что такое химическое соединение невозможно. Но кто же сказал, что наука и Братство несоединимы?!

597. Именно Братство основано на знании. Истинная наука живет Братским общением — таков Завет Братства.

598. Местничество не может существовать в Братстве. Естественная Иерархия выливается из приоритета знания и примата духа. Таким образом, самое тревожащее обстоятельство для человечества в Братстве разрешается просто, не тратя ненужных споров и трений. Там, где осознано, что первенство есть великая жертва, там не будут препираться о земных наименованиях. Сколько времени и энергии сохранится на основах Братства. Не будем затемнять светлое

понятие тем, что иногда оно произносилось наряду с непонятными понятиями свободы и равенства. Каждый понимает относительность этих двух понятий, но Братство, основанное на сердечном чувствознании, будет безусловным. Так можно смотреть на Братство как на реальность.

599. Как пчелы собирают мед, так собирайте знание. Спросят — что нового в таком совете? Новое то, что следует собирать знание отовсюду. До сих пор знание разграничивалось, и целые области его оказывались под запретом, под сомнением и в небрежении. Люди не имели мужества превозмочь предрассудки. Они забывали, что ученый должен быть прежде всего открытым ко всему Сущему. Для ученого нет запретных областей. Он не умалит явление Природы, ибо понимает, что причина и следствие каждого явления имеют глубокое значение.

Братство учит беспредрассудочному познаванию.

600. Да не подумают ученые, что из Братства происходит осуждение им. Ученые — Наши друзья. Не называем учеными книжников, полных суеверий, но каждый просветленный труженик науки получит привет Братства.

601. Также приветствуем и тех школьных учителей, которые найдут час рассказать ученикам о достоинстве и ответственности человека, об энергии всеначальной и о всенародных сокровищах. Такие наставники уявят уже путь труда и достижений. Они найдут гармонию между приматом духа и здоровьем тела. Книгу знания они внесут в каждое жилье. Жизнь таких наставников трудна. Пусть в них живет животворная мечта о Братстве.

602. Торжественность сохраните. Окружитесь торжественностью, когда мыслите и говорите о Братстве. Мысль о Братстве есть великое Собеседование. Мысль, чистая и ясная, достигнет назначения. Но там, где слова о Братстве будут волочиться по базарной пыли, там не ждите урожая. Не стихнет вихрь проклятий. Познание сил Природы не получится среди ругательств. Мы давно беседовали о соизмеримости. Каждое понятие нуждается в должном окружении. В этой причине ищите, почему иногда возвышается понятие, но иногда увядает, делаясь ветошью.

Согласная беседа о Братсте дает небывалый подъем духа в том случае, если она будет действительно согласной. Так поймем все качества, потребные при приближении к Братству. Еще раз усвоим, что настроение торжественности будет лучшим проводником к Братству. Смысл слова *настроение* показывает, что оно не внешне, но внутренне, в согласии всех струн инструмента. Редко осознается такое ясное согласие.

На перекрестках яро кричат о Братстве, но каждая дисциплина кажется насилием. Лишь торжественность поможет достойно произнести прекрасное слово *Братство*.

603. Среди углубленных занятий вы не раз ощущали внезапную трату энергии. Даже при самых увлекательных работах вы могли почуять необъяснимое отсутствие. Сознательный ученик ценит такие перелеты сознания. У него мелькнет мысль: «Да поможет мне Учитель принести пользу там, где нужно. Пусть будет Миру хорошо».

604. Самость превосходства есть одно из самых позорных проявлений несовершенства духа. Она не только разлагает все окружающее, но и остается самым препятствующим условием для продвижения. Необходимо противоставить такому недугу сильное оздоровляющее средство. Мысль о сотрудничестве и Братстве будет целительна для преобороны такого опасного недомогания и вызовет новые силы.

В Братстве не может быть самости превосходства, так же как и самодовольства.

605. Наблюдается повсюду увеличение преступности. Никто не может отрицать, что самые изысканные преступления увлекают слабые человеческие умы. Меры обычного пресечения не действуют. Так остается надежда, что основа здоровой кооперации может ввести человечество в границы достойного труда, но призовем и начало Братства.

606. Утвердите сознание — служит ли понятие Братства ограничению или расширению ваших возможностей. Если хотя бы в малейшей степени кто-то почувствует ограничительное воздействие, пусть не приближается к Братству. Но если сердце готово воспринять преимущества Братства, то и весть придет.

607. Пленники некогда считались непременным атрибутом победителя. Затем было осознано, что такой признак дикости несовместим с достоинством человека. Но посмотрим, действительно ли уменьшилось число пленников? Наоборот, оно возросло по всем областям жизни. Такое унижение особенно бросается в глаза, когда понаблюдать пленников невежества. Невозможно представить себе толпы связанных суеверием и разными предрассудками! Рабы самые униженные не могли быть в более скотском состоянии, нежели двуногие, закованные в невежестве. Только самые спешные меры знания могут предотвратить безумие толп.

608. Самоубийства возрастают. Никто не будет отрицать, что никогда не было столько самовольных прекращений жизни. Значит, никто не сказал этим несчастным о значении жизни. Никто не предупредил их о последствиях их поступка. Неужели нет среди людей, повышающих голос за истину и красоту жизни?!

Братство спасло множества людей от необдуманных безумий. Среди Устава Братства можно найти Указ о целении души и тела. Много вестников спешит предотвратить безумие. Иногда их примут, но нередко ярая, свободная воля поспевает осудить себя.

609. Воображение недостаточно развито в людях. Они не могут вообразить причины и следствия. Самые прекрасные возможности люди не умеют представить себе. Но учили людей воображению и вдохновению. Осмеивали лучшие устремления и убеждали не мыслить. Но не умеющие мыслить не могут воображать. Утеря воображения есть отступничество от радости.

610. Странники могут постучаться. Странники могут сказывать о том, что за дальними пустынями, за горами, за снегами в несменном служении пребывают Великие Души.

Странники не скажут, были ли они в Обители. Странники не произнесут слова *Братство*, но каждый слушатель поймет, о каком Средоточии Знания говорится. Сеятели добрые идут по миру, когда содрогается человечество.

Люди хотят слышать об Оплоте, о Твердыне. Если они и не дослышат об Уставе, они все же окрепнут от одной вести, что жива Твердыня Знания. Лотос сердца трепещет от приближения сроков.

О существовании Братства радуйтесь!

Когда замутится сознание, когда высшие Понятия отдалятся, подумайте хотя бы о единении в добрых действиях.

Невозможно отвернуться от всего укрепляющего.

Не будет прочен труд во имя раздора, неприемлем сор на пороге.

Когда вы будете собираться в путь дальний, тогда утрете каждую пыль, чтобы за вами осталось место чисто.

Так будем при всех явлениях жизни помнить о Средоточии Знания и Справедливости,
о Братстве.

СОДЕРЖАНИЕ

При изучении архивных материалов семьи Рерихов, переданных С. Н. Рерихом в Международный Центр Рерихов в Москве, в 1993 году были обнаружены экземпляры первого издания Живой Этики, в которых рукой Е. И. Рерих сделана правка и внесены дополнения на полях книг. В настоящее время эти материалы частично расшифрованы и учтены при подготовке данного издания.

В Приложении к первому и ко второму тому помещены фотокопии отдельных страниц книг первого издания с правкой и дополнениями Е. И. Рерих и расшифрованные тексты дополнений.

УЧЕНИЕ
ЖИВОЙ
ЭТИКИ

В ТРЕХ ТОМАХ

Том 3

Ответственный за выпуск *Т. Н. Орлова*
Художник *Л. А. Яценко*
Художественный редактор *В. Б. Михневич*
Технический редактор *А. Б. Этина*
Корректор *Н. Б. Старостина*

Сдано в набор 12.03.93. Подписано в печать 25.05.93.
Формат 84×108^1/₃₂. Гарнитура Тип Таймс. Высокая
печать. Усл. печ. л. 42,84. Тираж 50 000 экз. Заказ 251.
Цена свободная.

Отделение ордена Трудового Красного Знамени
издательства «Просвещение» Министерства печати и
информации Российской Федерации. 191186, Санкт-
Петербург, Невский пр., 28.

ГПП «Печатный Двор», 197110, Санкт-Петербург,
Чкаловский пр., 15.